D1062177

DICCIONARIO DE SINÓNIMOS
IDEAS AFINES Y CONTRARIOS

DICCIONARIO DE SINÓNIMOS

IDEAS AFINES
Y CONTRARIOS

Editorial Teide . Barcelona

Han colaborado en la elaboración de esta obra
Santiago Pey y Juan Ruiz Calonja

Octava edición: 1980
© 1966 Editorial Teide, S. A.
Viladomat, 291 - Barcelona-29
ISBN 84-307-7070-4
Printed in Spain
Gràfiques Universitat, S. A. - Arquímedes, 3 - Sant Adrià
Dip. Leg.: B. 24.500 - 80

NOTA
PRELIMINAR

El presente *DICCIONARIO DE SINÓNIMOS, IDEAS AFI-NES Y CONTRARIOS,* que viene a substituir en nuestro catálo-go el agotado *Pequeño diccionario de sinónimos* de Pedro de Iri-zar, pretende dar satisfacción a quien, movido por la preocupa-ción de hallar una forma de expresión cabal, desea conocer tanto como le sea posible el caudal de palabras relacionadas con la idea que intenta plasmar. Es indudable que para lograr este fin no pue-de auxiliarse eficazmente con el mejor diccionario general de una lengua, ya que este tipo de léxicos, si bien dan la definición o ex-plicación de cada voz, no suelen proporcionar la sinonimia y fami-lias semánticas que corresponden a una idea básica. Y cuando re-curren a la sinonimia, es únicamente para enviar a la voz más general o común, caso precisamente inverso de aquél en que se encuentra quien desea conocer todas las palabras que correspon-den a una idea más o menos genérica.

Por este motivo esta editorial, ateniéndose a los principios de divulgación pedagógica que es parte fundamental de su progra-mación, edita esté *DICCIONARIO DE SINÓNIMOS, IDEAS AFINES Y CONTRARIOS* como valioso elemento auxiliar de quien desee ahondar en el léxico castellano y no quiera limitarse al cada vez más restringido «lenguaje básico», que, si bien puede servir para que se desenvuelva un extranjero o una persona inculta, es demasiado pobre y falto de expresividad para cualquiera que utilice el idioma no sólo en el campo literario exclusivamente, sino también en todo medio comercial, científico o de cualquier especialidad.

Para intentar satisfacer mejor esta ambición de conocimiento léxico se ha tenido un criterio muy generoso en lo que a la estricta sinonimia se refiere. Un verdadero diccionario de sinónimos de la lengua castellana quedaría seguramente limitado a muy pocas páginas, ya que la coincidencia cabal y exacta de significados de dos voces distintas es extremadamente limitada, a pesar de que en el lenguaje corriente se hagan sinónimas voces que no lo son, corriendo así el riesgo de que el uso las convierta en tales, con el correspondiente perjuicio expresivo de la lengua.

En este *DICCIONARIO* se ha forzado, por decirlo así, la metonimia y la sinécdoque, con el fin de poder reunir dentro de una idea muy general el máximo caudal de voces que forman parte de la comprensión de esta idea. Por ello habrá que tener muy en cuenta que por el mero hecho de hallarse reunidas varias voces dentro de una misma acepción de la palabra que encabeza el artículo, tales voces no siempre son sinónimas entre sí, sino que pueden diferir más o menos en cuanto a su extensión conceptual. Así, pues, será una medida prudencial, para el consultante que no conozca la significación exacta de una voz, comprobar su definición en un diccionario general antes de emplearla a ciegas con el riesgo de incurrir en una inexactitud o licencia abusiva del lenguaje.

Conocido este riesgo, es indudable el gran beneficio que este criterio un poco vasto reportará a cualquier consultante que, por un fallo de su memoria, no encuentre en el momento oportuno la feliz expresión de sus ideas. Del mismo modo, hallarán un precioso auxiliar en este libro el maestro o el escolar que en el ejercicio indispensable del lenguaje necesitan extender el conocimiento semántico de toda una familia de palabras, tanto de una significación análoga como contraria o recíproca.

Para facilitar la consulta del *DICCIONARIO* tienen entrada en él todos los vocablos usuales, evitando en lo posible las referencias a otras voces, con la consiguiente pérdida de tiempo y posible desviación de las ideas en el momento crítico de su expresión mediante la palabra. Ello no obstante, el consultante podrá siempre buscar cualquiera de las voces inventariadas para lograr así una mayor amplitud del caudal léxico, ya que por lo general la cadena de voces sinónimas de una palabra no suele coincidir exactamente con la que tendrá cada una de ellas al ser considerada como idea principal, es decir como titular de un artículo. Únicamente se exceptúan de esta entrada directa y llevan referencia a una voz genérica algunas voces poco usadas, las que serían correlativas dentro del orden alfabético y aquellas palabras que, a pesar de formar parte de la lengua, son consideradas como de uso incorrecto dentro del lenguaje corriente de las personas educadas.

Por regla general se mencionan en el *DICCIONARIO* los substantivos, adjetivos y verbos, así como conjunciones y preposiciones cuando tienen unas locuciones equivalentes. En cambio, se han evitado los participios pasados de los verbos cuando basta una simple lectura del infinitivo correspondiente para conocer los participios equivalentes. Se han mencionado, sin embargo, dichos participios cuando en su sinonimia se pueden citar algunas formas irregulares o defectivas de los verbos afines o algún adjetivo específico.

Los adverbios en *mente* han sido por regla general excluidos, ya que es fácil formarlos recurriendo a los correspondientes adjetivos. Únicamente en casos excepcionales han sido consignados algunos en tanto que introductores de formas adverbiales particulares o de locuciones o modismos equivalentes.

Las palabras que en plural tienen una significación especial se hallarán en el lugar que les corresponda por riguroso orden alfabético, en vez de estar incorporadas a la palabra en singular.

El consultante advertirá fácilmente que se ha empleado letra negrita para las entradas principales; redonda, para los sinónimos e ideas afines, y cursiva precedida de doble flecha (↔), para los antónimos. Y que, dentro de cada artículo, se separan con doble barra (‖) las distintas acepciones.

Las voces precedidas de comilla (') son todas ellas americanismos, hayan sido o no incorporadas recientemente por la Real Academia Española. En algunos casos se han aceptado barbarismos, extranjerismos, que han tomado carta de naturaleza en el idioma aunque no los haya admitido oficialmente la Academia; para distinguirlos precede al vocablo un asterisco (*).

Nos ha parecido útil, finalmente, incluir en apéndice una lista de las palabras que se emplean con régimen especial de preposiciones, que tan a menudo ofrecen dudas en cuanto a la licitud de su uso y a los distintos significados que pueden adquirir.

A

ababa Ababol, amapola.

abacá Cáñamo de Manila.

ábaco Tablero.

abadejo Bacalao, pejepalo, estocafís. ‖ Reyezuelo. ‖ Cantárida.

abadía Monasterio, cenobio, convento, cartuja, priorato.

abajo Debajo.

abalanzar Equilibrar, enfielar. ↔ *Desequilibrar.*

abalanzarse Arrojarse, lanzarse, precipitarse, acometer, arremeter, embestir, cerrar, atacar. ↔ *Contenerse, reprimirse, refrenarse.*

abaldonar Baldonar, baldonear, afrentar, injuriar. ↔ *Honrar.*

abalizar Señalar, marcar.

abalorio Cuentecilla, 'mullo. ‖ Quincalla, oropel.

abanderado Señalero, canfaloniero, alférez, corneta, portaestandarte.

abandonado Dejado, descuidado, desidioso, negligente. ‖ Desaliñado, desaseado, sucio. ↔ *Cuidadoso, aseado, atildado.*

abandonar Dejar, desamparar, descuidar, desatender, desentenderse, ceder, desistir, renunciar, marcharse, dejar en la estacada, volver las espaldas. ↔ *Atender, amparar, cuidar, asistir, aguantar.*

abandonarse Entregarse, darse, dejarse llevar. ‖ Relajarse. ↔ *Resistir.*

abandono Abandonamiento, desamparo, cesión, renuncia, dejación, defección, deserción, dimisión. ↔ *Atención, amparo, cuidado, asistencia.* ‖ Dejadez, descuido, desaliño, desidia, incuria, negligencia, desgobierno. ↔ *Cuidado, esmero, aseo, pulcritud.*

abanico Abano, abanillo, ventalle, flabelo, perantón, paipai.

abaratamiento Baja, depreciación. ↔ *Encarecimiento, alza, subida.*

abaratar Bajar, rebajar, depreciar. ↔ *Encarecer.*

abarcar Comprender, contener, incluir, englobar, constar de, ocupar, cubrir, ceñir, rodear, abrazar. ↔ *Excluir.*

abarrotar Atestar, atiborrar, colmar, sobrecargar, llenar. ↔ *Vaciar, descargar.* ‖ Embarrotar.

abastecedor Proveedor, aprovisionador, suministrador.

abastecer Proveer, suministrar, surtir, avituallar.

abastecimiento Aprovisionamiento, suministro, avituallamiento.

abasto Provisión, provisiones.

'abati Maíz..

abatimiento Decaimiento, desfallecimiento, agotamiento, desaliento, desánimo, depresión, aplanamiento, postración, flaqueza, debilidad, extenuación, languidez. ↔ *Excitación, aliento, ánimo, energía, vivacidad.* ‖ Humillación, apocamiento. ↔ *Exaltación.*

abatir Derribar, tumbar, hundir. ↔ *Levantar.* ‖ Humillar, rebajar. ↔ *Exaltar.*

abatirse Decaer, desfallecer, desmayar, agotarse, desalentarse, desanimarse, aplanarse, postrarse, debilitarse, extenuarse, languidecer, 'achucutarse, 'achucuyarse. ↔ *Animarse, excitarse.*

abdicación Renuncia, dimisión, cesión.

abdicar Renunciar, resignar, dimitir, ceder. ↔ *Asumir, aceptar, conservar.*

abdomen Vientre, tripa, barriga, panza.

abecedario Alfabeto, abecé.

abejar Colmenar, abejera.

abejarrón Abejorro.

abejera Melisa.

abejón Zángano. ‖ Abejorro.

abejorro Abejarrón, 'catzo.

A **abellacarse** Embellaquecerse, envilecerse, encanallarse, rebajarse. ↔ *Ennoblecerse, elevarse.*

aberración Descarrío, extravío, desviación. || Error, equivocación, absurdo, engaño. ↔ *Verdad.*

aberrar Desviarse, desencaminarse, extraviarse, engañarse, errar.

abertura Hendidura, rendija, quebradura, grieta, resquicio, hendedura, resquebradura, resquebrajadura, boca, boquete, brecha, agujero, corte. || Franqueza, sinceridad, naturalidad, llaneza. ↔ *Reserva, disimulo, hipocresía.*

abeto Pinabete, sapino.

abiertamente Francamente, sinceramente, claramente, paladinamente, patentemente, manifiestamente. ↔ *Ocultamente, oscuramente.*

abierto Desembarazado, despejado, raso, llano. ↔ *Obstruido, cubierto.* || Sincero, franco, claro. ↔ *Reservado, afectado, hipócrita.*

abigarrado Heterogéneo, confuso, mezclado. ↔ *Homogéneo, uniforme, claro.* || Multicolor. ↔ *Unicolor.*

abismado Sumido, sumergido, absorto, ensimismado, abstraído, meditabundo. ↔ *Distraído, desentendido.*

abismar Hundir, sumergir, sumir.

abismarse Ensimismarse, abstraerse, darse, entregarse. ↔ *Distraerse, desentenderse.*

abismo Sima, precipicio, despeñadero, profundidad, barranco. ↔ *Cima, cúspide, cumbre.*

abjuración Apostasía, retractación.

abjurar Apostatar, renegar, retractarse. ↔ *Abrazar, convertirse,*

ablandar Emblandecer, suavizar, molificar, emolir, enllentecer, reblandecer. ↔ *Endurecer.* || Desenfadar, desencolerizar, desenojar, enternecer, conmover. ↔ *Enfadar.*

ablución Lavatorio, purificación.

abnegación Generosidad, desinterés, desprendimiento, altruísmo. ↔ *Egoísmo, interés.*

abobar Embobar, embobecer, atontar, atontolinar, entontecer. ↔ *Avispar, despabilar.*

abocar Verter, transvasar. || Acercar, aproximar, precipitar.

abocardado Atrompetado, abocinado, acampanado, aboquillado. ↔ *Agudo.*

abocastro Monstruo.

abocetar Bosquejar, esbozar.

abochornar Avergonzar, sonrojar, ruborizar, sofocar, correr. ↔ *Ensalzar.*

abofetear Cruzar la cara, asentar la mano, dar cachete, sopapo o moquete, sopapear.

abogado Letrado, jurisconsulto, jurisperito, jurista, legista, leguleyo, picapleitos. || Intercesor, defensor. ↔ *Acusador, fiscal.*

abogar Interceder, defender. ↔ *Acusar, atacar.*

abolengo Estirpe, linaje, alcurnia, prosapia, ascendencia, descendencia, progenie, casta.

abolición Anulación, supresión, derogación, casación, rescisión; cancelación, revocación. ↔ *Ins-*

tauración, inauguración, implantación, establecimiento, restauración, restablecimiento.

abolir Anular, suprimir, derogar, abrogar, casar, rescindir, cancelar, revocar. ↔ *Instaurar, inaugurar, implantar, establecer, restaurar, restablecer.*

abolladura Bollo.

'abombado Achispado, ebrio. || Aturdido, entontecido.

'abombarse Aturdirse, achisparse.

abominable Detestable, execrable, aborrecible, odioso. ↔ *Adorable, admirable.*

abominación Aversión, execración, aborrecimiento, odio. ↔ *Amor, adoración, admiración.*

abominar Detestar, execrar, aborrecer, odiar. ↔ *Amar, adorar, admirar.* || Reprobar, maldecir. ↔ *Glorificar, bendecir.*

abonanzar Serenarse, despejar, encalmarse, aclararse, abrir, mejorar. ↔ *Aborrascarse, encapotarse, oscurecerse, cargarse, cubrirse, empeorar.*

abonar Acreditar, asegurar, responder, garantizar. || Pagar, asentar en el haber. ↔ *Cargar.* || Inscribir, apuntar. || Fertilizar.

abono Pago, asiento en el haber. ↔ *Cargo.* || Fertilizante.

abordar Emprender, plantear, acometer. ↔ *Evitar, eludir.* || Chocar. || Atracar, aportar.

aborigen Indígena, autóctono, natural, originario, nativo, vernáculo. — *Extranjero, forastero.*

'aborlonado Acanillado.

aborrascarse Encapotarse, oscurecerse, cargarse, cubrirse, nublarse, empeorar. ↔ *Serenarse, despejar, encalmarse, aclarar, abrir, mejorar.*

aborrecer Odiar, detestar, abominar, execrar. ↔*Amar, admirar, adorar.*

aborrecible Odioso, detestable, abominable, execrable. ↔ *Amable, admirable, adorable.*

aborrecimiento Odio, rencor, aversión, repugnancia, antipatía. ↔ *Amor, atracción, simpatía.*

abortar Malparir. ↔ *Parir.* || Fracasar, malograrse, frustrarse. ↔ *Triunfar, lograr.*

aborto Parto prematuro, malparto, abortamiento. ↔ *Parto.* || Fracaso, frustración.

abotagarse Abotargarse, hincharse, **inflarse.** ↔ *Deshincharse.*

abra Ensenada, bahía, rada, cala, golfo.

abra Hoja (de puerta o ventana), contraventana.

abrasador Ardiente, agostador, tórrido. ↔ *Glacial.*

abrasar Quemar, agostar, secar, marchitar. || Enardecer, encender, acalorar. ↔ *Enfriar, templar.*

abrazadera Zuncho, manija, cuchillero, anillo. || Corchete, llave.

abrazar Ceñir, rodear, abarcar. ↔ *Soltar.* || Contener, comprender, englobar, incluir. ↔ *Excluir.* || Adoptar, seguir. ↔ *Abjurar.*

abrazo Amplexo, apretón, estrechón.

ábrego Sudoeste, garbino. ↔ *Nordeste, gregal, mistral.*

abrevadero Aguadero, pilón, pila.

abreviar Acortar, reducir, compendiar, resumir. ↔ *Alargar, extender, ampliar.* || Apresurar, acelerar, aligerar. ↔ *Retardar, diferir.*

abreviatura Sigla, cifra, monograma.

abrigar Tapar, arropar, cubrir. ↔ *Desabrigar, desarropar.* || Resguardar, proteger, cobijar, amparar.

abrigo Sobretodo, gabán. || Resguardo, protección, defensa, reparo, refugio, amparo.

abrillantar Pulir, pulimentar, bruñir. ↔ *Deslucir.*

abrir Destapar, descubrir. ↔ *Cerrar, tapar.* || Extender, desplegar, separar, soltar. ↔ *Cerrar, plegar.* || Hender, rajar, dividir, partir, agrietar, taladrar. || Iniciar, inaugurar. ↔ *Cerrar, clausurar.* || Aclarar, serenarse, bonanzar, despejar. ↔ *Cubrirse, encapotarse, oscurecerse, aborrascarse.*

abrochar Abotonar. ↔ *Desabrochar.*

'abrocharse Agarrarse.

abrogar Abolir, anular, revocar. ↔ *Restablecer.*

abroncar Abochornar, avergonzar, escarnecer, enfadar.

abroquelarse Escudarse, ampararse, cubrirse, protegerse.

abrumar Agobiar, atosigar, hastiar, importunar, molestar, cansar, aburrir.

abrupto Escarpado, fragoso, escabroso, áspero, quebrado, accidentado. ↔ *Llano, plano, liso, raso.*

absceso Tumor, apostema, llaga, úlcera.

absolución Perdón, remisión, exculpación. ↔ *Condenación, inculpación.*

absolutismo Despotismo, tiranía, autoritarismo, totalitarismo, arbitrariedad. ↔ *Constitucionalismo, liberalismo, democracia.*

absoluto Incondicional, omnímodo, categórico, total. ↔ *Relativo, condicional.* || Despótico, tiránico, dictatorial, autoritario, imperioso, dominante, arbitrario. ↔ *Constitucional, liberal.*

absolver Perdonar, remitir, exculpar, eximir. ↔ *Condenar, inculpar.*

absorber Aspirar, chupar, sorber, embeber, empapar. ↔ *Expulsar, arrojar.* || Cautivar, captar, hechizar, atraer. ↔ *Repeler, rechazar.*

absorto Abismado, abstraído, ensimismado, sumergido, sumido, meditabundo. ↔ *Distraído, desentendido.* || Atónito, asombrado, pasmado, admirado, maravillado, suspenso, cautivado. ↔ *Impasible, indiferente.*

abstención Abstinencia, privación. ↔ *Participación.*

abstenerse Prescindir, privarse, inhibirse. ↔ *Participar.*

abstinencia Abstención, privación, dieta, continencia. ↔ *Incontinencia.*

abstraerse Ensimismarse, reconcentrarse, absorberse, abismarse. ↔ *Distraerse.*

abstraído Absorto.

abstruso Incomprensible, impenetrable, recóndito, profundo, difícil. ↔ *Comprensible, fácil, obvio.*

absurdo Ilógico, disparatado, irracional, desatinado.

A

A

extravagante, estrafalario. ↔ *Lógico, racional, razonable, sensato.* || Absurdidad, disparate, desatino, dislate, sinrazón, incoherencia, inepcia, incongruencia, falsedad. ↔ *Congruencia.*

abucheo Rechifla, chifla, silba, pita, siseo, chicheo, pateo, protesta. ↔ *Aplauso, aclamación, palmas, ovación, vítor.*

abuelos Ascendientes, antepasados, antecesores. ↔ *Nietos, descendientes.*

abultar Engrosar, hinchar. ↔ *Reducir.* || Exagerar, extremar, hinchar, ponderar, encarecer. ↔ *Atenuar, empequeñecer.*

abundancia Copia, riqueza, fertilidad, fecundidad, frondosidad, exuberancia, profusión, prodigalidad, plétora, cantidad, 'cardumen. ↔ *Escasez, falta, carestía, pobreza, penuria, indigencia, miseria.*

abundante Copioso, numeroso, rico, fértil, fecundo, exuberante, pródigo, óptimo, pingüe, frondoso, extenso, 'larguero. ↔ *Escaso, pobre, estéril, exiguo, raro, mísero, breve.*

abundar Pulular, multiplicarse. ↔ *Escasear.*

abur Agur, adiós.

aburrimiento Fastidio, tedio, hastío, cansancio, disgusto. ↔ *Entretenimiento, solaz, distracción.*

aburrir Fastidiar, hastiar, cansar, disgustar, importunar, molestar, abrumar, hartar. ↔ *Entretener, solazar, distraer, divertir.*

abusar Excederse, extralimitarse. || Atropellar, forzar, violar. ↔ *Respetar.*

abuso Exceso, extralimitación, demasía, desafuero, desmán, atropello, injusticia, arbitrariedad.

abyección Bajeza, envilecimiento, servilismo, infamia, ruindad. ↔ *Sublimidad, nobleza, dignidad, alteza.* || Abatimiento, humillación.

abyecto Bajo, vil, despreciable, ignominioso, rastrero, servil. ↔ *Noble, digno, honorable.* || Abatido, humillado.

acá Aquí. ↔ *Allá.*

acabado Perfecto, completo, consumado, cumplido, cabal, absoluto, adulto. ↔ *Inacabado, incompleto, inconcluso.* || Gastado, consumido, destruido, malparado, viejo, enfermo, vencido. ↔ *Vivaz, brioso, animoso, sano, joven.*

acabamiento Cumplimiento, terminación, desenlace, conclusión, solución. ↔ *Comienzo.* || Término, fin, muerte. ↔ *Origen, inicio.*

acabar Terminar, concluir, finalizar, rematar, ultimar, 'finir. ↔ *Iniciar, comenzar, empezar, principiar, emprender.* || Perfeccionar, pulir. || Consumir, agotar, apurar, gastar.

acabarse Extinguirse, morir, fenecer, fallecer. ↔ *Nacer, aparecer.*

acabóse Fin, extremo, desastre, colmo.

acacia 'Guaje.

'acacharse Paralizarse.

academia Colegio, escuela, instituto. || Junta, corporación. || Manera oficial.

académico Escolar, atildado, correcto, amanerado, frío. ↔ *Personal, subjetivo, inconformista.*

acaecer Suceder, ocurrir, acontecer, pasar.

acaecimiento Suceso, sucedido, acontecimiento, hecho, caso, evento.

'acahual Girasol.

acaloramiento Ardor, sofocación, enardecimiento, calor, fiebre. ↔ *Enfriamiento, resfriamiento.* || Enardecimiento, exaltación, entusiasmo. ↔ *Enfriamiento, moderación, frialdad, indiferencia.*

acalorarse Enardecerse, entusiasmarse, exaltarse. ↔ *Enfriarse, entibiarse, moderarse.*

acallar Aplacar, aquietar, calmar, sosegar. ↔ *Excitar.*

acampar Campar, vivaquear.

acanalado Canalado, ondulado, estriado, rayado.

acanalar Estriar, rayar.

acanillado Canillado, rayado, surcado, 'aborlonado.

acantilado Escarpado, escarpa, escarpadura, precipicio, despeñadero, ribazo. || Abrupto, vertical. ↔ *Llano, bajo.*

acantonamiento Campamento.

acaparar Monopolizar, acumular, acopiar, almacenar, retener. ↔ *Compartir, distribuir.*

acariciar Mimar, halagar, abrazar, besar. ↔ *Maltratar, pegar.*

acariciar (una idea) Desear, esperar.

acarrear Transportar, trajinar, conducir, llevar, cargar, portear. || Ocasionar, causar, implicar.

acarreo Transporte, porte, conducción.

acarroñarse Acobardarse, amilanarse, acoquinarse.

acartonarse Acecinarse, amojamarse, avellanarse, apergaminarse, momificarse. ↔ *Afofarse, enternecerse, engordar.*

'acaserarse Encariñarse.

acaso Casualidad, azar. ↔ *Destino, predestinación.* ‖ Quizás, tal vez, por ventura.

acatamiento Acato, respeto, reverencia, veneración, sumisión, obediencia. ↔ *Desacato, irreverencia, rebelión, desobediencia.*

acatar Respetar, reverenciar, venerar, someterse, obedecer.↔ *Desacatar, desdeñar, rebelarse, desobedecer.*

acato Acatamiento.

acaudalado Adinerado, pudiente, rico, opulento, poderoso, hacendado, acomodado. ↔ *Menesteroso, necesitado, pobre, indigente, mísero.*

acaudalar Atesorar, enriquecerse, acumular. ↔ *Disipar, dilapidar, despilfarrar, derrochar, empobrecerse.*

acaudillar Capitanear, mandar, conducir, guiar, dirigir. ↔ *Seguir, obedecer.*

acceder Consentir, permitir, autorizar, condescender, conformarse, convenir, ceder, aceptar. ↔ *Rehusar, denegar, negarse, resistirse, rechazar.*

accesible Alcanzable, asequible. ↔ *Inaccesible, inalcanzable, inasequible.* ‖ Comprensible, inteligible. ↔ *Inaccesible, incomprensible, ininteligible.* ‖ Llano, sencillo, franco, afable, tratable. ↔ *Altivo, arrogante, distante, inasequible.*

acceso Entrada, ingreso, paso, camino. ↔ *Salida.* ‖ Ataque, recargo, crisis, paroxismo. ↔ *Disminución, remisión, baja.*

accesorio Secundario, complementario, accidental, prescindible. ↔ *Importante.*

accidentado Quebrado, áspero, escabroso, fragoso, escarpado, abrupto, 'saltanejoso. ↔ *Llano, plano, liso, raso.* ‖ Borrascoso, tempestuoso, agitado, difícil. ↔ *Apacible, tranquilo.*

accidental Secundario, contingente, incidental, fortuito, casual. ↔ *Esencial, seguro, previsto.* ‖ Interino, provisional, eventual. ↔ *Permanente, fijo.*

accidentarse Desmayarse, desvanecerse. ↔ *Recobrarse.*

accidente Eventualidad, contingencia, casualidad, emergencia. ↔ *Esencia.* ‖ Desmayo, vahído, vértigo, congoja, patatús. ‖ Contratiempo, percance, peripecia.

acción Acto, hecho, actuación, actividad, obra, 'estribera. ‖ Combate, batalla, escaramuza, encuentro. ‖ Movimiento, gesto, ademán. ↔ *Inacción.* ‖ Título.

accionar Gesticular.

accionista Socio, asociado, capitalista, rentista.

acebo Aquifolio, agrifolio.

acebuche Olivo silvestre, oleastro.

acecinar Cecinar, curar, ahumar.

acecinarse Amojamarse, avellanarse, acartonarse, apergaminarse, momificarse. ↔ *Enternecerse, afofarse, engordar.*

acechar Vigilar, atisbar, observar, avizorar, espiar, 'camelar.

acecho Observación, espera, espionaje.

acedar Agriar, acidificar, acidular, avinagrar.

acederaque Cinamomo.

acedía 'Agriera, 'vinagrera.

acedo Ácido, agrio. ↔ *Alcalino, básico, dulce.*

aceite Óleo, olio.

aceite de trementina Aguarrás.

aceitoso Oleaginoso, oleoso, untoso, graso, grasiento. ↔ *Seco, enjuto.*

aceituna Oliva.

aceleración Aceleramiento, incremento, celeridad, rapidez, prontitud. ↔ *Retardación.*

acelerar Apresurar, activar, avivar, aligerar, precipitar, apurar. ↔ *Retardar, entretener, diferir, frenar.*

acémila Mula, macho, 'carguero.

acemilero Mulero, arriero.

acendrado Puro, depurado, acrisolado, exquisito, entrañable. ↔ *Impuro, turbio, adulterado.*

acendrar Purificar, depurar, acrisolar, quintaesenciar, limpiar. ↔ *Enturbiar, manchar, adulterar.*

acento Tono, dejo, deje, tonillo, entonación.

acentuar Marcar, recalcar, hacer resaltar, insistir, hacer hincapié, subrayar, destacar, realizar. ↔ *Atenuar, disimular, soslayar.*

acentuarse Aumentar, tomar cuerpo, crecer. ↔ *Menguar, decrecer.*

acepción Sentido, significado, significación.

acepción de personas Preferencia, distinción, par-

A

cialidad. ↔ *Equidad, imparcialidad, justicia, neutralidad.*

aceptable Admisible, pasable, pasadero, tolerable. ↔ *Inadmisible, intolerable.*

aceptación Aprobación, admisión, asentimiento, acogida, conformidad, aplauso, éxito, boga, tolerancia. ↔ *Denegación, desaprobación, disconformidad, fracaso.*

aceptar Admitir, recibir, tomar, asentir, reconocer. ↔ *Rehusar, rechazar, disentir, denegar.* || Comprometerse, obligarse.

acequia Reguera, canal, 'cequión.

acera 'Andén, 'vereda.

acerado Incisivo, mordaz, penetrante, punzante, áspero, cáustico. ↔ *Blando, inocuo, benigno.*

acerbo Áspero, desapacible, amargo, cruel, riguroso, doloroso. ↔ *Suave, dulce, benigno, indulgente.*

acerca de Referente a, sobre, respecto a, en lo tocante a, por lo que toca a.

acercar Aproximar, arrimar, allegar, avecinar, juntar, unir, yuxtaponer, adosar, pegar. ↔ *Alejar, separar, apartar.*

acerico 'Almohadilla.

acérrimo Tenaz, muy fuerte, obstinado, encarnizado, intransigente. ↔ *Suave, moderado, transigente.*

acertado Conveniente, oportuno, apropiado, adecuado, idóneo, atinado, certero. ↔ *Desacertado, inadecuado, inoportuno, desatinado, erróneo.*

acertar Adivinar, atinar, descifrar, hallar, encontrar, topar, resolver, 'embicar. ↔ *Errar, equivocarse, marrar, engañarse.*

acertijo Adivinanza, enigma, jeroglífico, charada, rompecabezas, problema.

acervo Cúmulo, montón. || Fondo, patrimonio, haber.

aciago Infausto, desgraciado, infeliz, desdichado, funesto, nefasto, fatídico, adverso, malaventurado, malhadado, desventurado, desafortunado, infortunado. ↔ *Feliz, dichoso, venturoso, bienhadado, bendito.*

acibarar Amargar, turbar, disgustar, apesadumbrar. ↔ *Endulzar, confortar, complacer.*

acicalado 'Chatre, 'engomado.

acicalar Adornar, ataviar, aderezar, componer, pulir, atildar. ↔ *Descuidar.* || Pulir, bruñir.

acicate Aguijón, estímulo, incentivo, aliciente, atractivo. ↔ *Freno.*

ácido Agrio, acedo, acre, mordiente, corrosivo. || *Alcalino, básico, dulce.* || Desabrido, mordaz, cáustico. ↔ *Suave, dulce.*

acierto Tino, tiento, tacto, destreza, habilidad, 'atingencia. ↔ *Desacierto, torpeza.* || Cordura, prudencia. ↔ *Imprudencia, locura.*

aclamación Ovación, aplauso, vítor. ↔ *Abucheo, silba, pateo, protesta.*

aclamar Vitorear, ovacionar, ensalzar, aplaudir. ↔ *Silbar, patear, denostar, protestar.* || Proclamar, nombrar, enaltecer. ↔ *Destituir.*

aclaración Explicación, justificación, nota, apostilla.

aclarar Alumbrar, iluminar. ↔ *Oscurecer.* || Clarear, despejarse, serenarse, abonanzar, abrir. ↔ *Encapotarse, oscurecerse, cubrirse, aborrascarse.* || Explicar, poner en claro, ilustrar, dilucidar.

aclimatar Naturalizar, adaptar, habituar, acostumbrar, acomodar, arraigar.

acné 'Suche.

acobardar Amedrentar, atemorizar, intimidar, amilanar, arredrar, acoquinar, achantar, aterrar, desanimar, desalentar, descorazonar, achicar. ↔ *Alentar, animar, envalentonar, crecerse.*

acobardarse 'Acarroñarse, 'encasquillarse.

'acocil 'Acocile, camarón.

'acocote Calabaza.

acodar Apoyar, sostener. || Acodillar, doblar, doblegar, torcer. ↔ *Enderezar, destorcer.*

acoger Admitir, recibir, aceptar. ↔ *Rehusar, denegar.* || Amparar, proteger, guarecer, cobijar, socorrer, favorecer. ↔ *Rechazar, expulsar.*

acogida Admisión, aceptación. || Acogimiento, amparo, recibimiento, hospitalidad, protección, cobijo. ↔ *Despido, expulsión, inhospitalidad.*

acogotar Sujetar, dominar, vencer, abatir.

acolchado Almohadillado, tapizado, blando, mullido.

acolchar 'Acolchonar.

'acolchonar Acolchar.

acólito Monaguillo, monago, monacillo. || Ayudante, asistente, compinche, compañero, colega.

acollarar Uncir, enjaezar,

embastar, 'acoyundar, yuntar. ↔ *Desuncir.*

'acomedido Servicial, oficioso.

acometedor Agresivo, impetuoso, violento, arremetedor, belicoso. ↔ *Pacífico, suave.*

acometer Agredir, embestir, atacar, arremeter, cerrar. ↔ *Huir, evitar.* || Emprender, iniciar, abordar, ↔ *Abandonar, cesar.*

acometida Acometimiento. || Enlace, embocadura.

acometimiento Acometida, ataque, asalto, arremetida, embestida, agresión. ↔ *Defensa.*

acomodadizo Acomodaticio, dúctil, elástico, contemporizador, conformista, complaciente. ↔ *Rígido, inflexible.*

acomodado Rico, pudiente, adinerado. ↔ *Menesteroso, pobre.* || Apropiado, arreglado, conveniente, adecuado, oportuno. ↔ *Inconveniente, inadecuado.*

acomodamiento Arreglo, conciliación, convenio, ajuste, acuerdo, transacción. || **Comodidad, conveniencia.**

acomodar Ordenar, arreglar, ajustar, aplicar, adecuar, adaptar, 'embonar. || Conciliar, concertar, concordar, atemperar.

acomodarse Avenirse, atenerse, conformarse, transigir.

acomodaticio Acomodadizo, complaciente, transigente, contemporizador, conformista. ↔ *Intransigente, rebelde.*

acomodo Empleo, ocupación, cargo, colocación, puesto, destino.

acompañamiento Comitiva, escolta, compañía, séquito, cortejo, corte, comparsa, convoy, caravana.

acompañar Estar con, ir con, seguir, escoltar, conducir. ↔ *Abandonar, dejar.* || Agregar, juntar, añadir, anexar, adjuntar. ↔ *Separar.*

acompasado Rítmico, medido, candencioso, métrico, regular. ↔ *Descompasado, arrítmico, irregular.* || Pausado, lento. ↔ *Precipitado, rápido.*

acompasar Compasar, medir, ajustar, proporcionar. ↔ *Descompasar, desajustar.*

acondicionar Preparar, arreglar, adaptar, adecuar.

acongojar Congojar, afligir, apenar, oprimir, contristar, entristecer, apesadumbrar, atribular, desconsolar, amargar, acuitar, angustiar. ↔ *Aliviar, confortar, consolar, alentar, animar, alegrar.*

acónito Anapelo, napelo, matalobos, pardal, uva lupina, uva verga.

aconsejar Advertir, avisar, amonestar, asesorar, prevenir, exhortar, indicar, sugerir, encaminar. ↔ *Desaconsejar, disuadir, desengañar, apartar.*

aconsejarse Consultar, asesorarse.

acontecer Suceder, ocurrir, acaecer, pasar.

acontecimiento Suceso, caso, hecho, acaecimiento, sucedido, evento.

acopiar Acumular, amontonar, reunir, juntar, allegar, amasar. ↔ *Desparramar, desperdigar, esparcir, derrochar.*

acopio Provisión, acumulación, depósito, almacenamiento, stock, acaparamiento. ↔ *Distribución, repartición, reparto.*

acoplar Unir, soldar, ajustar, trabar, pegar, casar, encajar, 'engalabernar. ↔ *Desacoplar, separar, desunir, despegar, desencajar.*

acoquinar Acobardar, amedrentar, atemorizar, intimidar, amilanar, arredrar, achantar, achicar, desanimar, desalentar, descorazonar. ↔ *Alentar, animar, envalentonar.*

acoquinarse 'Achucutarse, 'achucuyarse, 'acarroñarse, 'encasquillarse.

acorazar Blindar.

acordar Concordar, concertar, conformar, armonizar, convenir, determinar, resolver, pactar, quedar en.

acordarse Recordar, venirse a las mientes, traer a la memoria, rememorar, remembrar, evocar, recapacitar. ↔ *Olvidarse, olvidar, dar al olvido, echar en olvido.*

acorde Conforme, concorde, de acuerdo. ↔ *Discorde, disconforme.*

'acordonado Cenceño.

acordonar Cercar, envolver, rodear, alinear (en cordón), cubrir la carrera.

acorralar Arrinconar, rodear, encerrar, cercar, estrechar, aislar. || Confundir, dejar sin respuesta.

acortar Abreviar, reducir, disminuir, mermar, achicar, aminorar, amenguar, limitar, restringir, cercenar. ↔ *Alargar, aumentar.*

acosar Perseguir, hostigar, estrechar, 'acosijar. || Mo-

A lestar, importunar, asediar.

'acosijar Acosar, apretar.

acoso Acosamiento, persecución, acometimiento. ↔ *Defensa.*

acostarse Echarse, tenderse, tumbarse. ↔ *Levantarse, alzarse.*

acostumbrar Avezar, habituar, usar, estilar, soler, tener costumbre, menudear, frecuentar.

acotación Nota, acotamiento, escolio, apostilla, postilla, advertencia, aclaración, explicación, comentario, observación, apuntación, señal.

acoyundar 'Acollarar.

acracia Anarquía, anarquismo. ↔ *Absolutismo, totalitarismo.*

ácrata Anarquista, libertario, nihilista. ↔ *Absolutista, totalitario.*

acre Áspero, picante, irritante, agrio. ↔ *Suave, dulce, afable.*

acrecentar Aumentar, acrecer, agrandar, engrandecer, ensanchar, extender. ↔ *Menguar, disminuir, menoscabar, reducir.*

acrecer Aumentar, acrecentar, agrandar, engrandecer, ensanchar, extender. ↔ *Menguar, disminuir, menoscabar, reducir.*

acreditar Probar, justificar, demostrar, confirmar. || Afamar, dar reputación, abonar. ↔ *Desacreditar, infamar.*

acreedor 'Impago. ↔ *Deudor.* || Digno, merecedor. ↔ *Indigno, desmerecedor.*

'acreencia Crédito.

acribillar Herir, agujerear, taladrar.

acrimonia Acritud, aspereza, desabrimiento, morda-

cidad. ↔ *Dulzura, suavidad, afabilidad.*

acrisolar Purificar, depurar, sublimar, apurar, acendrar, perfeccionar. ↔ *Impurificar, adulterar, corromper.*

acritud Acrimonia, aspereza, desabrimiento, mordacidad. ↔ *Dulzura, suavidad, afabilidad.*

acróbata Equilibrista, funámbulo, volatinero, trapecista, gimnasta.

acta Relación, relato, reseña, certificación, atestado, testimonio.

actitud Postura, posición, disposición, porte, continente, aire.

activar Avivar, acelerar, apresurar, apurar, excitar, mover. ↔ *Retardar, frenar, entretener, parar.*

actividad Movimiento, acción. ↔ *Reposo, inacción.* || Prontitud, presteza, solicitud, diligencia, eficacia, eficiencia. ↔ *Apatía, tardanza, morosidad, premiosidad, ineficacia.*

activo Operante, eficiente, eficaz, enérgico. ↔ *Inactivo, apático, ineficaz.* || Diligente, vivo, pronto, rápido. ↔ *Indolente, tardo, lento.*

acto Hecho, acción, obra, operación.

actor Representante, comediante, cómico, ejecutante, artista, histrión. || Demandante, acusador.

actuación Acción. || Diligencia.

actual Presente, hodierno, moderno. ↔ *Inactual, pasado, pretérito, futuro.* || Efectivo, real. ↔ *Potencial, virtual.*

actualidad Sazón, oportuni-

dad, coyuntura, ahora. ↔ *Pasado, futuro.*

actuar Hacer, obrar, proceder, ejercer, conducirse, portarse. ↔ *Abstenerse, holgar, cruzarse de brazos.*

acuarela Aguada.

acuciar Incitar, excitar, aguijonear, aguijar, espolear, estimular, pinchar, apurar, apremiar, urgir. ↔ *Frenar, calmar, contener, atajar.* || Anhelar, ansiar, desear. ↔ *Rechazar, rehusar.*

acuclillarse Agacharse, agazaparse, acurrucarse, encogerse, ovillarse, 'apotincar. ↔ *Estirarse, extenderse, desencogerse.*

acudir Ir, presentarse, llegar, asistir. ↔ *Marchar, partir.* || Recurrir, apelar.

acuerdo Unión, armonía, conformidad, consonancia, convenio, pacto, tratado. ↔ *Desacuerdo, disconformidad.* || Resolución, decisión, determinación, disposición, fallo.

acuidad Agudeza, viveza, penetración, intensidad.

acuitar Afligir, apenar, atribular, apesadumbrar, acongojar, angustiar. ↔ *Consolar, confortar, aliviar, alentar.*

acumular Amontonar, acopiar, hacinar, allegar, reunir, juntar. ↔ *Distribuir, esparcir, desparramar, desperdigar.*

acunar Cunear, mecer.

acuñar Batir, amonedar, troquelar, estampar, imprimir, grabar.

acurrucarse Acuclillarse, ovillarse, encogerse, agazaparse, agacharse. ↔ *Extenderse, estirarse, desencogerse.*

acusación Inculpación, imputación, denuncia, delación, incriminación, cargo. ↔ *Defensa, exculpación, intercesión, descargo, alegato.*

acusado Inculpado, reo, procesado.

acusador Inculpador, fiscal, denunciante, denunciador, delator, soplón, a c u s ó n, acusica, chivato. ↔ *Defensor, intercesor, abogado.*

acusar C u l p a r, inculpar, imputar, denunciar, delatar, soplar, soplonear, chivatear. ↔ *Defender, exculpar, interceder.* || Notar, comunicar.

'acusetas o **acusete** Acusón, soplón, chivato.

acusón Acusica, 'acusetas, 'acusete.

acústico Auditivo, sonoro.

achacar Imputar, atribuir, aplicar, echar la culpa.

achacoso Achaquiento, enfermizo, enclenque, delicado, valetudinario. ↔ *Sano, lozano, robusto.* || Indispuesto. ↔ *Bien dispuesto.*

achaflanar Chaflanar, ochavar, descantear, biselar. ↔ *Esquinar, cantear, esconzar.*

'achajuanarse Sofocarse (las bestias).

achantarse Agazaparse, esconderse, disimularse, ocultarse. ↔ *Mostrarse, dejarse ver.* || Acoquinarse, achicarse, arredrarse, acobardarse. ↔ *Afrontar, animarse, crecerse.*

achaparrado Repolludo, rechoncho, zamborotudo. ↔ *Esbelto.*

achaparrarse 'Aparragarse.

achaque Indisposición, dolencia, alifafe, enfermedad. || Excusa, pretexto,

disculpa. || Vicio, defecto, tacha. ↔ *Cualidad.*

achaques 'Dolamas.

achaquiento Achacoso.

achicar Apocar, acobardar, acoquinar, intimidar, atemorizar, amilanar, arredrar, achantar, descorazonar. ↔ *Alentar, animar, envalentonar.* || Acortar, reducir, encoger, d i s m i - n u i r, menguar, mermar, empequeñecer. ↔ *A g r a n - dar, aumentar.* || Jamurar.

achicarse 'Achuñuscarse.

achicharrar C h i c h a r r a r, freír, asar, tostar, quemar, abrasar, 'achucharrar.

'achiguar Combar.

'achinado Aplebeyado.

'achinchinque Lacayo, asistente.

achisparse Alumbrarse, alegrar**se**, e m b r i a g a r s e, ajumarse, emborracharse, 'abombarse. ↔ *Desembriagarse, desemborracharse.*

'acholar Correr, avergonzar, amilanar.

'achucutado Abatido, acoquinado.

'achucutarse o **achucuyarse** Abatirse, acoquinarse. || Marchitarse, ajarse.

achuchar Estrujar, aplastar, comprimir, 'achucharrar. || Azuzar, incitar, empujar, instigar, 'achuñuscar.

'achucharrar A c h u c h a r, aplastar. || Achicharrar.

achulado Chulo, chulesco, chulapo, flamenco, majo, fanfarrón, valentón, matón.

'achuñuscar A c h u c h a r, aplastar. || Achicarse, estrujarse.

'achura Intestino.

'achurar Destripar.

'achurruscar Ajar, replegar.

adagio Máxima, proverbio,

refrán, aforismo, apotegma, sentencia.

adalid Caudillo, arraez, guía, cabeza, jefe.

adamarse Afeminarse, amadamarse. ↔ *Masculinizarse.*

adán Dejado, desaseado, descuidado, haraposo, sucio, desaliñado. ↔ *Aseado, cuidadoso, atildado.* || Descuidado, negligente, apático, d e s i d i o s o. ↔ *Cuidadoso, diligente.*

adaptar Acomodar, ajustar, apropiar, acoplar, aplicar, aclimatar, amoldar, avenirse. ↔ *Desajustar, desarraigar, resistirse.*

adarga Escudo, broquel.

adarme Poco, migaja, pellizco, mezquindad, pequeñez.

adecuado Oportuno, apropiado, conveniente, acomodado, ajustado, propio, idóneo. ↔ *Inadecuado, inoportuno, inconve n i e n t e, impropio.*

adefesio Esperpento, espantajo, facha, mamarracho, e s t a f e r m o, p a s m a r o t e, 'mondongo. || Disparate, extravagancia.

adehala 'Vendaje, 'y a p a, 'ñapa, 'ganancia.

adelantamiento A d e l a n t o, anticipo, avance. || Mejoramiento, progreso, perfeccionamiento, acrecentamiento, medra. ↔ *Atraso, atrasamiento.*

adelantar Avanzar, anticipar, preceder, e x c e d e r, aventajar. || Mejorar, progresar, perfeccionarse, medrar.

adelante Avante.

adelanto Adelanta m i e n t o, anticipo, avance. || Mejora, progreso, perfecciona- miento, acrecentam i e n t o, medra. ↔ *Atraso, atrasa-*

A

A *miento, retroceso.* || Ventaja. ↔ *Retraso, desventaja.*

adelfa Baladre, rododafne, laurel, rosa, hojavanzo.

adelgazado Cangalla.

adelgazar Enflaquecer, afilarse, encanijarse. ↔ *Engordar.*

ademán Actitud, gesto, manoteo, aspaviento.

ademanes Modales, maneras.

además También, asimismo, igualmente, al mismo tiempo, por otra parte, aparte de, encima, otrosí.

adentrarse Penetrar, introducirse, profundizar, ahondar, entrar. ↔ *Salir.*

adepto Afiliado, adicto, afecto, adherente, partidario, correligionario, iniciado. ↔ *Opuesto, contrario, desafecto.*

aderezar Guisar, condimentar, sazonar, aliñar, adobar. || Componer, ataviar, adornar, acicalar, hermosear. ↔ *Desadornar, descomponer, desaliñar, deslucir, ajar.* || Remendar, arreglar, componer, adobar, apañar. ↔ *Estropear, deteriorar, descomponer.* || Disponer, preparar, prevenir.

aderezo Aliño, condimento, adobo.

adeudar Deber, cargar en cuenta. ↔ *Acreditar, abonar en cuenta.*

adherencia Adhesión, cohesión, pegajosidad. || Conexión, enlace, unión. ↔ *Separación.*

adherente Adhesivo, pegajoso. || Unido, anexo, anejo, adepto.

adherirse Pegarse, consentir, aceptar, aprobar, unir-

se, afiliarse. ↔ *Discrepar, separarse, apartarse, darse de baja.*

adhesión Adherencia, cohesión. || Consentimiento, aprobación, aceptación, asenso, asentimiento. ↔ *Reprobación, disconformidad.* || Unión, apego, afección, afiliación. ↔ *Desafección, malquerencia, separación.*

adición Suma, aumento, añadidura, agregación, anexión. ↔ *Sustracción, resta, disminución.*

adicionar Sumar, añadir, aumentar, agregar. ↔ *Substraer, restar, quitar.*

adicto Adepto, allegado, afecto, partidario, afiliado, adherido, iniciado. ↔ *Desafecto, contrario, opuesto.*

adiestrar Instruir, enseñar, aleccionar, amaestrar, ejercitar, guiar, encaminar, 'chalanear.

adinerado Acaudalado, rico, pudiente, opulento, hacendado, acomodado. ↔ *Pobre, menesteroso, necesitado.*

adiós Abur, agur. || Despedida.

adiposo Graso, grueso, obeso, gordo. ↔ *Magro, enjuto, seco, delgado.*

aditamento Añadidura, adición, aumento, complemento, apéndice. ↔ *Supresión.*

adivinación Pronóstico, vaticinio, augurio, predicción, presentimiento. || Aruspicina, horóscopo, oráculo, acierto. || Adivinanza, acertijo.

adivinar Acertar, atinar, descifrar, predecir, pronosticar, presagiar, augurar, auspiciar, agorar, va-

ticinar, profetizar.

adivino Augur, agorero, oráculo, aurúspice, arúspice, sibila, vate, profeta, hechicero, brujo, nigromante, astrólogo.

adjetivo Calificativo, epíteto, dictado, título. || Accidental. ↔ *Sustantivo.*

adjudicar Asignar, conferir, atribuir, aplicar, adscribir, entregar, dar. ↔ *Expropiar, quitar.*

adjudicarse Apropiarse, retener, quedarse. ↔ *Privarse, despojarse.*

adjunto Unido, junto, anexo. ↔ *Separado.* || Auxiliar, ayudante, acólito.

adminículo Ayuda, auxilio, avío, pertrecho.

administración Dirección, gerencia, gestión, gobierno, régimen.

administrador Gobernador, rector, regente, gerente, director, intendente, gestor, apoderado.

administrar Regir, dirigir, cuidar, gobernar. || Dar, propinar, suministrar.

admirable Excelente, asombroso, pasmoso, maravilloso, estupendo, sorprendente. ↔ *Execrable, detestable, despreciable.*

admiración Sorpresa, maravilla, asombro, pasmo, estupor. ↔ *Indiferencia.* || Entusiasmo. ↔ *Desprecio, menosprecio.*

admirar Sorprender, extrañar, maravillar, asombrar, pasmar, suspender, aturdir, embobar. || Entusiasmar. ↔ *Despreciar, menospreciar.*

admitir Recibir, aceptar, acoger, tomar. ↔ *Rehusar, rechazar.* || Permitir, consentir, sufrir, tolerar. ↔

Desaprobar, prohibir. ‖ Suponer, conceder. ↔ *Negar.*

admonición Amonestación, advertencia, exhortación. ‖ Apercibimiento, reconvención, reprimenda. regaño. ↔ *Encomio, elogio.*

adobar Guisar, condimentar, sazonar, aliñar, aderezar. ‖ Remendar, componer, arreglar, apañar. ↔ *Estropear, deteriorar.* ‖ Curtir.

'adobera Queso.

adobo Aliño, condimento, aderezo, salsa.

'adobón Tapia.

adocenado Vulgar, común, trillado, lamido, sobado. ↔ *Raro, distinto, nuevo, original.*

adolescencia Mocedad, muchachez. pubertad.

adolescente Muchacho, mancebo, zagal, chaval, rapaz, púber.

adoptar Ahijar, prohijar. ↔ *Abandonar, repudiar.* ‖ Tomar, elegir, admitir, aprobar, aceptar, acoger. ↔ *Dejar, rehusar, descartar.*

adoquinar Empedrar, pavimentar.

adorable Admirable, fascinador, maravilloso. ↔ *Abominable, execrable, detestable.*

adorador Devoto, fiel, enamorado, amador.

adorar Querer, amar, idolatrar. ‖ Venerar, reverenciar.

adormecer Adormir, arrullar. ‖ Acallar, calmar, sosegar, aplacar, tranquilizar. ↔ *Excitar.*

adormecerse Adormilarse, adormitarse, dormirse, entumecerse, entorpecerse, amodorrarse, aletargarse. ↔ *Despertarse, desadormecerse, desvelarse, despabi-*

larse, desentumirse, desentumecerse.

adornar Ornar, engalanar, ataviar, componer, acicalar, aderezar, hermosear, decorar, exornar, ornamentar. ↔ *Desadornar, descomponer, desaliñar.*

adorno Atavío, aderezo, compostura, decorado, decoración, ornato, ornamento.

adosar Arrimar, yuxtaponer, pegar, unir, juntar, acercar. ↔ *Despegar, separar.*

adquirir Alcanzar, lograr, conseguir, obtener, comprar, ganar, apropiarse, contraer. ↔ *Perder.*

adquisidor Adquiridor, adquirente, adquiriente, comprador.

adrede Expresamente, intencionadamente, deliberadamente, aposta, ex profeso, de propósito, de intento. ↔ *Inconscientemente, involuntariamente.*

adscribir Asignar, atribuir, adjudicar, anexar, afectar, destinar. ↔ *Excluir, quitar, expropiar.*

aducir Alegar, invocar, citar, argüir.

adueñarse Apoderarse, enseñorearse, apropiarse, posesionarse, ocupar, conquistar. ↔ *Desposeerse, renunciar, desprenderse.*

adulación Halago, lisonja, carantoña, coba, pelotilla, incienso, servilismo. ↔ *Ofensa, insulto, injuria, afrenta, desaire, desprecio.*

adulador Adulón, servil, lisonjero, carantoñero, cobista, pelotillero, 'barbero.

adular Halagar, roncear, incensar, dar coba, dar jabón, lisonjear, 'barbear. ↔

Ofender, insultar, afrentar, desairar, despreciar.

adulteración Falsificación, sofistificación, falseamiento.

adulterar Falsificar, falsear, sofisticar, viciar.

adulto Maduro, hecho, perfecto. ↔ *Inmaturo.*

adusto Austero, serio, rígido, severo, seco, arisco, hosco, huraño, esquivo, desabrido. ↔ *Afable, simpático, benigno, cortés.*

advenedizo Meteco, sobrevenido, forastero, extranjero, aventurero, intruso.

advenir Ocurrir, suceder, venir, llegar, pasar, avenir.

adverar Atestiguar, asegurar, testimoniar, certificar, testificar.

adversario Contrario, enemigo, antagonista, rival, competidor, émulo. ↔ *Favorable, simpatizante, amigo, compañero, aliado.*

adversativo Disyuntivo.

adversidad Desventura, infelicidad, infortunio, fatalidad, desgracia, desdicha, 'calilla. ↔ *Prosperidad, fortuna, felicidad, dicha.*

adverso Desfavorable, contrario, opuesto, hostil. ↔ *Favorable, próspero.*

advertencia Observación, aviso, prevención, consejo, amonestación, admonición, apercibimiento.

advertido Capaz, experto, despierto, despabilado, listo, vivo, agudo, avispado, avisado, sagaz, astuto. ↔ *Inexperto, incapaz, torpe, lerdo, obtuso.*

advertir Reparar, notar, observar, percatarse, darse cuenta, fijarse. ↔ *Desadvertir, pasar por alto, desatender.* ‖ Prevenir, in-

A

A

formar, anunciar, avisar, noticiar, enterar, amonestar, aconsejar.

adyacente Contiguo, inmediato, junto, rayano, lindante, limítrofe, colindante, confinante. ↔ *Separado, apartado, distante.*

aéreo Volátil, sutil, vaporoso, inconsistente. ↔ *Tangible.*

aeródromo Aereopuerto, base aérea, campo de aviación, pista de aterrizaje.

aerolito Meteorito, uranolito, piedra meteórica, bólido, leónidas.

aerómetro Densímetro.

aeronáutica Aviación, aerostación.

aeronave Aeroplano, avión, helicóptero, autogiro, astronave, planeador, globo, dirigible.

aeroplano Avión, avioneta, hidroavión, reactor.

aeropuerto Aeródromo, base aérea, campo de aviación.

afabilidad Amabilidad, atención, cortesía, afecto, cordialidad, dulzura, simpatía, sociabilidad. ↔ *Desabrimiento, brusquedad, aspereza, hosquedad, adustez, antipatía, sequedad, displicencia.*

afable Amable, atento, cortés, afectuoso, agradable, placentero, cordial, simpático, tratable, sociable, sencillo, asequible. ↔ *Áspero, hosco, desabrido, descortés, brusco, adusto, arisco, desagradable, intratable, antipático, displicente, esquivo.*

afamado Famoso, acreditado, renombrado, reputado, conocido, célebre. ↔ *Desconocido, ignoto, oscuro.*

afán Anhelo, ansia, deseo, ambición, avidez. || **Ahínco**, empeño, estuerzo, fatiga. ↔ *Negligencia, desidia, apatía, desgana.*

afanar 'Bolsear.

afanarse Esforzarse, desvelarse, procurar. || Consagrarse, fatigarse.

'afarolamiento Irritación, enojo.

'afarolarse Amostazarse, sulfurarse, irritarse, enojarse.

afear Desgraciar, desfigurar, desfavorecer, deslucir, ajar, deformar. ↔ *Embellecer, hermosear, agraciar.* || Tachar, vituperar, censurar, reprender.

afección Afecto, inclinación, cariño, aprecio, ternura. ↔ *Desafección, desafecto, malquerencia.* || Enfermedad, dolencia.

afectación Amaneramiento, pose, artificio, fingimiento, disimulo, doblez. ↔ *Naturalidad, espontaneidad, sencillez, sinceridad.*

afectar Fingir, simular. || Impresionar, afligir, conmover, emocionar, atañer, concernir, tocar a, referirse a, interesar, alterar. || Anexar, agregar, adscribir, vincular. ↔ *Desagregar, desvincular.*

afecto Apego, inclinación, cariño, amistad, afición, amor, afección, ternura. ↔ *Desafecto, desafección, malquerencia.* || Unido, agregado, anejo, anexo, adscrito, destinado, vinculado. ↔ *Ajeno, extraño.*

afectuoso Cariñoso, amable, cordial, amistoso, afable. ↔ *Desabrido, áspero, brusco, arisco.*

afeitado Barbihecho, barbirrapado. ↔ *Peludo.*

afeitar Rasurar, rapar, raer.

afeite Aderezo, adorno, compostura. || Cosmético, maquillaje.

afelpado Aterciopelado, velloso, velludo, lanoso, peludo. ↔ *Raso, pelado.*

afeminado Adamado, amadamado, amujerado, amaricado, feminoide. ↔ *Viril, macho.*

aferrar Agarrar, asir, afianzar, asegurar. ↔ *Soltar, dejar, abandonar.*

aferrarse Obstinarse, insistir, porfiar, 'empecinarse. ↔ *Ceder, desistir.*

afianzar Asegurar, afirmar, consolidar, agarrar, asir, aferrar. ↔ *Soltar, abandonar, aflojar.*

afición Inclinación, apego, cariño, afecto, gusto. ↔ *Desapego, indiferencia, displicencia.* || **Ahínco**, empeño, afán. ↔ *Apatía, desgana, desidia.*

aficionar 'Engredir.

aficionarse Encariñarse, enamorarse, prendarse, inclinarse. ↔ *Desaficionarse, despegarse, descariñarse, desinteresarse.*

afilado Cortante, tajante, punzante, 'filoso. ↔ *Romo, embotado, mellado.*

afilar Amolar, aguzar, dar filo, sacar punta. ↔ *Embotar.*

afiliado Adepto, adherido, adicto, inscrito, partidario, correligionario.

afín Parecido, semejante, similar, análogo, parejo. ↔ *Distinto, dispar, desemejante, disímil.* || Próximo, cercano, contiguo. ↔ *Apartado.* || Pariente, allegado, deudo. ↔ *Extraño.*

afinar Perfeccionar, acabar, pulir, esmerarse, precisar.

sutilizar, esmerarse. || Entonar, acordar, templar. ↔ *Desafinar.*

afincarse Fincarse, fijarse, establecerse. ↔ *Desarraigarse, emigrar.*

afinidad Analogía, semejanza, parecido, similitud. ↔ *Desemejanza, disparidad.* || Parentesco, cuñadía.

afirmación Aserción, aserto, aseveración. ↔ *Negación.*

afirmar Asegurar, afianzar, consolidar. ↔ *Debilitar.* || Aseverar, asegurar, atestiguar, certificar, confirmar. ↔*Negar, denegar.*

afirmarse Ratificarse, reiterarse, entercarse. ↔ *Rectificarse.*

aflicción Pena, pesar, sinsabor, cuita, contrariedad, disgusto, congoja, tribulación, pesadumbre, dolor, tristeza, amargura, desconsuelo, angustia. ↔ *Satisfacción, alegría, dicha, gozo, contento, placer.*

afligir Apenar, apesarar, apesadumbrar, acuitar, contrariar, disgustar, atribular, acongojar, contristar, entristecer, mortificar, consternar, castigar, amargar, angustiar. ↔ *Alegrar, contentar, consolar.*

aflojar Desapretar, distender, relajar, soltar. ↔ *Apretar, ceñir, atirantar.* || Ceder, flaquear, debilitarse, relajarse, amainar, ablandarse. ↔ *Apretar, arreciar, redoblar, robustecerse.*

afluencia Abundancia, copia, acumulación, concurrencia, aflujo. ↔ *Escasez, rareza.*

afluente Tributario.

afluir Concurrir, acudir. ↔ *Alejarse, dispersarse.* ||

Desaguar, verter, desembocar.

afonía Ronquera. ↔ *Sonoridad.*

aforismo Máxima, sentencia, apotegma, refrán, adagio.

aforo Cabida, capacidad.

afortunado Venturoso, feliz, dichoso, fausto, 'suertero. ↔ *Desafortunado, desventurado, infeliz, desdichado.*

afrenta Agravio, ultraje, insulto, injuria, ofensa, oprobio, deshonra, vilipendio. ↔ *Homenaje, veneración, agasajo, pleitesía, honra.*

afrentar Agraviar, ultrajar, insultar, injuriar, ofender, oprobiar, deshonrar, vilipendiar. ↔ *Honrar, venerar, agasajar.*

afrontar Arrostrar, desafiar, hacer frente, enfrentarse, oponerse, resistir. ↔ *Eludir, esquivar, soslayar.* || Carear, contraponer.

afueras Alrededores, inmediaciones, cercanías, contornos, proximidades, arrabales, suburbios, extrarradio. ↔ *Centro, ciudad.*

agacharse Agazaparse, acurrucarse, encogerse, doblarse, acuclillarse, agarbarse. ↔ *Enderezarse, levantarse.*

'agalla Codicia, cicatería. || Astucia.

agallas Branquias. || Valor, ánimo, arrestos, osadía, atrevimiento. ↔ *Pusilanimidad, timidez, temor, canguelo, miedo.*

ágape Banquete, festín, convite.

agarbarse Agacharse. ↔*Enderezarse.*

agareno Árabe, sarraceno,

ismaelita, moro, musulmán, islamita, mahometano.

agarrada Altercado, disputa, riña, pendencia, contienda, porfía, reyerta, 'agarrón. ↔ *Conciliación, acuerdo.*

agarraderas Aldabas, amarras, padrinos, influencia, valimiento, favor.

agarradero Asa, mango, asidero. || Amparo, recurso, medios, resorte, agarraderas.

agarrado Tacaño, mezquino, miserable, cicatero, roñoso, avaro, interesado, apretado, económico, ahorrador. ↔ *Desprendido, generoso, liberal, dadivoso, pródigo, desinteresado.*

agarrar Asir, coger, tomar, prender, aferrar, atrapar, pillar. ↔ *Soltar, desasir.*

agarrarse 'Abrocharse.

'agarrón Agarrada.

agarrotar Apretar, oprimir, estrangular.

agasajar Obsequiar, regalar, festejar. || Halagar. ↔*Desdeñar.*

agasajo Obsequio, regalo, presente, fineza. || Halago, atención. ↔ *Desdén.*

ágata Cornalina, alaqueca, ónice, sardónica, prasma, crisoprasa.

agave Pita.

agazaparse Agacharse, acurrucarse, encogerse, acuclillarse. ↔ *Levantarse, enderezarse.* || Esconderse, achantarse, ocultarse. ↔ *Mostrarse.*

agencia Diligencia, solicitud. ↔ *Remisión.* || Oficio, encargo, empleo. || Oficina, despacho, administración, sucursal, delegación.

agenciar Procurar, tramitar,

A conseguir, adquirir, obtener.

agenciarse Hacerse con, componérselas, arreglárselas.

agenda Dietario, calendario.

agente Comisionado, corredor, intermediario, gestor, subalterno, funcionario.

ágil Ligero, suelto, veloz, diligente, activo, expedito, listo, vivo. ↔ *Pesado, lento, tardo, torpe, lerdo.*

agilidad Ligereza, prontitud, soltura, presteza, viveza, destreza. ↔ *Torpeza, lentitud.*

agio Especulación, agiotaje.

agitación Tráfago, tragín, movimiento, inquietud, excitación, intranquilidad, perturbación, turbación, conmoción. ↔ *Tranquilidad, inmovilidad, quietud, calma, placidez, sosiego, paz.*

agitador Perturbador, revolucionario, demagogo. ↔ *Apaciguador.*

agitar Sacudir, remover, conmover, turbar, perturbar, inquietar, intranquilizar, excitar, 'batuquear. ↔ *Aquietar, calmar, aplacar, tranquilizar, apaciguar.*

aglomeración Amontonamiento, acumulación, hacinamiento, acopio. ↔ *Dispersión, desparramiento, disgregación, diseminación.* || Gentío, muchedumbre, multitud, afluencia.

aglomerar Amontonar, acumular, conglomerar, hacinar, juntar, acopiar. ↔ *Disgregar, dispersar, desparramar.*

aglutinar Conglutinar, juntar, reunir, cuajar. ↔ *Separar.*

agobiar Abrumar, atosigar, oprimir, fatigar, cansar, molestar.

agobio Sofocación, angustia, atosigamiento, opresión, molestia, fatiga, cansancio.

agonía Extremidad, fin, muerte, postrimería. ↔ *Vagido.* || Angustia, congoja, ansia, pena, aflicción. ↔ *Alegría.* || Deseo, anhelo.

agonizar Extinguirse, terminar, acabarse, consumirse, morirse, perecer. ↔ *Nacer.*

agorar Vaticinar, presagiar, augurar, predecir, profetizar, adivinar.

agorero Augur, adivino, oráculo, profeta, vate, nigromante, brujo, hechicero, astrólogo.

agostador Abrasador.

agostar Secar, abrasar, marchitar. ↔ *Lozanear, reverdecer.*

agotamiento Consunción, extenuación, debilidad, enflaquecimiento. ↔ *Plenitud, lozanía, euforia, vigor.*

agotar Consumir, acabar, apurar, gastar. ↔ *Colmar, henchir, llenar.* || Debilitar, extenuar, enflaquecer. ↔ *Vigorizar, robustecer.*

agotarse (una mina) 'Brocearse.

agraciado Lindo, bonito, gracioso, hermoso. ↔ *Desagraciado, feúcho, soso.*

agraciar Favorecer, premiar, conceder, otorgar, hacer merced. ↔ *Sancionar, castigar, multar.*

agradable Grato, deleitoso, delicioso, placentero, amable, simpático, sabroso, gustoso. ↔ *Desagradable, ingrato, antipático, desabrido.*

agradar Gustar, placer, complacer, contentar, satisfacer, deleitar, alegrar. ↔ *Desagradar, disgustar, molestar.*

agradecer Reconocer, regraciar, dar gracias. ↔ *Desagradecer, desconocer.*

agradecido Reconocido, obligado. ↔ *Desagradecido, ingrato.*

agradecimiento Reconocimiento, gratitud. ↔ *Desagradecimiento, ingratitud, desconocimiento, olvido.*

agrado Gusto, placer, satisfacción, contentamiento, complacencia. ↔ *Desagrado, disgusto, insatisfacción, descontento.*

agrandar Aumentar, dilatar, ampliar, ensanchar, engrandecer, acrecentar, acrecer, multiplicar. ↔ *Achicar. empequeñecer, reducir, disminuir, amenguar.*

agravar Empeorar, recrudecer, enconar. ↔ *Aliviar, mejorar.*

agraviar Ofender, **afrentar,** insultar, injuriar, ultrajar, molestar. ↔ *Desagraviar, reparar.*

agravio Ofensa, afrenta. insulto, injuria, ultraje. ↔ *Desagravio, reparación.*

agraz Agrazón, agracejo, uva verde, 'tierno. || Sinsabor, desazón, amargura, disgusto. ↔ *Dulzura, placer.*

agredir Acometer, atacar, arremeter, cerrar, embestir. ↔ *Huir, esquivar.*

agregado Compuesto, mezcla. || Afecto, anexo, adscrito, destinado.

'agregado Arrendado.

agregar Añadir, adicionar, sumar, aumentar, asociar,

juntar, anexar, anexionar. ↔ *Segregar, separar, restar, sustraer, quitar.*

agresión Ataque, acometida, acometimiento, embestida. ↔ *Huida, fuga.*

agresivo Provocador, violento, provocativo, ofensivo, insolente. ↔ *Remiso, encogido, suave.*

agreste Inculto, salvaje, silvestre, campestre, áspero, rudo, tosco, grosero. ↔ *Cultivado, culto, fino.*

agriado 'Casquite.

agriar Acedar, acidificar, avinagrar, acidular. ↔ *Alcalinizar.* ‖ Exasperar, exacerbar, avinagrar. ↔ *Suavizar, dulcificar.*

agricultor Labrador, cultivador, labriego.

'agriera Acedía.

agrietado 'Encarrujado.

agrietar Abrir, hender, rajar, resquebrajar. ↔ *Cerrar, unir, pegar.*

agrio Ácido, acedo, acre, áspero, acerbo, 'casquite, 'suche. ↔ *Dulce, suave, alcalino.* ‖ Frágil, quebradizo, friable. ↔ *Tenaz, fuerte, resistente.*

agrisado Grisáceo, ceniciento, plomizo, apizarrado.

agro Campo, tierra.

agua Líquido, fluido, linfa. ‖ Lluvia. ‖ Mar, océano. ‖ Vertiente.

aguacate 'Sute, 'palta.

aguacero Chaparrón, chubasco, nubada, chaparrada, turbión, argavieso, 'aguaje.

'aguachar Amansar, domesticar.

aguada Acuarela.

aguadero Abrevadero, pilón, pila.

'aguado Débil, desfallecido.

aguafuerte Grabado, estampa.

'aguaje Laguna, charca. ‖ Aguacero. ‖ Reprimenda.

aguamanil Jofaina, palangana. ‖ Jarro, palanganero, aguamanos.

aguantable Soportable, tolerable, llevadero, sufrible, pasadero. ↔ *Inaguantable, insoportable, intolerable.*

aguantar Sostener, resistir, soportar, tolerar, sufrir, sobrellevar, conllevar, 'rustir. ↔ *Ceder, cejar, flaquear.*

aguantarse Contenerse, reprimirse, dominarse, vencerse, callarse. ↔ *Desatarse, desenfrenarse, descomedirse.*

aguante Resistencia, fuerza, vigor, energía. ↔ *Endeblez, flojedad.* ‖ Sufrimiento, tolerancia, paciencia. ↔ *Intolerancia.*

aguar Turbar, interrumpir, frustrar, perturbar.

aguardar Esperar, atender.

aguardiente Espíritu de vino, cazalla, 'calaguasca, 'calamaco, 'cañazo, 'casusa, 'guavo.

aguarrás Aceite de trementina.

'aguatarse Enaguacharse.

agudeza Ingenio, viveza, sutileza, perspicacia, gracia. ↔ *Necedad, simpleza.* ‖ Ocurrencia, chiste. ↔ *Perogrullada, majadería.*

agudo Puntiagudo, afilado, aguzado, delgado. ↔ *Romo, obtuso.* ‖ Sutil, perspicaz, ingenioso, ocurrente, gracioso. ↔ *Necio, simple, majadero.* ‖ Vivo, penetrante. ↔ *Mortecino.* ‖ Alto. ↔ *Grave, bajo.*

agüero Presagio, pronóstico, augurio, predicción 'ahuizote.

aguerrido Veterano, fogueado, ducho, experimentado, avezado, acostumbrado. ↔ *Novato, bisoño, inexperto.*

aguijada 'Picana.

aguijar Aguijonear, espolear, picar, pinchar, punzar, avivar, estimular, incitar, acuciar, arrear, 'piconear. ↔ *Frenar, contener.*

aguijón Pincho, púa, espina, rejo. ‖ Acicate, estímulo, incentivo, aliciente. ↔ *Freno, coercitivo.*

aguijonear Aguijar, espolear, picar, pinchar, punzar, avivar, estimular, incitar, acuciar. ↔ *Frenar, contener.*

águila 'Calquín.

aguileño Aquilino.

aguinaldo Propina, gratificación, recompensa.

aguja Brújula, compás. ‖ Saeta, saetilla, manecilla. ‖ Alfiler, horquilla, pasador, púa.

agujerear Horadar, perforar, taladrar. ↔ *Tapar, obturar.*

agujero Orificio, horado, foramen, ojo, boca, taladro.

agujeta 'Cimbrón.

agur Abur, adiós.

aguti 'Cotuza.

aguzanieves Nevatilla, nevereta, pespita, pezpítalo, pizpita, doradilla, chirivía.

aguzar Afilar, sacar punta. ↔ *Embotar.* ‖ Estimular, avivar, incitar, excitar, aguijar. ↔ *Enervar, embotar.*

aherrojar Encadenar, esposar, engrilletar, oprimir, esclavizar, sojuzgar. ↔ *Soltar, libertar.*

aherrumbrarse Herrumbrarse, enmohecerse, oxidarse. ↔ *Desherrumbrar, desenmohecerse.*

A **ahí** Aquí, allí, acá.
ahijar Prohijar, adoptar. ↔ *Abandonar, repudiar.*
ahilarse Madrearse. || Adelgazarse, acartonarse, apergaminarse. ↔ *Engordar.*
aína Rápido, presto. || Fácilmente, sencillamente, cómodamente. || Por poco.
ahínco Empeño, tesón, firmeza, esfuerzo, insistencia. ↔ *Desgana, apatía.*
ahitarse Saciarse, hartarse. atracarse, empacharse, apiparse, atiparse. ↔ *Ayunar, abstenerse.*
ahíto Saciado, harto, repleto, apipado, empachado. ↔ *Hambriento, en ayunas.* || Hastiado, cansado.
ahogar Asfixiar, sofocar, apagar, extinguir, oprimir, atosigar.
ahogo Ahoguío, opresión, sofocación, aprieto, apuro, necesidad, pobreza. ↔ *Desahogo, bienestar.*
ahondar Profundizar, calar, penetrar, adentrarse. excavar.
ahora En este instante, en estos momentos. || Poco ha, dentro de poco. || Actualmênte, hoy día, en la actualidad, en el momento actual, al presente.
ahorcar Colgar, dar garrote.
ahorita En seguida.
ahormar Amoldar. || Convencer, persuadir. ↔ *Disuadir.*
ahorrador Ahorrativo, económico, guardoso, agarrado. ↔ *Gastador, desprendido, pródigo.*
ahorrar Economizar, guardar, reservar, 'horrar, evitar, excusar. ↔ *Gastar, prodigar.*
ahorro Economía, reserva.
ahuecar Mullir, esponjar,

ablandar. ↔ *Tupir, apelmazar.* || Bajar (la voz). ↔ *Atiplar.* || Largarse, marcharse. ↔ *Llegar.*
ahuecarse Hincharse, engreír, envanecerse, esponjarse. ↔ *Avergonzarse.*
'ahuizote Fastidioso, molesto. || Cruel, temible. || Brujería, agüero.
ahusado Fusiforme.
ahuyentar Hacer huir, expulsar, apartar, rechazar, alejar. ↔ *Atraer.*
airado Enojado, i r r i t a d o, iracundo, colérico, encolerizado, furioso, rabioso. ↔ *Apacible, tranquilo, conciliador.*
aire Atmósfera, ambiente. || Viento. || Apariencia, porte, aspecto, figura. || Garbo, gallardía, gentileza, apostura, gracia. ↔ *Desgaire, torpeza.* || Canción, tonada.
airear Ventilar, orear, oxigenarse. ↔ *Encerrar.*
airoso G a r b o s o, gallardo, arrogante, apuesto, galán. ↔ *Desgarbado, desgalichado.*
aislado Solitario, solo, retirado, apartado, incomunicado, inconexo, suelto, independiente. ↔ *Acompañado, comunicado, céntrico.*
aislamiento Incomunicación, d e s c o n e x i ó n, separación, apartamiento, retiro, retraimiento. ↔ *Comunicación, conexión, compañía.*
aislar Incomunicar, desconectar, separar. ↔ *Comunicar, conectar.*
aislarse Retirarse, recogerse, apartarse, retraerse. ↔ *Incorporarse.*
ajar Marchitar, d e s l u c i r, desmejorar, deteriorar, so-

bar, maltratar, 'achurruscar. ↔ *Lozanear, reverdecer, mejorar.* || Humillar, vejar, ofender. ↔ *Respetar.*
ajarafe Aljarafe.
ajarse 'Achucutarse.
ajedrezado Escaqueado, jaquelado, escacado.
ajenjo Alosna, absintio.
ajeno Extraño, impropio, forastero, desconocedor. ↔ *Propio.*
ajetreo Trajín, reventadero, idas y venidas, movimiento.
ají 'Ajiaco, 'chilcote, 'chile, 'rocote.
ajobo Carga, molestia, fatiga, esfuerzo. ↔ *Alivio.*
ajonjolí Alegría, sésamo.
ajorca Pulsera, brazalete, argolla.
'ajotar Hostigar, azuzar.
ajuar Menaje, mueblaje, moblaje, mobiliario.
ajumarse E m b r i a g a r s e, a c h i s p a r s e, emborracharse, alegrarse, alumbrarse. ↔ *Desembriagarse, desemborracharse.*
ajustar Adaptar, acoplar, unir, encajar, arreglar, 'embonar. ↔ *Desajustar, desarreglar, desacoplar.* || Concertar, convenir, concordar, pactar. ↔ *Romper.* || Compaginar. ↔ *Descomponer.*
ajustarse Amoldarse, avenirse, atenerse, conformarse. ↔ *Discrepar, resistirse.*
ajuste Conciliación, trato, pacto, arreglo. || Precisión, exactitud.
ajusticiar Ejecutar.
ala Alón, élitro. || Fila. || Flanco, alero.
alabanza Loor, loa, elogio, encomio, enaltecim i e n t o,

apología. ↔ *Censura, detracción, condena, vituperio.*

alabar Elogiar, loar, encomiar, encarecer, ensalzar, celebrar, enaltecer, ponderar. ↔ *Censurar, condenar, desaprobar, vituperar.*

alabarda Pica, lanza.

alabarse Jactarse, vanagloriarse, preciarse, gloriarse, picarse, alardear, cacarear. ↔ *Acusarse, reprocharse, reprobarse.*

alabeado Curvo, cono, arqueado, adunco. ↔ *Recto, llano.*

alabeo Curva, comba, pandeo. ↔ *Rectitud.*

alacena Armario.

'alaco Harapo, guiñapo. || Vicioso, perdido.

alacrán Escorpión.

alacridad Animación, prontitud, presteza, rapidez, ligereza. ↔ *Torpeza, desánimo.*

aladierna Alitierno, mesto.

alado Alígero.

'alajú Tableta.

alambicar Sutilizar, refinar, purificar, quintaesenciar, aquilatar, apurar. || Destilar.

alambique Destilador, destilatorio, alquitara.

álamo Chopo, almo, pobo.

alarde Ostentación, gala, jactancia, presunción, fanfarronada, faroleo, pavoneo. || Inspección.

alardear Jactarse, alabarse, vanagloriarse, preciarse, gloriarse. ↔ *Reprocharse, reprobarse.*

alargar Prolongar, estirar, prorrogar. ↔ *Acortar, reducir.* || Tender, entregar, adelantar. ↔ *Tomar.*

alarido Grito, chillido, bramido, baladro, rugido.

alarma Susto, sobresalto, inquietud, intranquilidad, temor, zozobra. ↔ *Impasibilidad, tranquilidad, sosiego.* || Rebato.

alarmar Asustar, sobresaltar, atemorizar, inquietar, intranquilizar. ↔ *Tranquilizar, sosegar, aquietar.*

alavés Alavense, babazorro.

alazo Aletazo.

albada Alborada.

albahaca Alfábrega, alábega.

alba Aurora, madrugada, amanecer, alborada, albor, amanecida. ↔ *Crepúsculo, anochecer, anochecida, atardecer, ocaso.*

albacea Testamentario, cabezalero.

albañal Albañar, sumidero, vertedor, cloaca, caño, alcantarilla, desaguadero, colector, albollón.

albañil Alarife.

albarán Resguardo, talón, recibo.

albarda Aparejo, basto, enjalma, 'cangalla.

albardán Bufón, histrión, juglar.

albaricoque Albarcoque, albercoque.

albaricoquero Albarillo, albercoquero.

albayalde Carbonato de plomo, blanco de plomo, cerusa, cerusita.

'albazo Alborada.

albear Blanquear, emblanquecerse. ↔ *Negrear, negrecer.*

albedrío Arbitrio, voluntad, elección, libertad. ↔ *Fatalidad, necesidad, destino.* || Gana, gusto, capricho, antojo, arbitrariedad.

albéitar Veterinario.

alberca Balsa, estanque, charca, 'jagüey.

albergar Cobijar, guarecer,

hospedar, alojar, aposentar, asilar, acoger.

albergue Cobijo, refugio, hospedaje, alojamiento, asilo. || Guarida, cubil, manida.

alberguería Posada hostería, fonda, fondón, mesón, parador, venta, motel, hospedería.

albo Blanco, cándido, níveo. ↔ *Negro.*

albollón Albañal.

albóndiga Albondiguilla, almóndiga, almondiguilla.

albor Alba, alborada, aurora, amanecer. ↔ *Crepúsculo.* || Albura, blancura. ↔ *Negror.*

alborada Albor, amanecer, 'albazo. ↔ *Anochecer.* || Diana. || Albada.

alborear Amanecer, alborecer, clarear, rayar el alba, despuntar el día. ↔ *Anochecer, oscurecer.*

albores Principios, comienzos, inicios, infancia. ↔ *Ocaso, senectud.*

alborotado Irreflexivo, ligero, atolondrado, precipitado, vehemente. ↔ *Juicioso, sensato, prudente, sereno.*

alborotador 'Bolinero.

alborotar Gritar, perturbar, inquietar, trastornar, excitar, amotinar, sublevar, 'embochinchar. ↔ *Calmar, apaciguar.*

alboroto Vocerío, algazara, bulla, gritería, batahola, bullicio, jaleo, guirigay, 'bululú, 'baluma. ↔ *Silencio, calma.*

'alboroto Alborozo.

alborozo Júbilo, alegría, regocijo, gozo, placer, contento, satisfacción, 'alboroto. ↔ *Consternación, aflicción.*

A

A alborque 'Juanillo.

albufera Albariza, albina, estero, laguna.

álbum Portafolio, libro en blanco.

albur Contingencia, azar, eventualidad, casualidad. ↔ *Seguridad.*

alcabala Censo, impuesto, tributo.

alcahueta Celestina, trotaconventos, encubridora, tercera, proxeneta, comadre.

alcahuete Encubridor, rufián.

alcahuetería Tercería, lenocinio, proxenetismo.

alcaide Carcelero, cancerbero, guardián.

alcalaíno Complutense.

alcaldada Polacada, extralimitación, exceso, abuso, arbitrariedad, desafuero, tropelía, atropello. ↔ *Justicia, comedimiento.*

alcalde Baile, corregidor.

alcance Seguimiento, persecución. || Importancia, trascendencia.

alcances Capacidad, talento, inteligencia, luces, clarividencia.

alcancía Hucha, vidriola, olla ciega, ladronera.

alcandía Zahína, sorgo, daza, melca.

alcantarilla Desaguadero, cloaca, sumidero, albañal, albañar, albollón, vertedor, colector, caño.

alcanzado Empeñado, deudor, falto, escaso, necesitado, apurado.

alcanzar Conseguir, obtener, lograr, recabar, llegar. || Entender, comprender. || Tocar, atañer. || Coger, tomar. ↔ *Soltar.*

alcaparra Tápara.

alcarraza 'Caneca.

alcatifa Alfombra, tapete.

alcayata Escarpia.

'alcayota Cidra, cayote.

alcázar Fortaleza, castillo, alcoba, palacio.

alce Anta, a n t e , danta, dante.

alcoba Dormitorio, aposento.

alcohol Espíritu (de vino), aguardiente. || Galena.

alcolea Castillo, alcázar.

alcor Cerro, collado, colina, alcudia, otero, montículo, meta, loma, cabeza.

alcorce Atajo.

alcornoque Torpe, ignorante, bodoque, estúpido, necio, tarugo, 'cascarón. ↔ *Despejado, listo, perspicaz.*

alcorzar Acicalar, emperifollar, pulir, adornar. ↔ *Desaliñar.* || Acortar, atajar. ↔ *Rodear.*

alcudia Cerro, collado, colina, alcor, otero, montículo.

alcurnia Prosapia, linaje, ascendencia, estirpe.

alcuza Aceitera.

aldaba Llamador, aldabón, picaporte.

aldabas Agarraderas, amarras, padrinos, influencia, valimiento, favor.

aldea Aldehuela, aldeorrio, lugar, lugarejo, caserío, burgo, cafería, pueblecito.

aldeano Lugareño, pueblerino, campesino, 'campirano. || Rústico, paleto, ignorante, inculto.

aleación Mezcla, f u s i ó n, liga.

alear Aletear.

alear Ametalar.

aleatorio Fortuito, casual.

aleccionar Instruir, enseñar, adiestrar, amaestrar, informar, adoctrinar.

aledaño Confinante, lindan-

te, colindante, limítrofe, vecino, contiguo. ↔ *Separado, apartado, lejano.* || Confín, término, límite. || Dependencia, anejo.

alegar Aducir.

alegato Defensa, prueba, argumento, razonamiento.

alegoría Ficción, símbolo, representación, metáfora.

alegrar Certificar, animar, regocijar, alborozar, complacer, satisfacer, entusiasmar, excitar. ↔ *Entristecer, contristar, apenar.* || Avivar, hermosear, a n i mar. ↔ *Apagar, deslucir.*

alegre Contento, regocijado, alborozado, gozoso, satisfecho, jovial, divertido, jubiloso, radiante, entusiasmado, 'boruquiento. ↔ *Triste, afligido, contristado, apenado.* || Achispado, ajumado, alumbrado.

alegría Contento, gozo, satisfacción, **contentamiento**, placer, regocijo, alborozo, júbilo. ↔ *Tristeza, aflicción, pena.*

alejar Apartar, retirar, desviar, separar, rechazar, ahuyentar. ↔ *A c e r c a r, aproximar, arrimar.*

alelado Aturdido, atontado, embobado, pasmado, turulato, confundido, desconcertado, 'alepantado. ↔ *Avispado, listo.*

alelamiento 'Alepantamiento.

alelar Embobar, atontar, atontolinar, abobar, entontecer. ↔ *Despabilar, despertar, avispar.*

aleluya Albricias, viva, hurra.

alemán Germano, germánico, teutón, tudesco.

alentar Animar, estimular, reanimar, confortar, exhortar, incitar, excitar, estimular. ↔ *Desalentar, desanimar, descorazonar, desengañar, disuadir.* || Respirar, espirar.

'alepantado Embobado, ensimismado, alelado.

'alepantamiento Ensimismamiento, embobamiento, alelamiento.

alerce Lárice.

alero Borde, ala, aleta, tejaroz, chaperón.

aleta Ala. || Alero.

aletargar Adormecer, amodorrar, narcotizar, embeleñar. ↔ *Despertar.* || Modorrar, adormecer. ↔ *Desvelar, despabilar.*

aletazo Alazo.

aletear Alear.

aleve Pérfido, traidor, desleal, infiel, traicionero, felón, alevoso. ↔ *Leal, fiel, noble.*

alevosía Perfidia, traición, deslealtad, infidelidad, felonía, prodición. ↔ *Lealtad, fidelidad, nobleza.*

alevoso Traicionero, desleal, infiel, traidor, felón, aleve, pérfido. ↔ *Noble, leal, fiel.*

alfabeto Abecedario, abecé.

alfábrega Albahaca, alábega.

alfajor 'Gofio, 'tableta.

alfalfa Mielga.

'alfandoque Alfeñique.

alfarería Cerámica.

alfarero Barrero, cantarero, ceramista.

alfayate Sastre.

alféizar Alfeiza, derrame.

alfeñicarse Remilgarse, melindrear. ↔ *Endurecerse.*

alfeñique Merengue, amerengado, melindroso, blandengue, remilgado, delicado, 'alfandoque. ↔ *Brusco, bravo, llano, rudo.*

alférez Lugarteniente. || Abanderado, enseña, portaestandarte.

alfiler Broche, imperdible, aguja, 'fistol, 'topo.

alfiletero Cachucho, cañutero, canutero, cañuto.

alfombra Alcatifa, tapete, estera.

alforja Talega, bolsa, burjaca, zurrón, barjuleta.

algaida Maleza, matorral, breña.

algarabía Gritería, vocerío, bulla, confusión. ↔ *Silencio, orden.*

algarada Motín, alboroto, tumulto, asonada, revuelta, sedición, sublevación.

algarroba Garroba, garrofa, arveja.

algarrobo 'Tamarugo.

algazara Gritería, bulla, gresca, broma, vocerío, algarabía, bullicio, batahola, 'guananga, 'samotana. ↔ *Calma, silencio.*

algebrista 'Componedor.

álgido Algente, frígido, glacial. ↔ *Caliente.*

'algorra Alhorre, erupción.

alguacil Corchete, sayón, esbirro.

alguien Alguno.

algunos Varios, ciertos.

alhaja Joya, presea, dije, joyel, broche.

alheña Ligustro.

alheñarse Anublarse, agotarse, marchitarse.

alhóndiga Mercado, lonja, pósito.

alhorre 'Algorra.

alhucema Espliego, lavándula.

aliaga Aulaga, árgoma.

alianza Unión, liga, confederación, coalición. ↔ *Rivalidad, hostilidad, discordia.* || Pacto, tratado, convenio.

aliara 'Guamparo.

A

aliarse Unirse, confederarse, coligarse, ligarse, asociarse. ↔ *Desunirse, romper.*

alias Apodo, mote, sobrenombre.

alicaído Desanimado, desalentado, decaído, abatido, triste, aliquebrado. ↔ *Enardecido, exaltado, entusiasmado, alegre, campante.*

alicates Tenazas, tenacillas.

aliciente Atractivo, incentivo, estímulo, aguijón, acicate. ↔ *Coercitivo, freno.*

alienable Enajenable, vendible. ↔ *Inalienable.*

alienado Loco, demente, perturbado, psicópata, desequilibrado, ido. ↔ *Cuerdo, sano.*

alienar Enajenar, vender, traspasar. ↔ *Adquirir.*

aliento Ánimo, esfuerzo, valor, bizarría, denuedo, brío, desaliento, flaqueza. || Respiración, soplo, vaho.

alifafe Achaque, afección, arrechucho, indisposición, amagón.

aligerar Aliviar, atenuar, moderar. ↔ *Agravar.* || Abreviar, acelerar, avivar, apresurar, activar, apurar. ↔ *Retardar, diferir.*

alígero Alado, rápido, veloz.

alijar Aligerar, aliviar, desembarcar, transbordar.

'alilaya Excusa.

alimaña Animal, bestia, bestezuela, sabandija, bicho.

alimentar Nutrir, sustentar, mantener. || Sostener, fomentar.

alimenticio Nutritivo, substancioso.

alimento Sustento, manutención, comida, yantar. || Sostén, pábulo, fomento.

A

alineación Formación, alineamiento, jalonamiento.

aliñar Aderezar, condimentar, sazonar, adobar. ‖ Componer, arreglar, adornar, acicalar. ↔ *Desaliñar, descomponer.*

aliño Aderezo, condimento, adobo. ‖ Compostura, aseo, pulcritud. ↔ *Desaliño.*

alioli Ajiaceite.

aliquebrado Alicaído, desalentado, desanimado, decaído, abatido. ↔ *Enardecido, exaltado, eufórico.*

alisar Pulir, pulimentar, bruñir. ‖ Desarrugar, planchar. ↔ *Desplanchar.*

alistar Inscribir, afiliar, matricular, reclutar, prevenir, preparar, disponer.

aliviar Moderar, templar, mitigar, suavizar, mejorar. ↔ *Agravar.* ‖ Aligerar, descargar. ↔ *Reforzar.*

aliviarse Mejorar, reponerse, recobrarse. ↔ *Agravarse, empeorar.*

alivio Descanso, consuelo, mitigación. ↔ *Agravio.* ‖ Mejoría. ↔ *Empeoramiento.*

aljaba Carcaj, carcax, goldre.

aljama Judería. ‖ Mezquita.

aljarafe Ajarafe, azotea, terrado.

aljibe Cisterna.

allanarse Conformarse, amoldarse, avenirse, resignarse. ↔ *Resistirse.*

alma Espíritu, ánima. ‖ Ánimo, aliento, energía, vehemencia, viveza, animación, expresión. ↔ *Desánimo, flaqueza, inexpresión.* ‖ Persona, individuo, habitante.

almacén Depósito, pósito, factoría, dock, 'galpón, 'barraca.

almacenar Guardar, acopiar, acumular, allegar, reunir, juntar. ↔ *Sacar, distribuir, repartir.*

almadana 'Golpe.

almadena 'Combo.

almadía Armadía, balsa, jangada.

almadreña Madreña, zueco, zoco, zodo, chanca.

almagre Almagra, almazarrón, ocre rojo.

almanaque Calendario, pronóstico, piscator.

almazarrón Almagre, ocre rojo.

almeja Telina, tellina.

almendra Alloza, almendruco, arzolla.

almeriense Urcitano.

almiar Montonera, pajar, pajera, piara.

almibarado Meloso, melifluo, dulzón, empalagoso.

alminar Minarete.

almirez Mortero, pilón.

almizclero Cabra de almizcle, cervatillo, porta-almizcle.

almo Criador, alimentador, vivificador. ‖ Excelente, venerable. ↔ *Despreciable.*

almocafre Escardilla, escardadera, escabuche, azadilla, zarcillo, garabato, 'calla.

almohada Cabezal, cabezara:

'almohadilla Acerico.

almohadón Cojín.

almohaza Rasqueta, rascadera.

almohazar 'Rasquetear.

almóndiga Almondiguilla, albóndiga, albondiguilla.

almoneda Subasta, licitación, saldo.

almorrana Hemorroide.

almorta Arvejón, guija, tito, muela.

almorzar Comer, desayunar.

almotacén Motacén, almotazar, tasador. ‖ Contraste. ‖ Almotacenazgo, fielato.

almuédano Almuecín, muecín.

almuerzo Comida, desayuno.

almunia Huerto, granja, alquería.

alnado Entenado, hijastro.

alocado Irreflexivo, precipitado, atolondrado, desatinado, locuelo. ↔ *Juicioso, prudente, cuerdo.*

alocución Discurso, arenga, parlamento.

áloe Zabila, azabara.

alojamiento Hospedaje, posada, albergue, cobijo, aposento.

alojar Hospedar, aposentar, albergar, guarecer, cobijar.

alón Ala.

alondra Alhoja, calandria, terrera, 'tenca.

alpaca 'Carnero.

alpinista Montañero, escalador.

alquería Cortijo, caserío, masada, masía, manso, granja, 'chácara, 'rancho.

alquilar Arrendar. ↔ *Desalquilar.*

alquiler Arriendo, arrendamiento, inquilinato, renta.

alquitara Alambique, destilador.

alrededor En torno. ‖ Cerca, aproximadamente, hacia.

alrededores Cercanías, contornos, inmediaciones, afueras, proximidades. ↔ *Centro.*

alta Ingreso, reingreso, reincorporación.

altanería Altivez, orgullo, soberbia, arrogancia, desdén, desprecio. ↔ *Modes-*

tía. *humildad, sencillez, atención.*

altanero Altivo, orgulloso, soberbio, arrogante, desdeñoso, despreciativo, imperioso. ↔ *Modesto, humilde, sencillo, atento.*

altar Ara.

alteración Variación, mudanza, cambio, perturbación, trastorno, desasosiego, sobresalto, excitación, enojo. ↔ *Permanencia, invariación, calma, sosiego.*

alterar Variar, mudar, cambiar, perturbar, trastornar, conmover, turbar, conturbar. ↔ *Permanecer, calmar, sosegar.*

altercado Disputa, pendencia, reyerta, riña, agarrada, gresca, cisco, escándalo, bronca, pelotera, cuestión, discusión, polémica, debate. ↔ *Conciliación, acuerdo.*

alternador Generador.

alternar Turnar, sucederse, relevarse. ‖ Tratarse, codearse, frecuentar, rozarse.

alternativa Opción, elección, disyuntiva, dilema.

alterno Alternativo, uno sí y otro no.

alteza Altura, elevación, sublimidad, excelencia. ↔ *Bajura, bajeza.*

altibajo Desigualdad, fluctuación, salto. ↔ *Regularidad.*

altilocuente Altilocuo, grandilocuente, grandilocuo. ↔ *Lacónico, conciso, lapidario.*

altimetría Hipsometría.

altiplanicie Meseta, puna, rasa.

altisonante Altísono, ampuloso, pomposo, rimbombante, hueco, hinchado, cam-

panudo, redundante. ↔ *Natural, llano.*

altivez Altanería, soberbia, orgullo, arrogancia, imperio, desdén, desprecio. ↔ *Humildad, modestia.*

altivo Altanero, soberbio, orgulloso, arrogante, imperioso, desdeñoso, despreciativo. ↔ *Humilde, modesto.*

alto Parada. ‖ Detención. ‖ Altura, elevación. ‖ Elevado, encumbrado, eminente, prominente. ↔ *Bajo, llano, hondo.* ‖ Crecido, talludo, espigado, larguirucho. ↔ *Bajo, achaparrado.* ‖ Agudo. ↔ *Grave.*

'alto Montón, pila.

altozano Cerro, alcor, alcarria, altillo.

altruismo Generosidad, filantropía. ↔ *Egoísmo.*

altura Alto, elevación, cumbre, altitud. ↔ *Bajura, depresión.* ‖ Eminencia, excelencia, alteza, superioridad, dignidad, grandeza. ↔ *Bajeza, pequeñez.*

'alua Cocuyo.

alubia Judía, habichuela, 'poroto.

alucinación Alucinamiento, ofuscación, ofuscamiento, ceguera, ceguedad, confusión, deslumbramiento, engaño. ↔ *Clarividencia.*

alucinar Ofuscar, confundir, engañar, cegar, cautivar, ilusionar, seducir, deslumbrar, embaucar.

alucón Cárabo, autillo.

alud Lurte, argayo.

aludir Referirse, hacer referencia, mencionar, citar, señalar, ocuparse. ↔ *Silenciar, callar, reservarse.*

alumbrado Iluminación.

alumbramiento Parto.

alumbrar Iluminar, encen-

der, aclarar. ↔ *Apagar, oscurecer.* ‖ Dar a luz, parir.

alumbrarse Achisparse, alegrarse, ajumarse, embriagarse, emborracharse. ↔ *Desembriagarse, desemborracharse.*

'alumnado Colegio, escuela.

alumno Discípulo, colegial, escolar, estudiante.

alusión Referencia, mención, cita.

alusivo Referente, tocante, relativo.

aluvión Avenida, inundación, desbordamiento, chorroboro, argayo. ‖ Multitud, muchedumbre, enjambre, tropel. ↔ *Escasez.*

álveo Cauce, lecho, madre.

'alverja Guisante.

alza Subida, aumento, elevación, encarecimiento. ↔ *Baja, descenso, abaratamiento.*

alzada Apelación.

alzado Ajuste, precio. ‖ Frontal, fachada.

'alzadora Niñera.

alzamiento Sublevación, levantamiento, insurrección, sedición, rebelión, motín, tumulto.

alzapié Banqueta, taburete, banquillo, escabel.

alzaprima Palanca.

alzar Levantar, elevar, erigir, subir, encumbrar, ascender. ↔ *Bajar.*

alzarse 'Amallarse.

allá Allí. ↔ *Acá.*

allanar Aplanar, igualar, nivelar, arrasar, atablar, 'catear. ↔ *Desnivelar.* ‖ Vencer, resolver, superar, zanjar. ↔ *Incitar, levantar.* ‖ Derribar, abatir, explanar. ↔ *Edificar.* ‖ Forzar (la entrada).

allegado Cercano, próximo.

A

↔ *Lejano.* || Pariente, deudo, familiar, paniaguado ↔ *Extraño.*

allende Allá, al otro lado, de la otra parte.

ama Señora, señorita. || Dueña, propietaria. || Patrona. || Aya, niñera, rollona. || Nodriza.

amabilidad Afabilidad, cortesía, urbanidad, gentileza, amenidad, sencillez, cordialidad, atención, benevolencia, agrado, afecto. ↔ *Descortesía.*

amable Afable, atento, cariñoso, afectuoso, benévolo, cortés, agradable, tratable, complaciente, urbano, sencillo, sociable, cordial, encantador, gracioso. ↔ *Descortés.*

amaestrar Enseñar, adiestrar, instruir, ejercitar, aleccionar, entrenar.

amagar Amenazar, conminar. || Insinuar, apuntar, dar a entender. ↔ *Manifestar.*

amagarse Ocultarse, agacharse, esconderse. ↔ *Mostrarse.*

amago Amenaza, conminación. || Señal, indicio, síntoma, gesto.

amainar Aflojar, ceder, moderar, disminuir, calmar. ↔ *Arreciar*

amalgama Mezcla, mescolanza, combinación, reunión. ↔ *Separación.*

'amalhayar Anhelar, codiciar.

'amallarse Alzarse.

amamantar Lactar, atetar, criar, nutrir, dar de mamar.

amancillar Ajar, deslucir, deslustrar, empañar, manchar, afear. ↔ *Abrillantar, lustrar.*

amanecer Alborear, alborecer, apuntar, despuntar, rayar, romper (el día). ↔ *Anochecer.* || Aparecer, surgir, encontrar, hallar. ↔ *Desaparecer.*

amanecer Alba, amanecida, aurora, alborada, orto, primera luz. ↔ *Atardecer.*

amaneramiento Afectación, rebuscamiento, remilgo. ↔ *Originalidad, naturalidad.*

amanerarse Viciarse, estudiarse, copiarse, repetirse.

amanillar Esposar, maniatar, agarrotar, encadenar.

'amansador Picador, domador.

amansar Domar, domesticar, desembravecer, tranquilizar, apaciguar, aquietar, aplacar, calmar, sosegar, mitigar, dulcificar, 'aguachar. ↔ *Embravecer, arreciar.*

amante Enamorado, amoroso, galante, tierno, querido, afectuoso, sensible, caluroso, entusiasta, bien amado. || Amador, **galán.** || Aficionado, inclinado.

amante Manceba.

amanuense Escribano, secretario, escribiente, memorialista, pendolista, copista.

amañar Arreglar, componer, entruchar, preparar, falsear.

amaño Ardid, treta, artificio, astucia, traza, componenda, trampa, intriga, estratagema, triquiñuela, combinación, falseamiento.

amapola Ababol, 'camelia.

amar Querer, estimar, afeccionar, adorar, apreciar, idolatrar, estar prendado de, estar enamorado, beber los vientos por. ↔ *Odiar.* || Apegarse, complacerse

en, encapricharse de, entregarse, apasionarse.

amaranto Borlas, borlones, 'moco.

amargar Agrazar, acibarar, ahelear. ↔ *Ser dulce.* || Apenar, apesarar, apesadumbrar, atristar, entristecer, contristar, atormentar, afligir, encocorar. ↔ *Alegrar, endulzar.*

amargo Acerbo, acibarado, ácido, 'cerrero. ↔ *Dulce.*

amargura Amargor, aflicción, disgusto, tristeza, pena, pesadumbre, pesar, desconsuelo, sufrimiento. ↔ *Dulzura, gusto, consuelo.*

amarillo Gualdo, limonado, pajizo, azufrado.

amarra Atadura, cordaje. || Protección, apoyo.

amarradero Próis, noray.

'amarrado Lento, calmoso, tardo.

amarrar Atar, trincar, ligar, encadenar, anudar. ↔ *Desamarrar, desatar.*

amartelar Enamorar, arrullar.

amartillar Montar, armar.

amasadera Artesa, duerna, masera.

amasar Heñir, mezclar, amalgamar.

amasia Manceba.

amasijo Revoltijo, revoltillo, mezcla, confusión, enredo, intriga.

amatorio Amoroso, erótico.

amazona 'Ropón.

ambages Rodeos, circunloquios, **perífrasis.**

ámbar Cárabe.

'ambarina Escabiosa.

ambición Codicia, avidez, aspiraciones, afán, ansia, anhelo. ↔ *Modestia.*

ambicionar Codiciar, anhelar, ansiar, apetecer, desear, querer.

ambicioso Codicioso, ansioso, ávido, sediento. ↔ *Modesto.*

ambidextro Maniego.

ambiente Medio.

ambigüedad Anfibología, equívoco, doble sentido, imprecisión, indeterminación, oscuridad, confusión. ↔ *Claridad, simplicidad, precisión.*

ambiguo Anfibológico, equívoco, d u d o s o, de doble sentido, impreciso, indeterminado, incierto, oscuro, confuso. ↔ *Claro, simple, preciso.*

ambito Contorno, perímetro. || Espacio, campo, superficie.

ambladura 'Tranco.

ambos Los dos, uno y otro, entrambos, ambos a dos.

ambuesta Almorzada.

amelga 'Melga.

amelgar 'Melgar.

ambulante Móvil. ↔ *Fijo.* || Errante, vagabundo.

amedrentar Atemorizar, acobardar, acoquinar, intimidar, amilanar, arredrar, aterrar, achantar. ↔ *Animar, alentar, envalentonar.*

amén Así sea, conforme, de acuerdo. || Excepto, a excepción. || A más, además.

amenaza Amago, conminación, apercibimiento, bravata. ↔ *Halago, aliciente.*

amenazar Amagar, conminar, apercibir, jurársela. ↔ *Halagar, seducir, atraer.*

amenguar Disminuir, menoscabar, mermar, minorar. ↔ *Acrecentar, aumentar.*

amenidad Atractivo, deleite, afabilidad, gracia, diversión. ↔ *Aburrimiento.*

ameno G r a t o, placentero, agradable, atractivo, en-

tretenido, divertido, encantador. ↔ *Inameno, ingrato, desapacible, aburrido.*

americana Chaqueta, 'saco.

ametrallar Acribillar, disparar.

amiga Amante, concubina, querida, manceba.

amigable Amistoso. ↔ *Hostil.*

amigar Amistar, reconciliar. ↔ *Enemistar.*

amigarse Amancebarse, abarraganarse, liarse.

amígdala T o n s i l a, agalla, glándula.

amigdalitis Angina, esquinencia.

amigo Aficionado, inclinado, apegado, encariñado, partidario, adicto, devoto, 'ñaño, afecto. ↔ *Enemigo, adversario, rival.*

amilanar Acobardar, aterrar, acoquinar, arredrar, a m e d r entrar, atemorizar, intimidar, achicar, achantar, abatir, postrar, 'acholar. ↔ *Envalentonar, alentar, animar.*

amilanarse 'Acarroñarse.

aminorar Minorar, disminuir, amenguar, mermar, achicar, acortar, atenuar, amortiguar, mitigar, paliar, reducir. ↔ *Aumentar, acrecentar, agrandar, acentuar.*

amistad Afecto, apego, inclinación, cariño, afición, d e v o c i ó n, intimidad. ↔ *Enemistad, aversión, rivalidad.*

amistar Amigar, reconciliar. ↔ *Enemistar.*

amistoso Amigable, afable, afectuoso. ↔ *Hostil.*

amnistía Indulto, perdón.

amo Señor, dueño, propietario, patrón. ↔ *Criado, siervo.*

amoblar Amueblar, moblar, mueblar.

A

amodorramiento M o d orra, somnolencia, sopor, letargo, aletargamiento, coma. ↔ *Insomnio, excitación.*

amodorrarse Adormecerse, a l e t a rgarse, adormilarse, 'amurrarse. ↔ *Desvelarse.*

amojamarse A c e c i n a r s e, avellanarse, apergaminarse, momificarse, adelgazar, 'apellinarse. ↔ *Enternecerse, afofarse, engordar.*

amojonar Mojonar, acotar, deslindar, demarcar.

amolador Afilador.

amolar Afilar, aguzar, dar filo. ↔ *Embotar.* || Fastidiar, aburrir, cansar, molestar. ↔ *Interesar, divertir.*

amoldar Ajustar, acomodar, adaptar, transigir. ↔ *Cuadrarse, resistirse.*

amonedar Acuñar, batir.

amonestación Admonici ó n, advertencia, aviso, exhortación, reprimenda, reprensión, reconvención, regaño.

amonestaciones Proclamas, publicaciones.

amonestar Advertir, exhortar, avisar, reprender, reconvenir, regañar.

amontonar Apilar, acumular, allegar, acopiar, apiñar, aglomerar, hacinar. ↔ *Desparramar, esparcir.*

amontonarse Enfadarse, encolerizarse, irritarse, amoscarse, enojarse. ↔ *Desenfadarse, desenojarse.*

amor Cariño, ternura, afecto, apego, inclinación, afición, devoción, estimación, adoración. ↔ *Odio, aborrecimiento, aversión, desamor, malevolencia.*

A

amoratado Lívido, cárdeno.

amorfo Informe. ↔ *Cristalino.*

amorío Flirteo, devaneo, 'camarico.

amoroso Cariñoso, afectuoso, tierno, enamorado. ↔ *Hostil, despreciativo.* || Blando, apacible, suave. ↔ *Áspero, desapacible, duro.*

amorrado 'Taimado.

amortiguar Aminorar, atenuar, mitigar, paliar, moderar. ↔ *Avivar, recrudecer.*

amortizar Liquidar, redimir, vincular, extinguir. || Recuperar, compensar, cubrir gastos.

amoscarse Mosquearse, amostazarse, picarse, sentirse, resentirse, requemarse, enojarse, enfadarse, agraviarse. ↔ *Aplacarse, desenfadarse.*

amostazarse 'Afarolarse.

amotinado Insurgente, rebelde, revoltoso. ↔ *Leal.*

amotinar Sublevar, insurreccionar, levantar, alzar, insubordinar.

amparar Proteger, defender, escudar, favorecer, auxiliar, apoyar, patrocinar, salvaguardar. ↔ *Desamparar, abandonar.*

ampararse Guarecerse, abrigarse, cobijarse, resguardarse.

amparo Reparo, defensa, refugio, abrigo, asilo, protección, favor, apoyo, patrocinio, égida.

ampliación Amplificación, desarrollo, aumento. ↔ *Reducción.*

ampliar Ensanchar, amplificar, extender, desarrollar, dilatar, aumentar, agrandar, incrementar. ↔ *Reducir, estrechar.*

amplificar Ampliar, aumentar, desarrollar, extender. ↔ *Reducir.*

amplio Extenso, dilatado, vasto, espacioso, ancho, capaz, holgado. ↔ *Angosto, reducido, estrecho.*

amplitud Extensión, espaciosidad, anchura. ↔ *Exigüidad, estrechez.*

ampolla Burbuja, vejiga.

ampuloso Hinchado, enfático, redundante, altisonante, pomposo. ↔ *Llano, fluido, natural.*

amputación Ablación, mutilación.

amputar Cortar, cercenar, truncar.

amueblar Amoblar, mueblar, moblar.

amuleto Talismán, mascota, filacteria.

amurallar Murar, cercar.

'amurrarse Amodorrarse.

'amusgarse Avergonzarse.

anacardo 'Caracolí.

anacoreta Solitario, ermitaño, eremita.

ánade Pato, ánsar.

'anaina Solapadamente.

analectas Antología, crestomatía, florilegio, selectas, colección.

anales Crónicas, comentarios, fastos, memorias.

analfabeto Iletrado, inculto, ignorante, zote, paleto, palurdo. ↔ *Culto.*

análisis Descomposición, separación, distinción. ↔ *Síntesis.* || Estudio, examen, observación.

analizar Descomponer, separar, distinguir, aislar. ↔ *Sintetizar.* || Estudiar, examinar, observar.

analogía Similitud, semejanza, parecido, afinidad. ↔ *Diferencia, desemejanza.*

análogo Similar, semejante, parecido, afín. ↔ *Diferente.*

anaquel Estante, entrepaño.

anaranjado Aloque.

anarquía Acracia, anarquismo, nihilismo. ↔ *Absolutismo, totalitarismo.* || Desorden, confusión, desgobierno. ↔ *Disciplina, orden.*

anarquista Ácrata, libertario, nihilista. ↔ *Absolutista, totalitario.*

anatema Excomunión, condena, maldición, imprecación. ↔ *Canonización.*

anatematizar Excomulgar, condenar, maldecir, reprobar. ↔ *Canonizar, aprobar.*

anca Grupa.

ancianidad Senectud, vejez. '↔ *Juventud.*

anciano Viejo, cano, provecto, longevo, vetusto, avejentado, **calamocano,** quintañón, matusalén, vejete, vejestorio, antañón, abuelo, octogenario, ochentón, nonagenario, carcamal. ↔ *Joven.*

ancla Áncora, ferro.

ancladero Fondeadero, surgidero.

anclar Ancorar, echar anclas, fondear. ↔ *Desanclar, levar anclas.*

ancón Cala.

'ancón Rincón.

ancho Amplio, dilatado, extenso, vasto, **holgado,** 'guangocho. ↔ *Estrecho, angosto.* || Ufano, satisfecho, engreído. ↔ *Insatisfecho.* || Anchura, amplitud, latitud.

anchura Ancho, amplitud, latitud. || Libertad, holgura, desahogo, soltura. ↔ *Estrechez, angostura.*

andador Andarín, andariego, caminante.

andamiaje Andamiada.

andamio Armazón, tablarón, 'barbacoa.

andanada Descarga, descarga cerrada, salva. || Reprensión, reprimenda, reconvención, repasata, metido, rapapolvo. ↔ *Elogio.*

andar Caminar, marchar, recorrer. || Funcionar, marchar, moverse. ↔ *Pararse.*

andariego Errante, andador, andarín, andante, caminante, callejero, andorrero. ↔ *Casero.*

andarín Andador, andariego, caminante.

andas Angarillas, parihuela, camilla.

andén Corredor, acera. || Apeadero, muelle. || Anaquel.

andorrero Callejero, andariego. ↔ *Casero.*

andrajo Harapo, arrapo, argamandel, guiñapo, pingajo, pingo, zarria, piltrafa, jirón, colgajo, pendajo, arambel, trapajo, calandrajo, mangajo, cangalla, carlanga, gualdrapa, 'chilpe.

andrajoso Harapiento, haraposo, desarrapado, pingajoso, guiñapiento, trapiento, roto, zarrapastroso, astroso, 'distraído. ↔ *Atildado, elegante, flamante.*

andrómina Embuste, enredo, engaño, mentira, fullería, paparrucha. ↔ *Verdad.*

andurrial Paraje, lugar, sitio.

anea 'Tótora, 'ñisñil.

anécdota Historieta, chascarrillo.

anegar Inundar, sumergir, encharcar. ↔ *Achicar, jamurar.* || Ahogar.

anegarse Naufragar, zozo-

brar, irse a pique, ahogarse.

anejo Anexo, dependiente, afecto, unido, agregado. ↔ *Separado, independiente.*

anestesia Insensibilidad, narcosis, analgesia, anodinia, letargo, adormecimiento, inconsciencia.

anestesiar Insensibilizar, cloroformizar.

anexar Agregar, anexionar.

anexión Unión, agregación, incorporación. ↔ *Separación, secesión.*

anexionar Agregar, unir, anexar, incorporar. ↔ *Desagregar, separar.*

anexo Anejo, dependiente, afecto, unido, adjunto, inherente, adscrito, agregado. ↔ *Separado, independiente.*

anfibología Ambigüedad, equívoco, doble sentido.

anfiteatro Hemiciclo.

anfractuosidad Escabrosidad, sinuosidad, desigualdad.

angarillas Árguenas, argueñas, andas, **parihuela, camilla.**

angelical Angélico. || Inocente, seráfico. ↔ *Diabólico, perverso.*

angina Esquinencia, amigdalitis.

angosto Estrecho, reducido. ↔ *Ancho, espacioso.*

angostura Estrechura, estrechez.

ángulo Esquina, rincón, arista, canto, recodo.

angustia Congoja, ansiedad, inquietud, tormento, zozobra, tribulación, desconsuelo, aflicción, dolor, tristeza. ↔ *Serenidad, gozo.*

anhelar Ansiar, apetecer, ambicionar, codiciar, suspirar por, desear, 'amalha-

yar. ↔ *Renunciar, despreciar.*

anhelo Ansia, afán, aspiración, deseo.

anilla Argolla, aro, anillo.

anillo Aro, sortija, argolla, anilla, (episcopal) **'esposo.**

ánima Alma.

animación Actividad, agitación, excitación, movimiento, viveza. ↔ *Desanimación, calma.* || Concurrencia, afluencia.

animado Concurrido, movido, divertido. || Alentado, confortado, reanimado. ↔ *Desanimado.* || Agitado, acalorado, excitado. ↔ *Flemático.*

animadversión Enemistad, antipatía, ojeriza, inquina, tirria, animosidad, malquerencia, aborrecimiento, odio. ↔ *Simpatía, inclinación, afecto.*

animal Bruto, bestia, alimaña. || Torpe, ignorante, grosero.

animalada Borricada, asnada, necedad, simplería, caballada.

animar Alentar, esforzar, confortar, reanimar, alegrar, excitar, exhortar, iniciar, mover. ↔ *Desanimar, desalentar, disuadir.*

anímico Psíquico, espiritual.

ánimo Valor, esfuerzo, aliento, brío, energía, denuedo, ardimiento, valentía, intrepidez. ↔ *Desánimo, pusilanimidad.* || Intención, pensamiento, propósito, designio, voluntad.

animosidad Ojeriza, inquina, tirria, malquerencia, desafecto, animadversión, enemistad, odio, aborrecimiento. ↔ *Apego, inclinación, simpatía.*

animoso Valiente, valeroso,

A

esforzado, denodado, resuelto, decidido, enérgico, intrépido. ↔ *Apocado, pusilánime.*

aniñado Infantil, pueril. ↔ *Avejentado.*

aniquilar Anonadar, exterminar, destruir, suprimir, arruinar, desbaratar. ↔ *Crear.*

anís Matafalúa, matalahúva, ojén. || Anisete, anisado.

aniversario Cabo de año, conmemoración, celebración, cumpleaños. || Anual.

ano 'Siete.

anochecer Anochecida, atardecer, oscurecer, ocaso, crepúsculo. ↔ *Amanecer, aurora, alborear, clarear.*

anodino Insignificante, ineficaz, soso, insípido, insustancial. ↔ *Importante, sustancial.*

anomalía Anormalidad, rareza, singularidad, irregularidad.

anómalo Irregular, anormal, singular, extraño, raro. ↔ *Regular, correcto, normal.*

anonadar Aniquilar, exterminar, destruir, arruinar, desbaratar. || Abatir, humillar, confundir, apabullar. ↔ *Exaltar.*

anónimo Desconocido, ignorado. ↔ *Conocido.*

anormal Irregular, anómalo. ↔ *Normal.*

anormalidad Irregularidad, anomalía. ↔ *Normalidad.*

anotar Apuntar, asentar, comentar, glosar.

anquilosado Impedido, paralítico, inválido, atrofiado, esclerótico. ↔ *Útil, válido.*

anquilosarse Inmovilizarse, estancarse, envejecer.

ánsar Ganso, ansarón.

ansiar Desear, aspirar, an-

helar, apetecer, codiciar, suspirar por. ↔ *Desdeñar.*

ansiedad Ansia, agitación, intranquilidad, inquietud, impaciencia, angustia, congoja, zozobra, tribulación, desasosiego, alarma. ↔ *Tranquilidad, serenidad, desinterés.*

anta Ante, dante, danta, alce.

'anta Tapir.

antagonismo Rivalidad, oposición, contraposición, conflicto. ↔ *Acuerdo, concordia.*

antagonista Rival, contrario, enemigo, adversario. ↔ *Colaborador, compañero.*

antaño Antiguamente, en otro tiempo, antañazo, mucho tiempo ha. ↔ *Hogaño.*

antártico Austral, meridional. ↔ *Ártico.*

ante Anta, dante, danta, alce.

ante Delante de, en presencia de.

'ante Bebida. || Postre.

antecámara Antesala.

antecedente Precedente, anterior. ↔ *Siguiente.* || Dato, noticia, referencia, informe, precedente.

anteceder Preceder. ↔ *Seguir.*

antecesores Predecesores, antepasados, abuelos, ascendientes, progenitores, mayores, padres. ↔ *Sucesores.*

antedicho Dicho, predicho, nombrado, citado, mencionado, referido.

antediluviano Antediluvial, remoto, antiquísimo, prehistórico, primitivo. ↔ *Actual, contemporáneo.*

antelación Anticipación. ↔ *Demora.*

antemano (de) Anticipadamente, por anticipado, por

adelantado, antes, previamente. ↔ *Posteriormente, después*

anteojo Catalejo, binóculo, prismáticos.

anteojos Gafas, lentes, antiparras, quevedos, monóculo, impertinentes.

antepasados Antecesores, ascendientes, abuelos, progenitores, mayores, padres. ↔ *Descendientes.*

antepecho Pretil, parapeto, reparo.

anteponer Preferir, preponer. ↔ *Posponer.*

antepuerta Guardapuerta.

anterior Precedente, antecedente, previo. ↔ *Posterior.*

antes Anteriormente, con antelación, con anticipación, con anterioridad, previamente. ↔ *Después.*

antesala Antecámara.

anticipación Antelación, adelanto, anticipo. ↔ *Retraso.*

anticipar Adelantar, avanzar, aventajar, tomar o coger la delantera, sobrepujar, mañanear, madrugar. ↔ *Retrasar, diferir, trasnochar.* || Anteponer, preferir. || Prestar, dar a cuenta.

anticipo Adelanto, anticipación, avance. ↔ *Atraso.*

anticuado Trasnochado, caducado, desueto, viejo, antiguo. ↔ *Actual, moderno, novedoso.*

antídoto Contraveneno, antitóxico. ↔ *Veneno.*

antifaz Máscara, careta.

antifebril Antipirético, febrífugo.

antigualla Vejestorio, 'muérgano.

antigüedad Vetustez, ancianidad, vejez, proclividad. ↔ *Actualidad, modernidad.*

|| Prehistoria, tiempos inmemoriales, primitivos o históricos.

antiguo Viejo, añejo, añoso, vetusto, arcaico, remoto, pretérito, pasado. ↔ *Moderno, actual.*

antimonio Estibio.

antinomia Oposición, contradicción, discordancia, antítesis. ↔ *Conformidad, concordancia.*

antipara Cancel, biombo, mampara, pantalla.

antiparras Anteojos, gafas, lentes.

antipatía Animadversión, ojeriza, inquina, manía, tirria, hincha, aversión, repugnancia, repulsión, animosidad, malquerencia, aborrecimiento, rabia, odio, 'cocolía. ↔ *Simpatía, inclinación, afecto.*

antipendio Velo, tapiz.

antipirético Antifebril, febrífugo.

antiséptico Desinfectante.

antítesis Oposición, contraste, contradicción, antinomia, paradoja. ↔ *Concordancia.*

antitético Opuesto, contrario, contradictorio. ↔ *Concorde.*

antitóxico Antídoto, contraveneno. ↔ *Tóxico.*

antojadizo Caprichoso, veleidoso, caprichudo, versátil, mudable, voluble. ↔ *Constante, consecuente.*

antojarse Pensar, imaginarse, representarse. || Sospecharse, temerse.

antojo Capricho, humorada, fantasía, deseo, gusto.

antología Florilegio, crestomatía, analectas, selectas, selección.

antónimo Contrario, opuesto. ↔ *Sinónimo.*

antonomasia Excelencia.

antorcha Hacha, hachón.

ántrax Carbunco.

antro Caverna, gruta, cueva. || Tugurio, covacha.

antropófago Caníbal.

antruejo Carnaval, carnestolendas.

anual Añal, anal, cadañal, anuo, añojo, añino, cadañero, añejo.

anubarrado Nuboso, nublado, encapotado, anublado. ↔ *Sereno.*

anublar Nublar, oscurecer, empañar.

anudar Atar, amarrar, ligar, enlazar. ↔ *Desanudar.*

anuencia Permiso, venia, consentimiento, aquiescencia, aprobación, autorización, beneplácito. ↔ *Denegación.*

anular Suprimir, revocar, abolir, invalidar, cancelar, deshacer, borrar, incapacitar, desautorizar. ↔ *Validar.*

anunciar Hacer saber, avisar, notificar, noticiar, informar, advertir, prevenir, proclamar, predecir, pronosticar, presagiar.

anuncio Aviso, noticia, advertencia, proclama, manifiesto. || Pronóstico, presagio, augurio, predicción.

anverso Cara, recto. ↔ *Reverso.*

anzuelo Atractivo, aliciente, incentivo.

añadido Postizo.

añadidura Aditamento, complemento, añadido, 'yapa, 'ñapa. ↔ *Merma.*

añadir Sumar, adicionar, agregar, incorporar, incrementar, aumentar, 'encimar. ↔ *Quitar, restar, deducir.*

añagaza Artimaña, ardid,

treta, engaño, artificio. señuelo.

añal Anual.

añasco Lío, embrollo. enredo.

añejo Añoso, viejo, antiguo, vetusto. ↔ *Nuevo, reciente.*

añicos Pedazos, trizas.

añil Índigo.

año Añada.

añoranza Nostalgia, morriña, 'flato.

años Navidades, abriles, barbas, hierbas, primaveras.

añoso Añejo, viejo, antiguo. ↔ *Nuevo, tierno, reciente.*

aojar Dar mal de ojo, hechizar, encantar, embrujar, ensalmar. ↔ *Desaojar.*

aovar Ovar, poner.

apabullar Aplastar, chafar, estrujar, 'calar. || Confundir, avergonzar, anonadar. ↔ *Halagar.*

apacentar Pastorear, apostar.

apacible Suave, bonancible, agradable, placentero, sosegado, tranquilo, manso, pacífico, reposado. ↔ *Desapacible, iracundo.*

apaciguar Pacificar, calmar, tranquilizar, sosegar, aquietar, serenar. ↔ *Excitar, enconar.*

apadrinar Patrocinar, proteger, auspiciar. ↔ *Desentenderse.*

apagado Bajo, débil, mortecino, descolorido, mate. ↔ *Vivo, brillante.* || Apocado, tímido, gris. ↔ *Brillante.*

apagar Extinguir, sofocar, amortiguar, rebajar, debilitar, reprimir, aplacar, contener. ↔ *Encender, avivar, excitar.*

'apajarado Aturdido.

apalabrar Concertar, conve-

A

A nir, pactar, tratar. || Citar.

apalear Varear, aporrear, bastonear. || Palear.

apandillar Reclutar, acabildar, arracimar, apiñar, congregar, agrupar.

apañado Hábil, mañoso, diestro. ↔ *Desmañado.*

apañar Arreglar, remendar, reparar, componer, aderezar, ataviar. ↔ *Estropear, despañar.* || Apañuscar, recoger, guardar, t o m a r, apropiarse.

apañarse Ingeniarse, arreglarse, bandearse.

apaño Compostura, remiendo. || Maña, h a b i l i d a d, destreza. ↔ *Torpeza, desmaña.*

aparador Escaparate.

'aparatero Aparatoso, exagerador.

aparato Máquina, i n s t r u m e n t o, artefacto. || Pompa, ostentación, solemnidad, fausto, boato.

aparatoso Ostentoso, pomposo, aparatero. ↔ *Sencillo.*

aparcar Estacionarse. ↔ *Desaparcar.*

aparcero 'Yamacón.

aparear 'Entroncar.

aparecer Mostrarse, surgir, brotar, salir, asomar, manifestarse. ↔ *Desaparecer.* || Hallarse, encontrarse, estar, figurar.

aparecido Fantasma, espectro, redivivo, aparición.

aparejar Preparar, prevenir, disponer, aprestar. ↔ *Desaparejar.*

aparejo Utensilios, herramientas, instrumental.

aparentar Simular, fingir.

aparente Fingido, ficto, artificial, supuesto, simulado, postizo. ↔ *Real, verdadero.* || Visible, manifies-

to, evidente, patente. ↔ *Escondido.*

aparición Fantasma, espectro, visión.

apariencia Aspecto, forma, figura, traza. || Verosimilitud, probabilidad. || Ficción, simulación.

'aparragarse Achaparrarse.

apartadero Derivación. apartadijo, apartadizo, desvío, 'carrilera.

apartado Alejado, retirado, distante, lejano, remoto. ↔ *Próximo, cercano.* || Párrafo, división, capítulo.

apartar Alejar, retirar, desviar, quitar. ↔ *Arrimar, acercar.* || Disuadir,, distraer. ↔ *Empujar.* || Poner aparte, seleccionar, escoger.

aparte Separadamente, por separado. ↔ *Junto, adjunto.* || Párrafo.

apasionado Entusiasta, fanático, ardoroso, caluroso, delirante, vehemente, frenético, transportado, enajenado, violento. ↔ *Frío, indiferente.*

apasionante Emocionante, excitante, **palpitante, patético**, conmovedor, delirante, enloquecedor. ↔ *Insulso, desanimador.*

apasionar Excitar, entusiasmar, exaltar, i n f l a m a r, emocionar, trastornar, embriagar, fanatizar, aficionar. ↔ *Desinteresar, desengañar.* || Atormentar, afligir.

apasionarse Abandonarse, entregarse, desmorecerse, quemarse, abrasarse, engolfarse, darse, morir de, arder, palpitar, prendarse, encapricharse, engolosinarse, enamorarse, regostarse, pagarse, acodiciarse. ↔

Desentenderse, desengañarse.

apastar Apacentar, pastorear.

'apaste Palangana. lebrillo.

apatía Impasibilidad, **indiferencia**, displicencia, flema, indolencia, incuria, desidia, dejadez. ↔ *Pasión, actividad, interés.*

apático Impasible, indiferente, displicente, flemático, indolente, desidioso, dejado, abandonado. ↔ *Pasional, sensible, activo.*

apeadero Parador, estación, 'paradero.

'apealar Manganear.

apear Calzar, sujetar, frenar. || Disuadir, apartar, desviar.

apearse Desmontar, descabalgar, bajar. ↔ *Montar, subir.*

apechugar Apechar, **cargar.**

apedazar Remendar, apañar.

apedrear Lapidar, cantear.

apego Afición, inclinación, afecto, cariño. ↔ *Despego, desvío.*

apelación Reclamación, consulta, interposición, recurso, solicitación.

apelar Recurrir, acudir, 'garrotear.

'apelativo Apellido.

apelotonamiento Concurrencia, t o r b e l l i n o, tropel, afluencia.

apelotonar Amontonar, acumular, atiborrar, apiñar.

apellidar Llamar, denominar, nombrar.

apellido Sobrenombre, **apodo**, nombre, 'apelativo.

'apellinarse A m o j a m a r s e, apergaminarse.

apenar Apesadumbrar, apesarar, contristar, acongojar, acuitar, atribular, desolar, desconsolar, atormentar, mortificar, angustiar. ↔ *Alegrar, confortar.*

apenarse Entristecerse, encuitarse, amurriarse, reconcomerse, afectarse, ensombrecerse, partírsele el alma, pasar las penas del purgatorio, cubrírsele el corazón.

apenas Escasamente, casi no. || Luego que, al punto que.

apéndice Cola, prolongación, suplemento, agregado.

'apensionarse Entristecerse, apesadumbrarse, acongojarse.

apeo Sustentáculo, sostén, apoyo.

apercibimiento Admonición, aviso, advertencia, amonestación, reprensión.

apercibir Prevenir, disponer, preparar, aparejar. || Amonestar, advertir, avisar, prevenir.

apergaminado Pergaminoso. || Enjuto, seco, delgado. ↔ *Gordo, lleno.*

apergaminarse Acartonarse, momificarse, avellanarse, acecinarse, amojamarse, 'apellinarse. ↔ *Engordar.*

aperitivo Estimulante, vermut, bíter.

apero Herramienta, útil, instrumento, aparejo, trebejo.

'apero Silla (de montar).

aperos Avíos, bártulos, utensilios, enseres, pertrechos.

aperreado Duro, molesto, trabajoso, arrastrado, fastidioso. ↔ *Leve, cómodo.*

aperrear Cansar, fatigar, molestar, ajobar. ↔ *Aliviar, aligerar.*

aperrearse Afanarse, ajetrearse, matarse. || Emperrarse, obstinarse.

apertura Inauguración, co-

mienzo, principio. ↔ *Clausura.*

apesadumbrar Apesarar, apenar, contristar, acongojar, acuitar, atribular. ↔ *Alegrar, confortar.*

apesadumbrarse 'Apensionarse.

apesarar Apesadumbrar.

apestar Heder, oler mal. ↔ *Oler bien.* || Corromper, viciar. || Fastidiar, cansar, molestar.

apestoso Hediondo, fétido. ↔ *Oloroso, aromático.* || Fastidioso, molesto, enfadoso, insufrible, insoportable.

apetecer Desear, querer, ambicionar, codiciar, ansiar.

apetencia Apetito.

apetito Apetencia, gana, hambre, gazuza, carpanta, voracidad. ↔ *Inapetencia.* || Deseo, inclinación.

apetitoso Gustoso, sabroso, rico, delicado, regalado. ↔ *Repugnante.*

apiadarse Compadecerse, condolerse, dolerse, tener misericordia, tener compasión.

ápice Cima, cúspide, sumidad.

apilar Amontonar, acumular, allegar, juntar, apiñar, hacinar. ↔ *Esparcir, desperdigar.*

apiñado Apretado.

apiñar Apilar. || Estrechar, apretar, agrupar, arrimar. ↔ *Disgregar.*

apiñarse Hacer corro, arremolinarse.

apio 'Pamul.

apiolar Prender, atar, sujetar. ↔ *Soltar.* || Matar, despachar.

apiparse Hartarse, atracarse, saciarse. ↔ *Evacuar.*

apisonar Aplastar, pisonear,

apretar, entupir, apachurrar, azocar.

aplacar Amansar, pacificar, suavizar, calmar, sosegar, aquietar, moderar, mitigar. ↔ *Irritar, excitar.*

aplacible Agradable, grato, ameno, deleitoso, delicioso. ↔ *Desaplacible.*

aplanamiento Abatimiento, extenuación, postración, decaimiento, descaecimiento, desaliento, aniquilamiento. ↔ *Euforia, vigor.*

aplanar Allanar, explanar, igualar. || Abatir, extenuar, postrar, debilitar, aniquilar, desalentar. ↔ *Vigorizar.*

aplastar Chafar, comprimir, estrujar, despachurrar, apabullar, remachar, 'achucharrar. || Confundir, avergonzar, humillar, abatir, 'achunuscar, 'despichar. ↔ *Exaltar.*

aplaudir Palmotear, aprobar, alabar, encomiar, loar, elogiar, celebrar, ponderar. ↔ *Abuchear, patear, vituperar.*

aplauso Palmas, ovación, aprobación, alabanza, encomio, loa, elogio. ↔ *Abucheo, chifla, reprobación.*

aplazamiento Prórroga, dilación, dilatorias, suspensión, demora, retardo, retraso. ↔ *Anticipación.*

aplazar Convocar, citar, requerir, llamar. || Prorrogar, diferir, suspender, demorar, retardar, retrasar, posponer. ↔ *Anticipar.*

aplepeyado 'Achinado.

aplicación Superposición, adaptación. || Esmero, cuidado, atención, perseverancia, asiduidad, estudio. ↔ *Desaplicación, negligencia.*

A

aplicado Esmerado, cuidadoso, atento, perseverante, asiduo, estudioso. ↔ *Desaplicado.*

aplicar Superponer, sobreponer, adaptar. || Destinar, adjudicar, a t r i b u i r, imputar, achacar.

aplicarse Esmerarse, perseverar, estudiar, atender. ↔ *Desaplicarse, distraerse, desentenderse.*

aplomo Seguridad, g r a v e dad, serenidad, seriedad. ↔ *Vacilación, turbación.*

apocado Tímido, pusilánime, corto, encogido, medroso, cobarde. ↔ *Desenvuelto, resuelto, osado.*

apocamiento Timidez, pusilanimidad, cortedad, encogimiento. ↔ *Desenvoltura, decisión, osadía.*

apocar Minorar, aminorar, mermar, acortar, achicar, reducir, limitar. ↔ *Aumentar.*

apocarse Achicarse, acoquinarse, amedrentarse, rebajarse, humillarse, abatirse. ↔ *Crecerse.*

apócope Metaplasmo, supresión, elisión.

apócrifo. Falso, fingido, supuesto, fabuloso, falsificado. ↔ *Auténtico.*

'apochinarse Deshilacharse.

apoderado Represen t a n t e, administrador, procurador, encargado, mandatario, poderhabiente, tutor.

apoderar Facultar, conferir. ↔ *Desautorizar.*

apoderarse Adueñarse, a p r o p i arse, enseñorearse, tomar, coger, ocupar, dominar, usurpar. ↔ *Desposeerse, ceder, renunciar.*

apodíctico Demos t r a t i v o, convincente, decisivo. ↔ *Anodino, insignificante.*

apodo Mote, mal nombre, alias, sobrenombre, seudónimo.

apogeo Auge, plenitud, esplendor, m a g n i f i c e n c i a, cumbre. ↔ *Ruina, decadencia.*

apología Elogio, encomio, alabanza, panegírico, defensa, justificación. ↔ *Diatriba, crítica, acusación.*

apólogo Fábula, parábola, cuento, ficción.

apoltronarse Arrellanarse, repantigarse, empoltronecerse, emperezarse, aburguesarse.

'apolvillarse Atizonarse.

aporcar 'Calzar.

'aporratar Monopolizar.

aporrear Apalear, varear, bastonear, golpear. || Machacar, molestar, importunar.

aportar Arribar, llegar. ↔ *Zarpar.* || Llevar, aducir, proporcionar, dar. ↔ *Sacar.*

aposentar Hospedar, alojar, albergar.

aposento Estancia, cuarto, habitación, pieza.

apósito Hilas, vendaje, tópico.

aposta Adrede, intencionadamente, deliberadamente, exprofeso, de propósito. ↔ *Indeliberadamente.*

apostar Situar, colocar, emboscar. || Jugar, poner.

apostasía Abjuración, retracción, deserción. ↔ *Conversión.*

apóstata Renegado. ↔ *Converso.*

apostatar Renegar, abjurar, retractarse. ↔ *Convertirse.*

apostema Postema, tumor, absceso, nacencia.

apostilla Postilla, acotación, acotamiento, nota, escolio,

aclaración, explicación, observación.

apostillar Postilar, marginar.

apóstol Propagador, propagandista.

apostrofar Invectivar, impropiar, achacar, acusar, retraer.

apóstrofe Dicterio, imprecación, invectiva, catilinaria. ↔ *Elogio.*

apostura Gentileza, gallardía, garbo. ↔ *Desgaire.*

apotegma Aforismo, sentencia, máxima, refrán, adagio.

apoteosis Deificación, exaltación, ensalzamiento, glorificación. ↔ *Condenación.*

'apotincar Acuclillarse.

apoyar Descansar, gravitar, estribar, cargar. || Confirmar, sostener, ratificar, autorizar, secundar, favorecer, ayudar, amparar, p r o t e g e r, patrocinar. ↔ *Combatir, atacar.*

apoyo Sostén, soporte, sustentáculo. || Favor, ayuda, amparo, protección, defensa, auxilio, patrocinio. ↔ *Oposición, resistencia.*

'apozarse Rebalsarse.

apreciable Estim a b l e. ↔ *Despreciable.* || Perceptible, importante. ↔ *Inapreciable, despreciable.*

apreciación Evaluación, valoración, juicio, opinión, dictamen.

apreciado Bienquisto, preciado, estimado, querido, amado. ↔ *Menospreciado, despreciado.*

apreciar Estimar, tasar, valuar, evaluar, valorar, justipreciar. || C o n s i d e r a r, estimar, preciar. ↔ *Despreciar.*

aprecio Estimación, estima,

consideración, cariño, afecto. ↔ *Desprecio*.

aprehender Coger, prender, asir, apresar, capturar, incautarse. ↔ *Soltar*. || Comprender.

apremiante Urgente, perentorio, coactivo, inexcusable, ineludible. ↔ *Diferible*.

apremiar Urgir, apurar, acuciar, instar, compeler, apretar.

apremio Urgencia, premura, necesidad. || Exacción.

aprender Instruirse, ejercitarse, ilustrarse, estudiar. ↔ *Desaprender, olvidar*.

aprendiz Principiante, aspirante. ↔ *Maestro*.

aprendizaje Pasantía, noviciado, tirocinio.

aprensión Escrúpulo, recelo, temor, desconfianza, prejuicio. ↔ *Despreocupación, seguridad*.

aprensivo Escrupuloso, receloso, temeroso. ↔ *Despreocupado*.

apresar Aprehender, capturar, prender, aprisionar. ↔ *Soltar, libertar*.

aprestar Aparejar, preparar, disponer, arreglar, prevenir, aviar.

apresto Preparativo, prevención, preparación.

apresuramiento Prisa, presura, precipitación. ↔ *Cachaza, lentitud*.

apresurar Acelerar, activar, avivar, aligerar, precipitar, festinar. ↔ *Entretener, diferir, retardar*.

apresurarse 'Despezuñarse.

apretado Arduo, difícil, peligroso, apurado. ↔ *Llano, fácil*. || Agarrado, tacaño, miserable, mezquino, cicatero, roñoso, avaro. ↔ *Desprendido, generoso*.

apretar Estrechar, comprimir, estrujar, prensar, oprimir, ceñir, apretujar, 'apachurrar, tupir, 'acosijar, 'azocar, 'trincar. ↔ *Aflojar*. || Apremiar, incitar, acosar, importunar, oprimir. || Arreciar. ↔ *Aflojar*.

apretón Apretadura, apretura. || Aprieto.

apretujar Comprimir, apretar, oprimir.

'aprevenir Prevenir.

aprieto Apretura, apretón, apuro, conflicto, compromiso, necesidad, ahogo, brete, 'atoro.

aprisa De prisa, rápidamente, aceleradamente. ↔ *Despacio*.

aprisco Redil, corte, cortil, majada, corral, corraliza, establo.

aprisionar Asir, coger, atar, sujetar, prender, apresar, capturar, encarcelar. ↔ *Soltar, libertar*.

aprobación Asentimiento, asenso, conformidad, sanción, beneplácito, plácet, visto bueno, aquiescencia, consentimiento, anuencia. ↔ *Desaprobación, reprobación, denegación*.

aprobar Dar por bueno, asentir, admitir, consentir, conformarse. ↔ *Desaprobar, reprobar, suspender*.

aproches Avance, aproximación, encuentro.

aprontar Disponer, preparar, prevenir, entregar.

apropiación Incautación, confiscación, **retención**. ↔ *Renuncia*.

apropiado Adecuado, propio, idóneo, acomodado, oportuno, conveniente, congruente, congruo. ↔ *Inadecuado, impropio*.

apropiar Adecuar, acomodar, adaptar, ajustar, aplicar.

apropiarse Apoderarse, adueñarse, tomar, coger, arrogarse, usurpar. ↔ *Desproveerse, ceder*.

aprovechable Utilizable, útil, servible. ↔ *Desaprovechable*.

aprovechado Aplicado, estudioso, diligente. ↔ *Desaprovechado*. || Oportunista, ventajista, ganguero.

aprovechar Servir, valer. || Utilizar, emplear. ↔ *Desaprovechar*.

aprovecharse Prevalerse, disfrutar. ↔ *Desperdiciar*.

aprovisionamiento Abastecimiento, avituallamiento, suministro.

aproximadamente Poco más o menos, próximamente. ↔ *Exactamente*.

aproximar Acercar, arrimar, juntar, avecinar. ↔ *Alejar, apartar*.

aptitud Suficiencia, disposición, competencia, capacidad, idoneidad. ↔ *Ineptitud*.

apto Suficiente, dispuesto, competente, capaz, idóneo, útil. ↔ *Inepto*.

apuesta Posta, envite, jugada.

apuesto Gallardo, gentil, airoso, arrogante, bizarro, galán. ↔ *Desgarbado*.

apuntador Traspunte, 'soplador. || Soplón, insinuador.

apuntalar Entibar, afirmar, asegurar, apoyar, consolidar, 'escorar, sostener.

apuntar Anotar, asentar, señalar. || Asestar. || Aguzar. ↔ *Embotar*. || Insinuar, indicar. || Soplar, sugerir.

A

apuntarse Torcerse, avinagrarse, acedarse, agriarse, volverse.

apunte Nota, croquis, tanteo, esbozo, boceto, bosquejo.

apuñalar Apuñalear, acuchillar, mechar, acribillar, coser a puñaladas.

apurado Apretado, difícil, peligroso, arduo. ↔ *Leve, fácil.* || Atribulado, acongojado, necesitado, escaso, pobre. ↔ *Descansado, holgado.* || Exacto, preciso. ↔ *Aproximado.*

apurar Acabar, agotar, consumir. || Activar, apresurar, acelerar, apretar, apremiar, urgir. || Afligir, atribular, acongojar. ↔ *Aliviar, confortar.*

apuro Aprieto, conflicto, compromiso, brete, necesidad, escasez, 'atrenzo, 'atoro.

aquejar Afligir, apenar, acongojar, apesadumbrar. ↔ *Confortar, consolar.*

aquelarre Bulla, batahola, confusión.

aquerenciado Enamorado.

aquí Acá. ↔ *Allí.*

aquiescencia Consentimiento, permiso, venia, autorización, asentimiento, conformidad, aprobación, anuencia, asenso. ↔ *Denegación, desaprobación.*

aquietar Sosegar, apaciguar, pacificar, tranquilizar, calmar, serenar. ↔ *Inquietar, excitar.*

aquilatar Medir, examinar, apreciar, graduar, estimar, valorar.

aquilino Aguileño.

aquilón Viento norte, cierzo, bóreas, tramontana. ↔ *Noto, viento sur.*

ara Altar.

arado Reja, aladro.

arador Labrador, campesino.

arambel Andrajo, harapo, guiñapo, jirón. || Colgadura, tapiz.

arancel Tarifa, derechos.

arandela Corona, anilla, platillo, volandera, herrón, 'candeleja.

'arandela Chorrera. || Candileja. || Candelero.

araña Antorchero, candelero.

arañar Rasguñar, rascar, arpar, escarbar.

arañazo Rasguño, aruño, arpadura, rasponazo, uñarada.

aráquida Cacahuete, maní.

arar Labrar.

araucano 'Auca.

araucaria 'Pehuén.

arbitraje Juicio, dictamen, decisión.

arbitrar Juzgar, dictaminar. || Allegar, reunir, procurar.

arbitrariedad Injusticia, despotismo, tiranía, iniquidad, ilegalidad, desafuero, atropello, alcaldada. ↔ *Derecho, legalidad.*

arbitrario Injusto, despótico, tiránico, inocuo, ilegal. ↔ *Justo, legal.* || Caprichoso, antojadizo, inmotivado, gratuito, infundado. ↔ *Consecuente, fundado.*

arbitrio Medio, recurso.

arbitrios Derechos, gabelas, impuestos.

árbitro Juez, regulador, componedor, 'canchero.

árbol Arbolete, arbolejo, arbolillo, arbusto, arbolito. || Eje, palo, asta.

arbolar Enarbolar, izar, levantar. ↔ *Bajar, arriar.*

arbolarse Encabritarse.

arboleda Bosque, boscaje, floresta, espesura, selva.

arborecer Plantar, guarnecer.

arborescente Dendroideo, arbustivo.

arbotante Botarete.

arca Caja, cofre, baúl.

arcada Arco, bóveda. || Danza de arcos, arcuación.

arcaduz Caño, tubo, conducto. || Cangilón.

arcaico Antiguo, viejo, añoso, añejo, anticuado, primitivo. ↔ *Reciente, moderno.*

arcano Misterio, secreto. || Recóndito, misterioso, secreto, oscuro. ↔ *Patente, claro.*

arcediano Archidiácono.

arcén Margen, orilla, borde, brocal.

arcilla Marga, greda, calamita, caolín.

arcilla refractaria 'Tofo.

arco Cimbra, bóveda, curvatura, curva, aro.

archidiócesis Arzobispado, arquidiócesis.

archivo Registro, protocolo, cedulario, cartulario.

archivolta Arquivolta.

arder Quemarse, estar encendido, flagrar. ↔ *Estar apagado.*

ardid Maña, treta, añagaza, artificio, amaño, astucia, estratagema, 'caula, 'manganeta, 'tracala.

ardiente Ardoroso, candente, incandescente, hirviente, abrasador. ↔ *Helado.* || Fervoroso, vehemente, ardoroso, fogoso, apasionado. ↔ *Glacial, frío, flemático.*

'ardiloso Astuto, sagaz, ladino, malicioso.

ardimiento Ardor, brío, vigor, denuedo, valor, valentía, intrepidez. ↔ *Pusilanimidad, temor, miedo.*

ardite Bledo, maravedí, ochavo, comino, pito.

ardor Viveza, entusiasmo, vehemencia, actividad, calor, pasión. ↔ *Frialdad, apatía.*

ardoroso Ardiente, encendido. ↔ *Apagado.* || Ardiente, fogoso, entusiasta, vehemente, apasionado, impetuoso, vigoroso. ↔ *Frío.*

arduo Difícil, apurado, espinoso, dificultoso, trabajoso, apretado. ↔ *Cómodo, fácil.*

área Superficie, extensión.

arel Criba, harnero, cedazo.

arena Liza, palenque, campo, plaza, estadio, ruedo, redondez.

arenga Alocución, parlamento, discurso, peroración, oración, perorata.

arenilla Recebo.

arenisca Asperón, arcosa, 'trumas.

arenoso Granuloso, polvoroso, sabuloso.

areómetro Densímetro.

arete Arillo, pendiente, arracada, zarcillo.

argadillo Devanadera.

argado Enredo, disparate, travesura.

argamandel Andrajo, harapo, arrapo, guiñapo, pingajo, jerapellina, piltrafa, jirón, colgajo.

argamasa Mezcla, mortero, forja.

arganas 'Arquenas.

argavieso Turbión, aguacero.

argentado Plateado.

argolla Aro, asidero, 'bola. || Gargantilla. || Manilla, ajorca, brazalete.

*argot Jerga, jerigonza, germanía, caló.

argucia Sofisma, sutileza, tergiversación.

arguenas 'Yol.

'arguenas Arganas.

argüir Argumentar, replicar, objetar, contradecir, impugnar, refutar, discutir, razonar. || Indicar, mostrar, descubrir, revelar, probar.

argumentar Argüir, razonar, discutir, replicar, objetar, contradecir, impugnar, refutar.

argumento Razonamiento. || Indicio, señal, prueba, razón, demostración. || Asunto, trama, tema.

aria Romanza, cavatina, canción.

aridez Sequedad, enjutez, esterilidad, infecundidad. ↔ *Humedad, fertilidad, fecundidad.*

árido Seco, enjuto, estéril, infecundo, improductivo. ↔*Húmedo, fértil, fecundo.* || Aburrido, fastidioso, cansado, monótono. ↔ *Ameno, placentero, atractivo.*

arijo Cultivable, arable, laborable, sembradío.

arillo Arete.

arimez Resalto, cornisa.

ario Indoeuropeo.

arisco Áspero, huraño, huidizo, hosco, esquivo, intratable, desabrido, bravío, cerril, 'chúcaro. ↔ *Sociable, cordial, afable.*

arista Borde, esquina, canto.

aristarco Crítico, entendido.

aristocracia Nobleza. ↔ *Plebe.*

aristócrata Patricio, noble, de sangre azul, distinguido.

aristocrático Fino, noble, distinguido, encopetado, lamido. ↔ *Plebeyo.*

aristología 'Clacopacle.

aritmética Algoritmia.

arma Artefacto, instrumento. || Ejército. || Boca de fuego. **A**

armada Escuadra, flota, marina.

armadía Almadía, balsa, jangada, 'carandumba.

armadijo Trampa, artimaña, cepo.

armadillo 'Quirquincho, tatú, 'prinodonte, 'cachicambo, 'ayotoste.

armadura Armazón, montura, esqueleto. || Arnés.

armar Amartillar, montar, disponer. ↔ *Desarmar.* || Mover, promover.

armario Guardarropa, ropero, alacena.

'armarse Plantarse (las caballerías). || Proveerse.

armas Blasón, escudo.

armatoste Artilugio, artefacto, trasto, cachivache, tareco.

armazón Armadura, esqueleto, montura, andamio, andamiaje.

armella Hembrilla.

armería Guadarnés.

armisticio Suspensión de hostilidades, tregua, paz. ↔ *Declaración de guerra.*

armonía Harmonía, consonancia, conformidad, acuerdo, concordia, paz, amistad. ↔ *Discordancia, disonancia, discordia.*

armonioso Musical, melodioso, ameno, arpado, agradable, grato. ↔ *Disonante, inarmónico.*

armonizar Acordar, amigar, avenir, concertar, pactar, condecir. ↔ *Desarmonizar, enemistar.*

arnés Armadura. || Arreos, guarniciones.

aro Anillo, 'cinchón. || Servilletero.

aroma Perfume, fragancia,

A buen olor, esencia. ↔ *Fetidez, mal olor.*

aromático Aromoso, perfumado, fragante, oloroso, odorífero, balsámico. ↔ *Hediondo.*

aromatizar Perfumar, embalsamar, sahumar.

aromo 'Corcolén, 'cují, 'guarango.

arpadura Uñarada, arañazo.

arpar Arañar.

arpía Harpía, furia, basilisco, bruja.

arpillera Harpillera, 'guangoche, 'guangocho, 'retobo.

'arpista Ratero, descuidero, caco.

arquear Enarcar, encorvar, combar, doblar. ↔ *Enderezar.*

arqueo Recuento, reconocimiento.

arquetipo Modelo, dechado, prototipo, ejemplar.

arrabal Afueras, suburbio. ↔ *Centro.*

'arracacha Sandez.

arracada Pendiente, arete, zarcillo, arillo.

arracadas 'Candonga, 'caravanas.

arráez Arraz, arráyaz, adalid, jefe, jeque, caudillo. || Capitán, patrón.

arraigar Prender, encepar, agarrar, enraizar. || Afincarse, enraizar, establecerse, radicarse. ↔ *Desarraigarse.*

arrancado Pobre, arruinado, tronado, 'brujo. ↔ *Florido.*

arrancar Desarraigar, extirpar, extraer, quitar, sacar, arrebatar. ↔ *Plantar.* || Proceder, provenir, originarse. ↔ *Terminar.*

arranque Impulso, arrebato, rapto, pronto, arrechucho, crisis. || Ocurrencia,

salida. || Origen, principio. ↔ *Término.*

arrapiezo Rapaz, mocoso, chicuelo, muchacho, chaval.

arras Prenda, garantía, señal.

arrasar Allanar, asolar, devastar, arruinar, destruir, talar. ↔ *Construir.*

arrastrado Desastrado, mísero, pobre, pícaro, bribón, tunante, pillo. || Aperreado, duro, fatigoso, trabajoso. ↔ *Cómodo, regalado.*

arrastrar Tirar, transportar, acarrear, conducir, impeler, remolcar.

arrastre Acarreo, conducción, transporte.

arrayán Murta.

'arreada Reclutamiento.

arrear Aguijar, espolear. ↔ *Enfrenar.* || Darse prisa, despachar, apresurarse. ↔ *Roncear.*

'arrear Robar.

arrebatado Impetuoso, precipitado, violento, inconsiderado. ↔ *Cauteloso, apacible.* || Encendido, colorado.

arrebatar Arrancar, conquistar, quitar, tomar. ↔ *Ceder, devolver.* || Cautivar, encontrar, embelesar, atraer. ↔ *Repugnar.*

arrebatarse Enfurecerse, irritarse, encolerizarse. ↔ *Sosegarse, calmarse.*

arrebato Arranque, rapto, pronto, crisis, arrechucho, enfurecimiento, furor, ira, cólera, enajenamiento.

arrebol Alconcilla, carmín, colorete. || Rojizo, rojo.

arrebujarse Arroparse, cubrirse, envolverse, taparse, 'emburjarse. ↔ *Desarrebujarse, desarroparse.*

arreciar Aumentar, crecer,

redoblar, intensificarse, recrudecerse, apretar. ↔ *Amainar.*

arrecido Tullido, baldado, paralítico, embotado.

arrecife Escollo, cayo, banco, bajío.

arrecirse Entorpecerse, entumecerse, helarse.

arrechucho Arranque, arrebato, rapto, pronto, enfurecimiento. || Achaque, afección, alifafe, indisposición, amagón.

arredrar Amedrentar, atemorizar, acobardar, intimidar, amilanar, acoquinar, achantar, asustar. ↔ *Envalentonar.*

arreglado Moderado, ordenado, metódico, cuidadoso. ↔ *Desarreglado.* || Compuesto, aliñado, aderezado. ↔ *Desarreglado, desaliñado.*

arreglar Componer, reparar, apañar, remendar, aliñar, aderezar, ataviar. ↔ *Estropear, desaliñar.* || Ordenar, componer, clasificar. ↔ *Desordenar.* || Ajustar, sujetar, conformar, supeditar. ↔ *Desajustar.* || Concertar, convenir, conciliar.

arreglo Orden, acomodo, concierto, avenencia, convenio, componenda, compostura.

arregosto Gusto, costumbre, habituación.

arrellanarse Apoltronarse, repantigarse, repanchigarse.

arremangar 'Arriscar.

arremangarse Remangarse, subirse, levantarse. ↔ *Bajarse.*

arremeter Embestir, acometer, arrojarse, atacar, cerrar, agredir, abalanzarse. ↔ *Huir, evitar.*

arremetida Embestida, acometida, ataque, agresión. ↔ *Fuga.*

arremolinarse Amontonarse, apiñarse, apeñuscarse.

'arremuesca Arrumaco.

arrendado 'Agregado.

arrendador Locador, casero, colono, rentero, 'campista. || Arrendatario.

arrendamiento Arriendo, alquiler, inquilinato, renta, locación.

arrendar Alquilar. ↔ *Desarrendar.*

arrendatario Locatario, inquilino.

'arrenquín Palafrenero, mayoral, tronquista.

arreo Atavío, adorno, aderezo.

arreos Jaeces, guarniciones, atalaje, arnés.

arrepanchigarse Arrellanarse, acomodarse, aclocarse, repantigarse. ↔ *Mantenerse enhiesto.*

arrepentido Contrito, compungido, pesaroso. ↔ *Impenitente, recalcitrante.*

arrepentimiento Remordimiento, compunción, sentimiento, dolor, pesar, contrición, atrición. ↔ *Impenitencia, contumacia.*

arrepentirse Dolerse, apesararse, apesadumbrarse, lamentar, llorar, deplorar, sentirlo. ↔ *Alegrarse, complacerse.*

arrequives 'Firuletes.

arrestado Audaz, intrépido, valiente, arrojado. ↔ *Cobarde.*

arrestar Detener, prender, apresar. ↔ *Soltar.*

arresto Detención, prendimiento.

arrestos Atrevimiento, arrojo, denuedo, osadía, audacia, coraje, intrepidez,

brío, resolución, **valor**, agallas. ↔ *Temor, pusilanimidad.*

arriar Bajar, soltar, largar, aflojar. ↔ *Izar, cargar.*

arriate Calzada, camino, paso. || Encañado, celosía, enrejado.

arriba Asuso, a lo alto, en lo alto, hacia lo alto, en la parte alta.

arribada Llegada, arribanza, arribo, bordada, recalada.

arribar Llegar, aportar. ↔ *Zarpar.*

arribo Llegada, arribada.

arriendo Arrendamiento, alquiler, inquilinato, renta, locación.

arriesgado Aventurado, peligroso, imprudente, expuesto. ↔ *Seguro.* || Atrevido, osado, **temerario**, arrojado, audaz, arriscado. ↔ *Cauteloso, temeroso.*

arriesgar Arriscar, exponer, aventurar.

arriesgarse Atreverse, osar, decidirse, aventurarse.

arrimar Acercar, **juntar**, aproximar, unir, yuxtaponer, adosar. ↔ *Apartar, separar, alejar.* || Arrinconar, dejar de lado, abandonar. || Dar, pegar.

arrimarse Apoyarse, acogerse, ampararse.

arrimo Apoyo, favor, protección, amparo, **ayuda**, sostén.

'arrimo Cerca, valla.

arrinconado Desatendido, olvidado, postergado, abandonado, aislado. ↔ *Considerado, atendido.* || Apartado, retirado, retraído, distante. ↔ *Presente.*

arrinconar Desechar, arrumbar, desatender, postergar, acorralar.

arrinconarse Aislarse, retirarse, retraerse.

arriscado Arriesgado, atrevido, resuelto, osado, arrojado, audaz, temerario. ↔ *Cauteloso, temeroso.*

arriscar Arriesgar, aventurar, exponer.

'arriscar Arremangar.

arriscarse Engreírse, envanecerse. ↔ *Apocarse.*

arrobamiento Arrobo, éxtasis, enajenamiento, embelesamiento.

arrobarse Extasiarse, enajenarse, elevarse, embelesarse.

'arrochelarse Plantarse, alborotarse, **enarmonarse**, encabritarse.

'arrodillada Genuflexión.

arrodillarse Postrarse, prosternarse, hincarse, ponerse de rodillas, ponerse de hinojos.

arrogancia Altanería, altivez, orgullo, soberbia, desprecio, **desdén**, engreimiento. ↔ *Modestia, humildad.* || Gallardía, apostura, brío, bravosidad, jactancia. ↔ *Sencillez, timidez.*

arrogante Altanero, altivo, orgulloso, soberbio, imperioso, despreciativo, desdeñoso, engreído. ↔ *Modesto, humilde.* || Gallardo, airoso, apuesto, **brioso**, jactancioso. ↔ *Sencillo.*

arrogarse Apropiarse, atribuirse, usurpar. ↔ *Renunciar.*

arrojado Resuelto, intrépido, valiente, audaz, arriesgado, arriscado, **osado**, atrevido. ↔ *Timorato, cauteloso.*

arrojar Lanzar, tirar, disparar, proyectar, echar, despedir, 'trasbocar. ↔ *Parar,*

A

A

recoger. || Vomitar, provocar.

arrojarse Abalanzarse, arremeter, acometer, atacar, agredir, embestir. ↔ *Echarse atrás, retroceder.* || Precipitarse, despeñarse, tirarse.

arrojo Resolución, intrepidez, osadía, denuedo, audacia, atrevimiento, valor, coraje, arrestos, agallas. ↔ *Pusilanimidad.*

arrollar Enrollar, 'encartuchar. ↔ *Desarrollar.* || Derrotar, desbaratar, vender, batir, destrozar, aniquilar. || Atropellar.

arropar Abrigar, tapar, cubrir, amantar, enmantar. ↔ *Desarropar.*

arrostrar Afrontar, desafiar, hacer frente, resistir. ↔ *Rehuir, esquivar.*

arroyada 'Zanja.

arroyo Riachuelo, ribera, regajo, regato, 'esteral, 'estero.

arruga Pliegue, rugosidad, pata de gallo.

arrugar Plegar, surcar, estriar, contraer, encoger, marchitar, arrebujar, magullar.

arrugia Placer, mina de oro.

arruinar Demoler, destruir, devastar, arrasar, asolar, aniquilar. ↔ *Construir.* || Empobrecer, esquilmar, desangrar. ↔ *Enriquecer.*

arruinarse Hundirse.

arrullar Adormecer, adormir. || Enamorar, amartelar.

arrullo Canto, gorjeo, susurro.

arrumaco Caricia, mimo, carantoña, zalamería, fiesta, 'arremuesco.

'arruncharse Ovillar.

arsenal Depósito, almacén, parque. || Cúmulo, conjunto, montón.

arte Habilidad, destreza, ingenio, industria, maestría, maña. ↔ *Inhabilidad.* || Oficio, profesión.

artefacto Máquina, aparato, instrumento.

artejo Nudillo, artículo.

arteria Vaso, vena. || Vía, calle.

artería Amaño, astucia, engaño, falsía, ardid, treta.

artero Astuto, falso, traidor, malintencionado. ↔ *Leal.*

artesa Amasadera, duerna, masera, 'batea.

artesanía Artesanado, menestralía.

artesano Menestral, artífice.

ártico Norte, septentrional, boreal, hiperbóreo. ↔ *Antártico.*

articulación Coyuntura, juntura, junta, artejo, sinastrosis. || Pronunciación.

articular Unir, enlazar. ↔ *Desarticular.* || Pronunciar.

artículo Artejo, nudillo. || Apartado, título, división, capítulo.

artífice Autor, creador, artista, artesano.

artificial Postizo, falso, ficticio, fingido. ↔ *Natural, auténtico.*

artificio Disimulo, engaño, astucia, artimaña, cautela, doblez. ↔ *Naturalidad.* || Ingenio, habilidad, arte.

artificioso Ingenioso, habilidoso, complicado, disimulado, astuto, cauteloso, engañoso, artero. ↔ *Sencillo, natural, leal.*

artilugio Artefacto, artimaña, trampa, enredo.

artillería Tormentaria.

artimaña Artificio, artilu-

gio, trampa, ardid, treta, engaño.

artista Artífice, actor, ejecutante, comediante.

aruño Arañazo.

arúspice Aurúspice, augur, adivino, agorero, vaticinador, oráculo, sibila.

arveja Vicia, veza, ervilla.

'arveja Guisante.

arzobispado Archidiócesis.

arzobispal Arquiepiscopal.

arzobispo Metropolitano.

arzolla Matagallegos.

asa Asidero, agarradero, empuñadura.

asado Carbonada, churrasco.

asador Espetón.

asadura Bofes, entrañas.

asaetear Acribillar, tirar. || Importunar, molestar, disgustar, encocorar.

asalariado Pagado, asoldado, mercenario.

asaltar Acometer, agredir, embestir, atracar. || Sobrevenir, acudir.

asalto Acometida, arremetida, embestida, salteamiento, atraco.

asamblea Congreso, reunión, junta, 'capul.

asar Tostar.

asaz Bastante, suficiente, harto, muy, mucho. ↔ *Poco.*

asbesto Amianto.

ascalonia Escaloña, chalote.

áscari Soldado, infante.

ascendencia Linaje, alcurnia, estirpe, antepasados, prosapia. ↔ *Descendencia.*

ascender Subir, elevarse. ↔ *Descender.* || Montar, sumar. || Adelantar, promover. ↔ *Relegar.*

ascendiente Influencia, autoridad, crédito, valimiento, predominio, prestigio.

ascendientes Antecesores, antepasados, mayores,

abuelos, padres, progenitores. ↔ *Descendientes.*

ascensión Subida, elevación. ↔ *Descensión, descenso.*

ascenso Adelanto, promoción. ↔ *Descenso, degradación.*

ascensor Montacargas.

ascetismo Mortificación, austeridad.

asco Repugnancia, aversión, repulsión, náuseas. ↔ *Atracción.*

ascosidad Inmundicia, podre, porquería, suciedad, asquerosidad. ↔ *Aseo, limpieza.*

ascua Brasa.

aseado Limpio, curioso, cuidadoso, pulcro. ↔ *Sucio.*

asear Limpiar, lavar, alcorzar, componer. ↔ *Desasear.*

asearse Lavarse, componerse, arreglarse, acicalarse, adornarse. ↔ *Desasearse.*

asechanza Acechanza, engaño, traición, perfidia, insidia, trampa, celada.

asechar Insidiar, tender un lazo, espiar.

asediar Sitiar, bloquear, cercar. || Acosar, importunar, molestar.

asedio Sitio, bloqueo, cerco.

asegurar Afirmar, aseverar, certificar, cerciorar, confirmar, ratificar, garantizar. ↔ *Negar.* || Afianzar, consolidar, fijar. ↔ *Conmover.*

asemejarse Parecerse, semejar, tirar a, salir a. ↔ *Diferenciarse.*

'**asemillar** Cerner, fecundar.

asendereado Agobiado, fogueado, baqueteado, ducho. ↔ *Bisoño.*

asenso Asentimiento, aquiescencia, aprobación, beneplácito, consentimiento,

anuencia, venia. ↔ *Denegación, desaprobación.*

asentada Sentada.

asentaderas Posaderas, nalgas.

asentado Sentado, juicioso, reflexivo, serio. ↔ *Irreflexivo.* || Estable, permanente, fijo. ↔ *Inestable, móvil.*

'**asentador** Tamborilete.

asentar Afirmar, asegurar, afianzar. ↔ *Solevantar.* || Sentar, anotar, inscribir. || Allanar, alisar, apisonar.

asentarse Establecerse, instalarse, detenerse, posarse.

asentimiento Asenso, aprobación, aquiescencia, beneplácito, anuencia, consentimiento, permiso, venia. ↔ *Disentimiento.*

asentir Aprobar, afirmar, consentir, convenir. ↔ *Disentir.*

aseo Limpieza, curiosidad, pulcritud, esmero, cuidado. ↔ *Desaseo.*

asepsia Desinfección, limpieza. ↔ *Sepsia, infección, putrefacción.*

asequible Accesible, alcanzable.

aserción Aserto, afirmación, aseveración. ↔ *Negación.*

asesinato Homicidio, crimen, atentado.

asesino Criminal, homicida, matador.

asesor Consejero, consultor. || Consultivo.

asesorar Aconsejar, informar.

asesorarse Consultar, aconsejarse.

asestar Apuntar, dirigir, descargar, disparar.

aseveración Aserción, afirmación, aserto, confirmación, ratificación. ↔ *Negación.*

aseverar Afirmar, asegurar, confirmar, ratificar. ↔ *Negar.*

asfixia Ahogamiento, ahogo, sofocación, opresión, estrangulación, aniego, agobio. ↔ *Respiro.*

asfixiar Ahogar, sofocar.

asfódelo Gamón.

así De esta suerte, de esta forma. || Por lo cual, por lo que, en consecuencia.

asidero Asa, agarradero. || Ocasión, pretexto, pie.

asiduo Continuo, perseverante, frecuente, persistente. ↔ *Intermitente.*

asiento Silla, butaca, localidad, 'centro. || Anotación, partida. || Sitio, lugar, sede, domicilio. || Poso, sedimento. || Cordura, madurez, juicio, prudencia.

asignación Sueldo, salario, retribución, remuneración, honorarios, estipendio.

asignar Señalar, fijar, destinar.

asignatura Materia, disciplina.

asilo Refugio, retiro, sagrado, seguro, hospicio. || Amparo, protección, favor.

asimiento Adhesión, apego, afecto. ↔ *Indiferencia.*

asimilación Provecho, aprovechamiento, digestión, nutrición.

asimilar Asemejar, comparar, relacionar. || Equiparar, igualar.

asimismo Igualmente, también, del mismo modo. ↔ *Tampoco.*

asir Coger, agarrar, prender, tomar. ↔ *Desasir.*

asistencia Ayuda, socorro, auxilio, apoyo, cooperación, favor. ↔ *Abandono.* || Concurrencia, concurso, afluencia.

A

A

'asistencia Gabinete, despacho, oficina.

asistente Suplente, auxiliar, ayudante, 'achinchinque. || Criado, ordenanza, machacante.

asistentes Concurrencia, asistencia, presentes, circunstantes, público, auditorio, concurso, espectadores, sala.

asistir Socorrer, cuidar, ayudar, auxiliar, apoyar, cooperar, coadyuvar. ↔ *Abandonar.* || Concurrir, presenciar, estar presente, hallarse presente. ↔ *Hallarse ausente.*

asma Disnea, opresión.

asmático Jadeante, tosigoso, carrasposo, anhelante.

asnacho Asnallo. || Gatuña.

asnería Asnada, burrada, ignorancia, necedad, imbecilidad, estupidez.

asno Burro, borrico, pollino, rucio, jumento. || Corto, rudo, ignorante, necio. ↔ *Lince.*

asociación Agrupación, sociedad, compañía, entidad, institución, corporación, cooperativa, comunidad.

asociado Socio, miembro, consocio.

asociar Juntar, unir, aliar, federar, coaligar, hermanar, solidarizar, incorporar. ↔ *Disociar, separar.*

asolar Arrasar, devastar, destruir, arruinar. ↔ *Reconstruir.*

asoldado Asalariado, pagado, mercenario.

asomar Mostrarse, aparecer.

asombradizo Espantadizo, asustadizo. ↔ *Impávido.*

asombrar Sorprender, pasmar, aturdir, admirar, maravillar, suspender, espantar, asustar.

asombro Sorpresa, pasmo, aturdimiento, suspensión, admiración, maravilla, espanto, susto.

asombroso Admirable, pasmoso, maravilloso, sorprendente, estupendo, portentoso, prodigioso.

asomo Indicio, señal, amago, presunción, sospecha, barrunto, atisbo.

asonada Tumulto, disturbio, bullanga, alboroto, algarada, revuelta, motín, sedición, sublevación, rebelión.

asordar Ensordecer.

aspa Sotuer. || Aspador.

aspaviento Demostración, ademán, gesto, embazadura, pasmarota, 'mitote.

aspavientos Espavientos, manoteo.

aspecto Apariencia, aire, semblante, presencia, facha, porte, catadura, pinta, planta, cariz.

aspereza Escabrosidad, rugosidad. ↔ *Llanura, suavidad, lisura.* || Rudeza, desabrimiento, dureza, brusquedad, rigidez, rigor. ↔ *Suavidad, afabilidad.*

asperges Rociadura, aspersión. || Hisopo, aspersorio.

asperilla Rubilla.

asperjar Aspergear, hisopear, rociar.

áspero Rugoso, escabroso, 'carrasposo. ↔ *Suave, liso, llano.* || Rudo, desabrido, bronco, duro, brusco, hosco, rígido, riguroso. ↔ *Suave, afable.*

aspersorio Hisopo.

áspid Víbora.

aspillera Tronera, saetera, buhedera.

aspiración Deseo, anhelo, pretensión, ambición, ansia.

aspirante Pretendiente, candidato, solicitante.

aspirar Pretender, desear, anhelar, ambicionar, ansiar. ↔ *Rehusar.* || Inspirar. ↔ *Espirar, impeler.*

asqueroso Repugnante, nauseabundo, repulsivo, repelente, sucio. ↔ *Atractivo, limpio.*

asta Lanza, pica. || Fuste, palo, mango. || Cuerno.

astenia Debilidad, decaimiento, cansancio, flojedad, lasitud. ↔ *Vigor.*

asterisco Estrellita, tilde.

astil Mango, asa.

astilla Doladura, esquirla, rancajo, fragmento, partícula.

astillero Atarazana, carraca.

astrágalo Tragacanto. || Chita, taba. || Armilla, tondino.

astral Sideral, sidéreo, estelar.

astreñir Astringir.

astringente Constrictor. ↔ *Dilatador.*

astringir Astreñir, restriñir, constreñir. ↔ *Dilatar.* || Estreñir, astriñir, estipticar, apretar, estrechar, contraer.

astro Estrella, lucero, cuerpo celeste.

astrolabio Atacir.

astrolito Aerolito.

astrólogo Adivino, planetista.

astronauta Cosmonauta.

astroso Desastrado, zarrapastroso, desharrapado, harapiento, 'chamagoso. ↔ *Aseado, atildado.*

astucia Sagacidad, sutileza, picardía, perspicacia, 'camastra, 'agalla. ↔ *Simpleza, ingenuidad.* || Ardid, treta, añagaza, artimaña, estratagema.

astuto Sagaz, sutil, perspicaz, taimado, cuco, pícaro, artero, ladino, zorro, 'ardiloso, 'gaucho, 'guachinango, 'lépero. ↔ *Simple, ingenuo.*

asueto Vacación, descanso, fiesta, recreo, esparcimiento, holganza, inacción, satis. ↔ *Trabajo, labor.*

asumir Aceptar, tomar, cargar con. ↔ *Rehusar.*

asunción Elevación, exaltación.

asunto Tema, cuestión, materia, objeto, particular, negocio, argumento, trama, sujeto, cosa.

asurcano Vecino, contiguo, rayano, lindante. ↔ *Lejano, separado.*

asustadizo Espantadizo, asombradizo, miedoso. ↔ *Impávido, valeroso.*

asustar Espantar, atemorizar, intimidar, amedrentar, amilanar, acobardar. ↔ *Tranquilizar, animar.*

atabal Timbal, tambor, tímpano, tamboril.

atacar Acometer, agredir, embestir, arremeter, asaltar, cerrar, impugnar, combatir. ↔ *Defender.*

atacharre 'Ataja.

atadijo Lío, paquete, atado. || Balduque, atadero.

atadura Vínculo, lazo, enlace, ligadura, unión.

'ataja Atacharre.

atajadero Caballón, camellón, acirate, lomo, lindón, atochada, almorrón, cembo, cantero, pece.

atajar Contener, detener, cortar, parar, interrumpir, paralizar. ↔ *Estimular.*

atajo Alcorce, derechera, trocha.

atalaje Guarniciones, arreos, jaeces.

atalaya Vigía, torre. || Vigía, centinela, escucha.

atalayar Otear, vigilar, espiar.

atañer Concernir, afectar, tocar, pertenecer, corresponder.

ataque Acometida, agresión, embestida, arremetida, asalto, embate, impugnación. ↔ *Defensa.*

atar Amarrar, liar, ligar, anudar, encadenar, sujetar, juntar, unir. ↔ *Desatar.*

atarazana Astillero, arsenal.

atardecer Ocaso, crepúsculo, anochecer. ↔ *Amanecer.*

atareado Ocupado, engolfado, agobiado. ↔ *Ocioso.*

atarearse Ocuparse, ajetrearse, agobiarse, abrumarse, engolgarse, acalorarse. ↔ *Vagar, desentenderse.*

atarjea Conducto, canalón, encañado.

atarraya 'Tarraya.

atarugar Atestar, atiborrar. ↔ *Vaciar.*

atarugarse Atracarse, hartarse, atragantarse. ↔ *Ayunar.*

atascadero Atolladero, atranco.

atascadura 'Azolve.

atascar Tapar, cerrar, atorar, atrancar, obstruir. ↔ *Desatascar.*

atascarse 'Atrojarse.

atasco Atranco, obstrucción, estorbo, impedimento, 'atoro.

ataúd Caja, féretro.

ataujía Damasquinado.

ataviar Adornar, componer, acicalar, engalanar, aderezar, hermosear. ↔ *Desataviar.*

atavío Adorno, compostura, acicalamiento, aderezo, vestido, atuendo.

atemorizar Intimidar, amedrentar, acobardar, arredrar, asustar, espantar, acoquinar, amilanar, aterrar, achantar. ↔ *Animar, envalentonar.*

atemperar Temperar, moderar, templar, suavizar, ablandar. ↔ *Excitar, exasperar.*

atención Miramiento, cuidado, vigilancia, solicitud, esmero. ↔ *Desatención, distracción.* || Consideración, cortesía, urbanidad, cortesanía. ↔ *Desatención, descortesía.*

atenciones Ocupaciones, negocios, quehaceres, trabajos.

atender Escuchar, oír, fijarse, enfrascarse, cuidar, vigilar. ↔ *Desatender.*

atenerse Acomodarse, sujetarse, ajustarse, amoldarse, remitirse.

atentado Tentativa, ataque, crimen, delito.

atentar Delinquir, infringir, contravenir, burlar, transgredir, vulnerar, violar. ↔ *Obedecer.*

atento Aplicado, cuidadoso, concienzudo, esmerado, estudioso. ↔ *Desatento, distraído.* || Fino, cortés, comedido, solícito, obsequioso, considerado, respetuoso. ↔ *Desatento, descortés.*

atenuar Minorar, aminorar, mitigar, amortiguar, paliar. ↔ *Acentuar.*

aterirse Pasmarse, helarse, aterecerse, enfriarse, sobrecogerse de frío, 'encalambrarse.

aterrador Espantoso, horrible, terrible, horripilante.

A

aterrar Aterrorizar, horripilar, espantar, horrorizar, acobardar.

aterrizar Aterrar, tomar tierra, descender, bajar.

atesorar Acumular, entalegar, amontonar, almacenar, ahorrar, guardar, economizar, amasar. ↔ *Dilapidar.*

atestación Testificación, testimonio, deposición.

atestado Testimonio, certificación, acta.

atestar Atestiguar, testificar, testimoniar. || Rellenar, atiborrar, atarugar. ↔ *Vaciar.*

atestiguar Atestar, testificar, testimoniar.

atezado Tostado, quemado, pizmiento, endrino, fuliginoso. ↔ *Pálido.*

atiborrar Llenar, rellenar, atestar, atarugar. ↔ *Vaciar.*

atiborrarse Atracarse, atarugarse, apiparse, hartarse. ↔ *Evacuar.*

atiesar Retesar, entiesar, atirantar, templar. ↔ *Soltar, aflojar.*

atildado Compuesto, peripuesto, acicalado, curioso, adornado. ↔ *Astroso, desaliñado.*

atinar Adivinar, acertar, hallar, encontrar. ↔ *Errar.*

'atingencia Tino, acierto. || Conexión, relación. || Incumbencia.

atirantar Entesar, retesar, tesar, atiesar, templar, aballestar.

atisbar Mirar, observar, acechar, avizorar, vigilar, espiar.

atisbo Vislumbre, barrunto, indicio, señal.

atizar Avivar, despabilar, fomentar, estimular, exci-

tar. ↔ *Sofocar, aplacar.* || Dar, propinar, pegar.

atizonarse 'Apolvillarse.

atlante Telamón.

atleta Combatiente, púgil, gladiador, corredor. || Jayán, hércules, sansón, toro.

atoar Remolcar, tirar, sirgar.

atochada Caballón, atajadero, camellón, acicate, pece.

'atole 'Atolillo, gachas.

atolondrada 'Marocha.

atolondrado Irreflexivo, ligero, precipitado, imprudente, alocado, botarate, distraído, aturdido, 'azurumbado. ↔ *Juicioso, prudente.*

atolondramiento Precipitación, irreflexión, distracción, aturdimiento. ↔ *Serenidad, juicio.*

atolondrar Aturdir, aturullar, atontar. ↔ *Despabilar.*

atolladero Atascadero, atranco.

átomo Partícula, migaja, escrúpulo.

atónito Estupefacto, pasmado, suspenso, asombrado, maravillado, enajenado, turulato, patitieso, patidifuso, helado. ↔ *Impertérrito.*

átono Inacentuado, débil. ↔ *Tónico.*

atontar Atolondrar, aturdir, atortolar, entontecer. ↔ *Despertar, despabilar.*

atorar Atascar, obstruir, obturar, cegar. ↔ *Desatascar.*

atormentado Lloroso, amarrido, cuitado, contrito, tristón, lóbrego, tétrico, flébil.

atormentar Torturar, martirizar, atribular, afligir, apenar, disgustar, acongojar. ↔ *Acariciar, confortar, consolar.*

atornillar Enroscar, aterrajar, avellanar.

'atoro Atasco, aprieto, apuro.

'atorrante Vagabundo, haragán, holgazán.

atortolar Aturdir, atontar, confundir, acobardar, acoquinar. ↔ *Despabilar, animar.*

atosigar Envenenar, emponzoñar, apurar, acuciar, apremiar, abrumar, agobiar, oprimir, fatigar. ↔ *Aliviar, descansar.*

atrabiliario Irritable, bilioso, colérico, irascible, desabrido, áspero, malhumorado. ↔ *Afable, paciente.*

atracador Salteador.

atracar Abordar. || Asaltar, saltear, atacar, agredir.

atracarse Atiborrarse, henchirse, hartarse, saciarse, apiparse, atarugarse. ↔ *Evacuar.*

atracón Hartazgo, panzada.

atractivo Gracia, seducción, encanto, hechizo, gancho, incentivo, aliciente, cebo. || Atrayente, seductor, encantador. ↔ *Repelente.*

atraer Captar, granjearse, seducir, cautivar, encantar. ↔ *Repeler.* || Provocar, causar, ocasionar, motivar.

atragantarse Atascarse, obstruirse, atarugarse.

atrancar Atascar, cegar, obstruir, obturar, tapar, atorar. ↔ *Desatrancar.*

atranco Atasco, obstrucción.

atrapar Conseguir, pillar, coger, obtener, pescar, cazar. ↔ *Soltar.* || Engañar, engatusar.

atrás Detrás, redro, a las espaldas. || Antes, lejos, anteriormente.

atrasado Anticuado, viejo,

rutinario. || Empeñado, entrampado, alcanzado, moroso.

atrasar Retrasar, retardar, demorar, diferir, rezagar. ↔ *Adelantar.*

atraso Retraso, retardo, demora, dilación. ↔ *Adelanto, anticipo.*

atravesado Malo, avieso, ruin, perverso. ↔ *Franco, bueno.* || Bizco, bisojo, estrábico.

atravesar Cruzar, pasar, traspasar.

'atrenzo Conflicto, apuro, dificultad.

atreverse Arriesgarse, osar, arriscarse, aventurarse.

atrevido Audaz, osado, arrojado, arriscado, arriesgado, temerario, 'gallote, 'zafado. ↔ *Temeroso, cauteloso.* || Insolente, descarado, desvergonzado, fresco, descocado. ↔ *Prudente, correcto, comedido.*

atrevimiento Audacia, osadía, arrojo, valor, temeridad. ↔ *Cautela, temor.* || Insolencia, descaro, desvergüenza, frescura, descoco, tupé, avilantez, desfachatez; cara. ↔ *Prudencia, corrección, comedimiento.*

atribución Atributo, señalamiento, aplicación, asignación.

atribuciones Facultades, poderes, prerrogativas, carta blanca.

atribuir Asignar, aplicar, achacar, imputar, colgar.

atribuirse Arrogarse, apropiarse, usurpar. ↔ *Renunciar*

atribular Acongojar, angustiar, desolar, desconsolar, atormentar, acuitar, afligir, apenar, apesadum-

brar. ↔ *Aliviar, consolar, confortar.*

atributo Propiedad, cualidad. || Símbolo, emblema.

atrición Arrepentimiento, compunción, dolor, sentimiento, pesar. ↔ *Impenitencia.*

atril Facistol.

atrincherarse Fortificarse, parapetarse, cubrirse, resguardarse, protegerse, defenderse. ↔ *Salir al descubierto.*

atrio Porche. || Zaguán, vestíbulo.

atrocidad Barbaridad, crueldad, inhumanidad, enormidad, exceso, demasía, temeridad. || Necedad, burrada.

atrofia Consunción, distrofia, raquitismo.

atrofiarse Menguar, decaer, anquilosarse, inutilizarse.

'atrojarse Atascarse.

atrompetado Abocardado, acampanado. ↔ *Puntiagudo.*

atronar Asordar, ensordecer.

atropellado Precipitado, ligero, irreflexivo, atolondrado, aturdido. ↔ *Pausado.*

atropellar Arrollar, derribar, empujar, ultrajar, agraviar.

atropellarse Precipitarse, apresurarse, apurarse.

atroz Fiero, cruel, bárbaro, inhumano, enorme, grave, desmesurado.

atuendo Atavío, vestido, indumentaria.

atufarse Enfadarse, enojarse, encolerizarse, incomodarse, irritarse, amoscarse. ↔ *Aplacarse.*

atunara Almadraba.

aturdido Atolondrado, pre-

cipitado, ligero, irreflexivo, atropellado, imprudente, botarate, 'abombado, 'apajarado. ↔ *Sereno, juicioso.*

aturdimiento Atolondramiento, precipitación, irreflexión, aturrullamiento, 'taranta. || Turbación. ↔ *Serenidad.*

aturdir Atolondrar, turbar, atortolar, azarar, atontar. || Admirar, asombrar, sorprender. || Consternar, perturbar. ↔ *Serenar.*

aturdirse 'Abombarse.

aturullar Desconcertar, atolondrar, aturdir, azarar, conturbar. ↔ *Serenar, tranquilizar.*

atusar 'Tusar.

auca Araucano.

audacia Osadía, atrevimiento, intrepidez, arrojo, valor, coraje, temeridad. ↔ *Pusilanimidad.* || Desvergüenza, descaro, avilantez, desfachatez, tupé, cara. ↔ *Prudencia, comedimiento.*

audaz Osado, atrevido, arrojado, intrépido, valiente, arriesgado. ↔ *Pusilánime.* || Desvergonzado, descarado, insolente. ↔ *Prudente, comedido.*

audición Sesión, lectura, concierto.

audiencia Tribunal, sala.

auditor Oyente. || Juez, informante.

auditorio Oyentes, público, concurrencia.

auge Elevación, encumbramiento, prosperidad, apogeo, esplendor, plenitud, culminación. ↔ *Ruina, decadencia, ocaso.*

augur Adivino, arúspice, agorero, oráculo, sibila, vaticinador.

augurar Auspiciar, vatici-

A

nar, presagiar, pronosticar, predecir, profetizar, adivinar.

augurio Auspicio, vaticinio, agüero, presagio, pronóstico, predicción, profecía.

augusto Honorable, venerable, majestuoso, respetable. || Payaso, tonto.

aula Clase.

aulaga Aliaga, árgoma, ardeviejas.

áulico Palaciego, cortesano.

aullar Bramar, ulular, gruñir, baladrear, ladrar, roncar.

aullido Aúllo, ladrido, gruñido, bramido.

aumentar Acrecentar, agregar, sumar, añadir, agrandar, engrandecer, ampliar, acrecer, elevar, adicionar, incrementar, c r e c e r, recrecer, extender, exagerar, hinchar, sobrealzar, engordar, agigantar, agravar. ↔ *Disminuir, decrecer, reducir.*

aumento Incremento, acrecentamiento, crecimiento. ↔ *Disminución.*

aun Hasta, incluso.

aún Todavía.

aunar Unir, juntar, unificar, asociar, confederar. ↔ *Dividir.*

aunque Si bien, por más que.

aupar Encaramar, levantar, subir, upar.

aura Vientecillo, céfiro, brisa, airecillo, 'zope, 'samuro.

áureo Aurífero, áurico, aurígero, aurífico, aurífluo. || Rutilante, resplandeciente, brillante, dorado, rutilo.

aureola Nimbo, corona, diadema. || Gloria, fama, celebridad, renombre.

auriga Cochero, conductor, automedonte.

aurora Alba, amanecer, orto, crepúsculo matutino.

aurúspice Arúspice.

ausencia Separación, alejamiento. ↔ *Proximidad.* || Falta, defecto, privación, carencia, omisión. ↔ *Presencia.*

ausentarse Separarse, alejarse, marchar, salir, partir, irse, eclipsarse, tomar el portante.

auspicio Agüero, aruspicio, presagio. || Protección, favor, amparo, ayuda, patronaje, salvaguarda, salvaguardia.

austeridad Severidad, rigor, rigidez, dureza, aspereza, ascetismo. ↔ *Blandicia, blandura, indulgencia, molicie.*

austero Severo, rígido, riguroso, duro, áspero, ascético. ↔ *Blando, indulgente.*

austral Antártico, meridional. ↔ *Boreal.*

austro Noto, viento sur. ↔ *Bóreas.* || Sur, mediodía. ↔ *Norte.*

autarquía Autosuficien c i a, 'mazorca.

auténtico Verdadero, cierto, seguro, positivo, real, genuino, puro, legítimo, castizo, acreditado, legalizado, autorizado, fidedigno. ↔ *Falso, falsificado, apócrifo.*

autillo Alucón, zumaya, oto, úlula, cárabo.

auto Escritura, acta, documento. || Drama. || Acto, hecho. || Automóvil, coche.

autobiografía M e m o r i a s, confesiones.

autocracia Dictadura, cesa-

rismo, tiranía, despotismo. ↔ *Democracia.*

autócrata Autarca, dictador, 'mazorquero.

autóctono Aborigen, indígena, originario, natural, nativo, vernáculo. ↔ *Extranjero, forastero.*

automático Maquinal, inconsciente, indeliberado. ↔ *Consciente.*

automóvil Auto, coche.

autonomía Independe n c i a, libertad, autogobierno. ↔ *Sujeción, dependencia.*

autopsia Necropsia, disección.

autor Creador, padre, causante, inventor, escritor.

autoridad Poder, mando, imperio, dominio, facultad, potestad, jurisdicción. || Crédito, fe, prestigio.

autoritario Despótico, arbitrario, imperioso, autocrático. ↔ *Humilde, dócil.*

autorización Permiso, consentimiento, venia, aprobación, anuencia. ↔ *Desautorización.*

autorizar Permitir, consentir, conceder, a c c e d e r, aprobar, facultar. ↔ *Desautorizar.*

autumnal Otoñal.

auxiliar Socorrer, ayudar, favorecer, amparar, secundar, apoyar. ↔ *Perjudicar, dañar.* || Ayudante, agregado, edecán, cooperador, complementario.

auxilio Socorro, asistencia, ayuda, protección, amparo, apoyo, favor, concurso. ↔ *Daño.*

aval Garantía.

avalorar Valorar, evaluar, avaluar, estimar.

avance Adelanto, progreso, marcha. ↔ *Retroceso.* || Anticipo, adelanto.

avante Adelante.

avantrén Armón, carrillo.

avanzada Avanzadilla, descubierta, vanguardia.

avanzar Adelantar, progresar, prosperar. ↔ *Retroceder.*

avaricia Codicia, avidez, tacañería, ruindad, sordidez, mezquindad, cicatería, miseria. ↔ *Largueza, prodigalidad, generosidad.*

avaro Avaricioso, avariento, codicioso, tacaño, ruin, mezquino, miserable, roñoso, cicatero, sórdido, agarrado, estíptico. ↔ *Pródigo, generoso.*

avasallar Dominar, someter, señorear, sojuzgar, sujetar, subyugar. ↔ *Liberar, emancipar.*

avatar Mudanza, cambio, suceso, circunstancia.

ave Avechucho, pájaro.

'avecasina Década.

avecinarse Acercarse, aproximarse. ↔ *Alejarse.* ‖ Avecindarse, domiciliarse, establecerse, residir. ↔ *Marchar, ausentarse, emigrar.*

avecindarse Avecinarse, domiciliarse, establecerse, residir. ↔ *Marchar, ausentarse, emigrar.*

avejentarse Aviejarse, revejecer, envejecer, ajarse, marchitarse. ↔ *Rejuvenecerse.*

avellano Nochizo.

avena Zampoña.

avenencia Concierto, convenio, acuerdo, arreglo, conciliación, pacto, transacción. ‖ Armonía, unión, concordia, compenetración, conformidad. ↔ *Desavenencia.*

avenida Riada, crecida, inundación, desbordamien-

to. ‖ Vía, paseo, bulevar, rambla.

avenirse Congeniar, entenderse. ↔ *Discrepar.* ‖ Entenderse, arreglarse, conciliar, concertar, conformarse, prestarse. ↔ *Resistirse.* ‖ Allanarse, amoldarse, resignarse.

aventador Bieldo. ‖ Abanico, mosqueador.

aventajar Exceder, superar, sobrepujar, pasar, adelantar. ↔ *Ir a la zaga.*

aventar Airear, orear, ventear. ‖ Expulsar, echar, bieldar.

aventura Suceso, hecho, acaecimiento, lance, episodio, ocurrencia, incidencia, accidente, andanza, hazaña. ‖ Evento, casualidad, azar, contingencia, coyuntura. ‖ Riesgo, empresa, intriga, correría, peligro.

aventurado Arriesgado, peligroso, expuesto, azaroso. ↔ *Seguro.*

aventurar Arriesgar, exponer.

aventurarse Atreverse, osar, arriesgarse, exponerse.

avergonzado 'Escurrido.

avergonzar Abochornar, sofocar, sonrojar, ruborizar, correr, 'acholar. ↔ *Enorgullecer.*

avergonzarse 'Amusgarse.

avería Desperfecto, deterioro, daño, detrimento, menoscabo.

averiguación Investigación, indagación, pesquisa, busca.

averiguar Indagar, inquirir, investigar, buscar.

averío Bandada.

averno Infierno.

aversión Antipatía, repulsión, repugnancia, oposi-

ción, animadversión, odio. ↔ *Inclinación, simpatía.*

avezar Acostumbrar, habituar, experimentar, hacer a. ↔ *Desacostumbrar.*

avestruz 'Suri.

avezado Hecho, ducho, curtido, acostumbrado. ↔ *Novato.*

aviación Aeronáutica.

aviador Piloto, aeronauta.

aviar Preparar, disponer, arreglar, prevenir. ‖ Despachar, acelerar, apresurar. ↔ *Entretener.*

'aviar Prestar (dinero).

avidez Codicia, ansia, concupiscencia, voracidad. ↔ *Saciedad.*

ávido Codicioso, ansioso, insaciable, voraz. ↔ *Harto.*

aviejarse Avejentarse, revejecerse, envejecerse. ↔ *Rejuvenecerse.*

avieso Atravesado, malo, ruin, perverso. ↔ *Bueno, recto.*

avilantez Insolencia, atrevimiento, audacia, osadía, descaro, desvergüenza. ↔ *Prudencia, comedimiento.*

avinagrado Agriado, agrio, áspero, acre, acedo. ↔ *Dulce.*

avinagrarse Torcerse, volverse, agriarse, acedarse. ↔ *Dulcificarse.*

avío Aviamiento, apresto, prevención. ‖ Provisión, víveres, bastamento.

'avío Préstamo. ‖ Caballería. ‖ Aparejo, silla (del caballo).

avión Aeroplano, bimotor, trimotor, cuatrimotor, avioneta, hidroavión, reactor, aparato.

avíos Trastos, menesteres, recado, utensilios, bártulos.

avisado Despierto, sagaz,

A

A

listo, perspicaz, prudente, previsor, advertido, precavido, cauteloso, astuto. ↔ *Torpe, simple, imprudente.*

avisar Advertir, prevenir, notificar, anunciar, participar, informar, comunicar, noticiar, enterar, amonestar, aconsejar.

aviso Indicación, noticia, anuncio, nota, advertencia, amonestación, observación, consejo. || Cuidado, prudencia, precaución, discreción, prevención, cautela. ↔ *Descuido, imprudencia.*

avispa 'Jicote.

avispado Listo, despierto, vivo, agudo, 'cauque. ↔ *Obtuso, torpe.*

'avispar Espantar.

avispero Maraña, trampa, celada.

avistar Divisar, ver, descubrir.

avituallar Proveer, abastecer, surtir, suministrar.

avivar Acelerar, apresurar, excitar, animar, enardecer, reanimar, atizar, despabilar. ↔ *Frenar, entretener, apagar.*

avizorar Acechar, atisbar, vigilar, observar, espiar.

'avocastro Feo.

avutarda 'Piuquén.

axila Sobaco.

axioma Principio, sentencia.

axiomático Irrebatible, evidente, absoluto, indiscutible, incontrovertible. ↔ *Discutible, problemático.*

'ayacua Diablo, genio.

'ayate Tela, tejido.

ayer Antes, anteriormente,

tiempo pasado, no ha mucho.

ayo Preceptor, custodio.

'ayocobe Fríjol.

'ayote Calabaza.

'ayotera Calabacera.

'ayotoste Armadillo.

ayuda Auxilio, socorro, asistencia, amparo, cooperación, apoyo, favor, protección, 'visitadora. ↔ *Estorbo, daño.*

ayudante Auxiliar, agregado, cooperador, colaborador.

ayudar Auxiliar, socorrer, asistir, amparar, proteger, cooperar, coadyuvar, secundar, apoyar, favorecer. ↔ *Estorbar, perjudicar.*

ayuga Mirabel, pinillo.

ayunar Privarse, abstenerse, retenerse. ↔ *Hartarse, henchirse.*

ayuno En ayunas, ignorante, inadvertido. ↔ *Enterado.* || Dieta, abstinencia. ↔ *Intemperancia.*

ayuntamiento Municipio, concejo, consistorio, cabildo.

azabache Ámbar negro.

azahara Áloe, zabila.

azada Azadón, zapapico, ligón, 'lampa.

azadilla 'Guataca.

azafata Camarera.

azagaya Lanza. || Dardo, azcona.

azana Faena, cutio, trabajo, labores, menesteres, obligaciones.

azar Acaso, casualidad, albur, contingencia, eventualidad.

azararse Turbarse, conturbarse, aturdirse, confundirse, sobresaltarse, azo-

rarse, 'azarearse. ↔ *Serenarse, tranquilizarse.*

azarcón Minio.

'azarearse Azararse. || Irritarse, enojarse, enfadarse.

azaroso Aventurado, arriesgado, expuesto, peligroso. ↔ *Seguro.*

'azocar Apretar, prensar.

ázoe Nitrógeno.

azófar Latón.

azogue Mercurio, hidrargirio.

'azolve Atascadura.

azorar Sobresaltar, espantar, amilanar, conturbar, aturdir, azarar. ↔ *Tranquilizar.*

azotaina Zurra, felpa, julepe, sopapina, soba, solfa, tunda, 'lampreada, vapuleo. zurribanda.

azotar Fustigar, golpear, vapulear, zurrar, flagelar, 'cuerear, 'festejar.

azote Golpe, nalgada, palo, latigazo, 'azotera. || Calamidad, plaga, flagelo, desgracia, castigo.

azotea Terrado, terraza, aljarafe.

'azotera Azote, látigo.

azucarar Endulzar, dulcificar. ↔ *Acibarar.*

azud Azuda, cenia, 'tambre.

azufaifa Guija, guínjol, yuyuba.

azul Azur, añil, índigo, garzo, endrino, azulado, pavonado, opalino, zarco.

azulejo Ladrillo vidriado.

azúmbar Espinacardo. || Estoraque.

'azurumbado Atolondrado.

azuzar Achuchar, incitar, excitar, estimular, instigar, irritar, 'ajotar. ↔ *Frenar.*

B

baba Saliva.

babel Confusión, desorden, barullo, barahúnda, campo de Agramante, l e o n e r a, olla de grillos, merienda de negros, p a n d e m o n i o, perturbación. ↔ *Orden*.

babia (estar en) Abstraerse, vagar, tocar el violón, pensar en las musarañas, estar en las Batuecas. ↔ *Estar atento*.

babieca Bobo, tonto, papanatas, pazguato, simple, tontaina, bobalicón.

babilónico Fastuoso, ostentoso, asiático.

babosa Limaza, limaco.

'baboso Tonto.

babucha Zapatilla.

'babuyal Diablo. || Brujo.

bacalao Curadillo, estocafís, abadejo, pezpalo, pejepalo.

bacanal Orgía, desenfreno.

bacaza 'Tarasca.

bacía Vasija, jofaina.

bacilo Bacteria.

bacín Bacina, orinal, dompedro, 'cantor, beque. || 'Escupidera.

bacinero Limosnero.

baco Poyo, asiento, alhamí. || Alfaque, bajo, escollo. || Cardumen, bando.

bacteria Microorganismo, microbio, miasma, bacilo, virus.

báculo Bastón, palo, cayado. || Soporte, apoyo, arrimo, consuelo.

bache Hoyo, socavón. |¦ Laguna, solución de continuidad.

bachiller Hablador, fisgón, tarabilla. ↔ *Discreto*.

badajada Sandez, necedad, disparate, clarinada.

badajo Espiga, lengua.

badajocense Badajoceño, pacense.

badea Sosedad, insipid e z, tontería.

badila Badil, pala, paleta, hurgonero.

badulaque Tonto, necio, tarugo, bobo, leño.

bagaje Equipaje, bultos, impedimenta.

bagasa Ramera.

bagatela Fruslería, minucia, friolera, menudencia, miseria, insignificancia, trivialidad, bicoca, tiritaña.

bagazo Residuo, cáscara.

'bagre Listo, despierto, vivo.

'bagual Bravo, feroz, indómito. || Hombrón.

'bagualada Caballada.

bahareque 'Bajareque.

bahía Ensenada, golfo, rada, abra, cala, ancón.

bailar Danzar.

bailarín Danzarín, danzante, bailador, saltarín.

bailarina Danzarina, bayadera.

baile Danza, tripudio. || 'Cachasparí, 'guateque.

bailía Demarcación, municipio.

baja Descenso, disminución, decadencia, merma, pérdida, quebranto, bajón, caída. ↔ *Alza, aumento, auge*.

bajada Descenso. ↔ *Subida*.

'bajador Gamarra.

bajamar Reflujo.

bajar Descender, menguar, disminuir, decrecer, decaer, rebajar, abaratar. ↔ *Subir*. || Apearse, descender, desmontar, descabalgar. ↔ *Montar*.

'bajareque Bohío, casucho. || Bahareque.

bajel Buque, nave, barco, navío, nao.

bajeza Vileza, ruindad, indignidad, abyección, envil e c i m i e n t o, degradación, servilismo. ↔ *Nobleza, dignidad*.

bajo Pequeño, chico, menudo, corto de talla, tozo, terrero, 'potoco. ↔ *Alto*. || Vulgar, plebeyo, innoble, indigno, despreciable, vil, ruin, rastrero, abyecto. ↔ *Noble, digno*. || Descolorido, apagado, mortecino, deslustrado. ↔ *Vivo, bri-*

B

llante. || Humilde, abatido. ↔ *Enérgico.* || Bajío, banco, escollo, rompiente, sirte, arrecife. || Grave. ↔ *Agudo.* || Debajo de. ↔ *Sobre.*

bajón Caída, baja, descenso, disminución, merma. ↔ *Subida vertical.*

bajorrelieve Entretalla, entretalladura.

bala Proyectil. || Fardo, paca, bulto.

'balaca 'Balacada, fanfarronada, baladronada.

baladí Fútil, superficial, insignificante, insustancial, trivial, frívolo. ↔ *Importante, profundo, sustancial.*

baladre Adelfa, laurel rosa.

baladro Brama, bramido, alarido, grito.

baladrón Valentón, fanfarrón, farfantón, bravucón, jácaro, chulo, perdonavidas, matamoros, matasiete. ↔ *Tímido, cobarde.*

baladronada Bravata, fanfarronada, bravuconada, fanfarria, 'balaca, 'balacada.

bálago Paja.

balance Balanceo, vaivén. || Arqueo, cómputo, confrontación.

balancear Columpiar, mecer, oscilar. || Dudar, vacilar.

balanceo Balance, vaivén, oscilación, contoneo.

balancín Mecedora.

balandrán Palio.

bálano Glande.

balar Balitar, gamitar.

balasto Grava.

balate Orilla, margen, borde.

balaustrada Barancillo, baranda.

'balay Cesta. || Batea.

balbucear Balbucir, mascullar, barbotar, farfullar, tartajear, tartamudear.

'balcarrotas Patillas.

balcón Miranda. || Balaustrada, veranda.

balda Anaquel.

baldado Tullido, impedido, paralítico, inválido.

baldaquín Baldaquino, dosel, patio, pabellón.

balde Cubo.

baldear Fregar, limpiar, ↔ *Trapear.* || Achicar, jamurar.

baldeo Fregatela, limpieza.

baldío Yermo. ↔ *Cultivado.* || Vano, inútil, infundado. ↔ *Útil.*

baldón Oprobio, afrenta, injuria, deshonor, vituperio, deshonra, descrédito. ↔ *Loanza, prez.*

baldosa Ladrillo, azulejo.

balduque Cinta, atadijo.

baleo Aventador, 'escupidor. || Felpudo, estera, ruedo.

'balero Boliche.

balido Gamitido, be.

balitar Balar.

baliza Boya, señal.

balneario Baños.

balompié Fútbol.

balón Pelota, esférico, parche.

balsa Almadía, armadía, jangada, 'carandumba, 'jagüey, 'tajamar.

balsámico Aromático, fragante. ↔ *Hediondo.*

balsamina Rucaragua, mamórdiga. || Miramelindos.

balsamita Jaramago.

balsamita mayor Berro.

bálsamo Consuelo, alivio, lenitivo. ↔ *Excitante.*

'balsar Pantano, ciénaga, paular.

baluarte Bastión, fortaleza, protección, defensa.

'baluma Ruido, alboroto.

balumba Bulto, mole.

ballesta Muelle.

bambolearse Bambalear,

tambalearse, oscilar, vacilar, balancearse.

bambú 'Guadua, 'quila, 'tacuara.

banana Plátano.

banasta Banasto, cesto, cuévano, canasta, 'quileo.

bancal Fabla, haza.

bancarrota Quiebra, desastre, ruina, hundimiento, descrédito.

banda Lado, costado. || Partida, bandada, cuadrilla, pandilla, facción. || Cinta, paja, tira.

bandada Averío, camada. || Banda.

bandazo Tumbo, balance.

bandearse Ingeniarse, apañarse.

bandera Pabellón, insignia, enseña, estandarte, pendón.

bandería Bando, parcialidad, partido, facción.

banderilla Palitroque, garapullo, rehilete. || Pulla, vareta, dardo, remoquete.

bandidaje Bandolerismo.

bandido Bandolero, malhechor, salteador, atracador, ladrón.

bando Bandería, banda, partido, facción, parcialidad, cuadrilla, tropa, grupo, pandilla, camada. || Edicto, placarte, cedulón, mandato.

bandolera Tahalí, correaje.

bandolero Bandido, salteador, 'carrilano.

bandullo Barriga.

banqueta Taburete, banquillo, escabel, aizapié, escaño.

banquete Festín, ágape, simposio, convite, guateque, comilona, tragantona, gaudeamus, cuchipanda, orgía.

'bañadera Baño, bañera. ||

Lodazal, pantano, pantar, laguna.

bañar Sumergir, mojar, humedecer, untar.

bañera 'Bañadera.

baño Inmersión, sumersión, remojón. || Bañera, pila, tina, 'bañadera. || Capa, mano.

baños Balneario.

baqueta Atacador, taco, varilla.

baqueteado Fogueado, asendereado, avezado, acostumbrado, habituado, experimentado, ducho, experto, práctico. ↔ *Bisoño.*

baquía Experiencia, práctica.

baquiano 'Rumbeador.

bar Taberna, cafetería. || Barra.

barahúnda Barullo, bulla, tumulto, confusión, desorden, babel. ↔ *Tranquilidad, paz, calma.*

baraja Naipes.

barajar Mezclar, entremezclar, revolver; confundir. ↔ *Ordenar.*

'barajar Parar, detener.

baranda Barandilla, balaustrada, antepecho, petril.

barata Mohatra, cambio, trueque.

'baratero Regatón, regatero.

baratija Chuchería, fruslería, bujería, chisme, 'chalchihuite, 'tiliche.

baratijas 'Fereres, 'maritatas.

baratillero Prendero, saldista, ropavejero.

barato Económico, módico, bajo, rebajado, de ocasión, a buen precio, regalado, tirado, 'chinga. ↔ *Caro.* || Fácil, asequible.

baratro Averno, infierno, tártaro, orco.

barba Perilla, mosca, barbilla.

'barbacoa o barbacúa Zarzo. || Andamio. || Parrilla.

barbada Quijada.

barbacana Saetera, tronera, defensa.

barbaján Tosco, bruto, rústico, brutal.

barbaridad Atrocidad, crueldad, inhumanidad, enormidad, exceso, dislate, disparate, temeridad.

barbarie Salvajismo, incultura, cerrilidad, rusticidad. ↔ *Civilización.* || Ferocidad, fiereza, crueldad, inhumanidad. ↔ *Piedad.*

barbarismo Extranjerismo. ↔ *Idiotismo.*

barbarizar Disparatar, desbarrar, desatinar. ↔ *Atinar.*

bárbaro Atroz, cruel, inhumano, feroz. ↔ *Humano.* || Salvaje, inculto, grosero, tosco, cerril. ↔ *Civilizado.* || Temerario, imprudente, extraordinario.

'barbear Adular, enjabonar, lisonjear.

barbecho Erial, escalio, lleco, añojal.

barbero Peluquero, fígaro.

'barbero Adulador, zalamero, lavacaras.

barbián Gallardo, arriscado, desenvuelto. ↔ *Tímido.*

'barbijo Barboquejo.

barbilampiño Carilampiño, lampiño, imberbe, rapagón. ↔ *Peludo, barbudo.*

barbilindo Barbilucio, galancete, afeminado.

barbilla Mentón, perilla.

barbitaheño Barbirrojo.

barboquejo 'Barbijo, 'fiador.

barbotar Barbotear, mascullar, mascujar, farfulla, balbucear, barbullar, musitar.

barbudo Barboso, barbiluengo, barbado, barbón. barbiespeso, cerrado de barba. ↔ *Barbilampiño.*

barbulla Ruido, algazara, batahola, barahúnda, gritería, tropel.

barbullar Barbotar.

barca Lancha, bote, batel, canoa, chalana, chalupa, yola, caique, 'bonga.

barcaza Lanchón, gabarra, barcón.

'barcina Herpil.

barco Buque, bajel, nave, nao, navío, vapor.

'barchilón Enfermero.

barda Armadura. || Bardal, ramaje, espino. || Seto, vallado, sebe, cercado.

bardaje Sodomita.

bardana Anteón, lampazo.

bardo Vate, poeta, trovador.

baritel Cabrestante, malacate.

barítono Paroxítono, grave, llano.

barloa Calabrote, cable.

barnizar Embarnizar.

barquinazo Batacazo, porrazo, tumbo, vuelco, vaivén.

barra Lingote. || Barrote, tranca, palanca, alzaprima. || Banco, bajo, bajío, alfaque. || Eje.

barrabasada Barbaridad, disparate, desatino despropósito, travesura, gamberrada.

barraca Chabola, choza, tugurio, chamizo, 'bohío.

'barraca Almacén, tinglado, galpón.

barragana Manceba, concubina, querida, amante.

barranco Barranca, quebrada, barranquera, torrentera, cañón, despeñadero, precipicio.

barreduras Inmundicia, desperdicios, basura, desecho, residuo, escoria.

B

B **barrenar** Agujerear, taladrar, horadar. || Infringir, atropellar, conculcar.

barreno Explosivo, petardo.

'barreno Tema, manía.

barreño Artesa, jofaina, terrizo.

barrer Escobar, limpiar, desembarazar, apartar, dispersar, expulsar, arrollar.

barrera Valla, cerca, muro, obstáculo, impedimiento.

'barrial Barrizal.

barricada Parapeto, reparo.

barriga Vientre, abdomen, panza, tripa, bandullo, 'timba.

barril Cuba, tonel, bocoy, bota, barrica, pipa.

'barrilaje Barrilamen.

barrilamen 'Barrilaje.

barrilete 'Castaña.

barrilla Mazacote, sosa.

barrio Arrabal, suburbio, cuartel, distrito.

barrizal Lodazal, cenagal, fangal, 'barrial.

barro Cieno, lodo, fango, 'sanco. || Suche.

barroco Recargado, charro, pomposo, churrigueresco, plateresco, rococó.

barrote Barra, travesaño, palo, larguero.

'barrullo Barullo, jaleo, zambra.

barrumbada Petulancia, jactancia.

barruntar Prever, suponer, conjeturar, presumir, sospechar, columbrar, oler, olfatear.

barrunte Barunto, conjetura, sospecha, suposición, atisbo, vislumbre, indicio, señal.

'bartolina Calabozo, mazmorra.

'bartulear Cavilar, meditar, rumiar, ensimismarse.

bártulos Trastos, cachivaches, avíos, aperos, pertrechos, enseres, utensilios, trebejos, 'fereres.

baruca Embrollo, enredo, artificio.

barullo Confusión, desorden, desbarajuste, lío, barahúnda, 'barullo. ↔ Orden.

'barzón Coyunda.

basamento Base, basa, pedestal, peana.

basar Fundar, apoyar, asentar, fundamentar, cimentar.

basca Vómitos, náusea, arcada. || Ansia, desazón.

bascas Ansias, mareo.

bascosidad Asquerosidad, suciedad, inmundicia. ↔ Limpieza.

base Basamento, basa, fundamento, cimiento, apoyo, asiento, peana, pie, pedestal, soporte, sostén, zócalo. || Principio, origen, raíz, ley.

basilisco Furia, arpía, bruja.

basta Hilván.

bastante Suficiente, asaz, harto.

bastanteo Refrendamiento, reconocimiento (de poderes).

bastar Ser suficiente. || Abundar.

bastardilla Cursiva, itálica.

bastardo Ilegítimo, espurio, natural. ↔ Legítimo. || Vil, infame, bajo, falso. ↔ Noble.

baste Enjalma, albarda, silla.

bastidor Armazón, chasis.

'bastidor Celosía.

bastilla 'Candelilla.

bastión Baluarte.

basto Tosco, grosero, burdo, ordinario, chanflón, rudo, 'catana. ↔ Fino.

baston Vara, garrote, palo, cayado, cachava, clava, bordón, croza, báculo, bengala.

bastonazo Trancazo, estacazo, varapalo, garrotazo.

bastonera Paragüero.

basura Suciedad, inmundicia, porquería, hez, barreduras, 'retobo.

bata Guardapolvo, quimono, batín.

batacazo Porrazo, trastazo, costalada.

batahola Alboroto, bulla, bullicio, jarana, jaleo, gritería, vocerío, guirigay, algarabía. ↔ Silencio, calma.

batalla Combate, lid, pelea, lucha, contienda, encuentro, acción, escaramuza, choque.

batallador Belicoso, guerrero, luchador. ↔ Pacífico.

batallar Pelear, luchar, reñir, lidiar, contender, disputar, debatir, pugnar, porfiar. ↔ Rendirse, ceder.

batallón Escuadrón.

batata 'Camote.

batea Bandeja, plata, azafate. || Artesa, dornajo. || Barquichuelo.

'batea Artesa. || 'Balay, pelota.

batel Barca, bote, lancha.

batelero Barquero, lanchero, remero.

batería Fila, hilera, conjunto, grupo. || Brecha.

batida Reconocimiento, exploración.

batido Trillado, conocido, frecuentado.

batidor Explorador, gastador.

batín Bata.

batintín Gong, tantán.

batir Golpear, percutir, acuñar, 'batuquear. || Explorar, reconocer. || Derrotar, vencer, deshacer, arrollar.

batirse Combatir, luchar, pelear, batallar, lidiar.

'batuquear Batir, agitar, remover.

baúl Cofre, arca, mundo.

bautismo Bateo, bautizo, cristianismo.

bautizar Cristianar. || Denominar, llamar, calificar.

bautizo Bautismo, bateo.

bayadera Danzarina, bailarina.

bayarte Parihuelas.

bayeta Aljofifa, boquín.

bayetón 'Castilla.

bayo 'Chauar.

bayoneta Machete.

baza Tanto, partida.

bazar Mercado, comercio.

bazofia Potaje, sancocho, comistrajo, bodrío, guisote, rancho. || Desperdicios, sobras. || Porquería, suciedad, asquerosidad.

beata Santa, devota.

beatería Gazmoñería, mojigatería.

beatificación Canonización, santificación.

beatificar Venerar, reverenciar.

beatitud Bienaventuranza, gozo, felicidad, bienestar, contento, satisfacción, dicha. ↔ *Pena, infelicidad.*

beato Feliz, bienaventurado. || Mojigato, santurrón, gazmoño.

bebé Nene, rorro, crío.

bebedizo Filtro.

bebedor 'Tomador.

beber Sorber, absorber, tragar, refrescar, potar, libar, escanciar, trincar, chingar, echar un trago, echarse al coleto, abrevarse. || Brindar.

bebida Poción, brebaje. || 'Ante.

bebido Chispo, achispado, alegre, ajumado, borracho, ebrio, embriagado, beodo. ↔ *Sereno.*

becada Chocha, 'avecasina.

becerro Torillo, novillo.

bedel Portero, ordenanza, celador.

beduino Árabe, targui, tuareg.

befa Escarnio, ludibrio, irrisión, mofa, desprecio, burla.

bejuco 'Cambutería, 'capí, 'carey, 'guaniquí, 'ubí.

beldad Belleza, hermosura. ↔ *Fealdad, monstruo.*

belén Nacimiento. || Confusión, desorden, lío, embrollo, enredo.

belfo Labio.

bélico Guerrero, belicoso, marcial.

belicoso Guerrero, bélico, marcial, batallador, pendenciero, agresivo, pugnaz. ↔ *Pacífico.*

belitre Pícaro, pillo, ruin, villano, bellaco.

bellacada 'Malón.

bellaco Perverso, malo, ruin, villano, pícaro, bribón, belitre, pillo, tuno, tunante, bergante, taimado, astuto, zorro, 'fregado. ↔ *Bueno, cándido.*

belleza Hermosura, beldad, venustez, sublimidad, lindeza, guapura, preciosidad. ↔ *Fealdad.*

bello Hermoso, lindo, bonito, precioso, agraciado, agradable, bellido, coqueto, delicado, elegante, encantador, escultural, espléndido, exquisito, fino, gentil, gracioso, grato, ideal, maravilloso, mono, primoroso, pulcro, sereno, puro, soberbio, sublime, guapo, adonis, beldad, ga-

lán, majo, narciso, serafín. ↔ *Feo.*

'bembo Bezo.

bencina Esencia, gasolina, carburante.

bendecir Alabar, ensalzar. ↔ *Maldecir.* || Consagrar.

bendición Favor, gracia, prosperidad, abundancia. || Invocación. || Consagración, imposición de manos.

bendito Santo, bienaventurado. || Dichoso, feliz. ↔ *Infeliz.* || Sencillo, corto de alcances. ↔ *Listo.*

benefactor Bienhechor.

beneficencia Benevolencia, merced, caridad, favor, atención. ↔ *Desatención.* || Humanidad, filantropía, misericordia. ↔ *Inhumanidad.*

beneficiar Favorecer, hacer bien, aprovechar, utilizar, mejorar, bonificar. ↔ *Perjudicar.*

beneficio Favor, gracia, merced, servicio, bien. ↔ *Perjuicio.* || Utilidad, provecho, fruto, ganancia, rendimiento. ↔ *Pérdida.*

beneficioso Útil, provechoso, productivo, lucrativo, fructuoso, benéfico. ↔ *Perjudicial.*

benéfico Beneficioso, bienhechor. ↔ *Maléfico.*

benemérito Estimable, honorable, meritorio, digno. ↔ *Despreciable.*

beneplácito Conformidad, plácet, visto bueno, anuencia, aprobación, consentimiento, asentimiento, permiso, venia, autorización, aquiescencia. ↔ *Disconformidad.*

benevolencia Benignidad, simpatía, clemencia, indulgencia, generosidad, mag-

B

B

nanimidad, bondad, liberalidad, buena voluntad. ↔ *Malevolencia.*

benévolo Benigno, bondadoso, indulgente, clemente, humano, complaciente, afable. ↔ *Malévolo.*

benignidad Bondad, dulzura, piedad, benevolencia, dulcedumbre, mansedumbre, humanidad. ↔ *Malignidad.*

benigno Benévolo, bondadoso, compasivo, piadoso, afable, humano, clemente. ↔ *Maligno.* || Templado, suave, dulce, apacible, bonancible. ↔ *Riguroso.*

benjamín Pequeño, menor.

beocio Necio, tonto, estúpido, estulto.

beodo Borracho, ebrio, embriagado, curda, ajumado, achispado, chispo, bebido. ↔ *Sereno.*

beque Bacín, orinal.

bérbero Agracejo.

berbiquí Taladro.

bereber Berberisco, rifeño, moro.

berengenal Confusión, lío, maraña, enredo, barullo.

berengo Bobo, cándido, sencillo, ingenuo.

bergante Belitre, pícaro, bribón, bellaco, sinvergüenza, bandido.

berilo Aguamarina.

bermejo Rojizo, rubio, rujo, rúbeo, taheño.

bermellón Cinabrio.

'bernegal Tinaja.

berrear Gritar, chillar.

berrinche Rabieta, pataleta, enojo, enfado, coraje, rabia, furor, cólera.

berro Balsamita mayor, mastuerzo.

besalamano Esquela, comunicación.

berza Col.

besana Surco. || Labor.

besar Rozar, tocar.

beso Ósculo, buz.

bestia Animal, bruto, irracional. || Caballería. || Bárbaro, bruto, ignorante, zafio.

bestial Animal, brutal, feroz, bárbaro. ↔ *Humano.*

bestialidad Brutalidad, ferocidad, barbaridad, animalada.

bezo 'Bembo.

biblia Escritura, Sagrada Escritura, Libros Sagrados.

biblioteca Librería. || Colección.

biberón 'Tetera.

bicicleta Biciclo, velocípedo.

bicoca Ganga, momio, chamba. || Pequeñez, bagatela, fruslería, nadería, insignificancia.

bichero Cloque.

bicho Bicha, animal, sabandija.

bieldo Aventador, aviento.

bien Utilidad, beneficio, provecho, merced, favor. ↔ *Mal, perjuicio.* || Muy, mucho, bastantemente. ↔ *Poco.* || En verdad, seguramente, a maravilla. || Con gusto, de buena gana, sí. || Ya, ora. || Con razón, justamente.

bienandanza Felicidad, dicha, fortuna, **suerte.** ↔ *Malandanza.*

bienaventurado Beato, santo. || Feliz, dichoso, incauto, sencillote, simple. ↔ *Malicioso.*

bienaventuranza Gloria, vida eterna, cielo, beatitud, felicidad, dicha. ↔ *Malaventuranza.*

bienes Fortuna, caudal, hacienda, capital, riqueza.

bienestar Comodidad, regalo, bienandanza, satisfacción, abundancia, **vida holgada.** ↔ *Pobreza.*

bienhechor Benefactor, amparador, favorecedor, protector, filántropo.

bienquisto Apreciado, querido, estimado, considerado. ↔ *Malquisto.*

bienvenida Bienllegada. || Parabién, saludo, salva, buena acogida.

bifurcación Desvío, derivación. ↔ *Unión.*

bifurcarse Separarse, dividirse, ahorquillarse, divergir, desviarse. ↔ *Unirse, confluir.*

bígamo Bínubo.

bigardo Vago, holgazán.

bigote Mostacho, bozo.

bija 'Urucú, 'onoto.

bilioso Colérico, atrabiliario, irritable, avinagrado, amargado, desabrido. ↔ *Dulce, afable.*

bilis Hiel, cólera, amargura, desabrimiento, aspereza, irritabilidad. ↔ *Dulzura.*

'bilma Bizma.

'bilmar Bizmar.

billete Entrada, localidad, asiento, boleto, 'suerte. || Carta.

billetero Cartera, monedero.

binóculo Gemelos, prismáticos, anteojo.

biombo Mampara, antipara, 'cancel.

biografía Vida, semblanza, hechos, carrera, curriculum.

birlar Estafar, escamotear, quitar, robar, hurtar.

birlocha Cometa.

birrete Solideo, bonete.

birria Moharracho, zaharrón. || Facha, adefesio, mamarracho.

'birria Tema, capricho, obstinación.

bis Segunda vez, repetición.
bisagra Gozne, charnela.
bisar Repetir.
bisbisear Bisbisar, musitar, mascullar, cuchichear.
bisecar Dividir, partir, hendir.
bisel Chaflán.
bisexual Andrógino, hermafrodita.
bisílabo Disílabo.
bisojo Bizco, ojituerto, atravesado, estrábico.
bisonte Cíbolo.
bisoño Inexperto, nuevo, novel, novato. ↔ *Veterano, ducho.*
bictec 'Cuete.
bisturí Lanceta.
'bitoque Cánula. || Grifo.
bizantino Leve, intrascendente, insignificante, fútil, sutil, rebuscado. ↔ *Importante.*
bizarría Valor, esfuerzo, gallardía, generosidad, esplendidez. ↔ *Cobardía, mezquindad.*
bizarro Valiente, esforzado, gallardo, generoso, espléndido. ↔ *Cobarde, mezquino.*
bizcar 'Bizcornear.
bizco Bisojo, ojituerto, atravesado, estrábico, 'bizcorneado, 'bizcorneta.
bizcochada 'Marraqueta.
bizcochería Pastelería.
bizcocho 'Cauca.
'bizcorneado Bizco.
'bizcornear Bizcar.
'bizcorneta Bizco.
bizma Pegote, emplasto. ↔ *'Bilma.*
bizmar 'Bilmar.
biznaga Gingidio, dauco.
blanco Albo, cándido, níveo. ↔ *Negro.* || Diana.
blancura Blancor, albura, albor, candor. ↔ *Negrura.*
blandir Agitar, mover, arbolar, enarbolar, levantar, balancear. || Amenazar.
blando Tierno, mollar, muelle, mole, lene. ↔ *Hecho.* || Suave, flojo, fofo, flexuoso, fonje, blandujo, blanducho, blanduzco, blandengue, mórbido. ↔ *Duro.* || Dulce, apacible, benigno, apacible, agradable. ↔ *Duro, áspero.* || Cobarde, afeminado, inconsistente, tímido. ↔ *Riguroso, valiente.*
blandón Hacha, hachón. || Candelero, hachero.
blandura Dulzura, benignidad, afabilidad, suavidad, templanza, lenidad, delicadeza, mansedumbre. ↔ *Dureza, severidad, aspereza.* || Flojedad, indolencia, abandono, pereza, lentitud, inconsistencia, molicie. ↔ *Actividad, diligencia.* || Blandicia, requiebro.
blanquear Blanquecer, emblanquecer, armiñar.↔ *Ennegrecer.* || Encalar, enlucir, enjalbegar, jabelgar, enjebar. || Lavar, limpiar, jabonar. || Relucir, destacar.
'blanquillo Durazno, melocotón.
blasfemar Maldecir, renegar, jurar, pestar, echar pestes.
blasfemia Maldición, reniego, juramento, voto, taco, terno.
blasón Heráldica. || Escudo, armas, timbre.
blasonar Presumir, vanagloriarse, jactarse, pavonearse, ostentar.
bledo Comino, ardite, pito, ochavo, maravedí.
blindar Acorazar.
blocao Fortín, fortificación, reducto, búnker.
blonda Encaje, ronda, guipur, puntas.
blondo Rubio.
bloquear Sitiar, asediar, cercar, rodear, incomunicar. ↔ *Desbloquear.*
blusa Marinera, chambra, 'camisón, 'caracol.
boa Piel.
boardilla Buhardilla.
boato Fausto, pompa, ostentación, rumbo, lujo.↔*Sencillez.*
bobada Bobería, necedad, tontería, tontada, majadería, simpleza.
bobina Carrete, canilla.
bobo Alcornoque, asno, aturdido, babieca, badulaque, bamba, bambarria, bausán, beocio, bestia, bestión, bestezuela, bobalicón, bobalias, bobarrón, bobatel, bodoque, bolo, bolonio, boquirrubio, cándido, celestial, estafermo, estúpido, gaznápiro, idiota, ignorante, imbécil, inculto, ingenuo, inocente, lelo, majadero, mameluco, memo, mochuelo, motolito, necio, obtuso, palurdo, papanatas, pasmado, pasmarote, pasmón, pazguato, primo, rústico, sandio, sansirolé, simple, simplón, tontaina, tonto, torpe, zafio, zopenco, zoquete, bobo de Coria, pedazo de alcornoque, 'cantimpla, 'camote, 'berengo, 'dudo, 'cipote, 'guage. ↔ *Listo, vivo, avispado.*
boca Embocadura, abertura, agujero, entrada, salida. || Rostro, pico, hocico, jeta.
bocadillo Emparedado, *sandwich.
bocado Mordisco, dentellada, mordedura, freno, embocadura. || Piscolabis,

B

B

tentempié, refrigerio, 'mascada.

bocel Moldura, cordón, toro.

boceto Esbozo, bosquejo, diseño, croquis, apunte, anotación, nota, borrón, mancha.

bocina Cuerno, caracola, trompeta, pabellón.

bocio Papo, papera, 'coto.

bocón Hablador, fanfarrón, charlatán.

bocoy Tonel, barril, pipa.

'boche Repulsa, desaire.

bochinche Tumulto, barullo, barahúnda, asonada, alboroto.

bochorno Sonrojo, vergüenza, rubor, sofocón, 'chajuán, 'fogaje. || Calor. ↔ *Helor.*

boda Matrimonio, casamiento. himeneo, unión, enlace, nupcias, desposorios.

bodega Despensa. || Troj, silo, granero. || Bodegón, taberna.

bodegón Bodega, figón, taberna, tasca, tabuco. || Naturaleza muerta.

bodoque Bobo, tonto, simple, torpe, alcornoque.

bodrio Bazofia.

bofe Asadura, pulmón.

bofetada Bofetón, cachete, sopapo, soplamocos, manotazo, guantada, guantazo, torta, tortazo, tabanazo, galleta, lapo, pescozón, tornavirón, tozotada, trompada, tincazo, 'cachetada, 'gaznatada, 'lapo.

boga Fama, aceptación, favor, reputación, moda, auge, prosperidad. ↔ *Desuso.*

bogar Remar, navegar.

'bogar Desnatar.

bohardilla Buhardilla.

bohío Cabaña, choza, chozo, barraca, casucha, 'bajareque, 'carey, 'jacal.

'bojote Lío, bulto, paquete.

bol Ponchera, tazón.

bola Bulo, mentira, embuste, engaño, trola, paparrucha, patraña. ↔ *Verdad.*

'bola Argolla.

boleadoras 'Tonto.

bolear Enredar, embrollar, comprometer.

boleta Libranza, libramiento, talón. || Cédula, papeleta, boletín. || Entrada, 'boleto.

boletería Taquilla, contaduría.

boletín Boleta, cédula, papeleta. || Revista, gaceta.

boleto Billete, entrada, localidad, asiento, resguardo, número, *ticket. || Boleta. || 'Suerte.

boliche Boche. || Horno. || Red, jábega.

'boliche Tienda. || Figón. || 'Balero.

bolina Sonda. || Ruido, alboroto, bulla.

'bolinero Alborotador, bullanguero.

bolo Bobo, tonto, bodoque, bolonio, simple. || Compañía de la legua, farándula.

bolonio Bobo.

bolsa Bolsillo, bolso, escarcela, talega, sobre, burjaca, faltriquera, morral, macuto, zurrón, barjuleta, 'chuspa, 'guacaya, 'tipa, 'bolsico, 'bolsillo.

'bolsear Ratear, quitar, afanar, hurtar.

bolsillo 'Bolsico.

bollo Abolladura, 'cocol. || Alboroto, bullicio.

bomba Aguatocha. || Proyectil, granada.

'bomba Pompa (de jabón). || Borrachera. || Sombrero de copa.

bombilla Lámpara.

bombo Aparato, propaganda, reclamo, encomio, alabanza, elogio.

bombardear Bombear, cañonear, martillear, hostigar.

bombasí Fustán.

bombeo Comba, convexidad, pandeo.

bombón Chocolatín.

bombona Redoma, vasija, garrafa, botella.

bonachón Buenazo, bonazo, bondadoso, sencillo, cándido, confiado, crédulo. ↔ *Malicioso.*

bonancible Tranquilo, sereno, apacible, suave. ↔ *Desapacible.*

bonanza Calma, serenidad, tranquilidad. ↔ *Tempestad.*

bondad Benignidad, benevolencia, humanidad, abnegación, clemencia, mansedumbre, misericordia, piedad, caridad, generosidad, magnanimidad. ↔ *Maldad, perversidad.*

bondadoso Benigno, benévolo, indulgente, humano, afable, apacible, afectuoso. ↔ *Desabrido, malévolo, perverso.*

bonete Birrete, gorro.

'bonga Canoa. || Barca.

bonificación Abono, rebaja, descuento, beneficio, mejora. ↔ *Recargo.*

bonitamente Hábilmente, diestramente, disimuladamente, mañosamente.

bonito Lindo, agraciado, gracioso, guapo, hermoso, bello. ↔ *Feúcho.*

bono 'Boleto.

boquear Expirar, morirse, fenecer, acabarse.

boquerón Anchoa, aladroque, haleche.

boquete Agujero, abertura, brecha, rotura.

boquilla Embocadura.

boquirrubio Bobo. || Parlanchín, boquimuelle, boquiblando.

bórax Atíncar.

borbollar Barbotear, borbollonear, borbotar, borboritar, borbollear, hervir, brollar.

borbolleo Borbor, borboriteo.

borceguí Bota.

bordada Bandazo, cabezada, bordo, socollada, balanceo.

bordado 'Embutido.

bordar Embellecer, adornar, pulir, perfilar. || Labrar, recamar, festonear, ribetear.

borde Orilla, margen, canto, extremo. || 'Huérfano, 'guacho.

bordear Serpentear, zigzaguear. || Cambiar, virar, revirar, hurtar el viento.

bordo Borde, lado, costado. || Bordada.

bordón Bastón. || Verso. || Estribillo, muletilla.

boreal Ártico, septentrional, hiperbóreo. ↔ *Austral, meridional.*

bóreas Viento norte, aguilón, cierzo. ↔ *Austro.*

borla Madroño, tachón.

borne Terminal, extremo, final.

borona Mijo, maíz.

borra Pelusa, vello. || Lana. || Hez, poso, sedimento.

borrachera Borrachez, bambochada, beodez, cogorza, cambalada, curda, chalina, dipsomanía, ebriedad, embriaguez, emborrachamiento, humera, jumera, **lobo**, llorona, manta, **melopea**, merluza, mona, moña, papalina, pea, pítima, sacramenta, tajada, tablón, temulencia, talanquera, trompa, tranca, turca, za-

macuco, zorra, 'bomba, 'chinga, 'tranca.

borracho Alcohólico, alcoholizado, alegre, achispado, ajumado, alumbrado, azumbrado, azorado, bebido, beodo, borrachín, calamocano, caneco, catavinos, cuba, curda, chispo, dipsomaníaco, ebrio, emborrachado, embriagado, espita, estillón, mamado, peneque, potado, temulento, odre, zaque, pellejo, 'tiznado. ↔ *Sereno.*

borrador 'Machote.

borrar Tachar, desvanecer, esfumar.

borrasca Tormenta, tempestad, temporal. ↔ *Bonanza.*

borrascoso Tormentoso, tempestuoso, proceloso, turbulento, desenfrenado, desordenado. ↔ *Bonancible, apacible, plácido.*

borregada 'Corderaje.

borrego Ternasco, andosco, borrón, cordero.

'borrego Bulo, notición, chisme, patraña.

borricada Animalada, asnada.

borrico Asno, burro, pollino, rucio, jumento. || Necio, torpe, ignorante, asno. ↔ *Lince.*

borrón Mancha, mácula, tacha, defecto, imperfección, mancilla, deshonra.

borronear Garrapatear, emborronar.

borroso Confuso, nebuloso. ↔ *Diáfano.*

boruca Bullicio, bulla, algazara.

'boruquiento Bullicioso, alegre, ruidoso.

boscoso Nemoroso.

bosque Floresta, espesura, selva, arboleda, boscaje, parque.

bosquejar Esbozar, abocetar.

bosquejo Esbozo, boceto, diseño, croquis, apunte, nota, 'esqueleto.

bosta Majada, frez, estiércol, boñiga.

bota Barrica, pipa, barril, tonel, bocoy, cuba, 'zumel.

botánica Fitología.

botar Lanzar, tirar, arrojar. || Saltar, brincar.

botarate Atolondrado, precipitado, ligero, irreflexivo, tarambana, aturdido, atolondrado, herbolario. ↔ *Cauto.*

botarel Contrafuerte.

botarete Arbotante.

bote Barca, lancha, batel. || Salto, brinco.

botella Ampolla, frasco, redoma, garrafa, damajuana, casco.

botica Farmacia.

boticario Farmacéutico, atriaquero.

botijo Cántaro, piporro.

botijuela Alboroque, agujeta.

botillería Repostería.

botín Presa, trofeo, despojos. || Botina, bota, borceguí.

boto Romo. || Necio.

botón Yema, capullo, brote, cogollo, renuevo.

'bototo Calabaza.

bóveda Cripta.

bóveda celeste Firmamento, cielo.

bovino Vacuno, bóvido.

boxeador Púgil.

boya Baliza, señal.

boyante Próspero, feliz, afortunado, rico.

boyera Boíl, boyeral, boyeriza, establo, corral.

'bozal Bozo, cabestro.

bozo Vello, flojel, pelillo. || Cabestro, 'bozal.

B

B

bracear Esforzarse, trabajar. || Nadar.

bracero. Peón, jornalero, obrero, trabajador, 'faenero.

braco Desnarigado. || Perdiguero.

braga Calzón, calza, pantalón. || Metedor.

bragado Animoso, entero, enérgico, valiente. ↔ *Apocado.*

bragadura Ingle, entrepierna.

bragazas Calzonazos.

'braguero Gamarra,

bragueta 'Tapabalazo.

brama Grito, gamitido, ronca.

bramante Guita, cordel, cordón, 'cáñamo.

bramar Roncar, gritar, tronar, mugir.

bramido Mugido. || Rugido, fragor.

branquias Agallas.

brasa Ascua.

brasero Hogar, fuego. || Incendio.

bravata Baladronada, fanfarronada, bravuconada, amenaza.

braveza Bravura, fiereza, violencia, ímpetu, furor. ↔ *Placidez.*

bravío Agreste, silvestre, áspero, fragoso, escabroso, montaraz, bravo, indómito, fiero, salvaje, 'chúcaro. ↔ *Cultivado, doméstico, manso.*

bravo Valiente, animoso, esforzado, bizarro, valeroso, bravío, 'bagual. ↔ *Temeroso, manso.*

bravosidad Gallardía.

bravucón Fanfarrón, valentón, matasiete, chulo.

bravuconear 'Guapear.

bravura Valor, ánimo, bizarría, valentía, braveza, fie-

reza. ↔ *Temor, mansedumbre.*

braza 'Brazada.

'brazada Braza.

brazalete Pulsera, ajorca.

brazo Miembro, extremidad, articulación. || Valor, esfuerzo, poder, protección, apoyo, ayuda. || Protector, valedor. || Clase, estamento.

brea Zopisa.

brebaje Bebida, poción.

brecha Boquete, rotura, abertura.

brega Riña, contienda, pendencia, reyerta, pugna, lucha.

bregar Luchar, lidiar, batallar, forcejear, afanarse.

breña Maleza, matorral, algaida.

breñal o **breñar** Fraga.

brete Cepo. || Prisión, calabozo. || Aprieto, compromiso, trance.

breva Albacora, higo. || Cigarro puro.

breve Corto, conciso, sucinto, sumario, compendio. ↔ *Largo.*

brevedad Cortedad, laconismo, concisión. || Prontitud, ligereza.

breviario Epítome, compendio.

brezo Urce.

brial Guardapiés, tapapiés. || Tonelete.

briba Vagabundeo, holgazanería.

bribón Pícaro, pillo, bellaco, tuno, canalla.

bribonada Picardía, pillada, bellaquería, tunantada, canallada.

brillante Reluciente, radiante, luminoso, lustroso, fulgurante, resplandeciente, rutilante, fulgurante, refulgente, centelleante. ↔

Mate. || Sobresaliente, espléndido, lucido. ↔ *Gris.*

brillantez Brillo, fulgor, resplandor, lustre. ↔ *Matidez.* || Lucimiento.

brillar Relucir, lucir, fulgurar, resplandecer, rutilar, relumbrar, centellear, chispear. || Sobresalir, descollar, lucir.

brillo Brillantez, lustre, resplandor, centelleo. || Lucimiento, realce, fama, gloria.

brincar Saltar, botar.

brinco Salto, bote, cabriola.

brindar Ofrecer, dedicar, invitar, convidar, prometer.

brío Pujanza, fuerza, valor, espíritu, ánimo, esfuerzo, garbo, gallardía, denuedo. ↔ *Decaimiento.*

brionia Nueza.

brisa Aura, céfiro, airecillo.

'brisera Guardabrisa, parabrisa.

británico Britano, inglés.

brizna Algo, un poco.

broa Bizcocho, galleta. || Abra, bahía, ensenada.

broca Barrena.

brocado Briscado, bordado, brocalado, brocatel, brochado, guadamecí.

brocal Antepecho, borde. || Boca.

'brocearse Esterilizarse, agotarse (una mina).

brocha Pincel.

broche Hebilla, pasador, prendedero, fíbula. || Corchete.

broma Chanza, chacota, guasa, chunga, burla, moja, chasco, chiste, 'chongo, 'embullo. || Alboroto, algazara, diversión, bulla, jarana, gresca.

bromear Chancearse, embromar, guasearse, burlarse, divertirse, 'chucanear.

bromista Guasón, chancero, burlón. ↔ *Serio, grave.*

bronca Pendencia, riña, trifulca, zipizape, pelotera, alboroto, jarana, gresca. || Regañina, reprimenda, reprensión. ↔ *Pláceme.*

bronco Tosco, rudo, áspero, grosero, hosco, desabrido, intratable. ↔ *Afable, culto.*

broquel Escudo, pavés, egida. || Defensa, amparo, protección.

brotar Nacer, germinar, manar, salir, surgir.

brote Yema, pimpollo, renuevo, retoño, cogollo, vástago. || 'Soca.

broza Hojarasca, maleza, desperdicio.

bruja 'Calchona.

brujería Encantamiento, hechizo, magia.

brujería 'Ahuizote, 'mandinga.

brujo Hechicero, mago.

'brujo o bruja Falso, fraudulento. || Empobrecido, arrancado. || 'Babujal, 'nagual.

brújula Bitácora, calamita, aguja de marear, compás.

bruma Niebla, neblina, boira, calina, calígine.

brumoso Nebuloso, oscuro, confuso, incomprensible. ↔ *Diáfano.*

bruno Negro, oscuro, moreno.

bruñir Gratar, pulir, enlucir, aluciar, lustrar, abrillantar, acicalar.

brusco Súbito, repentino, imprevisto. ↔ *Lento.* || Áspero, desapacible, descortés, grosero, 'cerrero, 'maturrango. ↔ *Apacible, cortés.*

brutal Bestial, feroz, bárbaro, salvaje, 'barbaján. ↔ *Humano.* || Colosal, feno-

menal, enorme, extraordinario, formidable, bestial.

brutalidad Bestialidad, ferocidad, salvajismo, grosería. ↔ *Humanidad.*

bruto Animal, bestia, necio, torpe, grosero, tosco, rudo, incapaz, vicioso, desenfrenado, 'barbaján. ↔ *Persona.*

bucanero Filibustero, pirata, corsario.

búcaro Jarrón, florero.

bucear Sumergirse, somorgujar. ↔ *Emergir.* || Investigar, tantear, explorar.

bucle Rizo, sortija.

bucólica Égloga, pastoral.

bucólico Pastoril, pastoral, eglógico, campestre.

buche Estómago, papo. || Pecho, coleto, conciencia.

budare 'Cayana.

buenamente Voluntariamente, fácilmente.

bueno Virtuoso, benigno, benévolo, humano, abnegado, clemente, misericordioso, compasivo, caritativo, generoso, magnánimo, bondadoso. ↔ *Malo.* || Útil, provechoso, conveniente, servible, utilizable. ↔ *Malo. inoportuno.* || Sano, robusto, curado. || Agradable, divertido, gustoso. ↔ *Malo, desagradable.*

bufanda Tapaboca, tapabocas.

bufar Resoplar. || Refunfuñar, rezongar, gruñir.

bufete Escritorio. || Oficina, despacho.

bufido Resoplido.

bufo Grotesco, chocarrero, burlesco, cómico, ridículo, risible. ↔ *Serio.*

bufón Albardán, histrión, juglar, 'chucán.

bufonada Chocarrería, 'graceada.

bufonear 'Chucanear.

buhardilla Buharda, guardilla, boardilla, bohardilla, sotabanco, desván.

buharro Corneja.

búho Lechuza, 'tuco, 'tuquequere, 'tegolote, 'carancho, 'estequirín.

buhonero Quincallero, gorgotero, mercachifle, 'tilichero.

bujarrón Sodomita.

bujería Baratija, chuchería, fruslería.

bujía Vela, candela.

bula Privilegio, gracia, beneficio, excepción, concesión, favor. || Sello.

bulbo Cebolla, cabeza.

bulo Bola, mentira, embuste, engaño, trola, paparrucha, patraña, 'borrego. ↔ *Verdad.*

bulto Fardo, paca, bala, lío, 'bojote. || Volumen, tamaño.

'bululu Alboroto, escándalo, tumulto.

bulla Gritería, algazara, vocerío, bullicio, algarabía, 'embullo, 'guasanga, 'samotana, mitote. ↔ *Silencio, calma.*

bullanga Asonada, alboroto, tumulto, motín, algarada, revuelta.

bullanguero 'Bolinero, 'mitotero.

bullarengue Ficción, postizo.

bullebulle Entremetido, fisgón, travieso, revoltoso.

bullicio Bulla, algazara, algarabía, vocerío, gritería. ↔ *Silencio.*

bullicioso Ruidoso, estrepitoso, 'boruquiento. ↔ *Silencioso.* || Inquieto, desasosegado, alborotador, vi-

B

B

vo, juguetón, alegre. ↔ *Quieto, sosegado.*

bullir Hervir, agitarse, hormiguear, menearse.

buñuelo Frisuelo, fillón, hojuela, risco, gaznate, juncada, arrepápalo. || Dislate, disparate, chapucería, plepa.

buque Barco, bajel, nave, navío, vapor, embarcación.

burbuja Pompa, campanilla, ampolla, gorgorita, 'gorgoro.

burbujear Hervir, gorgotear, espumar.

burdégano Mulo, macho.

burdel Prostíbulo.

burdo Basto, grosero, tosco. ↔ *Refinado.*

burgo Pueblo, aldea, villorio.

burgués Ciudadano, habitante. || Pudiente, arreglado, acomodado. ↔ *Proletario.* || Propietario, dueño, amo, patrón. || Conservador, reaccionario. ↔ *Progresista.*

burjaca Bolsa, alforja, macuto.

burla Antruejada, befa, brega, broma, bromazo, bronca, bufonada, burbería, cachondeo, camelo, camama, candonga, carema, cencerrada, carnavalada, culebra, cuchufleta, chacota, chafaldita, changüí, chanza, chanzoneta, chasco, chilindrina, chiste, chirigota, chufa, chueca, chunga, chuscada, chuzonería, engaño, escarnio, fayanca, fisga, gazgaz, guasa, higa, inocentada, irrisión, jaquimazo, jonja, ludibrio, mamola, mamona, matraca, mojiganga, mofa, morisqueta, novatada, parchazo, pega, pegata, picardía, picón, pulla, pitorreo, rehilete, rechifla, relente, ridiculez, sarcasmo, tártago, tiro, tornillazo, virote, vaya, zumba, 'capote, 'chercha, 'janja. ↔ *Respeto, veneración.*

burlar Candonguear, chasquear, chancear, chufletear, chiflar, rechiflar, brear, befar, enclavar, escarnecer, embaucar, engatusar, engañar, engaitar, desairar, deludir, jugar, remedar, mantear, torear, zumbar. ↔ *Ser leal, ser honesto.* || Escapar, eludir, evitar, regatear. ↔ *Afrontar.* || Frustrar, malograr. ↔ *Lograr.*

burlarse Mofarse, fisgarse, pitorrearse, reírse, chancearse, chotearse, bufonearse, cachondearse, chungarse, chunguearse, antruejar, dar la castaña, dejar con un palmo de narices, tomar el pelo, hacer la chacota, pegársela, jugar al santo mocano.

burlesco Festivo, cómico, jocoso, bufo. ↔ *Serio.*

burlón Guasón, zumbón, bromista, chancero, socarrón. ↔ *Grave, serio.*

burrada Necedad, tontería, disparate, desatino, dislate.

'burrito Flequillo.

burro Asno, borrico, pollino, jumento, rucio. || Necio, tonto, torpe, ignorante, zote. ↔ *Lince.*

busca Búsqueda, buscada, rebusca, perquisición, indagación, investigación.

'buscaniguas Buscapiés.

buscapiés Carretilla, 'buscaniguas.

buscar Inquirir, investigar, indagar, averiguar, pesquisar, rebuscar.

buscavidas Fisgón, curioso, entremetido, bullebulle.

buscón Socaliñero, ratero.

buscona Ramera.

busilis Toque, quid, dificultad, intríngulis.

búsqueda Busca, rebusca, indagación, perquisición.

butaca Sillón, asiento, localidad, silla, luneta.

butifarra Embuchado, embutido, morcilla.

buz Beso, ósculo. || Labio.

buzón Surtidero.

C

cabal Completo, íntegro, entero, exacto, justo, acabado, recto, honrado. ↔ *Parcial, inexacto, torcido.*

cábala Intriga, maquinación.

cábalas Conjeturas, cálculos, suposiciones, hipótesis, pronósticos.

cabalgadura Caballería, montura.

cabalgar Montar.

cabalgata Desfile.

'caballada 'Bagualada. || Animalada, necedad.

caballar Caballuno, equino, hípico, ecuestre.

caballejo 'Chalate.

caballerete Gomoso, lechuguino, currucato, pisaverde, petimetre, presumido.

caballería Cabalgadura, montura, bestia. || Avío.

caballeriza Cuadra.

caballero Jinete, montado, jockey. || Noble, hidalgo, señor. ↔ *Villano.*

caballerosidad Nobleza, generosidad, hidalguía, lealtad, dignidad, quijotismo.

caballeroso Noble, leal, generoso, espléndido, digno. ↔ *Bellaco.*

'caballete Caballo (de ajedrez).

caballito del diablo 'Matapiojos.

caballitos Tíovivo.

caballo Corcel, trotón, palafrén, potro, bridón, alfarra, alfaraz, alazán, jaco, jamelgo, penco, caballería, habería.

caballo (ajedrez) 'Caballete.

caballón Lomo, cembo, camellón.

caballuno Caballar.

cabaña Choza, chamizo, barraca, chabola, 'bohío, 'jacal. || 'Toldo.

'cabayo Mate amarillo.

cabecear Arfar, inclinarse, 'catitear.

cabeceo Traqueteo, balanceo, vaivén.

cabecera Cabezal.

'cabeciduro Testaduro, tozudo.

cabellera Melena.

cabello Pelo.

caber Coger.

'cabero Último.

cabestrillo Charpa.

cabestro Ronzal, ramal, jáquima, cabezada, 'bozal.

cabestrante Cabrestante.

cabeza Testa. || Cholla, calamorra. || Inteligencia, talento, capacidad, seso, cerebro, juicio, caletre, cacumen. || Jefe, superior, director. || Res. || Persona, individuo.

cabezada Cabestro, ramal.

cabezal Almohada, cabecera, larguero.

cabezazo Calamorrada, testarazo, molondrón, topetada, morrada, calabazada.

cabezo Cerro, montecillo, colina, collado, alcor, monticulo, cueto, loma.

cabezota Cabezón, cabezudo, testarudo, terco, obstinado, tozudo. ↔ *Condescendiente, flexible.*

cabida Capacidad, espacio, extensión.

'cabildante Concejal.

cabildo Capítulo.

cabileño Berberisco, bereber.

cabina Barquilla.

cabizbajo Cabizcaído, abatido, triste, aturdido.

cable Maroma, cuerda, barloa, braga, sirga, jarcia, estrenque, cabo.

cabo Punta, extremo, extremidad, fin, remate. || Promontorio, lengua de tierra. || Cuerda.

cabrero 'Tropero.

cabrestante Polea, torno

cabria Grúa.

cabrío Cabruno, caprino.

cabriola Pirueta, brinco, salto, voltereta.

cabrito Ternasco, choto, caloyo.

C

cabrón Buco, macho cabrío, igüedo, chivo.

cabruno Caprino, cabrío.

'cabuya Cuerda, soga.

cacahuete Aráquida, maní.

'cacalote Cuervo.

cacao Teobroma.

'cacao Chocolate.

cacaranado 'Cuso.

cacarear Cloquear. || Exagerar, ponderar.

cacerola Olla, pote, cadozo, puchero, 'tacho.

cacimba 'Cachimba.

cacique Amo, dueño, señor. || Déspota, tirano. || 'Curaca, 'gamonal.

caciquismo 'Caudillaje, cacicazgo.

'cacle Sandalia. || Caite, 'guarache.

caco Ladrón, ratero, 'arpista.

cacofonía Discordancia.

cacoquimio Valetudinario, enfermizo, achacoso.

cactácea 'Cardón.

cacto 'Cardona.

cacumen Chirumen, caletre, agudeza, penetración, perspicacia, ingenio, talento, cabeza.

'cachada 'Seco. || Comada.

'cacharpari Convite, baile, fiesta, guateque.

'cacharpas Trastos, trebejos.

cacharro Cachirulo, cachivache, trebejo, bártulo, trasto, chirimbolo, utensilio, vasija.

cachava Cayado.

cachaza Calma, flema, lentitud, pachorra, apatía. ↔ *Ímpetu, vehemencia.*

cachazudo Calmoso, lento, flemático, tardo, apático. ↔ *Impetuoso, vehemente.*

cachear Registrar.

'cachetada Bofetada, cachete.

'cachetón o cachetona Carrilludo, mofletudo.

cachete Bofetada, bofetón, tortazo, 'cachetada, 'gaznatada, 'lapo || Carrillo.

cachicán Mayoral, capataz.

cachifollar Deslucir, estropear, humillar, confundir.

cachimba Cachimbo, pipa, 'cacimba.

'cachimbo Pipa. || Pordiosero, mendigo.

cachiporra Porra.

'cachirambo Armadillo.

cachirulo Cacharro.

cachivache 'Tarantín, 'tareco, 'tareque, 'tiliche.

cachivaches Trastos, trebejos, chirimbolos, bártulos, enseres.

cacho Pedazo, trozo, porción, fragmento, partícula.

'cacho o cacha Cuerno, cuerna.

cachorro Cría, hijuelo.

cachucha Bote, lancha. || Casquete, papalina, gorra.

cada Todo.

cadalso Patíbulo, suplicio, horca, tablado.

cadáver Difunto, muerto, restos.

cadejo Madeja. || Embrollo, maraña, lío.

cadena Esclavitud, sujeción, dependencia. || Serie, sucesión, continuación, sarta.

cadencia Ritmo, medida, movimiento, compás.

cadera Anca, cuadril, 'canco.

caderuda 'Cancona.

cadetada Niñada, chiquillada.

cadí Caíd, juez.

cadozo Remanso, olla.

caducar Extinguirse, anularse, prescribir, envejecer, chochear, arruinarse. ↔ *Entrar en vigor, lozanear.*

caducidad Expiración, término, cesación. ↔ *Validez.*

caduco Decrépito, viejo, perecedero, pasajero, efímero, fugaz. ↔ *Lozano, perenne.*

caduquez Decrepitud, chochería, consunción, vejez, ancianidad, decadencia. ↔ *Lozanía.*

caer Desplomarse, derrumbarse, bajar, descender, declinar, decaer. ↔ *Levantarse.* || Abatirse, sucumbir, perecer, morir. || Desprenderse. ↔ *Brotar.* || Incidir, incurrir.

cafetera 'Caldera, pava.

cafila 'Tracalada.

cafre Cruel, bárbaro, bruto.

cagatintas Oficinista, chupatintas, escribiente.

cahete 'Cargador.

caíd Cadí, juez.

caída Desplome, derrumbe, bajada, descenso, declive, decadencia. ↔ *Ascensión, subida.* || Falta, desliz, lapso.

caído Desfallecido, débil, flojo, decaído, abatido, postrado, amilanado, vencido, rendido, muerto.

caimán 'Yacaré, 'taludín.

caique Esquife, barca.

'caite Cacle.

caja Arca, cofre, cajón, ataúd, 'cajeta.

cajero Pagador, tesorero.

'cajeta Caja.

'cajete Cazuela, olla (de barro).

cajón Caja. || Gaveta, naveta. || Casilla, garita.

'cajón Cañada. || Tienda.

'cajonero Tendero.

cal Creta.

cala Ancón, ensenada. || Perforación, taladero, sondeo, penetración. || Tienta, sonda.

'cala Estafa, petardo, sablazo.

calabacear Suspender, reprobar, catear.

calabacera 'Ayotera.

calabaza Suspenso, cate. || 'Acocote, 'cumba, 'ayote, 'bototo, 'mate.

calabozo Celda, mazmorra, 'bartolina.

'calabozo Hoz.

calado Labor, randa, encaje, galón.

calafate Calafatán, calafatero.

calafatear Cerrar, obstruir, taponar.

calafateo Calafatadura, calafateado, calafatería.

'calaguasca Aguardiente.

calagurritano Calahorreño, calahorrano.

'calalú Potaje, sopa, caldo.

'calamaco Fríjol. || Mezcal, aguardiente.

calamar Chipirón.

calambre Rampa, garrampa, contractura.

calamidad Desastre, azote, plaga, desgracia, infortunio, 'calilla. ↔ Fortuna, ventura.

calamitoso Funesto, perjudicial, aciago, desastroso, desgraciado, infortunado. ↔ Venturoso.

cálamo Caña, pluma.

calamoco Canelón, pinganello.

calandrajo Harapo, andrajo, pingo, pingajo.

calandria Alandro, guilloría.

calaña Ralea, laya, jaez, índole, calidad, categoria.

calar Perforar, atravesar, penetrar, conocer, descubrir, comprender, adivinar. || Mojar, empapar. ↔ Secar. || 'Apaballar.

calasancio Escolapio.

'calato Desnudo, en cueros.

calavera Perdido, vicioso, mujeriego, tronera, disoluto.

calaverada Barraganada, argado, travesura, 'torería, 'rubiera.

calcáneo Zancajo.

calcañar Calcañal, calcaño, carcañal, talón. || 'Garrón.

calcar Copiar, reproducir. || Remedar, imitar, plagiar, fusilar.

calce Cuña, calza.

calcedonia Nicle.

calceta Media.

calco Copia, reproducción, imitación.

calcular Contar, computar. || Conjeturar, suponer, creer, deducir. || 'Tantear.

cálculo Cuenta, cómputo. || Conjetura, suposición, cábalas. || Piedra.

'calcha Cerneja. || Pelusa, plumón.

'calchón Pelusón.

'calchona Bruja. || Diligencia, coche.

calchudo Calchón. || Mañoso, hábil.

caldas Termas.

caldear Calentar.

caldera Caldero, acetre.

'caldera Cafetera, tetera, 'fondo.

calderilla Perras, suelto.

calderón Fermata, suspensión. || Floreo.

caldo Calducho, caldibache, caldibaldo, unto, salsa, cocido, moje, 'calalú.

'calembe Taparrabo.

calendario Almanaque.

caléndula Maravilla, 'chuncho.

calentador Braserillo, escalfador.

calentar Caldear. || Azotar, golpear.

calentarse Acalorarse, irri-

tarse, enfadarse. ↔ Enfriarse, aplacarse.

calentura Fiebre, destemplanza, décimas, febrícula, temperatura. ↔ Hipotermia.

calenturiento Febril, febricitante, caliente. ↔ Frío.

caletre Cacumen, chirumen, mollera, pesquis, magín, cabeza, seso, juicio, talento, capacidad, ingenio, agudeza, tino.

calibre Diámetro, anchura. || Dimensión, tamaño, formato, talla.

calicata 'Cata.

'caliche Nitrato de sosa, salitre de sosa, nitrato sódico.

calidad Clase, categoría, índole.

calidez Calor, ardor.

cálido Caliente, caluroso, caldeado.

caliente Candente, ardiente, rojo, ígneo. ↔ Frío. || Cálido.

calificación Título, apelativo, nota, epíteto, cualidad.

calificado Autorizado, competente, capaz, entendido. ↔ Descalificado.

calificar Cualificar, tener por, conceptuar, llamar, bautizar, considerar, tildar, adjetivar.

calificativo Epíteto, adjetivo, nombre, dictado, título.

calígine Calina, niebla, neblina, bruma.

caliginoso Nebuloso, brumoso, calinoso, denso, oscuro. ↔ Diáfano.

calilla Molestia, pejiguera. || Calamidad, adversidad, desgracia.

calina Calima, calígine, niebla, bruma.

cáliz Copa, vaso.

C

caliza Dolomía, dolomita.

calma Tranquilidad, sosiego, paz, reposo, serenidad, placidez. ↔ *Agitación.* || Lentitud, f l e m a, apatía, cachaza. ↔ *Impetu, energía.* || Bonanza, tranquilidad. ↔ *Tempestad, marejada.*

calmante Paliativo, sedante, sedativo, tranquilizante, narcótico. ↔ *Excitante, estimulante.*

calmar Sosegar, tranquilizar, apaciguar, s e r e n a r, pacificar, adormecer, acallar, dulcificar, mitigar, paliar, suavizar. ↔ *Excitar.* || Abonanzar, mejorar, amainar, s e r e n a r s e. ↔ *Arreciar.*

calmo Reposado, sosegado, apacible. ↔ *Inquieto.*

calmoso Cachazudo, flemático, tardo, lento, apático, indolente, 'amarrado.

'calo Caña.

caló Jerga, germanía, *argot, jerigonza, jacarandana.

calor Ardor, actividad, viveza, entusiasmo, energía. ↔ *Frialdad.* || 'Fogaje.

caloyo Cabrito. || Quinto, soldado.

calumnia Impostura, falso testimonio, imputación falsa, acusación falsa, difamación, m u r m u r a c i ó n, chisme. ↔ *Encomio.*

calumniar Malsinar, imputar, infamar, difamar, desacreditar, murmurar, chismear. ↔ *Encomiar.*

caluroso Caloroso, caliente, cálido, ardiente, vivo. ↔ *Frío.*

'calpamulo Mestizo.

'calpul Reunión, conciliábulo, asamblea.

'calquín Águila.

'calucha Cáscara.

'caluma Garganta, desfiladero.

calvario Cruz, martirio, tormento, penalidades, amarguras.

calvatrueno Mate.

calvicie Alopecia, pelona, peladera, pelonía.

calvo Recalvastro, mocho, roso, glabro, pelado, pelón, lampiño.

calza Calce, cuña. || Media.

calzada Camino.

calzado Zapatos, alpargatas, botas, abarcas.

calzar Asegurar, t r a b a r, afianzar. ↔ *Descalzar.*

'calzar Aporcar.

calzas Calzones, pantalones, bragas.

calzonazos Bragazas.

'calzoneras Pantalón.

'calla Almocafre.

callada Silencio, mutis.

callado Silencioso, reservado, discreto, taciturno. ↔ *Hablador, locuaz.* || 'Cantimpla.

'callampa Seta. || Sombrero.

'callana Vasija. || Reloj (de bolsillo). || Tiesto.

'callapo Entibo. || Grada. || Parihuela.

callar Enmudecer, silenciar, sigilar, reservar, omitir. ↔ *Hablar.*

calle Vía.

callejear Pingonear, vagabundear, cantonear, ruar, gallofear, bordonear, pasear, vagar.

callejón sin salida Dificultad.

callenca Ramera.

callista Pedicuro.

callo Callosidad, dureza.

cama Lecho, tálamo, litera, catre, yacija, camastro.

'camal Matadero.

'camaleón Iguana. || Lagarto (verde).

'camalero Matarife. || Carnicero.

camama Engaño, embuste, falsedad, engañifa, burla.

'camanance Hoyuelo.

'camanchaca Niebla.

camándula Fingimiento, astucia, marrullería, disimulo, hipocresía.

camandulero Hipócrita, embustero, marrullero, camastrón, taimado, disimulado. ↔ *Franco, sincero.*

'camao Paloma silvestre.

cámara Sala, salón, aposento, habitación.

camaranchón Desván, zaquizamí, chiribitil, tabanco, sotabanco, guardilla.

camarada Compañero, compadre.

camarera Criada, doncella, muchacha, moza, azafata.

camarero Mozo, criado, servidor, ayuda de cámara. || (de barco.). 'Camarotero.

'camareta Cañoncito.

'camarico Amorío.

camarín Tocador, vestuario.

camarón Gámbaro, esquila, quisquilla, 'acocil, 'acocile.

'camaronero Martín pescador.

'camarotero Camarero (de un barco).

'camastra Astucia, disimulo, zorrería.

camastro Lecho, jergón, yacija.

camastrón Camandulero, hipócrita, embustero, marrullero, taimado, disimulado. ↔ *Franco.*

cambado 'Jaiba.

cambalache Trueque, permuta, barata.

'cambar Combar, encorvar.

'cambeto Patiestevado.

'cambiador y **cambiavía** Guardagujas.

cambiar Mudar, variar, alterar, transformar, metamorfosear, transmutar, convertir, transfigurar, modificar. ↔ *Permanecer, subsistir, mantenerse.* || Trocar, permutar, conmutar, canjear.

cambio Variación, muda, alteración, transformación, metamórfosis, transmutación, conversión, transfiguración, modificación, mutación, mudanza, traslado. ↔ *Invariación.*

'cambado o **cambada** Estevado. || Patizambo.

'cambalache Prendería.

cambrón Zarza, espino.

cambronera Arto.

'cambucha Cometa.

'cambucho Cucurucho. || Papelera. || Tabuco, augurio. || Cometa.

cambuj Mascarilla, gambox, careta, antifaz.

'cambullón Enredo, trampa, engaño, confabulación. || Prendería.

cambur Banano.

'cambutera Bejuco.

'cambuto o **cambuta** Pequeño, rechoncho, grueso.

camelar Seducir, engatusar. || Galantear, conquistar, enamorar.

'camelar Ver, mirar, acechar.

'camelia Amapola.

camelo Chasco, engañifa.

'camera Conejo (silvestre).

camilla Parihuela, angarillas, andas.

camillero Sanitario.

caminante Viandante, viajero, excursionista.

caminar Andar, marchar. ↔ *Pararse.*

caminata Jornada, andada, excursión, viaje, paseata, paseo.

camino Vía, carrera, arriate, senda, sendero, trocha, vereda, atajo, vericueto, carril, carretera, cañada, pista, ruta, arteria, calzada. || Medio, manera, modo, procedimiento, sistema. || Viaje. || 'Cañón, 'cancha.

camioneta Furgoneta.

camisa Camisola, blusa. || Funda, revestimento. || 'Cusma.

camiseta 'Capisayo.

camisola Jubón.

camisón 'Caracol.

'camisón Blusa.

'camochar Desmochar.

camorra Riña, pendencia, pelea, pelotera, disputa.

camorrista Pendenciero, reñidor.

'camote Batata, bulbo. || Enamoramiento. || Bobo. || Mentira. || Verdugón, cardenal.

'camote Manceba, querida.

'camotear Divagar.

'camotillo Cúrcuma, yuquilla.

campamento Campo, acantonamiento, vivaque, vivac, 'toldería.

campana Campanilla, esquila, cencerro, carillón.

campanario Campanil.

campanada Campanazo. || Novedad, noticia, escándalo.

campaneo Tañido, repique.

campanilla Címbalo, cimbalillo, cimbanillo, esquila, cencerro.

campante Ufano, satisfecho, contento, alegre. ↔ *Alicaído, desalentado.*

campanudo Retumbante, altisonante, rimbombante, hinchado. ↔ *Llano, natural.*

campaña Campo. || Opera-

ciones, acción, gestión, plan, ejercicio.

'campaña Campo.

'campañista Pastor.

'campechana Hamaca.

'campechana Ramera.

campear Pacer, verdear.

campechano Franco, llano, sencillo, afable, alegre, jovial. ↔ *Engreído, afectado, taciturno.*

campeón Vencedor. || Defensor, sostenedor, paladín.

campeonato Certamen, contienda, lucha.

campero Expuesto, descubierto.

'campero Montañero, serrano.

campesino Agricultor, labrador, aldeano, lugareño, rústico, paleto, destripaterrones, 'campirano, 'poblano, 'jarucho, 'jíbaro, 'guasca. || Campestre, agreste, rural, rústico. ↔ *Urbano, ciudadano.*

campestre Campesino, agreste, silvestre, bucólico.

'campirano Patán, rústico, campesino. || Aldeano.

'campista Arrendador, ganadero.

campiña Campo, campaña.

campo Campiña, sembrados, cultivos, campaña, cancha. || Campamento. || Terreno, esfera, ámbito. || Estadio, cancha.

campo de aviación Aeropuerto, aeródromo.

campo de agramante Confusión, embrollo, lío.

camposanto Cementerio, fosal, necrópolis.

'camúbar Copayero.

camueso Necio, ignorante, alcornoque, bodoque, tarugo, leño.

can Perro, chucho.

C

canal Caño, canalón, reguera, canalizo, acequia, conducto, 'chiflón, 'canoa. || Estrecho. || Estría.

canaladura Moldura, ranura.

canaleja 'Canaleta.

canaleta Canaleja, canalón, canal, gárgola.

canalizar Desaguar, avenar.

canalón Canal, caño, tubería, canaleta. || 'Canoa.

canalla Bandido, pillo, pícaro, bribón, bellaco, miserable, sinvergüenza, 'zaragate. || Gentuza, chusma, populacho. ↔ Flor y nata.

canana Cartuchera.

canapé Diván, sofá.

canasta Cuévano, cesto, banasta, 'quilco.

canastilla Ajuar, equipo, *trousseau.

canasto 'Colote.

canastillo Azafate.

canastón 'Quilco.

cáncamo Noray, proís.

cancamusa Reclamo, engaño, atractivo, candonga.

'cancanear Tartamudear, tartajear.

cancel Antepuerta. || Biombo, mampara, persiana.

cancela Verja.

cancelar Anular, abolir, derogar, suprimir, extinguir, liquidar, borrar.

cáncer Tumor maligno, epitelioma, carcinoma, 'cangro.

canción Aire, tonada, tonadilla, aria, romanza.

'canco Olla. || Maceta. || Nalga. || Cadera.

'cancona Caderuda.

cancha Frontón, patio, campo.

'cancha Campo, llano. || Cercado. || Hipódromo. || Senda, camino.

canchal Pedregal, cantizal. || 'Carrascal.

'canchear Holgazanear.

'canchero Holgazán. || Árbitro, juez de línea. || Maletero.

cancho Canto, cantal, peñasco. || 'Propina.

'canchón Coto, dehesa.

candeal Ceburro.

candela Vela, bujía.

candelabro Candelero, almenar, flamero, lámpara, araña. || 'Centellero, 'centillero, 'candil.

candelecho Bienteveo.

'candeleja Arandela.

'candelejón Cándido, inocentón, ingenuo, tonto.

candelero Candelabro, antorchero, velón, hachero, candil, arandela.

'candelilla Bastilla, costura. || Luciérnaga. || Fuego fatuo.

candente Incandescente, ígneo, apasionante, actualísimo. ↔ Frío.

candidato Aspirante, solicitante, pretendiente.

candidez Candor, ingenuidad, simplicidad, inocencia, sencillez. ↔ Malicia.

cándido Candoroso, ingenuo, simple, inocente, incauto, sencillo, 'berengo. 'candelejón. ↔ Malicioso. || Blanco. ↔ Negro.

candil Lámpara, candelero.

'candil Araña, candelabro.

candileja Lucérnula. || Luz, foco.

'candinga Majadería, machaqueo. || Chanfaina, enredo, baturrillo. || Diablo.

candonga Burla, broma.

'candonga Pendientes, arracadas.

candor Candidez, ingenuidad, inocencia, sencillez, simplicidad. ↔ Malicia. ||

Blancor, blancura. ↔ Negrura.

candoroso Cándido, ingenuo, inocente, sencillo, simple. ↔ Malicioso.

caneca Alcarraza. || Vasija.

canela Finura, exquisitez, delicadeza, primorosidad. ↔ Rusticidad, ordinariez. || 'Canelillo.

'canelillo Canela.

canelón Chocho. || Carámbano.

'canelón Rizo.

'caney Bohío. || Choza. || Meandro.

'canfín Petróleo.

'cangalla Enflaquecido, adelgazado. || Pusilánime, cobarde. || Albarda.

'cangallar Defraudar.

cangallo Tagarote.

cangoso 'Fañoso.

cangrejo 'Jaiba.

'cangro Cáncer.

canguelo Medrana, miedo. ↔ Valentía, agallas.

caníbal Antropófago. || Cruel, sanguinario, feroz, salvaje. ↔ Clemente, civilizado.

canícula Calina, bochorno, vulturno, 'fogaje.

canijo Encanijado, enclenque, flaco, enteco, débil, enfermizo. ↔ Robusto. || 'Sute.

canilla Carrete, bobina. || Grifo, espita. || Pantorrilla. || Fortaleza, vitalidad, vigor.

canino Perruno. || Colmillo, columelar.

canje Cambio, trueque, permuta.

canjear Cambiar, trocar, permutar.

cano Blanco, blanquecino. || Encanecido, viejo, anciano.

canoa Falúa, bote, embarcación, 'bonga.

'canoa Canal. || Canalón. || Comedero, pesebre.

canon Regla, precepto, norma. || Censo, tarifa.

canonizar Beatificar, santificar.

canonjía Prebenda, beneficio, provecho, breva.

canoro Sonoro, melodioso, grato, armonioso. ↔ Discorde.

canoso Entrecano, rucio.

'canquén Ganso.

cansado Agotado, extenuado, fatigado, derengado, exánime, enervado.↔Enérgico, activo. || Molesto, fastidioso, chinchoso. ↔ Agradable.

cansancio Fatiga, lasitud, agotamiento, extenuación, cansera, hastío, fastidio, aburrimiento, tedio. ↔ Vigor, interés, entusiasmo.

cansar Fatigar, agotar, extenuar, hastiar, fastidiar, aburrir, hartar, molestar, incomodar, importunar. ↔ Descansar, vigorizar, interesar, divertir, entusiasmar.

cansera Cansancio, fatiga, tedio, hastío, molestia, 'gurrumina.

cansino Lento, cansado, perezoso. ↔ Ágil, vivo.

cantal Cantizal.

'cantaletear Insistir, importunar.

cantante Cantor.

cantar Copla, canción, cantilena.

cántaro Botijo, 'piporro.

cantera Pedrera.

cantero Picapedrero, pedrero.

cantidad Cuantidad, cuantía.

'cantil Despeñadero.

cantilena Cantinela, cantar, copla.

'cantimpla Soso, callado, bobo.

cantimplora 'Caramañola, 'caramayola.

'cantimplora Papera.

cantina Bar, fonda, taberna, 'caramanchel.

cantinela Cantilena.

cantizal Canchal, cantal, pedregal.

canto Orilla, borde, margen, esquina. || Piedra, guijarro.

cantón Región, país.

'cantón Loma, otero.

cantor Cantante, chantre. || 'Pallador.

'cantor Bacín.

canturrear Tararear.

'cantuta Clavelina.

cánula 'Bitoque.

'canutero Portaplumas.

'canuto Portaplumas. || Sorbete.

caña Tallo, palo. || Fuste. || Tuétano. || Aguardiente. || (de azúcar) 'Cañaduz, 'calo.

cañada Vaguada, quebrada, barranco.

cañada 'Cajón.

'cañaduza Caña de azúcar.

'cañaduzal Cañamelar.

cañaheja Cañajelga, férula.

'cañahua Mijo.

'cañahuate Guayaco.

cañalón Atarjea.

cañamelar 'Cañaduzal.

'cáñamo Bramante.

cañavera Carrizo.

cañaveral Cañal, cañar, cañizal, cañedo, cañizar.

'cañazo Aguardiente.

cañería Tubería.

'cañinque Enclenque.

cañita Cánula.

cañizal Cañaveral.

caño Tubo, cañuto, cañón. || Chorro.

cañón Pieza, obús, boca de fuego. || Tubo. || Pluma.

'cañón Tronco. || Desfiladero, garganta. || Camino.

cañonazo Tiro, descarga, chupinazo, estruendo, fragor.

cañoncito 'Camareta.

cañonear Martillear, batir.

'cañonera Pistolera.

cañonera Portañola, tronera.

cañota Millaca.

cañutero Canutero, cañuto, alfiletero.

caos Confusión, desorden.

capa Baño, mano. || Pretexto, máscara, velo, cubierta, excusa. || Capote.

capacidad Cabida, aforo. || Aptitud, idoneidad, talento, inteligencia, condiciones, competencia. ↔ Incapacidad.

capacitar Habilitar, hacer apto. || Facultar, comisionar, habilitar. ↔ Incapacitar.

capacho Espuerta, sera, serón, capacha, seroncillo, cesta. || Zumaya.

capar Castrar, mutilar, inutilizar, disminuir, esterilizar, emascular.

caparazón Concha, cubierta, telliz, corteza, defensa. || Capota, carapacho. || Armazón, esqueleto, osamenta.

capataz Sobrestante, caporal, mayoral, encargado, cachicán. || 'Caporal.

capaz Suficiente, grande, espacioso, extenso, vasto. || Apto, idóneo, suficiente, inteligente, hábil, competente. ↔ Incapaz.

capcioso Artificioso, insidioso. ↔ Franco.

capear Engañar, entretener, eludir, soslayar, torear.

capellán Clérigo, cura, sacerdote, páter.

caperuza Capucha, capuz.

'capí Maíz. || Vaina, bejuco.

'capiguara Carpincho.

capilla Iglesia, oratorio.

capilla ardiente Cámara mortuoria.

'capín Forraje.

capirotar 'Tincar.

capirotazo 'Tincazo.

capirote Capirucho, caperuza, cucurucho. || Muceta. || Capota, cubierta. || Capirotazo, pairote.

'capisayo Camiseta.

capital Hacienda, bienes, caudal, dinero, fortuna. || Esencial, principal, fundamental, primordial, básico. ↔ Mínimo, insignificante.

capitán Oficial, arráez, caudillo.

capitanear Conducir, acaudillar, dirigir, mandar, guiar, comandar.

capitel Chapitel, ábaco.

capitulación Pacto, concierto, ajuste, convenio, rendición, entrega.

capitular Pactar, concertar, ajustar, convenir, ceder, transigir, rendirse, entregarse.

capítulo Cabildo. || División, apartado, subdivisión.

capón Castrado.

caporal Cabo. || Encargado. || 'Mayoral.

capota Cubierta.

capote Capa, gabán, abrigo, capuz. || 'Ruana, 'sarape, manga.

'capote Engaño, burla.

capotear Capear, eludir, evadir, entretener, torear.

capricho Antojo, veleidad, gusto, deseo, fantasía, humorada. || 'Birria.

caprichoso Caprichudo, antojadizo, veleidoso, variable, voluble, tornadizo,

fantasioso. ↔ Consecuente, constante, lógico.

caprino Cabruno, cabrío.

cápsula Envoltura, envoltorio, cartucho.

captar Atraer, granjear, conquistar, lograr, conseguir. ↔ Rechazar.

captarse Atraerse, granjearse, conseguir, lograr, alcanzar. ↔ Perder.

captura Presa, aprehensión, caza.

capturar Aprehender, prender, apresar, aprisionar, cautivar, cazar, detener, arrestar. ↔ Libertar, soltar.

capucha Caperuza, capuz.

capuchón Capa, dominó.

'capulina Ramera.

'capultamal Tamal.

capullo Botón, pimpollo.

caquexia Tabes.

'caquino Carcajada.

cara Rostro, faz, fisonomía, semblante, palmito, catadura. || Anverso, recto. ↔ Cruz, dorso.

carabina Fusil. || Acompañante, dueña, institutriz.

carablanca 'Cariblanca.

cárabo Alucón, autillo.

'caracas Chocolate.

caracol Rizo, espiral. || Caracola, concha. || 'Cobo.

'caracol Camisón. || Blusa. || Chambra.

caracola 'Cigua, 'guarura.

'caracolí Anacardo.

carácter Genio, índole, natural, temple, condición, personalidad, idiosincrasia. || Energía, firmeza, entereza, voluntad, severidad, rigidez.

característica Particularidad, peculiaridad, singularidad, propiedad, rasgo, cualidad, distinción, idiosincrasia.

característico Peculiar, propio, típico, particular, distintivo, singular. ↔ Genérico.

caracterizar Definir, distinguir, calificar, identificar.

'caracú Tuétano.

'caracha Sarna.

'carachente o carachentoso Sarnoso.

'carachupa Zarigüeya.

caradura 'Mantillón, descarado. ↔ Vergonzoso.

'caraira Gavilán.

'caramanchel Figón, merendero. || Cantina. || Tugurio. || Cobertizo.

'caramañola o caramayola Cantimplora.

carámbano Canelón.

carambola Chiripa, suerte, casualidad. || Enredo, embuste, trampa.

caramillo Flautillo. || Enredo, chisme, lío, embuste.

'carancho Búho.

'carandai o caranday Palmera.

'carangano Piojo.

carantoña Carantamaula, carátula. || Halago, caricia, zalamería, garatusa, lagotería, embeleso, zalema, arrumaco, marrullería, patarata, mimo, coba, aspaviento, cucamona.

carantoñas Gatería, lisonjas, coba, agasajos, fiestas.

'carapachay Leñador, carbonero.

carapacho Caparazón, concha.

carapato Aceite de ricino.

carascaley 'Crequete.

'caratea Escrofulosis.

carátula Carantamaula, carantoña, careta, máscara, mascarilla, gambox, cambuj.

caravana Romería, tropel,

multitud, seguicio. || Remolque.

'caravana Lazo, cepo. || Cortesía.

'caravanas Pendientes, arracadas.

carbol Fenol.

carbón Hulla, antracita, coque, hornaguera.

carbonada 'Churrasco.

carbonero 'Carapachay.

carbonífero Carbonoso.

carbonilla Cisco, orujo, herraj, picón.

carbunco Ántrax.

carbúnculo Rubí, piropo.

carbuncho Carbúnculo, rubí, piropo.

carburante Gasolina, bencina, gasoil, fuel.

'carca Olla.

carcaj Aljaba, carcax, goldre.

'carcaj Funda.

carcajada Risotada. || 'Caquino.

carcamal Vejestorio, carraca.

'carcamán Despreciable, ruin, innoble.

carcañal Calcañar, calcañal, calcaño, talón.

carcava Hoya, zanja, foso, carvaón, carcavina. || Sepultura, fosa, osera.

carcavón Carcava. || Barranco, torrentera, quebrada, galocho.

cárcel Prisión, ergástula, chirona, gayola, mazmorra, penal, correccional, penitenciaría.

carcelero Guardián, guarda, portero, alcaide, grillero.

carcoma Coso.

carcomer Roer, consumir.

carda Cardencha, cardón, carducha, carduza.

cardar Peinar, carduzar.

cardenal Purpurado.

'cardenal Geranio.

cardencha Escobilla. || Carda.

cardenillo Verdete, herrumbre, orín.

cárdeno Violáceo, amoratado, lívido.

cardíaca Agripalma.

'cardillo Escardillo.

cardinal Principal, fundamental, esencial, capital. ↔ Accesorio.

cardizal Cardal, arrezafe.

cardo 'Caucha, 'cardón, tallo.

'cardón Cardo. || Cactácea.

'cardona Cacto.

cardumen Banco, bando.

'cardumen Abundancia, profusión, copia.

carear Enfrentar, encarar. || Cotejar, confrontar, comparar.

carecer Estar desprovisto, estar falto. ↔ Tener, poseer.

carencia Falta, privación, ausencia, defecto. ↔ Posesión, abundancia, presencia.

carente Falto, desprovisto. ↔ Provisto.

carestía Escasez, penuria, falta. ↔ Abundancia. || Encarecimiento, alza, subida. ↔ Baja.

careta Máscara, antifaz.

'carey Bejuco.

carga Peso, 'flete. || Impuesto, tributo, contribución, gravamen. || Obligación, cuidado, penalidad, cruz. || Acometida, arremetida, embestida, ataque. ↔ Retroceso, retirada.

'cargador Mozo. || Cohete.

cargamento Cargazón, acarreo, carretada, carga, fardaje, recua, 'flete.

cargante Pesado, fastidioso, chinchorrero, latoso, molesto, impertinente,

chinche, irritante, enojoso. ↔ Ameno, divertido.

cargar Estribar, apoyar, gravitar, descansar. ↔ Descargar. || Apechugar, apechar. ↔ Descargarse. || Acometer, arremeter, atacar, embestir. ↔ Retroceder, retirarse. || Fastidiar, molestar, importunar, irritar, enojar. ↔ Divertir. || Colgar, achacar, imputar, atribuir.

cargo Dignidad, empleo, destino, puesto, plaza. || Cuidado, dirección, custodia, obligación, cuenta. || Acusación, imputación, recriminación, falta. ↔ Descargo.

'carguero Acémila, haberío.

'carí Pardo. || Poncho. || Pimiento. || Zarzamora.

cariacontecido Apenado, triste, aturdido, turbado. ↔ Alegre.

cariarse Corroerse.

'cariblanca Carablanca.

'cariblanco Jabalí.

caricato Payaso, bufo, 'caricatura.

caricatura Parodia, ridiculización, exageración, 'caricato.

caricia Cariño, mimo, fiesta, arrumaco, halago, zalamería, carantoña.

caridad Amor, misericordia, piedad, compasión, altruísmo, filantropía. ↔ Envidia, odio.

caries Picadura.

cariharto Carirredondo, cariancho, carrilludo, cariampolludo, mofletudo. ↔ Chupado, esquelético.

'carilampiño Barbilampiño.

carilla Página, hoja, plana.

'carimba Hierro (para marcar reses).

cariño Afecto, ternura,

C

amor, afición, afección, apego, inclinación, simpatía. ↔ *Malquerencia, aversión.* || Caricia, mimo, fiesta, halago, arrumaco.

cariñoso Tierno, amoroso, mimoso, benévolo, afectuoso. ↔ *Desabrido.*

'cario o **caria** Guaraní.

carisma Don.

caritativo Compasivo, misericordioso, filantrópico, generoso. ↔ *Despiadado, egoísta.*

cariz Aspecto, perspectiva.

carlanca Picardía, maula, roña.

'carlanca Grillete. || Fastidioso, inoportuno, latoso. || Fastidio.

'carlanga Pingajo, harapo, guiñapo.

carmenar Escarmenar, desenredar, desenmarañar. || Repelar.

carmesí Escarlata, rojo, grana.

carmín Grana.

carnada Carnaza, cebo.

carnadura Robustez, musculatura.

carnal Sensual, lúbrico, libidinoso, lujurioso, lascivo. ↔ *Espiritual.*

carnaval Carnestolendas, antruejo.

carnavalada Mascarada. || Burla.

carne Chicha.

carne asada Churrasco, carbonada.

'carneada Matadero.

'carnear Matar, sacrificar, descuartizar. || Engañar, perjudicar.

carnero Marón, morueco, ramiro. || Osario, fosa, huesa, sepulcro.

'carnero Alpaca, vicuña, llama. || Versátil, voluble, tornadizo.

carnestolendas Carnaval.

carnet Libreta, cuaderno. || 'Tarjeta.

carnicería Destrozo, mortandad, matanza, **degollina.**

carnicero Carnívoro, 'camalero. || Cruel, sanguinario.

carnicol Pesuño. || Taba.

carnívoro Carnicero.

carnosidad Carnecilla, excrecencia, verruga.

caro Querido, amado. ↔ *Aborrecido.* || Costoso, dispendioso. ↔ *Barato.*

carozo Zuro, carojo. || 'Tusa.

'carozo Hueso, cuesco.

carpa Gajo.

'carpa Tenderete. || Tienda (de campaña), lona.

carpanta Hambruna, hambre canina, gazuza. ↔ *Desgana.* || 'Gandido.

'carpanta Pandilla.

carpeta Cubierta, forro. || Cartapacio, vade, cartera. || Paño, cortina.

carpincho 'Capiguara.

'carpir Limpiar, escardar, sachar.

carraca Vejestorio, carcamal.

carraleja Cubillo.

carrasca Chaparro, encina.

'carrascal Pedregal, canchal.

carraspear Toser, esgarrar.

'carraspera Tos, carraspeo. || Ronquera, enronquecimiento, afonía.

'carrasposo Áspero, raspante.

carrera Estudios, profesión, prosperidad, fortuna. || Curso, recorrido, trayecto, camino. || Corrida.

carreta Galera, carro, 'carretilla.

carretada Carrada, carretonada, carga, cargamento, viaje.

carrete Bobina, canilla.

carretear Acarrear, transportar, conducir, cargar.

carretero Carrero, 'carretillero.

carretilla Buscapiés. || Carretón.

'carretilla Carreta. || Quijada, mandíbula, carrillera.

'carretillero Carretero.

'carretonero Trébol.

carricoche Carromato, coche, carro.

'carriel Garniel. || Valija, maletín. || Ridículo.

carril Rodera, carrilera, carrilada, andel. || Surco, huella. || Raíl, riel, corredera.

'carrilano Ferroviario. || Ladrón, bandolero.

'carrilera Apartadero. || Emparrillado.

carrillo Moflete, cachete, mejilla.

carrilludo Cachetudo, cariharto, mejilludo, 'cachetón.

carriño Avantrén.

carrizo Cañavera, cañeta, cisca, jisca.

carro Carruaje, carreta, carromato, galera, forcaz. || Osa Mayor.

'carro Coche, automóvil.

carromato Carro, carricoche, armatoste, carraca.

carroña Podredumbre, cadáver.

carruaje Coche, vehículo.

carta Misiva, epístola, billete, esquela, escrito, pliego. || Mapa. || Naipe.

cartabón Escuadra.

cartaginés Cartaginense, púnico. || Cartagenero.

cartapacio Portapliegos, carpeta, cuaderno.

cartearse Escribirse, corresponderse.

cartel Anuncio, proclama,

proclamación, publicación, pasquín. || Monopolio.

carteo Correspondencia.

cartera Billetero, tarjetero, vademécum, vade.

carterista Ladrón.

cartílago Ternilla.

cartilla Catón, abecedario, silabario. || Libreta, cuaderno, añalejo.

cartuchera Canana.

cartucho Carga. || Tubo, envoltorio, cucurucho.

cartulario Libro tumbo, libro becerro.

'caruata Pita.

casa Domicilio, morada, mansión, vivienda, habitación, hogar, lares. || Familia, estirpe, linaje.

casa (de camas, non sancta, de lenocinio, de trato, de citas, de prostitución, llana). Prostíbulo.

casaca Capote, pelliza, futraque.

casadero Núbil, conyugable.

'casal Pareja.

casamiento Matrimonio, unión, enlace, desposorios, himeneo, bodas, nupcias, connubio, casorio.

casar Unir, juntar, encajar, ajustar. ↔ *Desunir, desencajar.* || Abolir, abrogar, derogar, anular, revocar. ↔ *Confirmar, ratificar.*

casarse 'Matrimoniarse.

casca Hollejo, corteza, cáscara, caño.

cascabel Cascabillo, campanilla, cencerro.

cascabelero Sonajero.

cascada Salto de agua, catarata.

cascado Decrépito, achacoso, gastado, quebradizo. ↔ *Lozano, claro.*

cascajo Cascote.

cascante Grajo.

cascanueces Trincapiñones, cascapiñones, 'rompenueces.

cascar Rajar, hender, abrir, agrietar, romper. || Pegar, zurrar, golpear.

cáscara Casca, corteza, monda, piel, cascarón, 'calucha, 'cachumbo.

cascarilla Hollejo, hojuela.

'cascarón Alcornoque.

cascarrabias Paparrabias, pulguillas, bejín, pólvora. ↔ *Manso, tranquilo.*

cascarrón Picajón, bronco, áspero.

casco Cabeza, cráneo. || Bacinete, yelmo, morrión. || Botella, tonel, pipa. || Pezuña.

cascote Cascajo, casco, guijo, fragmento, ripio, canto, esquirla. || Escombro. || Metralla.

caseoso Quesero.

casería Alquería, villoría, caserío, granja.

caserna Fortificación, cuartel, casamata.

casero Doméstico, familiar. || Propietario, dueño, arrendador.

casi Cerca de, poco menos de, poco más o menos, con poca diferencia, con corta diferencia, aproximadamente.

casilla División, compartimiento, escaque.

'casilla Lazo, cepo. || Excusada.

'casimba Cisterna.

'casinete Pañete.

casino Círculo, club, centro, sociedad.

caso Suceso, acontecimiento, ocurrencia, ocasión, coyuntura, lance, circunstancia, incidente, peripecia.

casorio Casamiento.

casquero Trapero.

casquete Bonete, gorra.

casquijo Grava.

casquillo Anillo, abrazadera, cabeza, mango. || Vaina, cartucho. || 'Herradura.

'casquite Agrio, agriado.

casquivano Casquilucio, cascabelero, irreflexivo, aturdido, saltabardales, alegre de cascos, mala cabeza, bala perdida, alocado. ↔ *Sesudo.*

casta Generación, raza, clase, linaje, progenie.

castálidas Musas.

castaña Damajuana, caneca, bombona, garrafón.

'castaña Barrileta.

castañetazo Castañeta, castañetada. || Chasquido, crujido, estallido.

castañetear Tiritar, rasgar.

castaño Zaino, *marrón.

castañuela Crótalo, palillos, 'tarreña, castañeta.

castellano Señor, alcaide.

castidad Honestidad, pureza, continencia, virginidad. ↔ *Lujuria.*

castigar Penar, sancionar. ↔ *Premiar, perdonar.* || Mortificar, afligir, molestar. ↔ *Aliviar.* || Enamorar, conquistar.

castigo Pena, sanción, punición, corrección, correctivo, condena, 'catatán. ↔ *Premio, perdón.*

'castilla Bayetón.

castillejo Andamio, armazón.

castillo Alcázar, alcazaba, ciudadela, fuerte, fortaleza. || Maestril, celdilla.

castizo Puro, correcto. ↔ *Impuro, bárbaro.*

casto Honesto, puro, púdico, pudoroso, continente. ↔ *Lujurioso.*

castor Bíbaro. || 'Coipo.

castrar Capar.

castrense Militar.

casual Fortuito, aleatorio, contingente, eventual, inopinado. ↔ *Seguro, habitual, lógico.*

casualidad Acaso, azar, albur, contingencia, eventualidad, fortuna, suerte, chiripa, chamba. ↔ *Certidumbre, lógica.*

casucha 'Bohío.

casucho 'Bajareque.

cata Prueba, ensayo, salva.

'cata Oculta, encerrada. || Calicata. || Cotorra, perico.

cataclismo Catástrofe, desastre.

catacumbas Subterráneo.

catador Saboreador, degustador, catavinos, mojón.

catadura Pinta, facha, traza, semblante, aspecto.

catafalco Túmulo.

catálogo Repertorio, lista, registro, matrícula, rol, inventario, índice, sílabo, elenco, cuadro.

'catanga Escarabajo, 'nasa.

catana Sable. || Tosco, basto, pesado. || Loro verde.

cataplasma Emplasto, tópico, sinapismo, emoliente, 'cayanco.

catapulta Trabuquete.

catar Gustar, probar.

catarata Cascada, salto de agua.

'catarinita Cotorra.

catarro Resfriado, romadizo, coriza.

catastro Padrón, censo, estadística.

catástrofe Cataclismo, desastre.

'catatán Castigo.

'catatar Hechizar, fascinar.

'catate Fatuo, despreciable.

catavinos Catador.

'catear Explorar. || Allanar. || Violar.

cátedra Asiento, púlpito, aula. || Materia, asignatura.

catedrático Profesor.

categoría Condición, esfera, clase, jerarquía.

categórico Absoluto, terminante, concluyente, decisivo, rotundo, preciso. ↔ *Dubitativo, vago.*

catequizar Iniciar, instruir. || Persuadir, convencer, conquistar, convertir.

caterva Muchedumbre, multitud, sinnúmero, infinidad.

'catete Demonio. || Puches.

cateto Palurdo, paleto, ignorante, rústico. ↔ *Listo, despejado.*

'catey Perico, palmera.

catilinaria Apóstrofe, invectiva, sermón, increpación. ↔ *Elogio, loa.*

católico Universal, ecuménico.

'catorro Golpe, choque.

catre Litera, yacija, cama.

'catrín Petimetre.

'catrintre Queso. || Pobre, pordiosero.

'catuto Pan.

'catzo Abejorro.

'cauca Forraje. || Bizcocho.

cauce Álveo, lecho, madre.

'caucel Gato montés.

'catimbao Grotesco, ridículo. || Payaso. || Rechoncho.

'catinga Peste, hedor, fetidez. || Sobaquina.

'catingoso Pestilente.

'catitear Cabecear.

'cativi Herpe.

'catoche Malhumor.

caución Cautela, precaución, prevención. || Garantía, seguridad, fianza, abono.

'caucha Cardo.

caucho Goma.

caudal Dinero, hacienda, capital, bienes, fortuna. ||

Cantidad, copia, abundancia.

caudatario Seguidor, lacayo.

caudillaje Jefatura, caciquismo, tiranía.

caudillo Jefe, adalid.

'caula Treta, engaño, ardid.

'caulote Moral (árbol).

'cauque Pejerrey. || Listo, avispado, vivo. || Torpe, desmañado.

cauro Noroeste. ↔ *Gregal.*

causa Motivo, origen, razón, principio, fundamento, fuente, móvil. ↔ *Efecto.* || Proceso, pleito.

causa (a) Con motivo, por, por razón, a consecuencia.

causar Producir, originar, ocasionar, provocar, determinar, motivar, irrogar, acarrear. ↔ *Evitar.*

'causear Vencer, ganar.

'causeo Refrigerio, causa.

cáustico Mordaz, satírico, agresivo, punzante, irónico, incisivo, sarcástico.

cautela Precaución, reserva, circunspección, desconfianza, recato, astucia. ↔ *Ligereza, descuido, confianza.*

cauterio Cauterización, escarificación. || Remedio, atajadura, corrección.

cauterizar Detener, atajar, restañar, curar, foguear. ↔ *Fomentar.* || Corregir, reprender, increpar. || Tildar, calificar.

cauterizante Hemostático, cicatrizante.

cautivar Apresar, aprisionar, capturar, prender. ↔ *Libertar.* || Seducir, fascinar, captar, atraer. ↔ *Repeler.*

cautiverio Cautividad, esclavitud, prisión. ↔ *Libertad.*

cautivo Preso, prisionero, esclavo, sujeto. ↔ *Libre.*

cauto Circunspecto, precavido, previsor, prudente, cauteloso, astuto. ↔ *Incauto.*

cava Foso, cueva. || Bodega, taberna.

cavar Binar, excavar, alzar, 'lampear. || Ahondar, penetrar, profundizar. || Meditar, reflexionar, pensar.

caverna Antro, gruta, cueva.

cavernícola Troglodita. || Retrógrado, reaccionario.

cavernoso Bronco, hueco, sordo.

cavidad Hueco, hoyo, concavidad, seno.

cavilar Rumiar, preocuparse, reflexionar, meditar, cogitar, pensar, 'bartulear.

caviloso Pensativo, preocupado, meditabundo, cogitabundo, aprensivo. ↔ *Despreocupado.*

cayado Cachava, báculo.

'cayana Budaré.

'cayanco Cataplasma.

'cayumbo Junco.

cayote 'Alcayota.

caz Canal.

caza Montería, cetrería, cinegética. || Cazata, cacería, batida, ojeo, acecho, lazo.

cazador Montero, cosario.

cazadora Pelliza, chaquetilla.

cazalla Aguardiente.

cazar Atrapar, pillar, obtener, pescar, sorprender.

cazcarria Zarpa.

cazo Cucharón. || Perol, puchero.

cazoleta Receptáculo, depósito, hoyo.

cazón Tollo.

cazuela Cacerola, tartera, tortera, paella, 'cajete. || Paraíso, gallinero, general.

cazurro Taciturno, callado, reservado. ↔ *Charlatán.*

cazuz Hiedra.

ceba Engorde.

cebada Alcacer.

cebador Polvorín.

cebar Sobrealimentar, engordar, alimentar, fomentar.

cebarse Encarnizarse, ensañarse.

cebo Carnada, carnaza, güeldo. || Cebadura. || Cápsula, mixto, explotador, detonador. || Pábulo, incentivo, aliciente, atractivo, señuelo, tentación, fomento.

cebolla Bulbo.

cebrado Listado, rayado.

!cecesmil Maizal.

cecina Salazón, tasajo, 'chalona.

cedazo Tamiz, criba, zarranda, harnero, 'maritata.

ceder Dar, transferir, traspasar. ↔ *Apropiarse.* || Someterse, doblegarse, transigir, replegarse, cejar, aflojar, flaquear, retirarse. ↔ *Resistir.* || Disminuir, mitigarse, menguar. ↔ *Arreciar.*

cédula Documento, despacho.

céfalo Róbalo.

céfiro Brisa, aura, airecillo. || Poniente, viento oeste. ↔ *Euro.*

cegar Obcecar, ofuscar, alucinar, deslumbrar. || Cerrar, tapar, macizar, obstruir, atascar. ↔ *Desatascar.*

cegarse 'Embancarse.

ceguedad Ceguera, obcecación, ofuscación, ofuscamiento, obnubilación, alucinación. ↔ *Clarividencia.*

'ceja Vereda.

cejar Ceder, flaquear, aflojar, recular, retroceder. ↔ *Resistir, avanzar.*

cejo Calina, niebla.

celada Emboscada, trampa, zalagarda, garlito. || Yelmo, casco.

celador Vigilante, guardián.

celaje Ventana, claraboya. || Anuncio, comienzo, presagio.

celar Vigilar, velar, cuidar. ↔ *Descuidar.* || Encubrir, ocultar, tapar, disimular. ↔ *Revelar.*

celda Aposento, cubículo, alcoba. || Calabozo. || Célula.

celdilla Alvéolo, casilla.

celebrar Alabar, aplaudir, elogiar, encomiar, ensalzar, encarecer. ↔ *Denigrar, infamar.* || Festejar, solemnizar, conmemorar.

célebre Famoso, ilustre, renombrado, reputado, insigne, distinguido, memorable, glorioso. ↔ *Ignoto, oscuro.*

celebridad Fama, renombre, reputación, nombradía, notoriedad, nombre. ↔ *Oscuridad.*

celeridad Rapidez, velocidad, prontitud, presteza, actividad, diligencia. ↔ *Lentitud.*

célere Pronto, rápido.

celestial Celeste, paradisíaco, empíreo, divino, delicioso, perfecto, encantador. ↔ *Infernal.*

celestina Alcahueta, encubridora, trotaconventos, tercera.

célibe Soltero.

celidonia Hirundinaria.

celo Cuidado, diligencia, esmero, interés, actividad, asiduidad, fervor, entusiasmo, devoción. ↔ *Descuido, negligencia, displicencia.*

celos Envidia, rivalidad, recelo, sospecha. ↔ *Satisfacción, confianza.*

celosía Enrejado, rejilla, persiana, 'bastidor.

celsitud Elevación, excelencia, grandeza, alteza. ↔ *Bajeza.*

célula Celda, cavidad, seno, celdilla.

cementerio Camposanto, necrópolis, fosal.

cemento Argamasa.

'cenacle Mazorca, panoja.

cenacho Espuerta, capacho, cesto.

cenador Glorieta, lonjeta, quiosco, emparrado.

cenagal Ciénaga, lodazal, barrizal, fangal, atolladero, atascadero.

'cenata Cena, comilona.

'cenca Cresta.

'cencapa Jáquima.

cenceño Enjuto, delgado, flaco, 'acordonado, seco. ↔ *Gordo, rollizo.*

cencerro Esquila.

cendal Velo, burato, manto.

cenefa Lista, ribete, fleco, festón, orla.

ceniciento Cenizo, cinéreo.

ceniza Favila, pavesa.

cenizas Escombros, residuos, restos, ruina.

cenobio Monasterio, convento, abadía.

cenobita Monje.

cenotafio Mausoleo, sepulcro, sarcófago.

censo Carga, gravamen, tributo. || Padrón, empadronamiento.

censor Interventor, corrector, magistrado, examinador. || Criticón, censurador, murmurador.

censura Crítica, juicio, examen. || Corrección, reprobación, desaprobación, impugnación. ↔ *Aprobación.*

|| Vilipendio, murmuración, crítica, detracción. ↔ *Alabanza.*

censurable Vituperable, incalificable. ↔ *Elogiable.*

censurador Censor, murmurador, maldiciente, tijera, zoilo. ↔ *Lisonjero.*

censurar Juzgar, criticar, dictaminar. || Corregir, tildar, tachar, borrar, suprimir, notar. || Reprobar, reprender, condenar, desaprobar. ↔ *Aprobar.* || Murmurar, vituperar, profazar, champar, cortar un sayo. ↔ *Lisonjear.*

centella Rayo, chispa, exhalación.

'centella Ramínculo.

centelleante Vivo, brillante, resplandeciente, llameante, rutilante, fulgurante, chispeante, deslumbrante, deslumbrador, radioso, luminoso, espléndido. ↔ *Apagado.*

centellear Chispear, destellar, fulgurar, resplandecer, relucir, brillar.

centelleo Chispeo, chisporroteo, brillo, fulgor, resplandor.

'centellero o **centillero** Candelabro.

centena Centenar, ciento.

centenario Secular, centenar.

centinela Guardia, escucha, puesto.

centinodia Correhuela, saucillo.

centralismo Unitarismo, imperialismo. ↔ *Federalismo.*

centralizar Centrar, reunir, agrupar, dependizar, concentrar. ↔ *Descentralizar, liberar, liberalizar.*

céntrico Central. ↔ *Periférico.* || Concurrido, frecuentado.

centro Núcleo, foco, corazón, ombligo. ↔ *Periferia.*

'centro Sayo. || Chaleco. || Asiento.

centuria Siglo.

'cenzote Sinsonte.

ceñidor Cinturón, cinto, pretina.

ceñiglo Berza de pastor, armuelle, cenizo.

ceñir Apretar, estrechar, oprimir, ajustar, rodear, cercar. ↔ *Desceñir.*

ceñirse Circunscribirse, amoldarse, ajustarse, limitarse, reducirse, atemperarse, moderarse. ↔ *Exceder, extenderse, divagar.*

ceño Cerco, aro. || Sobrecejo, encapotadura, gesto. || Cariz, aspecto.

ceñudo Capotudo, cejijunto.

cepa Tronco, raíz, origen, linaje, raza.

'cepa Foso, hoyo.

cepellón 'Champa.

cepilladura Viruta.

cepillo Cepo, tolva, alcancía. || Estragadera, limpiadera, escobilla, bruza.

cepo Gajo, rama. || Cepillo, alcancía, tolva. || Celada, trampa, lazo, emboscada, acechanza, anzuelo, añagaza. || 'Caravana, 'casilla.

ceporro Torpe, rudo.

'cequión Canal, acequia.

cerámica Alfarería, tejería.

cerbatana Bodoquera, cañuto.

cerbero Guardián, portero, cancerbero.

cerca Cercano, próximo, vecino, adyacente, contiguo, al lado, 'arrimo.

cercado Recinto, coto, 'cancha. || Cerca.

cercanía Proximidad, confinidad, vecindad, acceso. ↔ *Lejanía.*

cercanías Contornos, alrededores, inmediaciones, aledaños, arrabales, extramuros, proximidades, extrarradio. || Cercado, valla, muro, tapia, seto, vallado, estacada, palizada, empalizada.

cercano Próximo, inmediato, contiguo, limítrofe. ↔ *Lejano.*

cercar Rodear, circundar, circuir, ceñir, vallar, tapiar, murar. || Asediar, sitiar, bloquear.

cercenar Cortar, mutilar, truncar, acortar, disminuir, reducir, limitar, restringir, coartar. ↔ *Prolongar, ampliar.*

cerciorar Asegurar, certificar, afirmar, confirmar. ↔ *Desmentir.*

cerco Sitio, asedio. || Aro, marco.

'cerco Seto.

'cercha Cimbra.

cerda Pelo, hebra, seda. || 'Chancha.

cerdo Puerco, gorrino, guarro, cochino, marrano, 'cuchi, 'chancho.

cerdoso Cerdudo, velloso, áspero.

cerebro Seso. || Cabeza, inteligencia, talento, capacidad, juicio, cacumen, caletre.

ceremonia Rito, pompa, aparato, solemnidad, cumplidos, cumplimiento.

ceremonial Costumbres, formalidades, rito, usos.

'cerezo Chaparro.

cerilla Cerillo, fósforo, mixto, velilla.

cerneja Mechón, 'calcha.

cerner Cribar, separar. || Depurar, afinar. || 'Asemillar.

cernerse Planear, amenazar, ser inminente.

cernícalo Rudo, ignorante, bruto, zopenco, zoquete, tonto. ↔ *Águila.*

cerrado Hermético, incomprensible, oculto, oscuro. ↔ *Claro, patente.* || Nublado, cubierto, encapotado, nuboso. ↔ *Descubierto.* || Torpe, obtuso, negado. ↔ *Despierto.* || Cazurro, solapado. ↔ *Franco.*

cerradura Cerraja, cerramiento, candado.

cerrar Tapar, cubrir, cegar. ↔ *Abrir.* || Cicatrizar, curar. || Clausurar. ↔ *Abrir, inaugurar.*

'cerrero Amargo. || Inculto, brusco, torpe.

cerril Montaraz, bravío, indómito, arisco, huraño, rústico, grosero, tosco. ↔ *Civilizado, fino.*

cerro Alcor, collado, colina, cabezo, cueto, montículo.

cerrojazo Cierre, clausura.

cerrojo Pestillo, candado, pasador, aldaba, falleba.

certamen Concurso.

'certeneja Cierro. || Pantano. || Poza.

certero Cierto, acertado, seguro. ↔ *Dudoso.* || Sabedor, noticioso, bien dirigido, bien informado.

certeza Certidumbre, seguridad, evidencia, convicción, convencimiento. ↔ *Duda, incertidumbre.*

certificar Asegurar, aseverar, cerciorar, afirmar, confirmar, afianzar, responder, garantizar. ↔ *Desmentir.*

cerviz Cogote, nuca, occipucio, colodrillo, pescuezo.

cesar Acabar, terminar, suspenderse, interrumpir, cejar. ↔ *Proseguir, continuar.*

cesarismo Dictadura, autocracia, caudillaje, tiranía, despotismo. ↔ *Democracia.*

cese Cesación, cesamiento, interrupción, discontinuación, paro. ↔ *Prosecución.* || Reposo, pausa, huelga.

cesión Renuncia, entrega, donación, traspaso, abandono. ↔ *Apropiación, usurpación.*

césped Hierba, ballico. || Prado, parterre, *gazón. || Tepe.

cesta Cesto, escriño, panera, 'balay, 'guacal, 'tipa.

cesto Canasta, banasta, cuévano.

cesura Corte, pausa, reposo.

cetrino Amarillento, verdoso. || Adusto, melancólico. ↔ *Contento.*

cetro Corona, diadema. || Reino, reinado, imperio, mando.

cianea Lazulita, lapislázuli.

ciar Retroceder.

cibal Alimenticio, substancioso, nutritivo.

'cibucán Serón.

cicatería Mezquindad, tacañería, roñería, avaricia, ruindad, sordidez, 'agalla. ↔ *Generosidad.*

cicatero Mezquino, tacaño, agarrado, roñoso, avaro, miserable, ruin. ↔ *Pródigo, desprendido.*

cicatriz Costarón, chirlo.

cicatrizar Curar, cerrar.

cicerone Guía, baquiano, intérprete.

ciclamor Arjorán.

ciclo Período, época. || Serie, conjunto.

ciclón Huracán, tornado.

cíclope Ojanco.

cidra 'Alcayota.

ciego Invidente, obcecado, ofuscado, obnubilado, alucinado. ↔ *Vidente, clarividente.*

C

C

cielo Empíreo, paraíso, gloria, bienaventuranza. ↔ *Infierno.* || Atmósfera, firmamento.

ciempiés Escolopendra, 'congorocho. || Disparate, desatino, barbaridad, galimatías.

ciénaga Cenagal, lodazal, barrizal, fangal, atolladero, at a s c a d e r o, 'balsar, 'tacotal.

ciencia Conocimiento, saber, sapiencia, sabiduría, erudición, doctrina. ↔ *Ignorancia.*

cieno Légamo, lama, limo, lodo, fango, barro.

ciento Cien, centena, centenar.

cierre Clausura, cerrojazo, oclusión. ↔ *Abertura, abrimiento.*

cierro 'Certeneja.

cierto Seguro, evidente, indubitable, indudable, indiscutible, irrefutable, innegable, infalible, incontestable, indefectible, inequívoco, real, positivo, manifiesto, claro, palmario, palpable, tangible, visible, limpio, histórico, admitido, demostrado, notorio, auténtico, claro, efectivo. ↔ *Incierto, dudoso.* || Alguien, alguno.

ciervo Venado.

cierzo Aquilón, bóreas, norte, septentrión, tramontana. ↔ *Austro, sur.*

cifra Guarismo, número. || Clave.

cifrar Abreviar, compendiar, resumir, reducir, limitar.

cigarra Chicharra. || Parlanchín, hablador, cotorra. ↔ *Silencioso.* || 'Coyuyo.

cigarrera Petaca, pitillera.

'cigarrería Expendeduría.

cigarrillo Pitillo.

cigarro Puro, breva, veguero.

cigarrón Chapulín.

'cigua Caracola.

'ciguapa Lechuza.

cigüeña Manivela, manubrio.

cija Corral, cuadra, paridera. || Pajar. || Granero.

cilantro Culantro.

cilicio Suplicio, tormento, disciplina, mortificación. ↔ *Goce.*

cilindro Rodillo, t a m b o r, rulo, rollo, eje, árbol.

cilla Granero, silo.

cima Cumbre, culmen, cúspide, ápice, sumidad, vértice. ↔ *Fondo.*

'cimarrón Mate negro.

cimbel Señuelo.

cimbra C u r v a t u r a, arco, vuelta. || 'Cercha.

cimbrar Vibrar, cimbrear.

'cimbrón Punzada, ramalazo, agujeta.

'cimbronazo Estremecimiento, conmoción.

cimentar Recalzar, zampear. || Fundamentar, fundar, instituir, asentar, establecer, afirmar.

cimero Culminante, supremo, superior, sumo, alto. ↔ *Inferior, ínfimo.*

cimiento Fundamento, raíz, origen, principio. ↔ *Coronamiento, remate, fin.*

cinamono A c e d e r a q u e, agriaz, rosariera.

cinc Calamita.

cincel Puntero, estique. || Tajadera, cortafrío.

cincelar Grabar, labrar, esculpir, tallar.

cinco en rama Quinquefolio.

cincha 'Cincho, 'tapinga.

cinchar Fajar, ajustar, ceñir, sujetar. ↔ *Soltar.*

cinegética Montería.

cinematógrafo Cine, cinema, pantalla, séptimo arte.

cinéreo Ceniciento.

cínico Impúdico, procaz, desvergonzado, descarado. ↔ *Púdico, respetuoso.*

cinismo Impudicia, procacidad, impudencia, impudor, desvergüenza, desfachatez, descaro. ↔ *Pudor, decencia, vergüenza, recato, respeto.*

cinta Banda, tira, 'vincha, 'huincha. || Película, film.

cintarazo Sablazo, estocada, hurgonada, hurgón, cimbronazo, c h i n c h a r r a z o, 'cinchazo.

cinto Ceñido. || Cintura. || Cinturón.

'cinchazo Cintarazo.

'cincho Cincha.

'cinchón Sobrecincha. || Sobrecarga. || Aro.

cintura Cinto, talle.

cinturón Cinto, pretina. ceñidor, faja, correa, talabante, forrajera, canana.

cipayo Espahí.

'cipe Resina.

cipo Pilar, pilastra. || Hito, mojón.

'cipote Zonzo, bobo. || Rechoncho, obeso. || Chiquillo, pillete.

ciprés Cipariso.

circo Anfiteatro, pista, carpa, arena. || Gradería.

circuir Rodear, cercar, circundar, cincunvalar.

circuito R e c i n t o. || C o n t o r n o.

circulación Tráfico, tránsito.

circular Circunferencial, orbicular. || Redondo, curvo, curvado. || Orden, notificación, aviso. || Carta, noticia, boleto. || Transitar, pasar, andar, deambular, recorrer. || Correr, divulgarse, propagarse, expandirse.

círculo Redondel. || Club, casino, centro, sociedad.

circuncidar Cercenar, mutilar, cortar, retajar.

circundar Cercar, rodear, circuir, circunvalar.

circunferencia Círculo, ruedo, circuito.

circunferir Circunscribir, limitar.

circunlocución Circunloquio, ambages.

circunloquio 'Sanguaraña.

circunloquios Rodeos, ambages, perífrasis, circunlocución. ↔ *Laconismo, concisión.*

circunnavegación Periplo.

circunscribir Limitar, restringir, ceñir, concretar, amoldar, ajustar. ↔ *Extender, ampliar.*

circunscripción Distrito, demarcación.

circunspección Precaución, reserva, cautela, prudencia, discreción, cordura, moderación, mesura, compostura, gravedad, seriedad, decoro. ↔ *Imprudencia, indiscreción, descomedimiento.*

circunspecto Cauto, prudente, discreto, reservado, cuerdo, mesurado, comedido, compuesto, grave, serio. ↔ *Imprudente, indiscreto, ligero.*

circunstancia Accidente, caso, coyuntura, acontecimiento, evento, particularidad, pormenor, requisito.

circunstanciado Detallado, pormenorizado, prolijo. ↔ *Escueto.*

circunstantes Presentes, concurrentes, asistentes.

circunvalar Cercar, circuir, circundir, rodear.

circunvecino Próximo, inmediato, contiguo, cercano, vecino. ↔ *Alejado, remoto.*

cirio Ambleo, candela, vela, blandón, bujía.

cirujano Quirurgo, operador, sacapotras.

cisco Alboroto, altercado, riña, reyerta, pendencia, zipizape, pelotera.

cisma Escisión, separación, rompimiento, discordia, disensión, desavenencia. ↔ *Unión.*

cisne 'Coscorroba.

cisterna Aljibe, 'casimaba.

cisura Rotura, hendidura, raja, incisión, cisión, sajía, sajadura, corte, jasa, lancetada, abertura.

cita Mención, nota, referencia, alusión.

citación Notificación, emplazamiento, requerimiento, intimación, mandato, cítote.

citado Susodicho, antedicho, mentado, nombrado, dicho, predicho.

citar Apalabrar, convocar, llamar. || Mencionar, nombrar, mentar, aludir, referirse, alegar, invocar. ↔ *Silenciar.*

citerior Aquende, de acá.

cítola Tarabilla.

cítora Arpón.

ciudad Urbe, población.

ciudadano Urbano, cívico, civil.

ciudadela Baluarte, fortificación, fortaleza.

cívico Civil, ciudadano, patriótico.

civil Ciudadano, cívico. || Cortés, urbano, atento, sociable, afable. ↔ *Incivil.*

civilidad Honradez, urba-

nidad, cortesía, afabilidad. ↔ *Descortesía.*

civilización Cultura, progreso. ↔ *Barbarie.*

civilizado Culto, educado, cultivado, pulido, cortés, atento. ↔ *Desatento, descortés.*

civilizar Educar, ilustrar, formar, moralizar, cultivar, mejorar.

civismo Civilidad, patriotismo, humanitarismo. ↔ *Incivilidad.*

cizaña Discordia, disensión, enemistad. ↔ *Concordia.*

cizañar Malquistar, enzurizar, excitar, enzalamar, meter cizaña, armar pendencia, levantar fuego. ↔ *Aquietar, apaciguar.*

'clacopacle Aristólogia.

clamar Pedir, reclamar, gritar, exclamar, lamentarse, quejarse, gemir.

clamor Grito, voz, queja, lamentación, lamento, gemido.

clamorear Rogar, implorar, deprecar, suplicar. || Doblar.

clamoreo Gritería, vocerío.

clamoroso Vocinglero, chillón.

clan Tribu, familia, grupo, agrupación. || Banda, pandilla, hatajo.

clandestino Secreto, oculto, subrepticio, ilegal, prohibido, ilícito. ↔ *Manifiesto, público.*

clangor Clarinada, trompetada.

claque Alabarderos.

claquiche Pulque.

claraboya Tragaluz.

clarear Amanecer, alborear, alborecer. ↔ *Oscurecer.* || Aclarar, despejarse, abrirse. ↔ *Encapotarse, oscurecerse.*

claridad Luz, luminosidad, transparencia, diafanidad, limpidez, blancura. ↔ *Oscuridad.* || Franqueza, sinceridad, llaneza. ↔ *Turbiedad.*

clarificar Iluminar, alumbrar. ↔ *Entenebrecer.* || Purificar, aclarar, filtrar, purgar, limpiar, depurar.

clarín Trompeta.

'clarín Guisante.

clarinada Clangor, toque. || Impertinencia, expropósito, importunidad.

clarividencia Intuición, penetración, perspicacia, perspicuidad, comprensión, discernimiento, tacto, sagacidad. ↔ *Obcecación.*

claro Luminoso, iluminado, transparente, diáfano, límpido, puro, cristalino. ↔ *Oscuro.* || Evidente, indubitable, palpable, patente, manifiesto, visible, inteligible. ↔ *Oscuro, incomprensible.* || Franco, sincero, abierto. ↔ *Turbio.* || Agudo, despierto, vivo, perspicaz. ↔ *Obtuso.* || Ilustre, insigne, esclarecido. || Despejado, sereno. ↔ *Cubierto, nuboso.*

clase Orden, género, condición, tipo, variedad, calidad, categoría, jerarquía, casta. || Lección, asignatura. || Aula.

clásico Principal, destacado, notable, conocido, leído, modélico.

clasificador Archivador.

clasificar Ordenar, encasillar, archivar.

claudicar Transigir, ceder, someterse, avenirse. ↔ *Insistir.* || Cojear.

claustro Clausura, cenobio, convento. || Junta, cuerpo, personal docente.

claustro materno Matriz.

cláusula Disposición, condición, estipulación. || Proposición, frase, período.

clausura Claustro. || Cierre, cerramiento. ↔ *Apertura.*

clausurar Cerrar. ↔ *Abrir, inaugurar.*

clava Porra, cachiporra, maza.

clavado Fijo, exacto, puntual. || Adecuado, proporcionado, pintiparado, cabal, a medida. ↔ *Inadecuado.*

clavar Hincar, hundir, enclavar, plantar, fijar, 'enterrar. ↔ *Desclavar.*

clave Llave. || Cifra.

clavelina 'Cantuta.

clavero Giroflé.

clavetear Guarnecer, herretear. || Concluir, acabar, terminar, echar la llave.

clavicordio Espineta, clave.

clavícula Islilla.

clavija Clavo, sujeción, tarugo, seguro.

clavo Clavija, punta, alcayata, sobina, bellote, tachuela, rapo. || Pena, dolor, cuidado. || Daño, perjuicio. || Callo.

clemátide 'Crespillo.

clemencia Indulgencia, misericordia, benignidad, compasión, piedad. ↔ *Inclemencia, crueldad.*

clemente Indulgente, benigno, misericordioso, compasivo. ↔ *Inclemente, cruel, severo.*

clérigo Eclesiástico, sacerdote, presbítero, tonsurado, cura, capellán.

clero Clerecía.

cliente Parroquiano, comprador. ↔ *Proveedor.*

clima Atmósfera, temperatura. || País, región, comarca.

clímax Escala, gradación.

clínica Hospital, dispensario, nosocomio, sanatorio, consultorio.

cloaca Sumidero, alcantarilla, albañal, imbornal. || Coluvie.

cloque Arpón.

clorhídrico Hidroclórico, muriático.

cloroformizar Anestesiar.

cloroformo Anestésico.

clown Payaso.

club Sociedad, círculo, casino, asociación, centro.

clueca Llueca.

clueco Tullido, impedido, achacoso, viejo. ↔ *Lozano.*

coacción Coerción, constreñimiento, fuerza, violencia, imposición. ↔ *Espontaneidad, libertad.*

coadjutor Coadyutor, ayudante, vicario, 'sotacura.

coadunar Unir, incorporar, añadir. ↔ *Separar.*

coadyuvar Ayudar, contribuir, secundar, asistir, auxiliar, cooperar, colaborar.

coagular Cuajar, solidificar, espesar, trabar.

coagularse Cortarse. ↔ *Licuarse.*

coágulo Crúor, cuajarón, grumo.

coalición Alianza, liga, unión, confederación.

coartada Defensa, excusa, disculpa, exculpación.

coartar Limitar, restringir, coercer, sujetar, cohibir, reprimir, coaccionar. ↔ *Estimular, dejar libre.*

'coate Cuate, mellizo.

'coatí Cuatí, macaco.

coautor Colaborador.

coba Pelotilla, jabón, adulación.

cobarde Gallina, temeroso, medroso, miedoso, pusilánime, tímido, encogido,

'cangalla, 'vilote, 'gurrumino. ↔ *Valiente, arro-
jado.*

cobardía Pusilanimidad,
miedo, temor, timidez. ↔
Valentía.

cobertera Tapadera.

cobertizo Tinglado, porche,
sotechado, 'chinama, 'ca-
ramanchel, 'galera, 'galerón, 'galpón.

cobertor Cobertura, colcha,
frazada, manta, edredón. ||
'Coriana, 'sabanilla.

cobertura Cobija, cubierta.

cobija Cubierta, cobertura,
'roblón.

'**cobija** Manta, sábanas.

cobijarse Guarecerse, refugiarse, albergarse, ampa-
rarse.

cobijo Cobijamiento, protec-
ción, amparo. || Hospeda-
je, albergue.

'**cobo** Caracol.

cobrar Percibir, recaudar,
recibir. ↔ *Pagar.* || Ad-
quirir, recoger, cazar. ↔
Soltar.

cobro Cobranza, recaudo, recaudación, p e r c e p c i ó n,
exacción, colecta, colecta-
ción. ↔ *Pago.*

coca Haya.

'**cocacho** Coscorrón.

'**cocada** Turrón.

'**cocán** Pechuga.

'**cocavi** Provisiones, vituallas.

cocción Cochura, cocedura,
recocido, torrefacción.

cocear Resistir, rechazar,
repugnar.

cocer Cocinar, hervir, guisar, escalfar, c a l e n t a r,
asar, tostar, freír, recocer.
|| Fermentar.

cocido Olla, pote, puchero,
'hervido.

cociente Razón, fracción,
relación.

cocinar Guisar, aderezar,
condimentar, sazonar.

cocinilla Reverbero, infiernillo.

coco Fantasma, papón, goz-
nia, tarasca. || Mueca, ges-
to, arrumaco.

'**cocol** Panecillo, bollo.

'**cocolera** Tórtola.

'**cocolía** Ojeriza, antipatía,
manía.

'**cocoliste** Tabardillo, epidemia.

cócora Impertinente, molesto, fastidioso, importuno,
chinche.

cóctel Combinado, bebistrajo.

'**cocuí** o **cocuy** Pita.

cocuyo 'Alúa, 'tuco.

'**cocha** Pampa, llanura. || La-
guna, charco.

cochambre Porquería, crasitud, suciedad. ↔ *Aseo.*

cochambroso Puerco, asqueroso, sucio. ↔ *Aseado,
limpio.*

coche Carruaje, vehículo,
automóvil, 'calchona, 'carro.

cochero Faetón, auriga, automedonte.

cochinada Cochinería, co-
chambrería, guarrería, porquería, suciedad.

cochinilla Milpiés, porque-
ta. || Grana.

cochino Puerco, gorrino,
marrano, cerdo, guarro. ||
Sucio, desaseado, desaliñado. ↔ *Aseado, pulcro.*

cochitril Cuchitril, pocilga,
zahúrda.

codazo Advertencia, aviso.

codearse Alternar, tratarse,
rozarse, frecuentar.

codeso Piorno.

códice Manuscrito.

codicia Avaricia, ambición,
avidez, 'agalla. ↔ *Desprendimiento.*

codiciar Ambicionar, ansiar,
anhelar, apetecer, desear,
'amalhayar. ↔ *Despreciar,
renunciar.*

codicioso Acucioso, sediento, deseoso. ↔ *Desprendi-
do.* || Laborioso, trabaja-
dor, afanoso.

codificar Compilar, recopilar, legalizar.

código Recopilación, regla-
mento, reglamentación. ||
Ley.

codillo Codo. || Estribo.

codo Codillo, ángulo, recodo, esquina, i n f l e x i ó n,
curva.

codoñate Membrillo.

codorniz Guarnigón, 'colín.

coeficiente Factor, multiplicador.

coercer Sujetar, contener,
reprimir, cohibir, coartar,
limitar, restringir. ↔ *Dejar libertad.*

coerción Constreñim i e n t o,
coacción. ↔ *Libertad.*

coercitivo Represivo, coactivo, restrictivo.

coétaneo Contemporáneo.

cofia Albanegra, red, capi-
llejo, tocado, papalina, es-
cofieta, escarcela.

cofín Cesta, canasto.

cofrade Colega, asociado,
congregante, hermano.

cofradía Congregación, hermandad, gremio, corpora-
ción.

cofre Arca, caja, baúl.

cofrecito Escriño, arquilla.

cogedero Asa, mango, asidero.

coger Asir, agarrar, sujetar,
t o m a r, atrapar, pillar,
prender, alcanzar, empu-
ñar, acaparar, captar, capturar, pescar, cazar, pillar,
hurtar, robar, arrebatar,
'pancear. ↔ *Soltar, dejar.*
|| Recoger, recopilar, re-

C

colectar. || Ocupar, caber, contener, extenderse. || Hallar, encontrar, sobrevenir, sorprender. || Penetrar, descubrir, adivinar. || Alcanzar, llegar.

'cogienda Cosecha.

cogitabundo Pensativo, meditabundo, ensimismado, reflexivo. ↔ *Distraído.*

cogitar Meditar, reflexionar, cavilar, pensar.

cognación Parentesco, consanguinidad.

cognomento Renombre, título, apodo.

cognoscible Conocible, comprensible, inteligible. ↔ *Incognoscible.*

cogollo Brote, retoño, yema, botón. || Corazón, interior.

cogote Nuca, cerviz, occipucio, pescuezo.

cogotera Cubrenuca.

cogujada Totovía, tova, galerita.

cogujón Cujón, pitón.

cogulla Capuz, cucurucho, capilla, cuculla, caperuza.

cohabitación Convivencia, contubernio.

cohabitar Convivir.

cohechar Corromper, sobornar, comprar, tapar la boca, untar el carro.

cohecho Soborno.

cohén Hechicero, adivino. || Alcahuete.

coherencia Cohesión, conexión, relación, enlace, congruencia, ilación. ↔ *Incoherencia.*

cohesión Atracción, indivisión, aglomeración, adherencia, adhesión, unión, consistencia. ↔ *Incoherencia, inconsistencia.*

cohete Proyectil, bólido, volador. || Señal.

cohibir Reprimir, contener, sujetar, refrenar, coercer, coartar. ↔ *Estimular.*

cohonestar Disfrazar, colorear, disimular, encubrir, disculpar, excusar, justificar. ↔ *Denunciar, tildar.*

cohorte Séquito, seguicio, corte, legión, serie, conjunto, número, multitud, muchedumbre.

coima Ramera, manceba.

coime Coimero, garitero, tahur, *croupier.

coincidencia Concomitancia, encuentro, concurso, concurrencia, coetaneidad, sincronía. ↔ *Divergencia, contraste.*

coincidir Convenir, concordar, ajustarse, encajar. ↔ *Divergir, contrastar.*

coinquinar Deslustrar, manchar, ensuciar, inficionar, mancillar. ↔ *Lustrar.*

'coipo Castor.

coito Cópula.

coja Ramera, manceba.

cojear Renquear.

cojera Recancanilla, renquera.

cojín Almohadón, colchoneta, almohadilla.

cojo Renco, paticojo, cojitranco, claudicante, pata coja, 'choco.

'cojolite Faisán.

col Berza. || 'Tallo.

cola Rabo. || Final, fin, consecuencia. ↔ *Cabeza.*

cola Pega, pegadura, liga, goma, gelatina, pez, adhesivo.

colaborar Cooperar, coadyuvar, contribuir, ayudar, participar, auxiliar.

colación Cotejo. || Conversación, tema. || Refacción.

colada Lejía. || Ropa blanca. || Coladero, paso, garganta, freo. || Espada, tizona. || Fundición.

'coladera Sumidero.

coladero Colada, angostura, tollón. || Colador.

colador Coladero, cedazo, manga.

coladura Plancha, gazapo, equivocación, error.

colapso Desmayo, síncope, vahído, patatús.

colar Filtrar, pasar, trascolar, zarandear. || Blanquear, limpiar, purificar, lavar. || Beber.

colarse Meterse, pasar, infiltrarse, escaparse.

colcha Cobertor, cubrecama, edredón.

colchón Jergón, colchoneta, almadraque, traspuntín.

colear Rabotear, hopear.

colección Colectánea, serie, biblioteca, conjunto.

coleccionar Seleccionar, recopilar, reunir, compilar, acoplar, allegar, atesorar, guardar. ↔ *Desperdigar.*

colecta Cuestación, recaudación.

colectividad Sociedad.

colectivo General, común.

colector Coleccionista. || Recaudador, cobrador, perceptor. || Acopiador.

colega Compañero.

colegial Escolar, educando, alumno.

colegio Comunidad, convento, reunión, sociedad, corporación, 'alumnado. || Escuela, academia, seminario.

colegir Ingerir, deducir, concluir, seguirse, juzgar.

coleóptero Escarabajo.

cólera Ira, rabia, furor, furia, saña, irritación, enojo, enfado. ↔ *Calma, placidez.*

colérico Iracundo, furioso, irritado, violento, furente, irritable, sañudo, dado al

diablo. ↔ *Plácido, tranquilo.*
coleta Mechón, trenza.
coletazo Rabotada.
coletilla Añadidura, adición.
coleto Pelliza, zamarra. || Cuerpo. || Conciencia, interior, fuero interno, mollera.
coleto (echarse al) Comer, beber.
colgadura Arambel, albenda, empaliada, cortinaje.
colgajo Jirón, pingajo.
colgante Pendiente, pinjante, colgandero.
colgar Suspender, pender, ahorcar. ↔ *Descolgar.* || Atribuir, achacar, imputar, cargar.
colicano Rabicano.
'colicoli Tábano.
colicuar Desleír, derretir, colicuecer, licuar.
coligación Unión, ligazón, trabazón, enlace. || Coligamiento, coligadura.
coligado Unido, asociado, federado, confederado, aliado.
coligarse Aliarse, unirse, asociarse, confederarse.
colilla Punta, pucho, 'chainga.
'colín Codorniz.
colina Alcor, collado, cerro, alcudia, otero, montículo, eminencia, cueto, loma, cabezo.
colindante Contiguo, limítrofe, confinante, lindante. ↔ *Distante.*
coliseo Circo, teatro.
colisión Choque, encuentro, encontronazo, topetazo.
colmado Abundante, copioso, relleno, atestado, abarrotado, completo. ↔ *Vacío, desprovisto.* || Figón. || Tienda, droguería.
colmar Llenar, satisfacer. ↔ *Vaciar, defraudar.*
colmena Alvo, corcho.
colmena (capirote de) Arna, vaso de colmena.
colmillo Canino, columelar.
colmilludo Taimado, sagaz, astuto.
colmo Culminación, límite, máximum, máximo, acabóse. ↔ *Mínimum.*
colocación Empleo, destino, cargo, puesto, plaza, ocupación. || Posición, situación.
colocar Situar, poner, instalar, 'ubicar. ↔ *Sacar, quitar.* || Acomodar, emplear, destinar, ocupar. ↔ *Despedir.*
colocho Viruta. || Rizo, tirabuzón.
colodrillo Occipucio.
colofón Fin, coronamiento, remate.
colofonia Pez griega.
'coloniaje Colonizaje.
colonial Ultramarino.
colonizaje 'Coloniaje.
colono Arrendatario, inquilino, casero, rentero, masadero, masovero.
coloquio Conversación, plática, diálogo, mesa redonda, conferencia, charla.
color Tinte, tintura, matiz, tono, tonalidad, colorido.
colorado Rojo, encarnado.
colorante Pigmento, tinte, color.
colorar Teñir, colorir.
colorarse Encenderse, acalorarse.
colorear Pintar. ↔ *Decolorar.* || Disfrazar, cohonestar. ↔ *Denunciar.* || Alegar, pretextar.
colorearse Madurar.
colorete Arrebol.
colorido Color, coloreado, tinte.
colosal Extraordinario, enorme, inmenso, gigantesco, grandioso, titánico, piramidal, formidable, estupendo, excelente. ↔ *Raquítico, mezquino.*
coloso Gigante, titán. ↔ *Pigmeo.*
'colote Canasto.
columbrar Vislumbrar, divisar, entrever. || Conjeturar, barruntar, sospechar, intuir, adivinar.
columna Pilastra, pilar.
columpiar Balancear, mecer.
columpio Mecedora.
colutorio Lavatorio, enjuagatorio.
coluvie Pandilla, hato, gavilla, banda. || Sentina, lodazal.
collado Colina, alcor, cerro, otero, montículo, cueto. || Collada, paso, puerto.
'colla Mestizo.
collar Collarín, gargantilla, argolla, torce. || Collera, carlanca, horcajo, aro.
'collareja Paloma silvestre. || Comadreja.
coma Vírgula. || Sopor, letargo, modorra.
comadre Comadrona, partera, matrona. || Madrina. || Celestina, alcahueta, corredera, cobertera. || Vecina, confidenta, amiga.
comadrear Chismear, chismorrear, cotillear, murmurar.
comadreja 'Collareja, 'quinque.
comadrero Holgazán, chismoso, embolismador, marañero, profazador, chinchorrero.
comadrona Matrona, partera, comadre.
comandante Jefe, caudillo, conductor.

comarca País, región, territorio.

comarcano Cercano, inmediato, próximo, circunvecino, contiguo, limítrofe, confinante. ↔ *Apartado.*

comarcar Lindar, confinar.

comba Inflexión, arqueamiento, torcedura, combadura, alabeo, curva. || Saltador.

combado Abovedado, adunco, combo, curvo, alabeado, turgente. ↔ *Recto.*

combar Encorvar doblar, arquear, 'achiguar, 'cambar. ↔ *Enderezar.*

combate Batalla, acción, pelea, lucha, lid, refriega.

combatiente Soldado, contendiente.

combatir Luchar, pelear, lidiar, contender. || Impugnar, refutar, contradecir, discutir, controvertir. ↔ *Defender.*

combés Espacio, ámbito.

combinación Mezcla, composición, grupo, unión. || Arreglo, disposición, plan, sistema. || Maquinación, maniobra.

combinar Componer, unir, hermanar, juntar, coordinar, disponer, arreglar, concertar. ↔ *Descomponer, desintegrar.*

combleza Manceba.

combo Combado.

'combo Mazo, almádena. || Puñetazo.

combustible Inflamable.

combustión Ustión, abrasamiento, ignición, ardimiento, incineración, **flagrancia.**

comedero Pesebre, dornajo. || Comedor. || 'Canoa.

comedia Drama, || Teatro. || Burla, ficción, farsa, enredo, fingimiento.

comediante Actor, cómico, artista, representante.

comedido Moderado, mesurado, circunspecto, discreto, considerado, cortés, atento. ↔ *Descomedido, descortés.*

comedimiento Cortesía, urbanidad, cortesanía, discreción, mesura, moderación, circunspección. ↔ *Atrevimiento.*

comedirse Arreglarse, contenerse, moderarse. || Disponerse, ofrecerse.

comedor Comedero, refectorio, tinelo. || Figón, fonda, restaurante, bodegón, cantina, merendero.

comensal Huésped, invitado, convidado.

comentador Exegeta, intérprete, glosador.

comentar Explicar, glosar, interpretar, discantar.

comentario Comento, explicación, glosa, interpretación, exégesis, apostilla, nota, escolio.

comenzar Empezar, principiar, iniciar, emprender, entablar. ↔ *Terminar, acabar.*

comer Manducar, tomar, tragar, engullir, devorar, zampar. ↔ *Ayunar.* || Gastar, derrochar, dilapidar, acabar. || Roer, corroer, consumir, gastar, desgastar.

comercial Mercantil, mercante.

comerciante Negociante, mercader, traficante, tratante, mercachifle.

comerciar Negociar, traficar, mercadear, tratar, especular.

comercio Negocio, tráfico, especulación, trato. || Tienda, almacén, establecimien-

to. || Trato, comunicación, relaciones.

comestible Alimento, vitualla.

comestibles Víveres, bastimento, avíos, provisión.

cometa 'Cambucha, 'combucho, 'volatín.

cometer Caer, incurrir.

cometido Comisión, encargo, misión, encomienda.

comezón Picazón, picor, rascazón, prurito, desazón, desasosiego, curiosidad.

comicidad Jocosidad, gracia, bufonería.

comicios Junta, asamblea, reunión.

cómico Divertido, gracioso, risible, jocoso, bufo, hilarante. ↔ *Trágico.* || Comediante, actor, representante, artista, histrión.

comida Almuerzo. || Yantar, pitanza, alimento, pábulo, comilona, banquete.

comidilla Inclinación, preferencia, gusto. || Maledicencia, murmuración, chismorreo.

comienzo Principio, empiece, 'empiezo, inicio, preámbulo, preliminar, preludio, nacimiento, iniciación, origen, partida, entrada, encabezamiento. ↔ *Final, fin, término.*

comilitón Conmilitón.

comilón Tragón, zampón, glotón, zampatortas, tumba ollas, 'gandido, 'tragallón. ↔ *Sobrio.*

comilona Guateque, festín, ágape, banquete, cuchipanda, tragantona, 'cenata.

cominero Refitolero, fodolí, cazolero.

comino Ardite, bledo, pito.

comisario Delegado, mandatario, ejecutor.

comisión Cometido, encar-

go, mandato, misión, mensaje, poder, delegación. ||
Junta, comité, delegación.

comisionar 'Capacitar.

comisura Unión, juntura, labio.

comité Comisión, junta, delegación.

comitiva Acompañamiento, séquito, cortejo, escolta.

como Así que. || En calidad de. || A manera de, a modo de. || Así, tal, tan, tanto. || En virtud de que, por qué. || De modo que, a fin de que. || Si.

comodidad Bienestar, regalo, holgura, conveniencia, facilidad, ventaja, utilidad, interés, oportunidad. ↔ *Incomodidad.*

cómodo Holgado, regalado, fácil, agradable, favorable, conveniente, ventajoso, útil, oportuno, acomodado. ↔ *Incómodo.*

comodón Regalón, holgachón. ↔ *Austero.*

compacto Denso, macizo, espeso, consistente, apretado, apiñado. ↔ *Poroso, esponjoso, ralo.*

compadecerse Condolerse, dolerse, apiadarse, tener lástima, tener compasión, tener conmiseración. || Armonizarse, compaginarse, conformarse, ponerse de acuerdo. ↔ *Discordar.*

compadrazgo Chanchullo, componenda, pastel, enjuague, curado, trampa.

compadre Compinche, compañero, camarada.

compaginar Armonizar, conjugar, compadecer, concordar, corresponder. ↔ *Discordar.* || Ajustar. ↔ *Descompaginar.*

companaje Condumio, compango.

compañera Esposa, mujer, mitad.

compañerismo Camaradería, armonía.

compañero Colega, compadre, camarada, comilitón, compinche, socio, consocio.

compañía Sociedad, razón social, empresa, asociación. || Acompañamiento, séquito, comitiva, cortejo.

comparación Parangón, paragón, cotejo, confrontación, colación. || Símil, imagen, metáfora.

comparar Parangonar, cotejar, confrontar, colacionar, compulsar, equiparar.

comparecer Presentarse, personarse, acudir. ↔ *Desaparecer, ausentarse.*

comparsa Figurante, extra. || Séquito, seguicio, comitiva, acompañamiento, cohorte.

compartimiento División, casilla.

compartir Repartir, partir, dividir, distribuir, comunicar.

compás Regla, medida, norma. || Ritmo, movimiento, cadencia. || Brújula.

compasión Piedad, misericordia, caridad, conmiseración, lástima. ↔ *Crueldad, desprecio, dureza.*

compasivo Caritativo, misericordioso. ↔ *Cruel, duro.*

compatricio Compatriota, paisano, coterráneo, conciudadano. ↔ *Extranjero, forastero.*

compeler Obligar, constreñir, forzar, violentar. ↔ *Dejar libertad.*

compendiar Abreviar, reducir, resumir, extractar, recapitular. ↔ *Ampliar.*

compendio Resumen, recapitulación, recopilación,

epítome, fundamentos. elementos, rudimentos, sumario, principios, manual, prontuario, sinopsis.

compendioso Breve, reducido, resumido, sumario, conciso, sucinto, lacónico. ↔ *Prolijo.*

compenetrarse Identificarse, coincidir, entenderse, ser afín. ↔ *Discrepar.*

compensación Resarcimiento, indemnización, equilibrio, equivalencia, nivelación. ↔ *Desnivelación.*

compensar Resarcir, indemnizar, equilibrar, nivelar, contrapesar. ↔ *Desequilibrar, desnivelar.*

competencia Incumbencia, jurisdicción, obligación, autoridad. || Aptitud, idoneidad, habilidad, capacidad, suficiencia, disposición. ↔ *Incompetencia.*

competente Apto, idóneo, hábil, capaz, entendido, suficiente, dispuesto. ↔ *Incompetente.*

competer Incumbir, corresponder, tocar, pertenecer.

competición Contienda, disputa, lucha, competencia, partido.

competidor Émulo, rival, contendiente, contrincante, adversario. ↔ *Compañero.*

competir Contender, rivalizar, emular.

compilador Recopilador, colector.

compilar Recopilar, reunir, coleccionar, allegar.

compinche Compadre, compañero, camarada.

complacencia Satisfacción, agrado, placer, contento, alegría. ↔ *Contrariedad.*

complacer Satisfacer, agradar, placer, gustar, contentar, alegrar. ↔ *Contrariar.*

C

complaciente Condescendiente, servicial, deferente, obsequioso, atento. ↔ *Desatento.*

complejidad Complicación, multiplicidad, obstáculos, diversidad, entrelazamiento, acopio. ↔ *Simplicidad.*

complejo Compuesto, múltiple, complexo, complicado, dificultoso, enredado, intrincado, enmarañado. ↔ *Simple, sencillo.*

complemento Suplemento, continuación, terminación, cumplimiento.

completar Adjuntar, añadir, integrar, acabar, perfeccionar, dar cima, coronar, atar cabos, 'enterar. ↔ *Comenzar.*

completo Entero, íntegro, acabado, perfecto, cabal, cumplido, total, pleno, lleno. ↔ *Incompleto, parcial.*

complexión Constitución, naturaleza, temperamento.

complexo Complejo.

complicación Dificultad, tropiezo, enredo, lío, embrollo, confusión, agravación. ↔ *Simplificación.*

complicado Enmarañado, enrevesado, enredado, dificultoso, difícil, complejo, múltiple. ↔ *Sencillo, simple, fácil.*

complicar Mezclar, involucrar. || Dificultar, obstaculizar, enredar, entorpecer, interponer. ↔ *Simplificar.*

complicarse Confundirse, liarse, enmarañarse, embrollarse, enredarse, enredarse la madeja, enzarzarse.

cómplice Coautor, fautor, codelincuente, colaborador, partícipe.

complicidad Connivencia.

complot Conspiración, conjura, conjuración, confabulación, maquinación, trama, intriga, cábala.

complutense Alcalaíno.

'componedor Algebrista.

componenda Arreglo, compostura, transacción, compromiso, chanchullo, compadrazgo, pastel.

componer Arreglar, acomodar, remendar, aderezar, restaurar. ↔ *Estropear.* || Acicalar, ataviar, adornar. || Constituir, formar. ↔ *Descomponer.*

comportamiento Proceder, conducta.

comportar Tolerar, aguantar, conllevar, soportar, suplir, permitir.

comportarse Portarse, conducirse, proceder.

composición Obra, poema, música. || Ajuste, convenio, arreglo, trato. || Compostura. || Galeradas, compaginación.

compostura Arreglo, remiendo, reparación, restauración. || Mesura, circunspección, modestia, decoro, recato, pudor, decencia. ↔ *Descompostura, descaro.* || Aseo, aliño. ↔ *Descompostura.* || Componenda, adulteración, falsificación.

compra Merca, recova, adquisición. ↔ *Venta.*

comprador Adquisidor, adquirente, parroquiano, cliente. ↔ *Vendedor.*

comprar Adquirir, mercar. ↔ *Vender.* || Sobornar, untar.

comprender Abarcar, abrazar, contener, encerrar, incluir. ↔ *Excluir.* || Entender, alcanzar, concebir, penetrar.

comprensión Inteligencia, talento, perspicacia, penetración, agudeza, alcances, juicio, entendimiento. || Condescendencia.

comprimir Apretar, prensar, estrujar, oprimir, reprimir, contener, sujetar. ↔ *Aflojar, desahogar.*

comprobar Verificar, cerciorarse, asegurarse, confirmar.

comprometer Exponer, arriesgar, 'bolear. ↔ *Salvaguardar.*

comprometerse Obligarse, empeñarse, ligarse, prometer. ↔ *Desligarse.*

comprometido Arduo, espinoso, delicado, difícil, dificultoso. ↔ *Fácil, intrascendente.* || Responsable.

compromisario Legatario, representante, embajador.

compromiso Apuro, conflicto, embarazo, aprieto, dificultad. || Obligación, deber, empeño. || Convenio, pacto, acuerdo, ajuste, transacción.

compuesto Mezcla, composición, complejo, agregado, mixtura, mescolanza. || Complejo, múltiple. ↔ *Simple.* || Arreglado, aliñado, acicalado, adornado. ↔ *Descompuesto, desarreglado.* || Mesurado, circunspecto, comedido. ↔ *Descompuesto.*

compulsar Confrontar, cotejar.

compunción Arrepentimiento, dolor, contrición, pesar, sentimiento, remordimiento. ↔ *Impenitencia, contumacia.*

compungido Contrito, arrepentido, pesaroso, contristado, afligido, atribulado. ↔ *Impenitente, despreocupado.*

computar Contar, comprobar, calcular, suputar, suponer.

cómputo Cálculo, cuenta.

común Genérico, general, universal, corriente, usual, frecuente, ordinario, vulgar, basto. ↔ *Propio, específico, fino.*

comunero Popular, afable, agradable, llano.

comunicación Oficio, escrito, comunicado. || Trato, correspondencia, relación. ↔ *Incomunicación.*

comunicado Comunicación, parte.

comunicar Manifestar, anunciar, participar, notificar, noticiar, avisar, informar, dar parte, poner en conocimiento. || Impartir, propagar, difundir, compartir. ↔ *Retener.*

comunicativo Expansivo, locuaz, sociable, tratable, afable. ↔ *Reservado, callado.*

comunidad Corporación, congregación, asociación.

comunión Participación. || Correspondencia, relación, trato. || Comunidad, congregación. || Facción, partido.

con En compañía de, al mismo tiempo.

conato Amago, asomo, indicio, anuncio, tentativa. || Intento, empeño, propósito, intención. ↔ *Consumación.*

concadenar Enlazar, juntar, unir.

concatenación Encadenamiento, eslabonamiento, conexión, enlace, sucesión, serie.

concavidad Seno, cavidad, cuenco, hueco. ↔ *Convexidad.*

concebir Comprender, entender, penetrar, alcanzar. || Imaginar, idear, pensar, proyectar, crear.

conceder Otorgar, dar, conferir, asignar. ↔ *Denegar.* || Admitir, reconocer, convenir, asentir. ↔ *Refutar.*

concejal Regidor, edil, munícipe, 'cabildante.

concejo Ayuntamiento, municipio, cabildo.

concentrar Centralizar, reunir, condensar. ↔ *Descentralizar, diluir.*

concepción Proyecto, idea, concepto, noción.

conceptismo Rebuscamiento, hermetismo.

concepto Idea, noción, conocimiento, pensamiento, opinión, juicio.

conceptuar Juzgar, estimar, calificar, tener por.

concerniente Relativo, referente, perteneciente, tocante.

concernir Atañer, tocar, corresponder, pertenecer, afectar, interesar, incumbir.

concertar Ajustar, tratar, pactar, acordar, convenir, concordar. ↔ *Romper.* || Arreglar, ordenar, ajustar, afinar, acordar, armonizar. ↔ *Desconcertar.*

concesión Privilegio, gracia, licencia, permiso. ↔ *Denegación, prohibición.*

conciencia Conocimiento, discernimiento, juicio. || Alma, corazón, sentimiento. || Responsabilidad, escrúpulo, cuidado, atención.

concienzudo Cuidadoso, esmerado, curioso, estudioso, aplicado. ↔ *Negligente, descuidado.*

concierto Ajuste, acuerdo, pacto, convenio. || Orden,

concordancia, armonía. ↔ *Desconcierto.*

conciliábulo Conferencia, asamblea. || Conspiración, maquinación, conjuración, cábala, complot, conseja, 'capul.

conciliación Armonía, avenencia, reconciliación, arreglo. || Concordancia, similitud, semejanza, conveniencia. || Favor, protección.

conciliar Armonizar, ajustar, concordar, pacificar. ↔ *Malquistar.*

conciliarse Granjearse, ganarse, atraerse. ↔ *Perderse.*

concilio Asamblea, congreso, capítulo, junta, reunión.

concisión Brevedad, precisión, laconismo. ↔ *Prolijidad.*

conciso Sucinto, breve, sumario, sobrio, compendioso, lacónico. ↔ *Prolijo.*

concitar Provocar, instigar, excitar, incitar.

conciudadano Paisano, compatricio, compatriota.

cónclave Congreso, reunión, junta.

concluir Acabar, terminar, finalizar, ultimar, rematar, consumir, agotar, apurar, gastar. ↔ *Iniciar, empezar.* || Inferir, deducir, colegir, seguirse.

conclusión Final, fin, término, terminación. ↔ *Comienzo, inicio.* || Consecuencia, deducción, resultado, resolución. ↔ *Premisas.*

concluyente Convincente, irrebatible, decisivo, contundente, terminante, definitivo. ↔ *Discutible.*

concomitancia Coincidencia, concordancia, corres-

C

C

pondencia. ↔ *Incoordinación.*

concomitante Concurrente, acompañante, simultáneo. ↔ *Ajeno, adventicio.*

concordancia Conformidad, correspondencia, concierto, acuerdo, armonía. ↔ *Discordancia.*

concordar Concertar, convenir, acordarse. ↔ *Discordar.*

concorde Acorde. ↔ *Discorde.*

concordia Conformidad, armonía, inteligencia, unión, compenetración, paz, amistad, hermandad. ↔ *Discordia.* ‖ Acuerdo, avenencia, convenio, pacto.

concreción Acumulación, apiñamiento. ‖ Nódulo.

concretar Precisar, abreviar, resumir, reducir. ↔ *Desarrollar, ampliar, divagar.*

concretarse Limitarse, circunscribirse, ceñirse, reducirse. ↔ *Extenderse.*

concreto Preciso, determinado, fijo, fijado, delimitado.

concubina Barragana, manceba, querida, amante.

conculcar Hollar, pisotear, atropellar, despreciar, escarnecer, infringir, quebrantar. ↔ *Respetar, cumplir.*

concupiscencia Avidez, codicia, apetito, deseo, incontinencia, sensualidad, liviandad. ↔ *Castidad.*

concurrencia Público, concurso, espectadores, auditorio, asistencia. ‖ Coincidencia, convergencia, concomitancia, confluencia, simultaneidad. ↔ *Divergencia.* ‖ Competencia, **rivalidad.**

concurrente Oyente, asistente, espectador.

concurrido Animado.

concurrir Asistir, reunirse, juntarse. ‖ Coincidir, converger, confluir. ↔ *Divergir.* ‖ Contribuir, ayudar, cooperar.

concurso Concurrençia, público, auditorio, espectadores, asistencia. ‖ Asistencia, ayuda, auxilio, intervención, cooperación. ‖ Certamen.

concusión Conmoción, sacudimiento, convulsión. ‖ Exacción, prevaricación, malversación.

concha Ostra. ‖ Carey. ‖ Caparazón, valva, cubierta.

conchabar Juntar, unir, asociar, mezclar.

'conchabar Contratar, ajustar, convenir.

conchabarse Confabularse, estar de manga.

'concho Poso, sedimento.

condecir Convenir, armonizar, concertar.

condecoración Distinción, galardón, honor.

condenación Reprobación, anatema, desaprobación, condena, pena, sanción. ↔ *Absolución, aprobación.*

condenado Reo, réprobo. ‖ Nocivo, perverso, endemoniado.

condenar Reprobar, desaprobar, anatematizar, penar, sancionar, castigar. ↔ *Absolver.* ‖ Cerrar, tapiar, tapar, tabicar, cegar. ↔ *Abrir.*

condensador Acumulador.

condensar Concentrar, espesar, comprimir, coagular. ↔ *Desleír, licuar.* ‖ Resumir, abreviar, compendiar. ↔ *Desleír, dilatarse.*

condescendencia Transigencia, blandura, benevolencia, indulgencia, complacencia, deferencia. ↔ *Resistencia, obstinación, terquedad, dureza.*

condescender Transigir, contemporizar, deferir, conceder. ↔ *Resistirse, obstinarse.*

condescendiente Complaciente, accesible, indulgente, tolerante, benévolo, servicial. ↔ *Intransigente.*

condición Genio, índole, natural, temple, carácter. ‖ Estado, situación, posición, clase, categoría. ‖ Requisito, supuesto, cláusula, restricción, estipulación, circunstancia, disposición.

condicionar Ajustar, convenir. ‖ Estipular. ‖ Supeditar, subordinar, depender, referir, ajustar.

condigno Congruo, justo, acomodado, proporcionado. ↔ *Indigno, injusto.*

cóndilo Apófisis, chueca.

condimentar Aderezar, adobar, sazonar, aliñar, guisar.

condiscípulo Discípulo, alumno, compañero.

condolencia Compasión, conmiseración, pésame. ↔ *Pláceme.*

condolerse Compadecerse, contristarse, lastimarse. ↔ *Alegrarse.*

condonar Perdonar, remitir, dispensar, relevar.

conducción Acarreo, transporte. ‖ Dirección, guiaje, administración, manejo, gobierno, riendas.

conducente Procedente, útil, conveniente, propio, adecuado.

conducir Llevar, transportar, dirigir, guiar, regir, administrar, gobernar.

conducirse Comportarse, portarse, proceder, actuar.

conducta Comportamiento, proceder, vida.

conducto Conducción, tubo, canal, vía, camino, medio.

conductor Piloto, guía, mentor, lazarillo, cochero, faetón, auriga, automedonte, carrero, carretero, maquinista, timonel, chófer, cabestro. || Jefe, director, instigador. || Conducto, transmisor, cordón, alambre.

condumio Companaje, compango.

conectar Unir, enlazar, conexar, empalmar. ↔ *Desconectar.*

conejera Conejar, madriguera, guarida, cueva.

conejillo de Indias 'Cuy.

conejo Gazapo, 'camera.

conexión Enlace, relación, unión, encadenamiento, acoplamiento, trabazón, empalme, 'atingencia. ↔ *Desconexión.*

conexo Trabado, unido, ligado, semejante, equivalente.

confabulación Conspiración, conjuración, complot, maquinación, intriga, connivencia, 'cambullón.

confabularse Conspirar, tramar, conjurarse, intrigar.

confalón Gonfalón, guión, pendón, estandarte. || Corneta.

confección Fabricación, ejecución, realización.

confeccionar Hacer, acabar, realizar, preparar, elaborar, fabricar, componer.

confederación Alianza, liga, unión, federación, coalición, convenio.

confederarse Aliarse, unirse, federarse, coaligarse. ↔ *Separarse, emanciparse.*

conferencia Conversación, coloquio, disertación, charla, lección.

conferenciante Discursante, orador.

conferenciar Parlamentar, conversar, platicar, deliberar, entrevistarse.

conferir Conceder, otorgar, dar, asignar, dispensar. ↔ *Privar, desposeer.*

confesar Declarar, reconocer, manifestar, admitir, aceptar, conceder, convenir. ↔ *Sigilar, ocultar, negar.*

confesión Confidencia, declaración.

confesiones Memorias, autobiografía.

confeso Donado, lego.

confesor Director espiritual. || Confidente.

confiado Crédulo, cándido, candoroso, incauto, imprevisor, descuidado, ingenuo, sencillo. ↔ *Desconfiado.*

confianza Esperanza, seguridad, tranquilidad, fe. ↔ *Desconfianza.* || Familiaridad, intimidad, libertad, llaneza, franqueza. ↔ *Empacho, embarazo.*

confiar Esperar, fiar, fiarse, abandonarse. ↔ *Desconfiar.* || Encargar, encomendar, delegar, depositar, entregar.

confidencia Comunicación, revelación, secreto.

confidente Íntimo. || Espía, soplón.

configuración Forma, conformación, figura.

confín Límite, término, frontera, linde, lindero, raya, divisoria.

confinación Confinamiento.

confinado Desterrado, extrañado. || Presidiario.

confinamiento Confinación, relegación, destierro, exilio, ablegación, reclusión, encierro, prisión.

confinante Limítrofe, contiguo, lindante, colindante, fronterizo. ↔ *Separado, alejado.*

confinar Limitar, lindar, colindar, confrontar, tocar, rayar. || Relegar, desterrar, recluir, encerrar.

confines Límites, lindes, extremidad, fin, barrera.

confinidad Contigüidad, cercanía, inmediación, proximidad. ↔ *Lejanía.*

confirmar Corroborar, ratificar, sancionar, revalidar, convalidar, reafirmar, afirmar, asegurar, aseverar. ↔ *Desmentir, rectificar.*

confiscación Incautación, retención, decomiso, apropiación. ↔ *Restitución.*

confiscar Decomisar, incautarse, aprehender. ↔ *Restituir.*

confitar Suavizar, endulzar, almirabar, azucarar.

confitera Bombonera.

confitería Pastelería, dulcería, repostería.

conflagración Incendio, perturbación, conflicto, revolución, guerra.

conflicto Apuro, aprieto, compromiso, dificultad, peligro, desasosiego, pugna, lucha, combate, conflagración, 'atrenzo.

confluencia Horcajo.

confluir Concurrir, converger, juntarse, reunirse, afluir. ↔ *Dispersarse, difluir.*

conformación Configuración, figura, forma.

C

C

conformar Ajustar, adaptar, concordar.

conformarse Resignarse, avenirse, allanarse, acomodarse, adaptarse, amoldarse, prestarse. ↔ *Resistirse, rebelarse.*

conforme Igual, correspondiente, proporcionado. || Acorde, parecido, idéntico, ajustado, semejante, bien avenido. ↔ *Disconforme.* || Según. || De acuerdo, visto bueno.

conformidad Resignación, paciencia. ↔ *Contrariedad.* || Acuerdo, aprobación, consentimiento, aquiescencia, anuencia. ↔ *Disconformidad.*

confort Comodidad, relajamiento.

confortante Cordial, restaurador, generoso, tónico, vivificante, estimulante, reconstituyente, remontador, consolador, excitante. || Mitón.

confortar Animar, reanimar, alentar, consolar, reconfortar, vigorizar, fortalecer, tonificar. ↔ *Desalentar, enervar.*

confraternidad Amistad, hermandad, fraternidad. ↔ *Enemistad.*

confrontación Careo, colación, cotejo.

confrontar Cotejar, compulsar, colacionar, comparar, carear. || Coincidir, avenirse, congeniar. ↔ *Diferir, discrepar.* || Confinar, lindar, colindar.

confundir Mezclar, enredar, desordenar, embrollar, perturbar, involucrar, trastocar, equivocar. ↔ *Distinguir.* || Avergonzar, abochornar, turbar, humillar, desconcertar, abatir, apa-

bullar, anonadar. ↔ *Exaltar, halagar.*

confusión Mezcla, mescolanza, enredo, desorden, embrollo, perturbación, desbarajuste, equivocación, error, 'entrevero. ↔ *Distinción, claridad.* || Perplejidad, duda, vacilación, desconcierto, desasosiego, turbación, vergüenza, bochorno, humillación. ↔ *Seguridad, tranquilidad.*

confuso Mezclado, revuelto, desordenado, embrollado, dudoso, oscuro. ↔ *Claro, distinto.* || Perplejo, confundido, desconcertado, turbado, avergonzado, abochornado, humillado. ↔ *Sereno, tranquilo, seguro.*

confutar Impugnar, rebatir, refutar. ↔ *Aceptar.*

congelación Congelamiento, heladura, helamiento, enfriamiento. ↔ *Torrefacción, calentamiento.*

congelar Helar. ↔ *Fundir.*

congénere Semejante.

congeniar Avenirse, entenderse, coincidir. ↔ *Discrepar, discordar.*

congénito Connatural, innato, ingénito, hereditario. ↔ *Adquirido.*

congerie Montón, cúmulo, acervo. ↔ *Escasez.*

congestión Abundancia, exceso, saturación, acumulación. || Apoplejía.

conglomerar Aglomerar, reunir. ↔ *Disgregar.*

conglomerarse Conglutinarse.

conglutinar Aglutinar, adherir, pegar, unir.

conglutinarse Conglomerarse.

congoja Desmayo, angustia, inquietud, zozobra, pena, desconsuelo, aflicción, tri-

bulación. ↔ *Satisfacción, placer, alegría.*

'congorocho Ciempiés.

congraciarse Captarse simpatías, simpatizar, agradar.

congratulación Felicitación, parabién, pláceme, enhorabuena. ↔ *Pésame, sentimientos.*

congratular Felicitar, cumplimentar, dar el parabién.

congratularse Alegrarse. ↔ *Arrepentirse.*

congregación Cofradía, comunidad.

congregar Reunir, juntar, agrupar, convocar. ↔ *Disgregar.*

congreso Asamblea, reunión, junta.

congrio Necio, botarate.

congruencia Oportunidad, conveniencia, coyuntura.

congruente Conveniente, oportuno, correspondiente, coherente, conexo. ↔ *Incongruente.*

congruo Congruente, condigno, oportuno, proporcionado. ↔ *Incongruente, inoportuno, desproporcionado.*

cónico Coniforme.

conjetura Suposición, hipótesis, supuesto, presunción, cábalas.

conjeturar Suponer, calcular, presumir, creer, figurarse, imaginar, tantear.

conjugado Conexo, relacionado, enlazado. ↔ *Inconexo.*

conjugar Unir, juntar. || Cotejar, comparar, relacionar.

conjunción Unión, enlace, coincidencia. ↔ *Disyunción.*

conjunto Unido, junto, contiguo, incorporado, mezclado. ↔ *Separado.* || Reunión, agregado, compuesto, combinación, fusión, totalidad, total.

conjura Conjuración, conspiración, complot, confabulación, intriga.

conjurar Evitar, remediar, alejar, exorcizar. || Implorar, rogar, suplicar, instar, imprecar.

conjurarse Confabularse, conspirar, maquinar, intrigar.

conjuro Imprecación, invocación, súplica, ruego.

conllevar Coadyuvar, ayudar. || Sobrellevar, soportar, comportar, aguantar, tolerar, sufrir.

conmemoración Memoria, recuerdo, remembranza, evocación, celebración, festividad, aniversario.

conmilitón Comilitón, compañero, camarada, condiscípulo.

conminar Amenazar, intimar, mandar.

conmiseración Compasión, piedad, lástima, misericordia. ↔ *Desdén, escarnio.*

conmoción Sacudida, sacudimiento, convulsión, agitación, perturbación, disturbio, levantamiento, 'cimbronazo.

conmovedor Emocionante, enternecedor, sentimental, impresionante, patético. ↔ *Hilarante, ridículo.*

conmover Sacudir, agitar, perturbar, alterar, emocionar, enternecer, impresionar. ↔ *Tranquilizar, serenar.*

conmutador Cortacorriente, interruptor.

conmutar Permutar, trocar, cambiar.

connatural Natural, nato, congénito, ingénito, propio, intrínseco. ↔ *Artificial, adquirido, extrínseco.*

connivencia Acuerdo, complicidad, confabulación, conspiración, contubernio.

connotado Allegado, relacionado, emparentado. ↔ *Independiente.*

conocedor Práctico, avezado, experimentado, experto, perito, versado. ↔ *Ignorante, lego.* || Sabedor, noticioso, informado, enterado. ↔ *Desconocedor.*

conocer Saber, entender, comprender, percibir, advertir, notar, observar, percatarse, darse cuenta. ↔ *Desconocer, ignorar.*

conocible Cognoscible, inteligible, comprensible. ↔ *Incognoscible.*

conocido Famoso, renombrado, afamado, reputado, acreditado, celebrado, distinguido. ↔ *Desconocido, anónimo, oscuro.*

conocimiento Entendimiento, inteligencia, razón, discernimiento, juicio. || Cognición. ↔ *Desconocimiento.*

conocimientos Saber, erudición, nociones, rudimentos.

conquistar Tomar, ocupar, adueñarse, apoderarse. ↔ *Perder.* || Seducir, persuadir, convencer, catequizar, convertir, atraerse, granjearse, ganarse. ↔ *Perderse.* || Galantear, camelar, seducir.

consabido Aludido, citado, mencionado, mentado, nombrado, harto sabido. ↔ *Desconocido.*

consagrar Dedicar, destinar. || Sancionar, acreditar.

consagrarse Entregarse.

consanguinidad Parentesco, afinidad, cognación. || Origen, tronco, fuente, progenie, atavismo.

consciente Cuidadoso, apercibido, responsable, honrado, escrupuloso, probo, honesto. ↔ *Descuidado, irresponsable.*

conscripción Reclutamiento, quinta, leva.

consectario Corolario. || Consiguiente, anejo, supeditado.

consecución Logro, obtención.

consecuencia Deducción, conclusión, inferencia, corolario, ilación, derivación, efecto, resultado, producto, resultas, secuela. ↔ *Causa.*

consecuente Siguiente, a continuación. || Justo, razonable.

conseguir Alcanzar, lograr, obtener, adquirir, sacar, ganar. ↔ *Perder.*

conseja Cuento, fábula, patraña.

consejero Mentor, asesor, guía, maestro, consiliario.

consejo Advertencia, aviso, indicación, exhortación, parecer, dictamen. || Junta, reunión.

consenso Consentimiento, asenso, aquiescencia, conformidad, aprobación. ↔ *Denegación.*

consentido Mimado, malcriado, 'ñaña.

consentimiento Consenso, permiso, autorización, licencia, venia, aquiescencia, asentimiento, asenso, anuencia, beneplácito. ↔ *Denegación, disentimiento.*

consentir Permitir, autorizar, acceder, condescender, admitir, tolerar, mi-

C

mar, malcriar, viciar. ↔ Denegar, resistirse, corregir.

conserje Portero, bedel, ordenanza, mayordomo.

conservador Reaccionario, tradicionalista, burgués. ↔ Progresista.

conservar Preservar, salvaguardar, cuidar, mantener, guardar, retener, continuar, seguir. ↔ Deteriorar, tirar, abandonar.

considerable Cuantioso, grande, numeroso, importante. ↔ Insignificante.

consideración Respeto, deferencia, miramiento, aprecio, estima. ↔ Desprecio. || Atención, estudio, reflexión, meditación. || Importancia, cuantía, monta.

considerado Respetado, estimado, apreciado. ↔ Despreciado. || Mirado, comedido, circunspecto, atento, deferente, respetuoso. ↔ Desconsiderado.

considerar Pensar, reflexionar, meditar, examinar, mirar, pesar. || Tener por, conceptuar, estimar, reputar por, juzgar. || Respetar. ↔ Menospreciar.

consignar Expedir, enviar, destinar, designar. || Entregar, depositar. || Firmar, asentir, manifestar.

consignatario Depositario, || Acreedor.

consiguiente (por) Por ello, por lo tanto, así pues, en consecuencia.

consiliario Consejero, asesor.

consistencia Resistencia, solidez, estabilidad, firmeza, trabazón, coherencia, duración. ↔ Inconsistencia.

consistir Estribar, fundamentarse, residir.

consistorial (casa) Ayuntamiento, concejo.

consistorio Ayuntamiento, corporación municipal, cabildo, junta municipal, concejo.

consolación Alivio, apaciguamiento, atenuación, aligeramiento, bálsamo, confortación, consuelo, suavización. ↔ Exacerbación, desazón.

consolador Consolante, reconfortante.

consolar Confortar, animar, alentar, reanimar, calmar, tranquilizar. ↔ Atribular, desazonar.

consolidar Afianzar, asegurar, fijar, fortalecer, robustecer. ↔ Debilitar.

consonancia Armonía, conformidad, proporción, relación. ↔ Disonancia.

consonante Cónsono, acorde.

consorcio Compañía, sociedad, asociación. || Matrimonio.

consorte Cónyuge, esposo, esposa.

conspicuo Ilustre, famoso, insigne, notable, sobresaliente, egregio, destacado. ↔ Oscuro.

conspiración Conjura, conjuración, complot, confabulación, maquinación, contubernio.

conspirar Conjurarse, confabularse, maquinar, tramar, intrigar.

constancia Perseverancia, tenacidad, persistencia, tesón, fidelidad. ↔ Inconstancia, volubilidad.

constante Perseverante, persistente, tenaz, fiel, firme, incesante, continuo, invariable, durable, duradero, 'empeñoso, 'tesonero. ↔

Inconstante, voluble, variable, esporádico.

constar Componerse, constituir, consistir, contener.

constelar Sembrar, esmaltar.

consternar Afligir, abatir, conturbar, desolarse. ↔ Alentar, animar.

constipado Resfriado, fluxión.

constiparse Acatarrarse, resfriarse.

constitución Contextura, configuración, complexión, naturaleza.

constituir Formar, componer. || Establecer, instituir, fundar, erigir. ↔ Disolver.

constreñimiento Coerción, coacción, imposición.

constreñir Obligar, compeler, forzar, impeler. ↔ Dejar libertad. || Contraer, cerrar. ↔ Dilatar.

constricción Encogimiento.

construcción Obra, edificio. || Aparato, dispositivo, armazón.

constructor Maestro de obras, arquitecto, aparejador.

construir Edificar, erigir, levantar, obrar, fabricar, montar. ↔ Destruir.

consuelda Sínfito.

consuelo Alivio, descanso, calmante, bálsamo, lenitivo, alegría, gozo. ↔ Desconsuelo, desolación.

consuetudinario Consuetudinal, común, frecuente, ordinario, acostumbrado. ↔ Desusado, raro.

consulta Parecer, dictamen, consejo, opinión, sugestión, sugerencia. || Conferencia, deliberación, junta, examen.

consultar Aconsejarse, asesorarse. || Estudiar, examinar, tratar.

consultivo Asesor, dictaminador.

consultor Asesor, consejero.

consultorio Dispensario, clínica, policlínica. || Bufete, oficio, despacho.

consumación Acabamiento, final, perfección. ↔ *Conato.*

consumado Acabado, terminado, llevado a cabo, llevado a término. || Cumplido, perfecto.

consumar Acabar, concluir, realizar, ejecutar, cometer. ↔ *Iniciar, intentar.*

consumición Consumo, gasto. || Consunción, agotamiento.

consumido Flaco, macilento, extenuado, débil, debilitado. ↔ *Fuerte.* || Apurado, afligido.

consumidor Cliente, comprador.

consumir Gastar, desgastar, apurar, agotar, acabar, extinguir, destruir. ↔ *Conservar, restaurar.* || Desazonar, afligir, atribular.

consumo Gasto, consumición.

consunción Extenuación, agotamiento, enflaquecimiento, consumición, tabes.

contable Contador, tenedor de libros.

contacto Tacto, tocamiento, empalme. || Relación, vecindad, frecuentación, acercamiento, amistad.

contado Raro, escaso, señalado, determinado. ↔ *Frecuente, indeterminado.*

contador Contable, tenedor de libros.

contaduría Administración, taquilla, pagaduría, 'boletería.

contagiar Contaminar, inficionar, infestar, pegar, infectar, inocular. || Viciar, corromper, pervertir, malear.

contagio Comunicación, inficionamiento, infección, contaminación, corrupción.

contagioso Pegadizo, vicioso, infeccioso.

contaminar Contagiar. || Profanar, quebrantar, ofender.

contar Narrar, relatar, referir. || Enumerar, computar.

contemplar Considerar, examinar, mirar, meditar, admirar. || Mimar, complacer.

contemplativo Curioso, contemplador, observador. || Meditativo, extático, soñador, iluminado. ↔ *Activo.*

contemporáneo Coetáneo, simultáneo, sincrónico, coexistente, actual.

contemporización Compromiso, transigencia. || Enjuague, pastel, chanchullo.

contemporizar Temporizar, transigir, condescender. ↔ *Obstinarse.*

contención Contienda, emulación, litigio.

contender Luchar, pelear, lidiar, batallar, disputar, competir.

contendiente Beligerante, contrario, enemigo.

contener Reprimir, moderar, dominar, sujetar, refrenar, vencer. ↔ *Desatar, dar rienda suelta.* || Abarcar, comprender, abrazar, encerrar, contar, poseer.

contenerse Reportarse, reprimirse, frenarse, moderarse. ↔ *Desenfrenarse.*

contenta Agasajo, regalo, obsequio.

contentamiento Contento,

alegría, gozo, satisfacción, júbilo, placer, alborozo, regocijo. ↔ *Descontentamiento, disgusto.*

contentar Satisfacer, complacer, agradar. ↔ *Descontentar, disgustar.*

contentible Aborrecible, despreciable.

contento Contentamiento, satisfacción, alegría, júbilo, alborozo, regocijo, placer. ↔ *Descontento, disgusto.* || Satisfecho, complacido, encantado, jubiloso. ↔ *Descontento, disgustado.*

contera Remate, acabamiento, fin, término. || Extremo, añadidura. || Estribillo. || Virola.

conterráneo Compatricio, compatriota, paisano.

contestable Cuestionable, impugnable, discutible, rebatible, controvertible. ↔ *Incontestable.*

contestación Respuesta.

contestar Responder, replicar.

contexto Argumento, trabazón, encadenamiento, enlace, texto. || Enredo, maraña. || Hilo, tejido, textura, contextura.

contextura Constitución, textura, estructura, contexto.

contienda Pelea, riña, pendencia, lucha, disputa, competición.

contigüidad Cercanía, vecindad, adyacencia, inmediación. ↔ *Lejanía.*

contiguo Inmediato, adyacente, junto, lindante, colindante, limítrofe, confinante. ↔ *Separado, apartado.*

continencia Moderación, templanza, abstinencia, castidad. ↔ *Incontinencia.*

continente Casto, abstinente, puro, púdico. ↔ *Incontinente.* ‖ Talante, aire, compostura.

contingencia Eventualidad, accidente, casualidad, posibilidad, emergencia, probabilidad, riesgo, coyuntura, circunstancia. ↔ *Necesidad.*

contingible Acaecible, posible. ↔ *Imposible.*

continuación Prosecución, prorrogación, prolongación. ↔ *Interrupción.*

continuar Proseguir, seguir, persistir, permanecer, durar; prolongar, alargar. ↔ *Interrumpir.*

continuidad Unión, encadenamiento, continuación, prolongación, consecuencia, persistencia. ↔ *Discontinuidad, solución de continuidad.*

continuo Incesante, constante, persistente, ininterrumpido, asiduo, perenne, perpetuo. ↔ *Discontinuo, intermitente.*

contonearse Pavonearse, anadear, hacer combas, 'zarandearse.

contoneo Campaneo, cernidillo.

contornear Perfilar. ‖ Contornar, rodear.

contorno Perfil, perímetro, periferia, derredor.

contornos Alrededores, inmediaciones, cercanías, proximidades, afueras. ↔ *Centro.*

contorsión Retorcimiento, contracción, gesticulación, ademán.

contra Dificultad, inconveniente, obstáculo, estorbo, objeción, oposición. ↔ *Pro, defensa.*

contrabajo Violón.

contrabando Alijo, fraude, contravención, matute.

contracambio Trueque, compensación.

contracción Encogimiento, constricción, astricción, crispación, espasmo. ↔ *Dilatación, relajación.*

contradecir Discutir, replicar, desmentir, objetar, impugnar, rebatir, refutar. ↔ *Confirmar.*

contradicción Réplica, mentís, objeción, impugnación, refutación. ↔ *Confirmación.* ‖ Contrariedad, oposición. ‖ Contrasentido, antinomia, antítesis, paradoja. ↔ *Concordancia.*

contradictorio Contrario, opuesto, contrapuesto, antinómico, antitético, paradójico. ↔ *Concorde, conforme.*

contraer Adquirir. ↔ *Perder.* ‖ Constreñir, encoger, crispar. ↔ *Extender, dilatar.*

contraerse Encogerse, crisparse, estrecharse. ↔ *Dilatarse.* ‖ Ceñirse, limitarse. ↔ *Extenderse.*

contrafuerte Botarel.

contrahacer Imitar, remedar, copiar, falsear, falsificar, adulterar.

contrahecho Jorobado, corcovado, giboso, malhecho, deforme. ‖ Baldado, encogido, tullido.

contramaestre Capataz, encargado, mayoral.

contranatural Antinatural.

contraorden Retractación, revocación, cancelación, desmandamiento.

contrapelo (a) Al revés, en sentido contrario, en contradicción.

contrapeso Compensación, equilibrio. ‖ Balancín.

contraponer Oponer, comparar, cotejar.

contraposición Antagonismo, oposición, rivalidad. ↔ *Coincidencia.*

contrapuntear Ofender, indignar, zaherir.

contrapuntearse Picarse, resentirse.

contrariar Oponerse, dificultar, entorpecer, estorbar. ↔ *Aprobar, sancionar.* ‖ Incomodar, disgustar, molestar, mortificar, fastidiar. ↔ *Complacer.*

contrariedad Obstáculo, contratiempo, dificultad, 'vaina. ↔ *Facilidad.* ‖ Disgusto, desagrado, desazón, decepción. ↔ *Agrado, complacencia.*

contrario Opuesto, adverso, contrapuesto, antónimo, antinómico, antitético, contradictorio. ↔ *Coincidente, sinónimo.* ‖ Adversario, antagonista, rival, enemigo. ↔ *Simpatizante, amigo.* ‖ Perjudicial, dañino, dañoso, nocivo. ↔ *Favorable.*

contrarrestar Resistir, afrontar, arrostrar, oponerse, compensar, equilibrar. ↔ *Ceder.*

contrarresto Oposición.

contrasentido Error, equivocación, sinrazón, aberración, confusión, descarrío. ↔ *Corroboración.*

contraseña Contramarca, consigna, santo y seña.

contraste Oposición, diferencia, disparidad, desemejanza, desigualdad. ↔ *Parangón, semejanza.*

contratar Ajustar, convenir, estipular, comerciar, acordar, negociar, pactar. ↔ *Rescindir, cancelar.* ‖ 'Conchabar.

contratiempo Percance, contrariedad, accidente, dificultad, obstáculo.

contratista Empresario, maestro de obras.

contrato Pacto, convenio, acuerdo, compromiso, ajuste.

contravención Desobediencia, inobediencia, desacato.

contraveneno Antídoto, antitóxico. ↔ *Veneno.*

contravenir Transgredir, infringir, desobedecer, vulnerar, violar, quebrantar, conculcar. ↔ *Cumplir, obedecer, respetar.*

contraventana 'Abra.

contribución Impuesto, tributo, subsidio, carga. ‖ Cooperación, colaboración, aportación, ayuda.

contribuir Tributar. ‖ Coadyuvar, cooperar, colaborar, asistir, ayudar, auxiliar.

contrición Arrepentimiento, remordimiento, compunción, dolor, sentimiento, pesar. ↔ *Impenitencia.*

contrincante Competidor, émulo, rival, contendiente, adversario, contrario. ↔ *Compañero.*

contristar Entristecer, afligir, apesadumbrar, apenar, apesarar, desconsolar. ↔ *Alegrar.*

contrito Compungido, arrepentido, pesaroso. ↔ *Incontrito.*

control Examen, censura, verificación, inspección, vigilancia.

controlar Comprobar, vigilar, verificar, contrastar, inspeccionar, censurar, criticar, examinar. ↔ *Pasar por alto, hacer la vista gorda.*

controversia Polémica, discusión, disputa, debate, litigio. ↔ *Acuerdo.*

controvertible Discutible, impugnable, contestable, cuestionable, rebatible. ↔ *Incontrovertible.*

controvertir Discutir, disputar, debatir, polemizar, dialogar.

contubernio Cohabitación, ayuntamiento. ‖ Confabulación, conspiración, complot, maquinación, connivencia, alianza, conchabanza, monipodio.

contumaz Impenitente, recalcitrante, rebelde, obstinado, porfiado, terco, pertinaz, tenaz. ↔ *Arrepentido, compungido, dócil.*

contumelia Ofensa, injuria, afrenta, oprobio, ultraje.

contundente Decisivo, concluyente, convincente, terminante, irrebatible, incontrastable. ↔ *Débil, rebatible, discutible.*

contundir Pegar, azotar, golpear, sacudir, tundir, magullar, percutir.

conturbación Turbación, desasosiego, intranquilidad, inquietud, conmoción. ↔ *Serenidad.*

conturbar Turbar, perturbar, alterar, inquietar, conmover. ↔ *Calmar, serenar.*

contusión Magulladura, magullamiento, lesión, golpe.

convalecencia Recobramiento, mejoría, recuperación.

convalecer Recobrarse, mejorar, recuperarse, cobrar ánimos, salir del peligro. ↔ *Empeorar.*

convalidar Reconfirmar, confirmar, hacer valer, corroborar, revalidar, reafirmar, ratificar. ↔ *Anular, perder.*

convecino Contiguo, vecino, cercano, contiguo, próximo. ↔ *Lejano.*

convencer Persuadir, catequizar, conquistar, convertir.

convencimiento Convicción, persuasión, creencia, certeza. ↔ *Disuasión, incertidumbre.*

convención Convenio, pacto, acuerdo, tratado.

conveniencia Comodidad, regalo, utilidad, proyecho, beneficio. ↔ *Inconveniencia, molestia.*

conveniente Útil, provechoso, beneficioso, ventajoso, oportuno, acomodado, adecuado, idóneo, decente, propio, proporcionado. ↔ *Inconveniente, perjudicial.*

convenio Pacto, ajuste, convención, acuerdo, compromiso, arreglo, tratado, contrato.

convenir Admitir, aceptar, reconocer, coincidir, acordar, pactar, quedar, concordar, ajustar, 'conchabar. ‖ Importar, corresponder, cuadrar, encajar. ‖ Concurrir, acudir, juntarse. ↔ *Dispersarse.*

conventículo Cábala, intriga, conjura.

convento Monasterio, cenobio, priorato.

convergencia Concurrencia, unión, juntura, coincidencia, confluencia. ↔ *Divergencia.*

converger Convergir, confluir, concurrir, dirigirse, coincidir. ↔ *Divergir.*

conversación Coloquio, plática, diálogo, charla, cháchara, palique, entrevista, conferencia.

conversar Hablar, platicar, dialogar, departir, char-

C

lar, entrevistarse, conferenciar, 'tallar.

conversión Mudanza, cambio, mutación, transmutación, transformación, metamorfosis. || Enmienda, corrección. ↔ *Perversión.*

converso Convertido, neófito. || Lego.

convertir Cambiar, transformar, mudar, metamorfosear, transmutar. || Conquistar, catequizar, convencer, persuadir.

convertirse Abjurar, retractarse, enmendarse, corregirse. ↔ *Apostatar, pervertirse.*

convexo Abombado, lenticular, orondo, panzudo, prominente. ↔ *Cóncavo.*

convicción Convencimiento, persuasión, creencia, certeza. ↔ *Incertidumbre, duda.*

convidado Huésped, comensal, invitado.

convidar Invitar, mover, incitar, inducir, atraer, llamar, ofrecer.

convincente Concluyente, contundente, terminante, persuasivo, decisivo. ↔ *Discutible, disuasivo.*

convite Ágape, banquete, piripao, comilona, 'cacharparí. || Invitación.

convivir Cohabitar.

convocar Citar, llamar, congregar.

convocatoria Convocación, llamamiento, llamada, cita, orden, edicto, indicación, aviso.

convoy Séquito, acompañamiento, escolta. || Vinagreras, taller.

convulsión Sacudida, conmoción, agitación, perturbación, disturbio, tumulto, motín.

convulso Agitado, trémulo, tembloroso, excitado, desordenado. ↔ *Tranquilo.*

conyugal Matrimonial.

cónyuge Consorte, esposo, esposa.

cooperar Colaborar, contribuir, coadyuvar, participar, ayudar, auxiliar.

cooperatismo Mutualismo, coadyuvación.

cooperativa Mutua, pósito.

coordinar Ordenar, arreglar, concertar, combinar. ↔ *Desordenar, desconcertar.*

copa Cáliz, crátera, bol, vaso. || Carrujo. || Premio, galardón.

'copaquira Caparrosa, vitriolo.

copar Rodear, envolver, sorprender, aprisionar, atenacear. || Saltar la banca.

copartícipe Coautor, copropietario, condueño, cointeresado, cómplice.

copayero 'Camibar.

copelar Acendrar.

copero Pincerna.

copete Tupé, penacho, flequillo, mechón. || (de alto) Empingorotado, linajudo, aristocrático. || Cima, cumbre, copa.

copia Calco, reproducción, duplicado, facsímil, traslado, trasunto. || Plagio, imitación, remedo. ↔ *Original.* || Abundancia, acopio, profusión, riqueza. ↔ *Escasez.* || 'Cardumen.

copiar Calcar, reproducir, transcribir, trasladar. || Plagiar, falsificar, imitar, remedar, contrahacer. ↔ *Crear, inventar, imaginar.*

'copinar Desollar.

copioso Abundante, cuantioso, numeroso, considerable, pingüe, profuso, 'larguero. ↔ *Escaso, raro.*

copla Estrofa.

copo Mechón. || Grumo, coágulo. || Redada, rodeo, envolvimiento.

copo de nieve Ampo.

copón Píxide.

coplero 'Pallador.

cópula Atadura, unión, coito.

copularse Ayuntarse, yacer, cubrir, amarizarse, aparearse.

coqueta Casquivana, frívola, presumida, vanidosa, muñeca, 'mica.

coquetear Redamar, flirtear, quillotrar.

coquetería Coqueteo, galanteo, raboseo, chichisbeo. || Seducción, gracia, encanto, provocación.

coquetón Gracioso, atractivo, bonito, agradable. || Galancete, guapo, lechugino, chafandín, tenorio.

coracero Tagarnina, cigarrote, vitola.

coraje Valor, esfuerzo, arrojo, audacia, intrepidez. ↔ *Pusilanimidad, miedo.* || Enojo, irritación, ira, cólera, furia, rabia. ↔ *Calma, serenidad.*

coral Masa coral, coro, orfeón.

corambre Odre. || Pellejo, cuero, curtido.

'corasí Mosquito.

coraza Armadura. || Blindaje.

corazón Ánimo, espíritu, valor, atrevimiento, osadía. || Sentimientos, sensibilidad, benignidad. || Interior, centro, núcleo, cogollo. ↔ *Periferia, exterior.*

corazonada Instinto, presentimiento, impulso, arranque.

corazoncillo Hipérico.

corbata Chalina, pajarita.

corcel Trotón, alfana, palafrén, bridón, alfaraz, caballo.

'corcolén Aromo.

corcova Joroba, giba, chepa.

corcovado Jorobado, giboso, contrahecho.

corchete Alguacil, sayón, esbirro. || Llave. || Gafete.

cordel Cuerda, guindaleta, guita, bramante, b a g a, apretadera, cinta.

'corderaje Borregada.

cordero Borrego, andosco, ternasco, caloyo.

cordero divino Jesucristo.

cordial Cariñoso, afectuoso, franco, sencillo, amable, afable, hospitalario. ↔ Huraño. || Reconfortante, tisana, elixir.

cordialidad Afecto, amabilidad, afabilidad, franqueza, sencillez, llaneza, sinceridad. ↔ Adustez, desabrimiento, frialdad.

cordillera Cadena de montañas, sierra.

cordón Galón, trencilla, fleco.

cordura Juicio, seso, prudencia, sensatez. ↔ Locura.

corea Baile de San Vito.

corear Acompañar, hacer coro, asentir.

coriáceo Tenaz, resistente. ↔ Blando, endeble.

'coriana Cobertor, manta.

corifeo Adalid, jefe, caudillo.

corindón Esmeralda orientar, 'tibe.

corito En cueros, desnudo. || Tímido, encogido, medroso. ↔ Descocado.

coriza Romadizo, catarro, resfriado. || Abarca, pihúa.

corma Molestia, embarazo, estorbo.

cornada Cachada, puntazo, mochada, apitonamiento.

cornal Yugo, coyunda, dentejón.

cornalina Alaqueca, ágata.

cornamenta Asta, encornadura.

cornamusa Gaita.

cornear Acornar, topar, amurcar, mancornar, embolar.

corneja Chova.

cornejo Sanguiñuelo, corno, cornizo, sangüeño.

corneta Cornetín, clarín, cuerno, trompeta. || Gonfalón, estandarte. || Abanderado, alférez.

cornijal Ángulo, esquina, canto, esquinazo, cornijón, calce.

cornisa Cornija, arimez, coronamiento, remate.

cornisamento Entablamento, cornijón.

corno Cornejo.

cornudilla Pez martillo.

coro Coral, masa coral, orfeón.

corolario Inferencia, derivación, resultado, conclusión, consecuencia. ↔ Premisas.

corona Diadema, guirnalda, aureola, halo, nimbo. || Tonsura. || Reino, monarquía. || Premio, recompensa, honor, gloria. || Coronilla.

'corota Cresta.

'corotos Trastos, trebejos.

coronar Sacramentar, ungir, ceñir, consagrar. || Nimbar, aureolar. || Finalizar, rematar, completar, realizar, cumplir, arribar.

corondel Regleta.

coronilla Corona.

coroza Rocadero.

corpiño Jubón, almilla.

corporación Institución, entidad, asociación, sociedad.

corporal Somático, carnal, corpóreo. ↔ Espiritual, incorpóreo.

corpulencia Grandeza, magnitud, mole, grosor, balumba, solidez, volumen. ↔ Delgadez.

corpulento Grande, gordo, grueso, voluminoso. ↔ Enjuto.

corpúsculo Molécula, partícula, átomo, elemento, célula, microbio.

corral Corraliza, corte, cortil, establo, majada, aprisco, redil, 'pampón, 'manguera.

correa Correhuela, mancuerna, manatí, tirante. || Pretina, cinturón. || Agujeta, tireta. || Flexibilidad, elasticidad.

correaje Fornitura. || Forrajera, charpa, tiracol, bandolera.

corrección Enmienda, rectificación, modificación, retoque, mejora. || Cortesía, urbanidad, discreción, circunspección. ↔ Incorrección. || Represión, censura, pena, corrección, castigo. ↔ Premio.

correccional Internado, penitenciaría. || Reformatorio, asilo.

correctivo Corrector, enmendador, disciplinario, edificante, reformatorio, rectificativo. || Castigo.

correcto Castizo, puro, justo, cabal, exacto, fiel. ↔ Incorrecto. || Cortés, discreto, comedido, circunspecto. ↔ Incorrecto, descortés.

corredera Ranura, raíl, riel, carril.

corredor Pasillo, pasadizo.

C

correduría Corretaje, comisión.

corregir Enmendar, retocar, rectificar, modificar, subsanar, salvar. ↔ *Corromper*. || Moderar, templar, atemperar, suavizar. ↔ *Excitar*. || Amonestar, reprender, advertir, castigar.

correhuela Correa. || Centinodia.

correlación Parecido, analogía, reciprocidad, sucesión.

correligionario Camarada, compañero, socio, cofrade.

correntío Fluente, corriente. || Ligero, desembarazado, suelto, desenvuelto. ↔ *Cortado*.

correo Posta, servicio postal, comunicación. || Correspondencia, s a c a. || Mensajero, cartero, estafeta, alfaqueque.

correoso Elástico, mimbreño, flexible.

correr Apresurarse, precipitarse, trotar, galopar, volar, 'acholar. || Transcurrir, pasar. || Huir, escapar. || Recorrer, andar, viajar. || Deslizarse, resbalar.

correría Incursión, *razzia. || Excursión, viaje.

correrse Extenderse, propagarse, difundirse, propalarse, divulgarse. ↔ *Circunscribirse*. || Avergonzarse, abochornarse, confundirse, cortarse, sofocarse.

correspondencia Correo. || Relación, conexión, conformidad, correlación, consonancia, reciprocidad, proporción. ↔ *Inconexión*.

corresponder Tocar, incumbir, pertenecer, atañer, con-

cernir, afectar. || Recompensar, agradecer, pagar, compensar.

corresponderse Cartearse, escribirse. || Q u e r e r s e, amarse, entenderse.

correspondiente Proporcionado, conveniente, adecuado, oportuno. || Corresponsal.

corretaje Correduría, comisión, prima.

corretear Viltrotear, callejear, vagar, zanganear, gallofear, mangonear. || Correr, andar, recorrer.

correveidile Chismoso, alcahuete, entrometido, chismorreo, murmurador.

corrida Lidia, becerrada.

corrido Experimentado, avezado, fogueado, ducho. ↔ *Novato*. || Avergonzado, abochornado, confundido, cortado, sofocado.

corriente Común, usual, ordinario, habitual, sabido, acostumbrado, frecuente. ↔ *Desusado*. || Fácil, llano. ↔ *Dificultoso*. || Presente, actual. || Bien, perfectamente, sea. || Curso.

corrillero Andorrero, cantonero, gallofero, callejero.

corrimiento Deslizamiento, desmoronamiento. || Vergüenza, bochorno, rubor, confusión.

corro Rueda, círculo, cerco, reunión, peña.

corro (hacer) Sumarse, apiñarse, juntarse.

corroborar Confirmar, ratificar, reafirmar, apoyar, robustecer. ↔ *Desmentir*.

corroer Roer, desgastar, consumir, comer. || Remorder, minar, perturbar.

corromper Alterar, descomponer, pudrir, dañar. ↔ *Conservar*. || Viciar, per-

vertir, estragar, depravar, seducir, sobornar.

corrompido Corrupto, putrefacto, viciado. || Perverso, vicioso, libertino.

corrosión Desgaste. || Resquemor, escozor.

corrosivo Mordiente, cáustico, mordaz, ácido, destructivo. ↔ *Lenitivo, constructivo*.

corrugación Encogimiento, contracción.

corrupción Descomposición, putrefacción. ↔ *Conservación*. || Depravación, perversión, vicio, corruptela, soborno, cohecho. ↔ *Integridad*.

corruptor Corrompedor, corruptivo, putrefactivo, séptico. ↔ *Aséptico*.

corrusco Mendrugo.

corsario Pirata, filibustero, bucanero.

corsé Cotilla, justillo, ajustador, faja.

cortacorriente Conmutador.

cortado Ajustado, acomodado, proporcionado. || Parado, indeciso, desconcertado, turbado. ↔ *Desenvuelto*. || Inciso, clausulado.

cortadura Grieta, abertura, hendidura. || Corte, incisión, sección.

cortafrío Tajadera, cincel.

cortante Tajante, acerado, agudo, afilado, incisivo. || Brusco, autoritario, intransigente.

cortapisa Restricción, limitación, traba, condición, inconveniente, dificultad, estorbo, obstáculo.

cortaplumas Navaja, cuchillo, cortalápices, tajaplumas.

cortar Dividir, separar, tajar, truncar, sajar, amputar, recortar, guillotinar.

↔ *Pegar, unir.* || Suspender, detener, atajar, interrumpir. ↔ *Continuar, enlazar.* || Hender, atravesar, surcar.

cortarse Atajarse, turbarse, desconcertarse, aturdirse, confundirse, correrse. || Cuajar, coagularse. ↔ *Licuarse.*

corte Filo. || Sección, incisión, cortadura, tajo.

corte Séquito, cohorte, comitiva, cortejo, acompañamiento. || Corral, cortil, corraliza.

corte (hacer la) Cortejar.

cortedad Encogimiento, pusilanimidad, apocamiento, timidez, empacho, torpeza, necedad. ↔ *Prontitud, agudeza.*

cortejar Galantear, enamorar, hacer la corte.

cortejo Séquito, acompañamiento, comitiva.

cortes Parlamento, cámara, asamblea nacional.

cortés Educado, atento, amable, afable, urbano, fino, obsequioso. ↔ *Descortés, desabrido, mal educado.*

cortesana Ramera.

cortesano Cortés, educado, atento, amable, fino, urbano, afable. ↔ *Rústico, rudo, grosero.*

cortesía Cortesanía, urbanidad, finura, afabilidad, amabilidad, atención, 'caravana. ↔ *Descortesía.* || Cumplido, obsequio, regalo.

corteza Cáscara, costra, envoltura, cubierta, toba, casca. || Apariencia, exterioridad. || 'Gachumbo.

cortezuela Crústula.

cortijo Alquería, granja, rancho.

cortil Corral.

cortina Cortinilla, cortinaje, colgadura, *estor, tapiz, dosel.

cortinilla Visillo, cortina.

corto Breve, conciso, sucinto, sumario, compendioso. ↔ *Largo.* || Escaso, pequeño, chico, miserable, mezquino, pobre, insuficiente, exiguo. ↔ *Largo.* || Apocado, vergonzoso, pusilánime, encogido, tímido, torpe, inculto. ↔ *Listo, agudo.*

coruscar Brillar, resplandecer.

corva Jarrete.

corveta Gambeta.

corvo Curvado, arqueado, combado, ganchudo. ↔ *Recto.*

cosa Ente, cuerpo. || Bien.

cosario Frecuentado, trillado, cruzado. || Trajinero, recadero, mandadero, ordinario. || Cazador.

coscoja Chaparra, carrasca.

coscojal Marañal, carrascal.

'coscolina Mujerzuela, ramera.

'coscomate Troje.

coscón Socarrón, hábil, avisado, cusco, pícaro.

'coscorroba Cisne.

coscorrón Molondrón, mamporro, topetazo, topetón, testarazo, cabezazo. || 'Cocacho, 'seco.

cosecha Recolección, recogida, 'cogienda.

cosechar Recoger, recolectar.

cosechero Vendimiador. || Usufructuario, guillote.

coser Hilvanar, pespuntar, apuntar, puntear, sobrehilar, dobladillar, entornar. ↔ *Descoser.* || Pegar, unir, juntar. ↔ *Separar.*

cosicosa Quisicosa.

cosmético Afeite, maquillaje.

cósmico Universal.

cosmografía Uranografía.

cosmonauta Astronauta.

cosmopolita Universal, internacional, mundial.

cosmos Mundo.

coso Carcoma.

cosquillear Cosquillar, hurgar, buscar las cosquillas, impacientar, irritar.

cosquilloso Quisquilloso, puntilloso, cojicoso, picajoso.

costa Litoral, marina, costera, ribera, orilla.

costa Coste, costo, precio, gasto.

costa (a toda) Cueste lo que cueste, a cualquier precio, sin parar en gastos, sea como sea.

costado Lado, banda, flanco.

costal Saco.

costalada Batacazo, trastazo, porrazo.

costas Desembolso, cargas, importe.

costalazo Costalado, batacazo, porrazo, barquinazo, talegazo, tozalada, baque, culada, tumbo, golpe.

costana Costanera, cuesta, pendiente, repecho, recuesto, reventón. || Cuaderna, costilla.

costaneras Galgas, asnas, traviesas, brochales.

costar Valer, importar, estar a, ascender a, subir a, estimarse en, salir a, salir por.

coste Costa, costo, valor, gasto, precio.

costear Bordear, bojar, orillar. || Pagar, sufragar, abonar.

costero 'Riberano.

costilla Chuleta. || Espalda. || Mujer, esposa, media na-

C

ranja. || Costana, cuaderna.

costoso Caro, dispendioso, gravoso, trabajoso, difícil. ↔ *Barato, fácil.*

costra Encostradura, corteza, capa, revestimiento, postilla.

costumbre Hábito, uso, práctica, usanza.

costura Cosido, labor, 'candelilla. || Confección, corte.

costura (meter en) Sujetar, convencer, meter en cintura.

costurera Labrandera, laborera, zurcidora. || Sastra, modista.

costurilla Presilla.

costurón Cicatriz, chirlo.

cota Altura, altitud. || Acotación, nota, cita.

cotarro Asilo, albergue. || Ladera, vertiente, declive, lindazo.

cotejar Comparar, confrontar, compulsar, colacionar, parangonar.

cotejo Comparación, equiparación.

coterráneo Compatricio, paisano, vecino.

cotidiano Cuotidiano, diario.

cotilla Corsé. || Cotillero.

cotillear Chismorrear, chismear, murmurar, criticar.

cotillero Cotilla, chismoso, murmurador, corrillero, comadrero, marañero, profazador.

cotización Valorización, valor.

coto Postura, tasa, límite, término, 'canchón.

'coto Bocio, papera.

cotorra Papagayo. || Urraca. || Parlanchín, charlatán, garlador, faramallero. || 'Cata, 'catarinita.

cotorreo Cháchara, discreteo, palique, chismorreo, baturrillo.

cotorrón Potrilla.

cotudo Algodonado, felpudo, peludo.

'cotuza Agutí.

covachuela Cueva. || Ministerio, secretaría.

'covadera Guanera.

coyunda Yugo, opresión, sujeción, servidumbre, cadenas, barzón.

coyuntura Articulación, juntura, unión. || Oportunidad, ocasión, sazón, circunstancia, coincidencia, tiempo.

'coyocho Nabo.

'coyuyo Cigarra.

coz Coceadura, patada. || Retroceso, culatada.

cráneo Calavera, casco.

crápula Borrachera. || Depravación, libertinaje, vicio, disipación, desenfreno, corrupción. ↔ *Integridad, sobriedad, honestidad.*

crapuloso Crápula, depravado, libertino, disipado, roto, vicioso, disoluto, calavera, perdis. ↔ *Honorable.*

crasiento Grasiento.

crasitud Gordura.

craso Grueso, gordo. ↔ *Flaco, nimio.*

cráter Boca, orificio.

creación Universo, mundo, cosmos. || Fundación, institución, instauración.

creador Autor, hacedor, padre, inventor, productor, fundador. ↔ *Exterminador.*

crear Hacer, inventar, fundar, establecer, instituir, producir, componer. ↔ *Aniquilar, exterminar.*

crecer Aumentar, desarrollarse, incrementarse, elevarse, progresar, subir, adelantar. ↔ *Decrecer, bajar.*

creces Ventaja, aumento, demasía, exceso.

creces (con) Ampliamente, colmadamente.

crecida Subida, aumento, avenida, riada, inundación. ↔ *Descenso.*

crecido Alto, desarrollado, grande, numeroso, cuantioso, importante. ↔ *Bajo, reducido, exiguo.*

crecimiento Desarrollo, aumento, incremento. ↔ *Descrecimiento.*

credencial Título, justificativo, acreditativo.

creederas Tragaderas, credulidad, buena fe.

crédito Asenso, asentimiento, confianza, solvencia, consideración, prestigio, autoridad, fama, reputación, renombre, celebridad, 'acrecencia. ↔ *Descrédito.*

credo Doctrina, programa.

credulidad Candidez, ingenuidad, inocencia, candor, simplicidad, creederas, tragaderas. ↔ *Incredulidad, desconfianza, suspicacia.*

crédulo Confiado, cándido, incauto, ingenuo. ↔ *Incrédulo, desconfiado, suspicaz.*

creencia Convicción, convencimiento, opinión, crédito, confianza, fe. ↔ *Descreimiento.* || Religión, secta.

creer Pensar, juzgar, entender, estimar, considerar, opinar, conjeturar, presumir, suponer, imaginar, figurarse. ↔ *Negar.* || Tener fe, dar por cierto, confiar. ↔ *Desconfiar, dudar.*

creíble Posible, probable, verosímil. ↔ *Increíble.*

crema Flor, nata, flor y nata. || Afeite, cosmético, pasta.

crema Diéresis.

cremación Combustión, quema, incineración.

crematístico Pecuniario, monetario, económico.

crencha Carrera, raya.

crepitar Crujir, traquear.

crepúsculo Ocaso, atardecer, anochecer. ↔ *Alba, aurora.*

'crequete Caracatey.

creso Rico, acaudalado, millonario.

'crespillo Clemátide.

crespo Rizado, ensortijado, rizo.

cresta Penacho, moño, copete. || Protuberancia, carnosidad. || Pico, cumbre, cima. || 'Corota, 'cenca.

crestomatía Florilegio, antología, selectas, analectas, colección.

crestón Farallón.

cretino Necio, estulto, atontado, alelado, inepto, tonto, tardo, zoquete, zote. ↔ *Listo, inteligente.*

creyente Religioso. ↔ *Descreído.*

cría Camada, ventregada, lechigada.

criada Sirvienta, muchacha, chica, camarera, doncella, maritornes, 'china.

criadero Plantel, vivero, semillero, almáciga. || Yacimiento, venero, mina.

criado Sirviente, servidor, doméstico, mozo, fámulo, 'chajal, 'pongo, 'mucamo.

criador Productor. || Vinicultor.

crianza Lactancia, amamantamiento. || Educación, cortesía, urbanidad.

criar Amamantar. || Crear, producir, originar, ocasio-

nar. || Alimentar, cuidar, educar, dirigir, enseñar, instruir.

criatura Crío, bebé, niño, chico, chiquillo.

criba Cribo, zaranda, harnero, cedazo, tamiz.

cric Gato.

crimen Delito, atentado, falta, pecado. || Homicidio, asesinato.

criminal Delincuente, reo, malhechor, culpable. || Homicida, matador, asesino.

crío Criatura, bebé, rorro, nene, niño, chiquillo.

cripta Hipogeo, sibil, subterráneo.

criptográfico Cifrado, en clave.

crisis Mutación, cambio, desequilibrio, acceso, arrebato, arranque, ataque, paroxismo. || Peligro, riesgo, alarma, angustia.

crisma Unción.

crisma (romper la) Romper el bautismo, descalabrar.

crisol Fusor, callana, craza.

crisopeya Alquimia.

crispar Contraer, encoger. ↔ *Relajar.*

crispatura Crispamiento, convulsión, espasmo, contracción, calambre. ↔ *Relajación.*

crispir Rociar, salpicar.

cristal Vidrio. || Espejo, luna. || Agua. || Drusa.

cristalera Aparador, vitrina.

cristalino Diáfano, transparente, claro. ↔ *Turbio, opaco.*

cristalizarse Tomar forma, concretarse, precisarse, especificarse. ↔ *Confundirse.*

cristianar Bautizar.

cristiano Bautizado, católico, romano. || Creyente, rumí, nazareno, fiel. ||

Prójimo, hermano, persona, ser, alma.

Cristo Jesucristo. || Crucifijo.

cristus Abecedario.

criterio Juicio, discernimiento, opinión, parecer. || Norma, regla, principio, pauta.

crítica Juicio, discernimiento, opinión, examen, reseña, recensión. || Censura, impugnación, reprobación, detracción, murmuración, sátira. ↔ *Aprobación, defensa, elogio.*

criticable Reprensible, censurable. ↔ *Loable.*

criticar Juzgar, examinar, reseñar. || Censurar, reprobar, impugnar, murmurar, satirizar. ↔ *Aprobar, defender, elogiar.*

criticastro Criticón.

crítico Censor, juez, aristarco, zoilo. || Oportuno, preciso, exacto, conveniente, crucial, decisivo.

criticón Criticastro, reparón, motejador, murmurador, catón, censurador.

crizneja Mechón, trenza. || Cuerda, soga, pleita.

croar Charlar.

crocante Guirlache.

crocitar Crascitar, croscitar, graznar.

croco Azafrán.

cromo Estampa.

croquis Apunte, nota, diseño, esbozo, bosquejo, boceto.

crónica Anales, historia, dietario, comentarios. || Artículo.

crónico Habitual, inveterado, acostumbrado. || Incurable.

cronista Historiador, analista. || Periodista, publicista, corresponsal.

C

cronómetro Horómetro, reloj.

croscitar Crocitar.

crótalo Castañuela.

crotón Ricino.

cruce Encrucijada, cruzamiento, intersección, crucero, cruzamiento, empalme, intersección.

crucero Cruce. || Vigueta, madero. || Cruciferario, crucígero, crucífero. || Travesía, maniobra.

crucial Decisivo, crítico.

crucificar Aspar. || Sacrificar, importunar, molestar, fastidiar, incomodar.

crudeza Aspereza, rigor, rudeza, severidad, sinceridad, claridad. ↔ *Suavidad, eufemismos.*

crudo Verde, tierno, inmaturo. || Indigesto, verriondo. || Áspero, cruel, destemplado, desapiadado, riguroso. ↔ *Suave.* || Guapo, chulo.

cruel Bárbaro, inhumano, despiadado, desalmado, sanguinario, feroz, brutal, salvaje, atroz, fiero, bestial, 'ahuizote, 'cuaima. ↔ *Compasivo, misericordioso.* || Duro, acerbo, riguroso, crudo, violento, excesivo, doloroso, angustioso, lacerante. ↔ *Suave, dulce.*

crueldad Ferocidad, barbarie, inhumanidad, brutalidad, salvajismo, sevicia, ensañamiento. ↔ *Piedad, compasión, misericordia.* || Dureza, rigor, crudeza, violencia. ↔ *Suavidad.*

cruento Sangriento.

crujía Corredor, pasillo, galería.

crujido Chasquido, traquido, ruido.

crujir Rechinar, chirriar. || Chasquear.

crúor Hemoglobina. || Coágulo. || Sangre.

crup Garrotillo, difteria.

crustáceo Crostoso.

cruz Aspa. || Carga, penalidad, aflicción, dolor, pena, sufrimiento, suplicio, castigo. ↔ *Gozo, premio.* || Reverso. ↔ *Cara, anverso.* || Medalla, galardón, premio. ↔ *Castigo.*

cruzada Expedición, campaña, lucha.

cruzamiento Cruce, intersección, entrelazamiento.

cruzar Atravesar, pasar.

cuaderna Costilla, costana.

cuaderno Libreta, cartapacio, carnet.

cuadra Caballería, establo, corte.

'cuadra Manzana.

cuadrado Rectangular. || Perfecto, cabal, justo. || Troquel.

cuadrante Cuadral, travesaño.

cuadrar Corresponder, encajar, coincidir, concordar, convenir, acomodarse, cuajar, agradar. ↔ *Discordar, diferir.*

cuadrienal Cuadrañal.

cuadril Anca, grupa, cuadra. || Cadera.

cuadrilla Partida, pandilla, gavilla, banda.

cuadro Marco. || Lienzo, pintura. || Escena, espectáculo, panorama.

cuajada Cáseo. || Requesón.

cuajado Asombrado, extático, absorto, paralizado. || Dormido.

cuajamiento Coagulación.

cualquiera Cualquier.

cualquiera (un) Un don Nadie, ser vulgar.

'cuaima Listo, peligroso, cruel.

cuajar Coagularse, solidificarse, cortarse, condensar. ↔ *Licuar.* || Agradar, gustar, cuadrar, satisfacer, arraigar, lograrse. ↔ *Desagradar, malograrse, frustrarse.*

cuajarse Llenarse, poblarse.

cuajo Coágulo, grumo.

cualidad Propiedad, atributo, carácter, condición, característica, peculiaridad. || Dote, virtud. ↔ *Defecto.*

cuando En el momento que, en el tiempo que, en el punto que. || En qué tiempo. || En caso de que, si. || Puesto que. || Aunque.

'cuanlote Caulote.

cuantía Cantidad, cuantidad, importe, valor, precio.

cuantioso Numeroso, abundante, copioso, grande, considerable. ↔ *Exiguo, escaso.*

cuanto Todo lo que. || En qué manera, en qué grado.

cuáquero Temblador.

cuarentena Cuaresma. || Prevención, examen. || Duda, suspensión.

cuaresma Cuadragésima, cuarentena.

'cuarta Látigo, disciplina, fusta.

cuartago Jamelgo, rocín, penco, matalón. || Jaca, haca.

'cuartazo Latigazo.

'cuarteador Encuarte.

cuartear Partir, descuartizar, dividir.

cuartearse Abrirse, agrietarse, rajarse, henderse, cascarse.

cuartel Acuartelamiento, alojamiento, caserna, acantonamiento. || Distrito, barrio. || División, sección, parte. || Gracia, piedad, perdón, misericordia.

cuarteo Resquebrajamiento, resquebrajo, raja, fractura. || Esguince, escape, rodeo, salto, regateo.

cuarterón Cuatratuo. || Postigo. || Cuarta.

cuarteta Redondilla.

cuarto Aposento, habitación, pieza, estancia, cámara.

cuartos Dinero, guita, plata, mosca, parné.

cuartucho Tugurio, cuchitril, tabuco, zahúrda, chiribitil, desván, cubículo.

'cuate Gemelo, mellizo. || Igual, semejante.

'cuatequil Maíz.

'cuatí Macaco.

cuatriduano Cuatridial.

cuatropear Gatear, ratear, andar a gatas, arrastrarse.

cuba Barril, tonel, bocoy, pipa.

cubículo Alcoba, aposento, dormitorio, habitación.

cubierta Cobertura, cobijo, tejado, toldo, capota, tapaforro, revestimiento. || Capa, pretexto, disfraz.

cubierto Tapado, abrigado. ↔ Descubierto. || Servicio. || Plato, bandeja. || Minuta, menú, platos.

cubil Guarida, manida, albergue, cueva.

cubilete Vaso, cubiletero, flanero, molde.

cubillo Carraleja. || Faltriquera.

cubo Balde, herrada, cubeta. || Mechero.

cubrecama Sobrecama, colcha, telliza, 'sabanilla.

cubrenuca Cogotera.

cubrir Ocultar, tapar, vestir, recubrir, disimular, disfrazar, velar, encubrir. ↔ Descubrir, revelar, denunciar. || Proteger, defender, asegurar. || Tachar.

cubrirse Tocarse, tapujarse.

|| Resguardarse, espaldonarse.

cuca Chufa. || Gusano, oruga.

cucamonas Carantoñas, zalamerías, garatusas, gatería, halagos, fiestas, arrumacos.

cucar Guiñar.

cucaracha Curiana, escarabajo, corredera, bicho.

cucarda Escarapela.

cuclillas (en) Agachado.

cuclillo Cuquillo. || Consentido, gurrumino, comblezo.

'cucubá Lechuza.

cuco Cuclillo, 'macuco. || Mono, bonito, lindo, pulido. ↔ Soso, feo. || Taimado, astuto, listo. ↔ Candoroso, bobalicón.

cucurucho Alcartaz, alcatraz, capirote. || Envoltorio. || 'Cambucho.

cuchara Achicador.

cucharetear Inmiscuirse, intervenir, entremezclarse, entrometerse, mezclarse, meter baza, meter cuchara, meter cucharada.

cucharón Cazo, cacillo.

'cuchí Cochino, cerdo.

cuchichear Chuchear, bisbisar, susurrar, murmurar, murmujar, secretear, hablar entre dientes.

cuchicheo Secreteo, susurro, murmullo, balbuceo, bisbiseo. || Hablilla, murmuración, chismorreo.

cuchilla Cuchillo, hoja, guillotina, tajadera. || Archa. || Espada.

cuchillada Navajazo, chirlo, tajo, corte, mojada, fendiente, facazo, rejonazo.

cuchillo Cañivete, chaira, doladera, jifero, navaja, cortaplumas, cortalápices, charrasca, 'sacabuche.

cuchillo (pasar a) Degollar, matar.

'cuchillón Doladera.

cuchipanda Comilona, tragantona, simposio, gaudeamus, pipiripao.

cuchitril Cochitril, pocilga, zahúrda. || Tabuco, chiribitil, zaquizamí.

cuchufleta Chufleta, chanza, chirigota, burla, broma, bufonada.

cuello Garganta.

'cueca Zamacueca.

cuelga Regalo, fineza, obsequio.

cuello Pescuezo, gaita, gollete, garganta. || Gorguera, golilla, valona, esclavina, alzacuello.

cuenca Órbita, cavidad. || Valle. || Zona, región.

cuenco Concavidad, hortera, escudilla, 'gacha.

cuenta Cálculo, cómputo. || Factura, nota, cargo. || Razón, explicación, satisfacción. || Cargo, cuidado, incumbencia, obligación.

cuentagotas 'Gotero.

cuentapasos Odómetro, podómetro.

cuentista Chismoso, alcahuete, correveidile.

cuento Fábula, apólogo, conseja, historieta, relato, narración. || Patraña, chisme, paparrucha, enredo, embuste, bulo. ↔ Verdad.

cuerda Soga, cabo, cordel, 'cabuya, guasca.

cuerdo Juicioso, prudente, reflexivo, sesudo, sensato, formal. ↔ Loco, alocado, insensato.

cuerear Azotar.

cuerna 'Chambado, 'cacha.

cuerno Asta, antena, 'cacho.

cuero Piel, pellejo. || Odre.

cuerpo Tronco. || Espesor,

C

consistencia, grosor, densidad, tamaño.

cuervo 'Cacalote.

cuesta Costera, pendiente, subida, repecho, declive, rampa.

cuestación Colecta, recaudación.

cuestión Asunto, tema, materia, objeto, punto, extremo, particular. || Oposición, discusión, disputa, debate, controversia, polémica. ↔ *Acuerdo.*

cuestionable Dudoso, problemático, discutible, contestable. ↔ *Incuestionable.*

cuestionar Discutir, debatir, disputar, polemizar.

cuesto Cerro.

'cuete Lonja, bisté.

cueto Colina.

cueva Caverna, gruta, antro, guarida, 'salamanca.

cuévano Cesto, canasta, banasta.

cuidado Solicitud, atención, esmero, pulcritud, tiento. ↔ *Descuido, negligencia.* || Cautela, vigilancia, prudencia, recelo, temor. ↔ *Despreocupación.* || Cuita, zozobra, inquietud.

cuidado (sin) A la bartola, negligentemente.

cuidadoso Atento, solícito, aplicado, esmerado, vigilante, exacto, metódico, meticuloso, minucioso, escrupuloso, ordenado, diligente, concienzudo. ↔ *Descuidado.*

cuidar Atender, velar por, vigilar, esmerarse, asistir. ↔ *Descuidar, desatender.* || Conservar, mantener, guardar.

cuita Zozobra, desventura, aflicción, trabajo, cuidado, inquietud, angustia.

cuitado Infortunado, infe-

liz, desventurado, desgraciado, acongojado, apenado, angustiado, afligido, apocado, preocupado, pusilánime, perplejo, tímido. ↔ *Despreocupado.*

'cují Aromo.

culantro Coriandro, cilantro.

culata Anca. || Trasera, posterioridad, talón, popa, zaguera. || Coz.

culatazo Coz, retroceso.

culebra Burla, mofa. || Serpiente. || Serpentín.

culebrear Fluctuar, serpentear, serpear, reptar.

culebrera Pigargo.

culebrilla Herpe. || Dragontea. || Anfisbena.

culebrón Astuto, taimado, solapado, camastrón.

culero Pañal, bragas. || Perezoso, tardo, rezagado, postrero.

culminación Cúspide, sumidad, pináculo, cumbre, cima, máximo.

culmen Cumbre.

culminante Dominante, prominente, cimero, elevado, eminente. ↔ *Ínfimo.* || Superior, principal, sobresaliente.

culo Nalgas, posaderas.

culpa Delito, pecado, falta.

culpable Reo, delincuente, pecador. ↔ *Inocente.*

culpar Acusar, inculpar, imputar, achacar. ↔ *Exculpar.*

culteranismo Cultismo, gongorismo, ampulosidad, cultalatiniparla, afectación, rebuscamiento, cultedad, cultería. ↔ *Simplicidad, llaneza.*

culterano Ampuloso, hinchado, gongorino, cultero, cultipicaño, campanudo. ↔ *Sencillo, llano.*

cultivable Arable, labradero, sativo, arijo. ↔ *Yermo.*

cultivador Agricultor, labrador, agrícola, colono.

cultivar Labrar, laborar, culturar, arar. || Estudiar, ejercitarse, practicar, desarrollar, mantener.

cultivo Labor, labranza, laboreo, sembrado, cultura.

culto Instruido, ilustrado, cultivado, erudito, civilizado, educado. ↔ *Inculto.* || Homenaje, reverencia, devoción, veneración, adoración, liturgia, servicio. ↔ *Desprecio.*

cultura Ilustración, instrucción, saber, erudición, civilización, educación. ↔ *Incultura, barbarie.*

culturar Cultivar, labrar, laborar.

'cumba Jícara. || Calabaza.

cumbre Culmen, cima, cúspide, sumidad, vértice. ↔ *Fondo.*

cumbrera Hilera, parhilera. || Dintel.

cumpleaños Aniversario.

cumplido Largo, abundante, ancho, amplio, pleno, completo, entero, cabal. ↔ *Mezquino, incompleto.* || Correcto, cortés, atento, fino, amable. ↔ *Incorrecto, desatento.* || Cumplimiento, obsequio, cortesía, ceremonia, halago. ↔ *Desplante.*

cumplidor Exacto, puntual, diligente, concienzudo, aplicado, disciplinado. ↔ *Negligente, descuidado.*

cumplimentar Felicitar, saludar, visitar. || Ejecutar, efectuar, cumplir, realizar. ↔ *Incumplir.*

cumplimentero Ceremonioso, ceremoniero, etiquetero, formalista.

cumplimiento Cumplido, obsequio, cortesía, ceremonia, halago. ↔ *Desplante.* || Ejecución, realización. ↔ *Incumplimiento.*

cumplir Realizar, ejecutar, efectuar, verificar, observar, acatar, obedecer. ↔ *Incumplir, desobedecer.* || Licenciarse, finalizar.

cúmulo Montón, rimero, aglomeración, acumulación, acervo, sinnúmero, multitud, infinidad. ↔ *Insignificancia.*

cuna Origen, principio, comienzo, familia, linaje, estirpe, patria.

cundir Extenderse, propagarse, divulgarse, difundirse, reproducirse, multiplicarse, aumentar. ↔ *Reducirse, limitarse.*

cunear Acunar, mecer.

cuneo Balanceo, mecedura.

cunero Expósito, inclusero.

cuneta Zanja, canal, desaguadero.

cuña Calce, calza, trasca, taco, falca, traba, tarugo.

cuñado Hermano político.

cuño Troquel. || Señal, impresión, huella, rastro.

cuodlibeto Disputa, discusión, controversia, diálogo. || Mordacidad, dicacidad, dicho.

cuota Canon, contribución, censo, cupo, escote, porción, asignación.

cuotidiano Cotidiano, diario.

cupido Amor, Eros. || Enamoradizo, mujeriego, faldero.

cupo Cuota, asignación, porción, escote.

cúpula Bóveda, cimborrio, domo.

cuquero Pícaro, pillo, granuja.

cura Párroco, ecónomo, sacerdote, eclesiástico, clérigo, padre. || Curación.

'curaca Cacique, potentado. || Gobernador.

curación Cura, restablecimiento, salud, recobramiento.

curador Tutor, procurador.

curaduría Curatela.

'curagua Maíz.

curalotodo Sanalotodo, panacea.

curandero Ensalmador, saludador, matasanos, embaidor, saltabanco, charlatán, 'machi.

curar Sanar. ↔ *Enfermar.* || Cuidar, atender, remediar. || Curtir. || Acecinar, ahumar, adobar.

curatela Curaduría, tutela.

curato Parroquia, curazgo, vicaría.

curcuma 'Camotilla.

curcusilla Rabadilla.

curda Mona, turca, pítima, merluza, trompa, borrachera. || Borracho, beodo, ebrio.

cureña Encabalgamiento.

curia Cancillería, iglesia. || Cuidado, esmero, diligencia, solicitud, atención.

curiosear Fisgar, fisgonear, husmear, espiar, rebuscar, investigar, averiguar, indagar.

curiosidad Afición, manía, pasión, capricho, antojo, cosquilleo, sed, hambre, comezón, prurito. ↔ *Indiferencia.* || Indiscreción, impertinencia, espionaje. || Aseo, limpieza, esmero, cuidado, primor. ↔ *Incuria.*

curioso Indagador, averiguador, observador, aficionado, apasionado. ↔ *Indiferente.* || Fisgón, entro-

metido, indiscreto, espía. || Interesante, notable, raro, extraño. ↔ *Anodino.* || Limpio, aseado, cuidadoso, esmerado, pulcro, primoroso. ↔ *Incurioso, descuidado.*

currinche Principiante, debutante, novato. || Gacetillero.

currutaco Caballerete, gomoso, petimetre, pisaverde, figurín, virote, *dandi, presumido, pollo pera, niño gótico, lechugino.

cursado Acostumbrado, práctico, avezado, habituado, versado, baquiano, curtido, ducho, experimentado, encallecido, ejercitado, diestro, hábil, perito. ↔ *Inexperimentado, novato.*

cursar Seguir, estudiar. || Dar curso, tramitar, despachar.

cursi Ridículo, chillón, charro, inelegante, afectado, recargado, pedante, pretencioso, ramplón, presumido, efectista, cursión, chabacano, historiador. ↔ *Elegante, natural.* '

cursiva Bastardilla, itálica.

curso Carrera, recorrido, camino, transcurso, paso, corriente. || Trámite, giro.

curtido Fogueado, avezado, acostumbrado, experimentado, habituado, versado, ejercitado, ducho. ↔ *Bisoño, inexperto.*

curtidor Noquero.

curtir Aderezar, adobar. || Avezar, acostumbrar, endurecer, baquetear, adiestrar, ejercitar.

curtirse Asolearse, tostarse.

curva Órbita, onda, rodeo, recoveco, reviro, alabeo. ↔ *Recta.*

curvado Curvo.

C

curvatura Comba, torcedura, combadura, arqueamiento, ondulación, alabeo, doblamiento, curvidad, torsión, reviro, enroscadura, escorzo, pandeo. ↔ *Enderezamiento.*

curvímetro Cartómetro.

curvo Corvo, combo, bombeado, alabeado, adunco, arqueado, pando, gurbio, combado, redondo, tuerto, torcido, falcado, oval, crespo, grifo, abarquillado, voltizo, falciforme. ↔ *Recto.*

cuscurro Mendrugo, cantero.

'cusma Camisa.

cúspide Cima, cumbre, vértice, ápice, sumidad.

custodia Resguardo, conservación, reserva, salvaguardia, defensa, encomienda, protección, guardia, escolta, cuidado. ↔ *'Desamparo.*

custodiado A buen recaudo.

custodiar Velar, guardar, proteger, conservar, defender, escoltar, vigilar. ↔ *Descuidar, abandonar.*

'cususa Aguardiente.

'cutache Machete.

'cutama Torpe, pesado.

cutío Faena, azana, labor, trabajo, obra.

cutir Batir, golpear.

cutis Epidermis, piel, tez.

'cuto o **cuta** Mutilado, manco.

'cuy Conejo de Indias.

'cuyuji Pedernal.

cutre Miserable, mezquino, ruin, avaro. ↔ *Dadivoso.*

cuzco Gozque, cachorro, cadillo, perrito, perrillo.

cuzo Cuzco, cachorro, perrillo.

CH

chabacanería Vulgaridad, tosquedad, ramplonería, chocarrería, charrería, ordinariez, ringorrangos. ↔ *Finura, delicadeza.*

chabacano Groseno, ordinario, chocarrero, **vulgar**, basto, soez. ↔ *Fino, refinado.*

chabola Choza, barraca, chamizo, tugurio.

'chácara Alquería, granja.

'chacarero Campesino.

chacó Morrión.

chacolotear Chapalear, chapear.

chacota Zumba, broma, chanza, guasa, burla, 'chercha.

'chacota Tumorcillo, divieso.

chacotear Burlarse, reírse, chancearse, mofarse, chotearse, chungarse.

chacotero Chancero, bromista, chuzón, burlón, guasón, chufletero, chunguero, chafalditero, mojarrilla, zumbón, fisgón, pajarero. ↔ *Serio.*

'chacra Chácara.

chacha Tata, niñera, 'nana.

'chachalaca Gallina. ‖ Charlatán, locuaz.

cháchara Charla, palique, charloteo, parloteo, verborrea.

chacharear Charlar, garlar charlotear, charlatanear, parlar, parlotear, picotear. ↔ *Callar.*

chafaldita Burla, chanada, culebrazo, chufla, antruejada.

chafallar Chapucear, franfollar, remendar, fuñicar, guachapear.

chafallo Remiendo, frangollo, chapuz, pegote, tosquedad, imperfección, macana, pifia.

chafallón Chapucero, charanguero, frangollón, farfallón, remendón. ↔ *Esmerado, cuidadoso.*

chafandín Coquetón, quiquiriquí, fatuo, vanidoso, hinchado. ↔ *Humilde.*

chafar Aplastar, estrujar, arrugar, ajar, deslucir, marchitar. ↔ *Realzar, remozar.* ‖ Apabullar, confundir, avergonzar.

chafarote Machete, sable, espada, alfanje.

chafarrinada Mancha, borrón, tiznón, pringón, lámpara.

chafarrinar Emborronar, ensuciar, macular, pringar, embadurnar, deslustrar, deslucir. ↔ *Abrillantar.*

chaflán Bisel.

'chaguarama Palmera.

chaira Lezna, cuchilla, trinchete, falce.

'chajal Criado.

'chajuán Bochorno.

chal Pañuelo, pañoleta, manteleta, serenero, mantón, 'tápalo.

chalado Chiflado, alelado, tocado, majareta. ↔ *Cuerdo.* ‖ Enamorado, prendado.

'chalala Sandalia.

chalán Tratante, 'picador.

chalana Barcaza.

chalanear Tratar, negociar, cambalachear, traficar.

'chalanear Adiestrar, domar.

chalanería Astucia, maña, fullería, zalagarda.

chalar Alelar, enloquecer.

chalarse Chiflarse, enamorarse, acaramelarse, derretirse.

'chalate Caballejo.

'chalchal Lápiz.

'chalchihuite Esmeralda. ‖ Cachivache, baratija.

chaleco Almilla, jubón, 'centro.

chalet Villa, quinta, hotelito.

chalina Corbata, 'golilla.

'chalón Manto, mantón.

'chalona Cecina.

chalote Ascalonia, escaloña.

CH **chalupa** Bote, lancha, canoa, calera, embarcación.

'chamaco Niño, muchacho.

'chamagoso Mugriento, astroso. || Bajo, vulgar, deslucido.

chamarasca Charamusca, chamiza. || Llamarada.

chamarillero Prendero, ropavejero, trapero.

chamarra Zamarra.

chamarreta Casaquilla.

'chamarro Zamarro.

chamba Chiripa, suerte, azar, casualidad, bambarria.

'chambado Cuerna.

chambelán Camarlengo, gentilhombre.

chambergo Sombrero, chapeo.

chambón Chapucero, chamarrillón, farfallón, charanguero, remendón, frangollón. ↔ *Cuidadoso.* || Chiripero, sortoso.

'chamborote Pimiento blanco, narizotas.

chambra Blusa, chapona, camisón, 'caracol.

chamizo Tugurio, chabola, choza, barraca.

chamorro Trasquilado, esquilado.

'champa Raigambre, tepe, cepellón.

champar Retraer, achacar, censurar.

'chamuchina Populacho.

chamuscar Socarrar, sollamar.

chamusquina Riña, camorra, marimorena, peleona, pelotera, gazapina, gresca, jarana.

chanada Burla, trampa, charranada, bribonada, truhanería, chasco.

chanca Chanclo, zoclo, zoco, zueco, madreña, almadreña.

'chancadora Trituradora.

'chancana 'Panela.

chancear Burlar, embromar, escarnecer, enclavar.

chancearse Burlarse, bromear, guasear, embromar, divertirse.

chancero Guasón, bromista, burlón, jaranero. ↔ *Grave, serio.*

chancla Zapatón, chanca. || Chancleta.

chanclo Sandalia, zoclo, choclo, chapín.

'chanchería Tocinería.

'chancho Cerdo, puerco. || Desaseado, sucio.

chanchullo Trampa, enredo, enjuague, pastel, compadrazgo, componenda, conchabanza.

chanfaina 'Candinga, 'guandinga.

chanflón Chafallón, frangollón, chapucero, remendón, farfallón. ↔ *Cuidadoso.*

'changador Mozo.

changüí Burla, camama, broma, chilindrina, chanzoneta, mamola, alcocarra.

chantaje Timo, extorsión.

chantar Vestir, cubrir, recubrir, poner. || Clavar, hincar.

chantre Capiscol, cantor.

chanza Broma, burla, chirigota, guasa, chiste, 'chongo.

'chañar Olivo.

chapa Hoja, lámina, alaria, palastro. || Formalidad, seso, sensatez.

chapado Chapeado, laminado. || Habituado, avezado, apegado, acostumbrado, ducho, diestro. ↔ *Novato.*

chapalear Chapotear, guachapear.

chapar Chapear. || Laminar, planchear. || Encajar, asentar.

chaparra Chaparro, carrasca, coscoja.

chaparro Chaparra, carrasca, encina, coscoja, mata. || Gordo, repolludo, ceporro, rollizo. ↔ *Delgado.*

chaparrón Chaparrada, chubasco, chapetón, aguacero, nubada, turbión.

chapatal Barrizal, fangal, ciénaga, lodazal, pantano.

'chape Trenza.

chapeado Chapado, laminado.

chaparro 'Cerezo, 'paturro.

chapear Chapar, enchapar, empelechar, planchear, calandrar. || Chacolotear.

'chapear Desbrozar, chacolotear.

chapeo Chambergo, sombrero.

chapeta Roseta.

chapín Chanclo, zapato.

chapitel Capitel.

chapodar Podar, cercenar, cortar.

'chapola Mariposa.

chapotear Chapalear, guachapear.

chapucear Chafallar, frangollar, remendar, fuñicar, guachapear.

chapucería Frangollo, chafallo, remiendo, buñuelo, macana, pegote, pifia, tosquedad, imperfección, torpeza.

chapucero Chafallón, frangollón, fargallón, chanflón, remendón, zamborrondón, chamarrillón, charanguero, tosco. ↔ *Esmerado, cuidadoso, cuidado.*

'chapulín Langosta, cigarrón.

chapurrar Combinar, mezclar, mezclar. || Chapurrear, barbullar, farfullar. || Hablar, parlar.

chapuz Chapucería, frangollo, chafallo.

chapuzón Zambullida, capuz, buceo, baño.

chaqueta Americana, 'saco.

chaquetilla Torera, bolero, cazadora.

chaquetón Pelliza, zamarra.

charada Enigma, acertijo.

charanga Banda.

'charapa Tortuga.

charca Poza, balsa, charco, lagunajo, 'aguaje, 'esteral, 'estero.

charco Hoyo, charca, bache, cilanco, pecinal, encharcada, aguachar, cocha. || Mar, océano.

charcutería Repostería.

charla Cháchara, parloteo, charloteo, palique, conversación, plática, coloquio, disertación, 'talla.

charlar Hablar, conversar, parlotear, garlar, parlar, chacharear, 'tertuliar, 'tallar. ↔ *Callar.*

charlatán Hablador, parlanchín, gárrulo, parlero, locuaz, cotorra, 'chachalaca. ↔ *Callado.* || Buhonero, sacamuelas. || Embaidor, embaucador, impostor, farsante, embustero, ↔ *Formal.*

charlatanería Locuacidad, cháchara, palabrería, verborrea, parlería, bachillería, picotería, garrulería, vaniloquio, vanilocuencia, facundia, filatería, palabreo, retartalillas, trapa. ↔ *Silencio, discreción.*

charnela Bisagra, gozne.

'charque o **charqui** Tasajo.

chascarrillo Historieta, anécdota, cuento.

chasco Burla, broma, engaño. || Decepción, desencanto, desilusión, desengaño, frustración.

chasquear Restallar, 'enchilar. || Crujir. || Burlar, engañar, desairar, embromar, chancear. || Decepcionar, frustrar, desilusionar. ↔ *Corresponder, responder.*

chasquido Estallido, crujido, restallido.

'chatre Acicalado, engalanado.

chato Romo, aplastado.

'chauar Bayo.

'chaucha Judía. || Patata, papa.

'chauchera Portamonedas.

chaval Muchacho, rapaz, zagal, mozalbete, mozo.

chayote 'Chote.

chepa Joroba, giba, corcova.

cheque Talón, libranza.

'chercha Chacota, burla, zumba, guasa.

*chic Elegancia, distinción.

chico Niño, muchacho, criatura, rapazuelo. || Pequeño, bajo, corto, reducido. ↔ *Grande.*

chicolear Galantear, piropear, enamorar, requebrar.

chicoleo Requiebro, flor, donaire, galantería, piropo.

'chicote Látigo.

chicuelo Arrapiezo, rapaz.

chicharra Tarabilla, 'dille.

chicharrón Gorrón, 'empellita.

chichear Sisear.

chichisbear Cortejar, chicolear, galantear.

chichón Hinchazón, bollo, bulto, tolondrón, turumbón.

chichonera Frentero.

chifla Silba, pitidos.

chiflado Chalado, alelado, tecado, majareta. ↔ *Cuerdo.* || Enamorado.

chifladura Manía, capricho, fantasía, locura. || Enamoramiento.

chiflar Silbar.

chiflarse Alelarse, irse, guillarse, perder el seso. || Enamorarse.

chiflo Silbato, pito.

'chiflón Viento, canal, derrumbe, desprendimiento, desplome (en la mina).

'chigua Serón.

'chilcote o **chile** Ají.

chilindrina Chascarrillo, chiste, chirigota, dicho, broma, vaya, burla.

chilindrinero Dicharachero, chirigotero, chacotero, chancero.

'chilpe Andrajo.

chilla Reclamo.

'chilla Zorra.

chillar Gritar, vociferar. || Chirriar, rechinar.

chillido Grito, alarido, rugido, bramido, bramo, clamor, queja.

chillón Vocinglero, baladrero, gárrulo, berreón, gritón, chillador. || Estentóreo, agudo, penetrante. ↔ *Bajo, suave.* || Detonante, charro, recargado, estridente. ↔ *Discreto.*

chimenea Hogar, fogón.

china Canto, piedrecita. || Dinero. || Azar, suerte. || Esquirla.

'china Criada.

'chinaca Pobretería.

chinada Extravagancia, rareza, sutileza.

'chinama Choza, cobertizo.

'chincol Gorrión.

chinchar Importunar, zaherir, incomodar, fastidiar, molestar. ↔ *Ayudar, distraer.* || Matar.

chinche Chinchoso, chinchorrero, cargante, molesto, latoso, inoportuno, impertinente. ↔ *Discreto, ameno.*

chinche 'Vinchuca.

chinchorrería Importunidad, impertinencia, molestia, pe-

CH jiguera, trabajera, pesadez. ↔ *Ayuda, alivio.* ‖ Chisme, chismería, habladuría.

chinchorrero Cargante, pesado, fastidioso, chinchoso, molesto, latoso, importuno, impertinente, chinche. ↔ *Ameno, discreto.*

chinela Chancla, chancleta, zapatilla, pantuflo, chapín.

chinero Alacena, armario, vitrina, aparador, escaparate.

chinesco Chino.

'chinga Mofeta. ‖ Colilla. ‖ Barato. ‖ Chunga. ‖ Borrachera.

chingar Beber, empinar, alzar el codo.

chingarse Embriagarse, emborracharse.

chino Sino. ‖ Griego, gringo.

chipén Animación, vida, bullicio. ↔ *Calma.*

chiquilicuatro Mequetrefe, chisgarabí, zascandil, entrometido, danzante. ↔ *Discreto, prudente.*

chiquillada Travesura, muchachada, niñada, chicada.

chiquillo Niño, chicuelo, muchacho, criatura, nene, bebé, crío, 'cipote, 'gurrumino, 'pebete, churumbel.

chiquirritín Chiquitín, chiquillo, crío, rorro.

'chircate Saya.

chiribita Chispa, pavesa, morcella, charamusca.

chiribitil Zaquizamí, tabuco, cuchitril, zahúrda, tugurio, 'socucho.

chirigota Chanza, broma, guasa, cuchufleta, chiste.

chirimbolos Cachivaches, trastos, trebejos, chismes, baratijas, utensilios, bártulos, útiles, vasijas.

chirimía Gaita, cornamusa.

chirinola Festejo, fiesta,

alegría, buen humor. ‖ Fruslería, chuchería, embeleco.

chiripa Chamba, suerte, casualidad, 'sapo, 'zapallo.

chirlata Timba, garito, casa de juego.

chirle Soso, insípido, insubstancial, insulso. ↔ *Sabroso, substancioso.*

chirlería Habladuría, charlería, parlería.

chirlero Chismoso, cuentista, cuentero.

chirlo Tajo, corte, herida, cuchillada, navajazo, cicatriz, costurón.

chirona Cárcel, prisión, gayola.

chirriar Rechinar, estridular, chillar.

'chirrión Látigo, rebenque.

chirumen Cacumen, caletre, magín, cabeza, talento, ingenio.

chisgarabís Chiquilicuatro, zascandil, mequetrefe, entrometido, danzante. ↔ *Discreto, prudente.*

chisme Chismería, chismografía, cuento, historia, historieta, murmuración, hablilla, habladuría, chinchorrería, lío, embuste, enredo, invención, mentira, comadrería, comadreo, gallofa, 'borrego. ‖ Trasto, chirimbolo, cachivache, trebejo.

chismes 'Maritatas.

chismorrear Chismear, cotillear, comadrear, murmurar, criticar.

chismoso Murmurador, enredador, lioso, maldiciente, cizañero, cuentista. ↔ *Veraz, formal.*

chispa Centella, rayo, exhalación, relámpago, chispazo, descarga. ‖ Ingenio, gracia, agudeza, viveza,

donaire. ‖ Partícula, gota, átomo, pizca, miaja.

chispazo Destello, fucilazo.

chispeante Agudo, ingenioso, gracioso. ↔ *Apagado, soso.*

chispear Relucir, refulgir, brillar. ‖ Lloviznar, gotear, caer cuatro gotas.

chispero Chapucero, chanflón. ‖ Herrero. ‖ Chulo, fanfarrón, majo, guapo.

chispo Achispado, alumbrado, alegre, bebido, ajumado, borracho, beodo, ebrio. ↔ *Sereno.*

chisquero Chisque, mechero, encendedor, esquero.

chistar Rechistar.

chiste Agudeza, ocurrencia, gracia, chuscada, chirigota, cuchufleta, chascarrillo, chocarrería.

chistera Bimba, sombrero de copa. ‖ Canasto, cesta.

chistoso Gracioso, ocurrente, donoso, chusco, agudo, ingenioso. ↔ *Soso, zonzo.*

chita Astrágalo. ‖ Taba.

chito o **chitón** ¡A callar! ¡Silencio! ¡Chis!

chivato Soplón, delator, acusón, acusica, 'acusetas, 'acusete.

chivo Cabritillo, cabrito, chivato, choto.

chocante Raro, extraño, curioso, sorprendente, inesperado. ↔ *Corriente, vulgar.*

chocar Topar, encontrarse, tropezar, dar. ‖ Extrañar, sorprender, admirar, contrastar, desentonar. ↔ *Concordar.* ‖ Pelear, reñir, disputar.

chocarrería Chiste, bufonada.

chocarrero Chistoso, guasón, burlón, 'chucán.

'choclo Mazorca.

'choco Granate. || Moreno. || Rufo. || Rabón. || Cojo, tuerto. || Sombrero de copa. || Perro de aguas.

chocolate 'Cacao, 'caracas, 'chorote.

chocolatera 'Chorote.

chocolatín Bombón.

chochear Caducar, envejecer, disparatar.

chocha Becada, gallineta.

chochez Imbecilidad, chovera.

chocho Ñoño. || Canelón. || Caduco, decrépito. ↔ Lozano.

chófer Conductor, automovilista, mecánico.

chofeta Braserillo, estufilla, escalfeta, fornelo, rejuela.

'cholo Mestizo.

'chongo Moño, rizo. || Chanza, broma.

'chonta Palmera.

'chontal Rústico, inculto.

chopo Álamo, alno, pobo.

choque Topetazo, encontronazo, encontrón, encuentro, colisión, 'catorro, estrellón. || Pelea, riña, disputa, pendencia, contienda.

'chorote Chocolatera, chocolate.

chorrear Fluir, brotar, caer.

chorrera 'Arandela.

chorretada Chorrada, chisguete, ducha.

chorro Caño, reguero, surtidor, hilo.

chorroborro Aluvión, avenida, diluvio, irrupción.

chortal Manantial, lagunilla.

chotacabras Engañapastores, zumaya.

'chote Chayote.

choto Chivo, cabrito. || Ternero.

choza Cabaña, barraca, chabola, chamizo, 'caney, 'chinama, 'jacal, 'toldo.

chubasco Chaparrón, chaparrada, chapetón, aguacero, turbión, nubada.

chubasquero Impermeable, gabardina.

'chucán Bufón, chocarrero.

'chucanear Bufonear, guasear, bromear.

'chúcaro Arisco, bravío.

chuchería Fruslería, bujería, baratija, friolera.

chucho Perro, can.

'chuchumeco Chichimeca. || Vil, ruin.

chueca Tocón. || Cóndilo, apófisis, articulación. || Burla, broma.

'chueco Estevado, patituerto.

chufa Cuca. || Burla.

chufeta Chofeta. || Burla.

chufla o chufleta Burla, cuchufleta, chirigota, chanza.

chuleta Costilla. || Bofetada.

chuletas Patillas.

chulo Majo, chulapo, jactancioso, fanfarrón, matasiete, valentón, rufián.

chumacera Palomilla.

'chumbe Faja.

'chuncho Caléndula.

chunga Zumba, guasa, broma, 'chinga.

chunguearse Burlarse, chotearse, escarnecer.

chunguero Bromista, zaragatero, chistoso.

'chuño Fécula.

chupado Extenuado, flaco, delgado, consumido. ↔ Rollizo.

chupaflor 'Tucuso.

chupar Libar, sorber, absorber, mamar.

chupatintas Escribiente, oficinista.

chupetín Ajustador, justillo.

chupón Secante. || Embaucador, estafador. || Mamón.

chuquisa Ramera.

churdón Frambueso, frambuesa.

'churrasco Carbonada.

churre Pringue, unto, grasa, ungüento.

churrete Suciedad, mancha, mugre.

churriana Ramera.

churrigueresco Recargado, pomposo, barroco, charro.

churro Cohombro, buñuelo, fruta de sartén. || Oveja, carnero.

churmo Substancia, jugo, esencia. || Dinero, parné. || Entendimiento, cacumen.

churumbel Chiquillo, niño, crío.

'chuspa Bolsa, morral.

chuscada Chiste, gracia, donaire, agudeza, ocurrencia.

chusco Chistoso, gracioso, donoso, agudo, ocurrente, divertido. ↔ Soso.

chusma Gentuza, gentualla, patulea, zurriburri, canalla, populacho. ↔ Flor y nata.

chuzo Arcabuz. || Pica, suizón.

chuzón Astuto, taimado, solapado, ladino, marrullero, bellaco, zorro, zorrastrón, colmilludo. || Burlón, gracioso, chistoso, chunguero.

chuzonada Chocarrería, bufonada. || Fanfarria, valentonada, bravata.

chuzonería Burla, cuchufleta, chacota, chanada, chufa, chunga, guasa.

'chuzar Punzar, pinchar, herir.

CH

D

dable Factible, posible, hacedero. ↔ *Imposible.*

dactilar Digital.

dactilógrafa Tipiadora, mecanógrafa.

dactilografía Mecanografía.

dádiva Don, regalo, presente, obsequio, donativo.

dadivado Cohechado, sobornado. ↔ *Íntegro.*

dadivoso Desprendido, generoso, pródigo, liberal, espléndido, desinteresado, caritativo, 'larguero. ↔ *Mezquino, avaro, egoísta.*

dado Supuesto, admitido, aceptado, concedido, determinado.

dador Portador, comisionado. ‖ Donador.

daga Puñal.

daifa Manceba.

dalmática Túnica. ‖ Dálmata.

dalla o **dalle** Guadaña.

dama Señora.

damajuana Garrafón, garrafa, bombona, 'tamajuana.

damasquinar Adornar, taracear, embutir.

damería Melindre, delicadeza. ‖ Escrupulosidad, reparo.

damisela Doncella, damita. ‖ Cortesana.

damnificación Daño, per-

juicio, detrimento, deterioro, menoscabo, extorsión. ↔ *Beneficio.*

damnificar Dañar, perjudicar. ↔ *Beneficiar.*

*****dandi** Petimetre, pisaverde, lechuguino.

danta Dante, anta, ante, alce.

danza Baile, tripudio.

danzante Danzarín, bailarín. ‖ Necio, ligero, chisgarabís, mequetrefe, zascandil, chiquilicuatro.

danzar Bailar.

danzarín Danzante.

danzarina Bailarina, bayadera.

danzón Habanera.

dañar Damnificar, perjudicar, estropear, menoscabar, deteriorar, malear, pervertir, viciar. ↔ *Beneficiar.*

dañino Nocivo, perjudicial, dañoso, malo, pernicioso. ↔ *Beneficioso.*

daño Perjuicio, lesión, mal, detrimento, menoscabo, deterioro, desperfecto. ↔ *Beneficio.*

dañoso Dañino, perjudicial, nocivo, malo, pernicioso. ↔ *Beneficioso.*

dar Donar, regalar, entregar, ceder, otorgar, conceder, facilitar, proporcionar. ↔ *Quitar.* ‖ Producir, rentar,

redituar, rendir. ‖ Aplicar. ‖ Caer, topar, chocar, pegar, incurrir. ‖ Acertar, adivinar, atinar. ↔ *Errar.* ‖ Administrar, suministrar, propinar, proporcionar, proveer, surtir, nutrir, presentar. ‖ Encararse, orientarse, mirar.

dardo Venablo, jabalina.

darse Entregarse, rendirse, ceder. ↔ *Resistir.*

dársena Fondeadero, ancladero, surgidero.

data Fecha.

datar Fechar.

dato Antecedente, noticia, fundamento, particular, detalle, nota, documento, testimonio.

dea Diosa.

deambular Vagar, errar, pasear, andar.

deán Decano.

debajo Abajo. ↔ *Encima.* ‖ Bajo. ↔ *Sobre.*

debate Discusión, controversia, disputa, polémica. ↔ *Acuerdo.*

debatir Discutir, controvertir, disputar, contender, altercar. ↔ *Acordar.*

debelar Batir, derrotar, rendir, vencer, desbaratar, conquistar.

deber Obligación, misión, responsabilidad. ↔ *Dere-*

cho. || H a b e r de, tener que, estar obligado. || Adeudar.

débil Endeble, flaco, flojo, decaído, desfallecido, debilitado, lánguido, enclenque, canijo, asténico, exánime, enteco, exangüe, 'aguado. ↔ *Fuerte, robusto, vigoroso, enérgico.*

debilidad Endeblez, flaqueza, flojedad, descaecimiento, decaimiento, desfallecimiento, languidez, lasitud, a s t e n i a, extenuación. ↔ *Fuerza, vigor, energía, robustez.*

debilitar Extenuar, enervar, postrar, disminuir, apagar, ablandar, atenuar, suavizar, desvirtuar, desubstanciar, marchitar, caducar, amortiguar, limar. ↔ *Envigorecer.*

debilitarse F l o j e a r, flaquear, languidecer, desfallecer, decaer, aflojar, esmorecer, consumirse, desmejorarse, aplanarse, agotarse, no poderse tener, desgastarse. ↔ *Rôbustecerse.*

débito Deuda, a d e u d o. ↔ *Crédito.*

década Decenio.

decadencia D e c a i m i e n t o, declive, ocaso, declinación, descenso, decrepitud. ↔ *Auge.*

decaer Debilitarse, desfallecer, flaquear, d e c l i n a r, m e n g u a r, disminuir. ↔ *Ascender, progresar.*

decaimiento Decadencia.

decampar Partir, irse, desaparecer, poner pies en polvorosa, huir.

decano Deán, presidente.

decantar Desviar, inclinar. || Trasegar, verter, trasvasar, zaguear, embrocar.

decantar Ponderar, celebrar,

ensalzar, alabar. ↔ *Vituperar.*

decapitar Descabezar, degollar, guillotinar, desmochar.

decena Diez.

decencia Honestidad, recato, modestia. moderación, compostura, decoro dignidad. ↔ *Indecencia.*

decenio Década.

decentar Encetar, estrenar.

decentarse Ulcerarse.

decente Honesto, recatado, modesto, decoroso, digno. ↔ *Indecente.*

decepción Desengaño, desencanto, desilusión, chasco. ↔ *Ilusión.*

decidido Resuelto, desenvuelto, emprendedor, osado. ↔ *Indeciso, apocado.*

decidir Resolver, determinar, deliberar, disponer. ↔ *Titubear.*

decidor Dicharachero, gracioso, locuaz, verboso, ocurrente, chirigotero, loquesco, jacarero.

décima Espinela. || Diezmo.

decir Hablar, manifestar, pronunciar, proferir, articular, explicar, referir, contar, declarar, indicar, expresar, dictar, detallar, especificar, informar, exponer, señalar, enumerar, mencionar, formular, cristalizar, observar, anunciar, nombrar, apuntar, concretar, insinuar, indicar, denotar, soltar, endilgar, cantar, encasquetar, encajar, endosar, repetir, recalcar, subrayar, alegar, aducir, considerar. fijar, vomitar, revelar. ↔ *Callar.* || Opinar, proponer, sostener, afirmar, aseverar, reiterar, asegurar. ↔ *Negar, dudar.* || Denotar, mostrar, repre-

sentar. || Estar escrito, citar, contener. || Armonizar, convenir. || Escribir.

decisión Resolución, partido, determinación, sentencia, disposición. || Desenvoltura, firmeza, energía, entereza, resolución. ↔ *Indecisión.*

decisivo Definitivo, concluyente, terminante, perentorio. ↔ *Dudoso, provisional.* || Crucial, crítico.

declamar Recitar, decir, discantar, pronunciar, orar.

declaración Exposición, r e v e l a c i ó n, manifestación, confesión, profesión, proposición, afirmación, e x p l i c a c i ó n, proclamación, confesión. ↔ *Ocultación, silencio.* || Testimonio, deposición, alegación.

declarar Manifestar, explicar, exponer, decir. ↔ *Callar. ocultar.* || Deponer, testificar, atestiguar. || Fallar, resolver, proclamar, decidir.

declinación Declive, decadencia, ocaso, descenso. ↔ *Ascensión.*

declinar Decaer, menguar, disminuir, degenerar, caducar. ↔ *Elevarse, subir.* || Rehusar, renunciar. ↔ *Aceptar.*

declive Pendiente, inclinación, rampa, cuesta. || Declinación, decadencia, ocaso, 'gradiente. ↔ *Ascensión.*

decocción Cocción. || Amputación.

decolorar Descolorar, desteñir, despintar. ↔ *Colorear.*

decomisar Confiscar, incautarse, aprehender. ↔ *Restituir.*

decoración Ornamentación, adorno, ornato, engalana-

D

D

miento, embellecimiento, aliño. || Instalación, paramento, interiorismo. || Decorado.

decorado Decoración, fondo, forillo.

decorar Adornar, ornar, ornamentar, hermosear. ↔ *Deslucir.*

decoro Dignidad, decencia, compostura, respetabilidad, honor, recato, honestidad. ↔ *Indecoro, indignidad, indecencia.*

decoroso Pundonoroso, honesto, digno, recatado, respetable, circunspecto. ↔ *Indecoroso.*

decrecer Disminuir, menguar, bajar, declinar, decaer. ↔ *Crecer, subir, aumentar.*

decrecimiento Debilitación, declinación, disminución, mengua, decremento, decadencia, menoscabo. ↔ *Aumento, crecimiento.*

decrépito Caduco, chocho. ↔ *Lozano.*

decrepitud Ancianidad, caduquez, caducidad, chochez, senilidad, vetustez, chochera. ↔ *Juventud, lozanía.*

decretar Ordenar, decidir, resolver, determinar.

decreto Orden, edicto, bando. || Determinación, resolución, decisión. || Constitución, establecimiento.

decúbito Yacente, horizontal.

decurso Transcurso, curso, sucesión, paso, discurso.

dechado Modelo, ejemplo, muestra, 'machote.

dedalera Digital.

dédalo Laberinto, enredo, maraña, lío, confusión.

dedicación Ofrecimiento, consagración, dedicatoria.

asignación, homenaje, conmemoración.

dedicar Consagrar, ofrecer, ofrendar. || Destinar, aplicar, emplear, ocupar, asignar.

dedicarse Entregarse.

dedicatoria Dedicación.

dedillo (al) De pe a pa, de corrido, de memoria, como el avemaría.

dedos Dátiles.

dedos (chuparse los) Relamerse.

deducción Consecuencia, derivación, resultado, conclusión, inferencia. || Rebaja, descuento, disminución, resta. ↔ *Incremento, plus, adición.*

deducir Colegir, inferir, concluir, derivarse, seguirse, desprenderse. || Descontar, rebajar, restar, disminuir. ↔ *Añadir, aumentar.*

defección Deserción, abandono, traición, huida. ↔ *Adhesión, incorporación.*

defectivo Defectuoso.

defecto Carencia, deficiencia, imperfección, falta, tacha, vicio. ↔ *Exceso, cualidad.*

defectuoso Defectivo, falto, imperfecto, incompleto, insuficiente, carente, cojo, informe, tosco, chanflón, incorrecto, mediano, regular, malo. ↔ *Perfecto, bueno.*

defender Amparar, proteger, resguardar, preservar, sostener, apoyar, propugnar. ↔ *Atacar, impugnar.* || Disculpar, excusar, justificar, abogar. ↔ *Acusar.*

defendible Defensable, defendedero, tolerable, justificable. ↔ *Injustificable.*

defensa Amparo, protec-

ción, reparo, resguardo, apoyo, auxilio. ↔ *Ataque, impugnación.* || Exculpación, justificación, disculpa. ↔ *Acusación.*

defensor Paladín, campeón, valedor, tutor, protector, abogado. ↔ *Acusador.*

deferencia Consideración, respeto, miramiento, atención, condescendencia. ↔ *Menosprecio, desconsideración.*

deferente Considerado, respetuoso, mirado, atento. ↔ *Desconsiderado.*

deferir Admitir, respetar, adherirse. ↔ *Rechazar.* || Comunicar, compartir, dar parte, hacer partícipe.

deficiencia Defecto, falta, imperfección, tacha, insuficiencia. ↔ *Suficiencia, perfección.*

deficiente Incompleto, imperfecto, insuficiente, defectuoso. ↔ *Perfecto.*

déficit Descubierto, falta. ↔ *Superávit.*

definición Descripción, explicación, exposición, tesis. || Dictamen, determinación, decisión, declaración.

definir Explicar, precisar, fijar, determinar.

definitivo Terminante, decisivo, concluyente, indiscutible. ↔ *Provisional.*

deflagrar Incendiarse, arder.

deformación Alteración, desfiguración, informidad, deformidad, disformidad, alteración, anomalía, imperfección, aberración. ↔ *Perfección.*

deformar Desformar, desfigurar.

deforme Disforme, desfigurado, desproporcionado, contrahecho, giboso, monstruoso, 'macaco. ↔ *Perfecto, hermoso, apuesto.*

deformidad Deformación. || Error, yerro, falta. || Engendro, aborto, monstruo.

defraudación Usurpación, estafa, garrama, hurto.

defraudar Estafar, quitar, engañar, usurpar, 'cangallar. ↔ *Restituir.* || Frustrar, malograr.

defunción Muerte, fallecimiento, óbito. ↔ *Nacimiento.*

degeneración Decadencia, declinación, descaecimiento, bastardización, degradación, alteración. ↔ *Regeneración.* || Perversión, corrupción, bizantinismo.

degenerar Decaer, perder, declinar, empeorar, caer. ↔ *Regenerar.*

deglutir Tragar, engullir, ingerir. ↔ *Regurgitar.*

degolladero Cadalso, guillotina. || Matadero, escabechina, degüello.

degolladura Sesgo, escote. || Garganta.

degollar Decapitar, descabezar, guillotinar.

degollina Degüello, matanza, mortandad, carnicería.

degradación Destitución, exoneración, rebajamiento, deposición, disminución. ↔ *Ascenso, enaltecimiento.* || Degeneración, humillación, envilecimiento, vileza.

degradante Envilecedor, indecoroso, ignominioso, humillante, ruin, bajo. ↔ *Ennoblecedor, dignificante.*

degradar Humillar, envilecer, relegar, postergar, posponer, rebajar, abatir, deponer, destituir. ↔ *Ennoblecer, ascender.*

'degu Rata.

degüello Degollina, degolladero.

degustación Saboreamiento, gustadura, probadura.

dehesa Campo, coto, pasto, majada, 'canchón, 'potrero.

deidad Divinidad.

deificación Divinización, apoteosis, sublimación, glorificación, endiosamiento.

deificar Divinizar, endiosar, sublimar, glorificar, exaltar, ensalzar. ↔ *Humillar.*

deífico Celeste, celestial, divino, divinal. ↔ *Terrenal, infernal.*

dejación Dejamiento, renuncia, cesión, abandono, desistimiento. ↔ *Reivindicación.*

dejadez Dejamiento, abandono, descuido, incuria, desidia, negligencia, indolencia, pereza. ↔ *Esmero, diligencia.*

dejado Abandonado, descuidado, desidioso, negligente, indolente, perezoso. ↔ *Esmerado, diligente.* || Desaseado, desaliñado, sucio, adán. ↔ *Pulcro.*

dejamiento Dejadez. || Dejación.

dejar Abandonar, soltar, desamparar, ceder, cejar, desechar, rechazar, apartar, resignar, renunciar, plantar, arrimar, arrinconar, separarse, desertar, desistir, sacrificar, dimitir, abdicar, darse de baja. ↔ *Adoptar, tomar, unirse, perseverar.* || Marcharse, partir, irse, apartarse, ausentarse, evacuar, faltar. ↔ *Permanecer, quedarse.* || Encargar, encomendar, designar, confiar, nombrar. || Transmitir, legar. ↔ *Desheredar.* || Desprenderse, des-

pojarse, dar, ceder, privarse. ↔ *Retener, mantener.* || Consentir, permitir, tolerar, sufrir. ↔ *Oponerse.* || Producir, redituar, rentar, proporcionar, valer. || Omitir, olvidar, abstenerse. || Aplazar, dirimir. ↔ *Anticipar.*

dejo Deje, acento. || Gustillo, deje, resabio.

delación Denuncia, acusación, soplo, chivateo, confidencia.

delantal Mandil, faldar, excusalí.

delante Enfrente. || A la vista, en presencia de. || Primo, de primera, a la cabeza de.

delantera Frente, fachada, vista. || Adelanto, anticipación.

delantera (coger o tomar la) Anticiparse, adelantar, aventajar.

delatar Acusar, denunciar, revelar, descubrir, soplar, chivatar, chivatear.

delator Denunciante, acusador, denunciador, soplón, bramón, confidente.

delectación Deleite.

delegación Comisión, representación, facultad, poder, misión, encargo.

delegado Representante, comisionado, encargado.

delegar Comisionar, encargar, encomendar, facultar, dar poder, diputar.

deleitable Deleitoso.

deleitar Agradar, encantar, regalar, complacer, gustar. ↔ *Enojar, molestar, hastiar.*

deleite Delectación, placer, goce, delicia, gusto, encanto, complacencia, regalo, ↔ *Molestia, tedio, disgusto.*

deleitoso Deleitable, delicioso, ameno, placentero, encantador, agradable, apacible. ↔ *Enojoso, molesto, fastidioso.*

deletéreo Mortífero, mortal, destructor, venenoso.

deletrear Silabear.

deleznable Frágil, inconsistente, quebradizo, desmenuzable, disgregable, débil, delicado, perecedero, breve, fugaz. ↔ *Sólido, consistente, persistente, perdurable.*

delgadez Flaqueza, magrura, flacura, escualidez, enflaquecimiento, adelgazamiento, demacración, amojamamiento, tenuidad. ↔ *Obesidad, gordura.*

delgado Flaco, cenceño, enjuto, seco, afilado, acartonado, ahilado, argüellado, adelgazado, consumido, chupado, demacrado, depauperado, desecado, descarnado, desmedrado, enteco, entelerido, enflaquecido, escuerzo, escuchimizado, esmirriado, esquelético, fideo, feble, frágil, lamido, magro, momio, lambrija, pilongo, 'flamenco. ↔ *Obeso, gordo, grueso.* ‖ Exiguo, delicado, tenue, fino, sutil. ↔ *Grueso, grosero.* ‖ Estrecho. ‖ Agudo, ingenioso, penetrante.

deliberación Examen, discusión, reflexión. ‖ Decisión, resolución.

deliberadamente Premeditadamente, adrede, aposta, intencionadamente, ex profeso, de propósito, a sabiendas. ↔ *Indeliberadamente.*

deliberar Premeditar, reflexionar, meditar, examinar, decidir, resolver. ‖ Discutir, debatir.

delicadeza Finura, suavidad, atención, tacto, tiento, miramiento, cortesía, ternura, sensibilidad. ↔ *Indelicadeza.* ‖ Escrupulosidad, primor, fineza, cuidado. ↔ *Descuido, tosquedad.*

delicado Fino, atento, mirado, suave, cortés, tierno, 'merengue. ↔ *Desconsiderado.* ‖ Enfermizo, enclenque, débil. ↔ *Robusto.* ‖ Sabroso, rico, apetitoso, exquisito. ↔ *Desaborido, repugnante.* ‖ Fino, primoroso. ↔ *Fosco, basto.* ‖ Débil, frágil, inconsistente, quebradizo, deleznable. ↔ *Consistente, sólido.* ‖ Susceptible, suspicaz, quisquilloso. ‖ Difícil, expuesto, arriesgado. ↔ *Corriente, fácil.*

delicia Deleite, placer, goce, encanto, complacencia, regalo, gusto, agrado. ↔ *Sufrimiento, molestia, fastidio.*

delicioso Deleitoso, deleitable, placentero, encantador, maravilloso, ameno, agradable, apacible. ↔ *Penoso, áspero, desagradable.*

delictivo Delictuoso, punible, reprensible, criminal. ↔ *Encomiable.*

delimitar Determinar, deslindar, demarcar, fijar, definir.

delincuencia Criminalidad.

delincuente Malhechor, reo, criminal.

delineante Delineador, proyectista.

delinear Diseñar, dibujar.

delinquir Transgredir, violar, infringir, contravenir,

atentar, vulnerar, desobedecer. ↔ *Respetar.*

deliquio Desfallecimiento, desmayo, enajenamiento, suspensión, arrobamiento, éxtasis.

delirar Alucinarse, enajenarse, desvariar, disparatar, desatinar, desbarrar. ↔ *Razonar.* ‖ Fantasear, soñar, ilusionarse.

delirio Alucinación, enajenación, perturbación, frenesí, desvarío, disparate, desatino, dislate, despropósito. ↔ *Razonamiento.* ‖ Fantasía, quimera, ilusión, ensueño.

delito Culpa, crimen, falta, infracción.

deludir Engañar, alucinar, burlar.

delusorio Delusivo, ficticio, engañoso, artificioso. ↔ *Real.*

demacrarse Enflaquecer, desmejorar, desmedrarse, chuparse, adelgazar. ↔ *Engordar, echar carnes.*

demagogo Jacobino.

demanda Petición, solicitud, solicitación, ruego, súplica. ‖ Pedido, salida, éxito. ↔ *Oferta.* ‖ Empresa, intento, empeño.

demandadero Encomendero, recadero, mandadero.

demandante Demandador, solicitante, pretendiente, peticionario.

demandar Rogar, suplicar, pedir, solicitar, recuestar, emplazar. ‖ Apetecer, desear. ‖ Exigir. ↔ *Desistir.* ‖ Preguntar, interrogar, cuestionar.

demarcación Circunscripción, distrito.

demarcar Delimitar, deslindar, fijar, señalar, delinear.

demasía Desafuero, desmán, abuso, atropello, delito, fechoría, maldad. || Osadía, atrevimiento, insolencia. ↔ *Comedimiento.* || Exceso, sobra. ↔ *Defecto, falta.*

demasiado Excesivo, exorbitante, sobrado. ↔ *Insuficiente, poco.* || Excesivamente, demasiadamente. ↔ *Insuficientemente.*

demediar Dividir, partir. || Usar, gastar.

demencia Locura, psicopatía, vesania, alienación, enajenación mental, chifladura. ↔ *Cordura, sano juicio.*

demente Loco, psicópata, vesánico, orate, anormal, alienado, chiflado. ↔ *Cuerdo.*

demoler Deshacer, destruir, derribar, arruinar, arrasar. *Construir, reconstruir, edificar.*

demoníaco Diabólico, satánico, perverso. ↔ *Angelical.*

demonio Diablo, demontre, diantre, 'catete. ↔ *Ángel.*

demontre Demonche, diablo, diantre, demonio.

demora Dilación, retraso, tardanza, aplazamiento, dilatoria. ↔ *Adelanto, anticipación.*

demorar Dilatar, retrasar, diferir, retardar, aplazar. ↔ *Adelantar, anticipar.*

demorarse Detenerse, entretenerse, pararse. ↔ *Apresurarse, seguir.*

demostración Expresión, manifestación, exposición, ostensión, exhibición, presentación. ↔ *Ocultación.* || Explicación, ilustración, esclarecimiento, ejemplificación, definición. || Prueba, testimonio, confir-

mación, verificación. || Argumento, razonamiento, alegación.

demostrar Probar, evidenciar, justificar, patentizar, manifestar, mostrar.

demostrativo Evidente, convincente, probatorio, probante, perentorio, categórico, apodíctico.

demudado Desfigurado, cadavérico, pálido, transfigurado.

demudar Mudar, variar, cambiar, alterar, trasmudar, desfigurar.

denegación Negativa, negación, desestimación. ↔ *Concesión, aprobación.*

denegar Negar, desestimar. ↔ *Acceder, conceder.*

denegrir Denegrecer, ennegrecer.

dengoso Denguero, melindroso, delicado, remilgado, melifluo, mojigato. ↔ *Sufrido.*

dengue Remilgo, melindre.

denigrante Afrentoso, injurioso, vergonzoso, deshonroso, calumnioso, humillante, infamante. ↔ *Enaltecedor.*

denigrar Calumniar, infamar, injuriar, desacreditar, desprestigiar, deshonrar, vilipendiar. ↔ *Enaltecer.*

denodado Esforzado, atrevido, animoso, decidido, resuelto, valiente, intrépido. ↔ *Tímido, apocado, flojo.*

denominador Calificativo. || Divisor.

denominar Llamar, nombrar, designar, intitular.

denostar Injuriar, insultar, denigrar, vilipendiar, ultrajar, ofender. ↔ *Ensalzar, honrar.*

denotar Indicar, señalar, significar, **expresar.**

densidad Consistencia, macicez, condensación, compactibilidad, condensabilidad, compacidad, cohesión. ↔ *Fluidez, ligereza.*

densímetro Areómetro.

denso Compacto, macizo, apiñado, apretado, tupido, consistente, espeso. ↔ *Fofo, hueco, fluido.* || Pesado. ↔ *Leve.*

dentado Danchado, dentellado, dantellado.

dentadura Dentición, herramienta.

dentar Adentellar. || Endentecer.

dentejón Yugo.

dentellada Colmillada, mordisco, mordedura.

dentera Amargor, rabanillo. ||Envidia, prurito, ansia, deseo, pelusa.

dentro En el interior de, al interior, en, adentro, en el seno de. ↔ *Fuera.*

dentista Odontólogo, sacamuelas.

denuedo Valor, intrepidez, brío, arrojo, esfuerzo, ánimo, valentía, decisión, resolución. ↔ *Pusilanimidad.*

denuesto Injuria, insulto, ofensa, improperio, dicterio. ↔ *Lisonja, elogio.*

denuncia Delación, acusación, soplo, confidencia, información, noticia.

denunciante Denunciador, delator, acusador, acusón, soplón, sindicador, bramón.

denunciar Delatar, acusar, revelar, descubrir. ↔ *Encubrir.*

deparar Dar, entregar, proporcionar, facilitar, suministrar, conceder. || Ofrecer, mostrar, presentar, señalar, poner de manifiesto.

D

D **departamento** Cantón, distrito. || División, compartimiento. || Ramo. || Dependencia, oficina.

departir Conversar, hablar, platicar, dialogar, charlar.

depauperado Desnutrido, escuálido, exánime, agotado, débil, anémico.

depauperar Empobrecer, ↔ *Enriquecer.* || D e b i l i t a r, extenuar, enflaquecer, desfallecer, postrar. ↔ *Robustecer, reforzar, reconstituir, tonificar.*

dependencia Subordinación, s u j e c i ó n, supeditación, sumisión, servidumbre. ↔ *Independencia.* || Sucursal. ↔ *C e n t r a l.* || Personal, dependientes, empleados.

depender Pender, servir, estar a las ancas, caer bajo.

dependiente Accesorio. || Subalterno, subordinado, súbdito, acólito, satélite, auxiliar, tributario, feudatario. ↔ *Independiente, libre, exento.* || Oficinista, burócrata, vendedor, motril, tendero.

depilatorio Atanquía, dropacismo.

deplorable Lamentable, lastimoso, triste, sensible, desgraciado, miserable. ↔ *Satisfactorio, envidiable.*

deplorar Lamentar, dolerse, sentir. ↔ *Celebrar, congratularse.*

deponer Declarar, testificar. || Destituir, relevar, despedir. ↔ *Nombrar, reponer.*

deportación Destierro, extrañamiento, exilio, pros c r i p c i ó n, confinamiento, relegación. ↔ *Repatriación, rehabilitación.*

deportado Emigrado, exiliado.

deportar Exiliar, confinar,

proscribir, expatriar, extrañar, desterrar, internar.

deporte Recreo, recreación, diversión, juego, pasatiempo, ejercicio.

deposición Declaración, testimonio, atestado, exposición, comparecencia. || Despojamiento, d e g r a d a ción, destitución. ↔ *Ascenso.* || Evacuación, defecación, heces.

depositar D a r, entregar, confiar, consignar, fiar. ↔ *Retener.* || Colocar, poner, guardar. || Sedimentar.

depositario Fiduciario. || Cajero, tesorero. || Consignatario, receptor.

depósito Sedimento, poso, precipitado, 'asiento. || Custodia, entrega, consignación, resguardo. || Almacén, arsenal, pósito. || Almacenamiento, provisión, acopio. || Recipiente, receptáculo, tanque.

depravación Envilecimiento, corrupción, degradación, perversión, crápula, vicio, licencia, degeneración, desenfreno, libertinaje. ↔ *Integridad.*

depravado Disoluto, libertino, vicioso, pervertido, envilecido, corrompido. ↔ *Virtuoso, probo.*

depravar Viciar, corromper, degenerar, pervertir, degradar, envilecer, malear. ↔ *Regenerar.*

deprecación Ruego, súplica, petición, impetración.

deprecar Rogar, suplicar, instar, impetrar, pedir.

depreciar Desvalorizar, desencarecer, rebajar, bajar, disminuir. ↔ *Revalorizar, aumentar.*

depredación Saqueo, despojo, rapiña, pillaje.

depredar Saquear, robar, pillar, despojar, devastar.

depresión Concavidad, hondonada, bajada, descenso, disminución. ↔ *Elevación.* || Abatimiento, decaimiento, desánimo, desaliento, melancolía. ↔ *Excitación, euforia.* || Humillación, degradación. ↔ *Exaltación.*

depresivo Degradante, vergonzoso, humillante, desacreditativo. ↔ *Enaltecedor.*

deprimir Hundir. || Abatir, desanimar, desalentar. ↔ *Animar, alentar.* || Humillar, desacreditar, rebajar, degradar. ↔ *Exaltar.*

depuesto Degradado, destituido.

depuración P u r i f i c a c i ó n, limpieza, supresión, exclusión. ↔ *Corrupción.*

depurado Liso, corto, sencillo. || Puro, limpio. ↔ *Impuro.*

depurar Purificar, acrisolar, perfeccionar, sublimar. ↔ *Impurificar, corromper.*

derecha Diestra. ↔ *Izquierda.*

derecho Recto, seguido, directo, vertical, erguido, 'parado. ↔ *Torcido.* || Facultad, opción, libertad, justicia, razón. ↔ *Deber.* || Anverso, cara, recto. ↔ *Revés.* || P r e r r o g a t i v a, exención.

derechos Tributo, impuestos, obvenciones.

derechura Verticalidad. || Rectitud, equidad, igualdad.

deriva Desvío.

deriva (a la) Abandonado, desamparado, desorientado. || Al garete.

derivación Consecuencia, deducción.

derivar Proceder, originarse, deducirse, **seguirse**, emanar, nacer. || Encaminar, conducir, desviarse.

derivo Procedencia, origen.

dermis Piel.

derogar Abolir, anular, suprimir, revocar, abrogar.↔ *Implantar, promulgar.*

derrabar Desrabotar, desrabar, descolar, escodar.

derrama Repartimiento, distribución. || Contribución, tributo, escote.

derramar Verter, esparcir, desembocar, desaguar, desbordar. || Divulgar, publicar, extender.

derrame Derramamiento, desbordamiento, **rebasamiento**, efusión, difusión.|| Pérdida, dispersión. || Alféizar, rebajo, declive.

derredor Contorno, rededor.

derrelinquir Abandonar, desamparar.

derrengar Descaderar, desriñonar, desplomar, cansar, ajobar. ↔ *Aliviar.* || Inclinar, torcer, desviar.

derretido Amartelado, encariñado, enamorado. || Hormigón.

derretir Fundir, liquidar, licuar. ↔ *Solidificar.*

derretirse Enamorarse, amartelarse, chiflarse. || Deshacerse, impacientarse. inquietarse.

derribar Tumbar, abatir, tirar, desmontar, demoler, derrocar, derruir, derrumbar, hundir, arruinar. ↔ *Levantar, edificar.*

derribo Hundimiento, desplome, demolición, ruina, destrucción. ↔ *Construcción.*

derrocar Despeñar, precipitar, derribar, demoler, derruir, arruinar. ↔ *Elevar, reconstruir.*

derrochar Malgastar, malbaratar, disipar, despilfarrar, dilapidar, prodigar, desperdiciar, desaprovechar. ↔ *Ahorrar, escatimar, aprovechar.*

derroche Despilfarro, dilapidación profusión, gasto, fausto. ↔ *Ahorro, economía, mezquindad.*

derrota Rota, vencimiento, desbaratamiento, descalabro, fracaso, paliza, desastre. ↔ *Victoria, éxito.* || Camino, senda, rumbo, ruta, derrotero.

derrotado Andrajoso, pobre, ajado, harapiento.

derrotar Vencer, desbaratar, batir, destrozar, rendir.

derrotero Derrota, rumbo, dirección, camino.

derrubio 'Deslave.

derruir Derribar demoler, asolar, derrumbar, arruinar, destrozar. ↔ *Edificar, reconstruir.*

derrumbadero Despeñadero, derrocadero, sima, precipicio, desgalgadero, voladero.

derrumbamiento Derrumbe, desmoronamiento, desplome, fracaso, alud, desprendimiento.

derrumbar Precipitar, despeñar, derruir, arruinar, demoler, caerse, desplomarse. ↔ *Levantar, reconstruir.*

derrumbe 'Chiflón.

desabono Baja. || Perjuicio, descrédito.

desabordar Desatracar.

desaborido Insípido, soso, insulso, indiferente, zonzo, badea, inexpresivo.

desabotonar Desabrochar.

desabrido Desaborido, soso, insípido, insulso, insubstancial. ↔ *Sabroso, subs-*

tancioso. || Áspero, desagradable, desapacible, destemplado, displicente, hosco, adusto. ↔ *Afable, atento, cordial.*

desabrigado Desamparado, desvalido, indefenso.

desabrigar Destapar, desarropar.

desabrigo Desamparo, abandono, desvalimiento.

desabrimiento Aspereza, destemplanza, adustez, displicencia. ↔ *Afabilidad.* || Desazón, disgusto. ↔ *Serenidad.*

desabrochar Desabotonar, abrir, descoger, aflojar, desasir.

desabrocharse Desembuchar, revelar, confesar, abrirse, franquearse, espontanearse.

desacato Irreverencia, irrespeto, desprecio, desobediencia. ↔ *Acatamiento, acato.*

desacerbar Atemperar, apaciguar, calmar, dulcificar, tranquilizar, suavizar, templar. ↔ *Exacerbar.*

desacertar Errar, equivocarse, desatinar. ↔ *Acertar.*

desacierto Error, equivocación, torpeza, disparate, yerro, desatino, dislate. ↔ *Acierto.*

desacomodar Desemplear, desocupar, despedir, destituir.

desaconsejar Disuadir, apartar, desengañar. ↔ *aconsejar, persuadir.*

desacoplar Desencajar, desajustar, desunir. ↔ *Acoplar.*

desacordar Desentonar, desafinar, disonar, discordar, falsear, destemplar.

desacorde Disconforme, discordante, discorde, desave-

D

D

nido, disonante, desafina-
do. desentonado, destem-
plado. ↔ *Acorde, afinado.*

desacostumbrado Inusitado, insólito, inusual, desusado, extraño, nuevo, ra-
ro. ↔ *Acostumbrado, co-
rriente.*

desacostumbrar Deshabituar, desvezar. ↔ *Acos-
tumbrar, habituar.*

desacreditado Malmirado,
malquisto, desconceptuado,
impopular, desprestigiado,
desautorizado. ↔ *Acreditado, reputado.*

desacreditar Desprestigiar,
desautorizar, detractar, difamar, infamar, deshon-
rar. ↔ *Acreditar, afamar.*

desacuerdo Disconformidad,
desavenencia, desunión,
discordia. ↔ *Acuerdo.*

desaderezar Desaliñar.

desadeudar Desentrampar.

desafección Desafecto, animosidad, malquerencia,
aversión, enemiga, desa-
mor, mala voluntad, anti-
patía, enemistad. ↔ *Afección, cariño.*

desafecto Desafección, malquerencia, animosidad,
aversión, antipatía. ↔
Afecto, simpatía. ‖ Contrario, opuesto. ↔ *Afecto,
adicto.*

desaferrar Soltar, desasir,
desprender, libertar, desunir, desatar, desligar. ↔
Aferrar, atar. ‖ Apartar,
disuadir, desarrimar, desaconsejar, desviar. ↔ *Aproximar, acercar.* ‖ Desamarrar, levar anclas, soltar
amarras.

desafiar Retar, provocar,
competir, rivalizar, arrostrar, afrontar.

desafinar Desentonar, disonar, destemplar. ↔ *Afinar.*

desafío Reto, provocación,
duelo, rivalidad, compe-
tencia.

desaforado Desatentado,
desmesurado, desmedido,
enorme, descomunal. ↔
Mesurado.

desaforar Atropellar, violar,
infringir, vulnerar.

desafortunado Desventurado, malaventurado, desdi-
chado, infeliz, desgraciado,
infausto, aciago. ↔ *Afortunado, feliz.*

desafuero Desmán, demasía,
exceso, abuso, atropello,
tropelía, arbitrariedad, injusticia.

desagradable Ingrato, molesto, enojoso, fastidioso,
enfadoso, desapacible. ↔
*Agradable, placentero, apa-
cible.*

desagradar Disgustar, desconcertar, molestar, enfadar, enojar, fastidiar. ↔
Agradar, complacer.

desagradecido Ingrato, olvidadizo. ↔ *Agradecido.*

desagradecimiento Ingratitud, desconocimiento, olvido. ↔ *Agradecimiento.*

desagrado Descontento, disgusto, fastidio, enojo, molestia, enfado. ↔ *Agrado.*

desagraviar Indemnizar,
compensar, satisfacer, reparar, borrar, excusarse.
↔ *Agraviar, dañar.*

desagraviarse Vengarse,
desforzarse.

desagravio Reparación, satisfacción, explicación, expiación. ↔ *Agravio.*

desagregar Segregar, separar, desunir, desjuntar,
desperdigar, dispersar, disgregar, descentralizar, desarticular, esparcir. ↔
*Agregar, reunir, centrali-
zar.*

desaguadero Escurridero,
escorredero, tragadero, alcantarilla, desagüe, san-
gradura.

desaguar Desembocar, derramar, verter, vaciar, secar, sanear.

desagüe Desaguadero, dre-
naje, avenamiento, achi-
que, desembocadura, sali-
da.

desaguisado Desacierto, desatino, disparate, barbaridad, desbarajuste, entuerto, agravio, atropello, desafuero. ↔ *Acierto.*

desahogado Atrevido, descarado, descocado, desvergonzado, fresco, desenvuel-
-to. ↔ *Encogido, come-
dido.* ‖ Desembarazado,
despejado, libre, amplio,
espacioso, holgado. ↔ *Reducido, exiguo.* ‖ Aliviado,
descansado, desempeñado,
desentrampado, acomoda-
do. ↔ *Ahogado, atosigado,
entrampado.*

desahogar Aliviar, consolar,
aligerar, descargar. ↔ *Atosigar.*

desahogarse Desfogarse,
expansionarse, explayar-
se, abrirse, desembuchar.
↔ *Contenerse, reprimir-
se.* ‖ Recobrarse, repa-
rarse, reponerse. ↔ *Aho-
garse, desfallecer.*

desahogo Desembarazo, libertad, holgura, desenvoltura. ↔ *Estrechez.* ‖ Alivio, descanso, reposo, tranquilidad, consuelo. ↔ *Ahogo, desfallecimiento, congoja.* ‖ Expansión, efu-
sión, esparcimiento. ↔
Contención. ‖ Atrevimiento, descaro, descoco, desvergüenza, frescura, de-
senvoltura. ↔ *Encogimiento, comedimiento.*

desahuciado Incurable, insanable, condenado.

desahuciar Lanzar, expulsar, despedir. || Desesperanzar, desengañar. ↔ *Esperanzar, dar esperanza.*

desahucio Lanzamiento.

desairado Desgarbado, desgalichado. ↔ *Airoso.* || Desdeñado, despreciado, chasqueado, desatendido. ↔ *Respetado, atendido.*

desairar Desdeñar, despreciar, chasquear, desatender. ↔ *Respetar, atender.*

desaire Desatención, descortesía, chasco, desdén, desprecio, disfavor, grosería, 'boche. ↔ *Atención, delicadeza.*

desajustar Desencajar, desacoplar, desmontar. ↔ *Ajustar.*

desalado Acelerado, presurado, premioso, acucioso, ansioso. ↔ *Desanimado, cansino.*

desalar Aliquebrar, alicortar.

desalarse Apresurárse, dispararse, arrojarse. ↔ *Remitir.* || Anhelar, ansiar, apetecer, suspirar, querer.

desalentar Desanimar, descorazonar, abatir, postrar, arredrar, atemorizar, amedrentar, acobardar, amilanar, acoquinar, 'esmorecer. ↔ *Alentar.*

desaliento Desánimo, abatimiento, decaimiento, descaecimiento, postración. ↔ *Aliento.*

desaliñado Descuidado, desarreglado, abandonado, desaseado, desgalichado, -dejado, gorrino, mugriento, zarrapastroso, desarrapado, desandrajado, astroso, harapiento. ↔ *Cuidado, elegante, acicalado.*

desaliñar Desaderezar, deteriorar, ajar, descomponer, desarreglar, desordenar, deslustrar, estropear.

desaliño Desaseo, descuido, negligencia, desidia, abandono, dejadez. ↔ *Aliño, pulcritud.*

desalmado Cruel, inhumano, despiadado, bárbaro, salvaje. ↔ *Compasivo, humano.*

desalmarse Ansiar, desear, anhelar, querer, desalarse, afanarse, desasosegarse.

desalojar Echar, sacar, lanzar, expulsar, desahuciar, desaposentar. ↔ *Alojar.* || Dejar, irse, desalquilar, marcharse, abandonar. ↔ *Ocupar.*

desalterar Sosegar, calmar, aquietar, pacificar, apaciguar, tranquilizar. ↔ *Inquietar.*

desamar Aborrecer.

desamarrar Desatar, desprender, desasir, desunir, desligar, soltar, apartar, desviar. || Desaferrar, desatracar, levar anclas, soltar amarras, partir, hacerse a la mar.

desamor Desafecto, desafección, aversión, enemiga, enemistad, aversión, mala voluntad, inquina, odio, antipatía, aborrecimiento. ↔ *Amor, afección.*

desamortizar Liberar, exvincular.

desamparado Abandonado, desvalido, solo, huérfano, solitario, desierto. ↔ *Amparado, poblado.*

desamparar Abandonar, dejar, desatender, desasistir, descuidar. ↔ *Amparar.*

desamparo Desabrigo, desvalimiento, desarrimo, derelicción, desatención,

abandono, aislamiento, soledad. ↔ *Ayuda, amparo.*

D

desandar Volver, recular, retroceder.

desangrar Sangrar. || Desaguar, vaciar, achicar. || Empobrecer, arruinar.

desanimar Desalentar, descorazonar, abatir, arrechar, atemorizar, acobardar. ↔ *Animar.*

desánimo Desaliento, abatimiento, decaimiento, descaecimiento, postración. ↔ *Ánimo.*

desapacible Duro, áspero, desagradable, desabrido, destemplado. ↔ *Apacible.*

desaparecer Ocultarse, esconderse, perderse, desvanecerse, huir. ↔ *Aparecer, comparecer.*

desparejar Desaprestar, desmontar. ↔ *Aparejar.*

desaparición Desaparecimiento, desvanecimiento, ocultación, escamoteo, eclipse, disipación. ↔ *Aparición.* || Cesación, supresión, destrucción, fin, acabamiento. || Muerte, pérdida.

desapasionado Imparcial, justo, ecuánime. ↔ *Parcial, apasionado.*

desapegar Despegar, desasir, desprender.

desapegarse Desencariñarse, desaficionarse, desinteresarse, desapasionarse, alejarse.

desapego Despego, desvío, desafecto, frialdad, alejamiento. ↔ *Apego.*

desapercibido Descuidado, desprevenido. ↔ *Apercibido, preparado.*

desapercibimiento Desprevención, falta, carencia, imprevisión. ↔ *Previsión.*

desaplicación Ociosidad, pe-

D

reza, vagancia, negligencia.

desaplicado Desatento, desaprovechado, descuidado, negligente, holgazán, perezoso. ↔ *Aplicado.*

desaprensión Despreocupación, desenfado, frescura, impavidez, imperturbabilidad, impasibilidad, indelicadeza. ↔ *Respeto.*

desaprobación Censura, crítica, reproche, vituperación, vituperio, amonestación, reprimenda. ↔ *Aprobación, aplauso.* ‖ Denegación, desautorización, disconformidad. ↔ *Consentimiento.*

desaprobar Reprobar, censurar, condenar, vituperar, ↔ *Aprobar.*

desapropiarse Desposeerse, abandonar, renunciar, dejar. ↔ *Apropiarse.*

desaprovechamiento Desmedro, deterioro, desperdicio, derroche, malbaratamiento, menoscabo. ↔ *Aprovechamiento, utilización.*

desaprovechar Desperdiciar, malbaratar, malgastar, derrochar. ↔ *Aprovechar.*

desarmado Indefenso.

desarmar Desmontar, desarticular, descomponer. ↔ *Armar.*

desarme Desarmamiento.

desarmar Apartar, alejar, separar, desunir, desarraigar.

desarraigar Arrancar, extirpar, suprimir. ↔ *Arraigar.*

desarraigarse Desterrarse, emigrar, expatriarse, desprenderse. ↔ *Enraizar, afincarse.*

desarrapado Andrajoso, harapiento, desastrado, descamisado, zarrapastroso. ↔ *Atildado.*

desarreglado Desordenado.

desarreglar Desordenar, trastornar, perturbar, alterar, descomponer, desbarajustar, desorganizar. ↔ *Arreglar, ordenar.*

desarreglo Desorden, trastorno, desconcierto, confusión, desajuste, desorganización, desbarajuste. ↔ *Orden, concierto.*

desarrollar Desenrollar, desenvolver, desplegar, acrecentar, expansionar, perfeccionar, ampliar, extenderse, explicar, explanar. ↔ *Enrollar, reducir, limitar, compendiar.*

desarrollarse Crecer, aumentar, progresar, adelantar, perfeccionarse. ↔ *Decrecer, menguar.* ‖ Aparecer, surgir, brotar, manifestarse, presentarse. ↔ *Desaparecer.*

desarrollo Crecimiento, progreso, adelanto, aumento, incremento, desenvolvimiento, amplitud. ↔ *Reducción, retroceso.* ‖ Explanación, aplicación.

desarropar Destapar, desabrigar. ↔ *Arropar.*

desarticulación Torcedura, luxación, distensión, distorsión, torsión. ‖ Desencajadura, desacoplamiento, desquiciamiento, descoyuntura, desasimiento. ↔ *Acoplamiento, encaje.*

desarticular Desencajar, desacoplar, desgonzar, desembragar, descoyuntar, desensamblar, desengranar, desenganchar, desengarzar, separar, desunir, deshacer, desmontar. ↔ *Unir, ensamblar, articular.*

desarzonar Desmontar, volcar, derribar.

desaseado Sucio, desaliñado, descuidado, dejado, mugriento, 'chancho, 'frondio. ↔ *Aseado.*

desaseo Suciedad, desaliño, descuido, dejadez. ↔ *Aseo.*

desasir Soltar, desprender, desatar. ↔ *Asir.*

desasistir Desatender, abandonar, desamparar. ↔ *Asistir.*

desasosegar Intranquilizar, desazonar, inquietar. ↔ *Sosegar.*

desasosiego Intranquilidad, inquietud, desazón, ansiedad, malestar. ↔ *Sosiego.*

desastrado Andrajoso, zarrapastroso, harapiento. ↔ *Atildado.* ‖ Desgraciado, infeliz, infausto, desastroso. ↔ *Fausto, afortunado.*

desastre Ruina, catástrofe, devastación, asolamiento, calamidad, derrota.

desastroso Ruinoso, calamitoso, catastrófico, devastador, asolador, desgraciado, terrible, desastrado infausto, infeliz. ↔ *Beneficioso, feliz, afortunado.*

desatar Desanudar, desligar, deshacer, desenlazar, soltar. ↔ *Atar.*

desatarse Desencadenarse, desenfrenarse, descomedirse, excederse. ↔ *Contenerse.*

desatascar Desobstruir, desatrancar, destapar. ↔ *Atascar.*

desate Desbarajuste, exceso, desorden, desarreglo.

desatención Descortesía, incorrección, desaire, disfavor, grosería. ↔ *Atención, delicadeza.* ‖ Inatención, distracción. ↔ *Atención.*

desatender Descuidar,

abandonar, desasistir, olvidar, desoír, desestimar. ↔ *Atender.*

desatentado Desatinado, desaforado, excesivo, descomedido, inconsiderado. ↔ *Comedido, razonable.*

desatentar Turbar, perturbar, desasosegar.

desatento Descortés, inconsiderado, grosero, desconsiderado, irrespetuoso. ↔ *Atento, cortés.* || Distraído, descuidado. ↔ *Atento.*

'desaterrar Escombrar.

'desatierre Escombrera.

desatinado Disparatado, descabellado, desacertado, desatentado, absurdo, irracional, ilógico. ↔ *Sensato, lógico, razonable.*

desatinar Disparatar, desbarrar, desacertar. ↔ *Razonar.*

desatino Disparate, despropósito, desacierto, dislate, absurdo, locura. ↔ *Acierto.*

desatracar Desabordar, zarpar, partir, desamarrar. ↔ *Atracar.*

desatraillar Soltar, desamarrar.

desatrampar Limpiar, desatrancar, desobstruir.

desautorizar Descalificar.

desavahado Libre, despejado, descubierto. ↔ *Cubierto, tapado.*

desavenencia Desunión, discordia, desacuerdo, disentimiento, disconformidad. ↔ *Avenencia.*

desavenido Desunido, malquisto, discorde, mal avenido. ↔ *Bien avenido.*

'desavenir Malquistar, desacordar, desunir, dividir, indisponer, encizañar. ↔ *Conciliar, pacificar.*

desavisado Inadvertido, distraído, desconocedor. ↔ *Advertido.*

desayuno Almuerzo.

desazón Desasosiego, prurito, picazón, malestar, inquietud, destemplanza, disgusto, pesadumbre, descontento, sinsabor. ↔ *Sosiego, placer.*

desazonado Disgustado.

desazonador Punzante, emocionante, conmovedor. ↔ *Tranquilizador.*

desazonar Disgustar, desagradar, fastidiar, enojar, destemplar, desasosegar, inquietar, indisponer. ↔ *Sosegar, complacer, confortar.*

desbancar Desembarazar, despejar. || Suplantar, reemplazar.

desbandada Huida, escapada, abandono, derrota, descalabro, estampida, desastre.

desbandada (a la) Dispersamente, en tropel, confusamente, desordenadamente.

desbandarse Dispersarse, desperdigarse, huir, desordenarse, desparramarse. ↔ *Concentrarse, reordenarse.*

desbarajuste Desorden, desconcierto, desarreglo, confusión, desorganización, desgobierno, 'desparpajo, 'desparramo. ↔ *Orden, concierto.*

desbaratamiento Confusión, desbarajuste, descomposición, desarreglo, desorganización, alteración. ↔ *Ordenación.*

desbaratar Deshacer, descomponer, desordenar, desconcertar, trastornar, arruinar. ↔ *Componer, ordenar, arreglar.* || Disipar, malgastar, derrochar, mal-

baratar, despilfarrar. ↔ *Conservar, ahorrar.*

desbarbar Desbarbillar. || Rasurar, afeitar.

desbarrar Disparatar, desatinar, desvariar, delirar, errar, desacertar, despotricar. ↔ *Razonar, comedirse.*

desbarro Yerro, equivocación, desatino, barbaridad.

desbastar Pulir, afinar, educar, instruir.

desbocado Deslenguado, lenguaraz, malhablado, descarado, desvergonzado. ↔ *Correcto.*

desbocar Desembocar.

desbocarse Dispararse, embravecerse. || Descararse.

desbordamiento Inundación, riada, avenida, crecida. || Desenfreno, desencadenamiento. ↔ *Contención.*

desbordarse Derramarse, rebosar, salirse, dispersarse. || Desmandarse, desencadenarse, desenfrenarse.

desbravar Amansar, domar, amaestrar, domesticar, desembravecer, desbravecer. || Desahogarse, romperse, aplacarse.

desbrozar Limpiar, desembarazar, desembrozar, despejar, 'chapear.

desbrozo Limpieza, supresión. || Broza, ramaje.

descabalado Guacho.

descabalgar Desmontar, apearse, echar pie a tierra. ↔ *Montar.*

descabellado Desatinado, disparatado, desacertado, absurdo, ilógico, irracional. ↔ *Juicioso, acertado.*

descabellar Desmelenar, despeluzar, desgreñar, despeinar. ↔ *Peinar.*

descabezar Despuntar, desmochar, mochar, mondar.

D

D

descaecer Decaer, desmejorar, debilitarse, desfallecer, ir a menos, no ser ni su sombra.

descaecimiento Decaimiento, desfallecimiento, abatimiento, postración, desaliento, depresión. desánimo. ↔ *Vigor, ánimo, euforia.*

descalabrar Maltratar, lastimar, lesionar, herir, perjudicar, dañar, descrismar, romper la crisma, abrir la cabeza.

descalabro Contratiempo, desgracia, infortunio, perjuicio, daño, pérdida, derrota.

descalce Socava.

descalificar Desautorizar, incapacitar, desconceptuar, desacreditar. ↔ *Capacitar, autorizar, habilitar.*

descalzar Socavar, excavar. ↔ *Calzar.*

descaminar Desencaminar.

descamino Desatino, error, despropósito. ‖ Contrabando.

descamisado Desarrapado, harapiento, miserable, pobre. ↔ *Elegante, rico, burgués.*

descampado Descubierto, despejado, desembarazado, libre.

descansado Calmo, calmado.

descansar Reposar, yacer, dormir, aliviarse, tranquilizarse, sosegarse, respirar. ↔ *Cansarse, fatigarse, desazonarse.* ‖ Apoyarse, gravitar, cargar, estribar. ‖ Confiar, fiarse. ↔ *Guardarse, recelarse.*

descansillo Descanso, rellano, meseta.

descanso Reposo, respiro, sosiego, tregua, tranquilidad, desahogo, alivio. ↔ *Trabajo, fatiga, inquietud.*

descantillar Descantear, descabezar, descantonar, achaflanar. ‖ Desfalcar, hurtar, rebajar.

descañonar Desplumar. ‖ Repelar, pelar, ganar.

descarada Carota, soleta, verdulera, moscona.

descarado Desvergonzado, atrevido, descocado, desahogado, insolente, deslenguado, liso, 'guarango, 'zafado. ↔ *Comedido, respetuoso, vergonzoso.*

descararse Atreverse, desvergonzarse, avilantarse, desbocarse, descomedirse, insolentarse, desmandarse, descocarse, decir cuantas son cinco, cantarlas claras. ↔ *Retenerse, comedirse.*

descarga Desembarco, fondeo. ‖ Aligeramiento. ‖ Chispazo. ‖ Andanada, fuego, cañonazo, disparo.

descargar Descerrajar, disparar. ‖ Desembarazar, aliviar, aligerar, descebar. ‖ Relevar, libertar, desobligar. ‖ Alijar, desembarcar. ‖ Dar, largar, atizar, propinar.

descargo Disculpa, excusa, justificación. ↔ *Cargo.*

descarnar Descabalar. ‖ Deshacer, desmoronar. ‖ Despojar.

descaro Desvergüenza, desfachatez, desgarro, desuello, descoco, desahogo, atrevimiento, impudor, impudencia, osadía, tupé, licencia, avilantez, 'empaque. ↔ *Comedimiento*

descarriar Descaminar, desencaminar, desviar, distraer, extraviar, pervertir. ↔ *Encaminar, convertir.*

descarrilar Patinar, salirse de la vía.

descarrío Descarriamiento, extravío, relajación, perdición, vicio. ↔ *Virtud.*

descartar Desechar, quitar, suprimir, eliminar, prescindir. ↔ *Aceptar, tener en cuenta.*

descarte Efugio, salida, excusa, evasiva, subterfugio. ‖ Eliminación, supresión, separación.

descasar Divorciar, desunir, separar, desacoplar, desajustar, descomponer. ↔ *Casar, acoplar.*

descascar Descascarar, descascarillar.

descascarar 'Escarapelar.

descastado Renegado, desagradecido, olvidadizo, despegado, ingrato. ↔ *Reconocido, fiel.*

descastarse Separarse, apartarse, alejarse. ↔ *Volver al redil.*

descebar Descargar.

descendencia Sucesión, prole, hijos. ↔ *Ascendencia, ascendientes.*

descender Bajar, caer. ↔ *Ascender.* ‖ Decrecer, disminuir, menguar. ↔ *Ascender, aumentar.* ‖ Rebajarse, degradarse. ↔ *Progresar.* ‖ Proceder, originarse, derivar, provenir.

descendiente Vástago, hijo, sucesor. ↔ *Ascendiente.*

descenso Bajada, caída, decadencia, declinación, degradación. ‖ Subida, ascenso.

descentrado Desvinculado, desviado, apartado, alejado. ↔ *Situado, como en su propia casa.*

descepar Desarraigar, arrancar, extirpar.

descerrajado Depravado.

descerrajar Descargar, disparar. ‖ Violentar, fracturar, romper, violar, forzar, quebrantar.

descerrar Abrir.

descifrar Interpretar, desentrañar, averiguar, comprender, penetrar, adivinar, acertar, leer, transcribir.

desclavar Arrancar. ↔ *Clavar.*

descobijar Desabrigar, desarropar, destapar. ↔ *Abrigar, cobijar.*

descocado Descarado, desahogado, desvergonzado, desenvuelto. ↔ *Prudente, pudoroso.*

descoco Descaro, desvergüenza. ↔ *Respeto.*

descolgar Aballar, desguindar, bajar, arriar, apear.

descolgarse Espetar, salir. || Sorprender, aparecer.

descolocado Cesante, desacomodado. ↔ *En activo.*

descolorar Descolorir, decolorar, despintar, desteñir.

descolorido Blanquecino, lívido, pálido, incoloro, pocho, macilento. ↔ *Atezado, rubicundo.*

descollante Dominante, sobresaliente, preponderante, predominante, señalado, destacado. ↔ *Irrelevante, apagado.*

descollar Sobresalir, resaltar, emerger, despuntar, distinguirse.

descombrar Desobstruir.

descomedido Desmedido, exagerado, desproporcionado, excesivo, desmesurado. ↔ *Mesurado.* || Desatento, descortés, inconsiderado, grosero. ↔ *Comedido.*

descomedirse Insolentarse, descararse, desaforarse, deslenguarse, despepitarse,

desvergonzarse. ↔ *Respetar.*

descompadrar Enemistar, malquistar, indisponer, desunir, desavenir, desconcertar, descomponer. ↔ *Avenir, casar, unir.*

descompaginar Descomponer. ↔ *Compaginar.*

descomponer Desarreglar, desencajar, desarticular, descoyuntar, deshacer, desordenar, desbaratar, descompadrar, trastornar. ↔ *Componer, arreglar, ordenar.* || Descompaginar.

descomponerse Pudrirse, corromperse. || Destemplarse, desazonarse, alterarse, indisponerse, desconcertarse, desbaratarse, desquiciarse. ↔ *Tranquilizarse, sosegarse.*

descomposición Corrupción, putrefacción.

descompuesto Alterado, putrefacto, podrido. ↔ *Sano.* || Descortés, atrevido, inmodesto. ↔ *Respetuoso.*

descomunal Enorme, desproporcionado, monstruoso, extraordinario, gigantesco, piramidal. ↔ *Diminuto, mezquino, minúsculo, microscópico.*

desconcertar Turbar, alterar, desorientar, confundir, desordenar, desbaratar. ↔ *Tranquilizar, serenar, orientar, concertar.*

desconcierto Desarreglo, desorden, desorganización, confusión, desgobierno, desavenencia, desacuerdo. ↔ *Concierto, orden, acuerdo.*

desconchar 'Escarapelar.

desconectar Interrumpir, desenlazar, independizar, sacar el contacto. ↔ *Conectar, unir.*

desconexión Desunión, inconexión, falta de contacto.

desconfiado Receloso, malicioso, mal pensado, suspicaz, incrédulo, escamado, cauto, previsor. ↔ *Confiado.*

desconfianza Recelo, prevención, reserva, aprensión, suspicacia, malicia, temor, inseguridad, intranquilidad, desesperanza, incredulidad. ↔ *Confianza.*

desconfiar Recelar, sospechar, maliciar, escamarse. ↔ *Confiar.*

desconformar Discrepar, desconvenir.

desconocer Ignorar. ↔ *Conocer, saber.*

desconocido Ignorado, ignoto, incógnito, anónimo, oscuro. ↔ *Conocido.*

desconocimiento Ignorancia, inconsciencia. ↔ *Saber, conocimiento.*

desconsideración Inconsideración, ligereza, inadvertencia, atolondramiento, desatención, irreflexión. ↔ *Atención, respeto.*

desconsolado Atribulado, triste, doliente, angustiado, inconsolable, amarrido, mohíno, pesaroso, cabizbajo, compungido, cuitado, melancólico. ↔ *Resignado, contento, alegre.*

desconsolar Contristar, entristecer, apesarar, afligir, desalentar, apesadumbrar, atribular, acongojar, abatir, desolar, desesperar. ↔ *Alegrar, alentar.*

desconsuelo Aflicción, pena, pesar, tristeza, amargura, angustia, desolación. ↔ *Consuelo.*

descontar Rebajar, deducir,

D

restar, quitar, reducir, disminuir, 'escalfar. ↔ *Añadir, aumentar, sumar.*

descontentar Disgustar, desagradar, desazonar, enfadar, impacientar. ↔ *Regocijar, satisfacer.*

descontento D i s g u stado, quejoso, malcontento, insatisfecho. ↔ *Contento.* || Descontentamiento, disgusto, insatisfacción, desagrado, enfado, enojo, irritación. ↔ *Contento, satisfacción, júbilo.*

desconveniencia Molestia, incomodidad, dificultad, perjuicio, estorbo. ↔ *Conveniencia, acomodo.*

desconveniente Disconforme.

descorazonar Desanimar, desalentar, abatir, arredrar, atemorizar, acobardar, amilanar. ↔ *Animar.*

descorchar Descascar, descortezar. || Destapar, destaponar. || Descerrajar, forzar.

descorrer Plegar, encoger, reunir, volver, retroceder. || Correr, fluir, escurrir, manar.

descortés Desatento, desconsiderado, mal educado, descomedido, desabrido, grosero. ↔ *Cortés.*

descortesía Desatención, desconsideración, desabrimiento, grosería. ↔ *Cortesía.*

descortezar Descascar, descascarar, descascarillar, descorchar. || Desbastar, educar, instruir.

descoser Desatar, soltar, deshacer. ↔ *Coser.* || Revelar, descubrir.

descosido Desordenado, desconexo, inconexo. || Parlanchín.

descoyuntar Dislocar, desarticular, desencajar, desquiciar. ↔ *Articular, encajar.*

descrédito Desdoro, desprestigio, mancilla, deslustre, deshonor. ↔ *Crédito, autoridad.*

descreído Incrédulo, ateo, escéptico, agnóstico, irreligioso. ↔ *Creyente.*

descreimiento Descreencia, irreligiosidad, impiedad, irreverencia, ateísmo. ↔ *Piedad, creencia.*

describir Trazar, dibujar, delinear, pintar, reseñar, explicar, especificar, definir.

descripción Relación, explicación, especificación, réseña, detalle.

descrismar Desc a l a b r ar, romper la crisma.

descuadernar Descomponer, desbaratar, trastornar, desencuadernar, desconcertar. ↔ *Ordenar, componer.*

descuajar Descoagular, liquidar, 'destroncar. || Desarraigar, descepar.

descuaje 'Destronque.

descuajo Descuaje, arranque. ↔ *Plantación.*

descuartizamiento Desposte.

descuartizar Despedazar, destrozar, dividir, partir, 'carnear, 'despostar.

descubierta Batida, reconocimiento, exploración.

descubierta (a la) Expuestamente, sin guardarse, patentemente, a banderas desplegadas. ↔ *Ocultamente.*

descubierto Déficit, deuda. ↔ *Superávit.*

descubridero Otero, alcor, altozano, loma, atalaya.

descubridor Inventor, explorador.

descubrimiento Hallazgo, exhumación, invención.

descubrir Hallar, encontrar, exhumar, inventar. || Destapar, desnudar. ↔ *Cubrir.* || Revelar, manifestar, denunciar. ↔ *Ocultar.*

descuello Predominio, elevación, superioridad, distinción. || Altivez, altanería.

descuento Rebaja, deducción, disminución. ↔ *Incremento, plus.*

descuerno Desaire, chasco, desprecio. ↔ *Atención.*

descuidada 'Marocha.

descuidado Negligente, desidioso, dejado, abandonado. ↔ *Cuidadoso, concienzudo.* || Desaliñado, desaseado, dejado. ↔ *Cuidadoso, atildado.* || Desprevenido, desapercibido. ↔ *Prevenido, preparado.*

descuidar Desatender, abandonar, olvidar, omitir, dejar. ↔ *Cuidar.*

descuidero 'Arpista.

descuido Olvido, omisión, inadvertencia, negligencia, incuria, desidia, abandono, dejadez. ↔ *Cuidado.* || Falta, desliz, tropiezo.

desdecirse Retractarse, abjurar, desentenderse, llamarse andana. ↔ *Reiterar, confirmar.*

desdén Menosprecio, desprecio, desconsideración, desatención, despego, indiferencia. ↔ *Estimación, respeto, interés.*

desdeñar Menospreciar, despreciar, desestimar, desechar, desairar. ↔ *Estimar, respetar.*

desdeñoso Orgulloso, despreciativo, arrogante, indiferente. ↔ *Deferente, modesto.*

desdibujado Confuso, desperfilado, defectuoso, inconcreto. ↔ *Determinado, concreto.*

desdicha Desgracia, infortunio, desventura, infelicidad. ↔ *Dicha.*

desdichado Desgraciado, infortunado, desventurado, infeliz, mísero. ↔ *Dichoso.*

desdoblar Extender, desplegar. ↔ *Doblar.* || Desglosar, separar. ↔ *Juntar.*

desdorar Difamar, calumniar, deslucir, desprestigiar, denigrar, desacreditar. ↔ *Alabar, acreditar.*

desdoro Descrédito, desprestigio, deshonra, deslustre, mancilla, mancha. ↔ *Prestigio, honra.*

desear Querer, aspirar a, anhelar, ansiar, suspirar por, soñar, apetecer, ambicionar, codiciar, antojarse, pretender. ↔ *Repugnar, repeler, rehusar, rechazar, despreciar.*

desecado Seco, árido. || Delgado.

desecar Desalagar, desencharcar. ↔ *Anegar.*

desechar Excluir, apartar, separar, rechazar, desestimar, despreciar, menospreciar, desdeñar. ↔ *Aprovechar, estimar.*

desecho Restos, residuos, sobras, desperdicios, barreduras, escoria, hez.

desembalar Desliar, desatar, desenfardar, desempaquetar, desempacar, abrir. ↔ *Embalar, cerrar.*

desembanastar Desenvainar, desnudar. || Charlar, parlotear, hablar por los codos.

desembarazado Despejado, libre, expedito, descombrado, desocupado, des-

ahogado. ↔ *Obstruido, ocupado.*

desembarazar Despejar, desocupar, escampar, evacuar, limpiar, separar. ↔ *Obstruir, taponar.*

desembarazo Desenvoltura, soltura, despejo, desenfado, desencogimiento, desempacho, desparpajo. ↔ *Embarazo, encogimiento.*

desembarcadero Puerto, muelle, fondeadero, grao, surtidero.

desembarcar Desembanastar, desalojar, bajar.

desembarrancar Desvarar, desencallar, sacar a flote.

desembaular Desahogarse, espontanearse, desembuchar, confiarse. ↔ *Callar.*

desembocadura Estuario, delta, barra.

desembocar Afluir, desaguar, derramar, verter, salir, dar a, ir a parar.

desembolsar Pagar, abonar, saldar, liquidar, dispendiar, costear, gastar, entregar, dar. ↔ *Embolsarse.*

desembolso Pago, entrega, gasto, dispendio. ↔ *Embolso.*

desembrollar Desenredar, desenmarañar, aclarar. ↔ *Embrollar.*

desembuchar Desahogarse, explayarse, declarar, confesar, cantar. ↔ *Callar, silenciar.*

desemejante Diferente, dispar, disímil, diverso, distinto, desigual, vario. ↔ *Semejante.*

desemejanza Disimilitud, diferencia, disparidad, diversidad, desigualdad, variedad, distinción. ↔ *Semejanza.*

desemejar Diferenciarse, distinguirse.

desempacar Desempaquetar.

desempacarse Aplacarse, sosegarse, calmarse. ↔ *Incomodarse.*

desempacho Desembarazo, desenfado, desenvoltura. ↔ *Vergüenza.*

desempaquetar Desempacar, desenvolver, deshacer, desligar, desembalar, desenfardar, desatar, desliar. ↔ *Envolver.*

desempeñar Desentrampar, rescatar, libertar. || Ejecutar, realizar, cumplir, hacer, llenar, cumplimentar, ejercer, ocupar.

desempeño Cometido, cumplimiento, observancia.

desempeorarse Mejorar, restablecerse, aliviarse, recuperarse, convalecer. ↔ *Agravarse.*

desempolvar Despolvorear, despolvar, desempolvorar, sacudir, cepillar.

desencadenarse Desatarse, desenfrenarse. ↔ *Contenerse.*

desencajar Desacoplar, desajustar, desquiciar, desmontar, desarticular, descoyuntar, dislocar. ↔ *Encajar.*

desencaminar Descaminar, descarriar, pervertir, desviar. ↔ *Encaminar, convertir.*

desencantar Desengañar.

desencanto Desengaño, desilusión, chasco, decepción. ↔ *Encanto.*

desencapotar Revelar, descubrir.

desencapotarse Aclararse, serenarse, despejarse. || Desenfadarse, desempacarse, apaciguarse.

desencastillar Franquear, aclarar, descubrir.

D

D

desencerrar Libertar, desencadenar.

desenclavijar Desquiciar, desprender.

desencoger Extender, estirar, desenrollar, desplegar. ↔ *Encoger.*

desencogerse Solazarse, esparcirse.

desencogimiento Desembarazo, desenvoltura. ↔ *Encogimiento.*

desenconar Desinflamar.

desenconarse Ablandarse, mitigarse, suavizarse.

desencuadernar Descuadernar.

desenfadado Despejado, desenvuelto, desahogado, libre, desembarazado, desavahado. ↔ *Grave, serio.*

desenfadar Desenojar, desenconar, desatufar, aplacar, templar, sosegar, apaciguar, calmar. ↔ *Enconar, atosigar.*

desenfado Desempacho, desembarazo, desenvoltura, desparpajo, despejo, soltura, desahogo, donaire, gallardía. ↔ *Encogimiento, embarazo, seriedad.*

desenfrenado Licencioso, incontinente, descerrajado, desabrochado, disoluto, desaprensivo, desordenado. ↔ *Continente, temperante.*

desenfrenarse Desatarse, desencadenarse, desmandarse, excederse, viciarse. ↔ *Dominarse, contenerse.*

desenfreno Deshonestidad, disolución, desvergüenza, incontinencia, garzonía, libertinaje, liviandad, intemperancia, escándalo, crápula. ↔ *Continencia, templanza.*

desenganchar Soltar, desencadenar, desprender, separar. ↔ *Enganchar.*

desengañar Desencantar, desesperanzar, desalentar, decepcionar, desilusionar, abrir los ojos, quitar la venda de los ojos. ↔ *Ilusionar.*

desengaño Desilusión, desencanto, decepción, chasco. ↔ *Engaño, ilusión, error.*

desengarzar Desclavar, desengastar.

desengrasar Limpiar, lavar. || Adelgazar, enflaquecer.

desenlace Solución, resolución, desenredo, conclusión, final. ↔ *Planteamiento, enredo, inicio.*

desenlazar Desatar, soltar, desasir, deslazar. || Resolver, solucionar.

desenmarañar Desenredar, desembrollar, aclarar. ↔ *Enmarañar.*

desenmascarar Desembozar, descubrir, destapar, desencaperuzar, desarrebozar, sacar la careta. ↔ *Tapar, cubrir, esconder.*

desenmudecer Desahogarse, desembuchar.

desenojar Desenfadar.

desenredar Desembrollar, desenmarañar, ordenar. ↔ *Enredar.*

desenrollar Desplegar, desarrollar, extender, descoger. ↔ *Enrollar.*

desenroscar Desatornillar, destorcer.

desensamblar Desarticular.

desentenderse Abstenerse, prescindir, guardarse, despreocuparse, inhibirse, hacerse el sueco, llamarse andana. ↔ *Preocuparse.*

desenterrar Exhumar. ↔ *Enterrar.*

desentonar Desafinar, disonar, discordar, contrastar. ↔ *Entonar, concertar.*

desentono Desentonación, desafinación, destemple, gallo, gallipavo. || Descompostura, descomedimiento, insolencia.

desentrañar Destripar, despanzurrar. || Desenmarañar.

desentumecer Desentorpecer, desentumir.

desenvainar Desnudar, sacar, tirar, desembanastar.

desenvoltura Desenfado, desparpajo, desembarazo, despejo, soltura, descaro, descoco, desvergüenza, desfachatez, impudor. ↔ *Encogimiento, comedimiento, recato, pudor.*

desenvolver Desarrollar, extender, desenrollar, desplegar, desdoblar, desencoger, abrir, estirar, distender. ↔ *Encoger, envolver, recoger.* || Descifrar, aclarar, averiguar, descubrir. || Aumentar, dilatar, ampliar, expandir.

desenvolverse Desempacharse. || Desenredarse.

desenvolvimiento Amplificación, extensión, expansión, dilatación, ampliación, difusión, dispersión. ↔ *Recogimiento, estacionamiento.*

deseo Aspiración, anhelo, afán, ansia, sueño, apetito, apetencia, gana, antojo, ambición. ↔ *Aversión.*

desequilibrado Perturbado, maniático, neurasténico, chiflado, chalado. ↔ *Equilibrado, sensato.*

deserción Defección, huida, abandono, fuga, traición, infidelidad. ↔ *Fidelidad.*

desertor Prófugo, tránsfuga.

desesperación Desespero,

D

desesperanza, abatimiento, desaliento, pesimismo. ↔ *Esperanza.*

desesperar Desesperanzarse, desconfiar. ↔ *Esperar, confiar, tener fe.* || Impacientar, irritar, enojar, exasperar. ↔ *Sosegar.*

desestimar Desdeñar, despreciar, menospreciar. ↔ *Estimar.* || Denegar, desechar, rechazar. ↔ *Conceder, estimar.*

desfachatez Desvergüenza, descaro, descoco, frescura, desahogo, osadía, atrevimiento. ↔ *Prudencia, comedimiento.*

desfalcar Hurtar, robar, sustraer.

desfalco Descabalamiento, substracción, hurto.

desfallecer Flaquear, debilitarse, descaecer, flojear, desmayarse, desanimarse, desalentarse, 'esmorecer. ↔ *Reanimarse, vigorizarse, recobrarse.*

desfallecido 'Aguado.

desfallecimiento Debilidad, decaimiento, descaecimiento, desánimo, desaliento, desmayo, abatimiento. ↔ *Restablecimiento, robustecimiento.*

desfavorable Contrario, adverso, hostil, perjudicial. ↔ *Favorable.*

desfigurar Deformar, demudar, falsear, enmascarar, disfrazar, encubrir, fingir.

desfiladero Puerto, paso, cañada, cañón, 'caluma.

desfilar Marchar, pasar, evolucionar, maniobrar. || Desaparecer.

desfile Revista, parada.

desflorar Deslucir, ajar, sobar, chafar. || Desvirgar, estrenar.

desfocar Desahogar, expansionar, desencadenar. ↔ *Reprimir.*

desforzarse Vengarse, desagraviarse.

desgaire Descuido, desaire, afectación, desaliño. ↔ *Elegancia.*

desgajar Arrancar, desprender, separar.

desgalgadero Derrumbadero, despeñadero, precipicio. || Canchal, pedregal.

desgalichado Desgarbado, desmadejado, desaliñado. ↔ *Garboso, aliñado.*

desgana Inapetencia, anorexia. ↔ *Gana, apetito.* || Indiferencia, apatía, fastidio, hastío. ↔ *Interés, energía.*

desgañitarse Enronquecer, gritar, vocear, despepitarse.

desgarbado Desgalichado, desmadejado, desaliñado. ↔ *Garboso.*

desgarrar Rasgar, romper, despedazar.

desgarro Rotura, rompimiento, desgarrón, rasgadura. || Descaro. || Fanfarronería, presunción, jactancia, petulancia. ↔ *Humildad.*

desgarrones 'Garras.

desgarrón Rasgón, siete, rotura, jirón.

desgastado Usado, gastado, lamido.

desgastar Comer, consumir, morder, adelgazar, derrubiar. || Dañar, debilitar, corromper.

desglosar Separar, quitar, destriar.

desgobernado Abandonado, desarreglado, negligente, descuidado, desordenado. ↔ *Ordenado, cuidadoso.*

desgobierno Desorden, desconcierto, desarreglo, abandono, desbarajuste. ↔ *Orden, dominio.*

desgonzar Desengoznar, desgoznar, desarticular.

desgracia Desdicha, desventura, infelicidad, infortunio, adversidad, malaventura, fatalidad, contratiempo, percance, accidente, 'calilla. ↔ *Dicha, fortuna, suerte.*

desgraciado D e s d ichado, desventurado, infeliz, infortunado, desafortunado, malaventurado, malhadado, miserable, mísero, infausto, aciago, 'salado. ↔ *Afortunado, feliz, fausto.*

desgraciar Malograr, frustrar, estropear, echar a perder, 'salar.

desgranar Desensartar, soltar.

desgreñado Desmelenado, despeinado, despeluzado. ↔ *Peinado.*

desgreñar Enmarañar, despeinar, desmelenar, descabellar, encrespar, erizar.

desguarnecer Desenjaezar, desnudar. || Desmantelar, desmontar, desarmar, descomponer. ↔ *Montar.*

desguazar Desbastar. || Deshacer, desmontar, desarmar.

deshabitado Inhabitado, solitario, abandonado, vacío, despoblado, desierto, yermo. ↔ *Habitado, poblado.*

deshabituar Proscribir, desterrar, desacostumbrar.

deshacer Anular, suprimir, dispersar, desarmar, desarticular, desbaratar, desmontar, desvencijar, desentablar, desencajar, desorganizar, **descomponer,** desordenar, despedazar, **di-**

D

vidir, separar, partir, romper, desmoronar, desconcertar, desmigajar, destrozar, desgastar. ↔ *Hacer, montar, construir.* || Derrotar, aniquilar, quebrantar. || Derretir, licuar, liquidar, desleír, disolver, diluir.

deshacerse Desvanecerse, esfumarse. || Desfigurarse, dañarse, estropearse. || Impacientarse, consumirse, inquietarse, afligirse. || Enflaquecer, extremarse. ↔ *Rehacerse.* || Perecer, desvivirse, morirse, ansiar, pirrarse.

desharrapado Desarrapado, andrajoso, harapiento, roto, desandrajado, desastrado, 'rotoso. ↔ *Elegante.*

deshecha Ocultación, disimulo. || Despedida.

deshecho 'Retobo.

desherbar Desyerbar, escardar.

desheredar Preterir, privar.

deshilacharse 'Apochinarse.

deshilar Deshilachar.

deshilvanado Inconexo, incongruente, incoherente. ↔ *Enlazado, continuo.*

deshincar Arrancar.

deshinchar Desinflar. || Desahogar, desfogar.

deshincharse Rebajarse, reducirse. ↔ *Hincharse.*

deshipotecar Cancelar.

deshojar Despojar, desguarnecer, exfoliar, arrancar.

deshollinar Limpiar, fregar. || Fisgonear, examinar, registrar.

deshonestidad Inhonestidad, liviandad, impudor, impudicia, oscuridad, indecencia, impureza, inmoralidad, torpeza. ↔ *Honestidad.*

deshonesto Impúdico, licen-cioso, desvergonzado, obsceno, indecente, libidinoso, impuro, torpe, indecoroso. ↔ *Honesto.*

deshonor Deshonra, descrédito, afrenta, ignominia, vileza, infamia, abyección, alevosía, ruindad, vilipendio, profazo, fango, mancha, desreputación, mengua, deslustre, oprobio, ultraje. ↔ *Honor, honra.*

deshonrar Deshonorar, afrentar, ultrajar, desacreditar, difamar, infamar, violar, 'salar. ↔ *Honrar, respetar.*

deshora (a) A destiempo, fuera de tiempo, inoportuno, inconveniente.

desiderátum Objeto, fin, culminación.

desidia Negligencia, incuria, abandono, dejadez, descuido, pereza. ↔ *Celo, diligencia.*

desidioso Descuidado, desaliñado, negligente, perezoso, pigre, pánfilo. ↔ *Diligente, cuidadoso.*

desierto Despoblado, inhabitado, deshabitado, solitario, abandonado, yermo. ↔ *Poblado, populoso.* || Yermo, erial, páramo, estepa, sabana, 'travesía.

designación Nombramiento, nominación, elección.

designar Indicar, denotar, significar, señalar, nombrar, destinar, elegir.

designio Pensamiento, idea, proyecto, plan, propósito, intención, mira, fin.

desigual Diferente, dispar, heterogéneo, vario, distinto, diverso, desemejante, disímil. ↔ *Igual.* || Inconstante, variable, mudable, voluble, caprichoso. ↔ *Constante, igual.* || Que-brado, áspero, barrancoso. ↔ *Llano.*

desigualdad Desemejanza, disparidad, disimilitud, discrepancia, diferencia. ↔ *Igualdad, semejanza.* || Altibajos, irregularidad. || Anfractuosidad.

desilusión Desengaño, desencanto, decepción, chasco, desesperanza. ↔ *Ilusión.*

desilusionar Desengañar, decepcionar. ↔ *Ilusionar.*

desinencia Terminación.

desinfección Asepsia, limpieza.

desinfectante Antiséptico.

desinfectar Deterger, purificar.

desinflar Desventar, deshinchar.

desintegrar Descomponer, disgregar, disociar, desmembrar. ↔ *Integrar.*

desinterés Desprendimiento, generosidad, abnegación, liberalidad, larguez, desasimiento, **despego.** ↔ *Interés, egoísmo.*

desinteresado Desprendido, generoso, abnegado, liberal. ↔ *Interesado.*

desinteresarse Desentenderse.

desistimiento Renuncia, abandono, rescisión, retracción. ↔ *Aceptación, ratificación.*

desistir Renunciar, abandonar, cejar, cesar. ↔ *Perseverar.*

desjarretar Cortar, cercenar, amputar. || Cansar, debilitar.

desjuntar Desunir, separar, dividir, segmentar, apartar, alejar. ↔ *Unir, aparejar.*

deslavar Deslavazar, desubstanciar, descolorar.

'deslave Derrubio.

desleal Infiel, pérfido, aleve, alevoso, felón, traidor. ↔ Leal.

deslealtad Infidelidad, alevosía, perfidia, felonía, traición. ↔ Lealtad.

desleído Disuelto. || Dilatado, prolijo.

desleír Disolver, diluir, deshacer. ↔ Concentrar.

deslenguado Lenguaraz, lengüilargo, malhablado, insolente, descarado, desvergonzado. ↔ Circunspecto, comedido.

deslenguarse Descararse, insolentarse, desmandarse, desbocarse, soltar la lengua. ↔ Contenerse.

desligar Desatar, desanudar, desenlazar, deshacer, soltar. ↔ Ligar. || Desvincular, dispersar, absolver. ↔ Ligar, sujetar.

deslindar Delimitar, demarcar. || Aclarar, distinguir.

desliz Resbalón. || Descuido, ligereza, falta, tropiezo, caída, error.

deslizar Correr, rodar. || Ensartar, espetar, meter, introducir, ingerir.

deslizarse Resbalar, escurrirse, escabullirse, evadirse, escaparse.

deslomar Descostillar, quebrantar, moler, reventar.

deslucido Deslustrado. || Insípido, inane, insubstancial, desgraciado, 'chamagoso. || Desmañado.

deslumbramiento Alucinación, ofuscación, enajenamiento, ceguera, encegamiento, pasmo, embaimiento.

deslumbrar Ofuscar, cegar, alucinar, obcecar, ilusionar, seducir, engañar, encandilar.

deslucir Deslustrar, desmejorar, ajar, deteriorar. ↔ Reparar, restaurar.

deslustrado Deslucido, apagado, mate, velado, terne. ↔ Brillante, vivo.

desmadejado Desmazalado, flojo, caído. ↔ Vigoroso. || Desgarbado, desgalichado, desaliñado. ↔ Atildado.

desmadejamiento Descaecimiento, quebrantamiento, flojedad, desgana. ↔ Animo, aliento.

desmamar Destetar.

desmán Demasía, exceso, desafuero, tropelía, atropello, fechoría.

desmandarse Propasarse, descomedirse, excederse. ↔ Comedirse. || Desobedecer, rebelarse.

desmantelar Desguarnecer, retirar, abandonar, desamparar, desabrigar, desalojar. || Arrasar, demoler, derribar, destruir, abatir, arruinar. ↔ Erigir. || Desarmar, desarbolar.

desmaña Inhabilidad, ineptitud, impericia, incapacidad, torpeza, deslucimiento. ↔ Capacidad, garbo, soltura.

desmañado Inhábil, torpe, chapucero, 'cauque. ↔ Mañoso.

desmarrido Triste, mustio, descaecido, lánguido. ↔ Animoso.

desmayar Acobardarse, amilanarse, desalentarse, desanimarse, desfallecer, descorazonarse. ↔ Envalentonarse.

desmayarse Desvanecerse, perder el sentido, accidentarse. ↔ Recobrarse.

desmayo Desfallecimiento, desvanecimiento, soponcio, accidente, síncope.

desmazalado Desmadejado, flojo, caído. ↔ Vigoroso. **D**

desmedido Desmesurado, desproporcionado, excesivo, descomedido, enorme. ↔ Moderado, limitado.

desmedrado Flaco, débil, enteco, delgado, canijo, enclenque, desmejorado, esmirriado, desmirriado, escuchimizado, escuálido, 'gurrumino. ↔ Rehecho, orondo, rebosante de salud.

desmedrar Estropear, deteriorar. || Decaer, descaecer, ir a menos, declinar, menguar. ↔ Rehacerse.

desmejora Menoscabo, pérdida. ↔ Mejora.

desmejorar Ajar, deslucir, deslustrar, deteriorar, enfermar, perder, decaer. ↔ Mejorar.

desmelenado Desgreñado, despeinado, despeluzado. ↔ Peinado.

desmelenar Desgreñar.

desmembrar Dividir, separar, escindir, desintegrar, descuartizar. ↔ Unir, integrar.

desmemoriado Olvidadizo, distraído.

desmenuzar Desmigajar, picar, triturar.

desmesurado Desmedido, desproporcionado, excesivo, descomedido, enorme. ↔ Mesurado, moderado.

desmenguar Amenguar, disminuir, menoscabar.

desmentir Rebatir, impugnar, objetar, contradecir, refutar, negar, denegar. ↔ Confirmar. || Disimular, disfrazar.

desmenuzable Friable, fraccionable, desmoronadizo.

desmesurarse Descomedirse, excederse, atreverse,

D

insolentarse, crecerse. ↔ *Respetar.*

desmirriado Desmedrado.

desmochar Despuntar, cortar, cercenar, podar 'camochar.

desmocho 'Despunte.

desmontar Apearse, descabalgar, bajarse, 'socalar. ↔ *Montar.* ‖ Desarmar, descomponer, desarticular. ↔ *Montar.*

desmoralizar Corromper, pervertir, viciar. ‖ Desorientar, desconcertar, desanimar, abatir, desalentar. ↔ *Animar.*

desmoronarse Arruinarse, deshacerse, caerse.

desnarigado Chato, braco.

desnatar 'Bogar.

desnaturalizado Réprobo, ingrato. ‖ Inhumano, cruel.

desnaturalizar Alterar, desfigurar, variar, deformar, falsear. ‖ Expulsar, extrañar, desterrar.

desnivel Desigualdad, desproporción, pendiente, peralte, rampa, altibajo. ↔ *Igualdad, ras.*

desnudarse Desvestirse, despojarse, 'empelotarse, 'encuerar. ↔ *Vestirse.*

desnudez Desabrigo, indigencia, penuria, pobreza, privación, falta, escasez. ↔ *Riqueza, abrigo.*

desnudo Corito, en cueros, en pelo, en pelota, 'calato. ↔ *Vestido.* ‖ Remangado, destocado, descubierto, escotado, descalzo. ‖ Falto, despojado, desprovisto, calvo, desmantelado, liso, escaso, pobre, carente, privado, faltado. ↔ *Rico, abundante, equipado.* ‖ Patente, claro, sin rebozo, sin ambages, manifiesto. ↔ *Solapado, encubier-*

to. ‖ Indigente, mísero, pobre. ↔ *Rico.*

desnutrido Exinánido, depauperado, extenuado, anémico, escuálido, débil. ↔ *Orondo, sano.*

desobedecer Desmandarse, rebelarse. ↔ *Obedecer.*

desobediencia Inobediencia, insubordinación, indocilidad, indisciplina, insumisión, rebeldía, rebelión, transgresión. ↔ *Acatamiento, obediencia.*

desobediente Desmandado, malmandado, insubordinado, rebelde, díscolo, indócil, reacio. ↔ *Obediente.*

desobligar Desligar, eximir, librar, dispensar, exonerar, descargar. ↔ *Gravar, pesar, obligar.*

desobstrucción Desbrozamiento, desbrozo, despejo. ↔ *Taponamiento.*

desobstruir Desocupar, desembarazar, despejar, descombrar, desbrozar, desobturar, destaponar, destapar, desatascar, abrir, limpiar, descubrir, hacer vía, hacer calle, hacer campo. ↔ *Obturar, tapar, obstruir.*

desocupación Ocio, inacción, inactividad, paro, cesantía. ↔ *Actividad, ocupación.*

desocupado Ocioso, parado, cesante. ↔ *Ocupado.* ‖ Vacío, desembarazado. ↔ *Ocupado, lleno.*

desocupar Desembarazar, vaciar, evacuar. ↔ *Ocupar.*

desoír Desatender, desestimar. ↔ *Atender.*

desolación Aflicción, desconsuelo, dolor, pena, angustia. ↔ *Alegría, gozo.* ‖ Devastación, asolamiento, destrucción, ruina.

desolado Dolorido, amarrido, triste, contrito, compungido. ↔ *Alegre.* ‖ Yermo, estéril, devastado, asolado, arruinado, saqueado. ↔ *Feraz, exuberante, lleno de vida.*

desolar Destruir, asolar. ‖ Afligir, entristecer, desconsolar, angustiar, apesarar, acongojar. ↔ *Animar, alegrar.*

desolladero Matadero, macelo, reventadero, rastro.

desollado Deslenguado, descocado, desvergonzado, descarado, insolente. ↔ *Discreto.*

desollar Despellejar, escorchar, 'copinar.

desorbitar Desencajar. ‖ Exagerar.

desorden Desarreglo, desconcierto, desorganización, desbarajuste, desgobierno, trastorno, 'desparpajo, 'entrevero. ↔ *Orden.* ‖ Tumulto, motín, asonada, alboroto

desordenado Confuso, desconcertado, inordenado, alterado, desarreglado, heteróclito, descosido, tumultuario, turbulento, descompuesto. ↔ *Ordenado, arreglado.* ‖ **Desenfrenado.**

desordenar Desorganizar, trastornar, desarreglar, desconcertar, desbaratar, desbarajustar. ↔ *Ordenar.*

desorejado Degradado, prostituido, infame, abyecto, despreciable, vil, inicuo. ↔ *Honesto, correcto.*

desorganizar Desordenar.

desorientar Extraviar, despistar, descaminar, desencaminar, confundir, ofuscar, turbar, desconcertar. ↔ *Orientar.*

desosar Deshuesar.

desove Freza.

desovillar Desenredar, desenmarañar, elucidar, poner en claro, poner luz. ↔ Enmarañar.

despabiladeras Tenacillas.

despabilado Despierto, despejado, listo, vivo, advertido, avisado, avispado, agudo, sagaz. ↔ Torpe.

despabilar Despavesar, espabilar, atizar. ↔ Apagar. || Diligenciar, despachar, adelantar, festinar, apremiar. || Robar. || Despertar, avispar, aguzar, avivar, incitar. || Matar.

despabilarse Desvelarse, espantar el sueño, desencandilarse, estar ojo avizor.

despacio Lentamente, paulatinamente, poco a poco. ↔ Aprisa.

despachar Vender, expender, 'empuntar. || Enviar, remitir, mandar. || Despedir, echar. || Matar. || Abreviar, activar, apresurarse, acelerar, concluir. ↔ Entretener.

despacho Venta, salida, 'asistencia. || Comunicación, parte. || Oficina, bufete, estudio.

despachurrar Espachurrar, chafar, estrujar, aplastar, despanzurrar, destripar, reventar, 'despichar.

despaldillar Despaletillar.

despalmar Achaflanar.

despampanante Desconcertante, estupendo, maravilloso, asombroso, sorprendente, portentoso, prodigioso, fenomenal, extraordinario. ↔ Usual, corriente, anodino.

despanzurrar Destripar, reventar, despachurrar, espachurrar.

desparejado 'Guacho.

desparpajo Desembarazo, desenvoltura, desenfado, despejo, descoco. ↔ Encogimiento.

'desparpajo Desorden, desbarajuste.

despapucho Disparate.

desparramado Abierto, ancho, amplio, espacioso. ↔ Encogido.

desparramamiento 'Desparramo.

desparramar Esparcir, extender, desperdigar, diseminar, dispersar. ↔ Recoger, acumular.

'desparramo Esparcimiento, desparramamiento. || Desbarajuste, desconcierto.

despatarrar Atemorizar, asombrar.

despatarrarse 'Encarrancharse.

despavesar Despabilar.

despavorido Espavorido, aterrado, horrorizado, horripilado, espantado, asustado, atemorizado. ↔ Impávido.

despectivo Despreciativo, desdeñoso. ↔ Respetuoso, afectuoso.

despechar Desesperar, enfurecer, indignar, enfadar, molestar, importunar. ↔ Sosegar, tranquilizar.

despecho Desafecto, malevolencia, inquina, encono, animosidad, rencor, cólera, bilis, malquerencia, a n i m a d versión, resentimiento. || Impaciencia, desesperación, desengaño.

despecho de (a) A pesar de, contra lo que.

despedazar Destrozar, descuartizar, deshacer, desgarrar.

despedida Despido, partida, deshecha, adiós. ↔ Acogida, recibimiento.

despedir Arrojar, lanzar, disparar, soltar, echar, desprender, esparcir, difundir. || Despachar, licenciar, echar, expulsar. ↔ Admitir.

despedirse Decir adiós.

despegado Desagradable, desabrido, hosco, huraño, intratable, áspero.

despegar Desprender, desunir, separar, apartar. ↔ Pegar. || Levantar el vuelo, elevarse. ↔ Aterrizar.

despego Desapego, desvío, desafecto, frialdad, aspereza, desabrimiento. ↔ Apego.

despeinar Desmelenar, desgreñar, despeluzar. ↔ Peinar.

despejado Despierto, despabilado, suelto, vivo, listo, inteligente. ↔ Cerrado. || Desembarazado, libre, desocupado, espacioso. ↔ Obstruido. || Sereno, claro. ↔ Cubierto.

despejar Desembarazar, desocupar. ↔ Obstruir. || Serenarse, aclararse. ↔ Cubrirse.

despejo Desembarazo, soltura, desenvoltura, desparpajo. ↔ Embarazo, encogimiento. || Ingenio, inteligencia, talento, viveza, vivacidad. ↔ Torpeza.

despeluzar Espeluznar, desgreñar, desmelenar, despeinar. ↔ Peinar.

despeluznante Espeluznante.

despeluznar Espeluznar.

despellejar Desollar, escorchar.

despenar Matar, desesperar, apenar.

despender Usar, emplear, gastar. || Malrotar, dilapidar, derrochar, malgastar. ↔ Ahorrar.

D

despensa Cillero, sibil, repostería, fresquera. || Alacena. || Provisión, víveres.

despeñadero Precipicio, derrumbadero, barranco, 'cantil.

despeñar Precipitar, arrojar.

despeñarse Desriscarse. || Desenfrenarse, enviciarse. ↔ Contenerse, dominarse.

despeño Flujo, curso. || Caída. || Ruina, perdición.

despepitarse Desgañitarse, desgargantarse, gritar, vocear. || Descomedirse, desmandarse, desenfrenarse. || Anhelar, desear, ansiar.

desperdiciar Desaprovechar, malbaratar, derrochar, malgastar, despilfarrar. ↔ Aprovechar, explotar.

desperdicio Desperdiciadura, residuo, resto, sobra, desecho, sobrante, exceso, escombro, horrura, piltrafas, broza, excedente, zaborra, bazofia, barcia, despojos.

desperdigar Desparramar, esparcir, diseminar, dispersar. ↔ Reunir, acumular.

desperezarse Desentumecerse, estirarse.

desperfecto Deterioro, detrimento, avería, daño.

'despernancarse Esparrancarse.

despertador Avisador, aviso, estímulo, aguijón.

despertar D e s a dormecer, desvelar. ↔ Adormecer. || Excitar, mover, incitar. ↔ Acallar.

despertarse 'Despestañarse.

'despestañarse Desvelarse, despertarse.

'despezuñarse Apresurarse, desvivirse.

despiadado Cruel, inhumano, impío. ↔ Compasivo.

despicar Mitigar, calmar, apaciguar, desagraviar.

despicarse Satisfacerse, vengarse, desquitarse.

despierto Despejado, despabilado, avisado, advertido, listo, vivo, 'bagre. ↔ Tardo, torpe.

'despichar Despachurrar, aplastar.

despilfarrador Dilapidador, derrochador, malversador, m a l g a stador, disipador, marotador, manirroto, pródigo, gomia, desperdiciador, bolsa rota. ↔ Ahorrador, economizador.

despilfarrar Derrochar, dilapidar, malbaratar, malgastar, desperdiciar, prodigar. ↔ Ahorrar, aprovechar.

despilfarro Prodigalidad, derroche, disipación, dilapidación, malgasto, malversación, dispendio, malversación, profusión, barrumbada, malbarato, malrotamiento. ↔ Ahorro, economía.

despinochar 'Destusar.

despintar Decolorar, descolorar, desteñir. ↔ Pintar.

despique Desquite, venganza, revancha.

despistar Desorientar, descaminar, extraviar. ↔ Encaminar, orientar,

desplacer Desazón, disgusto, desagrado, descontento, enojo, enfado, mal humor. ↔ Alegría, buen humor.

desplacer Desagradar, disgustar, contrariar, descontentar, enojar, enfadar, molestar, no ser santo de la devoción. ↔ Agradar, placer.

desplante Descaro, desfa-

chatez, arrogancia, insolencia, rabotada, desgarro.

desplazado Inconveniente, impropio, extemporáneo, inoportuno. ↔ Propio, idóneo.

desplazar Desalojar.

desplazarse Declinar, desviarse, inclinarse. || Desencajarse, dislocarse.

desplegar Desdoblar, extender, desenrollar. ↔ Plegar.

despliegue Desarrollo, extensión. || Maniobra, evolución, marcha.

desplomarse Caer, derrumbarse, hundirse, arruinarse. ↔ Levantarse.

desplome Hundimiento, caída, derrumbamiento, derrocamiento, desmoronamiento, despeño, desprendimiento, 'chiflón.

desplomo Desviación, inclinación.

desplumar Descañonar. || Pelar, despojar, arruinar, desollar, despellejar, estafar, robar.

despoblado Deshabitado, inhabitado, solitario, desierto, abandonado, yermo. ↔ Poblado.

despoblar Deshabitar, desguarnecer, despojar, yermar, abandonar. ↔ Poblar, ocupar.

despojar Desposeer, quitar, robar, saquear. ↔ Restituir.

despojarse Desprenderse, renunciar. ↔ Apropiarse. || Desnudarse, desvestirse. ↔ Vestirse.

despojo Presa, botín.

despojos Restos, sobras, residuos, desechos, desperdicios.

despolvorear Desempolvar, despolvar, sacudir, cepillar.

desposado Novio, consorte,

casado. || Esposado, aprisionado.

desposar Esposar. || Casar, matrimoniar.

desposarse Aliarse, unirse, enlazarse. || Prometerse, contraer esponsales. || Casarse, contraer matrimonio, contraer nupcias. ↔ *Separarse, divorciarse.*

desposeer Despojar, quitar, usurpar, robar. ↔ *Restituir.*

'despostar Descuartizar.

'desposte Descuartizamiento.

déspota Tirano, opresor, dictador, autócrata, 'mazorquero.

despótico Tiránico, absoluto, dictatorial, arbitrario, abusivo, injusto. ↔ *Democrático, legal, justo, benigno.*

despotismo Tiranía, absolutismo, autocracia, dictadura, arbitrariedad, opresión, 'mazorca. ↔ *Democracia.*

despreciable Aborrecible, depravado, abyecto, vil, indigno, bajo, rastrero, ruin, miserable, contentible, drope, 'carcamán, 'catate, 'zaragate. ↔ *Noble.*

despreciar Desestimar, desdeñar, menospreciar, desechar, desairar, denigrar, vilipendiar. ↔ *Apreciar, respetar.*

despreciativo Despectivo, desdeñoso. ↔ *Ponderativo.*

desprecio Desestimación, desdén, menosprecio, desaire, vilipendio. ↔ *Aprecio, estimación.*

desprender Separar, soltar, desgajar, despegar, desunir, desasir. ↔ *Pegar, unir.* || Despedir, emitir.

desprenderse Despojarse,' renunciar. ↔ *Apoderarse.*

|| Seguirse, derivarse, deducirse, inferirse, colegir.

desprendido Generoso, desinteresado, liberal, dadivoso. ↔ *Agarrado.*

desprendimiento Generosidad, desinterés, desasimiento, liberalidad, largueza. ↔ *Codicia, roñería.*

despreocupado Calmoso, tranquilo, flemático, fresco, frescales, frío. ↔ *Inquieto, nervioso.*

despreocuparse Desentenderse, desdecirse, tumbarse a la bartola, beber fresco. ↔ *Inquietarse.*

desprestigiar Desacreditar, desautorizar, difamar, infamar, denigrar, vilipendiar. ↔ *Afamar, acreditar.*

desprevenido Descuidado, desapercibido, imprevisor. ↔ *Prevenido.*

desproporción Desmesura, disformidad, disconformidad, improporción, deformidad, incongruencia. ↔ *Mesura, proporción.*

desproporcionado Discordante, descomedido, desmesurado, desigual, deforme, asimétrico,. amazacotado. ↔ *Justo, proporcionado, armonioso.*

despropósito Desacierto, disparate, desatino, dislate, absurdo. ↔ *Acierto.*

desproveer Despojar, desposeer, desplumar, privar, quitar, pelar, carmenar, expoliar, confiscar. ↔ *Dar, entregar, proveer.*

desprovisto Falto, privado, carente. ↔ *Provisto.*

después Posteriormente, luego, más tarde, ulteriormente, seguidamente, a continuación, detrás. ↔ *Antes.*

despulpar Extraer, exprimir, estrujar.

despuntado Romo, obtuso. ↔ *Puntiagudo.*

despuntar Descollar, sobresalir, destacarse, distinguirse. || Embotar. ↔ *Aguzar.*

despunte Desmocho, escamocho.

desquiciar Desencajar, desajustar, desmontar, desacoplar, desarticular, descoyuntar, dislatar, descomponer. ↔ *Ajustar, encajar.*

desquitar Restaurar, reintegrar, recobrar.

desquitarse Resarcirse, vengarse.

desquite Resarcimiento, venganza.

destacamento Pelotón, patrulla, escalón, avanzada.

destacar Separar, desgajar, desprender, apartar, aislar. || Recalcar, matizar, subrayar, hacer hincapié, poner de relieve.

destacarse Resaltar, descollar, despuntar, distinguirse, sobresalir.

destajo Tanto alzado.

destajo (a) Con ahínco, con empeño.

destapar Abrir, destaponar, descubrir, desarropar, desabrigar. ↔ *Tapar.*

destartalado Desordenado, descompuesto, desproporcionado, ruinoso, desvencijado.

destellar Centellear, fulgurar, chispear, relumbrar, resplandecer, brillar.

destello Relumbrón, centelleo, ráfaga, reflejo, rayo, chispa.

destemplado Desequilibrado, descomedido, descompuesto, trastornado, alterado, inconsiderado, des-

D

D

considerado, intemperante. ↔ *Sereno, comedido.* || Discordante, desafinado.

destemplanza Intemperie, reciura, inclemencia. || Desorden, exceso, descomedimiento. || Perturbación, indisposición, álteración. || Destemple.

destemplar Desentonar, desafinar, desconcertar, desarreglar, alterar, indisponer. ↔ *Templar.*

'destemplarse Estremecerse, temblar.

destemple Destemplanza, desafinación, desentono, disonancia. || Alteración, desconcierto. || Perturbación, trastorno. || Desabrimiento, rabotada, descomedimiento, insolencia.

desteñir Despintár, decolorar, descolorar. ↔ *Teñir.*

desterrar Proscribir, exiliar, expulsar, extrañar, deportar, confinar, relegar. ↔ *Repatriar.*

destetar Desmamar.

destierro Exilio, proscripción, ostracismo, deportación, extrañamiento, confinamiento, relegación. ↔ *Repatriación.*

destilar Alambicar, alquitarar, sublimar. || Filtrar, extraer, condensar, tamizar.

destinar Dedicar, aplicar, emplear, ocupar, consagrar.

destino Empleo, puesto, plaza, ocupación, colocación, acomodo. || Fin, finalidad, dirección, aplicación. || Sino, fortuna, estrella, hado, suerte.

destitución Degradación, deposición, relevo, despido, remoción, exoneración, licencia, suspensión, jubila-

ción, relevación. ↔ *Nombramiento.*

destituir Deponer, desposeer, separar, privar. ↔ *Nombrar, rehabilitar.*

destornillado Desquiciado, alocado, atolondrado, precipitado, chiflado, loco. ↔ *Sentado, sesudo, cuerdo.*

destrabar Desprender, soltar, liberar.

destral Hacha.

destreza Habilidad, maña, soltura, agilidad, pericia, maestría, arte, primor, 'baquía. ↔ *Torpeza.*

destrincar Desatar, desligar, soltar.

destripacuentos Metemuertos, indiscreto, importuno.

destripar Despanzurrar, despachurrar, espachurrar, reventar, 'achurar.

destripaterrones Gañán, mozo, labrador, agricultor, jornalero, trabajador.

destronar Derrocar, deponer. ↔ *Entronizar.* || Reemplazar, suplantar, substituir.

destroncar Talar, cortar, tronchar, segar, descuajar. || Perjudicar, dañar, menoscabar, destruir, derribar.

'destronque Descuaje.

destrozar Despedazar, romper, descuartizar, destruir. ↔ *Componer.* || Derrotar, batir, arrollar, deshacer, desbaratar.

destrozo Estrago, estropicio, rotura, quebradura, quebrantamiento, destrucción, descalabro, desgarro, estrapalucio. || Escabechina, mortandad, carnicería.

destrucción Ruina, desolación, devastación, asolamiento, aniquilación. ↔ *Construcción.*

destructor Torpedero, corbeta, destróyer.

destruir Arruinar, asolar, devastar, arrasar, aniquilar, demoler, derrocar, talar, abatir, derribar, arietar, desmantelar, deshacer, desbaratar, arrollar, romper, zapar, minar, volar, consumir, gastar, devorar, desmoronar, descomponer, desentablar, anular, extirpar, extinguir, borrar, exterminar, arrancar, descepar, reducir a cenizas, hacer trizas, echar a pique, abrir brecha, no dejar piedra sobre piedra, echar por tierra, dar cabo de echar abajo, dar al traste. ↔ *Construir, edificar, levantar, erigir, hacer.* || Malgastar, disipar, dilapidar, derrochar, malbaratar. ↔ *Ahorrar.* || Inutilizar, eliminar.

destruirse Caerse, desmoronarse, allanarse, venirse abajo.

'destusar Despinochar.

desucar Desjugar.

desuellacaras Barbero. || Descarado, insolente.

desuello Despellejadura, solladura. || Rozadura, matadura. || Descaro, desvergüenza, insolencia.

desuncir Desyugar, desenyugar.

desunido Desavenido, disconforme, desacorde, discorde, desaunado, separado, solo, libre, suelto. ↔ *Unido, enlazado, trabado.*

desunión División, ruptura, separación, disconformidad, inconexión, oposición, aislamiento, desconexión, apartamiento, abandono, disociación, disgregación, segregación, disyunción, desglose, desmembración, desvinculación, desacoplamiento, desconcierto. ↔ *Unión, acorde, vinculación.* || Discordia, desavenencia, desacuerdo, discrepancia, divergencia, enemistad. ↔ *Amistad, avenencia.*

desunir Separar, desjuntar, apartar, alejar, divorciar, dividir, desaparecer, descomponer, desensamblar, desarticular, desmembrar, disgregar, disociar, desconectar, desglosar, deslabonar, desasir, aislar, deshacer, detraer. ↔ *Unir.* || Analizar. || Indisponer, enemistar, encismar, encizañar, desavenir, malquistar, enzurizar. ↔ *Avenir, amigar.*

desuñarse Interesarse, afanarse, entregarse en cuerpo y alma, ensimismarse.

desusado Desacostumbrado, inusitado, insólito, inusual, extraordinario. ↔ *Usado, corriente, habitual.*

desusar Desacostumbrar, relegarse, perderse, olvidarse.

desuso Deshabituación, olvido, cesación, prescripción.

desvaído Pálido, descolorido, desteñido, apagado, mortecino. ↔ *Subido, vivo, chillón.*

desvainar Desgranar.

desvalido Desa m p a r a do, abandonado, huérfano. ↔ *Protegido.*

desvalijamiento Robo, despojo, saqueo, hurto, expoliación.

desvalijar Robar, saltear, despojar, saquear.

desvalimiento Desamparo, desabrigo, desarrimo, aban-

dono. aislamiento, orfandad.

desvalorización Depredación, depreciación, baja, mengua, degradación. ↔ *Revalorización, aumento.*

desvalorizar Menguar, rebajar.

desvalorizarse Bajar, depreciarse, ir en mengua.

desván Sotabanco, buhardilla, guardilla, camarachón, zaquizamí, tobanco, 'entretecho, 'soberado.

desvanecer Esfumar, disipar, borrar, atenuar, aclarar. || Anular, inutilizar, deshacer, suprimir, frustrar, eludir. || Envanecer.

desvanecerse Disiparse, evaporarse, esfumarse, desaparecer. ↔ *Aparecer.* || Desmayarse, perder el sentido, accidentarse. ↔ *Recobrarse.*

desvanecido Impreciso, desdibujado, borroso, confuso, esfumado, disipado, desaparecido, evaporado. ↔ *Concreto, preciso.* || Vano, presumido, arrogante, presuntuoso, altivo. ↔ *Humilde.* || Desmayado, mareado, accidentado.

desvanecimiento Vahído, desmayo, desfallecimiento, soponcio, accidente, síncope, 'taranta.

desvarar Deslizarse, resbalar. || Desembarrancar.

desvariar Delirar, disparatar, desbarrar. ↔ *Razonar.*

desvarío Delirio, disparate, dislate, quimera, ilusión. ↔ *Razonamiento.*

desvelado Insomne, despierto, despabilado. ↔ *Adormilado.*

desvelar Despertar, quitar el sueño.

desvelarse Inquietarse, afa-

narse, desvivirse, esmerarse, extremarse, esforzarse, matarse, 'despestañarse.

desvelo Interés, cuidado, vigilancia, atención, desasosiego, inquietud. ↔ *Tranquilidad.* || Insomnio, agripnia.

desvencijar Desencajar, descomponer, desconcertar, desquiciar, destartalar, desunir.

desveno Montada.

desventaja Inferioridad, menoscabo, inconveniente, perjuicio. ↔ *Ventaja.*

desventajoso Perjudicial, desfavorable, inconveniente. ↔ *Ventajoso.*

desventar Orear, ventilar, airear, desavahar.

desventura Desgracia, desdicha, infortunio, malaventura, infelicidad, adversidad, fatalidad. ↔ *Ventura.*

desventurado Desgraciado, desdichado, infortunado, desafortunado, infeliz, malaventurado, malhadado, miserable. ↔ *Venturoso.*

desvergonzado Sinvergüenza, procaz, impúdico, descarado, descocado, desahogado, insolente, deslenguado, atrevido, descomedido, fresco, 'liso, 'guarango. ↔ *Vergonzoso, honrado, honesto.*

desvergonzarse Insolentarse, descararse, descomedirse.

desvergüenza Inverecundia, sinvergüencería, procacidad, impudencia, descaro, descoco, insolencia, cara dura, audacia, osadía, desfachatez, frescura, atrevimiento, 'lisura. ↔ *Vergüenza, prudencia, honestidad.*

desvestir Desnudar, des-

D abrigar, destocar. ↔ *Vestir, cubrir.*

desvestirse Desnudarse, despojarse. ↔ *Vestirse.*

desviación Desvío, bifurcación, extravío, descamino, descarrío, revirada, receso, recoveco, apartamiento, separación, torcimiento, circunvolución, aberración, virada. || Torcedura, dislocación, luxación, distensión.

desviar Descaminar, desencaminar, extraviar, apartar, separar, desaconsejar, disuadir. ↔ *Encaminar, enderezar, persuadir.*

desvincular Liberar, emancipar, desligar, independizar. ↔ *Vincular.*

desvío Desviación, bifurcación. || Despego, desapego, desafecto, frialdad, desagrado. ↔ *Apego, afecto.*

desvivirse Afanarse, inquietarse, desvelarse, extremarse, esforzarse, matarse, 'despezuñarse.

desyugar Desuncir. || Libertar, redimir.

deszumar Desjugar, desucar.

*detall 'Expendio, menudeo, por menor. ↔ *Mayor.*

detallado Circunstanciado, pormenorizado, minucioso, pródigo. ↔ *Sumario, sucinto, compendioso.*

detallar Circunstanciar, fragmentar. || Narrar, referir, relatar, tratar.

detalle Pormenor, porción, parcela, fragmento, elemento, enumeración, exposición, particularidad. ↔ *Generalidad.*

detallista Comerciante, tendero, mercader.

detención Parada, alto. ||

Detenimiento, prolijidad, esmero, cuidado. ↔ *Precipitación.* || Arresto, prendimiento.

detener Parar, atajar, suspender, estancar, retener, frenar, 'barajar. ↔ *Impulsar.* || Arrestar, prender, aprehender, aprisionar, coger. ↔ *Libertar.*

detenerse Retardarse, retrasarse, demorarse, tardar, pararse.

detenido Apocado, irresoluto, indeciso, embarazado. || Preso.

detenimiento Detención, prolijidad, esmero, cuidado. ↔ *Precipitación, premura.*

detentación Usurpación, retención.

detentar Retener, usurpar.

deterger Limpiar, purificar, asear.

deteriorar Estropear, averiar, menoscabar, dañar. ↔ *Reparar.*

deterioro Desperfecto, detrimento, menoscabo, perjuicio, avería, daño.

determinación Resolución, decisión, disposición, partido, atrevimiento, valor, arrojo, audacia. ↔ *Indecisión, timidez.*

determinado Denodado, arrojado, resuelto, osado, decidido. ↔ *Irresoluto, vacilante.*

determinar Resolver, decidir, disponer, prescribir. || Señalar, fijar, precisar, delimitar. || Causar, producir, ocasionar, motivar, provocar.

detestable Abominable, execrable, aborrecible, odioso, infame, pésimo. ↔ *Admirable.*

detestar Aborrecer, abomi-

nar, execrar, odiar. ↔ *Admirar, amar.*

detonación Estampido, tiro, disparo.

detonador Mixto, explosor, detonante, cebo.

detonar Estallar, explotar, tronar.

detorsión Dislocación, torcedura, desviación.

detracción Difamación, infamación, denigración, maledicencia, murmuración. ↔ *Encomio, elogio.*

detractar Desacreditar, denigrar, murmurar, infamar, detraer, calumniar. ↔ *Alabar, elogiar.*

detractor Maldiciente, infamador, calumniador, denigrador. ↔ *Encomiador, panegirista.*

detraer Restar, substraer, desviar, apartar. || Detractar.

detrás Tras. ↔ *Delante.*

detrimento Menoscabo, perjuicio, deterioro, avería, quebranto, pérdida, daño. ↔ *Provecho.*

deuda Adeudo, débito, obligación, compromiso, 'dita, 'droga.

deudo Pariente, allegado.

devanadera Argadillo.

devanar Arrollar.

devanear Delirar, disparatar, divagar.

devaneo Flirteo, amorío.

devastación Destrucción, ruina, asolamiento, desolación.

devastar Asolar, arruinar, destruir, arrasar.

devengar Apropiarse, atribuirse, retribuir, percibir.

devenir Sobrevenir, acaecer, suceder, pasar, acontecer, llegar a ser.

devoción Piedad, fervor, unción. || Veneración, respeto, reverencia, predilección, afecto, afición, inclinación. ↔ *Hostilidad, desprecio.*

devocionario Eucologio, libro de misa, libro de horas, libro santo.

devolución Remisión, redhibición, torna.

devolver Restituir, reintegrar, reponer. ↔ *Retener.*

devorar Engullir, tragar, zampar, comer. || Consumir, destruir.

devota Beata.

devoto Piadoso, religioso. ↔ *Impío.* || Afecto, apegado, admirador, entusiasta, partidario, aficionado. ↔ *Hostil, enemigo.*

deyecciones Heces, excrementos.

día Jornada. || Alborada, alba, aurora, madrugada. || Luz, claridad. || Fecha, época.

diabasa Diorita.

diablo Demonio, diantre, demontre, demonche, dianche, mengue, Arimanes, Astarot, Asmodeo, Satán, Satanás, Lucifer, Belcebú, Luzbel, Mefisto, Mefistófeles, Pero Botero, Patillas, Pateta, 'ayacua, 'babujal, 'candinga. || Tentador, enemigo, ángel malo, espíritu maligno, espíritu del mal, genio infernal, ángel de las tinieblas, ángel caído, rey del infierno. || Travieso, temerario, diablillo. || Audaz, astuto, sagaz, vivo, mañoso, sutil. || Feo.

diablo marino Escorpina.

diablo (abogado del) Promotor de la fe.

diablura Chiquillada, travesura, imprudencia, irreflexión, trapatiesta, atrevimiento.

diabólico Demoníaco, satánico, infernal, perverso. ↔ *Angelical, seráfico.*

diácono Levita.

diadema Aderezo, corona, presea, nimbo, aureola.

diáfano Cristalino, transparente, claro, límpido, puro. ↔ *Turbio, opaco.*

diafragma Membrana, separación.

diagnosticar Analizar, determinar.

diagnóstico Dictamen, juicio, opinión.

diagonal Oblicuo, enviajado, sesgado.

dialectal Provincial, comarcal.

dialéctica Lógica. || Razonamiento.

dialogar Conversar, coloquiar, platicar, hablar.

diálogo Conversación, coloquio, plática.

diamante Adamante, carbonado, naife. || Pulcro, limpio.

diamantino Duro, persistente, inquebrantable, adamantino. ↔ *Frágil.*

diana Blanco. || Señal, advertencia.

diantre Demontre, diablo, demonio.

diario Cotidiano, cuotidiano, jornalero. || Periódico.

diarrea Destemplanza, cólico.

días Cumpleaños, vida.

diástole Dilatación.

diatriba Inventiva, catilinaria, libelo. ↔ *Ditirambo.*

dibujar Diseñar, delinear, trazar.

dibujo Croquis, diseño, apunte, bosquejo, esquema, trazo, esbozo, imagen, silueta, caricatura, figura.

dicacidad Agudeza, causticidad, mordacidad.

dicaz Cáustico, mordaz, chistoso, decidor, chistoso.

dicción Pronunciación. || Vocablo, palabra, voz, expresión, término.

diccionario Vocabulario, léxico, glosario, enciclopedia.

dictado Título, señorío, honor. || Calificativo. || Inspiración, precepto, deber, obligación.

dictador Autócrata, tirano, déspota, 'mazorquero.

dictadura Autocracia, cesarismo, tiranía, despotismo, 'mazorca. ↔ *Democracia.*

dictamen Informe, juicio, parecer, opinión, diagnóstico.

dictar Promulgar, expedir, pronunciar. || Inspirar, sugerir.

dictaminar Informar, opinar, diagnosticar.

dictatorial Dictatorio, autocrático, absoluto, despótico, autoritario, arbitrario, imperioso.

dicterio Improperio, denuesto, insulto, injuria, ofensa. ↔ *Lisonja, elogio.*

dicha Felicidad, ventura, fortuna, suerte, prosperidad, bienandanza, bienestar, beatitud, bienaventuranza. ↔ *Desdicha.*

dicharachero Ocurrente, bromista, chistoso, chancero, gracioso.

dicharacho Chiste, chascarrillo, ocurrencia. || Palabrota.

dicho Susodicho, antedicho, citado, referido, mencionado, repetido, mentado. || Proverbio, refrán, sentencia, donaire, chiste, ocurrencia.

dichoso Feliz, afortunado, venturoso, bienaventura-

D

do, fausto, 'suertero. ↔ *Desdichado.*

didáctico Didascálico.

diente Punta, saliente, resalto.

dientes Piños, endejas, adarajas.

diéresis Crema.

diestro Derecho. ↔ *Siniestro.* || Hábil, mañoso, experto, versado, perito. ↔ *Torpe, desmañado.*

dieta Régimen, privación. || Congreso, junta, reunión.

dietas Honorarios, estipendio, indemnización, retribución.

dietario Agenda, calendario.

diez Deca. || Deci. || Decenio, década. || Décimo.

diezmar Imponer, tasar. || Dañar, castigar, perjudicar, menoscabar, causar bajas.

diezmo Alajor, tributo, percepción, contribución, impuesto, tasa, derecho, prebenda.

difamación Maledicencia, calumnia, infamación, denigración, murmuración. ↔ *Apología.*

difamador Maldiciente, murmurador, denigrador, calumniador.

difamar Desacreditar, denigrar, calumniar, infamar. ↔ *Elogiar.*

diferencia Desigualdad, diversidad, desemejanza, disimilitud, disparidad, discrepancia, divergencia, disentimiento, desavenencia. ↔ *Igualdad, coincidencia, acuerdo.* || Resta, residuo, resto. ↔ *Suma.*

diferenciar Separar, distinguir.

diferenciarse Distinguirse, diferir, discrepar, distar. ↔ *Asemejarse, parecerse.*

diferente Distinto, diverso, desigual, desemejante, divergente, 'disímbolo. ↔ *Igual, semejante.*

diferir Aplazar, retardar, demorar, retrasar, suspender, dilatar. ↔ *Adelantar.* || Distinguirse, diferenciarse, discrepar. ↔ *Coincidir, parecerse.*

difícil Dificultoso, arduo, penoso, trabajoso, laborioso, embarazoso, espinoso, complicado, enrevesado, peliagudo, endiablado. ↔ *Fácil.* || Indócil, díscolo, áspero. ↔ *Fácil, dócil, manejable.*

dificultad Apuro, atascadero, atascamiento, atasco, atolladero, atranco, atanco, barrera, complejidad, complicación, contrariedad, conflicto, contratiempo, corma, cazonal, duda, embarazo, engorro, embrollo, embargo, estorbo, entorpecimiento, e s p i n ar, hueso, inconveniente, impedimento, molestia, óbice, objeción, obstrucción, obstáculo, oposición, pantano, jeroglífico, pega, pejiguera, problema, pihuela, quisicosa, quisquilla, reparo, rémora, reventón, traba, tropiezo, valla, 'atrenzo. ↔ *Facilidad.*

dificultar Embarazar, estorbar, entorpecer, complicar. ↔ *Facilitar*

dificultoso Difícil.

difidente Receloso, desconfiado, reservado, temeroso. ↔ *Confiado.*

difluir Derramarse, difundirse, extenderse.

difuminar Esfumar, esfuminar.

difundir Extender, esparcir, divulgar, propalar, propagar. ↔ *Contener, ocultar.*

difunto Cadáver, muerto, occiso.

difusión Propagación, expansión, extensión, diseminación, proliferación, dilatación, abundancia, amplificación. ↔ *Concreción, limitación.*

difuso Ancho, extenso, amplio, dilatado, prolijo, largo. ↔ *Limitado, concreto.*

digerir Asimilar, absorber. || Soportar, sobrellevar, sufrir, conllevar. || Meditar, madurar, reflexionar.

digital Dactilar. || Dedalera.

dignarse Servirse, condescender, acceder.

dignidad Decoro, decencia, gravedad, integridad, excelencia. ↔ *Indignidad, vileza.*

dignificar Alabar, honorar, realzar. ↔ *Denigrar.*

digno Merecedor, acreedor. ↔ *Indigno.* || Decoroso, decente, grave, íntegro. ↔ *Indigno, vil.*

digresión Paréntesis.

dije Joya, alhaja, medalla.

dilacerar Atenacear, atenazar, despedazar, desgarrar, lastimar, destrozar, afligir.

dilación Tardanza, demora, retraso, retardación. ↔ *Prontitud.*

dilapidación Despilfarro, derroche. ↔ *Ahorro.*

dilapidador Malbaratador, malgastador, malversador, m a l r o tador, manirroto, despilfarrador, derrochador, derrotador, disipador, prolijo. ↔ *Ahorrador.*

dilapidar Derrochar, malgastar, malbaratar, despilfarrar, disipar, prodigar. ↔ *Ahorrar, economizar.*

dilatación Dilatabilidad, ampliación, aumento, desenvolvimiento, hinc h a z ó n, desahogo, acrecentamiento, extensión. || Rarefacción. || Diástole.

dilatado Extendido, ancho, vasto, grande, prolijo, difuso, extenso, amplio. ↔ *Limitado, encogido.*

dilatar Extender, alargar, prolongar, agrandar, ampliar, ensanchar, aumentar, prorrogar, demorar, retardar, aplazar, diferir, 'expandir. ↔ *Restringir, reducir, acortar, abreviar.*

dilección Amistad, voluntad, amor, cariño.

dilema Alternativa, conflicto, contradicción, problema.

*diletante Aficionado, amante, entusiasta. || Melómano, filarmónico.

diligencia Actividad, rapidez, prontitud, 'calchona. ↔ *Indolencia, pereza.* || Atención, cuidado, celo, aplicación, esmero. ↔ *Negligencia.*

diligenciar Tramitar, despachar, resolver.

diligente Activo, rápido, pronto, dinámico, expeditivo. ↔ *Indolente, perezoso.* || Atento, cuidadoso, celoso, aplicado, esmerado. ↔ *Negligente.*

dilogía Equívoco, ambigüedad, anfibología.

dilucidación Elucidación, ilustración, aclaración, explicación, explanación.

dilucidar Elucidar, aclarar, explicar, esclarecer. ↔ *Enmarañar, confundir.*

diluente Diluyente, disolvente.

diluir Desleír, disolver. ↔ *Concentrar.*

diluviar Abrirse las cataratas del cielo.

diluyente Diluente.

'dille Chicharra.

dimanar Emanar, proceder, provenir, originarse, seguirse, nacer, venir, salir.

dimensión Tamaño, magnitud, medida, extensión, volumen, capacidad, calibre.

dimidiar Dividir, partir.

diminuto Deficiente, defectuoso, falto. ↔ *Completo.* || Chiquitín, chiquirritín, minúsculo, pequeñín, pequeño, microscópico. ↔ *Grande.*

dimisión Renuncia, cesión, abdicación.

dimitir Renunciar, abandonar, rehusar, declinar. ↔ *Tomar posesión.*

dinamarqués Danés.

dinámico Móvil, evolutivo, mudable, rápido, activo, diligente, expeditivo, enérgico. ↔ *Estático, parado, indolente.*

dinastía Raza, familia.

dineral Dinerada, fortuna, riñón, ojo de la cara.

dinero Plata, numerario, efectivo, metálico, moneda, maravedí, fondos, monises, el vil metal, numisma, numo, oro, caudal, bienes, capital, hacienda, fortuna, pecunia, peculio, costilla, pasta, guita, mosca, cuartos, churrumo, perras, parnés, din, dinerillo, dineruelo, gato, guelte, posibles, redonda, real, substancia, talega, trigo, pegujal.

dineroso Acaudalado, adinerado, potentado, opulento, rico.

dintel Lintel, cumbrera, platabanda. || Umbral.

diñarla Espichar, morir, fa-

llecer, expirar, perecer, fenecer. ↔ *Nacer.*

diócesis Obispado, sede.

dionisíaco Báquico.

diorita Diabasa.

dios Señor, Padre, Creador, Providencia, Ser Supremo, Sumo Hacedor, Divinidad, Altísimo, Jehová.

dios (hijo de) Jesucristo.

diosa Dea, deesa, diva.

diploma Despacho, nombramiento, acta, carta, bula, privilegio, prerrogativa. || Credencial, título, autorización.

diplomacia Tacto, tiento, circunspección, habilidad, sagacidad, astucia. ↔ *Rudeza, brusquedad, inhabilidad.*

diplomático Circunspecto, hábil, sagaz, ladino, disimulado. ↔ *Rudo, brusco, inhábil.*

diputado Enviado, legado, delegado, embajador, representante, regidor.

diputar Delegar, encargar.

dique Malecón, 'tajamar.

dirección Gobierno, gestión, administración, gerencia, mando, jefatura. || Sentido, rumbo, camino, derrotero. || Señas, domicilio.

directo Recto, seguido, derecho. ↔ *Indirecto.*

director Rector, gerente, directivo, dirigente, jefe, regente.

dirigente Regente, cabecilla, ***leader,** caudillo, cacique.

dirigir Guiar, orientar, encaminar, conducir, enderezar. || Gobernar, administrar, regir, regentar, mandar.

dirimir Disolver, deshacer, desunir, separar. || Resolver, decidir, fallar, terminar.

D

D **disanto** Fiesta, festividad, domingo.

'discantada Misa solemne, oficio.

discantar Cantar, componer, recitar. || Comentar.

disceptar Discurrir, argüir, disertar.

discernimiento Apreciación, distinción, juicio, lucidez, clarividencia, perspicacia, penetración. ↔ *Obtusidad.*

discernir Distinguir, discriminar, diferenciar. ↔ *Confundir.* || Comprender, percibir, apreciar.

disciplina Subordinación, orden, obediencia, observancia. ↔ *Indisciplina.* || Doctrina, enseñanza, ciencia, materia, asignatura.

disciplinado Cumplidor, sumiso, dócil. ↔ *Díscolo.*

disciplinar Instruir, enseñar, aleccionar. || Azotar. || Someter, subyugar, dominar, doblegar, domeñar. ↔ *Liberar.*

disciplinario Reformatorio, correccional.

disciplinarse Mortificarse.

discipulado Instrucción, doctrina, enseñanza, educación.

discípulo Alumno, colegial, escolar, estudiante.

disco Rodaja, rolde, tapa, tejo.

díscolo Indócil, insubordinado, indisciplinado, rebelde, desobediente, perturbador, revoltoso, travieso. ↔ *Dócil.*

disconforme Discrepante, discorde, inconforme, inconciliable, malavenido, 'disímbolo. ↔ *Acorde.*

disconformidad Desacuerdo, disentimiento, discordancia, divergencia, discrepancia. ↔ *Conformidad.*

discontinuación Discontinuidad, interrupción, suspensión, intermitencia, cesación, solución de continuidad. ↔ *Ininterrupción, continuidad.*

discontinuar Cesar, interrumpir, suspender, parar, acabar.

discontinuidad Discontinuación, inconexión, incoherencia.

discontinuo Intermitente, irregular, interrumpido, inconstante, esporádico. ↔ *Continuo.*

discordancia Desacuerdo, disconformidad, divergencia, discrepancia, disentimiento. ↔ *Concordancia.*

discordante Incoherente, inarmónico, disonante, contrario, opuesto, desproporcionado. ↔ *Acorde, armónico.*

discordar Discrepar, divergir, disentir, disonar. ↔ *Concordar.*

discorde Desacorde, disconforme, discordante, disonante. ↔ *Concorde, acorde.*

discordia Desavenencia, división, disensión, desunión, desacuerdo, divergencia. ↔ *Concordia.*

discreción Prudencia, sensatez, circunspección, tacto, moderación, mesura, cordura, reserva, recato. ↔ *Indiscreción.*

discrecional Potestativo, facultativo. ↔ *Obligatorio.*

discrepancia Diferencia, divergencia, disentimiento, disconformidad, discordancia, desacuerdo. ↔ *Coincidencia, concordancia.*

discrepante Disconforme, discorde, contrario, malavenido. ↔ *Acorde, conforme.*

discrepar Diferenciarse, distar, divergir, disentir, discordar. ↔ *Coincidir.*

discreto Prudente, sensato, juicioso, circunspecto, moderado, cuerdo, reservado, recatado. ↔ *Indiscreto.*

discrimen Riesgo, peligro. || Diversidad, diferencia.

discriminar Discernir, separar, distinguir, diferenciar, especificar. ↔ *Confundir, involucrar.*

disculpa Descargo, defensa, justificación, exculpación, excusa, pretexto. ↔ *Inculpación, acusación.*

disculpar Defender, excusar, justificar, exculpar, dispensar, absolver, perdonar. ↔ *Inculpar.*

disculparse Pretextar, justificarse, exculparse. ↔ *Confesar, reconocer.*

discurrir Reflexionar, pensar, razonar, meditar. || Conjeturar, inferir, suponer, calcular, idear, inventar. || Andar, caminar, correr, fluir.

discursante Conferenciante, orador.

discursar Discurrir, reflexionar, meditar, pensar, cavilar, conjeturar.

discursear Disertar, perorar, hablar. || Advertir, amonestar, reñir.

discursivo Reflexivo, caviloso, didáctico.

discurso Raciocinio, reflexión. || Arenga, alocución, parlamento, peroración, perorata. || Decurso, transcurso, curso.

discusión Examen, estudio, debate, controversia, polémica, disputa.

discutible Cuestionable, contestable, dudoso, controvertible, impugnable, problemático, rebatible. ↔ *Indiscutible.*

discutidor Polemista, razonador, argumentista.

discutir Examinar, estudiar, argumentar, razonar, debatir, controvertir, impugnar, disputar.

disecar Conservar.

disector Disecador, anatomista.

diseminación Propagación, dispersión, siembra.

diseminar Esparcir, desparramar, sembrar, dispersar, desperdigar. ↔ *Agrupar.*

disensión División, discordia, desunión, desavenencia, desacuerdo, oposición, disputa, contienda, riña. ↔ *Acuerdo, concordia.*

disentimiento Disconformidad, desacuerdo, divergencia, discordancia, discrepancia. ↔ *Asentimiento.*

disentir Discrepar, discordar, divergir. ↔ *Asentir.*

diseñar Dibujar, trazar, delinear.

diseño Dibujo, croquis, esbozo, bosquejo.

disertación Conferencia, lección, razonamiento, charla.

disertar Razonar, discurrir, argumentar, tratar, exponer, perorar, discursear, disceptar.

diserto Elocuente, brillante, persuasivo, florido, espiritual, elegante. ↔ *Apagado.*

disfamar Difamar.

disfavor Desaire, desatención, descortesía, desprecio, grosería. ↔ *Atención, delicadeza.*

disforme Deforme, desfigurado, desproporcionado, contrahecho, monstruoso. ↔ *Perfecto, hermoso.*

disformidad Deformidad.

disfraz Máscara, embozo, tapujo, simulación, fingimiento, ocultación, pretexto.

disfrazar Enmascarar, embozar, encubrir, desfigurar, simular, disimular.

disfrutar Gozar, alegrarse, regocijarse, complacerse, divertirse. ↔ *Hastiarse, aburrirse.* || Aprovecharse, gozar de, percibir, utilizar.

disfrute Utilización, posesión, goce, usufructo, aprovechamiento.

disgregación Desagregación, desunión, separación, segregación. ↔ *Unión, agregación.*

disgregar Desagregar, disociar, desunir, separar, dispersar. ↔ *Congregar, asociar, unir.*

disgustado Desabrido, enojado, malhumorado, desazonado. || Pesaroso, apesadumbrado, quejoso. || Soso, insípido, ñoño.

disgustar Desagradar, desazonar, molestar, incomodar, contrariar, enojar, engañar, repugnar. ↔ *Complacer.* || Afligir, apenar, apesadumbrar, contristar, amargar. ↔ *Alegrar.*

disgusto Desazón, desagrado, molestia, contrariedad, enojo, enfado, fastidio, hastío, asco, repugnancia. ↔ *Gusto.* || Aflicción, pena, pesar, pesadumbre, inquietud, angustia. ↔ *Gusto, alegría.*

disidencia Escisión, cisma, ruptura, secesión, desacuerdo. ↔ *Acuerdo.*

disidente Discorde, malquisto, cismático, separado.

'disimbolo o **disimbola** Diferente, disconforme.

disímil Diferente, distinto,

desemejante. ↔ *Parecido, igual.*

disimilitud Desemejanza, diferencia, disparidad, diversidad, desigualdad. ↔ *Similitud.*

disimulación Disimulo, encubrimiento, fingimiento, simulación, ficción. ↔ *Realidad, descubrimiento.*

disimulado Falso, hipócrita, fingido, engañoso, taimado. ↔ *Franco.*

disimular Encubrir, ocultar, tapar, disfrazar, desfigurar, vestir, fingir. ↔ *Revelar, sincerarse.* || Tolerar, permitir, perdonar. ↔ *Reprochar, reprender.*

disimulo Fingimiento, doblez. ↔ *Franqueza.*

disipación Licencia, crápula, liviandad, libertinaje, depravación, disolución, desenfreno, vicio. ↔ *Morigeración.*

disipar Despilfarrar, derrochar, dilapidar, malgastar, malbaratar, prodigar. ↔ *Ahorrar, aprovechar.*

disiparse Desvanecerse, evaporarse, desaparecer, borrarse, esfumarse. ↔ *Aparecer.*

dislate Disparate, desatino, despropósito, absurdo, barbaridad. ↔ *Acierto.*

dislocar Descoyuntar, desarticular, desencajar, desquiciar. ↔ *Articular, encajar.*

disminución Decrecimiento, mengua, merma, menoscabo, descenso, baja, reducción. ↔ *Aumento.*

disminuir Menguar, amenguar, decrecer, mermar, aminorar, menoscabar, bajar, rebajar, abreviar, acortar, reducir, descender. ↔ *Aumentar.*

D

disociar Desunir, desagregar, disgregar, separar, desmembrar. ↔ *Asociar.*

disolutivo Emplástico.

disoluto Licencioso, vicioso, calavera, crápula, depravado. ↔ *Morigerado.*

disolver Desleír, diluir, deshacer. ↔ *Concentrar.* || Separar, disgregar, dispersar, desunir, deshacer, destruir, aniquilar. ↔ *Concentrar, constituir.*

disonancia Discrepancia, desacuerdo, disconformidad, desavenencia, inarmonía. ↔ *Acorde, armonía.* || Destemplanza.

disonante Discorde, inarmónico. ↔ *Consonante.*

disonar Discordar, discrepar, chocar, desentonar. ↔ *Consonar.*

dispar Diferente, desigual, disímil, disparejo, otro, heterogéneo. ↔ *Parejo, igual.*

'disparada Fuga, escapada.

disparar Arrojar, lanzar, despedir, tirar, descargar.

disparatado Absurdo, irracional, ilógico, descabellado, desatinado, desmesurado. ↔ *Razonable, lógico.*

disparatar Desbarrar, desatinar, delirar, desvariar. ↔ *Razonar, acertar.*

disparate Absurdo, desatino, dislate, despropósito, enormidad, atrocidad, barbaridad, 'despapucho, 'enflautada. ↔ *Acierto.*

disparejo Dispar.

disparidad Desigualdad, diferencia, discrepancia, desemejanza, disimilitud. ↔ *Paridad, igualdad, semejanza.*

disparo Tiro, detonación, estampido.

dispendio Desembolso, gasto, derroche, dilapidación. ↔ *Ahorro.*

dispendioso Caro, costoso. ↔ *Económico.*

dispensa Inmunidad, exención, exoneración, descargo, privilegio.

dispensar Dar, conceder, otorgar. ↔ *Denegar.* || Eximir, excusar, absolver, disculpar, perdonar. ↔ *Obligar, condenar.*

dispensario Clínica, casa de socorro.

dispersar Diseminar, esparcir, desperdigar, desparramar. ↔ *Agrupar.* || Ahuyentar, desbaratar, derrotar.

dispersión Diseminación, disgregación, separación. || Fuga.

disperso Desparramado, diseminado, separado, ralo. ↔ *Unido, amazacotado.*

displicencia Desabrimiento, aspereza, desagrado, indiferencia, indolencia, apatía. ↔ *Complacencia.*

displicente Áspero, desabrido, desagradable, indiferente, apático, 'frondio. ↔ *Complaciente.*

disponer Ordenar, arreglar, aderezar, colocar, preparar, prevenir. || Determinar, resolver, decidir, ordenar, mandar, prescribir, preceptuar.

disponible Utilizable, aprovechable.

disposición Colocación, ordenación, arreglo, distribución. || Resolución, determinación, decisión, orden, mandato, precepto. || Aptitud, suficiencia, capacidad, idoneidad, despejo, soltura, desembarazo, habilidad, talento, ingenio. ↔ *Ineptitud, incapacidad.*

|| Medida, medio, preparativo, prevención.

dispositivo Mecanismo, instalación, ingenio.

dispuesto Apto, suficiente, capaz, idóneo, hábil, despejado, vivo, listo, inteligente. ↔ *Inepto, incapaz.* || Preparado, listo, prevenido, apercibido. ↔ *Desprevenido, desapercibido, descuidado.*

disputa Altercado, contienda, porfía, agarrada, querella, cuestión, polémica, discusión.

disputable Discutible, rebatible, controvertible, argüible, problemático. ↔ *Indiscutible, cierto, evidente.*

disputar Altercar, contender, porfiar, cuestionar, querellarse, discutir. ↔ *Avenirse.*

disquisición Razonamiento, discusión, disputa, examen, investigación.

distancia Intervalo, trecho, espacio, alcance. || Diferencia, discrepancia, desemejanza, disparidad. ↔ *Proximidad.*

distanciar Preceder, sobrepasar, prevenir, avanzar, superar.

distanciarse Desamistarse, enemistarse, interponerse.

distante Lejos, lejano, remoto, alejado, apartado. ↔ *Próximo.*

distar Diferenciarse, discrepar, diferir. ↔ *Parecerse.*

distender Dislocar, torcer.

distensión Torcedura, esguince.

distinción Honor, honra, prerrogativa, privilegio. || Elegancia, finura. ↔ *Chabacanería.* || Claridad, precisión, exactitud. ↔ *Indis-*

D

tinción. ‖ Distingo, precisión.

distingo Distinción, sutileza, reparo.

distinguido Elegante, fino, notable, ilustre, esclarecido, principal, señalado. ↔ *Chabacano, vulgar, insignificante.*

distinguir Diferenciar, especificar, separar, discernir, discriminar. ↔ *Confundir.* ‖ Divisar, percibir. ‖ Honrar.

distinguirse Caracterizarse, destacarse, descollar, despuntar, resaltar, señalarse, sobresalir.

distintivo Insignia, divisa, señal, marca.

distinto Diferente, diverso. ↔ *Idéntico.* ‖ Claro, preciso, inteligible. ↔ *Indistinto, confuso.*

distorsión Desarticulación, torsión, deformación, distensión, relajación, dislocación, torcedura.

distracción Entretenimiento, esparcimiento, diversión, pasatiempo, recreo. ‖ Olvido, omisión, inadvertencia, descuido.

distraer Divertir, entretener, recrear, solazar. ↔ *Hastiar.* ‖ Apartar, separar, desviar, descarriar. ↔ *Encaminar.* ‖ Substraer, malversar.

distraído Bobo, ababol. ‖ Desatento, olvidadizo, descuidado, atolondrado. ↔ *Cuidadoso, atento.* ‖ Licencioso, libertino.

'distraído Roto, mal vestido, andrajoso.

distribución Reparto, repartición, división, partición. ↔ *Recogida.*

distribuir Repartir, dividir, partir. ↔ *Recoger.*

distrito Territorio, departamento, término, jurisdicción, demarcación, subdivisión administrativa, alfoz.

disturbar Alterar, alborotar, trastornar.

disturbio Tumulto, desorden, perturbación, alboroto, bullanga, asonada, revuelta, motín.

disuadir Desaconsejar, apartar, desengañar. ↔ *Persuadir.*

disuelto Diluido, desleído, licuado, deshecho. ↔ *Sólido.*

disyunción Desunión, división, separación, dislocación, alejamiento. ‖ Alternativa.

disyuntiva Alternativa, dilema.

disyuntivo Antagónico, antitético, contradictorio, opuesto, contrario. ↔ *Coincidente, concordante.*

dita Garantizador, avalante. ‖ 'Deuda.

ditirámbico Exagerado, ponderativo, arrebatado, desmesurado.

ditirambo Apología, panegírico, encomio, elogio, alabanza. ↔ *Invectiva, diatriba.* ‖ Florilegio, antología.

diuturnidad Período, lapso.

diva Diosa. ‖ Cantante, tiple, contralto.

divagar Errar, vagar, 'camotear. ‖ Desrazonar, andarse por las ramas, perderse, extraviarse, ir o andar por los cerros de Úbeda.

diván Sofá, canapé.

divergencia Bifurcación, separación. ↔ *Convergencia.* ‖ Discrepancia, diferencia, desacuerdo, discordancia,

disentimiento. ↔ *Coincidencia, acuerdo.*

divergir Bifurcarse, separarse. ↔ *Converger.* ‖ Discrepar, discordar, diferir, disentir. ↔ *Coincidir.*

diversidad Variedad, disparidad, diferencia, desemejanza, desigualdad. ↔ *Unidad, coincidencia.*

diversión Distracción, entretenimiento, pasatiempo, recreo, esparcimiento, solaz, 'entretensión, 'rubiera. ↔ *Fastidio.*

diverso Desemejante, diferente, distinto, dispar. ↔ *Igual.*

diversos Varios, muchos, más de cuatro.

divertido Alegre, festivo, entretenido, distraído, jocoso, regocijado, jovial. ↔ *Aburrido.*

divertimiento Recreación, diversión, juego, placer, distracción, pasatiempo.

divertir Recrear, entretener, distraer, solazar. ↔ *Fastidiar, aburrir.*

divertirse 'Enfiestarse.

dividendo Renta, interés.

dividido Bífido, partido, inciso, quebrado. ↔ *Entero, íntegro.*

dividir Partir, fraccionar, distribuir, repartir. ↔ *Multiplicar, recoger, juntar.* ‖ Desunir, desavenir, malquistar, enemistar, indisponer. ↔ *Unir, reconciliar.*

dividivi 'Nacascolo.

divieso Furúnculo, 'chacota.

divinidad Dios, deidad. ‖ Beldad, preciosidad, primor, hermosura.

divinizar Deificar, endiosar, sublimar, glorificar. ↔ *Condenar.*

divino Celestial, perfecto, adorable, sublime, excelen-

D

tc, admirable, delicioso. ↔ *Infernal, horrendo, pésimo.*

divisa Distintivo, señal, marca, insignia. || Lema, mote.

divisar Distinguir, ver, entrever, columbrar, vislumbrar.

división Partición, distribución, reparto, repartición. ↔ *Multiplicación, acumulación.* || Desunión, discordia, desavenencia. ↔ *Unión, concordia.*

divisor Submúltiplo, denominador, factor.

divisorio Limítrofe, colindante, lindante, contiguo, fronterizo. ↔ *Separado, alejado.*

divo Divino. || Cantante.

divorciar Repudiar, romper, descasarse, separarse, desunirse, malquistarse. ↔ *Casar.*

divorcio Repudio, separación, desavenencia, desunión, descasamiento, ruptura, desacuerdo. ↔ *Unión, casamiento.*

divulgado De boca en boca, en boca de todos.

divulgar Difundir, vulgarizar, publicar, pregonar, propagar, propalar, esparcir, vulgar.

do Donde.

dobladillo Repulgo.

doblado Doble, rechoncho. || Disimulado, fingido, taimado. || Fragoso, quebrado, desigual.

doblar Duplicar. ↔ *Partir.* || Plegar. ↔ *Desdoblar.* || Encorvar, arquear, torcer, doblegar. ↔ *Enderezar.* || Tocar a muerto.

doble Duplo. || Par, pareja. || Copia, duplicata, facsímil. || Repetición. || Fuerte, fornido, recio. || Simu-

lado, artificioso, fingido, taimado. ↔ *Recto, honesto.* || Toque (de muerto).

doblegar Doblar, torcer, encorvar, curvar, plegar, arquear, combar, flexionar. || Blandir, blandear. || Obligar, reducir, someter, hacer desistir.

doblegarse Doblarse, plegarse, someterse, allanarse, ceder, ablandarse. ↔ *Resistir.*

doblez Pliegue, repliegue. || Duplicidad, hipocresía, falsía, fingimiento, simulación, engaño, disimulo. ↔ *Sinceridad, veracidad, franqueza.*

doce Duodécimo, doceno, docenario, dozavo, docena.

doceno Duodécimo.

docente Educativo, instructivo, didáctico, pedagógico.

docente (personal) Claustro, profesorado.

dócil Obediente, sumiso, manso, fácil, apacible, suave, dulce, 'tambero. ↔ *Indócil, díscolo, revoltoso.*

docilidad Dulzura, obediencia, sumisión, flexibilidad, disciplina, subordinación, suavidad. ↔ *Indocilidad, desobediencia.*

dock Dársena, almacén, galpón.

docto Erudito, sabio, instruido, ilustrado, entendido, esciente. ↔ *Indocto.*

doctor Profesor, catedrático, facultativo, alfaquí. || Médico.

doctorarse Tomar la borla.

doctrina Enseñanza, ciencia, disciplina, materia. || Teoría, sistema, escuela, opinión.

doctrinador Maestro, catequista.

doctrinar Enseñar, catequi-

zar, instruir, educar, llevar de la barba.

documentación Credenciales, documentos.

documentado Probado, fundamentado.

documentar Patentizar, probar, aducir, evidenciar, justificar. || Informar, poner al corriente, educar.

documento Testimonio, prueba, título.

dogal Soga, cuerda.

dogma Base, fundamento. || Verdad revelada, artículo de fe.

dogmático Tajante, imperioso, decisivo, imperativo.

dogmatizar Asegurar, declarar, afirmar.

doladura Astilla, ripio.

dolatera 'Cuchillón.

'dolamas Alifafes, achaques.

dolar Desbastar, labrar, pulir.

dolencia Achaque, indisposición, afección, enfermedad, padecimiento, mal.

doler Padecer. || Repugnar.

dolerse Arrepentirse, compungirse, deplorar, lamentar. || Lamentarse, quejarse. || Condolerse, compadecerse, apiadarse. || Sentirse, escocerse.

doliente Enfermo. ↔ *Sano.* || Dolorido, apenado, afligido, contristado, desconsolado. ↔ *Contento.*

dolo Engaño, fraude, fingimiento, simulación, tergiversación.

dolor Pena, pesar, aflicción, sufrimiento, tormento, desconsuelo, angustia, tristeza. ↔ *Gozo.*

dolorido Doliente, apenado, afligido, contristado, apesarado, triste, desconsolado. ↔ *Contento.*

doloroso Penoso, angustioso, lastimoso, lamentable. ↔ *Gozoso.*

doloso Fraudulento, engañoso.

doma Domadura. || Represión, contención, vasallaje, sometimiento.

domador Adiestrador, picador, desbravador, 'amansador.

domar Domesticar, amansar, desembravecer, amaestrar, 'chalanear, 'jinetear.

domeñar Someter, dominar, reprimir, sujetar, rendir, avasallar.

domesticar Domar, desembravecer, amansar, amaestrar, 'aguachar.

doméstico Manso, duendo. || Fámulo, sirviente, servidor, criado, mozo.

domiciliarse Avecindarse, establecerse, afincarse. ↔ *Ausentarse.*

domicilio Casa, morada, residencia. || Señas, dirección

dominación Potencia, autoridad, poder, imperio, señorío, supremacía.

dominante Imperioso, absoluto, avasallador. ↔ *Sumiso.* || Preponderante, descollante, predominante.

dominar Reprimir, contener, señorear, sujetar, someter, domeñar, sojuzgar, avasallar. ↔ *Obedecer.* || Predominar, descollar, sobresalir.

dómine Preceptor, maestro. || Marisabidilla, pedante.

domingo Disanto, fiesta, festividad.

dominguero Festivo, galano.

dominguillo Tentetieso, pelele.

dominio Ascendiente, superioridad, autoridad, impe-

rio, poder, predominio, potestad. ↔ *Sujeción.* || Propiedad, pertenencia, señorío, soberanía, imperio.

dominó Capa, capuchón.

don Dádiva, regalo, presente, ofrenda. || Gracia, habilidad, talento, cualidad, dotes, carisma.

donación Cesión, don, donativo, regalo, obsequio, dádiva.

donador Dador, donante.

donaire Chiste, ocurrencia, gracia, chuscada. || Gentileza, donosura, gallardía, gracia, sandunga, salero, gracejo. ↔ *Sosería.*

donairoso Donoso, gracioso, ocurrente, chistoso. || Gentil, apuesto, garboso, gallardo.

donante Donador, dador.

donar Dar, transmitir, regalar, traspasar. ↔ *Quitar.*

donativo Dádiva, regalo, donación, cesión.

doncel Paje, adolescente.

doncella Virgen. || Camarera, criada.

'doncella Panadizo. || Sensitiva.

doncellez Doncellería, virginidad.

donde Do, dónde, en que, en el que, en el cual, el cual, lo cual.

dondequiera Doquier, doquiera.

donosidad Donaire, donosura, gracejo, gracia, lindeza.

donoso Ocurrente, chistoso, gracioso, gallardo. ↔ *Patoso.*

donosura Donosidad.

'doradillo Melado.

dorado Doradura, estofado. || Adorno, metales, metalla. || Venturoso, esplendoroso, feliz.

dorlar Corlar, bruñir, pulir, abrillantar. || Paliar, esconder, encubrir. || Tostar.

'dormidera y **dormilona** Sensitiva.

dormido Cuajado, fraguado, endurecido.

dormilón Perezoso, gandul, lirón.

dormilona Butaca, gandula.

dormir Descansar, reposar, dormitar. ↔ *Velar.* || Pernoctar.

dormirse Adormecerse, adormilarse, amodorrarse, aletargarse, entumecerse. ↔ *Despertarse.* || Descuidarse, abandonarse, confiarse. ↔ *Velar.*

dormitar Dormir, cabecear, adormecerse.

dormitivo Dormidero, soporífero, somnífero, aletargante, narcótico, estupefaciente.

dornajo Artesa, hortera, barcal, batea, dornillo.

dorso Espalda, revés, reverso, envés, cruz. ↔ *Cara, anverso.*

dos Segundo.

dosel Pabellón, baldaquín, palio, estrada. || Tapiz, antepuerta, cortina.

dosificar Partir, distribuir, graduar, determinar.

dosis Cantidad, porción, toma.

dotación Asignación, sueldo, salario. || Tripulación, personal.

dotado Titulizado.

dotar Dar, conceder, asignar. || Adornar. || Donar, ceder, legar, proporcionar. ↔ *Despojar.*

dote Caudal, asignación, patrimonio, congrua, prebenda.

dotes Excelencias, cualida-

D

D

des, talento, don, prendas.

dozavo Duodécimo.

draconiano Inexorable, inflexible, riguroso, severo. ↔ *Indulgente.*

dragar Excavar, limpiar.

dragomán Intérprete, trujamán, drogmán, truchimán.

dragontea Serpentaria, culebrilla, taragontia.

dramático Patético, impresionante, emocionante, conmovedor. ↔ *Ridículo.*

drástico Eficacísimo, enérgico, fuerte, activo, decisivo. ↔ *Suave.*

droga Mejunje, menjurje, ingrediente, potingue, medicamento, remedio. || Engaño, embuste, trampa, ardid, mentira. || Pejiguera, gaita, dificultad.

'droga Deuda, trampa.

droguería Colmado, abacería.

droguero Droguista, tendero, abacero.

droguista Droguero. || Embustero, tramposo, mentiroso.

drope Despreciable, abyecto, vil.

dúctil Acomodadizo, acomodaticio, condescendiente, flexible, dócil, blando. ↔ *Rígido.*

ductor Caudillo, guía, faro, capitán, jefe.

ducha Chorrada, chorretada, chisguete, irrigación.

ducho Diestro, versado, experto, entendido, experimentado, hábil, perito. ↔ *Inexperto.*

duda Incertidumbre, irresolución, perplejidad, vacilación, indecisión. ↔ *Certeza.* || Escrúpulo, sospecha, recelo, desconfianza. ↔ *Seguridad, confianza.* || Pro-

blema, cuestión, pega, objeción.

dudar Vacilar, titubear, fluctuar. ↔ *Estar seguro.*

dudoso Incierto, inseguro, problemático, sospechoso, equívoco, ambiguo, discutible, cuestionable, contestable. ↔ *Cierto.* || Vacilante, indeciso, perplejo, receloso. ↔ *Seguro, decidido, confiado.*

duelista Reñidor, quisquilloso, pendenciero, espadachín.

duelo Desafío, encuentro, combate. || Dolor, aflicción, pena, desconsuelo, compasión. ↔ *Gozo.*

duende Fantasma, espíritu, espectro, trasgo, gnomo.

duendo Doméstico, manso, dócil.

dueña Acompañante, trotona, dama de honor, señorita de compañía. || Señora, ama.

dueño Señor, amo, propietario, patrón, patrono, empresario.

dula Boalar.

dulce Suave, agradable, deleitoso, placentero.↔*Amargo.* || Afable, bondadoso, apacible, complaciente, dócil, indulgente. ↔ *Amargado, desabrido.*

dulcedumbre Dulzura, suavidad.

dulcería Confitería, pastelería, repostería.

dulcificante Calmante, suavizante.

dulcificar Endulzar, suavizar, calmar, sosegar, apaciguar, mitigar. ↔ *Amargar.*

dulzaina Gaita, chirimía, cornamusa.

dulzarrón Dulzón, empalagoso.

dulzura Dulzor, suavidad, deleite, placer. ↔ *Amargor.* || Afabilidad, bondad, suavidad, mansedumbre, docilidad. ↔ *Amargura, desabrimiento.*

duna Montículo, prominencia, arenas.

'dundo Tonto, lelo, bobo.

duodécimo Doceno. || Dozavo.

duplicidad Doblez, hipocresía, falsedad, fingimiento, engaño. ↔ *Sinceridad, franqueza.*

durable Duradero, estable, constante.

duración Durabilidad, perduración, perpetuidad, perennidad. || Persistencia, permanencia, subsistencia.

duradero Durable, estable, persistente, permanente, constante, perdurable, perenne, perpetuo. ↔ *Efímero, pasajero.*

durante Mientras.

durar Persistir, continuar, permanecer, perdurar, subsistir, vivir, tirar. ↔ *Pasar, cesar.*

durazno 'Blanquillo, melocotón.

dureza Solidez, consistencia, resistencia. ↔ *Blandura.* || Severidad, rudeza, aspereza, rigor, violencia. ↔ *Suavidad.* || Callosidad, callo.

duro Resistente, consistencia, compacto, fuerte. ↔ *Blando.* || Severo, exigente, rudo, áspero, riguroso, violento, insensible, cruel, despiadado, 'suche. ↔ *Indulgente, blando.* || Penoso, fatigoso, cansado, trabajoso. ↔ *Leve.* || Áspero, ofensivo, injurioso. ↔ *Suave.*

duunviro Magistrado, duumvir.

E

ea ¡Hala!

ebanista Mueblista.

ebonita Vulcanita.

eborario Ebúrneo, marfileño.

ebrio Borracho, beodo, embriagado, curda, achispado, ajumado, bebido, 'tiznado, 'abombado. ↔ *Sereno.*

ebullición Hervor. ↔ *Congelación.*

ebúrneo Marfileño.

eclesiástico Clérigo, sacerdote, cura, presbítero, tonsurado.

eclipsar Oscurecer, tapar, sobrepujar, exceder, aventajar, hacer sombra. ↔ *Iluminar.*

eclipsarse Desaparecer, ausentarse, escaparse, evadirse, huir. ↔ *Aparecer, presentarse.*

eclipse Ocultación, obscurecimiento. || Privación, interceptación. || Desaparición, ausencia, evasión.

eclosión Aparición, comienzo, nacimiento, manifestación, brotadura, producción, dilatación, abrimiento. ↔ *Cerramiento.*

eco Resonancia, repercusión, rimbombancia, retintín.

economía Ahorro, reserva. || Escasez, parquedad, parsimonia, miseria. ↔ *Derroche.*

económico Barato, módico, popular. ↔ *Caro.* || Crematístico, pecuniario, monetario. || Ahorrador. ↔ *Despilfarrador.*

economizar Ahorrar, reservar, guardar. ↔ *Prodigar.*

ecuánime Sereno, equilibrado, ponderado, recto, imparcial, justo. ↔ *Versátil, parcial, injusto.*

ecuestre Hípico, equino, caballar.

ecuménico Universal, católico.

echacuervos Alcahuete. || Embustero, ruin.

echada Cuerpo.

'echada Fanfarronada, mentira.

echadizo Rastreador, espía.

echadizos Escombros, desperdicios.

'echado Tendido, espaldtendido, indolente, perezoso.

echar Arrojar, tirar, lanzar. ↔ *Recibir.* || Despedir, exhalar, expulsar. ↔ *Inhalar.* || Deponer, destituir. ↔ *Nombrar, encargar.* || Brotar, salir. || Poner, aplicar. || Imponer, cargar. || Atribuir. || Reclinar, inclinar, recostar. ↔ *Enderezar.* || Jugar. || Dar, entregar, repartir. ↔ *Recoger.* || Hacer, formar. || Suponer, conjeturar. || Publicar, prevenir, avisar. || Representar, ejecutar. || Decir, pronunciar, proferir. || Arruinar, asolar, derribar.

echarse Acostarse, **tumbarse**, tenderse. ↔ *Levantarse, incorporarse.* || Abalanzarse, arrojarse, precipitarse.

edad Años. || Época, tiempo.

edecán Ayudante, auxiliar, acompañante, correveidile.

edén Paraíso.

edición Publicación, estampación, impresión.

edicto Mandato, decreto, ordenanza, bando, aviso.

edificación Edificio, construcción, obra.

edificante Ejemplar, modélico. ↔ *Escandaloso.*

edificar Construir, erigir, levantar, alzar, obrar. ↔ *Derribar.* || Dar buen ejemplo. ↔ *Escandalizar.*

edificio Inmueble, construcción, obra, fábrica.

edil Concejal, regidor, munícipe.

editar Publicar, imprimir.

editor Librero, impresor.

edredón Almohadón, colcha, cobertor.

educación Formación, ense-

E

ñanza, instrucción, adoctrinamiento. ‖ Urbanidad, crianza, cortesía. ↔ *Ineducación.*

educando Colegial, escolar, alumno.

educar Formar, enseñar, dirigir, encaminar, instruir, adoctrinar. ‖ Afinar, perfeccionar, desarrollar.

educativo Pedagógico, formativo.

educir Deducir, colacionar, inferir.

efebo Mancebo, doncel, adolescente, impúber.

efectivo Real, verdadero, seguro, cierto, serio, positivo. ↔ *Imaginario, provisional.* ‖ Numerario, metálico, moneda, dinero.

efecto Resultado, consecuencia, producto. ↔ *Causa.* ‖ Mercancía, mercadería. ‖ Impresión, emoción, sensación.

efectuar Realizar, ejecutar, hacer, verificar, llevar a cabo o a efecto, cumplir.

efemérides Sucesos, crónica, sucesos, comentarios, hechos, diales, calendario.

efervescencia Hervor, excitación, agitación, acaloramiento, exaltación, ardor. ↔ *Frialdad.*

eficacia Actividad, energía, poder, virtud, eficiencia, validez. ↔ *Ineficacia.*

eficaz Activo, fuerte, enérgico, poderoso, drástico, eficiente, válido. ↔ *Ineficaz.*

eficiencia Eficacia, validez, vigencia. ↔ *Ineficacia.*

eficiente Eficaz.

efigie Imagen, retrato, figura, representación.

efímero Pasajero, fugaz, transitorio, perecedero, breve. ↔ *Perenne.*

efluvio Emanación, irradiación.

efod Superhumeral.

efugio Escapatoria, evasiva, salida, recurso, subterfugio, pretexto.

efusión Derramamiento. ‖ Expansión, desahogo, cariño, afecto, ternura, cordialidad, calor. ↔ *Indiferencia, frialdad.*

efusivo Cordial, afable, expansivo, franco, locuaz. ↔ *Frío, adusto.*

égida Protección, patrocinio, salvaguarda, amparo, defensa.

égira Héjira, era.

égloga Pastoral, bucólica.

egoísmo Egolatría, personalismo, egotismo, amor propio, flautía, comodidad, positivismo. ↔ *Altruismo.*

egoístaEgólatra, personal, interesado, utilitario, flautero, pancista. ↔ *Altruista.*

egregio Insigne, ilustre, conspicuo, notable, preclaro, ínclito, eminente. ↔ *Despreciable.*

eje Barra, árbol, cigüeñal, peón, espárrago.

ejecución Cumplimiento, efectuación, realización, factura, consumación, interpretación, práctica, curso, marcha.

ejecutante Intérprete, artista. ‖ Ejecutor.

ejecutar Realizar, efectuar, verificar, hacer, cumplir. ‖ Ajusticiar.

ejecutor Ejecutante, autor, operante, operador, promotor, fautor, practicante, interventor, mano oculta, consumador, perpetrador. ‖ Poderhabiente.

ejecutoria Título, despacho, diploma. ‖ Timbre, hecho, acción.

ejecutoriar Verificar, comprobar.

ejemplar Modélico, edificante. ↔ *Escandaloso.*

ejemplo Modelo, pauta, norma, muestra, regla, tipo, prototipo, dechado.

ejercer Desempeñar, practicar, ejercitar, actuar, cultivar.

ejercicio Práctica, ocupación, acción, movimiento. ↔ *Inacción, reposo.*

ejercitar Ejercer. ‖ Adiestrar, amaestrar, instruir, entrenar, formar.

ejercitarse Adiestrarse, practicar, entrenarse.

ejército Milicia, tropa, hueste, fuerza armada, áscar.

ejido Campillo.

elaborar Preparar, madurar, confeccionar, trabajar, fabricar, producir, hacer.

elación Soberbia, presunción, altivez, engreimiento, orgullo, altanería, arrogancia. ↔ *Humildad.* ‖ Nobleza, elevación, grandeza. ‖ Ampulosidad, lirismo.

elástico Flexible, correoso, 'seringa. ‖ Acomodaticio, ajustable.

elato Presuntuoso, soberbio, engreído, altivo, arrogante, altanero, fatuo, entonado, engolado. ↔ *Humilde.*

elche Apóstata, renegado, infiel. ↔ *Fiel, devoto.*

elección Opción.

electo Elegido, escogido, nombrado, seleccionado. ↔ *Destituido.*

electricidad Corriente (eléctrica), fluido (eléctrico).

electrizar Exaltar, entusiasmar, inflamar, avivar, animar.

elegancia Distinción, gusto, delicadeza, donaire, gracia. ↔ *Inelegancia, cursilería.*

elegante Gallardo, galano, gracioso, airoso, distinguido, esbelto, lechuguino, petimetre, gomoso, currutaco, pisaverde, *dandi. ↔ *Adán, desastrado.* || Figurín, coqueta, presumida.

elegíaco Triste, melancólico, lastimero, luctuoso. ↔ *Festivo.*

elegido Predestinado, predilecto, preferido. ↔ *Condenado, preterido.*

elegir Escoger, optar, designar, preferir, seleccionar. ↔ *Descartar.*

elemental Primordial, fundamental, básico, primario, rudimentario. || Sencillo, fácil, conocido, evidente. ↔ *Complicado, abstruso.*

elemento Cuerpo simple, principio, componente, parte, pieza.

elementos Rudimentos, principios, nociones. || Medios, recursos.

elenco Repertorio, lista, catálogo, índice.

elevación Altura, prominencia, eminencia, altitud. ↔ *Depresión.* || Encumbramiento, exaltación, enaltecimiento. ↔ *Rebajamiento, humillación.*

elevado Alto, encumbrado, eminente, prominente. ↔ *Bajo, llano.* || Noble, sublime. ↔ *Bajo, ruin.* || Subido, crecido, singular, señalado.

elevar Alzar, levantar, erigir, construir, edificar. ↔ *Derribar.* || Encumbrar, realzar, enaltecer, engrandecer, ennoblecer. ↔ *Rebajar.* || Aumentar, subir. ↔ *Bajar.*

elevarse Transportarse, remontarse, enajenarse. || Envanecerse, engreírse, ensoberbecerse. ↔ *Rebajarse.*

elfo Espíritu, genio, duende.

elidir Suprimir, eliminar. || Frustrar, debilitar, desvanecer.

eliminar Suprimir, quitar, descartar, excluir.

elíptico Sobreentendido, tácito, omitido. ↔ *Expreso.*

elisión Supresión, eliminación. ↔ *Conservación, mantenimiento.*

elixir Licor, pócima, brebaje. || Medicamento, remedio. || Piedra filosofal.

elocución Expresión, dicción.

elocuencia Oratoria, facundia, palabra, persuasión.

elocuente Persuasivo, convincente, conmovedor. || Expresivo, significativo, gráfico, plástico. ↔ *Enigmático.*

elogiar Adular, alabar, aclamar, acrecer, aplaudir, aprobar, aupar, alzar, levantar, elevar, enaltecer, encumbrar, encarecer, encomiar, bendecir, celebrar, decantar, cantar, ensalzar, engrandecer, ennoblecer, entronizar, endiosar, exaltar, glorificar, honorificar, honrificar, loar, lisonjear, ponderar, realzar, proclamar, poner en las nubes, dar bombo, decir mil bienes, subir hasta los cuernos de la luna, alzar sobre el pavés, dar jabón, dar coba. ↔ *Vituperar.*

elogio Adulación, alabanza, panegírico, encomio, aplauso, apología, glorificación, incienso, lisonja, aprobación, aclamación, cumpli-

do, cumplimiento, celebración, engrandecimiento, enaltecimiento, ponderación, oración, loa, loor, ditirambo, exaltación. ↔ *Vituperio.*

'elote Mazorca.

elucidación Aclaración, dilucidación, explicación, explanación, esclarecimiento, solución.

elucidar Dilucidar, aclarar, explicar. ↔ *Confundir.*

eludir Rehuir, esquivar, evitar, evadir, soslayar, sortear. ↔ *Afrontar.*

emanación Efluvio, irradiación.

emanar Dimanar, proceder, provenir, nacer, originarse, derivarse.

emancipación Autonomía, independencia, libertad. ↔ *Opresión, sujeción.*

emancipado Independiente, libre, horro, manumiso. ↔ *Sujeto, esclavo.*

emancipar Independizar, libertar, manumitir, desvincular. ↔ *Sujetar, someter, vincular.*

emasculación Capadura, castración.

embabiamiento Embobamiento, embeleso, distracción.

embabiecado Boquiabierto, embobado. ↔ *Atento.*

embabiecar Hacer la mamola.

embabucar Embaucar, embair, engañar.

embadurnar Untar, pintarrajear, ensuciar.

embaidor Embustero, embaucador, charlatán.

embaimiento Embeleso, engaño, ilusión.

embair Embelesar, ofuscar, engañar, embaucar, embabucar, ilusionar.

E

E

embajada Misión, legación, comisión, mensaje.

embajador Enviado, emisario, legado, mensajero, diputado, representante, agente, diplomático, plenipotenciario.

embalar Enfardar, envasar, empaquetar. ↔ *Desembalar.*

embaldosado Pavimento.

embaldosar Enladrillar, pavimentar, enlosar.

embalsamar Perfumar, aromatizar, sahumar.

embalsar Rebalsar, encharcar, estancar.

embalse Pantano, rebalsa.

embalumar Ocupar, embarazar, cargar.

'embancarse Cegarse, obturarse.

embarazada Encinta.

embarazador Penoso, estorbador, difícil.

embarazar Estorbar, dificultar, embalumar, embalgar, entorpecer, incomodar, molestar, obstruir, trabar, parar. ↔ *Ayudar, facilitar, desembarazar.*

embarazo Estorbo, impedimento, engorro, dificultad, obstáculo, entorpecimiento, molestia. ↔ *Ayuda.* || Encogimiento, timidez. ↔ *Desembarazo.* || Preñez, gravidez, gestación.

embarazoso Estorboso, estorbador, dificultoso, difícil, incómodo, agobiante. ↔ *Soportable, llevadero.*

embarbascarse Embrollarse, enredarse, confundirse.

embarbillar 'Engalabernar.

embarcación Barco, nave, nao.

embarcar Aventurar, inducir, lanzar, empeñar.

embargar Estorbar, embarazar, detener, impedir,

paralizar, retener, suspender.

embargo (sin) No obstante, con todo, a pesar de ello, empero.

embarrancar Encallar, varar. ↔ *Desembarrancar.*

embarrar Embadurnar, manchar, entarquinar, enfangar, 'embijar.

embarullar Enredar, revolver, desordenar, embrollar, enmarañar, confundir. ↔ *Desenredar.*

embastar Hilvanar.

embaste Hilván.

embate Embestida, acometida, arremetida, ataque.

embaucador Embaidor, embelecador, engañador, farsante, charlatán, embustero, impostor, aranero.

embaucar Engañar, seducir, alucinar, engatusar, encandilar.

embaular Tragar, engullir, embocar, zamparse, embuchar, embutir.

embausamiento Suspensión, abstracción, embobamiento.

embazadura Asombro, pasmo, admiración.

embazar Suspender, impedir, detener, pasmar, asombrar, embarazar, embargar.

embazarse Empacharse, cansarse, fastidiarse, hastiarse.

embebecer Entretener, embelesar, divertir.

embeber Empapar, impregnar, absorber. ↔ *Exprimir.* || Embutir, encajar, incorporar, introducir, meter. ↔ *Extraer.*

embeberse Apretarse, tupirse. || Absorberse, embelesarse, pasmarse. || Instruirse, capacitarse.

embelecador Embustero, embaucador, engañador, farsante, engañabobos.

embelecar Seducir, embaucar, entontecer, engañar.

embeleco Embuste, engaño, superchería.

embeleñar Embelesar.

embelesar Suspender, enajenar, arrobar, embriagar, embeleñar, arrebatar, extasiar, encantar, cautivar, embobar.

embeleso Embelesamiento, embebecimiento, estupefacción, embaimiento, éxtasis, encanto, pasmo, seducción, ilusión.

embellaquecerse Engranujarse, apicararse.

embellecer Hermosear, adornar. ↔ *Afear.*

embestida Acometida, arremetida, ataque, embate.

embestir Acometer, arremeter, atacar, cerrar, abalanzarse. ↔ *Huir, esquivar.*

emberrenchinarse 'Empurrarse.

'embicar Acertar, introducir.

'embijar Ensuciar, embarrar.

emblandecer Reblandecer, ablandar. ↔ *Endurecer.*

emblandecerse Conmoverse, enternecerse.

emblemático Simbólico, enigmático, misterioso.

'emblanquecer Blanquear. ↔ *Ennegrecer.*

emblema Símbolo, representación, expresión, lema, escudo.

embobado Maravillado, pasmado, atónito, absorto, admirado, embabiecado, boquiabierto, aturdido, turulato, 'alepantado.

embobamiento 'Alepantamiento.

E

embobar Entontecer, admirar, sorprender, asombrar, embelesar.

embocadura Embocadero, abertura, boca. || Boquilla. || Bocado.

embocar Meter, entrar. || Empezar, comenzar. || Embaular, tragar, embutir.

'embochinchar Alborotar.

embolismo Enredo, confusión, cuento, chisme, embuste.

émbolo Pistón.

embolsar Recibir, meter, cobrar, guardar, embalijar, entrujar, reembolsar.

'embonar Acomodar, ajustar.

emboque Añagaza, trampa, engaño.

emborrachar Embriagar, inebriar. || Atontar, perturbar, marear, adormecer, encalabrinar, aturdir.

emborracharse Alumbrarse, achisparse, ajumarse, ahumarse, apuntarse, embriagarse, achisparse, chingarse, mamarse, alegrarse, amonarse, abombarse, beber, tomarse del vino, empinar el codo, estar hecho una cuba, pillar una zorra, coger la turca, pillar una curda, tropezar en las erres.

emborrar Rellenar, llenar, henchir, cargar. || Tragar, engullir, embaular, embocar, embuchar, embutir.

emborrascar Alterar, irritar.

emborrascarse Nublarse, encapotarse, cargarse.

emborrazar Enalbardar.

emborricarse Entontecerse, atontarse, embobarse. || Enamorarse.

emborronar Chafarrinar, garrapatear, rasguear.

emborrullarse Disputar, reñir.

emborujar Amontonar, mezclar. || Abarujar.

emboscada Celada, asechanza, encerrona, trampa, lazo.

emboscar Enselvar, encubrir.

emboscarse Esconderse, ocultarse, resguardarse, abrigarse, enramarse.

embotado Enmohecido, oriniento.

embotar Despuntar. ↔ *Afilar, aguzar.* || Enervar, debilitar, enflaquecer, entorpecer, amortiguar. ↔ *Aguzar.*

embotellar Envasar. || Obstruir, acorralar, inmovilizar.

'emboticar Medicinar, jaropar.

embotijarse Inflarse, hincharse. || Indignarse, encolerizarse, enojarse, echar pestes.

embozado Arrebujado, cubierto, tapado, envuelto. || Encubierto, oculto, taimado, cauteloso. ↔ *Descubierto.*

embozar Tapar, ocultar, encubrir, enmascarar, disfrazar. ↔ *Mostrar, descubrir.*

embozo Disimulo, recato, tapujo, rebujo, disfraz. || Indirecta, repullo.

embravecer Encrespar, encolerizar, enfurecer, irritar. ↔ *Aplacar, amansar.*

embriagado Borracho, ebrio, bebido, beodo.

embriagador Enajenador, enloquecedor, encantador, seductor.

embriagar Emborrachar, marear, perturbar, atontar, aturdir. || Enajenar, transportar, extasiar, arrebatar, cautivar.

embriagarse Emborracharse, ajumarse, chispearse, alumbrarse, alegrarse. ↔ *Desembriagarse.*

embriaguez Borrac h e r a, ebriedad. || Enajenación, arrobamiento.

embridar Aretar, sujetar, ligar, contener, retener.

embrión Germen, principio, rudimento.

embrionario Rudimentario, inicial. ↔ *Acabado, maduro.*

'embrocar Trabucar.

embrollar Enredar, embarullar, enmarañar, confundir, revolver, 'bolear. ↔ *Desembrollar.*

embrollo Enredo, maraña, lío, confusión, 'imbunche, 'tamal. ↔ *Orden.* || Embuste, mentira, invención, embeleco, trápala. ↔ *Verdad.*

embrollón Embrollador, quisquilloso.

embromar Engañar, enredar, bromear, chancear.

'embromar Fastidiar, molestar. || Perjudicar.

embrujar Hechizar, embelecar, encantar.

embrujo Hechizo, fascinación, encanto.

embrutecer Embrutar, entontecer, atontar, atolondrar, entorpecer.

embrutecerse Animalizarse, depravarse, abandonarse.

embrutecido Estúpido, imbécil, tonto.

embuchado Embutido.

embuchar Embutir.

embudo Tragavino, fonil. || Enredo, trampa, engaño.

'embullar Alborotar.

'embullo Bulla, broma, jarana.

E 'emburujarse Arrebujarse.

embuste Mentira, trápala, bola, paparrucha, embeleco, invención, embrollo, engaño, farsa, 'tinterillada, 'guachara. ↔ *Verdad.*

embustero Mentiroso, engañador, farsante, trápala. ↔ *Veraz.*

embutido Embuchado. || Taracea, marquetería. || Bordado, encaje.

embutir Rellenar, atiborrar, apretar, llenar, embuchar. || Incrustar, encajar, embeber.

emergencia Evento, eventualidad, suceso, accidente, ocurrencia.

emerger Brotar, sobresalir, surgir.

emigración Migración, expatriación, transmigración, éxodo. ↔ *Repatriación.*

eminencia Altura, elevación, prominencia. ↔ *Depresión.* || Excelencia, superioridad, grandeza, sublimidad. ↔ *Insignificancia.*

eminente Alto, elevado, encumbrado, prominente. ↔ *Bajo, hondo.* || Superior, distinguido, notable, ilustre, excelente, insigne, egregio. ↔ *Insignificante.*

emisario Mensajero, enviado, correo.

emisión Manifestación, producción, difusión. || Lanzamiento.

emitir Desprender, irradiar, despedir, exhalar, arrojar, difundir. ↔ *Absorber.* || Manifestar, expresar. ↔ *Reservarse.*

emoción Agitación, impresión, turbación, enternecimiento, exaltación.

emocionar Alterar, conmover, turbar, agitar, alarmar, sobreexcitar, desasosegar, enternecer.

emoliente Demulciente, ablandador.

emolumento Remuneración, retribución, utilidad, gaje, sueldo, paga, salario, beneficio, gratificación, estipendio.

emolumentos Asignación, haberes, devengos, honorarios.

empacar Empaquetar, enfardar, embalar, encajonar.

empacarse Emperrarse, obstinarse, empeñarse, amostazarse, turbarse, irritarse.

'empacarse Detenerse, plantarse (una bestia).

empachado Ahíto, harto. || Tímido, desmañado, corto de genio.

empachar Embarazar, estorbar. || Ahitar, hartar, empalagar, estomagar, indigestar. || Disfrazar, encubrir, tapar.

empacharse Ahitarse, indigestarse. || Avergonzarse, cortarse, embarazarse. ↔ *Desvergonzarse.*

empacho Indigestión. || Cortedad, timidez, vergüenza, encogimiento, turbación, embarazo. ↔ *Desvergüenza, desembarazo, descomedimiento.*

empachoso Indigesto, empalagoso, dulzarrón. || Vergonzoso.

empadronar Inscribir, asentar.

'empajar Techar. || Hartarse.

empalagar Hastiar, cansar, fastidiar, aburrir. ↔ *Deleitar, complacer.*

empalago Empalagamiento, aburrimiento, hastío, enfado. ↔ *Diversión.*

empalagoso Dulzarrón, dulzón. || Pegajoso, fastidioso, sobón, zalamero. ↔ *Esquivo, huraño.*

'empalarse Obtinarse, encapricharse. || Envararse, arrecirse.

'empalicar Engatusar, enlabiar.

empalizada Estacada.

empalmar Unir, enlazar, conectar, entroncar, 'empatar, 'entroncar. ↔ *Separar, cortar, desconectar.*

empalme Empalmadura, unión, enlace, 'entronque. || Injerto.

empampirolado Presuntuoso, jactancioso, farfantón.

empanada Ocultación, intriga, trampa, asechanza.

empandillar Ofuscar, cegar, engañar.

empantanar Inundar, encharcar, estancar. ↔ *Desecar.* || Estancar, atascar, paralizar, detener.

empañado Deslustrado, descolorido, desteñido, mate, amortiguado, pálido, obscuro, sucio. ↔ *Limpio, pulido.*

empañar Enturbiar, obscurecer, deslucir, ensuciar, manchar, desacreditar. ↔ *Clarificar.*

'empañetar Enlucir.

empapado Mojado, liento, inundado, húmedo.

empapamiento Remojón, mojadura.

empapar Embeber, impregnar, 'ensopar. ↔ *Exprimir.*

empaparse Penetrarse, imbuirse, embeberse.

empapelar Envolver. || Procesar, formar causa.

empapirotar Entarascar.

empapujar Ahitar, atiborrar, hartar, empapucilar.

empaque Tiesura, afectación, énfasis. ↔ *Llaneza.*

'empaque Descanso, empacamiento.

empaquetar Embalar, envolver. ↔ *Desempaquetar.*

'empardar Empatar, igualar.

emparedado Recluso, preso, encerrado. || Bocadillo, sandwich.

emparejadura Acomodación, igualación, nivelación.

emparejar Juntar, reunir. || Igualar, conformar, aparear, nivelar.

emparentado Relacionado, connotado.

emparentar Entroncar.

emparrado Pérgola.

emparrilar Tostar, asar, achicharrar.

emparrillado Enrejado, armazón, 'carrilera.

'empastador Encuadernador.

'empastar Empradizar.

empastelar Componer, transigir.

empatar Igualar, 'empardar.

'empatar Empalmar, juntar, pegar, unir.

empatronar Potar.

empavesada Defensa, escudo, amparo.

empavesar Engalanar. || Defender, escudar.

'empavinar Pringar.

empecatado Incorregible, malévolo, travieso. || Desafortunado, desgraciado.

empecer Impedir, obstar, estorbar, dañar. ↔ *Facilitar.*

'empecinado Obstinado, tenaz, pertinaz.

'empecinamiento Obstinamiento, obstinación.

empecinar Embadurnar, empegar.

'empecinarse Obstinarse, aferrarse, encapricharse.

empedernido Impenitente, contumaz, recalcitrante, endurecido, duro, implacable, inexorable, despiadado, cruel. ↔ *Arrepentido, blando, compasivo.*

empedernir Petrificar, endurecer.

empedernirse Insensibilizarse.

empedrar Adoquinar, enlosar, engravar. ↔ *Desempedrar.*

empegar Empeguntar, empecinar.

empeine Pubis, bajo vientre.

empelotarse Confundirse, enredarse. || Disputarse, reñir.

'empelotarse Desnudarse.

empella Manteca.

'empellita Chicharrón.

empellón Empujón, rempujón.

empenta Puntal, sostén.

empeñado Acalorado, reñido, disputado.

empeñar Pignorar, dejar en prenda. || Obligar, precisar.

empeñarse Entramparse, endeudarse. || Obstinarse, porfiar, emperrarse, encapricharse. ↔ *Ceder.* || Empezarse, trabarse. ↔ *Resolverse.*

empeño Pignoración. || Tesón, perseverancia, obstinación, porfía, capricho. || Afán, ansia, anhelo. ↔ *Indiferencia.*

'empeñoso Constante, tenaz.

empeorar Empeorarse, agravarse, periclitar, malignarse, declinar. ↔ *Mejorar.*

empequeñecer Amenguar, minorar, reducir. ↔ *Agrandar.*

emperador César, soberano, káiser, zar.

'emperador Pez espada.

emperejilar Engalanar, emperifollar, ataviar, acicalar, empapirotar, entarascar, endomingar.

emperezar Dilatar, retardar.

emperifollar Emperejilar, empapirotar, endomingar, engalanar, ataviar, acicalar.

empero Pero, más, sin embargo.

emperramiento 'Taima.

emperrarse Obstinarse, porfiar, empeñarse, encapricharse, encastillarse. ↔ *Allanarse.*

'empetatar Esterar.

empezar Comenzar, iniciarse, principiar, emprender, incoar, entablar, nacer. ↔ *Terminar.*

empiece Comienzo, inicio, encetadura.

'empiezo Comienzo, principio.

empinado Encumbrado, alto, pino, elevado. ↔ *Bajo.* || Orgulloso, estirado, empingorotado.

empinar Levantar, alzar, elevar, erguir. ↔ *Bajar.*

empingorotado Encumbrado, encopetado, engreído, emperingotado. ↔ *Llano, sencillo.*

empíreo Cielo, paraíso.

empírico Experimental, práctico. ↔ *Racional, teórico, especulativo.*

empirismo Experiencia, práctica, rutina.

'emplantillar Macizar.

emplastar Entorpecer, dificultar, obstaculizar.

emplastarse Embadurnarse, ensuciarse.

emplasto Cataplasma, par-

E

E

che, sinapismo, pegote. || Componenda, arreglo.

emplazar Citar. || Demandar, encartar. || Concertar.

empleado Funcionario, dependiente.

emplear Ocupar, destinar, colocar. || Utilizar, usar, valerse, servirse, aplicar. || Invertir, consumir, gastar.

empleo Destino, colocación, cargo, puesto, ocupación, acomodo. || Utilización, uso, aplicación.

emplomar Marchamar.

emplumar Emplumecer.

'emplumar Encarcelar. || Fugarse, volar.

empobrecer Depauperar. ↔ *Enriquecer.*

empobrecido 'Brujo.

empolvar Empolvorizar, empolvorar.

empollar Incubar. || Estudiar.

emponchado Sospechoso.

emponzoñar Envenenar, inficionar, corromper, pervertir.

emporcar Ensuciar, manchar. ↔ *Limpiar.*

emporio Ciudad, mercado, civilización.

empotrar Hincar, meter, embutir, encajar.

'empozar Encharcar.

empozarse Detenerse, estancarse, embotellarse.

empradizar 'Empastar.

emprendedor Resuelto, decidido, activo, osado. ↔ *Irresoluto, apocado.*

emprender Acometer, comenzar, empezar, iniciar, principiar. ↔ *Finalizar.*

empresa Proyecto, designio, intento. || Sociedad, compañía, razón social.

empréstito Préstamo.

'empujada Empujón.

empujar Impeler, impulsar, incitar, estimular, excitar. ↔ *Contener, sujetar, disuadir.*

empuje Impulso, impulsión, propulsión, fuerza. || Ímpetu, resolución, osadía, brío.

empujón Empellón, rempujón, 'empujada.

'empuntar Encarrilar, dirigir, encaminar. || Despedir, despachar. || Irse.

empuñadura Guarnición, pomo, puño, manzana. || Manubrio, mango.

empuñar Coger, asir, apretar. || Alcanzar, conseguir, lograr.

'empurrarse Enfurruñarse, emberrenchinarse.

emulación Rivalidad, competencia.

emular Competir, rivalizar.

émulo Competidor, rival, contrincante.

enaceitar Engrasar.

enagua Saya, refajo.

enaguas 'Fustán.

enaguachar Enaguar, enaguazar, encharcar.

enaguacharse 'Aguatarse.

enajenación Embobamiento, éxtasis, ensimismamiento, distracción. || Locura.

enajenamiento Arrobamiento, suspensión, éxtasis.

enajenar Alienar, vender, traspasar. ↔ *Adquirir.* || Embelesar, suspender, arrebatar, extasiar, encantar.

enalbardar Rebozar. || Emborrazar.

enaltecer Ensalzar, exaltar, engrandecer, elevar, realzar, honrar, encomiar, elogiar, alabar, encarecer. ↔ *Rebajar, vituperar.*

enaltecimiento Elevación, exaltación, ensalzamiento, encomio, alabanza, elogio.

↔ *Rebajamiento, humillación, vituperio.*

enamoradizo Boquirrubio, cupido, carona.

enamorado 'Aquerenciado.

enamoramiento 'Camote.

enamorar Galantear, cortejar, camelar, conquistar, seducir, requebrar.

enamorarse Prendarse, encariñarse, aficionarse, 'ladearse.

enano Pigmeo, liliputiense, gorgojo.

enarbolar Arbolar, izar, levantar. ↔ *Bajar, arriar.*

enarcar Arquear, curvar, fruncir.

'enarcarse Encabritarse.

enardecer Inflamar, excitar, entusiasmar, enfervorizar, avivar, animar. ↔ *Enfriar, calmar.*

enarmonamiento 'Hachazo.

enarmonar Alzar, levantar.

enarmonarse Empinarse, erguirse, encabritarse, engrifarse, 'arrochelarse, 'encamotarse.

encabalgamiento Armazón, montante.

encabezamiento Empadronamiento, censo, padrón, registro. || Principio, comienzo, prefacio, exordio. ↔ *Final, apostilla.*

encabezar Registrar, matricular, empadronar. || Iniciar, principiar, comenzar. ↔ *Acabar.*

encabritamiento 'Hachazo.

encabritarse Alzar, empinarse, enarmonarse, engrifarse, erguirse, 'arrochelarse, 'enarcarse.

encadarse Atemorizarse, zurrarse.

encadenamiento Concatenación, eslabonamiento, enlace, engranaje, conexión, trabazón, relación, unión.

encadenar Inmovilizar, amarrar, sujetar, atar, aprisionar, esclavizar. ↔ *Soltar, liberar.* || Enlazar, unir, trabar, relacionar. ↔ *Desligar.*

encajado Enquistado, embutido.

encajar Acoplar, ajustar, embutir, incrustar, introducir, embeber. ↔ *Desencajar.* || Disparar, lanzar, arrojar, endilgar. || Ajustar, entrar.

encaje Ajuste, enganche, engaste, enlace, engranaje, engargante, engastadura, ensambladura, acoplamiento, embrague, enchufe, empotramiento, 'embutido. || Punta, blonda, entredós. || Taracea, marquetería.

encajonado Ataguía.

encajonar Encerrar, embanastar, empacar, empaquetar, comprimir, prensar, atiborrar.

encajonarse Ahocinarse, angostarse, estrecharse.

encalabrinar Irritar, excitar.

encalabrinarse Encapricharse. || Emborracharse.

encaladura Enfoscado, enjalbegado, enyesadura, revoco, jabielgo, jahorro.

'encalambrarse Entumirse, aterirse.

encalar Blanquear, enjalbegar, jalbegar, enfoscar, enyesar, jarrar, embarrar, enlucir, jahorro.

encalmarse Apaciguarse, abonanzarse, serenarse. ↔ *Embravecerse.*

encallar Embarrancar, varar, atollarse, zabordar, atascarse, empantanarse. ↔ *Poner a flote.*

encallecerse Avezarse, acostumbrarse, endurecerse. ↔ *Ablandarse.*

encaminar Dirigir, guiar, orientar, encarrilar, encauzar, conducir, enderezar, 'empuntar. ↔ *Desencaminar.*

encamisar Enfundar. || Disfrazar, encubrir.

'encamotarse Enamorarse, amartelarse.

'encampanar Elevar, encumbrar.

'encandelillar Sobrehilar.

encandilado Erguido, engallado, tieso, envarado, empingorotado.

encandilar Deslumbrar, ofuscar, obcecar, alucinar, ilusionar, encantar, fascinar, seducir. ↔ *Desilusionar, desencantar.*

encanecer Envejecer, avejentarse, acartonarse.

encanijarse Enflaquecer, adelgazar. ↔ *Engordar.*

encanillar Encañar, encañonar.

encantado Ensimismado, absorto, distraído, extático, en las nubes.

encantador Seductor, atrayente, hechicero, sugestivo, cautivador, embelesador, fascinador, simpático, agradable. ↔ *Repugnante.* || Mago, hechicero.

encantamiento Encanto, 'mandinga. || Hechizo, sortilegio, filtro, magia, conjuro.

encantar Complacer, sugestionar, seducir, fascinar, cautivar, embelesar, extasiar, hechizar, embrujar. ↔ *Desencantar, disgustar, repeler.*

encante Almoneda, subasta.

encanto Encantamiento, hechizo, embrujo, magia, sortilegio, embeleso, seducción, fascinación, delicia. ↔ *Horror.*

encañado Celosía, enrejado.

encañar Encanillar, encañizar.

encañizada Cañal, atajadizo.

encañonar Asestar, apuntar, encarar, dirigir. || Encauzar.

encapotadura Ceño.

encapotarse Aborrascarse, enfoscarse, entoldarse, nublarse, achubascarse, oscurecerse, ennegrecerse, enmarañarse, cargarse, cubrirse, cerrarse el cielo. ↔ *Desencapotarse, aclararse.*

encapotarse (el caballo) 'Engrillar.

encapricharse Obstinarse, emperrarse, empeñarse, prendarse, aficionarse, encalabrinarse, empecinarse, engolosinarse, no dar su brazo a torcer, metérselo en la cabeza, 'empalarse. ↔ *Despegarse.*

encaramar Encimar, levantar, aupar, subir, alzar, elevar.

encaramarse Trepar, subirse, gatear, escalar. ↔ *Descolgarse.*

encarar Apuntar, asestar, dirigir, encañonar. || Enfrentar.

encarcelar Aprisionar, encerrar, enchironar, enrejar, enjaular, enchiquerar, recluir, poner a la sombra, 'emplumar. ↔ *Libertar.*

encarecer Ponderar, alabar, enaltecer, exagerar, abultar. ↔ *Rebajar, vituperar.*

encarecimiento Alza, subida, carestía. ↔ *Abaratamiento.* || Empeño, porfía, insistencia. || Ponderación, exageración.

E

E

encargado Representante, delegado, apoderado, sustituto, comisionado.

encargar Encomendar, confiar, recomendar, prevenir. || Pedir. ↔ *Servir.*

encargo Mandado, recado, cometido, encomienda, comisión, misión, agencia. || Recomendación. || Cargo, empleo.

encariñar 'Engreír.

encariñarse Aficionarse, prendarse, enamorarse, 'acaserarse. ↔ *Desinteresarse.*

encarnado Rojo, colorado.

encarnar Personificar, representar, simbolizar.

encarnizado Reñido, porfiado, duro, sangriento.

encarnizamiento Crueldad, ferocidad, ensañamiento. ↔ *Misericordia.*

encarnizarse Cebarse, ensañarse.

encarrilar Encaminar, encauzar, enderezar, dirigir, guiar, 'emputar, 'enrielar. ↔ *Descarriar.*

encarrujado Rufo.

'encarrujado Quebrado, agrietado.

encartar Encausar, procesar, empapelar.

'encartuchar Arrollar.

encasillar Clasificar, archivar, catalogar.

encasquetar Persuadir, convencer. || Endilgar, endosar.

'encasquillador Herrero, herrador.

encasquillarse Atascarse, obstruirse.

'encasquillarse Acobardarse, acoquinarse.

encastillado Altanero, altivo, soberbio, empingorotado, ensoberbecido, orgulloso. ↔ *Humilde.*

encastillarse Obstinarse, emperrarse, empeñarse. ↔ *Allanarse.*

encausar Encartar, procesar, enjuiciar, empapelar.

encausto Adustión.

encauzar Encaminar, encarrilar, enderezar, guiar, dirigir, 'enrielar. ↔ *Desencaminar, descarriar.*

encelar Amorecer, estar en celo.

encella Molde, formaje.

encenagarse Enfangarse, encharcarse, ensuciarse, mancharse, enviciarse.

encendaja Hojarasca, chavasca, chamiza, ramiza, leña.

encendedor Mechero, chisquero.

encender Pegar fuego, inflamar, incendiar. ↔ *Apagar.* || Inflamar, excitar, irritar, enardecer, entusiasmar. ↔ *Aplacar.*

encendido Candente, incandescente, al rojo. ↔ *Apagado.*

encendimiento Luz, combustión, inflamación, fuego. || Enardecimiento, ardor.

encentar Encetar.

encerradero Corral, encierro.

encerado Pizarra, tablero.

encerrada 'Cata.

encerrar Incluir, contener, comprender, abarcar, entrañar. ↔ *Excluir.* || Recluir, meter, internar, aprisionar, enclaustrar, enceldar, enjaular, encarcelar, encorralar, arredilar, enchiquerar, embotellar, encalabozar, encovar, emparedar, encallejonar. *Libertar, soltar, sacar.*

encerrarse 'Enconcharse.

encerrona Emboscada, asechanza, celada, trampa.

encetadura Empiece, comienzo, inicio.

encetar Decentar, encentar, empezar, estrenar.

encía Enciva.

enciclopedia Diccionario.

encierro Reclusión, prisión, calabozo, clausura, retiro, aislamiento.

encima Sobre. ↔ *Debajo.* || Además.

'encimar Añadir.

encimar Encaramar, aupar, subir, alzar, subir, levantar, elevar.

encina Carrasca, chaparro, coscoja, alcornoque.

encinta Embarazada, grávida, preñada, ocupada.

encintar Cubrir, preñar.

enclaustrar Encerrar, cerrar, enceldar, internar, recluir.

enclavado Encerrado, enclaustrado, dentro. || Sito, situado.

enclavar Clavar. || Atravesar, traspasar.

enclavijar Enlazar, ensartar, trabar, fijar.

enclenque Enfermizo, achacoso, canijo, débil, endeble, raquítico, enteco, 'cañinque, 'entelerido, 'fifiriche, 'merengue. ↔ *Robusto.*

enclocar Encoclar.

encoger Arrugar, fruncir, gandujar, recoger, meter, retraer, contraer, plegar, engurruñar. || Disminuir, acortar, estrechar.

encogerse Contraerse, acortarse. ↔ *Dilatarse.* || Aporcarse, amilanarse, acobardarse. ↔ *Crecerse, envalentonarse.*

encogido Apocado, tímido, timorato, corto, pusilánime. ↔ *Desenvuelto.*

encogimiento Apocamiento, timidez, cortedad, pusila-

nimidad. ↔ *Desenvoltura.*
'**encohetarse** Enfurecerse, encolerizarse.
'**encolado** Gomoso, pisaverde, paquete.
encolar Pegar, engrudar.
encolerizar Enfurecer, irritar, sulfurar, enojar. ↔ *Aplacar.*
encolerizarse 'Encohetarse, 'enchivarse.
encomendar Confiar, encargar, recomendar.
encomiar Alabar, ensalzar, elogiar, loar, encarecer, celebrar. ↔ *Vituperar.*
encomiasta Panegirista.
encomiástico Ditirámbico, halagador, lisonjero, favorable, laudatorio, ponderativo.
encomienda Encargo, recomendación, comisión. || Elogio, panegírico. || Renta, merced. || Amparo, custodia, protección.
'**encomienda** Paquete postal.
encomio Elogio, alabanza, apología, celebración, ponderación.
enconamiento Inflamación, tumefacción, congestión. || Encono.
enconar Inflamar, irritar, exasperar, ensañar, exacerbar, envenenar.
'**enconcharse** Retraerse, encerrarse.
encono Rencor, resentimiento, saña, aborrecimiento, malquerencia, animadversión. ↔ *Misericordia, perdón.*
encontradizo Topadizo.
encontrado Opuesto, contrario, antitético, distinto. ↔ *Avenido, acorde.*
encontrar Hallar, topar, dar con, tropezar, descubrir. ↔ *Perder.*

encontrarse Hallarse, concurrir, converger. ↔ *Separarse.* || Chocar, oponerse, discordar, contraponerse. ↔ *Avenirse.* || Estar.
encontronazo Encontrón, topetazo, choque, colisión.
encopetado Empingorotado, engreído, encumbrado. ↔ *Sencillo, llano.*
encorajinarse Irritarse, enfadarse, alterarse, arrebatarse.
encornadura Cornamenta.
'**encorselar** Encorsetar.
encorsetar 'Encorselar.
encortinar Entoldar, entalamar, alfombrar.
encorvar Combar, doblar, arquear, torcer, 'cambar, 'enhuecar. ↔ *Enderezar.*
encrasar Engrasar. || Fertilizar, abonar.
encrespado Embravecido, enfurecido, encolerizado.
encrespar Ensortijar, rizar. || Erizar, engrifar. || Irritar, enfadar, encorajinar.
encresparse Enmarañarse, encarrujarse, desgreñarse. || Alborotarse, picarse, levantarse, embravecerse, desencalmarse.
encrucijada Cruce, intersección.
encruelecerse Ensañarse, encarnizarse, cebarse, despiadarse.
encuadernador 'Empastador.
encuadernar Com p o n e r, arreglar.
encuadrar Incluir, inserir, insertar, encerrar.
encuarte 'Cuarteador.
encubierta Dolo, fraude, ocultación.
encubridor Ocultador, cómplice, tapadera, pantalla, alcahuete.
encubrir Ocultar, esconder,

tapar, disimular. ↔ *Revelar.*
encuentro Descubrimiento, hallazgo. || Choque, topetazo, encontronazo, tope, topetazo, colisión, pechugón, estrellón, tropiezo. || Oposición, pugna, contradicción. || Axila, sobaco. || Refriega, competición, lucha.
'**encuerar** Desnudar.
encuesta Pesquisa, indagatoria, indagación, averiguación, información, reportaje.
encumbrado Eminente, prominente, destacado, elevado, alto. || Ensoberbecido, orgulloso, empingorotado.
encumbramiento Elevación, altura, prominencia, eminencia. || Ensalzamiento, exaltación, elogio.
encumbrar Levantar, alzar, subir, encaramar, 'encampanar. || Elogiar, celebrar, enaltecer, endiosar, reverenciar, honorar.
encumbrarse Elevarse, subir, envanecerse, engreírse, ensoberbecerse. ↔ *Declinar, humillarse.*
encurtir Avinagrar, conservar.
encharcar Inundar, empantanar, estancar, 'empozar. ↔ *Desecar.*
'**enchilar** Chasquear, chasquearse. || Picar, molestar, irritar.
'**enchinar** Rizar.
enchiquerar Encarcelar, enjaular.
'**enchivarse** Encolerizarse, irritarse.
enchufar Conectar, acoplar. ↔ *Desenchufar.*
enchufe Prebenda, cargo, destino, empleo, ventaja, ancheta.

E

E endeble Débil, flojo, enclenque. ↔ *Fuerte, resistente.*

endecha Elegía.

endejas Adarajas, dientes.

endémico Permanente, habitual.

endemoniado Poseso, poseído, arrepticio, energúmeno.

endentar Encajar, engranar. ‖ Dentar.

enderezado Propicio, favorable, a propósito. ‖ Tieso, recto, erecto, derecho.

enderezar Rectificar. ↔ *Torcer.* ‖ Encaminar, dirigir, guiar, encarrilar, encauzar. ↔ *Torcer, desviar.* ‖ Erguir, levantar, alzar. ↔ *Bajar.*

enderezarse 'Pararse.

endeudarse Entramparse, empeñarse.

endevotado Devoto, santurrón, sumiso, fiel, afecto, prendado, encaprichado, encariñado.

endiablado Endemoniado, dificilísimo, enrevesado, bárbaro, extraordinario. ↔ *Corriente, fácil, sencillo.*

endiablar Corromper, dañar, pervertir. ‖ Endemoniar.

endibia Escarola.

endilgar Encajar, lanzar, arrojar, 'enflautar.

endiosamiento Ensoberbecimiento, orgullo, engreimiento.

endiosarse Ensoberbecerse, engreírse, envanecerse, enorgullecerse. ↔ *Humillarse.*

endomingarse Engalanarse, acicalarse, emperifollarse, embellecerse, entarascarse.

endosar Contentar, endorsar. ‖ Endilgar, encargar, trasladar, transmitir, transferir.

endoso Endorso, endose, provisión, contenta.

endrina Amargaleja.

endrino Azul.

'endrogarse Entramparse, deber.

endulzar Suavizar, dulcificar, azucarar, mitigar. ↔ *Acibarar, amargar.*

endurador Cicatero, mezquino, tacaño, avaro.

endurar Endurecer. ‖ Sufrir, aguantar, soportar, tolerar. ‖ Diferir, dilatar, retardar, atrasar. ‖ Ahorrar, economizar.

endurecer Endurar, robustecer, fortalecer. ↔ *Ablandar.*

endurecido Insensible, indiferente. ‖ Resistente, duro, acerado, coriáceo. ‖ Hecho, avezado, empedernido.

endurecimiento Obstinación, terquedad, tenacidad, dureza. ↔ *Transigencia.*

enebro Cada.

enemiga Enemistad, inquina, oposición, odio. ↔ *Afecto, simpatía.*

enemigo Contrario, adversario, opuesto, hostil, refractario. ↔ *Amigo.* ‖ Demonio, diablo.

enemistad Malquerencia, aversión, odio, rivalidad. ↔ *Amistad.*

enemistar Malquistar, indisponer, desavenir, dividir. ↔ *Amistar, reconciliar.*

energía Vigor, fuerza, potencia, poder, 'ñeque. ↔ *Flaqueza.* ‖ Fortaleza, entereza, voluntad, tesón, actividad, dinamismo, eficacia. ↔ *Debilidad, negligencia.*

enérgico Vigoroso, poderoso, fuerte. ↔ *Flaco.* ‖ Eficaz, activo, tenaz, tesone-

ro, firme. ↔ *Débil, negligente.*

energúmeno Endemoniado, exaltado, frenético, alborotado, furioso, cascarrabias, rabioso.

enervación Afeminación. ‖ Enervamiento, agotamiento, debilitamiento.

enervar Debilitar, embotar. ↔ *Excitar.*

enfadar Enojar, irritar, molestar, incomodar, desagradar, disgustar. ↔ *Contentar, complacer.*

enfadarse 'Azararse.

enfado Enojo, ira, irritación, desagrado, disgusto, molestia. ↔ *Contento, satisfacción.*

enfadoso Enojoso, fastidioso, pesado, molesto, desagradable, engorroso, 'fregado. ↔ *Placentero.*

enfangar Entarquinar, embarrar, enlodar, enlodazar, enlegamar, enlamar, enrunar. ‖ Ensuciar, manchar.

enfangarse Aleganarse, encenagarse. ‖ Pervertirse, enviciarse, desenfrenarse.

enfardar Empaquetar, embalar. ↔ *Desenfardar.*

énfasis Afectación, prosopopeya, empaque, ceremonia, recancanilla, patarata, ampulosidad.

enfático Ampuloso, redicho, hinchado, solemne.

enfermar Indisponerse, entecarse, caer enfermo, candirse, hacer o guardar cama.

enfermedad Mal, dolencia, padecimiento, achaque, afección, indisposición.

enfermero Practicante, 'barchilón.

enfermizo Débil, achacoso, enteco, enclenque, canijo, valetudinario, 'enfermoso.

↔ *Sano, robusto.* || Morboso, malsano. ↔ *Sano, moral.*

'**enfermoso** Enfermizo.

enfervorizar Afervorar, confortar, alentar, animar.

'**enfiestarse** Divertirse.

enfilar Enhilar, ensartar, enhebrar. ↔ *Desenhebrar.*

enflaquecer Adelgazar, encanijarse, enmagrecer, afilarse. ↔ *Engordar.* || Debilitar, enervar, extenuar. ↔ *Fortalecer.*

enflaquecido 'Cangalla.

enflaquecimiento Adelgazamiento, emaciación, delgadez, flacura, magrura, consunción, amojamamiento.

'**enflautada** Patochada, disparate.

enflautar Hinchar, soplar, dilatar. || Alcahuetar. || Engañar, alucinar, embaucar.

'**enflautar** Encajar, endilgar, endurar, soportar.

enfocar Orientar, dirigir, apuntar, acertar, encauzar.

enfoscarse Encapotarse, nublarse, cubrirse, emborrascarse.

enfrailar Enclaustrar. ↔ *Exclaustrar.*

enfrascado Engolfado, absorbido, concentrado, atareado, ocupado. ↔ *Distraído.*

enfrascarse Aplicarse, engolfarse, enzarzarse, atarearse, ocuparse, darse a, dedicarse, meterse, enguillotarse, poner sus cinco sentidos, no perder de vista.

enfrenar Sujetar, contener, dominar, domar, refrenar, reprimir. ↔ *Soltar.*

enfrentar Arrostrar, en-frontar, carear, oponer, hacer cara.

enfrentarse Hacer frente, afrontar, oponerse, contraponerse. ↔ *Rehuir.*

enfriar Resfriar, refrescar. ↔ *Calentar.* || Entibiar, moderar, mitigar, amortiguar. ↔ *Enardecer.*

enfrontar Enfrentar.

enfundar Encamisar. || Llenar, colmar.

enfurecer Irritar, exasperar, sulfurar, encolerizar, enojar. ↔ *Aplacar, apaciguar.*

enfurecerse Alborotarse, alterarse, encresparse, 'encohetarse. ↔ *Amainar.*

enfurruñarse Irritarse, molestarse, arrebatarse, acalorarse, 'empurrarse, 'enfurruscarse. || Encapotarse, nublarse.

'**enfurruscarse** Enfurruñarse.

engaitador Engañabobos.

engaitar Engañar.

'**engalabernar** Embarbillar, acoplar.

engalanado 'Chatre.

engalanar Adornar, ataviar, ornar, acicalar, componer, hermosear. ↔ *Desadornar, afear.*

engalgar Enrayar.

engallado Erguido, derecho, arrogante. ↔ *Alicaído.*

enganchar Enlazar, asir, agarrar, colgar. ↔ *Desenganchar.* || Alistar, reclutar, enrolar.

engañabobos Engañador, engaitador, embelecador, engañamundos, enlabiador, embaucador, engañanecios, trapacero, socaliñero, embaidor, petardista.

engañar Burlar, embaucar, embabucar, embaír, embromar, embelecar, encan-dilar, enflautar, enclavar, encajar, engatusar, engaritar, engaitar, enlabiar, engorgoritar, entrampar, entruchar, abusar, camelar, dársela, pegársela, mentir, mixtificar, petardear, socaliñar, trufar, quedarse con, echar el anzuelo, dar gato por liebre, hacer la mamola, meter en la huerta, 'carnear. || Entretener, distraer, divertir. || Aliñar, adobar.

engañarse Resbalar, equivocarse, caer en el lazo o en la trampa, hacerse ilusiones, errar. ↔ *Estar en lo cierto.*

engaño Mentira, burla, alucinamiento, ardid, añagaza, artificio, celada, bribia, cancamusa, disimulo, embaimiento, dolo, embeleco, embolado, emboque, embudo, embuchado, embustería, embuste, engañifa, encerrona, engatusamiento, changüí, equivocación, falacia, estafa, falsedad, falsificación, farsa, filfa, finta, faramalla, fraude, inocentada, ilusión, llamada, magancería, magaña, manganilla, maulería, jonjaina, mohatra, moyana, parche, parchazo, petardo, pega, primada, trampa, tramoya, trapacería, trampantojo, treta, trepa, zancadilla, zangamanga, señuelo, red, socaliña, mixtificación, superchería, 'cambullón, 'capote, 'tracala.

engañoso Delusorio, falaz, mentiroso, embustero, ilusorio, nogatorio, refalsado, ilusivo, falible, aparente, doloso, fraudulento, irreal, frustáneo, capcioso,

E

seductor. ↔ *Veraz, cierto, real.*

engarabitar Subir, trepar, encaramarse.

'engaratusar Engatusar.

engarce Engace, engarzamiento, engazamiento, enlace.

engargante Encaje.

engarnio Maula, plepa, trasto, cascaciruelas, echacantos.

'engarrotar Entumecer.

engarzar Engastar, enlazar, eslabonar. ↔ *Desengarzar.*

engastar Engarzar.

engatusar Engañar, embaucar, encandilar, embelecar, camelar, 'empalicar, 'engaratusar.

engendrar Procrear, generar, originar, ocasionar, causar, producir, provocar.

engendro Aborto, feto.

'engerirse Engurruñarse, enmantarse.

englobar Incluir, comprender, encerrar, reunir.

engolfado Enfrascado, absorbido, concentrado, atareado, ocupado. ↔ *Distraído.*

engolfarse Enfrascarse, aplicarse, atarearse.

engolondrinarse Enamorarse, prendarse, perecerse.

engolosinar Atraer, incitar, estimular, tentar.

engolosinarse Aficionarse, encariñarse, tomar gusto.

'engomado Peripuesto, acicalado.

engolletarse Ensoberbecerse, engallarse, endiosarse.

engomar Encolar, engrudar, pegar.

engordadero Cebadero.

'engorda Engorde.

engordar Engrosar, ponerse gordo, cobrar carnes. ↔ *Adelgazar.*

engorde 'Engorda.

engorro Estorbo, dificultad, impedimento, embarazo, entorpecimiento, obstáculo, molestia.

engranaje Encadenamiento, enlace, trabazón, engargante, embrague.

engrandecer Aumentar, acrecentar, ampliar, agrandar, desarrollar. ↔ *Empequeñecer.* || Realzar, elevar, enaltecer, ennoblecer. ↔ *Rebajar.*

engrandecimiento Crecimiento, aumento, dilatación. || Elogio, ensalzamiento. || Exageración.

engranujarse Apicararse, embellaquecerse.

engrasar Untar, lubricar. ↔ *Desengrasar.*

engreído Enso b e r b e cido, afectado, altanero, empampirolado, empingorotado, encastillado, encandilado, envirotado, fanfarrón, fatuo, hueco, orondo, presumido, pechisacado, presuntuoso, soberbio, lomienhiesto, vanidoso, vano, soplado, tragavirotes, cogotudo, 'facistol. ↔ *Humilde, modesto.*

engreimiento Ensoberbecimiento, ahuecamiento, altivez, elevación, aire, copete, arrogancia, entono, entonamiento, envanecimiento, humos, infatuación, inflación, orgullo, jactancia, petulancia, presunción, suficiencia, soberbia, vanidad, ventolera, tufos, penacho. ↔ *Sencillez, modestia, humildad.*

'engreír Encariñar, aficionar.

engreírse Ahuecarse, envanecerse, ensoberbecerse, altivarse, infatuarse, endiosarse, encopetarse, engolletarse, encumbrarse, arriscarse, entonarse, engallarse, esponjarse, hincharse, inflarse, ahuecarse, esponjarse, presumir, erguirse, ufanarse, pompearse, darse pisto, levantar la cerviz, no caber en sí, 'ensimismarse. ↔ *Humillarse.*

engrescar Enredar, enzarzar, excitar.

engrifar Encrespar, erizar.

engrifarse Enamorarse, empinarse, encabritarse.

'engrillar Encapotarse (el caballo).

engrosar Aumentar, acrecentar. ↔ *Disminuir.* || Engordar. ↔ *Adelgazar.*

engrudar Engomar, encolar.

engrudo Cola, gacheta.

enguiliotarse Enfrascarse, engolfarse, atarearse.

enguizcar Enardecer, irritar, avivar.

engullidor Gomía, glotón, zampatortas, tragaldabas, tarasca, tumbaollas, gandido.

engullir Tragar, ingurgitar, ingerir, deglutir. ↔ *Arrojar, vomitar, regurgitar.*

engurruñarse 'Engreírse.

enhebrar Enhilar, enfilar, ensartar. ↔ *Desenhebrar.*

enhestar Levantar, enarbolar.

enhiesto Erguido, levantado, derecho. ↔ *Encorvado.*

enhorabuena Nora b u ena, parabién, pláceme, felicitación. ↔ *Enhoramala, noramala.*

'enhuegar Torcer, encorvar.

enigma Misterio, arcano, secreto. || Adivinanza, charada, acertijo.

enigmático Misterioso, oscuro, incomprensible, inexplicable, secreto, oculto, arcano, sibilino. ↔ *Claro, comprensible.*

enjabonar Jabonar, 'barbear. || Adular. || Reprender, increpar.

enjaezar Emparamentar.

'enjagüe Enjuague.

enjalbegar Encalar, blanquear.

enjalma Aparejo, albardilla, jalma.

enjambradera Casquilla.

enjambrar Reproducir, multiplicar.

enjambre Muchedumbre, multitud, grupo, rebaño, tropa, banda, hormiguero.

enjaretar Endilgar, espetar, soltar.

'enjaretar Intercalar, incluir.

enjaular Encerrar, encarcelar, enceldar, aprisionar. ↔ *Liberar.*

enjoyar Adornar, engalanar, recamar, embellecer, enriquecer, hermosear.

enjuagar Aclarar, lavar.

enjuague Aclarado, lavado. || Chanchullo, gatuperio, pastel, enredo, 'enjagüe, 'tongo.

enjugar Secar, 'enjutar. ↔ *Humedecer.* || Cancelar, liquidar, extinguir.

enjuiciar Encausar, procesar. || Juzgar, sentenciar.

enjundia Grasa, gordura. || Meollo, substancia, jugo, salsa. || Fuerza, vigor, arrestos.

enjuta Embecadura, sobaco.

'enjutar Enjugar.

enjuto Seco, delgado, flaco, cenceño, magro. ↔ *Rollizo, gordo.*

enlabiar Engañar, 'empalicar.

enlace Encadenamiento, conexión, concatenación, conexidad, vínculo, trabazón, atadura, ligazón, ensamblamiento, relación, unión, alianza, engarce, juntura, sutura, reunión, soldadura, unión, engranaje. || Casamiento, matrimonio, parentesco.

enladrillar Ladrillar, enlosar, embaldosar, pavimentar, solar.

enlazado Conexo, conmisto, coherente.

enlazar Unir, relacionar, encadenar, juntar, empalmar, entrelazar, eslabonar, trabar, tejer, concadenar, concatenar, trabar, ligar, entroncar, acoplar, engranar, liar, empalmar. || Vincular, casar, emparentar, relacionar.

enlerdar Retardar, entorpecer, demorar, obstaculizar.

enligar Enviscar.

enlodar Enfangar, embarrar, entarquinar, enlegamar. || Ensuciar, manchar. || Mancillar, infamar, envilecer.

enloquecer Chiflar, chalar, sacar de quicio, trastornar. || Trastornarse, trastocarse, grillarse, ensandecer, perder la razón, perder el seso, perder la chaveta, írsele la cabeza, volverse loco, perder el juicio.

enlosar Embaldosar, enladrillar, pavimentar, solar.

enlucido Encaladura, enfoscado, enjalbegado, jabielgo, jahorro, revoco, estuco, enyesadura, 'pañete.

enlucir Encalar, enjalbegar, enyesar, revocar, estucar. || Limpiar, pulir, abrillantar, bruñir, 'empañetar.

enllentecer Reblandecer, ablandar.

enmaderado Enmaderamiento, maderaje, entibado.

enmagrecer Enflaquecer, ahilarse, demacrarse, chuparse, apergaminarse. ↔ *Engordar, cobrar carnes.*

enmantarse 'Engerirse.

enmarañar Enredar, confundir, embarullar, embrollar, revolver. ↔ *Desenmarañar.*

enmascarar Disfrazar, encubrir, ocultar, disimular. ↔ *Desenmascarar.*

enmendar Corregir, subsanar, remediar, rectificar, reparar, reformar, retocar, modificar, resarcir. ↔ *Reincidir.*

enmienda Rectificación, corrección, lima, retoque, remiendo, enmendadura, enmendación. || Premio, recompensa. || Reparación, compensación, resarcimiento, indemnización.

enmohecer Oxidar, enroñar, orinecer.

enmudecer Callar, guardar silencio. ↔ *Hablar.*

'enmugrar Enmugrecer.

enmugrecer 'Enmugrar.

ennegrecer Renegrear, denegrecer, negrear, denegrir, sombrear, oscurecer, atezar. ↔ *Blanquear.*

ennegrecerse Encapotarse, nublarse. ↔ *Aclarar.*

ennoblecer Enaltecer, exaltar, esclarecer. ↔ *Envilecer.*

enojar Irritar, encolerizar, sulfurar, enfurecer, exasperar, enfadar, molestar, incomodar, disgustar, desagradar. ↔ *Contentar.*

enojarse 'Azararse, 'afarolarse.

enojo Irritación, ira, cólera, furor, exasperación, coraje, enfado, desagrado, disgusto, 'afarolamiento. ↔ *Contento, júbilo.*

E

enojoso Enfadoso, molesto, fastidioso, pesado, desagradable. ↔ *Placentero, agradable.*

enorgullecerse Ensoberbecerse, presumir, ufanarse, envanecerse. ↔ *Avergonzarse.*

enorme Desmesurado, desmedido, excesivo, extraordinario, gigantesco, colosal, bestial, brutal. ↔ *Minúsculo.*

enormidad Atrocidad, barbaridad, disparate, desatino.

enquistado Embutido, encajado.

enraizar Arraigar, agarrar, prender.

enramada Follaje, emparrado, verdura.

enrarecer Rarefacer, rarificar, dilatar.

enrarecimiento Rarefacción, dilatación.

enredadera Convólvulo.

enredado Confuso, revuelto, mezclado, revesado, enmarañado, enrevesado, complicado, liado. || Difícil, difuso, sibilino. ↔ *Fácil.*

enredador Embrollón, lioso, embarullador, chismoso, trapisondista, marañero, cuentero, travieso, 'tejedor.

enredar Embrollar, enmarañar, confundir, entrometerse, malquistar, 'bolear, 'tejer. ↔ *Desenredar.*

enredarse Enzarzarse, liarse, mezclarse, comprometerse.

enredo Embrollo, maraña. || Chisme, cuento, lío, embuste, mentira, intriga, 'candinga.

enrejado Reja, celosía, encañado.

enrevesado Enredado, enmarañado, intrincado, complicado, confuso, difícil. ↔ *Sencillo, fácil.*

'enrielar Encarrilar, encauzar.

enriquecer Adornar, avalorar. ↔ *Empobrecer.*

enriquecerse Prosperar, progresar, florecer. ↔ *Empobrecerse.*

enriscado Riscoso, peñascoso, escabroso, abrupto. ↔ *Llano.*

enristrar Acometer, lancear. || Acertar, ensartar.

enrojecer Embermejecer, enrojar, empurpurarse. || Sonrojarse, avergonzarse, ruborizarse, abochornarse, encenderse.

enrollar Arrollar. ↔ *Desenrollar.*

enronquecer Ajordar.

enronquecimiento Afonía, ronquera, carraspera.

enroñar Enmohecer, oxidar.

enroscar Atornillar, retorcer.

'enrostrar Reprochar.

ensalada Macedonia. || Mezcla, confusión, revoltijo.

ensalmador Curandero, saludador.

ensalmo Exorcismo.

ensalzar Elogiar, alabar, loar, ponderar, encomiar, celebrar. ↔ *Vituperar.* || Exaltar, engrandecer, enaltecer, glorificar, realzar. ↔ *Rebajar.*

ensambladura Enlace, junta, unión, juntura, acoplamiento.

ensamblar Embarbillar, machihembrar, acoplar, unir, juntar, almarbaratar.

ensanchar Dilatar, extender, ampliar, agrandar. ↔ *Estrechar, reducir.*

ensanche Ampliación, engrandecimiento, extensión, dilatación.

ensangrentar Sanguificar.

ensangrentarse Congestionarse, acalorarse, encenderse.

ensañamiento Encarnizamiento, saña, crueldad, ferocidad, inhumanidad, brutalidad. ↔ *Misericordia.*

ensañarse Encarnizarse, cebarse.

ensartar Enfilar, enhilar, enhebrar.

ensayar Probar, experimentar, reconocer, examinar. || Adiestrar, entrenar, ejercitar, amaestrar. || Intentar, tratar, procurar, probar.

ensayo Prueba, experimento, experiencia, reconocimiento, examen. || Adiestramiento, entreno, ejercicio. || Intento, tentativa, prueba. || Estudio.

enseguida 'Ahorita.

ensenada Bahía, rada, abra, cala.

enseña Insignia, estandarte, bandera, pendón, pabellón.

enseñanza Instrucción, educación, doctrina. || Ejemplo, advertencia, consejo.

enseñar Instruir, aleccionar, adoctrinar, educar. || Mostrar, indicar, exhibir, exponer. ↔ *Ocultar.*

enseñarse Acostumbrarse, habituarse.

enseñorearse Adueñarse, posesionarse, ocupar, conquistar, apoderarse, apropiarse. ↔ *Desposeerse, ceder.*

enseres Utensilios, útiles, instrumentos, aparejo, aperos, avíos, efectos, trebejos, muebles.

ensillar Aparejar.

ensimismado Pensativo, cabizbajo, abismado, meditabundo, abstraído, absorto, embebido, enfrascado, distraído, enajenado, 'alepantado. ↔ Atento.

ensimismamiento 'Alepantamiento.

'ensimismarse Envanecerse, engreírse.

ensimismarse Reconcentrarse, abstraerse, absorberse, 'bartulear.

ensoberbecer Enorgullecer, infatuar, envanecer, altivecer, enquillotrar.

ensoberbecerse Engreírse, entonarse, endiosarse, encrestarse, erguirse, presumir, hincharse, inflarse, humearse. ↔ Humillarse.

ensoberbecido Engreído, altivo, altanero, presumido, fatuo, ufano, orondo, vanidoso, vano. ↔ Humilde, modesto.

ensoberbecimiento Engreimiento, aire, ahuecamiento, entono, presunción, penacho, soberbia. ↔ Modestia, humildad.

ensombrecer Oscu r e c e r, anublar. ↔ Iluminar. || Entristecer, afligir, contristar. ↔ Alegrar.

'ensopar Empapar.

ensordecedor Sonoro, ruidoso, estridente, estrepitoso, aturdidor, estentóreo, chillón. ↔ Apagado.

ensordecer Asordar, aturdir. || Enmudecer, callar.

ensortijado Crespo, rizado.

ensortijar Rizar, caracolear, encrespar.

ensortijarse Encarrujarse.

ensuciar Manchar, emporcar, enmugrar, embijar, embadurnar, empañar, entristar, deslucir, ciscar, macular, tiznar, entarquinar, pringar. ↔ Limpiar.

ensuciarse Defecar, evacuar, zullarse.

ensueño Fantasía, sueño, imaginación, ilusión, quimera, esperanza.

entablado Estrado, entarimado, tillado, tilla.

entablamento Cornisamento.

entablar Comenzar, empezar, trabar, emprender, preparar, disponer. ↔ Concluir.

entablillar Entablar, enyesar.

entalamadura Tienda.

entalamar Entapizar, alfombrar, encortinar, entoldar.

entalegar Atesorar, ahorrar, amontonar.

entallar Tallar, esculpir, cortar, grabar.

entalle Corte, incisión, entallo, entalladura.

entapizar Entalamar, encortinar, entoldar, revestir, forrar.

entapujar Cubrir, tapar, esconder.

entarascar Recargar, exornar, emperifollar, atiborrar, empapirotar.

entarimado Entablado, estrado, tillado, tilla.

entarquinar Enlegamar, enlodar, enfangar. || Ensuciar, manchar.

ente Ser, entidad.

enteco Enfermizo, débil, enclenque, canijo, flaco, 'sute, 'movido. ↔ Robusto, sano.

'entejar Tejar.

entelequia Irrealidad, invención, ficción.

'entelerido Enclenque, flaco, enteco.

entendederas Entendimiento.

entender Comprender, penetrar, calar, saber, concebir. || Inferir, pensar, creer, juzgar.

entenebrecer Entenebrar, obscurecer, ensombrecer, lobreguecer, enlobreguecer, anublar, velar.

entenebrecerse Anochecer.

entendido Docto, sabio, capaz, hábil, experto, perito. ↔ Ignorante, lego.

entendimiento Inteligencia, intelecto, razón, talento, entendederas.

enterar Informar, instruir, imponer, contar, orientar, iniciar. ↔ Ocultar.

'enterar Completar. || Pagar, entregar.

entercarse Obstinarse, emperrarse, no dar su brazo a torcer.

entereza Integridad, perfección, rectitud. ↔ Imperfección. || Firmeza, fortaleza, energía, carácter. ↔ Debilidad.

enternecer Emocionar, conmover, emblandecer, ablandar.

enternecerse Compadecerse.

entero Cabal, completo, íntegro, cumplido, total, exacto. ↔ Incompleto, parcial. || Recto, justo, íntegro, firme, enérgico, fuerte. ↔ Inmoral, torcido. || Sano, fuerte, robusto. ↔ Canijo.

'entero Pago, entrega.

enterrador Sepulturero.

enterramiento Entierro, inhumación, sepelio. ↔ Exhumación. || Sepultura, sepulcro.

enterrar Sepultar, soterrar, inhumar. ↔ Desenterrar, exhumar.

E

E

'enterrar Clavar, introducir.

entesar Avivar, vigorizar. || Tesar, atirantar.

entibar Apuntalar, estribar, aguantar.

entibiar Templar, moderar, enfriar, mitigar, amortiguar. ↔ *Enardecer.*

entibo Apoyo, sostén, estribo, fundamento, 'callapo.

entidad Valor, valer. || Forma.

entidad Ser, ente, esencia. || Colectividad, sociedad, corporación, institución, empresa, firma, asociación. || Importancia, consideración, magnitud, substancia, valor. ↔ *Insignificancia.*

entierro Enterramiento, inhumación, sepelio. ↔ *Exhumación.*

entintar Teñir. || Ensuciar.

entiznar Tiznar, ensuciar, manchar.

entoldar Entalamar, entapizar.

entonación Entono, tono, modulación, afinación. || Engreimiento.

entonado Estirado, altanero, orgulloso. ↔ *Llano, humilde.*

entonar Tonificar, reparar, vigorizar, reforzar, robustecer, fortalecer. ↔ *Enervar.* || Cantar, afinar, acordar, concertar. ↔ *Desentonar.*

entonces En aquel tiempo, a la sazón. || Así pues, en tal caso.

entono Entonación. || Engreimiento.

entontecer Embobecer, alelar, pasmar, atontar, necear, bobear, aborricarse, gansear, ensandecer. || Enloquecer.

entontecido 'Abombado.

entorchar Retorcer, enroscar.

entornar Entreabrir, juntar, 'entrecerrar. || Inclinar, ladear, trastornar.

entorpecer Embarazar, estorbar, dificultar, retardar, obstruir, impedir. ↔ *Ayudar, facilitar.* || Turbar, ofuscar, embotar, atontar. ↔ *Estimular, aguzar.*

entorpecimiento Estorbo, obstáculo, dificultad, retraso, rémora, impedimento. ↔ *Ayuda, facilidad.*

'entrabar Trabar, estorbar.

entrada Ingreso, acceso, puerta, paso. ↔ *Salida.* || Billete.

'entrador Entrometido, intruso.

entrambos Ambos, los dos, ambos a dos.

entramparse Empeñarse, endeudarse, 'endrogarse.

entraña Víscera, órgano. || Centro, interior, profundidad, intimidad, corazón. ↔ *Exterior, superficie.*

entrañable Íntimo, cordial, cariñoso, hondo, profundo. ↔ *Superficial.*

entrañar Encerrar, contener, incluir, implicar, suponer, llevar consigo.

entrar Penetrar, meterse, introducirse. ↔ *Salir.* || Desembocar, desaguar. || Encajar, meterse, introducirse, caber. || Ingresar, afiliarse. || Empezar, comenzar, iniciar. ↔ *Terminar.*

'entrazado Mañoso.

entre En medio de, dentro, a través de.

entreabrir Entornar, separar.

entreacto Intermedio, descanso, intervalo.

entrecano Rucio, canoso.

entrecejo Sobrecejo. || Ceño.

'entrecerrar Entornar.

entrecruzar Cruzar, entrelazar.

entrecuesto Solomillo, lomo, filete. || Espinazo.

entredicho Interdicto, prohibición, censura.

entrega Fascículo. || Rendición, capitulación. || Consagración, dedicación, aplicación.

entregar Dar, facilitar, poner en manos. ↔ *Arrebatar.*

entregarse Abandonarse, darse. ↔ *Dominarse.* || Someterse, rendirse. ↔ *Resistir.* || Consagrarse, dedicarse, aplicarse. ↔ *Desentenderse.*

entrelazar Entretejer, entrecruzar, enlazar. ↔ *Desenlazar.*

entrelínea Entrerrenglonadura, intercalación, interpolación.

entremés Sainete, atelana.

entrenarse Ejercitarse, adiestrarse, practicar, ensayar, habituarse.

entrepaño Anaquel.

entrepiernas Bragadura, hondillos, taparrabos.

entrerrenglonadura Entrelínea.

entresacar Escoger, elegir, seleccionar.

entresijo Mesenterio, redaño. || Secreto, reserva.

entretalladura Entretalla, bajorrelieve.

entretallar Esculpir, grabar.

entretallarse Encajarse, trabarse, ajustar.

entretanto Mientras, ínterin.

'entretecho Desván.

entretejer Entrelazar, enlazar, entrecruzar, entreverar. ↔ *Destejer*. || Incluir, mezclar, interpolar, intercalar.

entretela Holandilla, forro.

entretener Distraer, divertir, solazar, recrear. ↔ *Aburrir*. || Retardar, dar largas, demorar. ↔ *Despachar*.

entretenida Manceba, ramera.

entretenido Chistoso, gracioso, divertido, distraído. ↔ *Aburrido*.

entretenimiento Distracción, diversión, solaz, esparcimiento, pasatiempo, recreo, 'entretensión.

'entretensión Entretenimiento.

entrever Columbrar, vislumbrar, divisar.

entreverar Entretejer.

'entreverarse Mezclarse.

'entrevero Confusión, desorden.

entrevista Conversación, conferencia.

entrevistar Interviuar, interrogar.

entrevistarse Conferenciar, reunirse.

entristecer Contristar, acongojar, apesadumbrar, apenar, afligir, consternar. ↔ *Alegrar*.

entristecerse 'Apensionarse.

entrometerse Entremeterse, inmiscuirse, injerirse, meterse, mezclarse, intervenir.

entrometido Entremetido, 'entrador.

entrometimiento Entremetimiento.

entroncar Enlazar, vincular, concatenar.

'entroncar Aparear. || Empalmar.

entronizar Entronar, ungir, coronar. ↔ *Destronar*.

'entronque Empalme.

entruchar Engañar.

entrujar Embolsar, encerrar, guardar.

entuerto Agravio, tuerto, perjuicio, daño, ofensa, baldón, injuria.

entullecer Entorpecer, turbar, perturbar. || Tullirse.

entumecer 'Engarrotar.

entumecerse Entumirse, envararse, entorpecerse. ↔ *Desentumecerse*.

entumecido Tieso, yerto, helado, congelado, gélido. ↔ *Ágil, desentumecido*.

entumirse Entorpecerse, entumecerse, insensibilizarse. ↔ *Desentumirse*.

entupir Obstruir, taponar, tapar, cerrar. || Comprimir, apretar.

enturbiar Empañar, ensuciar, oscurecer. ↔ *Clarificar*.

entusiasmar Arrebatar, apasionar, enardecer, encantar, arrobar, embriagar, transportar, conmover, fanatizar.

entusiasmo Admiración, exaltación, pasión, fervor, frenesí. ↔ *Indiferencia*.

entusiasta Admirador, devoto, incondicional, apasionado. ↔ *Frío, indiferente*.

enumeración Enunciación, inventario, catalogación, recapitulación. || Cuenta, cómputo, lista. || Expresión, detalle.

enumerar Contar, inventariar, relacionar, especificar.

enunciación Enunciado, manifestación, mención, declaración, exposición, discurso, explicación.

enunciar Expresar, mencionar, citar, formular, exponer, manifestar.

envainar Enfundar, envolver.

envalentonar Esforzar, enfervorizar, animar.

envalentonarse Arrufaldarse, fanfarronear, encamparse, guapear, baladronear, bravear, tomar agallas, echar chuzos.

envanecerse Engreírse, infatuarse, ufanarse, hincharse, pavonearse, vanagloriarse, jactarse, alabarse, 'ensimismarse. ↔ *Avergonzarse*.

envararse Entumecerse, entumirse, 'empalarse. ↔ *Desentumecerse*.

envarbascar Emponzoñar, envenenar, inficionar.

envasar Enfrascar, embotellar, embarrilar, embotijar, empipar, enlatar, llenar.

envase Embotellado. || Bote, recipiente, vasija, lata, caja, estuche.

envedijarse Enredarse, enzarzarse, emborrullarse. || Pelearse, reñir.

envejecer Revejecer, aviejarse, avejentarse, encanecer, caducar. ↔ *Rejuvenecerse*.

envejecido Aviejado, revejido, avejentado, provecto, vetusto, viejo, caduco, acabado, chocho, decrépito. ↔ *Rejuvenecido*. || Enmohecido, estropeado.

envenenar Emponzoñar, intoxicar, inficionar, corromper. ↔ *Desemponzoñar*. || Enconar, ensañar, exacerbar, agriar, irritar. ↔ *Dulcificar, paliar*.

envergadura Anchura, amplitud, extensión, dilatación.

E

E

envés Revés, reverso, dorso. ↔ *Cara.*

enviado Mensajero, legado, delegado, comisionado, diputado, embajador, nuncio, plenipotenciario, misionero, propio, recadero, cosario, mandadero, ordenanza, estafeta, emisario, ablegado.

enviajado Oblicuo, sesgado.

enviar Mandar, remitir, expedir. ↔ *Recibir.*

enviciar Corromper, viciar, inficionar, pervertir. ↔ *Regenerar.*

envidar Invitar. || Retar, apostar.

envidia Dentera, celos, pelusa, livor. ↔ *Caridad.*

envidiable Deseable, apetecible. ↔ *Aborrecible.*

envidiar Codiciar, desear, apetecer.

envidioso Celoso, deseoso, ávido, sediento, hambriento, acucioso, ambicioso.

envilecer Humillar, abaldonar, mancillar, manchar, enlodar, ensuciar, desacreditar, degradar, deshonrar, rebajar. ↔ *Ennoblecer.*

envilecerse Abellacarse, embellaquecerse, aplebeyarse, deshonestarse, encanallarse. ↔ *Regenerarse.*

envinagrar Encurtir.

envío Remesa, expedición.

envión Empujón, empellón, envite.

enviscar Enligar.

enviscarse Engancharse, pegarse.

envite Posta, apuesta, jugada. || Envión, empujón.

envoltorio Lío, bulto, fardo, paquete.

envoltura Cubierta, cobertura, casquete, farfolla, corteza. cáscara, piel, recubrimiento, vestidura, re-

vestimiento, estuche, embalaje, cambucho, arilo.

envolver Liar, cubrir, empaquetar, ceñir, rodear, 'retobar. ↔ *Desenvolver.* || Mezclar, enredar, involucrar, liar, comprometer.

enyesado Encaladura, jabielgo, jabelgadura.

enyesar Jabelgar, blanquear, jarrar, jahorrar. || Entablillar, entablar.

enyugar Uncir, acoyundar, juñir.

enzarzar Enzalamar, cizañar, azuzar, enviscar, enardecer, excitar, picar, enguizcar, espolear, apitar, arrufar, aguijar, enardecer, enredar, enzurizar.

enzarzarse Liarse, enredarse, comprometerse. || Reñir, pelearse. || Entremeterse.

'¡epa! '¡Hola!

epiceno Común.

épico Heroico.

epicúreo Hedonista, sensual, sibarita. ↔ *Asceta.*

epidemia Peste, plaga, endemia, pandemia, epizootia, 'cocoliste.

epidermis Piel, cutícula.

epiglotis Lengüeta.

epígrafe Inscripción, letrero, rótulo, título, encabezamiento. || Cita, pensamiento, sentencia.

epigrama Epígrafe, agudeza, pensamiento, sátira.

epilogar Compendiar, recapitular, trasuntar.

epílogo Conclusión, recapitulación, resumen. ↔ *Prólogo.*

episodio Incidente, aventura, suceso, digresión.

epístola Carta, misiva.

epíteto Adjetivo, calificativo.

epítome Resumen, compen-

dio, recopilación, prontuario, sinopsis.

época Era, tiempo, período, temporada, estación.

epulón Comilón, glotón.

equidad Igualdad, rectitud, justicia, imparcialidad. ↔ *Injusticia, parcialidad.*

equidistante Paralelo.

equilibrado Ponderado, ecuánime, sensato, prudente. || Armónico, igualado.

equilibrar Contrabalancear, compensar, nivelar, contrarrestar. ↔ *Desequilibrar.*

equilibrio Proporción, armonía, igualdad, ecuanimidad, mesura. ↔ *Desequilibrio.*

equilibrista Funámbulo, acróbata, volatinero, trapecista.

equimosis Cardenal, roncha, magulladura, moretón, morado.

equino Caballar, caballuno, hípico, ecuestre.

equipado Tripulado, marinerado. || Provisto.

equipaje Bagaje, impedimenta, bultos.

equipar Pertrechar, proveer, guarnecer.

equiparación Comparación, parangón, cotejo, confrontación.

equiparar Cotejar, confrontar, comparar.

equipo Equipaje, bagaje. || Grupo. || Ajuar, atalaje, hatería, vestuario, indumentaria, ropa, avíos.

equitativo Justo, imparcial, ecuánime, recto, igual, moderado. ↔ *Injusto.*

equivalencia Igualdad, paridad. ↔ *Desigualdad.*

equivalente Parejo, igual, parecido. || Equipolente.

equivaler Igualar.

equivocación Yerro, error, falta, errata, confusión, inadvertencia, desacierto, desatino.

equivocado Inexacto, erróneo, falso. ↔ *Acertado.*

equivocarse Confundirse, engañarse, errar. ↔ *Estar en lo cierto.*

equívoco Ambiguo, anfibológico, dudoso, sospechoso. ↔ *Inequívoco.* || Ambigüedad, anfibología.

era Tiempo, época, período.

erario Tesoro, fisco.

erección Construcción, edificación, fundación, institución, establecimiento.

ereoto Eréctil, erguido, tieso, pino, enderezado, rígido. ↔ *Hundido, abatido, tumbado.* || Derecho, levantado, vertical. *Doblado, caído.*

eremita Ermitaño, anacoreta, solitario.

ergástula Prisión, cárcel.

ergo Por tanto, luego, pues.

erguido Enhiesto, erecto, derecho, tieso, enderezado. ↔ *Abatido.*

erguir Levantar, enderezar, alzar. ↔ *Bajar.*

erial Páramo, baldío, barbecho, lleco, yermo, eriazo.

erigir Fundar, instituir, establecer, levantar, alzar, elevar, construir, edificar.

erisipela Isípula.

erizado Hirsuto, espinoso, híspido, tieso. ↔ *Ondulado.* || Plagado, cubierto, lleno.

erizar Levantar, atiesar, erguir. || Colmar, llenar.

erizarse Inquietarse, azorarse, turbarse.

ermita Santuario, capilla.

ermitaño Eremita, anacoreta, solitario.

erosión Corrosión, desgaste, frotamiento, roce.

erótico Amatorio, sensual, carnal, lascivo, libidinoso, lujurioso, lúbrico, obsceno, pornográfico.

erotismo Sensualidad.

errabundo Errante.

errado Equivocado, mendoso, engañado. ↔ *Cierto.*

errante Errabundo, vagabundo, nómada, errátil, errático, ambulante. ↔ *Estable, fijo, sedentario.*

errar Equivocarse, engañarse, desacertar, fallar, marrar, faltar. ↔ *Acertar.* || Vagar. ↔ *Estarse.*

errata Equivocación, error.

errático Errante.

errátil Incierto, errante, variable, inconstante. ↔ *Fijo, constante.*

'erro Yerro, error.

erróneo Equivocado, errado, desacertado, inexacto, falso. ↔ *Acertado.*

error Yerro, falta, desacierto, desatino, equivocación, incorrección, confusión, inexactitud, gazapo, desliz, pifia, plancha, coladura, 'erro. ↔ *Acierto.*

erubescencia Rubor, sonrojo, vergüenza.

eructar Regoldar. || Jactarse, envanecerse, pavonearse.

eructo Eructación, regüeldo.

erudición Sabiduría, saber, ciencia, investigación, cultura, instrucción, conocimientos.

erudito Ilustrado, culto, instruido, docto, sabio.

erupción Alhorre, 'algorra, 'fogaje.

esbeltez Gentileza, garbo, donaire, gallardía, elegancia.

esbelto Airoso, gallardo, alto, espigado. ↔ *Achaparrado.*

esbirro Alguacil, galafate, corchete.

esbozar Bosquejar, abocetar, delinear.

esbozo Boceto, bosquejo, diseño, croquis, apunte, nota, 'esqueleto.

escabechar Adobar, aderezar. || Matar, destripar, despachurrar. || Suspender, calabacear.

escabeche Adobo, aderezo.

escabechina Destrozo, degollina, estrago, riza, mortandad.

escabel Banquillo, tarima, escañuelo.

escabiosa 'Ambarina.

escabioso Sarnoso, roñoso.

escabrosidad Aspereza, dureza, desigualdad.

escabroso Abrupto, fragoso, quebrado, desigual, áspero, dificultoso, duro. ↔ *Llano, fácil.* || Peligroso, inconveniente, libre, turbio, verde. ↔ *Sano, claro.*

escabullirse Escurrirse, escaparse, huir, desaparecer, eclipsarse, esfumarse. ↔ *Comparecer.*

escachar Cascar, despachurrar.

escacharrar Malograr, estropear, romper, hacer añicos.

escala Escalera. || Sucesión, gradación. || Comparación, proporción, tamaño. || Grado, graduación. || Escalafón. || Puerto.

escalafón Lista, categoría, escala.

escalar Trepar, subir.

escaldado Abrasado. || Receloso, escarmentado.

escaldar Abrasar, cocer, caldear, quemar.

escaldarse Escocer.

escalera Escalinata, gradería.

E

E

escalfador Braserillo, calentador.

escalfar Cocer, calentar, escaldar.

'escalfar Quitar, mermar, descontar, estafar.

escalinata Escalera, gradería.

escalofrío Calofrío, estremecimiento, espeluzno, carne de gallina.

escalón Grada, peldaño.

escalonar Situar, distribuir, colocar, emplazar.

escama Placa. || Recelo. desazón, resentimiento, desconfianza.

escamarse Maliciar, recelar, sospechar, desconfiar. ↔ *Confiar.*

escamocho Sobras, migajas. || Jabardo, enjambrillo.

escampado Des c a m p ado, despeja´do, raso, llano, descubierto. ↔ *Cubierto.*

escamondar Podar, escamujar. || Purgar, limpiar.

escamotear Robar, quitar, ocultar, sangrar, birlar.

escampar Despejar, desembarazar.

escamparse D e s p e jarse, aclararse. ↔ *Cubrirse.*

escanciar Echar, servir. || Beber.

escandalera Escándalo, alboroto, batahola, algarabía, bulla.

escandalizar Chillar, gritar, alborotar.

escandalizarse En o j arse, irritarse, encolerizarse, excandecerse.

escándalo Escandalera, alboroto, tumulto, inquietud, estrépito, guirigay, vocerío, gritería, algarabía, bullicio, bulla, algazara, gresca, jarana. ↔ *Silencio.* || Licencia, desenfreno, desvergüenza, inmoralidad,

mal ejemplo, 'bululín. ↔ *Edificación.* || Asombro, pasmo, admiración.

escandaloso Ruidoso, bullanguero, revoltoso, inquieto, bullicioso, perturbador. ↔ *Quieto.* || Vergonzoso, depravado, libertino, repugnante, escabroso, inmoral. ↔ *Morigerado.* || Inaudito, extraordinario, exorbitante.

escandallar Sondear.

escandallo Sonda. || Prueba. || Marchamo.

escantillón Plantilla, patrón. || Escuadría.

escaño Banco, poyo.

escapada 'Disparada.

escapar Huir, fugarse, evadirse, escabullirse, escurrirse, eclipsarse, desaparecer, esfumarse, evitar, esquivar, librarse. ↔ *Acudir.*

escaparate Armario, aparador. || Exposición, parada, muestra.

escapatoria Huida, fuga, salida, escape, efugio, excusa, evasiva, subterfugio, recurso, pretexto.

escape Fuga, salida, huida, regate, escapada. || Llave, válvula.

escápula Omóplato, paletilla, espaldilla.

escaque Cuadro, casilla.

escarabajo Coleóptero, 'catanga. || Garrapato, garabato.

escaramujón Galabardera, zarzaperruno, tapáculo. || Percebe.

escaramuza Refriega, encuentro, contienda, acción.

escarapela Divisa, distintivo, cucarda, signo.

'escarapelar Desconchar, descascarar. resquebrajar. || Ajar, manosear.

escarbar Arpar, arañar, rascar.

escarcela Bolsa, mochila, macuto. || Cofia.

escarceo Pirueta, encabritamiento. || Rodeo, divagación.

escarcha Carama.

escarchar Cristalizar. || Congelarse. || Salpicar.

escardado Limpio, horro.

escardar Arrancar, limpiar, sachar.

escardilla Escardadera, almocafre, escabuche, azadilla.

escardillo Zarcillo, almocafre, 'cardillo.

escariar Agujerear, horadar, perforar.

escarificador Sajador.

escarlata Carmesí, grana, rojo.

escarmentar Corregir, castigar, desengañar.

escarmiento Castigo, pena, corrección. || Desengaño.

escarnecer Burlarse, mofarse, zaherir, befar. ↔ *Halagar.*

escarnio Afrenta, befa, ludibrio, burla, mofa. ↔ *Adulación, halago.*

escarola Achicoria, endibia.

escarolado Rizado, retorcido.

escarpa Declive, talud, plano inclinado, muralla, glacis. || Escarpadura.

escarpado Abrupto, acantilado, vertical. ↔ *Llano.*

escarpadura Aspereza, escarpa.

escarpidor Escarmenador, carmenador, peine.

escarpín Zapato, calzado.

'escarrancharse Esparrancarse, despatarrarse.

escasear Faltar. ↔ *Abundar.* || Escatimar, regatear. ↔ *Prodigar.*

escasez Mezquindad, tacañería, pobreza, miseria. ↔ *Largueza*. || Penuria, carestía, pobreza, poquedad, insuficiencia, necesidad, falta. ↔ *Abundancia*.

escaso Corto, limitado, poco, pobre, parvo, exiguo, insuficiente, necesitado, incompleto, falto. ↔ *Abundante*. || Mezquino, tacaño. ↔ *Largo*.

escatimar Escasear, regatear. ↔ *Prodigar*.

'escaupil Morral.

escayola Yeso. || Estuco.

escena Escenario, teatro, tablas.

escénico Teatral.

escepticismo Desconfianza, duda, incredulidad, incertidumbre, sospecha, pirronismo.

escéptico Desconfiado, dudoso, incierto, incrédulo, indiferente, pirroniano. ↔ *Creyente, crédulo*.

esciente Docto, sabio.

escindir Cortar, dividir, partir, separar. hendir.

escisión Rompimiento, ruptura, separación, disensión, cisma. ↔ *Unión*.

esclarecer Iluminar, ilustrar, explicar, aclarar, dilucidar. ↔ *Confundir*. || Ennoblecer, ilustrar, afamar. ↔ *Envilecer*.

esclarecido Ilustre, famoso, insigne, afamado, preclaro. ↔ *Oscuro, insignificante*.

esclavina Capa.

esclavitud Servidumbre, opresión, sujeción. ↔ *Libertad*.

esclavo Siervo, ilota. ↔ *Libre*.

escleroso Duro, fibroso.

esclusa Presa, obstrucción, barrera.

escoba Barredera, escobajo, escobón, 'pichanas, 'pichanga.

escobada 'Escobazo.

'escobazo Escobada.

escobilla Cepillo, escobita. || Cardencha.

escocedor Urente, ardiente.

escocedura Rozadura, excoriación, sahorno.

escocer Picar, quemar.

escocerse Dolerse, sentirse, enojarse, picarse.

escoger Elegir, seleccionar, preferir, optar, entresacar, apartar.

escogido Selecto, excelente, superior, exquisito, perfecto, flor, flor y nata, elegido. ↔ *Desestimado, desechado, común*.

escolapio Calasancio.

escolar Colegial, estudiante, alumno, discípulo, educando.

escoliar Comentar, explicar, anotar, acotar, parafrasear.

escolio Nota, comentario, apostilla, paráfrasis, acotación.

escolta Acompañamiento, séquito, cortejo, custodia, convoy.

escoltar Custodiar, guardar, convoyar, acompañar.

'escollar Fracasar.

escollera Rompeolas, malecón, muelle.

escollo Dificultad, obstáculo, tropiezo, riesgo, peligro.

escombrar Despejar, desembarazar, allanar, limpiar, 'desaterrar.

escombrera 'Desaterre.

escombros Ruinas, restos, residuos, 'tapera.

esconce Rincón, punta, ángulo, saliente.

esconder Ocultar, recatar,

encubrir, encerrar, contener. ↔ *Mostrar, exhibir*.

escondido Oculto, invisible, disimulado, secreto, misterioso, velado, clandestino, subrepticio, incógnito, anónimo, furtivo. ↔ *Aparente, visible*.

escondite Escondrijo.

escoplo Formón, gubia, cuchilla.

escora Puntal, sostén, contrafuerte.

'escorar Apuntalar.

escoria Desecho, hez.

escorpina Rescaza.

escorpión Alacrán.

escorrozo Regodeo, regocijo, holgorio, alborozo.

escotar Cercenar, descotar, cortar. || Sangrar.

escote Descote, escotadura. || Derrama, cuota, prorrata, parte.

escotillón Trampa.

escozor Picor, comezón, picazón.

escriba Intérprete, doctor. || Escribano, copista.

escribanía Escritorio, secretaría, papelera. || Recado de escribir.

escribano Cartulario. || Escribiente, amanuense, secretario, notario, tagarote. || Pendolista.

escribiente Copista, calígrafo, pendolista, secretario, memorialista, estenógrafo, mecanógrafo, oficinista, escribano, burócrata, pasante, covachuelista, tagarote, chupatintas.

escribir Redactar, componer. || Apuntar, anotar, copiar.

escriño Cesta, canasto. || Cofrecito, joyel.

escrito Carta, documento, manuscrito. || Acta. || Obra, texto. || Alegato, pe-

E

E

dimento, solicitación. || Manchado, **tigrado**, cebrado, rasgueado.

escritor Publicista, literato, autor, prosista, polígrafo, foliculario.

escritorio Escribanía, recado de escribir. || Despacho, oficina, bufete. || Pupitre, canterano.

escritura Escrito, copia. || Instrumento o documento público. || Obra, olografía.

escrófula Tumor,, tumefacción, puerca.

escrúpulo Escrupulosidad, exactitud, precisión, esmero. ↔ *Incuria.* || Duda, recelo, temor, aprensión.

escrufulosis 'Caratea.

escrupulosidad Miramiento, reparo, delicadeza, damería, delicadeza, menudencia, exactitud, precisión.

escrupuloso Meticuloso, minucioso, esmerado, concienzudo, cuidadoso, exacto, puntual, preciso. ↔ *Desidioso.* || Delicado, aprensivo, receloso, remilgado.

escrutar Escudriñar, investigar, indagar, averiguar, examinar.

escrutinio Examen, recuento, averiguación.

escuadra Cartabón, baivel.|| Escuadría. || Cuadrilla. || Horma. || Flota.

escuadrilla Flotilla.

escuadrón Batallón.

escuálido Flaco, delgado, macilento, extenuado, esmirriado. ↔ *Rollizo.*

escucha Escuchador, escuchante. || Centinela, guardia, batidor.

escuchar Oír, atender, prestar atención.

escudar Cubrir, amparar,

defender, proteger, resguardar.

escudero Paje, sirviente, asistente. || Hidalgo.

escudilla Plato, cazuela, hortera, gábata, 'gacha, 'tachuela.

escudillar Manejar, disponer.

escudo Adarga, pelta, pavés, rodela, égida. || Peso, duro. || Amparo, defensa, protección.

escudriñar Escrutar, rebuscar, investigar, examinar.

escuela Colegio, parvulario, academia, 'alumnado.

escuerzo Enclenque, flaco, desmedrado. ↔ *Grueso, gordo.*

escueto Conciso, estricto, seco, desnudo, despejado, sin ambages.

'esculcar Espiar, explorar, averiguar, inquirir, registrar.

esculpir Labrar, tallar, entallar, modelar, grabar.

escurrirse Gotear, chorrear, destilar. ↔ *Empaparse.* || Deslizarse, resbalar. || Escabullirse, escaparse, huir. ↔ *Comparecer.*

escultor Imaginero, estatuario.

escultura Estatua, figura. || Relieve.

escupidera 'Escupidor, 'salivadera.

'escupidera Orinal, bacín.

escupido Esputo, escupo, escupidera. || Igual, parecido, semejante.

'escupidor Escupidera. || Ruedo, baleo.

escupir Esputar, expectorar.

escupitajo Esputo, gargajo, gallo, salivazo, salivajo.

'escurana Oscuridad.

escurribanda Zurra, paliza, zurribanda, somanta. || Es-

capatoria. || Diarrea, corrimiento, fluxión.

escurridizo Deslizadizo, resbaladizo, deslizable.

'escurrido Corrido, avergonzado.

escurrir Apurar. || Destilar, 'deslizar, gotear, chorrear, secar.

esdrújulo Proparoxítono.

esecilla Asilla, alacrán.

esencia Ser, naturaleza, substancia, espíritu. || Perfume, extracto, aroma.

esencial Fundamental, principal, substancial, obligatorio, inevitable, indispensable, serio, grave, importante, básico, integrante, permanente, necesario. ↔ *Baladí, accidental.*

esenciarse Unirse, fundirse, combinarse.

esenciero Bujeta.

esfera Globo, bola. || Firmamento, cielo. || Círculo. || Clase, condición.

esfericidad Redondez.

esforzado Animoso, valeroso, denodado, valiente. ↔ *Apocado, pusilánime.*

esforzarse Afanarse, pugnar, luchar, batallar, perseverar, procurar. ↔ *Desistir.*

esfuerzo Ánimo, valor, brío, aliento, denuedo.

esfuminar Difuminar, esfumar.

esfumarse Desv a n e cerse, evaporarse, disiparse, desaparecer, escabullirse. ↔ *Aparecer.*

esgarrar Carraspear, toser.

esgrimidor 'Esgrimista.

esgrimir Servirse, usar, manejar, jugar, utilizar, recurrir.

'esgrimista Esgrimidor.

esguazar Vadear.

esguazo Vado.

esgucio Antequino.

esguín Murgón.

esguince Torcedura, distensión, esquive, escape.

eslabón Anillo. || Chaira, alacrán.

eslabonar Enlazar, encadenar, relacionar, empalmar.

eslora Longitud.

esmaltar Vitrificar, pintar, adornar, ornar, guarnecer.

esmerar Pulir, limpiar, cuidar.

esmalte Barniz. || Pavonamiento. || Lustre, esplendor, adorno.

esmeralda Corindón, aguacate, 'chalchihuite.

esmerarse Extremarse, desvelarse, afanarse, desvivirse.

esmeril Esmoladera. || Pijote.

esmerilar Pulimentar, amolar.

esmero Cuidado, escrupulosidad, pulcritud, solicitud, atención, celo. ↔ Descuido.

esmirriado Desmirriado, canijo, escuálido, extenuado, desmedrado. ↔ Vigoroso, robusto.

'esmorecer Desfallecer, desalentar.

esotérico Oculto, secreto, reservado, enigmático. ↔ Exotérico, claro.

espaciado Ralo, claro, separado. ↔ Junto.

espaciar Separar, distanciar. ↔ Juntar.

espacio Intervalo, claro, distancia.

espaciosidad Capacidad, anchura, extensión.

espacioso Vasto, amplio, extenso, dilatado, capaz, ancho. ↔ Reducido.

espada Tizona, hoja, estoque, garrancha.

espadaña Gladio, 'tule, 'tome.

espadañada Vómito, esputo, bocanada. || Copia, abundancia.

espadarte Pez espada.

espadilla Rascador. || Tascador.

espadín Florete, estoque.

espadón Eunuco.

espahí Cipayo.

espalda Dorso, costillas, envés. ↔ Cara.

espaldar Espaldarón. || Respaldar.

espaldera Resguardo, protección.

espaldilla Paletilla, escápula, omóplato.

espaldón Barrera, valla, dique.

espantadizo Asombradizo, asustadizo, pusilánime, cobarde, miedoso. ↔ Intrépido.

espantajo Espantapájaros. || Esperpento, adefesio, facha, mamarracho, estafermo.

espantalobos 'Guacamaya.

espantamoscas Mosquero.

espantanublados Lobero.

espantapájaros Espantajo.

espantar Asustar, atemorizar, amedrentar, amilanar, acobardar, aterrar, 'avispar. || Ahuyentar, echar, alejar, apartar. ↔ Atraer.

espantarse Admirarse, maravillarse, asombrarse, pasmarse.

espantavillanos Ataranta-payos, miriñaque, bagatela, baratija.

espanto Susto, sobresalto, temor, miedo, terror, pavor, horror, pánico, 'fantasma, 'julepe.

'espanto Fantasma, aparecido.

espantoso Terrible, aterra-

dor, terrorífico, horrible, horroroso. ↔ Atractivo.

'español 'Gallego.

esparavel Atarraya, red.

esparceta Pipirigallo.

esparcido Separado, dividido, desparramado, suelto, flotante. || Festivo, franco, alegre, divertido.

esparcimiento Entretenimiento, recreo, solaz, distracción, pasatiempo, diversión.

esparcir Diseminar, desperdigar, desparramar, sembrar, dispersar, extender, separar, espaciar. ↔ Agrupar, concentrar. || Divulgar, propagar, publicar, propalar, difundir. ↔ Ocultar.

esparcirse Distraerse, recrearse, solazarse, entretenerse, divertirse.

espárrago Palo, estaca. || Escalerón. || Perico. || Tija, eje.

esparrancarse 'Escarrancharse, 'espernancarse, 'despernancarse.

esparto Atocha, atochón.

esparvel 'Tarraya.

espasmo Pasmo, convulsión, contracción, contorsión, sacudida, carne de gallina.

espatarrarse Despatarrarse, esparrancarse.

especia Droga, aderezo.

especial Singular, particular, peculiar, específico, propio, adecuado, a propósito. ↔ General, ordinario.

especialidad Singularidad, particularidad, peculiaridad. || Rama.

especie Clase, variedad, tipo, grupo, género. || Suceso, caso, hecho, asunto. || Noticia, fama, voz, rumor.

especificar Detallar, preci-

E

E

śar, pormenorizar, enumerar, inventariar.

específico Especial, típico, distinto. || Medicamento.

espécimen Modelo, muestra, señal.

especioso Artificioso, engañoso, aparente, falso. ↔ Real, cierto.

especiota Paradoja. || Extravagancia, ridiculez, bulo.

espectáculo Función, representación. || Visión, panorama, contemplación.

espectadores Concurrentes, público, circunstantes, presentes, concurrencia, concurso.

espectro Fantasma, visión, aparición.

especulación Meditación, reflexión, teoría, contemplación, indagación, investigación, examen, estudio. || Negocio, comercio, lucro.

especulador Agiotista, agiotador, estraperlista, negociante.

especular Meditar, reflexionar, teorizar. || Traficar, negociar, comerciar, lucrarse.

especulativo Teórico, racional. ↔ Empírico.

espejarse Reflejarse.

espejismo Espejeo, ilusión.

espejo Ejemplo, modelo, retrato, dechado. || Luna.

espejuelo Señuelo, gancho, cebo, atractivo, engaño.

espelunca Cueva, gruta, antro, concavidad.

espeluzar Despeluzar, desgreñar, desmelenar, despeinar. ↔ Peinar.

espeluznante Horrible, horrendo, horroroso, horripilante. ↔ Fascinante.

espeluznar Despeluznar, horrorizar, aterrorizar, ate-

rrar, horripilar, estremecer. ↔ Fascinar.

espeluzno Estremecimiento, escalofrío.

espeque Alzaprima, leva, palanca.

espera Expectativa, acecho. || Paciencia, calma, flema. ↔ Impaciencia.

esperanza Confianza, ilusión, creencia, hoto. ↔ Desesperanza, desesperación.

esperanzar Confortar, consolar, alentar, animar, reanimar, dar esperanza.

esperar Aguardar, confiar, creer. ↔ Desesperar.

esperma Semen.

espermatozoo Espermatozoide, zoospermo, espermotozoario.

'espernancarse Esparrancarse.

esperón Espolón.

esperpento Adefesio, espantajo, facha, mamarracho.

espesar Condensar, concentrar. ↔ Diluir. || Apretar, tupir, cerrar. ↔ Aclarar.

espeso Denso, condensado. ↔ Fluido. || Apretado, tupido, cerrado, aglomerado, compacto, recio. ↔ Ralo. || Pesado, impertinente.

espesor Grosor, grueso, densidad, condensación.

espesura Espesor, bosque, frondas, selva. || Suciedad, desaseo, inmundicia.

espetar Meter, atravesar, encajar, clavar. || Decir, sorprender, ensartar, enjaretar.

espetarse Asegurarse, afianzarse. || Atiesarse.

espetón Asador, hurgonero, atizador, estoque. || Alfiler, aguja.

espía Espión, agente secreto, confidente, soplón, delator.

espiar Atisbar, acechar, observar, escuchar.

espichar Diñarla, morir, fallecer, expirar, perecer, fenecer. ↔ Nacer.

espiga Panícula. || Aguja, clavo, púa, estaquilla. || Mechón, ensambladura.

espigado Alto, crecido, medrado.

espigón Espolón, malecón, tajamar, dique.

espina Púa, pincho, aguijón. || Pesar, pena, resquemor. ↔ Consuelo. || Sospecha, recelo, escrúpulo.

espinacardo Nardo. || Azúmbar.

espina dorsal Espinazo.

espinar Herir, punzar, lastimar. || Ofender, molestar.

espinar Dificultad, obstáculo.

espinazo Entrecuesto, rosario, espina dorsal, esquena, columna vertebral, raquis. || Clave de bóveda.

espingarda Escopeta, cañón. || Tagarote.

espinillera Canillera.

'espinillo Mimosa.

espino Zarza, cambrón.

espinoso Arduo, dificultoso, intrincado, comprometido, complicado, difícil. ↔ Simple, llano, fácil.

espira Espiral, hélice.

espiral Rizo, caracol.

espirar Exhalar. || Mover, excitar, animar. || Alentar.

espiritar Endemoniar. || Irritar, agitar, conmover.

espiritoso Espirituoso, eficaz, vivo, animoso. ↔ Desanimado.

espíritu Alma, ánima, esencia, mente. || Ánimo, energía, aliento, valor, brío, vigor.

espiritual Anímico, psíquico. ↔ *Material.*

espiritualizar Sutilizar, adelgazar, atenuar.

espirituoso Espiritoso.

espita 'Canilla.

esplendente Resplandeciente, esplendoroso, brillante, reluciente, radiante, refulgente. ↔ *Oscuro.*

esplendidez Magnificencia, ostentación, rumbo, fausto, abundancia, generosidad. ↔ *Mezquindad.*

espléndido Magnífico, regio, suntuoso. ↔ *Modesto, humilde.* || Liberal, rumboso, generoso. ↔ *Mezquino.*

esplendor Resplandor, brillo, lustre, magnificencia, fama. ↔ *Oscuridad, modestia.*

esplendoroso Esplendente, brillante, fúlgido, luminoso, resplandeciente.

espliego Lavanda, lavándula, alhucema.

esplín Tedio, hastío, melancolía, tristeza, hipocondria. ↔ *Gozo, alegría, serenidad.*

espolear Aguijar, aguijonear, picar, pinchar, acuciar, incitar, estimular, excitar, mover, animar, 'talonear. ↔ *Frenar, contener.*

espolín Lanzadera.

espolón Garrón, garra, uña, 'espuela. || Tajamar. || Contrafuerte, esperón.

espolvorear Espolvorizar, despolvorear.

esponjado Azucarillo, bolado.

esponjar Ahuecar, hispir.

esponjarse Engreírse, envanecerse, hincharse, infatuarse, ahuecarse, ufanarse. ↔ *Correrse, avergonzarse.*

esponjoso Poroso, hueco, fofo, fonje. ↔ *Macizo.*

espontanearse Franquearse, desahogarse, descansarse, confesarse.

espontáneo Indeliberado, natural, instintivo, automático, maquinal. ↔ *Deliberado.* || Llano, franco, natural, sencillo. ↔ *Afectado.* || Voluntario, libre. ↔ *Forzado.*

esporádico Ocasional, aislado, suelto, excepcional, raro, discontinuo. ↔ *Frecuente, fijo.*

esportillo Capacho, espuerta.

esposo-esposa Marido, mujer, cónyuge, consorte.

'esposa Anillo episcopal.

espuela Incentivo, estímulo, acicate, aguijón. ↔ *Freno.* || Espolón, garrón, saliente.

espuerta Capacho, cesta, capazo, cuévano, esportilla, sera, serón.

espuma Baba, sudor, esputo, salivazo. || Efervescencia.

espumar Hervir. || Crecer, medrar, aumentar.

espumarajo Espumajo, salivazo, saliva, esputo, escupinajo, escupitajo.

'espumilla Merengue.

espumoso Jabonoso, espúmeo.

'espumuy Paloma silvestre.

espurio Bastardo, ilegítimo. ↔ *Legítimo.* || Falso, adulterado, falsificado. ↔ *Auténtico.*

esputar Expectorar, escupir.

esqueje Tallo, vástago, brote.

esquela Carta, misiva, nota, tarjeta.

esquelético Flaco, delgado, demacrado, seco.

esqueleto Osamenta, armazón, armadura.

'esqueleto Bosquejo, esbozo, plan, proyecto.

esquema Guión, sinopsis, croquis.

esquematizar Sintetizar, compendiar, e x t r a c tar, substanciar.

esquero Bolsa, yesquero. || Chisquero.

esquicio Bosquejo, èsbozo, apunte.

esquife Bote, falúa, lancha, caique, batel, barca.

esquila Campana, campanilla, cencerro, campano, esquileta. || Camarón. || Esquileo.

esquilar Cortar, tundir.

esquileo Esquila.

esquilimoso Delicado, melindroso, escrupuloso, dengoso.

esquilmar Empobrecer, agotar, arruinar. ↔ *Enriquecer.*

esquilmo Provecho, fruto, ganancia.

esquina Ángulo, arista, cantón, chaflán, cornijal, recodo.

esquinado Difícil, duro, áspero, intratable. ↔ *Accesible.*

esquinar Escuadrar. || Indisponer, cizañar.

esquinazo Esquina, cornija, cornijón.

'esquinazo Serenata.

esquirla Astilla, china.

esquisto 'Tibe.

esquivar Evitar, eludir, rehuir, evadir, soslayar, sortear, rehusar. ↔ *Afrontar.*

esquivez Desdén, desabrimiento, despego, aspereza. ↔ *Cordialidad.*

esquivo Huraño, huidizo,

E

E

desdeñoso, frío, arisco, despegado, áspero, hosco, desabrido. ↔ *Sociable, cordial, afable.*

estabilidad Duración, permanencia, firmeza, inmovilidad, equilibrio, raigambre. ↔ *Inestabilidad.*

estabilizar Garantizar, fijar, afianzar.

estable Duradero, firme, permanente, durable, sólido. ↔ *Inestable.*

establecer Ordenar, estatuir, decretar, mandar. || Fundar, instituir, instaurar, implantar, crear, erigir, instalar, fijar.

establecerse Avecindarse, domiciliarse, instalarse, afincarse. ↔ *Irse, trasladarse, mudarse.*

establecimiento Ley, ordenanza, estatuto. || Institución, fundación, tienda, comercio, almacén, bazar, oficina, manufactura.

establo Caballeriza, cuadra, corte.

estaca Palo, garrote, tranca.

estacada Empalizada.

estacar Hincar, clavar, fijar. || Atar, ligar. || Amojonar, señalar.

'estacarse Clavarse, punzarse.

estacazo Porrazo, garrotazo, palo, varapalo, bastonazo, trancazo, zurrido.

estación Temporada, época, tiempo. || Parada, apeadero, 'paradero.

estacionado Parado, inmóvil, fijo, quieto, firme, inerte, clavado. ↔ *Móvil.*

estacionar Asentar, colocar, situar.

estacionarse Estancarse, pararse, aparcar.

estacionario Detenido, parado, quieto.

estadía Detención, estancia.

estadio Estádium, campo, circuito.

estadista Político, gobernante, hombre de Estado.

estadounidense Norteamericano, yanqui.

estado Situación, disposición, condición, etapa, fase, circunstancia.

estada Estadía, estancia, detención, permanencia.

estafa Timo, engaño, fraude, petardo, 'cala.

estafador Timador, tramposo, petardista.

estafar Engañar, embaucar, timar, escarmenar, trampear, petardear, 'escalfar.

estafermo Pasmarote, espantajo, mamarracho, adefesio.

estafeta Correo, mensajero, postillón, enviado. || Puesto, oficina, despacho.

estallar Reventar.

estallido Explosión, reventón.

estambre Lana, estameña.

estamento Clase, estado, cuerpo, brazo.

estampa Lámina, grabado. || Imprenta. || Huella, señal, impresión, vestigio.

estampado Coloreado, dibujado. || Estampación.

estampar Imprimir, marcar.

estampida Carrera, desbandada.

estampido Detonación, disparo, tiro, explosión.

estampilla Huella, sello, marca, cajetín.

estampillar Marcar, señalar.

estancado Inmóvil, estacionario, lento, parado, detenido. ↔ *Móvil.*

estancamiento Estagnación, detención, parada, restaño, rebalse.

estancar Detener, suspender, parar, atascar, paralizar, empantanar. ↔ *Mover, estimular.*

estancia Aposento, sala, habitación, cámara, cuarto, pieza. || Estada, estadía, detención, permanencia, residencia, morada.

'estancia Hacienda. || Quinta.

estanco Restricción, embargo, prohibición. || Expendeduría. || Depósito, archivo.

estandarte Pendón, enseña, insignia, bandera.

estanque Lago, laguna, pantano, alberca, charca, 'tanque.

'estanquillo Tenducho, taberna.

estante Anaquel.

estantería Estante, repisa, anaquel, anaquelería, escaparate, armario.

estantío Detenido, parado, estacionario, estancado. ↔ *Móvil.* || Pausado, tibio, flojo.

estañar Soldar.

estaquilla Espiga, estaca.

estar Encontrarse, hallarse, permanecer, andar, vivir. ↔ *Faltar.*

estarcir Estampar.

estático Inmóvil, parado, quieto, fijo, inmutable. ↔ *Dinámico.* || Pasmado, suspenso, atónito.

estatua Escultura, figura, imagen.

estatuario Escultor.

estatuir Establecer, determinar, ordenar, decretar, mandar. || Demostrar, probar.

estatura Talla, altura.

estatuto Ley, reglamento, reglas, ordenanzas.

este Oriente, levante. ↔ *Oeste.*

estela Aguaje, señal, rastro, paso. || Cipo, mojón, pedestal, monumento. || Estelaria, pie de león.

estelífero Estrellado.

estenografía Taquigrafía.

estentóreo Ruidoso, fuerte, retumbante. ↔ *Callado.*

estepa Llano, erial, yermo, gándara, 'sao.

estera Alfombra, tapete.

'esteral y **'estero** Pantano, lodazal. || Aguazal, charca. || Arroyo, riachuelo.

esterar 'Empetatar.

estercolero Esterquero, estercolar.

estereotipar Reproducir, calcar.

estéril Infecundo, improductivo, árido, infructuoso, vano, inútil, ineficaz. ↔ *Fecundo, fructuoso, útil.*

esterilidad Aridez, atocia. || Infecundidad, agotamiento, improductibilidad, improductividad, ineficacia. ↔ *Fecundidad.* || Asepsia.

esterilizar Desinfectar, pasteurizar, neutralizar, purificar. || Infecundizar.

esterilizarse (una mina) 'Brocearse, agotarse.

esterilla Trencilla, galón. || Pleita. || Redor.

estero Estuario, restañadero, 'fachinal.

estertor Opresión, agonía, sarrillo.

estética Calología.

estético Artístico, bello, hermoso. ↔ *Antiestético.*

esteva Estevón, mancera.

estevado 'Cambado, 'chueco.

estiba Atacador. || Lastre.

estibar Distribuidor, colocar. || Apretar.

estiércol Excremento, abono, bosta, fimo, freza.

estigma Marca, señal, huella. || Mancha, tacha, desdoro, infamia, deshonra.

estigmatizar Infamar, afrentar, tachar, marcar.

estilar Usar, acostumbrar, soler, practicar, estar de moda.

estilete Estilo, punzón, gnomon, puñal. || Sonda.

estilizar Simplificar, caracterizar.

estilo Modo, manera, forma, carácter, peculiaridad. || Uso, costumbre, práctica, moda. || Estilete, punzón.

estima Estimación, consideración, aprecio, predicamento, respeto.

estimable Apreciable, considerado. ↔ *Despreciable.*

estimación Estima, aprecio, consideración, respeto, cariño, afecto. ↔ *Desprecio.* || Valoración, evaluación, tasación, apreciación.

estimado Querido, apreciado, bienquisto.

estimador Tasador, apreciador.

estimar Evaluar, valorar, apreciar, tasar. || Juzgar, reputar, creer, opinar, considerar, conceptuar. || Apreciar, considerar, respetar. ↔ *Despreciar, desestimar.*

estimulante Aperitivo, incitativo, aguijatorio.

estimular Incitar, excitar, aguijonear, atizar, azuzar, instigar, empujar, exhortar, animar, alentar. ↔ *Contener, disuadir.*

estímulo Acicate, incitación, incentivo, aliciente, aguijón. ↔ *Freno.*

estío Verano. ↔ *Invierno.*

estipendio Paga, sueldo, salario, remuneración, honorarios, emolumentos, asignación, haberes, devengos.

estipticar Astringir, restriñir.

estíptico Estreñido. || Avaro, avariento, mezquino.

'estiptiquez Estreñimiento.

estipulación Convenio, negociación, acuerdo, contrato, pacto, tratado.

estipular Contratar, pactar, concertar, convenir, acordar.

'estiquirín Búho.

estirado Entonado, altanero, orgulloso. ↔ *Llano, modesto.*

estirar Alargar, dilatar, prolongar, extender, 'halar. ↔ *Encoger.*

estirón Tirón. || Crecimiento, estrepada.

estirpe Linaje, origen, progenie, ascendencia, alcurnia, prosapia, casta.

estival Estivo, veraniego. ↔ *Invernal.*

estocada Hurgonada, punzada, cintarazo, herida.

estofa Calaña, jaez, categoría, ralea, calidad, condición.

estofado Aliñado, aderezado, engalanado, ataviado.

estofar Algodonar. || Pintar, decorar, dorar. || Guisar.

estoico Impasible, inalterable, imperturbable, insensible, indiferente. ↔ *Impresionable.*

estolidez Insensatez, estupidez, estulticia, necedad, tontería, idiotez. ↔ *Sensatez, juicio.*

estólido Bobo, beocio, memo, bausán.

estolón Latiguillo.

estomagar Aburrir, hastiar, cansar, fatigar, enfadar,

E

fastidiar, empachar. ↔ *Divertir.*

estómago Buche, papo.

estopa Alrota, sedeña.

estoque Espetón, florete, espadín.

estoraque Azúmbar.

estorbar Embarazar, dificultar, entorpecer, impedir, 'entrabar. ↔ *Ayudar.*

estorbo Obstáculo, engorro, embarazo, entorpecimiento, inconveniente, dificultad, molestia, rémora, treba, tropiezo, impedimento. ↔ *Ayuda.*

estornija 'Golilla.

estornino 'Tordo, 'loico.

estrábico Bizco, bisojo, ojituerto, atravesado.

estrabismo Bizquera.

estrada Camino, carretera.

estrado Tarima, tablado.

estrafalario Extravagante, estrambótico, ridículo, raro, excéntrico. ↔ *Normal.*

estragar Dañar, descomponer, estropear, arruinar, agotar, corromper, viciar, pervertir.

estrago Ruina, destrucción, devastación, agotamiento, daño.

estragón Dragoncillo.

estrambótico Extravagante, excéntrico, raro, irregular. ↔ *Corriente, vulgar.*

estramonio 'Tapa, 'tapate.

estrangular Agarrotar, ahorcar, ahogar.

estrapalucio Estropicio, destrozo.

estraperlista Especulador.

estraperlo Especulación.

estratagema Ardid, astucia, artificio, treta, engaño, añagaza.

estrategia Destreza, pericia, habilidad, socaliña. || Táctica, maniobra.

estratego General, militar.

estrato Capa, faja, sedimento, poso.

estraza Harapo, desecho, andrajo.

estrechar Apretar, reducir, ceñir, oprimir, ajustar. ↔ *Ensanchar, aflojar.* || Forzar, obligar, apurar, apremiar, compeler.

estrechez Estrechura, angostura. ↔ *Anchura* || Escasez, pobreza, privación, indigencia, miseria. ↔ *Holgura.* || Aprieto, apuro, dificultad.

estrecho Angosto, reducido, apretado, ceñido, ajustado. ↔ *Ancho, holgado.* || Rígido, severo, riguroso, cerrado. ↔ *Amplio, abierto.* || Paso, canal.

estrechura Estrechez, angostura.

estregar Fregar, restregar, frotar, friccionar.

estregón Frotación, refregón, roce, estregadura.

estrella Lucero. || Destino, sino, hado, suerte, fortuna.

estrellado Estelífero.

estrellar Arrojar, romper, despedazar. || Freír.

estrellarse Fracasar, hundirse, hacerse añicos.

'estrellón Choque, encontronazo.

estremecer Conmover, sacudir, sobresaltar, agitar.

estremecerse Temblar, trepidar, tiritar, sobresaltarse, alterarse, conmoverse, 'destemplarse. ↔ *Tranquilizarse.*

estremecimiento Conmoción, sacudimiento, espeluzno, temblor, sobresalto, 'cimbronazo, 'estremezón.

'estremezón Estremecimiento.

estrena Dádiva, presente, aguinaldo.

estrenar Representar, inaugurar. || Comenzar, empezar, iniciar, debutar.

estreno Inauguración, apertura, debut.

estrenque Cuerda, maroma, soga.

estrenuo Esforzado, valeroso, ágil.

estreñido Estíptico, apretado. || Avaro, mezquino, miserable.

estreñimiento 'Estiptiquez.

estreñir Astringir, restriñir.

estrepada Tirón, estirón, solivión, arrancada.

estrépito Estruendo, fragor, ruido. ↔ *Silencio, sigilo.*

estrepitoso Estruendoso, ruidoso, fragoso. || Ostentoso, espléndido, magnífico.

estría Canal, raya, surco, acanaladura.

estriar Acanalar, rayar.

estribar Fundarse, gravitar, descansar, apoyarse.

'estribera Acción.

estribillo Bordón, muletilla, ritornelo, tranquillo, repetición.

estribo Codillo, estafa. || Apoyo, sostén, supedáneo, fundamento. || Entibo, contrafuerte, macho, machón.

'estrictez Rigurosidad.

estricto Estrecho, ajustado, ceñido, preciso, exacto, riguroso, severo. ↔ *Amplio, difuso, flexible.*

estridente Chirriante, rechinante, chillón, destemplado, agrio, ruidoso, estruendoso. ↔ *Suave, armonioso, discreto.*

estro Numen, musa, vena, inspiración.

estrofa Copla.

estropajo Desecho, inutilidad. || Incapaz, inútil. ↔ *Apto.* || Fregador.

estropajoso Tartajoso, andrajoso, desaseado.

estropeado Inservible, tronado, inútil. ↔ *Útil, apto.*

estropear Escacharrar, deteriorar, averiar, dañar, echar a perder, menoscabar, malograr, 'salar. ↔ *Reparar, apañar.* || Maltratar, lastimar, lesionar, lisiar. ↔ *Curar.*

estropicio Estrapalucio, destrozo.

estructura Contextura, organización, composición, distribución, orden.

estruendo Estrépito, fragor, ruido. ↔ *Silencio.* || Pompa, aparato, ostentación. ↔ *Discreción.*

estruendoso Fragoroso, ruidoso, estrepitoso. ↔ *Silencioso.*

estrujar Exprimir, prensar, comprimir, apretar. ↔ *Impregnar, hinchar.*

estrujarse 'Achumuscarse.

estuario Estero, restañadero.

estucar Enlucir, blanquear, enyesar, encalar.

estuco Enlucido, marmoración, enyesado, escayola.

estuche Caja, cofrecillo, 'garniel.

estudiante Universitario, escolar, colegial, alumno, discípulo.

estudiar Aprender, aplicarse, instruirse, empollar, repasar, ejercitarse, cursar. || Examinar, considerar, meditar, pensar.

estudio Investigación, análisis, examen, observación. || Trabajo, ensayo, artículo, monografía, memoria, tratado, obra, tesis. || Taller, despacho.

estudioso Investigador, trabajador, laborioso, aplicado, celoso, aprovechado. ↔ *Haragán.*

estufa Hogar, calentador, brasero, horno.

estufilla Braserillo, rejuela. || Manguito.

estulticia Necedad, estupidez, estolidez, tontería. ↔ *Juicio.*

estulto Necio, embrutecido, cretino, lerdo, zafio, alelado, limitado, estólido. ↔ *Inteligente, listo.*

estuoso Ardiente, abrasado, caluroso, enardecido. ↔ *Frío.*

estupefacción Estupor, pasmo, asombro, aturdimiento. ↔ *Impasibilidad.*

estupefaciente Estupefactivo, aletargante, anestésico, narcótico, dormitivo, soporífero, droga.

estupefacto Atónito, pasmado, suspenso, maravillado, patitieso, patidifuso, turulato, helado, asombrado, admirado. ↔ *Impertérrito, impasible.*

estupendo Admirable, asombroso, sorprendente, maravilloso, pasmoso, fabuloso, prodigioso, portentoso. ↔ *Horrible.*

estupidez Necedad, torpeza, estolidez, tontería, bobería, estulticia. ↔ *Inteligencia, listeza.*

estúpido Torpe, necio, tonto, estólido, estulto. ↔ *Avispado, listo.*

esturión Marón, sollo.

etapa Fase, estado, período, 'paseana.

éter Cielo, firmamento.

etéreo Incorpóreo, impalpable, sutil, vaporoso. ↔ *Corpóreo.* || Puro, sublime, celeste. ↔ *Basto.*

eternidad Inmortalidad, perdurabilidad, perpetuidad. ↔ *Precariedad.*

eternizar Perpetuar, inmortalizar.

eterno Eternal, sempiterno, perdurable, perpetuo, inmortal, imperecedero. ↔ *Efímero.*

ética Moral.

ético Moral. || Casuista, moralista.

etiqueta Ceremonia, protocolo, ceremonial, ritual, gala. || Marbete, rótulo.

etiquetero Cumplimentoso, ceremonioso, ceremoniero.

étnico Racial.

eucologio Devocionario.

eufemismo Sugestión, sugerencia. || Paliación, disfraz, tapujo, indirecta, capa, embozo, velo.

euforia Bienestar, eutaxia, salud, lozanía. ↔ *Postración.*

eunuco Espadón, soprano, castrado.

euritmia Armonía, equilibrio.

éuscaro Vasco, vascuence.

eutaxia Euforia.

evacuación Desocupo, desocupación, abandono, salida. || Necesidad, expulsión, deposición, deyección, defecación, excrementos.

evacuar Desocupar, abandonar, dejar. ↔ *Ocupar.*

evadir Eludir, esquivar. ↔ *Afrontar.*

evadirse Escaparse, huir, fugarse, escabullirse, zafarse. ↔ *Introducirse, comparecer.*

evaluación Valuación, valoración, tasación, apreciación, cálculo.

evaluar Valuar, valorar, estimar, tasar, apreciar, calcular.

E

E **evangelizar** Predicar, catequizar.

evaporar Vaporar, gasificar, evaporizar, vaporizar, volatilizar, desavahar.

evaporarse Desvanecerse, disiparse, desaparecer, esfumarse, huir. ↔ *Aparecer.*

evasión Fuga, huida. ↔ *Comparecencia.*

evasiva Efugio, subterfugio, escapatoria, salida.

evento Acontecimiento, acaecimiento, caso, suceso, circunstancia.

eventual Incierto, inseguro, fortuito, casual, accidental, provisional, interino. ↔ *Cierto, seguro, fijo.*

eventualidad Contingencia, casualidad, coyuntura, circunstancia.

evicción Privación, despojo, desprendimiento, desposesión.

evidencia Certeza, certitud, certidumbre, convicción, convencimiento, seguridad.

evidenciar Patentizar, asegurar, probar, demostrar, hacer ver, afirmar.

evidente Obvio, patente, manifiesto, palpable, palmario, claro, visible, tangible, elemental, axiomático. ↔ *Oscuro, problemático.*

evitar Impedir, precaver, prevenir. ↔ *Causar.* || Eludir, esquivar, rehuir, soslayar, sortear. ↔ *Afrontar.*

evocación Reminiscencia, memoria, rememoración, remembranza, recordación, recuerdo, presencia.

evocar Invocar, recordar, rememorar. ↔ *Silenciar.*

evolución Desarrollo, progresión, progreso, adelanto, avance. ↔ *Estanca-*

miento, regresión. || Transformación, variación, cambio. ↔ *Inmutabilidad.* || Maniobra, movimiento.

evolucionar Desenvolverse, progresar. desarrollarse, deshilvanarse, adelantar. || Cambiar, mudar, transformarse, trastocarse, trocarse, girar. || Maniobrar, moverse, agitarse, desplegar.

exacción Requerimiento, exigencia, reclamación, coacción. ↔ *Retención, estafa.*

exacerbar Irritar, agriar, agravar, exasperar, enconar, ensañar. ↔ *Suavizar, mitigar.*

exactamente Ni más ni menos, a pedir de boca, al pie de la letra, palabra por palabra, sin faltar ni un ápice, paso por paso, sin faltar ni una coma.

exactitud Precisión, fidelidad, veracidad, puntualidad, regularidad. ↔ *Inexactitud.*

exacto Preciso, cabal, justo, fiel, verdadero, puntual, regular. ↔ *Inexacto.*

exactor Cobrador, recaudador, colector, almojarife.

exageración Hipérbole, ponderación, encarecimiento, exceso. ↔ *Atenuación.*

exagerador Exagerado, quimérico, ponderador, hiperbólico, encarecedor, ponderativo, 'aparatero.

exagerar Ponderar, encarecer, abultar, inflar, hinchar, extremar, desorbitar, exorbitar. ↔ *Atenuar, paliar.*

exaltación Entusiasmo, pasión, fervor, excitación, sobreexcitación, frenesí. ↔ *Frialdad, indiferencia.*

exaltado Apasionado, faná-

tico, entusiasta, rabioso. ↔ *Frío.*

exaltar Glorificar, enaltecer, ensalzar, encarecer, realzar, elevar. ↔ *Rebajar.*

exaltarse Sobreexcitarse, acalorarse, enardecerse, excitarse, apasionarse, entusiasmarse. ↔ *Moderarse, calmarse.*

examen Estudio, observación, reconocimiento, análisis. || Prueba.

examinar Estudiar, observar, reconocer, considerar, analizar, indagar. || Probar, tantear.

exangüe Desangrado, exánime, exhausto, extenuado, aniquilado, muerto. ↔ *Pletórico.*

exánime Muerto, inanimado, exangüe, desmayado, desfallecido. ↔ *Vivaz.*

exasperar Excitar, irritar, enfurecer, sulfurar, encolerizar, enojar. ↔ *Aplacar, calmar.*

excandecer Irritar, enviscar, sacar de quicio.

excarcelar Liberar, libertar, desencarcelar, desaprisionar, desencerrar, soltar. ↔ *Encarcelar.*

excavación Socavación, vaciado, extracción, dragado, descalce. || Socavón, hoyo, fosa, zanja, cárcava, surco, hoya, hueco.

excavar Socavar, cavar, descalzar, hozar, ahondar, escarbar, zapar, minar, frezar, dragar, zahondar, profundizar, abrir, ahoyar, penetrar.

excedente Sobrante, resto, residuo, exceso, superávit. ↔ *Déficit.*

exceder Superar, aventajar, sobrepujar, pasar de, traspasar, rebasar.

excederse Propasarse, extralimitarse, descomedirse. ↔ *Contenerse, quedarse corto.*

excelencia Eminencia, excelsitud, sublimidad, alteza, celsitud, magnificencia, grandiosidad, superioridad, elevación, grandeza, notabilidad, prestancia, importancia, exquisitez. ↔ *Inferioridad, medianía, imperfección.*

excelente Superior, sobresaliente, óptimo, notable, eximio, excelso, exquisito, delicioso, delicado, agradable, deleitable, rico, primoroso, brillante, precioso, meritorio, super, superfino, primo, precelente, prestante, imponderable, relevante, soberbio, refinado, extra, perfecto, maravilloso, sin par, de marca mayor, bajado del cielo, de buena ley, de oro. ↔ *Inferior, pésimo, malo.*

excelso Altísimo, sublime, eminente, egregio, eximio, inédito. ↔ *Infimo.*

excentricidad Rareza, originalidad, extravagancia, manía, particularidad, genialidad, ridiculez, humorada. ↔ *Normalidad.*

excéntrico Extravagante, estrafalario, original, raro. ↔ *Normal.*

excepción Exclusión, anomalía, singularidad, anormalidad, irregularidad, rareza, extrañeza, particularidad. ↔ *Inclusión, normalidad.*

excepcional Extraordinario, insólito, desusado, raro. ↔ *Corriente, usual.*

excepto Salvo, descontado, fuera de, aparte, menos. ↔ *Más, además de.*

exceptuación Exclusión.

exceptuar Excluir, salvar, quitar, prescindir. ↔ *Incluir.*

excerpta Excerta, recopilación, colección, compilación, florilegio, extracto.

excesivamente En demasía, en exceso, de lo lindo, en grado superlativo.

excesivo Demasiado, sobrado, desmedido, desmesurado, desproporcionado, enorme, exorbitante. ↔ *Insuficiente.*

exceso Sobra, sobrante, excedente. ↔ *Defecto, falta.* || Demasía, desafuero, desmán, abuso, atropello.

excitación Provocación, instigación, incitación, estímulo. || Agitación, exaltación, nerviosismo, frenesí. ↔ *Calma, impasibilidad.*

excitar Mover, provocar, incitar, instigar, estimular, aguijonear. ↔ *Aplacar.*

excitarse Agitarse, exaltarse, acalorarse, apasionarse. ↔ *Moderarse, calmarse.*

exclamación Grito, voz, imprecación, interjección, expresión, juramento, voto, taco, apóstrofe.

exclamar Emitir, proferir, lanzar, prorrumpir, gritar, imprecar, apostrofar.

exclamarse Lamentarse, protestar, quejarse.

exclamatorio Exclamativo, imprecatorio.

excluir Descartar, exceptuar, apartar, separar, suprimir, eliminar. ↔ *Incluir.*

exclusión Eliminación, supresión, excepción, exceptuación, preterición, exención, separación, destitución, omisión, salvedad, descarte. ↔ *Inclusión.*

exclusiva Prerrogativa, privilegio, autorización, permiso, preferencia, parcialidad, distinción, ventaja, dispensa. || Monopolio, franquicia, patente, concesión.

exclusivismo Personalismo, irreductibilidad, sectarismo, partidismo, fanatismo.

excomulgar Anatematizar, descomulgar, fulminar.

excomunión Descomunión, anatema.

excoriación Escocedura, erosión, sahorno.

excoriarse Sahornarse, corroerse, escocerse.

excrecencia Bulto, carnosidad, lobanillo, verruga.

excremento Deyecciones, heces, mierda.

exculpar Absolver, excusar, justificar, perdonar. ↔ *Inculpar.*

excursión Viaje, caminata, paseo.

excusa Disculpa, descargo, efugio, subterfugio, pretexto, 'alilaya.

excusado Exento, libre, privilegiado. || Superfluo, inútil. || Reservado, retrete, común, wáter, aseo, 'casilla.

excusar Disculpar, justificar, defender, eximir, perdonar, exculpar. ↔ *Acusar.*

execrable Abominable, detestable, aborrecible, odioso. ↔ *Admirable, adorable.*

execración Abominación, aborrecimiento, maldición, imprecación, condenación. ↔ *Amor, bendición.*

execrar Abominar, maldecir, imprecar, detestar, aborrecer. ↔ *Bendecir.*

exégesis Interpretación, explicación, comentario, glosa.

E

E **exención** Franquicia, privilegio, liberación, exoneración. ↔ *Obligación.*

exento Desembarazado, libre, dispensado, franco. ↔ *Obligado.*

exequias Funerales, honras fúnebres.

exfoliar Deshojar, laminar.

exhalación Rayo, centella, chispa.

exhalar Emitir, desprender, despedir, irradiar, lanzar. ↔ *Absorber.*

exhausto Agotado, consumido, apurado, extenuado, exsangüe. ↔ *Pletórico, lozano.*

exhibición Manifestación, presentación, exposición, ostentación.

exhibir Mostrar, manifestar, presentar, exponer, ostentar. ↔ *Esconder.*

exhortación Admonición, invitación, consejo, ruego, incitación, amonestación.

exhortar Invitar, aconsejar, rogar, amonestar, incitar, alentar. ↔ *Desaconsejar.*

exhumar Desenterrar. ↔ *Inhumar.*

exigente Rígido, severo, duro, recto, escrupuloso, intoleránte, intransigente. ↔ *Blando, tolerante.*

exigir Reclamar, ordenar, mandar. ↔ *Renunciar.* ‖ Requerir, pedir, necesitar, precisar.

exiguo Escaso, pequeño, reducido, corto, mezquino, insuficiente, insignificante. ↔ *Abundante, grande.*

exilio Destierro, proscripción, extrañamiento, deportación, expatriación, ostracismo. ↔ *Repatriación.*

eximio Incomparable, excelso, egregio, óptimo, supe-

rior, sobresaliente, excelente, eminente. ↔ *Pésimo, despreciable.*

eximir Dispensar, liberar, exonerar, descargar, relevar, excusar, perdonar. ↔ *Imponer.*

exinanido Extenuado, débil, desmejorado. ↔ *Fuerte.*

existencia Vida, ser. ↔ *Inexistencia.*

existimar Juzgar, reputar, opinar, apreciar, enjuiciar.

existir Vivir, ser, subsistir.

éxito Suceso, resultado, fin, conclusión. ↔ *Inicio.* ‖ Triunfo, victoria, logro. ↔ *Fracaso.*

éxodo Emigración, migración, expatriación. ↔ *Repatriación.*

exonerar Descargar, liberar, eximir, aliviar. ↔ *Gravar.*

exorbitante Desorbitado, d e s m e surado, excesivo, exagerado, enorme. ↔ *Insuficiente, limitado.*

exorbitar Desorbitar, extremar, exagerar. ↔ *Limitar, moderar.*

exorcismo Conjuro.

exorcizar Conjurar, desendemoniar, desendiablar.

exordio Introducción, prefacio, preámbulo, prólogo, proemio. ↔ *Epílogo.*

exornar Adornar, ornar, engalanar, ornamentar, hermosear, embellecer.

exotérico Vulgar, común, corriente, fácil, público. ↔ *Difícil, esotérico.*

exótico Extraño, peregrino, lejano, extranjero. ↔ *Indígena.*

expandir Extender, dilatar, difundir.

expansión Dilatación, ex-

tensión, crecimiento, desarrollo. ↔ *Compresión, reducción, regresión.* ‖ Efusión, desahogo, esparcimiento, solaz, distracción. ↔ *Contención.*

expansionarse Desahogarse, explayarse, franquearse, confiarse, abrirse, desembuchar. ↔ *Reprimirse, contenerse.* ‖ Solazarse, esparcirse, distraerse, recrearse.

expansivo Comunicativo, franco, efusivo, locuaz, sociable, cordial. ↔ *Retraído, reservado, frío.*

expatriación Extrañamiento, éxodo, emigración, destierro, exilio. ↔ *Repatriación.*

expectación Curiosidad, atención, afán. ‖ Expectativa.

expectativa Expectación, esperanza, perspectiva, posibilidad, confianza, aliento.

expectorar Esputar, escupir.

expedición Desembarazo, facilidad, prontitud, velocidad, presteza, diligencia. ‖ Excursión, viaje, safari. ‖ Envío, remesa, facturación. ‖ Bula, despacho, breve.

expediente Recurso, medio, motivo, título, razón, pretexto, subterfugio.

expedir Extender, despachar, cursar, enviar, remitir, remesar, facturar.

expeditivo Decidido, dinámico, diligente, pronto, rápido, activo. ↔ *Circunspecto, premioso, lento.*

expedito Libre, desembarazado, despejado, desocupado, descombrado. ↔ *Obstruido.*

expeler Lanzar, arrojar, echar, despedir, expulsar. ↔ *Atraer, absorber.*

expendeduría Estanco, despacho, 'cigarrería. || 'Expendio.

expender Vender, despachar. ↔ *Comprar.*

'expendio Expedición, detall. || Expendeduría.

expensas 'Expendio, dispendio, gastos, costas.

experiencia Ensayo, experimento, prueba, tentativa. || Hábito, conocimiento, práctica, pericia, costumbre. ↔ *Inexperiencia.*

experimentado Ducho, práctico, adiestrado, ejercitado, avezado, versado, entendido, experto. ↔ *Novato, principiante, inexperto.*

experimental Empírico, práctico. ↔ *Especulativo, teórico.*

experimentar Probar, ensayar. || Notar, sentir, observar.

experimento Experiencia, ensayo, prueba, tentativa.

experto Experimentado, perito, entendido, conocedor, diestro, ducho, ejercitado, perito, práctico, abatanado, avezado, hábil, ejercitado, versado, entendido, adiestrado, matrero, fogueado, granado, baqueteado, cursado, baquiano, curial, astuto, corrido. ↔ *Inexperto, desconocedor.*

expiación Reparación, satisfacción, purificación, pena, castigo.

expiar Reparar, purgar, pagar.

expilar Robar, hurtar, pillar.

expirar Morir, fallecer, fenecer, perecer, finar, acabar, terminar, concluir, fi-

nalizar. ↔ *Nacer, comenzar.*

explanación Explicación. || Explanada. || Allanamiento, nivelación, gradeo, desmonte.

explanada Explanación, llano, llanura, plano, extensión.

explanar Allanar, aplanar, igualar, nivelar. || Explicar, ampliar, desarrollar, declarar.

explayarse Esparcirse, expansionarse, distraerse, recrearse, solazarse, divertirse. ↔ *Aburrirse.* || Expansionarse, desahogarse, franquearse, confiarse. ↔ *Reprimirse.*

explicación Aclaración, exposición, explanación, justificación, interpretación, glosa, comentario, exégesis, apostilla. || Exculpación, satisfacción, justificación.

explicaderas Razones, lucidez, narrativa.

explicar Aclarar, exponer, justificar, interpretar, explanar, desarrollar. || Enseñar, profesar.

explicarse Comprender, entender, concebir. || Exculparse, justificarse.

explícito Expreso, claro, manifiesto, formal, terminante. ↔ *Implícito, sobreentendido, ambiguo.*

explorador Descubridor, investigador. || Reconocedor, batidor, avanzadilla. || Excursionista, escultista.

explorar Reconocer, registrar, sondear, sondar, examinar, investigar.

explosión Estallido, reventón.

explosivo Detonante.

explosor Detonante, fulmi-

nante, detonador, mixto, cebo, deflagrador, pistón, petardo.

explotación Fabricación, industria, factoría, empresa.

explotar Aprovechar, utilizar, abusar, 'catear.

expoliar Despojar, robar, desposeer, desplumar. ↔ *Proveer.*

exponer Exhibir, presentar, mostrar. ↔ *Ocultar.* || Manifestar, declarar, expresar, explicar. ↔ *Callar.* || Arriesgar, aventurar.

exportar Enviar, sacar.

exposición Exhibición, presentación, feria. || Declaración, explicación. || Riesgo, peligro.

expósito Inclusero, borde, enechado, echadizo, peño, cunero, 'huérfano, 'guacho.

expresado Indicado, mencionado, antedicho, susodicho, sobredicho.

expresamente Ex profeso, adrede, de propósito, a propósito, expreso.

expresar Exponer, declarar, decir, manifestar, significar, dar a entender, interpretar, representar.

expresarse Hablar. ↔ *Callar.*

expresión Locución, palabra, vocablo, término, voz, dicción, pronunciación.

expresivo Elocuente, significativo, gráfico, plástico. ↔ *Inexpresivo.*

expreso Claro, manifiesto, especificado, explícito, preciso, terminante, formal. ↔ *Tácito.*

exprimidera Estrujador.

exprimir Estrujar, prensar. ↔ *Impregnar.*

ex profeso Adrede, aposta, de propósito, de intento, intencionadamente, delibe-

E

E

radamente. ↔ *Indelibera-damente.*

expropiar Desposeer, privar, incautarse, confiscar.

expuesto Aventurado, arriesgado, peligroso. ↔ *Seguro.*

expulsar Arrojar, echar, despachar, despedir, lanzar, desahuciar, excluir, eliminar, desalojar, rechazar, destituir, desechar, desterrar, limpiar, alejar, espantar, zalear, poner de patitas en la calle, echar a la calle, enviar noramala, enviar a paseo, enviar a freír espárragos, dar la lata, dar el pasaporte, enseñar la puerta. ↔ *Admitir.* || Expeler. ↔ *Atraer.*

expulsión Exclusión, evacuación, destitución, desalojamiento, echamiento, lanzamiento, desahucio. || Extrañamiento, destierro.

expurgación Expurgo, poda. || Purificación, limpieza. || Censura.

expurgar Purificar, limpiar, censurar.

exquisitez Excelencia, delicia, finura. ↔ *Tosquedad.*

exquisito Excelente, finísimo, primoroso, delicado, selecto, refinado. ↔ *Basto.*

extasiarse Arrobarse, enajenarse, elevarse, embelesarse, encantarse.

éxtasis Arrobamiento, arrobo, enajenamiento, suspensión, embelesamiento, rapto, transporte, deliquio. ↔ *Horror.*

extemporáneo Intempestivo, impropio, inoportuno, inconveniente. ↔ *Propio, oportuno.*

extender Desplegar, tender, desenvolver, desdoblar, desarrollar, 'expandir. ↔ *Recoger, plegar.* || Aumen-

tar, ampliar. ↔ *Reducir.* || Difundir, divulgar, propagar, esparcir, propalar. ↔ *Reservar, ocultar.*

extensión Desarrollo, dilatación, desenvolvimiento, estiramiento, amplificación, propagación, ramificación, expansión. ↔ *Limitación.* || Vastedad, amplitud.

extenso Vasto, dilatado, espacioso, capaz, amplio, lato, largo, prolongado, prolijo. ↔ *Reducido, exiguo, corto.*

extenuación Enflaquecimiento, debilitamiento, agotamiento, consunción, postración, tabes. ↔ *Vigor, euforia.*

extenuado Escuálido, anémico, desmirriado, enflaquecido, exinanido, débil, pilongo. ↔ *Fuerte.*

extenuar Agotar, debilitar, enflaquecer. ↔ *Fortalecer, reforzar.*

exterior Externo, extrínseco. ↔ *Interior.* || Superficie, periferia, apariencia, aspecto, traza, porte. ↔ *Interior.*

exterioridad Exterior, aspecto, apariencia, semblante, traza, actitud, fachada, paramento, superficie. || Ostentación, pompa, aparatosidad.

exteriorizar Manifestar, descubrir, revelar, sacar.

exterminar Aniquilar, destruir, suprimir, extirpar. ↔ *Crear.*

exterminio Aniquilamiento, extinción, destrucción, extirpación. || Matanza, carnicería, escabechina.

externo Exterior.

extinguir Apagar, matar, acabar. ↔ *Encender.*

extinguirse Morir, expirar, cesar, acabar. ↔ *Nacer.*

'extinto Muerto, fallecido.

extirpar Arrancar, desarraigar, extraer, suprimir, acabar. ↔ *Iniciar, arraigar.*

extorsión Despojamiento, usurpación. || Daño, perjuicio, inconveniente, menoscabo. || Chantaje.

extra Extraordinario, excelente, óptimo, inmejorable, superior, relevante. ↔ *Inferior, malo.* || Figurante, comparsa. || Adehala, gaje, plus, sobra.

extracción Origen, linaje, clase, estirpe, nacimiento.

extractar Resumir, compendiar, abreviar. ↔ *Ampliar.*

extracto Resumen, compendio. ↔ *Ampliación.* || Substancia, esencia.

extraer Sacar, separar, arrancar. ↔ *Introducir, clavar.*

extralimitarse Propasarse, excederse, descomedirse. ↔ *Limitarse, reprimirse.*

extranjerismo Barbarismo. ↔ *Idiotismo.*

extranjero Forastero, extraño, exótico. ↔ *Indígena.*

extranjis (de) De tapadillo, de escondidas.

extrañamiento Destierro, exilio, proscripción, deportación, expatriación. ↔ *Repatriación.*

extrañar Desterrar, proscribir, deportar. ↔ *Repatriar.* || Sorprender, admirar, asombrar, chocar.

extrañeza Admiración, sorpresa, asombro. || Rareza, irregularidad, singularidad, novedad, originalidad. ↔ *Normalidad, vulgaridad.*

extraño Singular, raro, chocante, insólito, peregrino,

extravagante, extraordinario. ↔ *Normal, ordinario.* || Ajeno, impropio. ↔ *Propio.* || Extranjero, exótico. ↔ *Propio, indígena.*

extraordinario Singular, insólito, inusitado, extraño, raro, excepcional, maravilloso, fabuloso, asombroso, sorprendente. ↔ *Ordinario, normal, insignificante.*

extrarradio Afueras, suburbios, arrabales. ↔ *Centro urbano.*

extravagancia Rareza, excentricidad, originalidad, manía, ridiculez.

extravagante Raro, excéntrico, estrafalario, original, chocante, ridículo. ↔ *Ordinario, normal.*

extravasarse Derramarse, trasvenarse, verterse.

extraviar Perder. ↔ *Hallar.*

extraviarse Desviarse, descaminarse, desorientarse, perderse, descarriarse, pervertirse. ↔ *Encaminarse, enderezarse.*

extravío Descarriamiento, receso, circunvalación, aberración, guiñada, desvío, virada. ↔ *Derechura.* || Desorden, perdición, relajación, descarrío. || Pérdida, abandono. || Molestia, perjuicio, menoscabo, daño.

extremado Exagerado, excesivo, radical, extremo. ↔ *Moderado.*

extremar Rematar, acabar, terminar, finalizar, concluir. || Exagerar, recargar.

extremarse Esmerarse, desvelarse, desvivirse.

extremidad Extremo, punto, cabo, remate, fin. || Miembro.

extremo Extremidad, cabo, punta, fin, remate, límite, término. || Exagerado, excesivo, extremado, sumo. || Cuestión, asunto, materia, particular, punto. || Último, final.

extrínseco Exterior, externo, accidental. ↔ *Intrínseco.*

exuberancia Abundancia, plenitud, plétora, fertilidad, frondosidad, profusión, prodigalidad. ↔ *Escasez, mezquindad, esterilidad.*

exuberante Abundante, pródigo, fértil, frondoso, pletórico, óptimo. ↔ *Escaso, mezquino, estéril.*

exultación Alegría, gozo, júbilo, contento, regocijo, alborozo, optimismo, jovialidad. ↔ *Abatimiento, tristeza.*

exultar Alegrarse, regocijarse, retozar, alborozar, no caber en sí, volverse loco, volverse loco de contento, dar saltos de alegría, estar como unas castañuelas. ↔ *Estar deprimido.*

exvoto Presentalla, ofrenda, don.

eyaculación Polución.

eyacular Emitir, expeler, segregar, secretar, arrojar.

E

F

fábrica Manufactura, industria. ‖ Edificio, construcción.

fabricación Industria, producción, obtención, elaboración.

fabricante Manufacturador, industrial, productor.

fabricar Manufacturar, elaborar, producir. ‖ Edificar, construir, obrar, levantar. ‖ Inventar, imaginar, forjar.

fábula Apólogo, cuento, ficción, mito, leyenda, invención. ↔ *Realidad.* ‖ Rumor, hablilla, chisme.

fabuloso Imaginario, ilusorio, ficticio, fingido, inventado, falso. ↔ *Real, cierto.* ‖ Increíble, inverosímil, fantástico, quimérico, excesivo, exagerado, prodigioso, extraordinario. ↔ *Común, ordinario.*

faca Charrasca, navaja, falce.

facción Partida, parcialidad, bando, bandería.

facciones Rostro, rasgos.

faccioso Sedicioso, rebelde, sublevado. ↔ *Leal.*

faceta Aspecto, cara.

fácil Hacedero, cómodo, sencillo, elemental, probable. ↔ *Difícil.* ‖ Dócil, manejable, tratable, acomodadizo. ↔ *Difícil.* ‖ Ligera, liviana, frágil. ↔ *Recatada*

facilidad Disposición, posibilidad, comodidad, desenvoltura, expedición, simplicidad, aptitud. ↔ *Dificultad.* ‖ Afabilidad, condescendencia, complacencia, debilidad.

facilitar Simplificar, posibilitar, favorecer. ↔ *Dificultar.* ‖ Proporcionar, suministrar, procurar, entregar, dar, proveer.

fácilmente Aína, de carrera, sobre vías engrasadas. ↔ *Difícilmente.*

facineroso Bandido, criminal, malhechor, forajido, delincuente, malvado, perverso.

facistol Atril.

'facistol Engreído, pedante.

'facón Machete.

facsímil Facsímile, reproducción, imitación, copia.

factible Posible, realizable, hacedero. ↔ *Irrealizable.*

facticio Artificial, compuesto, imitado. ↔ *Auténtico.*

factor Agente, elemento, autor, concausa. ‖ Síndico; delegado, factótum, testaferro, negociador, ministro, ejecutor, secretario, bastantero, procurador, fautor. ‖ Submúltiplo,

multiplicador, coeficiente, divisor.

factoría Fábrica. ‖ Almacén, comercio, depósito, emporio.

factótum Criado, mozo, mandadero, recadero, ordenanza. ‖ Factor. ‖ Faraute, argadillo, bullebulle.

factura Cuenta, nota, cargo.

facturar Cargar, anotar, registrar. ‖ Enviar, remitir, despachar, remesar.

facultad Capacidad, potencia, aptitud. ‖ Poder, potestad, derecho, atribuciones, licencia, autorización, permiso.

facultar Autorizar, delegar, habilitar, permitir, 'capacitar. ↔ *Desautorizar.*

facultativo Potestativo, discrecional. ↔ *Obligatorio.* ‖ Médico.

facundia Verbosidad, labia. ↔ *Prèmiosidad.*

facundo Elocuente, verboso, diserto, bien hablado.

facha Pinta, catadura, traza, aspecto, apariencia. ‖ Mamarracho, adefesio, esperpento.

fachada Frontis, frontispicio.

fachenda Jactancia, petulancia, vanidad, presunción, ostentación, pavoneo. ↔ *Modestia.* || Fachendoso.

fachendear Farolear, papelonear, hombrear, pavonear, pompear, farandulear, presumir, hacer el paripé, darse pisto, dárselas de.

fachendoso Fachendista, fachendón, fachenda, petutulante, farolero, jactancioso, presumido, vanidoso. ↔ *Modesto.*

'fachinal Estero.

fachoso Ridículo, astroso, bufonesco, chocarrero.

faisán 'Cojolite.

faena Trabajo, quehacer, ocupación, labor, tarea.

'faenero Jornalero, peón, bracero.

faja Apretador, ceñidor, alezo, corsé, 'chumbe. || Lista, veta, tira, línea, franja, zona. || Amelga.

fajar Ceñir, rodear, envolver, embragar.

'fajar Pegar, golpear.

fajina Fajo, haz, atado, mazo. || Leña, chamarasca. || Faena.

fajo Fajina, haz, mazo, atado.

falacia Fraude, engaño, mentira, falsedad. ↔ *Verdad.*

falange Legión, tropa, batallón.

falaz Engañoso, mentido, fingido, aparente, ilusorio. ↔ *Cierto, auténtico.* || Artero, embustero, engañador, falso. ↔ *Veraz, leal.*

falce Hoz, faca.

falda Saya, faldón. || Regazo.

faldero Mujeriego.

'faldez Ladera.

faldulario Andulario.

'falencia Quiebra.

falencia Engaño, yerro, error, desatino, inexactitud.

falible Mendoso, equívoco, erróneo, engañoso, ↔ *Infalible.* || Defectuoso.

falsabraga Contramuralla, antemural, contramuro.

falsario Falsificador, falseador, adulterador, mixtificador, trápala.

'falsarregla Falsilla.

falsear Falsificar, adulterar, desnaturalizar, contrahacer, corromper. || Flaquear, flojear, ceder. ↔ *Resistir.*

falsedad Mentira, engaño, impostura, falacia, falsía. ↔ *Verdad, autenticidad.*

falsete Voz de cabeza.

falsía Falsedad, deslealtad, hipocresía, mendacidad, doblez, disimulo. ↔ *Lealtad.*

falsificar Falsear, adulterar, desnaturalizar, contrahacer, corromper, sofisticar, mixtificar.

falsilla Pauta, regla, 'sombra.

falso Engañoso, fingido, ficticio, mentiroso, inexacto, sofístico, erróneo, equivocado, refalsado, arreglado, amañado, desfigurado, supuesto, disfrazado, artificial, simulado, imitado, inventado, infundado, contrahecho, espúreo, espurio, ilegítimo, quimérico, subrepticio, ilusorio, ilusivo, absurdo, apócrifo, plagiado, copiado, refrito, embustero, mentiroso, mendaz, falaz, aparente, adventicio, equívoco, fantástico. ↔ *Cierto, verdadero, auténtico.* || Traidor, infiel, felón, impostor, falsario, fementido, cobarde,

zaino, artero, desleal, perjuro, brujo. ↔ *Leal.*

falta Culpa, pecado, error, descuido, defecto, imperfección, deficiencia. || Carestía, carencia, escasez, ausencia.

faltar Pecar. || Quedar, restar. || Acabarse, consumirse. || Fallar.

falto Escaso, necesitado, desprovisto, carente, pobre. ↔ *Provisto.*

faltrero Ladrón.

falúa Lancha, bote, falucho.

falla Defecto, falta.

falla Rotura, hendidura.

falla Hoguera, pira.

fallar Decidir, resolver, dictaminar, sentenciar.

fallar Triunfar, matar. ↔ *Servir.* || Frustrarse, malograrse, fracasar, faltar, marrar, pifiar. ↔ *Resultar, tener éxito.*

falleba Pestillo, pasador, fiador, cremona.

fallecer Morir, expirar, finar, fenecer, perecer, extinguirse, acabarse. ↔ *Nacer.*

fallecido 'Extinto.

fallecimiento Muerte, defunción, óbito, expiración, tránsito.

fallido Frustrado, fracasado, malogrado. || Quebrado, suspenso.

fallo Sentencia, resolución, decisión, condena, laudo.

fama Nombre, nombradía, son, voz, noticia, notoriedad, reputación, celebridad, honra, gloria, crédito, favor, boga, lustre, auge, halo, aureola, popularidad. ↔ *Oscuridad, descrédito.*

famélico Hambriento, transido, comilón. ↔ *Harto.*

F

familia Parentela, progenie, gente. || Linaje, estirpe, casta, raza, sangre, cepa. || Descendencia, prole, hijos, sucesión.

familiar Pariente, deudo, afín, allegado. ↔ *Extraño.* || Sencillo, corriente, natural, llano. || Sabido, conocido.

familiaridad Llaneza, franqueza, confianza, intimidad, libertad. ↔ *Afectación, pompa.*

familiarizar Adaptar, acostumbrar, habituar, avezar, acomodar, hacer, franquear, intimar, relacionar.

famoso Renombrado, reputado, sonado, señalado, insigne, conspicuo, afamado, ilustre, preclaro, glorioso, conocido, célebre, acreditado, notable. ↔ *Oscuro, ignorado.*

fámulo Criado, doméstico, sirviente, lacayo, servidor, mozo, paniaguado.

fanal Farola, farol. || Guardabrisas, tulipa.

fanático Apasionado, exaltado, obcecado, intolerante, intransigente, recalcitrante, celoso, ardiente, fogoso, ferviente, entusiasta. ↔ *Ponderado, equilibrado, frío.*

fanatismo Apasionamiento, exaltación, obcecación, intolerancia, intransigencia, celo, fogosidad, ardor, acaloramiento, exacerbación. ↔ *Ponderación, mesura, frialdad.*

fandango Bulla, bullicio, trapatiesta, jolgorio.

fanerógama Espermatofita, sifonógama. ↔ *Criptógama.*

fanfarria Bravata, jactancia, fanfarronada, baladronada, farfantonería,

fanfarronería, petulancia, jactancia, presunción.

fanfarrón Farfantón, farfante, farolero, bravucón, matasiete, perdonavidas, valentón, matamoros, baladrón, follón. ↔ *Modesto, humilde.*

fanfarronada Fanfarria, 'balaca, 'balacada, 'echada.

fanfarronear Fanfarrear, bravear, guapear, rajar, echar piernas, esculpir doblones, echar bocanadas, desquijarrar leones, echar chuzos, 'guapear.

fanfarronería Fanfarria.

fangal Lodazal, barrizal, cenagal, pecinal, chapatal, tremadal, aguatocho, tolla, ciénaga.

fango Lodo, barro, limo, légamo, pecina, cieno, tarquín, reboño. || Vilipendio, degradación, yicio, suciedad, impureza, abyección, ignominia, bajeza. ↔ *Pureza.*

fantasear Soñar, imaginar, crear.

fantasía Imaginación, inventiva, magín, figuración. || Capricho, antojo, ficción, utopía, quimera, visión. || Presunción, entono.

fantasioso Vano, presuntuoso, presumido, ostentoso, fatuo, entonado, vanidoso. ↔ *Realista.*

fantasma Visión, aparición, aparecido, espectro, sombra, q u i m e r a, espíritu, trasgo, alma en pena.

fantasmagoría Quimera, alucinación, entelequia.

fantástico Quimérico, inverosímil, fabuloso, imaginario, irreal, increíble. ↔ *Real, cierto, verídico.* || Fantasmagórico, f a n tas-

mal. || Presuntuoso, entonado, vanidoso, fantasioso.

fantoche Títere, marioneta. || Farolón, figurón, bufón, fantasmón, espantajo.

'fañoso Gangoso.

faquín Ganapán, cargador, esportillero, mozo de cuerda.

faquir Santón.

faralá Farbalá, volante, farfalá.

farallón Crestón, 'molejón.

faramalla Vaniloquio, cháchara, farándula, palabrería. || Farfolla. || Faramallero.

faramallero Faramallón, faramalla, hablador, farolero, parolero, charlatán, embaucador, trapacero, farandulero.

farandulero Histrión, comediante, farsante. || Faramallero.

faraute Mensajero, heraldo. || Prologuista.

fardaje 'Flete.

fardo Farda, bulto, lío, fardel, atadijo, paca, bulto, 'tanate.

farfallón Farfullero, chapucero, atropellado, fargallón, torbellino.

farfalloso Tartamudo, tartajoso.

farfantón Fanfarrón.

fárfara Tusílago, uña de caballo. || Binza, telilla, panículo.

farfolla Faramalla.

farfullar Barbotar, barbotear, barbullar, tartajear, tartamudear, mascullar, balbucir.

farináceo Harinoso.

farisaico Hipócrita, solapado.

farmacéutico Boticario, farmacopola.

farmacia Botica, apoteca.

fármaco Medicamento.

farmacopea Recetario.

'farolazo Trago.

farolear Fachendear, presumir, jactarse, **darse tono**, darse pisto, hacer el paripé, pavonear, pompear.

farolero Fanfarrón.

farolón Fantoche, figurón.

farra Juerga, jarana, parranda.

fárrago Confusión, desorden. ↔ *Orden.*

farragoso Desordenado, confuso, enmarañado, mezclado, inconexo. ↔ *Ordenado.* || Superfluo.

'farrear Parrandear.

farsa Comedia, drama. || Enredo, tramoya, ficción, patraña, fingimiento, jugarreta, trampa.

farsante Cómico, comediante, histrión. || Embustero, mentiroso, tramposo, embaucador, engañador, hipócrita. ↔ *Cabal, veraz.*

fascículo Entrega, cuaderno.

fascinación Aojamiento, embrujo, aojo, hechizo. || Engaño, alucinación, embeleco, deslumbramiento, seducción, embaimiento. ↔ *Desilusión, desengaño.*

fascinar Aojar, embrujar. || Encantar, embelesar, hechizar, deslumbrar, atraer, hipnotizar, alucinar, ofuscar, seducir, **embelecar, engaitar**, encandilar, enflautar, embair, entruchar, engañar. ↔ *Repeler, desengañar, disgustar.*

fase Estado, período, aspecto, faceta, forma, apariencia.

fastidiado 'Frondio.

fastidiar Hastiar, molestar, enfadar, disgustar, cansar, aburrir, importunar,

embarazar, atediar, hartar, asquear, jeringar, encocorar, engorrar, incomodar, gibar, hacer la barba, dar jaqueca, enojar, 'embromar, 'fregar. ↔ *Agradar, deleitar, divertir.*

fastidio 'Carlanca, 'friega.

fastidioso Hastioso, molesto, enfadoso, latoso, cansado, aburrido, pesado, cargante, embarazoso, engorroso, importuno, soporífero, estomagante, insoportable, enervante, pijotero, 'ahuizote, 'carlanca. ↔ *Agradable, divertido, ameno.*

fastigio Cumbre, cúspide, remate, pináculo.

fastos Anales.

fastuoso Fastoso, ostentoso, suntuoso, rumboso, lujoso, espléndido, aparatoso, majestuoso, regio, vistoso, pomposo. ↔ *Sencillo, mísero, mezquino.*

fatal Inevitable, inexorable, ineludible, predestinado, irrevocable, irremediable, infalible, insoslayable, indefectible, preciso. ↔ *Eludible, de fácil evitar.* || Adverso, fatídico, funesto, aciago, nefasto, desdichado, desventurado, infeliz, negro. ↔ *Feliz, fausto, providencial.*

fatalidad Adversidad, desgracia, infelicidad, infortunio, desdicha, contratiempo, desventura, malaventura, cuita, aflicción, mala suerte, mala sombra. ↔ *Suerte, fortuna.* || Hado, suerte, destino. ↔ *Voluntad.*

fatalismo Pesimismo.

fatídico Fatal, adverso, funesto.

fatiga Agitación, sofocación,

ahogo, cansancio, lasitud, agotamiento, molimiento, extenuación, reventadero, ajetreo, agobio, molienda, cansera, candinga, moledura. ↔ *Desahogo, ocio, reposo.* || Molestia, penalidad, sufrimiento. ↔ *Ayuda.*

fatigar Cansar, agotar, rendir, reventar, extenuar, deslomar, destroncar, tronzar, aplastar, aperrear, moler, apesgar. ↔ *Reposar.* || Vejar, molestar, importunar, aburrir, enojar.

fatigoso Fatigado, agitado. || Cansado, trabajoso, penoso, cansino.

fatuidad Presunción, petulancia, jactancia, vanidad, inmodestia, impertinencia, ventolera, vacuidad, hinchazón. ↔ *Modestia, ecuanimidad.* || Necedad, tontería. ↔ *Sensatez.*

fatuo Vano, presuntuoso, petulante, presumido, ufano, engreído, postinero, vacuo, pinturero, fachendoso, 'catate. ↔ *Modesto, humilde.* || Necio, tonto.

fausto Fasto, fastuosidad, suntuosidad, pompa, ostentación, magnificencia, boato, postín, rumbo, lujo, aparato, alarde, gala, esplendor, resplandor, grandeza, opulencia, atuendo, derroche, tren, riqueza, majestuosidad. ↔ *Modestia, simplicidad.*

fausto Feliz, afortunado, venturoso, dichoso, propicio, próvido. ↔ *Aciago, infausto.*

favila Pavesa, bolisa.

favor Ayuda, socorro, auxilio, amparo, protección, patrocinio. ↔ *Obstáculo, rechazo.* || Honra, beneficio, gracia, servicio, mer-

F

ced, cortesía, atención, fineza, agasajo, bien. ↔ *Disfavor, desaire.*

favorable Propicio, benévolo, benigno, acogedor.

favorecedor Amparador, defensor, protector, fautor, bienhechor, padrino, beneficiador, providencial.

favorecer Ayudar, socorrer, auxiliar, amparar, asistir, apoyar, sostener, secundar, defender, proteger, acoger. ↔ *Contrariar, obstaculizar, perjudicar.* || Beneficiar, servir, otorgar, obligar, hacer buenos oficios. ↔ *Negar.*

favorita Manceba.

favorito Estimado, preferido, predilecto, privilegiado, mimado, distinguido, quillotro. ↔ *Apartado, alejado, aburrido.* || Privado, valido.

faz Rostro, cara, semblante, figura, rasgos, fisonomía, imagen. || Anverso. ↔ *Reverso.*

fe Creencia, dogma, religión, credulidad, convicción. ↔ *Incredulidad.* || Confianza, convencimiento, creederas, tragantona. || Seguridad, aseveración, certificación, atestación, testimonio, afirmación, palabra (de honor). || Fidelidad, rectitud, lealtad, honradez.

fealdad Afeamiento, monstruosidad, deformidad, fiereza. ↔ *Belleza.* || Torpeza, deshonestidad, indignidad, vergüenza. ↔ *Gentileza.*

feble Débil, flaco, flojo.

febrífugo Antitérmico, antipirético.

febril Febricitante, ardoroso, calenturiento, enfebrecido. ↔ *Álgido.* || Inquieto,

desasosegado, agitado, intranquilo, atormentado, turbado. ↔ *Calmo, calmado, tranquilo, frío.*

fécula 'Chuño.

fecundar Fecundizar, fertilizar, 'asemillar. ↔ *Esterilizar.* || Engendrar, preñar, cubrir.

fecundidad Fertilidad, feracidad, abundancia, riqueza. ↔ *Esterilidad, aridez.*

fecundo Prolífico. ↔ *Estéril* || Productivo, fértil, fructuoso, feraz, óptimo, abundante. ↔ *Infecundo, improductivo.*

fecha Data. || Día, jornada. || Tiempo, momento, término, vencimiento.

'fechador Matasellos.

fechoría Maldad, desafuero, atentado, malhecho, crimen, mala jugada, mala pasada, mala acción, trastada, travesura, picardía.

federación Confederación, liga, unión, asociación.

'féferes Bártulos, baratijas, trastos.

fehaciente Fidedigno, evidente, cierto, indiscutible.

felicidad Dicha, ventura, beatitud, venturanza, contento, satisfacción, bienestar, bienandanza, suerte, buena estrella. ↔ *Infelicidad, desventura.* || Gusto, contento, júbilo, goce, placer, encanto, delicia, complacencia. ↔ *Disgusto, tristeza.* || Éxito, triunfo, victoria, fortuna. ↔ *Fracaso.*

felicitación Enhorabuena, parabién, congratulación, pláceme, cumplimiento, cumplido, agasajo, norabuena. ↔ *Condolencia, pésame.*

felicitar Cumplimentar, con-

gratular, cumplir, dar el parabién, dar las pascuas. ↔ *Compadecer.*

feligrés Parroquiano.

felino Gatuno.

feliz Dichoso, venturoso, afortunado, bienandante, fausto, encantado, radiante, campante, satisfecho, contento, alegre, boyante. ↔ *Infeliz, desventurado, triste.* || Oportuno, acertado, eficaz, atinado, a propósito. ↔ *Inoportuno, impropio.*

felón Indigno, fementido, alevoso, traidor, infiel, desleal, aleve, pérfido, infame, perverso, falso, malo, zaino, judas. ↔ *Leal, fiel.*

felonía Indignidad, traición, deslealtad, infidelidad, perfidia, infamia, alevosía, prodición, perjurio, 'malón.

felpa Peluche. || Zurra, paliza, tunda, azotaina, solfa, tollina, soba, julepe, leña, somanta, 'frisa. || Regañina, rapapolvo, reprimenda, reprensión, filípica, repasata, sermón. ↔ *Elogio.*

felpudo Ruedo, esterilla, baleo.

femenino Femenil, femíneo, doncellil, mujeriego. || Débil, endeble, delicado, afeminado. ↔ *Viril, fuerte, austero.*

fementido Felón.

fenda Raja, hendedura, grieta.

fenecer Fallecer.

fénico Carbólico.

fenomenal Fenoménico. || Asombroso, tremendo, extraordinario, sorprendente, desmesurado, descomunal, desmedido, maravilloso, colosal, prodigioso, portentoso, morrocotudo.

fenómeno Apariencia, manifestación. || Monstruo, quimera. || Portento, maravilla, prodigio, rareza, coloso.

feo Feúco, feúcho, feote, mal parecido, mal encarado, malcarado, disforme, atroz, repugnante, repulsivo, asqueroso, horrible, 'avocastro, 'imbunche, 'macaco. ↔ *Bello.* || Afrenta, desaire, grosería.

feracidad Fertilidad.

feraz Fértil, fecundo.

féretro Ataúd, caja (mortuoria).

feria Fiesta, descanso, vacación. || Mercado, certamen, ferial. || 'Gato.

feriar Vender, comprar, permutar, trocar. || Descansar, reposar.

fermata Calderón, cadencia.

fermentar Corromperse, alterarse, descomponerse, agriarse, leudarse, venirse, ahilarse.

fermento Levadura, ludia, diastasa.

ferocidad Fiereza, crueldad, barbarie, inhumanidad, ensañamiento, fiereza, salvajismo, encarnizamiento, atrocidad, brutalidad, violencia, salvajada.

feroz Fiero, cruel, inhumano, despiadado, salvaje, bárbaro, rudo, violento, agrio, montaraz, indómito, 'bagual. ↔ *Bondadoso, pacífico, humano.*

férreo Duro, fuerte, inflexible, resistente, tenaz, constante. ↔ *Blando, suave.*

ferretería Ferrería, forja.

ferrocarril Camino de hierro, carril, tren.

ferroviario 'Carrilano.

fértil Fecundo, feraz, productivo, fructuoso, ubérrimo, óptimo, abundante, prolífico, fructífero, pingüe, generoso, rico, copioso, inagotable. ↔ *Estéril, árido.*

fertilidad Fecundidad, feracidad, abundancia, riqueza, producción. ↔ *Esterilidad, aridez.*

fertilizar Fecundizar, abonar, encrasar, engrasar, meteorizar, entarquinar, estercolar, nitratar. ↔ *Esterilizar.*

férula Palmeta, palmatoria. || Dominio, sujeción, tiranía.

ferviente Férvido, fervoroso, vehemente, efusivo, fogoso, ardiente, cálido, caluroso, entusiasta, impetuoso, fanático, furioso, arrebatado, ahincado, febril, devoto, piadoso. ↔ *Frío, impasible.*

fervor Ardor, calor, fogosidad, pasión, entusiasmo, excitación, celo, impetuosidad, intensidad, llama. ↔ *Frialdad.* || Devoción, piedad, unción, exaltación. ↔ *Indiferencia, impiedad.*

festejar Agasajar, halagar, obsequiar, regalar, engorgoritar. || Cortejar, galantear, rondar, babosear, requerir, rondar la calle, hacer la corte.

'festejar Azotar, golpear.

festejo Agasajo, halago, obsequio. || Galanteo, cortejo, camelo, ventaneo, chichisbeo, raboseo. || Fiesta, festividad, regocijo, solemnidad, diversión.

festín Banquete, convite, gaudeamus, comilona, orgía, *kermesse, barbacoa.

festinar Apresurar, precipitar, acelerar, harbar, activar.

festividad San o Santo. || Fiesta, solemnidad, conmemoración, dedicación, celebración, día festivo, disanto. || Agudeza, ·donaire, chiste.

festivo Chistoso, agudo, ocurrente, divertido. || Alegre, regocijado, gozoso, chusco, loquesco, dicaz, jocoso, saleroso, sandunguero, florero, jovial, donoso, entretenido. ↔ *Triste, aguafiestas.*

festón Colgante. || Guirnalda, adorno.

fetiche Ídolo, amuleto, talismán, tótem.

fetichismo Idolatría, totemismo.

fetidez Fetor, hedor, hediondez, peste, pestilencia, tufo, mal olor, cochambre, 'catinga. ↔ *Perfume, olor.*

fétido Hediondo, pestífero, pestilente, maloliente, nauseabundo, apestoso, infecto, viciado, inmundo. ↔ *Oloroso, perfumado.*

feto Engendro, aborto, germen.

feudatario Tributario, vasallo, collazo, pechero, sujeto, sumiso, plebeyo. ↔ *Horro, manumiso, emancipado.*

feudo Vasallaje, respeto. || Dominio, posesión.

fiacre Landó.

fiado (al) A crédito, a plazos.

fiador Garante, garantizador, avalador, segurador, fianza. || Pasador, seguro, pestillo.

'fiador Barboquejo.

fiambre Conserva. || Frío, pasado, inoportuno, muerto.

F **fiambrera** Tarta, tartera. ‖ Portaviandas.

'fiambrera Fresquera.

fianza Fiador. ‖ Garantía, caución, satisfacción, depósito, prenda, aval.

fiar Garantizar, garantir, responder, asegurar. ‖ Confiar. ↔ *Desconfiar.*

fiasco Fracaso, chasco, decepción. ↔ *Éxito.*

fibra Veta, filamento, hebra. ‖ Vigor, energía, resistencia, fortaleza, robustez.

fibroso Hebroso, escleroso.

fíbula Hebilla, alfiler, imperdible.

ficción Fingimiento, disimulo, pamema, paripé, simulación, apariencia. ‖ Fábula, invención, cuento, quimera. ‖ 'Bullarengue.

ficticio Fingido, falso, supuesto, inventado, imaginado, fabuloso. ↔ *Real.* ‖ Convencional.

ficha Pieza, tanto. ‖ Cédula, papeleta. ‖ Filiación, señas, datos.

fichar Filiar, señalar, anotar. ‖ Calar, recelar.

fichero Archivador, cedulario.

fidedigno Auténtico, verdadero, fehaciente.

fidelidad Lealtad, devoción, apego. ↔ *Infidelidad, traición.* ‖ Constancia, exactitud, veracidad, puntualidad, escrupulosidad, probidad. ↔ *Irregularidad, irresponsabilidad.*

fiduciario Legatario, mandatario.

fiebre Calentura, destemplanza, calenturón, causón, temperatura, hipertermia. ↔ *Hipotermia.* ‖ Ardor, agitación, excitación, actividad. ↔ *Desánimo.*

fiel Leal, firme, constante, perseverante, invariable. ↔ *Infiel.* ‖ Exacto, verdadero, verídico, puntual, escrupuloso, probo. ↔ *Irregular.* ‖ Religioso, creyente, cristiano, católico. ‖ Lengüeta.

fieltro Paño.

fiera Bruto, salvaje, fierabrás.

fiereza Ferocidad, crueldad, braveza, saña, furia, salvajismo.

fiero Cruel, sanguinario, brutal, feroz, salvaje, selvático, agreste, silvestre, furioso, violento, bravío, indómito, indomable, ferástico, díscolo. ↔ *Tranquilo, apacible.* ‖ Feo, horroroso, torvo, airado. ‖ Terrible, grande, excesivo, desmesurado, descompasado. ‖ Bravata, amenaza, leonería, majeza, desgarro.

fiesta Festividad, conmemoración, solemnidad, disanto, 'cacharpari, 'guateque. ‖ Alegría, regocijo, diversión, placer. ‖ Chanza, broma, burla. ‖ Agasajo, halago, caricia, carantoña, arrumaco, zalema, zorrocloco, cucamona, garatusa, lagotería, zangunga, adulación. ↔ *Desprecio, desaire.* ‖ Holganza, vacación. ‖ *Kermesse.

'fifiriche Raquítico, enclenque, canijo.

fígaro Barbero, peluquero.

figón Bodegón, fonducho, tasca, 'caramanchel, 'boliche.

figura Forma, configuración, aspecto, apariencia, semblante, continente, aire. ‖ Efigie, imagen, retrato. ‖ Cara, rostro, faz, fisonomía. ‖ Personaje, persona. ‖ Figuración. ‖ Metáfora, tropo.

figuración Figura, emblema, símbolo, representación, facsímil.

figurante Comparsa, extra, partiquino.

figurar Representar, delinear, dibujar. ‖ Aparentar, fingir, suponer, simular, parecer. ‖ Distinguirse, destacarse, representar. ‖ Imaginar, fantasear, creer, suponer.

figurativo Emblemático, simbólico, representativo.

figurín Modelo, patrón, diseño. ‖ Lechuguino, gomoso, petimetre, *dandi.

fijar Hincar, clavar, asegurar, consolidar, sujetar. ↔ *Soltar, aflojar.* ‖ Pegar, encolar. ‖ Inmovilizar, estabilizar, consolidar, establecer. ‖ Determinar, precisar, limitar, designar, señalar, concretar. ‖ Dirigir, detener, aplicar. ↔ *Desviar.* ‖ Imprimir, sellar, marcar. ↔ *Borrar.*

fijarse Atender, reparar, notar, darse cuenta. ‖ Afincarse, domiciliarse, avecindarse. ↔ *Errar.*

fijeza Firmeza, seguridad, inalterabilidad. ‖ Persistencia, continuidad.

fijo Firme, asegurado, asentado, seguro, permanente, clavado, inconmovible, invariable, inalterable, permanente, seguro, inmóvil, inmutable, estacionario, inequívoco, estable. ↔ *Móvil, variable.*

fila Hilera, cola, línea, ristra, ringla, ringle, ringlera.

filamento Hebra, hilo, fibra, cabo, brizna.

filantropía Altruismo, liberalidad, desprendimiento,

desinterés, generosidad. ↔ *Misantropía, egoísmo.*

filántropo Altruista, liberal, generoso, bienhechor, caritativo, desinteresado. ↔ *Misántropo, egoísta.*

filarmónico Músico, melómano, *diletante.

filete Cimbria, cinta, listel, listón, tenia. || Bistec, solomillo.

filfa Engaño, mentira, embuste, patraña, bola, engañifa.

filiación Procedencia, progenie, parentesco. || Dependencia, enlace. || Ficha, señas, datos. || Designación, descripción.

filial Dependencia, sucursal.

filibustero Bucanero, corsario, pirata, contrabandista.

filigrana Delicadeza, primor, adorno, calado. || Marca, señal, corondeles.

filípica Invectiva, reprimenda, peluca, felpa, censura, diatriba, fraterna, zurrapelo. ↔ *Elogio, alabanza.*

filipichín Arretín.

filo Corte, tajo, arista, borde.

filón Hebra, vena, veta. || Negocio, ganga, mina, provecho.

'filoso Afilado.

filosofar Meditar, especular, discurrir, reflexionar.

filosofía Sabiduría. || Resignación, serenidad, fortaleza.

filósofo Sabio, pensador, prudente. || Virtuoso, austero.

filtrar Pasar, destilar, colar, rezumar, exudar, recalar, transpirar.

filtro Filtrador. || Destilador, manantial. || Bebedizo, brebaje.

fimbria Orla, franja, borde.

fimo Estiércol.

fin Término, empate, acabamiento, conclusión, final, coronamiento, consumación, solución, desenlace, extremidad. ↔ *Principio, comienzo.* || Extremo, punta, cabo, cola, colofón. || Intención, móvil, intento, propósito, designio, mira, meta, objetivo, objeto, finalidad.

final Fin, término.

finalidad Fin, intención.

finalizar Terminar, concluir, acabar, rematar, consumar, dar fin, echar la llave, finir. || Extinguir, consumir.

finalmente Por último, en conclusión, por fin, al fin, en definitiva.

financiero Economista, negociante. || Capitalista, potentado.

finar Fallecer, morir, expirar, perecer, acabar. ↔ *Nacer.*

finca Propiedad, inmueble, posesión, predio, fundo (latifundio, minifundio).

finchado Vano, engreído, hinchado, presuntuoso, vanidoso, fatuo, entonado, engolado. ↔ *Sensato, humilde.*

finés Finlandés.

fineza Atención, cortesía, delicadeza. || Obsequio, regalo, presente, dádiva.

fingido Aparente, ilusivo, supositicio, de similor.

fingimiento Simulación, disimulación, engaño, ficción, doblez, hipocresía, socapa.

fingir Simular, aparentar, hacer creer, contrahacer, disimular, ocultar, disfrazar, cubrir, encubrir, asacar. || Imaginar, suponer, inventar.

finiquitar Saldar, cancelar, rematar. || Acabar, concluir, terminar. ↔ *Empezar, comenzar.*

finiquito Quitanza.

'finir Finalizar, acabar, terminar.

finta Amago, pase, lance.

fino Delicado, puro, superior. ↔ *Grosero, ordinario.* || Delgado, sutil, esbelto. ↔ *Pesado, gordo.* || Cortés, cumplido, urbano, atento, educado. ↔ *Descortés, incivil.* || Astuto, sagaz, diestro, penetrante. ↔ *Tardo, lerdo.* || Elegante, primoroso, precioso, acendrado. ↔ *Basto, grosero.*

finura Delicadeza, primor, fineza, sutilidad, sutileza, elegancia, excelencia, filustre, canela. ↔ *Grosería, ordinariez.* || Amabilidad, urbanidad, cortesía, atención, comedimiento. ↔ *Incivilidad.*

fioritura Floreta, arrequive.

fiordo Abra, ría.

firma Nombre, rúbrica, signatura, sello. || Nombre comercial, marca, razón social.

firmamento Cielo, bóveda celeste, éter.

firmante Signatario, suscrito, infrascrito.

firmar Signar, suscribir, visar, rubricar, certificar.

firme Estable, sólido, seguro, fijo, hito, erecto, robusto, a mazo y escoplo. ↔ *Móvil, mutable, débil.* || Constante, invariable, entero, inflexible, inconmovible, infracto, inquebrantable, resoluto, sereno, impávido, imperturbable, inconcuso, 'tesonero. ↔ *In-*

F

F

estable, voluble. || Terreno, piso, suelo, afirmado.

firmeza Estabilidad, solidez, seguridad, fijeza, fortaleza. ↔ *Movilidad, debilidad.* || Constancia, invariabilidad, entereza, tesón, serenidad, inflexibilidad, resolución, impavidez. ↔ *Instabilidad, volubilidad.*

'firuletes Arrequives.

fiscal Ministerio público, acusador, 'sacristán.

fiscalizar Criticar, indagar, calificar, inquirir.

fisco Erario, fiscalía, hacienda, tesoro (público).

fisga Burla, 'janja.

fisgar Husmear, atisbar, fisgonear, curiosear, indagar, rastrear, huronear, deshollinar, cucharetear, meter baza, meter cucharada.

fisgón Husmeador, curioso, entremetido, buscavidas, catacaldos.

físico Material, natural, real, corporal. || Aspecto, faz, exterior, naturaleza.

'físico Pedante, melindroso.

fisonomía Fisionomía, figura, cara, rostro, faz, semblante, expresión. || Aspecto, cariz, carácter, aires.

fisura Fisuración, hendedura, hendidura, fractura, raja, grieta, falla.

fitología Botánica.

fláccido Lacio, laxo, flojo, blando, inconsistente. ↔ *Recio, duro, erecto.*

flaco Delgado, magro, enteco, seco, enjuto, ahilado, cenceño, chupado, descarnado, desecado, entelerido, escuchimizado, escuerzo, esmirriado, esquelético, feble, fideo, lambrija, lamido, macilento, momio, pilongo, 'entelerido, 'flamenco. ↔ *Gordo, obeso.* || Flo-

jo, endeble, desfallecido, depauperado, argüellado, consumido, débil, desmedrado, desmejorado, enfermizo, canijo, encanijado. ↔ *Fuerte, sano.*

flagelar Azotar, fustigar, disciplinar. || Vituperar, maltratar.

flagelo Azote, disciplina. || Castigo, plaga.

flagrante Ardiente, resplandeciente. || Actual, evidente, fragante, *in fraganti, con las manos en la masa.

flama Llama, reverberación, reflejo, resplandor.

flamante Lúcido, resplandeciente, reluciente, rutilante, centelleante, chispeante, brillante. ↔ *Apagado, ofuscado.* || Nuevo, fresco, reciente. ↔ *Viejo.*

flamear Llamear. || Ondear, flotar, ondular, undular.

flamenco Achulado, agitanado, gitanesco, cañí.

flamenco Picaza marina, fenicóptero.

'flamenco Delgado, flaco.

flanco Ala, costado, lado, extremo. || Cadera.

flaquear Debilitarse, aflojar, ceder, cejar, decaer, desmayar, desalentarse, desanimarse, flojear.

flaqueza Debilidad, delgadez, fragilidad, mengua, irresolución, apatía, consunción. ↔ *Vigor, energía.* || Desliz, pecado.

'flato Melancolía, murria, tristeza, náusea, añoranza.

flatulento Ventoso.

flauta Flautillo, pífano, tibia, caramillo.

flautín Octavín.

flébil Lastimoso, lamentable, triste, lacrimoso.

fleco Cordoncillo, flequillo, rapacejo.

flecha Saeta, jara, dardo. || Sagita.

flechar Seducir, enamorar, cautivar.

flechazo Golpe, herida. || Enamoramiento, cautivamiento.

flechilla 'Vinchuca.

fleje Zuncho.

flema Tardanza, lentitud, pachorra, apatía, calma, cachaza, imperturbabilidad, tranquilidad, remanso. ↔ *Alacridad, inquietud.*

flemático Lento, tranquilo, cachazudo, apático, imperturbable, tardo, calmoso, frío, reposado, pachón, posma. ↔ *Impetuoso, impaciente.*

flemón Párulis, tumor, inflamación.

flequillo Fleco. || Tupé. || 'Burrito.

fletar Alquilar, arrendar. || Embarcar, armar, equipar, cargar.

flete Carga, cargamento, 'fardaje.

flexible Dócil, manejable, doblegable, mimbreante, cimbreante, maleable, dúctil, plástico. ↔ *Rígido, inflexible.* || Acomodaticio, blando, lene.

flexión Extensión, inflexión, curvatura, arqueamiento, doblegamiento. ↔ *Rigidez.* || 'Accidente, alteración.

flirtear Coquetear, galantear.

flirteo Amorío, devaneo.

flojedad Flaqueza, debilidad, desaliento, decaimiento, desánimo, indolencia, negligencia, flojera, pereza, haronía, indolencia, descuido. ↔ *Vigor, energía, fortaleza*

flojo Suelto, libre. ↔ *Fijo, atado.* || Perezoso, negligente, tardo, indolente, feble, cobarde, pachucho, pusilánime, harón, panarra, trefe, cagón, pamposado. ↔ *Activo.*

flor Piropo, requiebro, galantería, donosura, chicoleo. || Flor y nata, selección, *élite. || Trampa, picardía, astucia, fullería.

florear Escoger, entresacar.

florecer Prosperar, progresar, adelantar, desarrollarse, brillar, medrar. ↔ *Languidecer.* || Existir, vivir. || Enmohecer.

floreciente Próspero, brillante, boyante, progresivo, pujante. ↔ *Lánguido.*

florero Búcaro, canéfora, ramilletero.

florescencia Floración.

floresta Bosque, selva, arboleda.

florete Espadín, estoque.

florido Escogido, elegante, galano, ameno, retórico, exornado.

florilegio Selección, antología, crestomatía, repertorio, excerpta.

flota Escuadra, armada. || Parque.

flotar Nadar, sobrenadar, sostenerse, emerger. ↔ *Hundirse.* || Ondear, flamear, undular, ondular.

fluctuar Vacilar, dudar, titubear, oscilar. || Culebrear, ondear, ondular.

fluir Correr, manar, escaparse, derramarse, brotar.

flujo Estuación, creciente, influjo, montante, marea, oleada. || Abundancia, efusión. || Fundente, flúor.

fluorita Fluorina, espato flúor.

flux Traje, terno.

fobia Repugnancia, aversión, temor. ↔ *Afición, simpatía.*

foca Carnero marino, becerro marino, lobo marino, vítulo marino.

foco Núcleo, centro.

fofo Esponjoso, blando, ahuecado, muelle, fláccido. ↔ *Consistente.*

'fogaje Fuego, erupción, urticaria. || Bochorno, calor, canícula. || Fogata, hoguera, llamarada.

fogata Fogarata, hoguera, 'fogaje, 'fogón.

'fogón Fuego, fogata.

fogoso Ardiente, ardoroso, impetuoso, violento, brioso, vehemente, impulsivo, violento, vivo, hervoroso, caluroso, brusco, arrebatado, inflamado, entusiasta, extremoso. ↔ *Frío, calmo.*

fogueado Veterano, ducho, curtido, aguerrido, avezado, baqueteado, experimentado, hecho. ↔ *Inexperto, pipiolo.*

foja Focha, falaris, gallareta.

folio Hoja, página.

follaje Hojarasca, broza, fronda, borrajo, borusca, coscoja, espesura, malhojo. || Fárrago, inutilidad, prolijidad, redundancia, vaniloquio.

folletinesco Novelesco, romancesco, aventurero.

'follisca Fullona, pendencia, gresca.

follón Flojo, perezoso, negligente, tumbón, poltrón, holgón, remolón. ↔ *Diligente.* || Cobarde, ruin, capón, collón, cagón. ↔ *Valiente.* || Zullón, ventosidad.

follón Gresca, tumulto, bronca, desbarajuste, zipizape,

trifulca, marimorena, zafarrancho, jarana.

fomentar Vivificar, excitar, promover, proteger, avivar, provocar, atizar, dar pábulo, alimentar, mantener, sostener. ↔ *Apaciguar, mitigar.*

fomento Calor, abrigo, reparo. || Pábulo, alimento, estímulo, auxilio, protección.

fonación Sonido, voz.

fonda Posada, parador, mesón, hostería, hospedería, pensión, hotel, hostal, albergue, venta, ventorrillo, figón, cotarro, bodegón.

fondeadero Anclaje, surgidero, ancladero, dársena.

fondear Anclar, dar fondo, ancorar, surgir, escapar, echar anclas. || Tocar, hacer escala, amarrar. || Examinar, registrar, inspeccionar.

fondo Hondo, base, cimiento, asiento, culo. ↔ *Superficie.* || Obra viva. || Lecho. || Entrañas, manera, modo de ser, esencia, intimidad, interior. || Profundidad, hondura, calado. || Campo, trasfondo, telón. || Caudal, capital, inversión. || Existencia, acervo, tesoro.

'fondo Caldera, saya.

fonética Fonología.

fonógrafo Gramófono, gramola, tocadiscos.

fontanar Fontanal, hontanar, manantial.

forajido Proscrito, bandido, salteador, malvado, facineroso, criminal.

forastero Extraño, foráneo, alienígeno, ajeno, extranjero, exótico, 'nango. ↔ *Compatriota, indígena.*

forcejear Forcejar, forzar,

F

bracear, bregar, resıstir, luchar, intentar, oponerse. ↔ *Avenirse, dejarse llevar.*

forja Fragua, ferrería. || Argamasa.

forjar Fraguar, cinglar. || Formar, concebir, inventar, fingir, imaginar, urdir, fabricar, crear, idear, discurrir, pensar.

forma Apariencia, figura, hechura, diseño, estructura, conformación, configuración, aspecto, estampa, proporción. ↔ *Substancia, materia.* || Tamaño, dimensiones. || Formación, modo, manera, proceso. || Conducta, método, sistema. || Molde, horma, modelo. || Modales, conveniencia, urbanidad. || Formato, tamaño.

formación Forma, elaboración, constitución, creación, producción. || Organización, disposición, cuadro, alineación, orden.

formal Expreso, explícito, preciso, determinado, terminante. ↔ *Indeterminado.* || Serio, juicioso, veraz, puntual, exacto, asiduo, escrupulòso, celoso, cabal, cumplidor. ↔ *Informal.*

formalidad Requisito, fórmula, procedimiento, ceremonia, regla. || Seriedad, compostura, ceremoniosidad, celo, consecuencia. ↔ *Ligereza, frivolidad.* || Exactitud, puntualidad, asiduidad, fidelidad.

formalizar Legitimar, legalizar. || Concretar, determinar, precisar, fijar, delimitar, señalar.

formalizarse Picarse, incomodarse, ofenderse, enfadarse, tomarlo a pecho, darse por sentido.

formar Conformar, configurar, moldear, plasmar, modelar, fabricar, ordenar, organizar, crear. ↔ *Deformar, destruir.* || Juntar, congregar, constituir, integrar, componer. || Criar, educar, adiestrar, instruir.

formarse Ejercitarse, instruirse, educarse, desarrollarse, crecer.

formidable Espantoso, enorme, grande, colosal, gigantesco, excesivo, considerable, monstruoso, tremendo, imponente, horroroso. ↔ *Normal, placentero.*

fórmula Forma, formulario, pauta, norma, proceder, modelo, canon. || Receta, prescripción. || Etiqueta, apariencia.

formular Recetar, prescribir. || Manifestar, proponer, exponer, enunciar, concretar, cristalizar, aclarar.

formulario Fórmula. || Ritual, estatutario, reglamentario. || Recetario, vademécum, prontuario.

formulismo Formalismo, rutina, costumbre, régimen.

formulista Ceremoniero, etiquetero, ceremoniático.

fornicación Fornicio.

fornicio Fornicación. || Prostíbulo.

fornido Fortachón, robusto, membrudo, corpulento, recio, fuerte, forzudo, macizo, musculoso, roblizo, poderoso. ↔ *Débil.*

foro Curia, abogacía.

forraje Pasto, herrén, herbaje, heno, 'cauca, 'capín, 'zácate.

forrar Cubrir, revestir, aforrar, entapizar, tapizar, guarnecer, 'retobar.

forro Entretela, retobo, funda. || Envolvimiento, cubrimiento, vaina.

fortachón Fornido.

fortalecer Fortificar, robustecer, tonificar, entonar, vivificar, remozar, reconfortar, refrescar, animar, reanimar, avivar, reparar. ↔ *Debilitar.*

fortaleza Fuerza, vigor, potencia, resistencia, firmeza, energía, solidez, robustez, rejo, reciedumbre, 'canilla. ↔ *Debilidad.* || Recinto, fuerte, fortificación, castillo, ciudadela, posición, cueto, alcázar, alcazaba, torre, plaza fuerte.

fortificación Fortaleza. || Defensa, posición, atrincheramiento, reducto, batería, alambrada, fortín, blocao, baluarte, casamata.

fortificar Fortalecer. ↔ *Debilitar.* || Reforzar, consolidar, afianzar, arreciar, atrincherar, guarnecer, blindar, amurallar, abastionar, acorazar, parapetar.

fortuito Inopinado, casual, accidental, impensado, imprevisto, incidental, contingente, aleatorio, adventicio, ocasional, esporádico. ↔ *Deliberado, previsto.*

fortuna Azar, casualidad, suerte, hado, destino, estrella, ventura, sino, acaso, dicha, 'zapallo. || Hacienda, bienes, capital, dinero. || Borrasca, tormenta, tempestad, temporal.

forzado Galeote, penado, presidiario, condenado.

forzar Forcejear, forcejar, violentar, constreñir, compeler, obligar, apremiar. || Violar, abusar, estuprar, deshonrar, desflorar, go-

F

zar. || Conquistar, expugnar, tomar, ocupar.

forzoso Obligatorio, necesario, obligado, preciso, inexcusable, imprescindible, inevitable, ineludible, obligatorio, indefectible, fatal. ↔ *Facultativo, libre.*

forzudo Fornido, robusto, hercúleo, vigoroso, corpulento, fortachón, imponente, membrudo, musculoso, poderoso, potente, pujante, recio, roblizo, toroso. ↔ *Débil, enclenque.*

fosa Sepultura, huesa, hoyo, hoya, cárcava, enterramiento, yacija. || Depresión, cavidad.

fosca Calina, niebla, calígene, calima.

fosforescencia Luminiscencia.

fósforo Mixto, cerilla.

fósil Petrificado. || Viejo, anticuado, desusado, vetusto, arcaico, prehistórico, antediluviano.

foso Zanja, hoyo, sopeña, cava, excavación, 'cepa.

fotografía Retrato, 'retratería.

fracasar Frustrarse, malograrse, estrellarse, fallar, anublarse, naufragar, abortar, torcerse, irse abajo, volverse agua de cerrajas, 'escollar. ↔ *Triunfar, salir bien, resultar.*

fracaso Malogro, frustración, ruina, aborto, fiasco, revés, descalabro, infortunio, chasco, barquinazo, negación. ↔ *Triunfo, éxito.* || Fragor, estruendo.

fracción División, fraccionamiento, quebrantamiento. || Parte, fragmento, trozo, porción, pedazo. || Quebrado, cociente (indicado).

fraccionar Dividir, partir, quebrantar, fragmentar, romper.

fractura Rotura, efracción, ruptura, quebradura, cisura, desgajadura.

fracturar Romper, quebrar, escachar, partir, hender.

fragancia Aroma, perfume, olor, aromaticidad. ↔ *Hedor.*

fragante Oloroso, perfumado, balsámico, bienoliente, odorante, odorífero, aromatizante, aromático, aromoso, aromado, galano. ↔ *Maloliente, pestilente.*

frágil Quebradizo, rompible, deleznable, frangible, inconsistente, lábil, delicado. ↔ *Fuerte.* || Débil, endeble. ↔ *Robusto.* || Caduco, perecedero. ↔ *Duradero.*

fragilidad Inconsistencia, friabilidad, debilidad. ↔ *Resistencia.*

fragmento Fracción, parte, porción, división, trozo, pedazo, partícula, cacho, pieza, tranco, resto.

fragor Estruendo, estrépito, ruido, bramido, fracaso.

fragoroso Fragoso, ruidoso, estruendoso, tronitoso, estrepitoso, atronador. ↔ *Silencioso, callado.*

fragosidad Aspereza, espesura, breña, abruptuosidad, fraga, breñal, anfractuosidad. ↔ *Llanura, llanada.*

fragoso Abrupto, áspero, escabroso, escarpado, áspero, quebrado, breñoso, intrincado, accidentado, tortuoso, anfractuoso. ↔ *Liso.* || Fragoroso.

fragua Forja.

fraguar Forjar. || Idear, imaginar, proyectar, formar, concebir. || Urdir,

tramar, maquinar. || Cuajar, trabar, endurecerse.

fraile Fray, hermano, religioso, monje, siervo.

frambuesa Sangüesa.

frambueso Churdón, fraga.

francachela Orgía, bacanal, cuchipanda, comilona, gaudeamus, holgorio, tragantona.

francalate Zambarco.

francés Galo, franco, gabacho, franchute.

francmasonería Masonería.

franco Liberal, dadivoso, desprendido, noble, desinteresado, largo, pródigo, bizarro, caritativo, lucido. ↔ *Avaro, mezquino.* || Libre, exento, dispensado, privilegiado, exceptuado. ↔ *Sujeto.* || Desembarazado, limpio, expedito, abierto.

'francolino Réculo.

frangollar Farfullar, chapucear, chafallar.

'frangollo Pienso, revoltijo.

franja Faja, lista, tira, borde, ribete, fimbria.

franquear Libertar, exonerar, dispensar, eximir, redimir, manumitir, librar, liberar. || Desembarazar, desobstruir, desatascar, abrir. ↔ *Cerrar, atajar.*

franquearse Espontanearse.

franqueza Libertad, exención, franquicia. ↔ *Obligación.* || Sinceridad, llaneza, sencillez, lisura, naturalidad, campechanía, ingenuidad, sinceridad. ↔ *Hipocresía, disimulo.* || Liberalidad, generosidad, dadivosidad. ↔ *Avaricia, ruindad.*

franquicia Franqueza, exención.

frasco Envase, pomo.

frase Expresión, locución, decir, dicho, oración.

F

fraterna Corrección, reprimenda, reprensión, filípica. ↔ *Elogio.*

fraternidad Hermandad, armonía, concordia, unión, amor, amistad, cariño, afecto. ↔ *Desunión, enemistad.*

fraternizar Hermanar, unir, confraternizar, simpatizar. || Alternar, tratarse, avenirse.

traterno Fraternal.

fratricida Caín, cainita, asesino.

fraude Estafa, engaño, mentira, falsificación, falacia, dolo, fraudulencia, superchería, trapaza, mohatra, socaliña, pella, maca, bribonada, garrama.

fraudulento Falso, engañoso, frauduloso, falaz, mentiroso, falsificado, doloso, 'brujo.

fray Fraile.

frazada Manta, cobertor, cubrecama.

frecuencia Repetición, frecuentación, menudeo, sucesión, asiduidad, periodicidad. ↔ *Interrupción.*

frecuentación Frecuencia, || Trato, intimidad, amistad, relaciones.

frecuentar Soler, menudear, acostumbrar. || Visitar, concurrir, tratar.

frecuente Repetido, reiterado, asiduo, acostumbrado, periódico, regular. ↔ *Irregular, extraño.* || Habitual, común, ordinario, corriente, usual, natural. ↔ *Extraordinario, insólito.*

frecuentemente A menudo, de pasto, a cada paso.

fregado Enredo, lío, embrollo. || Pelea, riña, follón, refriega, lucha.

fregado Majadero, enfado-

so, importuno. || Tenaz, terco. || Bellaco. ruin.

fregador Fregajo, estropajo. || Fregadero, barreño, artesa, lebrillo.

fregar Frotar, restregar, estregar, 'trapear. || Baldear, lavar, limpiar.

'fregar Fastidiar, molestar, jorobar.

fregatela Baldeo, limpieza.

fregona Fregatriz, criada.

fregotear Lavotear, jamerdar.

freile Fray.

freír Sofreír, 'fritar. || Mortificar, encocorar, molestar, importunar.

frenar Enfrenar. || Moderar, parar, refrenar, reprimir, sofrenar, sujetar, detener. ↔ *Acelerar.*

frenesí Delirio, furor, furia, arrebato, pasión, exaltación, ceguera, ceguedad, enajenación, excitación. ↔ *Placidez, sosiego.*

frenético Exaltado, arrebatado, furioso, rabioso. ↔ *Tranquilo, plácido.* || Loco, enajenado, delirante, energúmeno. ↔ *Pacífico, sensato.*

freno Bocado, 'retranca. || Sujeción, moderación, dique, coto, tope. ↔ *Acicate.*

frenópata Alienista, psiquiatra.

frente Testero, testuz, testera. || Semblante, cara, faz. || Delantera, cara, anverso, fachada. ↔ *Cruz, reverso.* || Primera línea, línea, primera fila, vanguardia. ↔ *Retaguardia.*

freo Canal, paso, estrecho, puerto.

fresa Fresera, fragaria. || Madroncillo.

fresa Avellanador.

fresco Frío, helado, 'refres-

co. ↔ *Templado.* || Reciente, nuevo, flamante, recién hecho. ↔ *Pasado.* || Rollizo, sano, saludable. ↔ *Enfermizo.* || Sereno, inmutable, tranquilo, sereno, impávido, 'morocho. ↔ *Turbado, inquieto.* || Desvergonzado, descocado, descarado, desfachatado, inverecundo, procaz, insolente, frescales. ↔ *Tímido, prudente.* || Frescura.

frescura Frescor, fresco. || Amenidad, fertilidad, lozanía. ↔ *Agostamiento.* || Desembarazo, desenfado, desfachatez, atrevimiento, desvergüenza, descoco, licencia, tupé, insolencia, desgarro. ↔ *Timidez, prudencia.* || Chanza, pulla, destemplanza. || Descuido, negligencia, abandono. ↔ *Diligencia.* || Tranquilidad, serenidad, imperturbabilidad, impavidez. ↔ *Turbación, inquietud.*

fresón 'Frutilla.

fresquedal Verdinal, vergel.

fresquera Sibil, 'fiambrera.

frey Freile.

frez Freza, estiércol, fiemo, excremento.

freza Desove.

frialdad Frío, frigidez. || Indiferencia, desapego, despego, desamor, flojedad, descuido. ↔ *Afición, ardor.*

'friega Molestia, fastidio. || Tunda, zurra, paliza.

frigorífico Nevera.

fríjol Fréjol, judía, frísol, frisuelo, faba, 'ayocobe, 'calamaco.

frío Frialdad, frigidez, frescor, fresco, frescura, helor. ↔ *Calor, ardencia.* || Frígido, álgido, helado, gélido, congelado, glacial, crudo. ↔ *Caliente, caluroso*. ‖ Yerto, aterido, arrecido, esmorecido, transido. ↔ *Animado*. ‖ Indiferente, impasible, impávido, tranquilo, sereno, imperturbable, insensible, flemático, desapegado, despegado. ↔ *Ardoroso, atento, solícito*.

friolera Fruslería, bagatela, nadería, futesa.

friolero Friolento.

'frisa Felpa.

friso Rodapié, zócalo, alizar.

frísol y **frisuelo** Fríjol.

'fritar Freír.

fritura Fritada, fritanga.

frívolo Ligero, veleidoso, inconstante, inconsecuente, insubstancial, voluble. ↔ *Constante, adicto*. ‖ Fútil, baladí, fruslero, huero, vano, trivial, superficial, anodino. ↔ *Importante*.

fronda Hoja. ‖ Espesura.

'frondio Displicente, molesto, fastidiado. ‖ Sucio, desaseado.

frondosidad Frondas, espesura, ramaje, hojarasca, frasca, borrajo, borusca, coscoja, follaje, broza, ramiza. ↔ *Calvero*.

frondoso Espeso, tupido, denso, lujuriante, exuberante, cerrado. ↔ *Vacío, calvo*.

frontal Frental.

frontalera Frontil.

frontera Raya, confín, límite, linde, borde. ‖ Frontis, fachada.

fronterizo Frontero. ‖ Rayano, colindante, confinante, lindante, limítrofe, limitáneo, lindero, divisorio, contiguo. ↔ *Opuesto, lejano*.

frontis y **frontispicio** Fachada, frontera, frentera,

frente, delantera, portada. ↔ *Trasera*.

frontón Frontispicio, fastigio. ‖ Cancha, trinquete.

frotación Frotamiento, frote, frotadura, fregamiento, refregón, restregamiento, restregadura, fricción, fricación, roce, rozamiento, ludimiento, estregadura, estregón, erosión, rascamiento.

frotar Fregar, refregar, restregar, friccionar, rozar, ludir, estregar, rascar, raspar, raer, confricar, limar, desgastar, lijar, pulir, esmerilar, lustrar, frisar, tazar.

frote Frotación.

fructífero Fructuoso, lucrativo, productivo, provechoso, beneficioso, valioso, útil, redituable, fértil. ↔ *Improductivo, nulo*.

fructificar Frutar, producir, granar, dar fruto, frutecer. ‖ Rendir, dar, redituar, dejar, beneficiar, aprovechar. ↔ *Costar, perjudicar*.

frugal Parco, templado, comedido, moderado, sobrio, mesurado, morigerado, abstinente, continente. ↔ *Intemperante, goloso*.

frugalidad Parquedad, templanza, comedimiento, moderación, sobriedad, mesura, parsimonia, simplicidad, temperancia, morigeración, abstinencia, continencia. ↔ *Avidez, voracidad, intemperancia*.

fruición Complacencia, placer, goce, disfrute, recreo, regodeo.

fruir Gozar, disfrutar, recrearse, regodearse.

frumentario Frumenticio, triguero, cerealista.

frunce Arruga, pliegue.

fruncimiento Fingimiento, embuste, engaño.

fruncir Doblar, plegar, arrugar, gandujar. ↔ *Alisar*. ‖ Estrechar, reducir, recoger. ↔ *Desarrollar*. ‖ Tergiversar, obscurecer, velar, alterar.

fruslería Aguachirle, ajaspajas, ardite, bagatela, baratija, bicoca, borrufalla, bujería, chilindrina, chichería, embeleco, friolera, futesa, futileza, futilidad, inanidad, insignificancia, insubstancialidad, inutilidad, menudencia, minucia, miseria, nadería, niñería, nonada, oropel, paja, pamplina, pampringada, papandujo, patarata, pequeñez, pijotería, puerilidad, relumbrón, tontería, zarandajas, 'gurrumina. ↔ *Excelencia, cosa importante o trascendente*.

fruslero Fútil, frívolo, insubstancial, trivial, liviano, anodino, pobre, baladí, desaborido, huero, 'uslero. ↔ *Importante, trascendente*.

frustrar Malograr, defraudar, dificultar, estropear, escacharrar, echar a perder, burlar, chasquear, eludir.

frustrarse Torcerse, anublarse, naufragar, emborrascarse, abortar, fallar, faltar, estrellarse, fracasar, desgraciarse, volverse agua de cerrajas, salir el tiro por la culata, salir con el rabo entre piernas, salir huero, quedarse asperges, venirse a tierra, errar el tiro. ↔ *Triunfar, lograr, acertar*.

frutar Fructificar.

F

F 'frutilla Fresón.

fruto Fruta. || Producto, producción, objeto, resultado, obra, parto, creación. || Utilidad, provecho, beneficio, recompensa, esquilmo, lucro, jugo, rendimiento, usura, cosecha, recolección.

fucilar Fulgurar, destellar, rielar, centellear.

fucilazo Relámpago, centella.

fuego Ignición, combustión, incandescencia, llama, lumbre, brasa, 'fogón. || Incendio, quema, hoguera. || Ahumada. || Hogar, casa. || Ardor, vehemencia, vivacidad, ímpetu, pasión. || Disparo, estallido, bombardeo.

fuego fatuo 'Candelilla.

fuelle Pava, barquín. || Fraile, pliegue, arruga.

fuente Manantial, fontana, hontanar, venero, agua viva. || Principio, origen, fundamento, germen, antecedente, comienzo, causa.

fuera Afuera.

fuera de Excepto, salvo.

fuera de que Además, aparte de que.

fuero Jurisdicción, poder, ley. || Privilegio, exención, franquicia. || Arrogancia, presunción, jactancia, humos.

fuerte Sólido, corpulento, duro, firme, fornido, forzudo, fortachón, hercúleo, imponente, lacertoso, macizo, membrudo, musculoso, poderoso, potente, recio, resistente, roblizo, toroso. ↔ *Débil, frágil.* || Acentuado, tónico, agudo. ↔ *Átono.* || Áspero, fragoso, accidentado. ↔ *Liso.*

|| Fortificación, fortaleza. || Animoso, varonil, enérgico, firme, esforzado, invencible, tenaz, valiente, 'pellín, 'ñeque. ↔ *Inconsistente, cobarde.*

fuerza Pujanza, potencia, energía, vigor, fortaleza, vitalidad, poder, resistencia, firmeza, aguante, solidez, robustez, reciedumbre, rejo, 'ñeque. ↔ *Debilidad.* || Intensidad, ímpetu, impetuosidad, ardimiento, violencia, potencia. ↔ *Impotencia, inanición.* || Autoridad, poder, coacción. || Acción, energía, virtud, eficacia.

fuga Huida, evasión, escapada, escapatoria, salida, escape, 'disparada. ↔ *Detención, retención.*

fugarse Huir, escaparse, evadirse, afufar, largarse, 'emplumar. ↔ *Presentarse, comparecer.*

fugaz Huidizo, fugitivo. || Efímero, momentáneo, perecedero, breve, corto, pasajero. ↔ *Duradero.*

ful Vano, vacío, falso.

fulano Mengano, perengano, zutano, no sé cuantos.

fulcro Hipomoclio.

fulero Chapucero, frangollón, inútil.

fulgente Resplandeciente, brillante, esplendente, fúlgido. ↔ *Apagado.*

fulgor Luz, claridad, brillo, brillantez, resplandor, esplendor, fulguración, rayo, chispa, destello, centelleo. ↔ *Oscuridad, tinieblas.*

fulgurar Brillar, resplandecer, chispear, centellear, fulgir, fucilar, coruscar.

fúlica Gallineta, gallina de río, polla de agua, rascón.

fuliginoso Holliniento. ||

Oscurecido, tiznado, ahumado, denegrido.

fulminar Arrojar, lanzar, tronar. || Dictar, imponer.

fullería Engaño, dolo, trampa, estafa, trapacería, maulería, pastel. || Astucia, cautela, socaliña.

fullero Tramposo, tahúr, pícaro, dinillero, griego, bribón.

fullona Riña, pendencia, follón, 'follisca.

fumada Vaharada, bocanada.

fumar Humear, 'pitar.

fumarse Gastar, pulirse, consumir.

fumaria Palomilla, palomina.

fumigar Desinfectar, 'humear.

fumista Deshollinador.

fumoso Humoso, humeante. ↔ *Terso, límpido.*

funámbulo Equilibrista, volatinero.

función Oficio, ejercicio, empleo, ministerio, cargo, puesto, ocupación, situación. || Espectáculo, diversión, fiesta.

funcionamiento Juego, articulación, movimiento, marcha.

funcionar Andar, marchar, moverse, trabajar.

funcionario Empleado, oficial, oficinista.

funda Manguita, cubierta, bolsa, envoltura, vaina, 'carcaj.

fundación Creación, erección, institución, establecimiento, instauración. || Legado, donación.

fundamental Esencial, primordial, básico, cardinal, principal. ↔ *Accidental.*

fundamentar Cimentar, establecer, basas, razonar,

documentar, asegurar, afirmar.

fundamento Cimiento, apoyo, base, sostén. || Razón, causa, motivo, pretexto. || Origen, principio, raíz. || Rudimento. || Seriedad, formalidad, juicio, sensatez.

fundar Edificar, construir, basar, cimentar, erigir. || Instituir, establecer, crear, implantar. || Estribar, armar, apoyar, apuntalar. || Justificar, razonar.

fundente Flujo, flúor.

fundible Conflátil.

fundibulario Hondero.

fundíbulo Fonébol.

fundición Fusión, conflación.

fundir Derretir, licuar, liquidar, copelar. || Moldear, vaciar. || Unir, amalgamar, fusionar. ↔ *Dividir:*

fundirse Arruinarse, hundirse.

fundo Finca rústica.

fúnebre Funerario, funéreo, funeral. || Luctuoso, lúgubre, sombrío, triste. ↔ *Fausto.* || Tétrico, macabro.

funeral Funerario. || Exequias, sufragio.

funerario Funeral.

funéreo Fúnebre.

funesto Aciago, infausto, luctuoso, nefasto, fúnebre, sombrío. ↔ *Fausto.* || Desastroso, desgraciado, triste, doloroso. ↔ *Alegre.*

fungoso Esponjoso, fofo, poroso, ahuecado. ↔ *Prieto, denso.*

furia Erinia, euménide. || Violencia, impetuosidad, ímpetu, saña, frenesí, furor, arrebato, arranque, vehemencia. ↔ *Calma, placidez.* || Prisa, velocidad, diligencia. ↔ *Calma.*

furibundo Colérico, airado, furioso, rabioso, delirante, energúmeno, furente, arrebatado, fuera de sí, iracundo, frenético. ↔ *Plácido, tranquilo.*

furioso Furibundo, furente, loco, arrojado, desenfrenado, poseído, poseso, irritado. ↔ *Plácido, afable.* || Violento, terrible, desencadenado, impetuoso. ↔ *Sereno, sosegado.*

'furnia Lima.

furo Huraño, áspero, indómito. ↔ *Sociable.*

furor Furia. || Arrebato, transporte, delirio, sobreexcitación, exaltación. ↔ *Parsimonia.*

'furruco Zambomba.

furtivamente Ocultamente, a escondidas, a hurto, a hurtadillas, bajo mano, por lo bajo.

furtivo Oculto, escondido, sigiloso. ↔ *Manifiesto.*

furúnculo Forúnculo, divieso.

fusiforme Ahusado.

fusible Fundente, fundible, fúsil. || Plomo.

fusil Chopo, mosquetón, carabina, boca de fuego

(máuser, rémington, winchester, etc.).

fusilar Ejecutar, pasar por las armas. || Plagiar, copiar.

fusión Licuación, liquidación, fundición. || Unión, mezcla, reunión, conciliación, reconciliación, unificación, compenetración. ↔ *Separación.*

fusionar Fundir, liquidar, licuar. || Unir, juntar, reunir, conciliar, unificar. ↔ *Separar.*

fusta Látigo, 'cuarta, 'talero, 'rebenque.

fustal, fustán, fustaño Bombasí, bombací.

'fustán Enaguas, refajo.

fuste Vara, palo, asta, madera. || Nervio, entidad, importancia, fundamento, substancia. || Caña, escapo.

fustigar Azotar, pegar, flagelar. || Vituperar, censurar, verberar.

fútbol Balompié.

futesa Fruslería.

fútil Pequeño, frívolo, nimio, insubstancial, vano, vacío, veleidoso, insignificante, superficial. ↔ *Substancial, esencial.*

futilidad Fruslería.

futraque Levita, casaca. || Lechuguino, petimetre.

'futre Lechuguino.

futura Prometida, novia.

futuro Venidero, acaecedero. ↔ *Pasado, pretérito.* || Porvenir, mañana, perspectiva, destino. ↔ *Pasado, ayer.* || Novio, prometido.

G

gabán Abrigo, sobretodo, paletó, levitón.

gabardina Impermeable, barragán, trinchera.

gabarra Barcaza.

gabarro Haba, nódulo. || Pepita, moquillo.

gabela Servidumbre, tributo, impuesto, contribución, gravamen, arbitrio.

gabinete Aposento, alcoba, salita. || Ministerio, gobierno, cartera. || 'Asistencia.

gaceta Periódico, diario, noticiero.

gacetilla Artículo. || Correveidile, chismoso, charlatán.

gacetillero Periodista, articulista, currinche.

gacha Masa, papilla, papa. || Cuenco, escudilla.

gachas Puches, sopas, farinetas, hormigo, poleadas, polenta. || 'Atole, 'atolillo, 'sanco, 'ñaco.

gachas (andar a) Andar a gatas, andar a tatas, gatear, cuatropear.

gacho Encorvado, inclinado. ↔ *Enhiesto.*

gachón Gracioso, salado, atractivo, meloso, zalamero. ↔ *Adusto, descortés.*

'gachumbo Cáscara, corteza.

gafa Grapa, enganche.

gafas Anteojos, antiparras, lentes, espejuelos.

'gago Tartamudo.

'gaguear Tartamudear.

'gaguera Tartamudez.

gaita Chirimía, cornamusa, dulzaina.

gaje Emolumento, ganancia, estipendio, salario, retribución, obvención, momio. sueldo.

gajes del oficio Perjuicios, sinsabores, molestias, incomodidades (del oficio o del empleo).

gajo Rama, garrón, garrancho, gancho. || Carpa, racimo. || Lóbulo.

gala Vestido, adorno, ornato. || Excelencia, preciosidad, admiración, joya, perla, alhaja. ↔ *Vergüenza.* || Gallardía, alarde, ostentación, gracia, bizarría.

galaico Gallego.

galán Galano. || Adonis. ↔ *Picio.* || Galanteador, cortejador, pretendiente, novio. || Actor, estrella.

galano Adornado, acicalado, compuesto, emperifollado, galán, elegante, gallardo, garrido, primoroso, pulcro, pulido, bonito. ↔ *Sencillo.*

'galano Lozano, hermoso, fragante.

galante Atento, obsequioso, amable, cortés, urbano, cortesano, devoto. ↔ *Descortés.* || Amoroso, amatorio, erótico, liviano.

galante Mesalina, coscolina, galocha.

galantear Enamorar, cortejar, hacer el amor, hacer la corte, rondar, ruar, festejar, requebrar, solicitar, chichisbear, babosear, quillotrar, pasear o rondar la calle, flirtear.

galanteo Coqueteo, enamoramiento, cortejo, festejo, camelo, requiebro, martelo, raboseo, chichisbeo, flirteo.

galantería Atención, cortesía, cortesanía, gentileza, rendibú, delicadeza. ↔ *Desaire, grosería.* || Gallardía, galanura, bizarría, donosura, gracia. || Piropo, requiebro, flor.

galanura Gallardía, galantería, donosura.

galardón Premio, recompensa, remuneración, lauro, honra, distinción, *label.

galas Joyas, arreos.

galbana Pereza, holgazanería ociosidad, flojera, haraganería, carpanta, zangarriata. ↔ *Actividad, diligencia.*

galena Alcohol.
galeno Médico.
galeón Bajel, galera.
galeote Forzado, penado, condenado.
galera Carro, carromato, camión. || Cárcel. || Crujía, nave. || Garlopa.
'galera Cobertizo, tinglado.
galería Porticado, mirador, solana, *loggia. || Museo, exposición, pinacoteca. || Túnel. || Paraíso, general, gallinero.
galerita Cogujada.
galerna Borrasca, vendaval, tormenta. ↔ Calma.
'galerón Cobertizo, tinglado. || Romance.
'galga Hormiga amarilla.
gálgulo Rabilargo.
galicista Afrancesado.
galillo Campanilla, úvula.
galimatías Embrollo, guirigay, algarabía, jerigonza. || Confusión, desorden. ↔ Orden.
galo Gálico, francés.
galocha Zueco.
galón Cinta, trencilla. || Insignia, entorchado, orifrés, jineta, sardineta, charretera.
galopar 'Galuchar.
galope (a) A toda brida, a todo correr o meter, 'galucha.
galopillo Marmitón, pinche.
galopín Pícaro, bribón, pillo.
'galpón Barraca, cobertizo.
'galucha Galope.
'galuchar Galopar.
galladura Prendedura, engalladura.
gallardear Gallear.
gallardete Banderola, insignia, distintivo, flámula, cataviento, oriflama.
gallardía Desenfado, buen aire, despejo, gentileza,

galanura, garbo, gracia, cimbreo, sal, sandunga, salero, alarde, donaire, gracejo, donosura, esfuerzo, arresto, apostura, airosidad, galantería, garrideza, soltura, desenvoltura. ↔ Mala sombra. || Bizarría, ánimo, valor, marcialidad, brío, bravosidad, guapeza, chulería, arrojo. ↔ Pusilanimidad, gallinería.
gallardo Desembarazado, airoso, galán, apuesto, gentil, guapo, galano, garrido, barbián, garboso, cimbreño, juncal. ↔ Desgarbado, fargallón. || Bizarro, valeroso, arrojado, animoso, valiente, marchoso, rumboso, marcial, curro, chulo, flamenco. ↔ Medroso, pusilánime.
gallareta Foja.
gallarofa Farfolla, perfolla, vaina.
gallarón Sisón.
gallear Envalentonarse, jactarse, presumir, guapear, gallardear, bizarrear, cimbrearse. ↔ Abatirse, encadarse. || Sobresalir, descollar, mandar, imponerse. ↔ Achicarse.
gallego Galaico.
'gallego Español. || Lagartija. || Gaviota.
galleta Pasta, bizcocho, broa. || Bofetada, cachete, chuleta, papirotazo, 'gaznatada.
gallina Pita, polla, 'chachalaca.
gallina de Guinea 'Gallineta.
gallinería Cobardía, pusilanimidad.
gallinero Corral. || Paraíso, general, galería.
gallineta Fúlica, chocha.

'gallineta Gallina de Guinea.
'gallito Rehilete. || Caballito del diablo.
gallo Destemple, desafinación, gallipavo. || Ceo, pez de San Pedro. || Mandamás, mandón, mangonero.
'gallo Rehilete.
gallo salvaje Urogallo.
gallofa Cuento, chisme, hablilla.
gallofear Holgazanear, mendigar, limosnear, pordiosear. ↔ Trabajar.
gallofero Gallofo, holgazán, pedigüeño, vagabundo, guitón, gorrón, mangante.
gallón Tepe, césped.
'gallote Resuelto, atrevido, valiente.
gama Escala, gradación.
gamarra 'Braguero, 'bajador.
gambaro Camarón.
gamberra Ramera.
gamberro Galocho, goliardo, licencioso, disoluto.
gambox Gambujo, cambuj, mascarilla, antifaz.
gamella Artesa, comedero.
gamitido Ronca, brama.
gamo Dama, paleto.
gamón Gamonita, asfódelo.
'gamonal Cacique.
gamuza Rupicapra, rebeco, robezo.
gana Hambre, apetito. ↔ Desgana. || Deseo, afán, gusto, voluntad, ansia, avidez, acucia. ↔ Desgana.
'ganada Ganancia.
ganadería Zootecnia.
ganadero Pecuario, 'campista.
ganado Rebaño, grey, hato, hatajo, manada, haberío.
ganancia Negocio, utilidad, provecho, rendimiento, granjería, lucro, fruto, producto, ancheta, momio,

G

ganga, ingreso, ventaja, adehala, esquilmo, 'ganada. ↔ *Pérdida.*

'ganancia Propina, adehala.

ganapán Mandadero, recadero, portador, esportillero, faquín, bracero, ajobero, mozo de cordel, palurdo, villano, gamberro.

ganar Lograr, adquirir, aumentar, sacar, reunir, obtener, percibir, devengar, cobrar, 'causear. ↔ *Perder.* || Conquistar, v e n c e r, triunfar, aventajar, exceder, sobrepujar, superar, mejorar, traspasar. ↔ *Perder.* || Tomar, dominar, captar, adquirir, conseguir. ↔ *Perder.* || Alcanzar, llegar. || Captarse, granjearse, atraerse. || Prosperar, medrar, subir, ascender, enriquecerse. ↔ *Descender.*

gancho Garabato, garabito, garfio, guincho. || Garrancho, garrón, 'garrancha. || Perillán, randa, tahúr, pícaro. || Garrapato, rasgo.

'gancho Horquilla.

gandido Comilón, glotón, hambrón, carpanta.

'gandinga Chanfaina.

gandujar Encoger, fruncir, plegar.

gandul Holgazán, haragán, perezoso, tumbón, indolente, poltrón, panarra, roncero, gandumbas, harón, remolón, vilordo, candongo, ganso, vagabundo. ↔ *Trabajador, trafagón.*

gandulear Holgazanear, pajarear, candonguear, haraganear, remolonear, vagabundear, roncear, apoltronarse, tumbarse, criar molleja, matar el tiempo, mirar las musarañas. ↔ *Trabajar, atrafagar.*

gandulería Pereza, indolencia, desidia, holganza, poltronería, haraganería, holgazanería, vagancia, flojera, flojedad, gandaya, vagabundeo, tuna, briba, roncería, zanganería. ↔ *Actividad, trabajo.*

ganga Ventaja, momio, prebenda, sinecura, canonjía, breva, mina, 'mamandurria.

'gangocho Guengoche.

gangueo Gangosidad, nasalidad, nasalización.

ganoso Hambriento, afanoso, ansioso, deseoso, ávido, acucioso, desalado. ↔ *Desalentado.*

ganso Ansar. || Gandul. || Rústico, torpe, lerdo, zote, desmañado, grosero, 'canquén, 'quetro.

ganzúa Palanqueta.

gañán Mozo, destripaterrones, cachicán. || Charro, patán.

gañir Aullar, ladrar. || Graznar. || Resollar.

gañón o gañote Garguero, garganta.

garabatear Garrapatear.

garabato Gancho, garfio. || Garrapato. || Aire, garbo, gentileza. || Almocafre.

'garabato Horca, horcón.

garaje Cochera.

garambaina Fárrago, perifollo, ringorrangos. || Visaje, mueca. || 'Guara.

'garandumba Balsa, armadía.

garante Garantizador, fiador, avalista, abonador.

garantía Seguridad, protección, afianzamiento. || Fianza, prenda, caución, aval, recaudo, hipoteca.

garantir o garantizar Avalar, responder, asegurar, caucionar, abonar, fiar,

proteger, dar fianza, salir responsable.

garantizador Garante.

garañón Semental, 'hechor.

garatusa Carantoña, arrumaco, fiesta.

garbanzo Chícharo.

garbera Tresnal.

garbillo Zaranda, criba, cedazo, harnero.

garbo Gallardía, gentileza, aire, elegancia, buen porte, gracia, perfección. || Bizarría, desinterés, largueza, rumbo.

garboso Airoso, gallardo, gentil. ↔ *Desgarbado.* || Dadivoso, generoso, liberal.

garduña Fuina.

garete (ir al) Ir sin gobierno, ir a la deriva.

garfa Garra.

garfio Gancho, garabito, garabato, arpón, arrejaque.

gargajo Esputo, escupitajo, pollo, flema, expectoración.

garganta Gorja, gola, galillo, garguero, gaznate, gañote, gañón, pasapán, tragadero. || Gollizo. || Cuello, gollete. || Desfiladero, puerto, angostura. || Degolladura.

gargantear Gorgoritar, gorgoritear.

gargantilla Collar.

gárgara Gargarismo.

gárgola Caño, canalón, canalera, vertedor.

gárgola Vaina, baga.

garguero Garganta.

garita Casilla, torrecilla. || Quiosco, portería.

garitero Tablajero, tahúr, jugador.

garito Tablaje, gazapón, leonera, tasca, chirlata, tahurería, mandracho, coima, matute, timba.

garlar Charlar, parlar, rajar, parlotear, cascar, picotear.

garlito Celada, trampa, lazo, asechanza. || Nasa, buitrón, carriego.

garlopa Cepillo, galera.

garniel 'Garriel.

'garniel Maletín, estuche.

garra Garfa, zarpa, mano.

garrafa Bombona, redoma, damajuana.

garrafal Exorbitante, excesivo, enorme, monumental, colosal, morrocotudo, descomunal, desmesurado, descomedido, disparatado.

'garrancha Gancho.

garrapata Arañuelo, caparra.

garrapatear Garabatear, borrajear, borronear, emborronar, escarabajear.

garrapato Rasgo, garabato, escarabajo, gancho, garambaina.

'garras Desgarrones, harapos.

garrido Gallardo, galano.

garrocha Sacaliña, vara, pica, puya.

garrón Espolón. || Gancho, garrancho. || 'Calcañar.

garrotazo Leñazo, trancazo, bastonazo, porrada, estacazo, varapalo, zurrido.

garrote Bastón, cayado, estaca, tranca, palo, vara. || 'Magana, 'tolete.

garrote (dar) Estrangular, ejecutar.

'garrotear Apelar.

garrotillo Crup, difteria.

garrucha Polea, carrillo.

gárrulo Hablador, parlanchín, charlatán.

'garúa Llovizna.

'garuar Lloviznar.

garzo Azul, azulado. || Agárico.

garzón Joven, mozuelo, mozo, mancebo.

gasa Cendal.

gasolina Esencia, bencina.

gasón Yesón.

gastador Batidor. || Malrotador, manirroto, malgastador, dilapidador, derrochador, disipador. ↔ *Avaro.*

gastar Consumir, desgastar, deteriorar, estropear, apurar, agotar. ↔ *Conservar.* || Emplear, expender, desembolsar, invertir, expender, pagar, despender, demediar, derrochar, dilapidar, disipar, dar aire, rascarse el bolsillo, echar la casa por la ventana, soltar la mosca. ↔ *Ahorrar, guardar.* || Usar, llevar, ponerse. ↔ *Reservar.*

gasto Gastamiento, dispendio, desembolso, consumo, impenso, expendio, merma, consunción, coste, costa, carga, expensas. ↔ *Ahorro.*

gastronomía Culinaria, cocina.

gastronómico Comilón, tragón, gomia, epulón, sibarita.

gata Micha, miza, minina, morronga, morroña.

gatada Astucia, socaliña, trampa, jugarreta, emboque.

gatatumba Pasmarota, camándula, obsequiosidad.

gatear Trepar. || Cuatropear, andar a gatas, a tatas o a gachas.

'gatera Revendedora, verdulera.

gatería Simulación, hipocresía, camándula.

gatillo Pulicán. || Can, perrillo, percusor.

gato Minino, michino, morrongo, micho, mizo, miau, morroño. || Ratero, ladrón. || Cric. || Madrileño.

'gato Mercado, feria.

gato montés Caucel.

gatuno Gatesco, felino.

gatuña Aznacho, asnallo, aznallo, detienebuey, gata, uña gata.

gatuperio Embrollo, enjuague, intriga, lío, chanchullo, baruca, trapisonda, candinga, empanada, maraña.

'gaucho Jinete, vaquero, pastor. || Grosero, zafio. || Taimado, astuto.

gaudeamus Fiesta, regocijo. || Festín, francachela, banquete.

gavanzo Escaramujo.

'gavera Tapial.

gaveta Naveta.

gavilán Esparaván, esparvel, 'caraira.

'gavilán Uñero.

gavia Velacho.

gavilla Haz, garba, mostela, manojo, fajo, brazado, mazo, hacina, fajina. || Manada, banda, taifa, cuadrilla, pandilla, patulea, gazapina.

gaviota Gavina, 'gallego.

gaya Urraca.

gaya Ramera.

gayo Alegre, vistoso, festivo, llamativo. ↔ *Triste, apagado.*

gayola Jaula. || Cárcel, chirona.

gayuba Aguavilla, uvaduz.

gazapo Gazapa, embuste, bola, mentira, moyana, patraña, trola. ↔ *Verdad.* || Culebrón, ladino, camastrón, zascandil. || Yerro, error, traspiés.

gazapón Garito.

gazmiar Gulusmear, golosinear.

gazmoñada Gazmoñería, santurronería, beatería, mojigatería, bigardía, ca-

G

mandulería, hipocresía. ↔ *Franqueza, sinceridad.*

gazmoño Gazmoñero, nebulón, beatón, hipócrita, mojigato, santurrón, misticón, fariseo. ↔ *Franco, sincero.*

gaznápiro Palurdo, torpe, bobo, tonto, patán, simple. ↔ *Vivo, inteligente.*

'gaznatada Bofetada, cachete, torta, galleta.

gaznate Garguero, garganta.

gazuza Hambre, carpanta, gana, apetito.

gelatina Jalea.

gélido Álgido, glacial, helado, congelado, entumecido. ↔ *Ardiente.*

gema Piedra preciosa. || Yema, renuevo, botón.

gemebundo Quejoso, quejicoso, quejilloso, lamentoso, jeremías.

gemelo Melgo, mielgo, mellizo. || Lentes, anteojos.

gemido Lamento, queja, quejido, jeremiada, clamor.

'gemiquear Gimotear.

'gemiqueo Gimoteo.

gemir Clamar, llorar, quejarse, lamentarse, plañir.

generación Concepción, creación. || Sucesión, descendencia, progenie, progenitura, prole. || Coetáneos.

generador Engendrador, productor. || Alternador.

general Común, corriente, usual, frecuente, universal, global, total. ↔ *Particular, parcial.* || Oficial general, estratega.

generalidad Mayoría, totalidad. || Vaguedad, imprecisión.

generalizar Divulgar, publicar. || Sintetizar, compendiar, abstraer. ↔ *Particularizar.* || Extender, **am**pliar.

generar Engendrar.

generatriz Generadora.

género Grupo, clase. || Modo, manera, suerte, naturaleza. || Artículo, mercancía, mercadería. || Tela, tejido.

generosidad Nobleza, grandeza, bondad, benevolencia, desinterés, magnanimidad, esplendidez, largueza, liberalidad, munificencia. ↔ *Avaricia, mezquindad.* || Denuedo, esfuerzo, valor, valentía.

generoso Noble, ilustre, magnífico. || Magnánimo, rumboso, pródigo, largo, dadivoso, desprendido, desinteresado, liberal. ↔ *Avaro, mezquino.* || Munífico, donoso, fértil, productivo, abundante. ↔ *Estéril.* || Excelente, relevante, refinado.

génesis Origen, principio, creación, embrión, germen, fuente.

genial Sobresaliente, excelente, distinguido, relevante. ↔ *Común, ínfimo.* || Placentero, divertido, animado, festoso. ↔ *Aburrido.*

genialidad Singularidad, rareza.

genio Temperamento, carácter, condición, natural, índole, temple. || Humor, inclinación, tendencia. || Disposición, aptitud, talento. || Ingenio, saber, espíritu, imaginación, inteligencia, fantasía. || Elfo. || 'Ayacua.

genol Singlón.

gente Gentío. || Familia, parentela. || Nación, pueblo. || Tropa.

gentil Idólatra, pagano, infiel. ↔ *Creyente.* || Galán, gracioso, apuesto, galano,

gallardo, airoso, donoso, bizarro. ↔ *Descortés, adusto.*

gentileza Gracia, galanura, soltura, garbo, desembarazo, aire, gracia, nobleza, hidalguía, bizarría, bravosidad. ↔ *Rudeza, villanía.* || Gala, ostentación, aparato. || Urbanidad, cortesía, distinción.

gentilhombre Hidalgo, noble, hombre de pro. || Palaciego, cortesano.

gentío Gente, multitud, muchedumbre, concurrencia, aglomeración, afluencia.

gentuza Gentualla, chusma, hampa, morralla, taifa.

genuflexión Arrodillamiento, arrodilladura, prosternación, reverencia, 'arrodillada.

genuino Puro, propio, legítimo, natural, auténtico, verdadero, real, cierto, fidedigno, propio. ↔ *Adulterado, impuro, contrahecho.*

geranio 'Cardenal.

gerencia Dirección, administración, intendencia.

gerente Director, apoderado, consejero.

germanía Jerga, jerigonza, caló.

germano Alemán, teutón, tudesco, boche.

germen Machuelo, embrión, rudimento, semilla, grano. || Principio, elemento, origen, causa, motivo, fundamento, fuente, raíz.

germinación Gestación.

germinar Nacer, brotar, desarrollarse, crecer, formarse.

gesta Hazaña, hecho, acción, heroicidad.

gestación Germinación, engendramiento, preñez. ||

Preparación, maduración, elaboración.

gestero Parajismero, visajero, gesticulador.

gesticulación Parajismo, mueca, visaje, mímica.

gesticular Bracear.

gestión Administración, encargo. || Solicitación, paso, visita, demanda, diligencia.

gestionar Diligenciar, intentar, procurar, resolver, pesquisar, tratar.

gesto Actitud, ademán, manoteo, mueca, mohín, visaje, arrumaco, arremuesco, alcocarra, seña, movimiento. || Cara, expresión, semblante.

gestor Administrador, procurador, agente.

giba Gibosidad, corcova, joroba, chepa. || Molestia, incomodidad, fastidio, vejación.

gibar Corcovar, jorobar. || Molestar, fastidiar, incomodar, vejar.

giboso Corcovado, jorobado, gibado, malhecho, contrahecho.

giennense Jaenés.

gigante Titán, coloso. ↔ *Enano; pigmeo.* || Gigantesco. || Gigantón, pericón.

gigantesco Gigante, enorme, colosal, excesivo, desmesurado, ciclópeo, titánico, giganteo, formidable. ↔ *Enano.*

gigote Baturrillo.

gijonense o **gijonés** Gejionense.

gilí Chiflado, ido, lelo, loco.

gilvo Melado.

gimnasia Gimnástica.

gimnasio Instituto, liceo.

gimotear Lloriquear, hipar, gemir, sollozar, suspirar, 'gemiquear.

gimoteo Lloriqueo, gimoteadura, 'gemiqueo.

ginebra Batiburrillo, confusión, desorden.

ginesta Retama.

girándula 'Rodachina.

girar Voltear, rodar, remolinar, virar, rodear, revolotear, circular, volver, rotar, moverse. ↔ *Seguir, estar.*

girarse Desviarse, torcerse.

girasol Giganta, gigantea, mirabel, mirasol, tornasol, sol de las Indias, 'acahual.

giratorio Rotatorio, circulatorio, tornátil, volvible.

giro Vuelta, rotación, viraje, rodeo, molinete, cerco. || Aspecto, cariz, sesgo, curso, dirección. || Libranza, libramiento, letra.

gitanada, gitanería Zalamería, adulación, carantoña.

gitano Zíngaro, bohemio, flamenco. || Caló, cañí, calé. || Egipcio.

glacial Helado, frío, gélido. ↔ *Caliente, tórrido.* || Desafecto, desabrido, antipático. ↔ *Cordial, caluroso.*

glaciar Helero.

gladiador Confector.

gladio, gladiolo Espadaña.

glasé Tafetán.

gleba Gasón, terrón.

globo Esfera, bola. || Mundo, tierra. || Aerostato.

gloria Bienaventuranza, cielo, paraíso, empíreo, salvación. ↔ *Infierno.* || Fama, honor, reputación, celebridad, renombre, notoriedad, crédito, honra, prez, palma, alabanza, loor. ↔ *Oscuridad.* || Gusto, placer, delicia, deleite. || Majestad, esplendor, magnificencia, grandeza, brillo.

'gloriado Ponche.

gloriar Glorificar.

gloriarse Vanagloriarse, alabarse, jactarse, preciarse. || Complacerse, alegrarse.

glorieta Plazoleta. || Cenador, quiosco.

glorificar Gloriar, alabar, ensalzar, honrar, enaltecer, exaltar, loar, celebrar, ponderar. ↔ *Abominar, infamar, despreciar.*

glorioso Santo, bienaventurado. || Ilustre, célebre, famoso, insigne, eminente, renombrado, reputado. ↔ *Ignorado, vulgar.* ↓|| Presuntuoso, jactancioso, vanidoso, orgulloso. ↔ *Humilde.*

glosa Explicación, comentario, comento, interpolación, interpretación, nota, escolio, paráfrasis, crítica, exégesis, reparo.

glosario Vocabulario, diccionario, léxico.

glotón Comilón, tragón, voraz, hambrón, epulón, zampabollos, zampatortas, zampapalo, zampabodigos, tragaldabas, heliogábalo, gargantúa, ogro, gomia, tumbaollas. ↔ *Desganado.*

glotonería Voracidad, adefagia, intemperancia, gula, tragonería, tragazón, avidez, insaciabilidad, apetito, golosina.

glutinoso Pegajoso, pegadizo, viscoso, adherente, aglutinante, emplástico.

gnómico Sentencioso, aforístico.

gnomo Enano, genio, duende, elfo.

gnomon Índice.

gnoseología Epistemología, teoría del conocimiento.

gnosticismo Docetismo.

gobernación Gobierno.

gobernador Director, administrador, 'curaca.

G

G gobernalle Timón, gobierno.

gobernar Dirigir, conducir, guiar, regir, administrar, cuidar, manejar, superentender, mandar, llevar de la barba.

gobierno Gobernación, dirección, mando, administración, régimen, manejo, conducción. || Ministerio, gabinete, poder, autoridad. || Gobernalle, timón.

gobio Cadoce.

goce Disfrute, uso, posesión, usufructo. ↔ Nuda propiedad. || Placer, delicia, deleite, voluptad, sensualidad. ↔ Sufrimiento, dolor.

'gofio Alfajor.

gola Garganta. || Gorguera. || Cimacio.

goleta Escuna.

golfán Nenúfar.

golfería Hampa, pillería, chusma.

golfo Pilluelo, vagabundo, pícaro, perillán.

golfo Seno, bahía, rada, abra, cala, caleta, ensenada, estuario.

'golilla Chalina. || Estornija.

golondrina Andorina, andolina, andarina, progne.

golondrino Vagabundo, errabundo. || Desertor

golondro Deseo, apetito, antojo.

golosina Delicadeza, exquisitez. || Glotonería.

goloso Lamerón, laminero, lameplatos. ↔ Esquilimoso.

'goloso Infernáculo.

golpe Choque, encuentro, topada, baque, colisión, sacudida, percusión, latido, 'catorro, 'seco. || Suceso, aventura, suerte. || Admiración, sorpresa, choz, salida, ocurrencia. || Multitud, muchedumbre, copia, abundancia. || Golpazo.

'golpe Almadana.

golpazo Coscorrón, puñetazo, trastazo, costalazo, porrazo, trancazo, varapalo, batacazo, garrotazo, tabanazo, palo, zurriagazo, zurrido, cogotazo, mamporro, soplamocos, zarpazo, mojicón.

golpear Percutir, herir, pegar, maltratar, apalear, azotar, menear, cutir, batir, abatanar, agramar. || 'Fajar, 'festejar.

gollería Delicadeza, superfluidad, demasía.

gollete Cuello, entrada, abertura.

goma Cola, liga, adhesivo. || Caucho. || 'Jebe, 'seringa.

gomia Tarasca. || Glotón.

gomoso Pisaverde, currutaco, lechuguino, petimetre, figurín. || 'Encolado.

gonfalón Pendón, estandarte, bandera, confalón.

gongorismo Culteranismo, cultalatiniparla.

gorda 'Mamancona.

'gorda Tortilla.

gordo Abultado, atocinado, a d i p o s o, amondongado, bamboche, barrigón, barrigudo, botija, carigordo, cebado, ceporro, corpulento, cuadrado, chaparro, gordezuelo, gordote, gordinflón, grueso, inflado, jergón, lleno, mofletudo, mollejón, morcón, mostrenco, obeso, panzudo, pesado, rechoncho, redondo, retaco, repolludo, regordete, robusto, rollizo, rubicundo, tripón, tripucho, tripudo, ventrudo, voluminoso, zaborro, zamborotudo, como una bola, 'imbunche, 'potoco. ↔ Delgado. || Craso, mantecoso. ↔ Seco. || Grasa, manteca, sebo. ||

Grueso, grande. ↔ Pequeño.

gordolobo Candelaria, varbasco, verbasco.

gordura Crasitud, adiposidad, grasa, enjundia, craso, unto. || Grosor, robustez, opulencia, obesidad, corpulencia. ↔ Delgadez.

gorgojo Mordihuí.

'gorgorear Gorgoritear.

gorgoritear 'Gorgorear.

gorgorito Gorjeo.

'gorgoro Burbuja, pompa.

gorgoteo Burbujeo, gorgor.

gorguera Gola.

gorguz Venablo, dardo, lanza.

gorja Garganta.

gorjeo Trino, gorgorito, trinado, canto, murmullo.

gorra Montera, gorro, cachucha.

gorra (de) De balde, de mogollón, de franco, a ufo.

gorrero Gorrón.

gorrino Cerdo, tocino, cochino, marrano.

gorrión Pardal, 'chincol.

gorrista Gorrón.

gorro Gorra, cofia, casquete, capillo, tocado, bonete, capuz, almocela, birrete.

gorrón Gorrista, gorrero, pegadizo, parásito, pegote, vividor, chupón, chupóptero, guijo, mogollón, mogrollo, parchista.

gota Glóbulo. || Porción, parte, pinta, poco. || Podagra, quiragra.

gotear Destilar, escurrir, chorrear, pingar. || Lloviznar, chispear.

gotera Raja, hendedura. || Griseta.

gotero Cuentagotas.

gótico Ojival.

gozar Disfrutar, poseer, tener, utilizar, usufructuar, aprovechar. ↔ Carecer. ||

Regocijarse, regodearse, recrearse, fruir, disfrutar, divertirse, complacerse. ↔ *Sufrir, padecer.*

gozne Charnela, charneta, pernio, bisagra.

gozo Complacencia, contento, placer, satisfacción, gusto, delicia, deleite, agrado, dicha. ↔ *Disgusto.* || Alegría, júbilo, regocijo. ↔ *Tristeza.*

gozoso Alegre, contento, satisfecho, regocijado, complacido, placente, jubiloso, deleitoso, encantado, divertido, jovial, feliz, radiante, transportado, ledo. ↔ *Triste, pesaroso.*

gozque 'Quiltro.

grabado Clisé, estampa, lámina, ilustración, santo, figura, cromo. || Litografía, fotograbado, calcograbado, cincografía, huecograbado, oleografía, xilografía, fotocromía, aguafuerte.

grabador Tallador, tallista, esculpidor. || Litógrafo.

grabar Labrar, cortar, esculpir, cincelar, tallar, burilar, abrir, entallar. || Fijar, inculcar, imprimir.

'gracejada Payasada, bufonada.

gracejo Gallardía. || Gracia.

gracia Merced, beneficio, favor, don, concesión. || Perdón, indulgencia, indulto, piedad, misericordia. || Benevolencia, amistad, buen trato, afabilidad, agrado. || Gallardía. || Gracejo, sal, donaire, garbo, salero, chispa, sandunga, sombra, ángel, atractivo, encanto, gachonería, coquetería, aliciente, hechizo, incentivo, gancho, espejuelo, recla-

mo. || Chiste, agudeza, ocurrencia. || Nombre, apellido.

grácil Sutil, fino, delicado, afiligranado, gracioso, pequeño, tenue, delgado, primoroso. ↔ *Basto, tosco.*

gracioso Salado, saleroso, divertido, gachón, chirigotero, loquesco, donoso, jocoso, agudo, festivo, chistoso, ocurrente. ↔ *Aburrido, pesado.* || Agradable, atractivo, encantador, hechicero, afable, simpático, agraciado, lindo, bonito, gentil. ↔ *Desgarbado.* || Grácil. || Gratuito, de balde, gratis, de gracia. || Cómico, actor festivo, figura del donaire.

grada Grado, peldaño, escalón, estribo, zanca, bancal, poyo, 'callapo. || Tarima.

grada Rastra, trapa.

gradación Sucesión, escala, serie, gama, escalera, progresión. ↔ *Interrupción.* || Clímax.

gradería Escalinata, gradas.

'gradiente Pendiente, declive, rampa.

grado Peldaño, grada, escalón. || Generación. || Empleo, cargo, jerarquía. || Estado, valor, calidad, punto, extremo, límite.

gradual Escalonado, sucesivo, graduado, progresivo, paulatino, insensible, imperceptible. ↔ *Discontinuo.*

graduando Laureando, licenciando, doctorando.

graduar Escalonar, regular, matizar, valorizar, medir, clasificar, apreciar, dividir, ordenar.

graduarse Tomar la borla, licenciarse, doctorarse, diplomarse.

grafía Escritura, descripción, representación, letra, rasgo, signo. **G**

gráfico Representación, esquema, dibujo, plan. || Descriptivo, claro, manifiesto, expresivo.

grafito Lápiz, plomo, plumbagina.

gragea Confite, píldora.

grajo Cuervo merendero.

gramófono Gramola, fonógrafo.

grana Granazón. || Semilla.

grana Cochinilla. || Quermes. || Rojo.

granada Proyectil, obús, grinalde.

granadero Gastador. || Pericón, mocetón, tagarote, cangallo, zagalón.

granado Notable, principal, destacado, ilustre, selecto. || Maduro, experto, ducho, avezado. ↔ *Debutante.* || Espigado, alto, elevado.

granate 'Choco, 'tinto.

granazón Grana.

grande Alto, amplio, bestial, ciclópeo, colosal, considerable, crecido, descomunal, desmedido, desmesurado, elevado, enorme, espléndido, espacioso, estupendo, exagerado, exorbitante, extenso, extremado, garrafal, gigantesco, gran, grandioso, grave, ilimitado, imponente, importante, inconmensurable, infinito, ingente, inmenso, inusitado, largo, macanudo, magnífico, magno, mayúsculo, monumental, ostentoso, profundo, regio, sobresaliente, subido, superlativo, vasto, voluminoso, sin límites. ↔ *Pequeño.* || Prócer, magnate, noble, jerarquía.

G grandeza Grandor, grandiosidad, tamaño, magnitud, extensión, grosor, corpulencia, amplitud, exorbitancia, enormidad, potencia, atrocidad, gravedad, importancia, intensidad, elevación, aparatosidad. ↔ *Pequeñez.* || Esplendidez, magnificencia, superioridad, enaltecimiento. ↔ *Insignificancia.* || Generosidad, nobleza, magnanimidad. || Majestad, celsitud, gloria, esplendor, poder, dignidad, honor.

grandilocuencia Altilocuencia.

grandiosidad Grandeza.

grandioso Grande.

grandor Grandeza, tamaño, dimensión, extensión, magnitud, talla, medida, volumen.

grandullón 'Macuco.

granero Algorfa, hórreo, silo, alfolí, troj, troje, cilla, cía, cija, cillero, almiar, alholí, pósito, bodega.

granillo Culero, helera.

granito Piedra berroqueña.

granizada Pedrea, pedrisca.

'granizada Granizado.

granizado 'Granizada.

granizo Piedra, pedrisco.

granja Cortijo, rancho, ranchería, alquería, villoría, mazada, quinta, estancia, hacienda, 'chácara. || Lechería.

granjear Adquirir, ganar, conseguir, obtener

granjearse Captarse, lograr, atraerse.

grano Gránulo, granito, granillo, semilla. || Porción, parte, ápice, pizca, brizna, poco, migaja. || Tumorcillo, postilla, forúnculo, divieso.

granos Cereales, áridos.

granuja Pícaro, pillo, golfo, bribón.

granujería Granujada, golfería, bellaquería, bribonada, tunería, tunantada, truhanada, chulada, villanía, canallada, porquería.

grao Desembarcadero, puerto.

granzas Ahechaduras.

grapa Laña, arpón, fiador, gancho, zuncho, gato, gafa.

grasa Gordura, sebo, lardo, grosura, adiposidad, manteca, zorrullo, unto, tocino. ↔ *Magro.* || Mugre, pringue, porquería, suciedad. || Lubricante, lubrificante.

grasiento Pringado, untado, lubricado, graso.

graso Craso, pingüe, grasiento, lardoso, untuoso, seboso, pringoso, gordo, bisunto, butiroso, adiposo, lardero, aceitoso, manteoso. ↔ *Magro.*

gratar Bruñir, pulir, lijar, raspar.

gratificación Remuneración, recompensa, premio, galardón, obvención, propina, aguinaldo, prima, prebenda, retribución, paga, 'juanillo.

gratificar Remunerar, recompensar, premiar, galardonar, obvenir, primar, estipendiar, retribuir, pagar, adobar los guantes. || Complacer, agradar, satisfacer.

gratis Gratuitamente, graciosamente, de balde, de gracia, de oque, a ufo, de bóbilis bóbilis, por sus ojos bellidos. ↔ *Pagando.*

gratitud Reconocimiento, agradecimiento, correspon-

dencia, obligación, recompensa. ↔ *Ingratitud.*

grato Agradable, gustoso, deleitoso, placentero, lisonjero, satisfactorio, apetecible, amable, fácil, sabroso, deseable, seductor. ↔ *Ingrato.* || Gratuito.

gratuito Grato, gracioso, gratis. || Arbitrario, infundado, caprichoso, inmotivado, improcedente, pueril. ↔ *Fundado, justificado.*

gratular Felicitar, aplaudir, dar el parabién, dar la enhorabuena.

gratularse Congratularse, alegrarse, complacerse, brindar.

grava Guijo, cascajo, rocalla, balasto, recebo, casquijo.

gravamen Carga, obligación, servidumbre, garrama, pecho, canon, hipoteca, impuesto, censo, fisco, subsidio.

gravar Pesar, cargar, apoyarse. || Hipotecar, imponer.

grave Pesado, inerte, pesante, oneroso. ↔ *Ligero.* || Importante, considerable, capital, trascendental. ↔ *Baladí.* || Arduo, dificultoso, difícil, peligroso, espinoso, comprometido, embarazoso, enfadoso, molesto, enojoso, peligroso, imponente, enorme, recio. ↔ *Fácil, cómodo.* || Serio, formal, circunspecto, reservado, imponente, decoroso. ↔ *Alegre, inverecundo.* || Bajo. ↔ *Agudo.* || Llano, paroxítono.

gravedad Pesadez, gravitación, ponderosidad, pesantez, peso. ↔ *Ligereza.* || Compostura, circunspección, decoro, seriedad, pesadumbre, formalidad. ↔ *Liviandad.* || Enormidad, exceso, importancia, dificultad, peligro, responsabilidad, calidad.

grávida Encinta, embarazada, gestante, preñada.

gravidez Preñez, embarazo, gestación.

grávido Cargado, repleto, lleno, abundante, copioso, relleno. ↔ *Vacío.*

gravitación Gravedad. || Atracción (universal).

gravitar Gravear, apoyar, cargar, pesar, descansar, basarse, sustentarse, estribar, reclinarse.

gravoso Oneroso, costoso, caro, dispendioso, cargado. ↔ *Barato.* || Molesto, pesado, enfadoso, aburrido, cargante, estomagante, fastidioso. ↔ *Divertido.*

graznar Gaznar, voznar, crocitar, crascitar.

graznido Chillido, chirrido, grito.

greda Arcilla, tierra de batán.

gredal Blanquizal, blanquizar, calvero.

gregal Nordeste. ↔ *Jaloque.*

greguería Algarabía, confusión, alboroto.

gremio Junta, asociación, reunión, sindicato, corporación.

greña Maraña, cadejo, vedija, melena. || Confusión.

gresca Alboroto, 'tambarria. || Riña, 'follisca, 'guasanga.

grey Rebaño, hato, hatajo, manada. || Raza, condición, especie.

griego Heleno, helénico. || Chino, álgebra, gringo. || Jugador, fullero, tahúr.

grieta Hendidura, hendedura, rendija, abertura, raja, fenda, resquicio, raza, fisura, resquebrajadura, gotera.

grifo Llave, canilla, espita, jeta, 'bitoque. || Crespo, enmarañado, ensortijado, envedijado, rufo. ↔ *Liso.*

grillarse Agrillarse, entallecer.

grillete Calceta, arropea, cepo, 'carlanca.

grillo Tallo, brote.

grillos Grilletes, pihuelas, hierros.

grillos (olla de) Confusión.

grima Desazón, inquietud, disgusto, molestia, desagrado, horror, repugnancia, aversión. ↔ *Simpatía, agrado.*

grinalde Granada, proyectil.

gringo Extranjero, extraño, forastero. || Inglés, norteamericano, anglosajón. || Griego, chino, álgebra.

gripe Trancazo, influenza.

gris Plomizo, ceniciento. || Triste, lánguido, apagado, aburrido,˙ monótono. ↔ *Vivo, alegre.*

griseta Gotera.

grita Alboroto, gritería, vocerío. || Abucheo, bronca, silba, pitada, protesta.

gritar Chillar, vociferar, ajordar, desgañitarse, vocear, baladrar, algarear, bramar. || Silbar, protestar, abuchear, pitar.

gritería Alboroto, vocería, vocinglería, algarabía.

grito Voz, clamor, chillido, baladro, alarido, bramido, ululato, vociferación, queja, lamento, exclamación.

grosería Desatención, impolítica, descortesía, incorrección, inconveniencia, descomedimiento, inurbanidad, indecencia, desabrimiento, descaro, ordinariez, rudeza, patanería, rustiquez, rusticidad, ignorancia, incultura, zafiedad, patochada, tochedad. ↔ *Delicadeza.*

grosero Ordinario, tosco, basto, rudo, burdo, zafio, rústico, patán, vulgar, adocenado, bajo, ramplón, tabernario, villanchón, zampatortas, chanflón, goío, sayagués, zambombo, 'gaucho, 'lépero, 'guaso. || *Educado, fino.* || Desatento, descortés, descomedido, impolítico, incivil, irrespetuoso, insolente, incorrecto, impertinente, inculto, inurbano, indecoroso. ↔ *Cortés, respetuoso.*

grosor Espesor, grueso, cuerpo, volumen, dimensión, bulto, balumba, mole, corpulencia, grandeza.

grosura Grasa, grosura. || Asadura, mondongo.

grotesco Ridículo, extravagante, raro, caricaturesco, chocante, bufón, burlesco, risible, 'catimbao. ↔ *Serio, conveniente.* || Irregular, desmesurado, desproporcionado, tosco.

grúa Árgana, machina, titán, aguilón.

grueso Gordo, corpulento, abultado. ↔ *Flaco.* || Grosor, volumen, cuerpo. || Grande, alto, amplio. ↔ *Pequeño.*

grullada Gurullada, pandilla, cuadrilla, banda. || Perogrullada.

'grullo Semental.

grumo Coágulo, cuajarón, cuajo.

gruñir Bufar, roncar, gañir, arruar. || Rezongar, refun-

G

fuñar, murmurar, respingar. || *Chirriar, rechinar.

gruñón Regañón, refunfuñador, rezongón, protestón, carrañón, murmurador, descontento.

grupa Anca, cuadra, cadera, cuadril.

grupo Conjunto, conglomerado, montón, apiñamiento, reunión, colección, masa, hato, rebaño, hatajo, corro, corrillo, peña, corrincho, rueda.

gruta Caverna, cueva, antro, espelunca, 'salamanca.

'guaca Hucha. || Sepulcro. || Tesoro.

'guacal Cesta, jaula.

'guacamaya Guacamayo. || Espantalobos.

guacamayo 'Guacamaya, 'maracaná, 'guara.

guacayo 'Cañahuate.

guachapear Chapotear, chapalear. || Frangollar, chapucear.

'guachara Mentira, embuste.

'guacharaca Chachalaca.

'guacharo Huérfano.

'guachinango Astuto, zalamero.

'guacho Huérfano. || Borde, expósito. || Descabalado, desparejado.

'guadal Pantano.

guadaña Dalle, dalla, címbara, rozón.

guadañar Segar, abatir, cortar, tumbar.

guadarnés Guarnés. || Armería.

'guadua Bambú.

'guagua Rorro.

'guajalote Pavo.

'guaje Acacia. || Bobo, tonto.

gualda Reseda.

gualdo Amarillo.

gualdrapa Jirel, 'tapanca. || Calandrajo, andrajo.

'guamparo Aliara.

'guanaco Tonto, simple. || Páparo, payo.

guanera 'Covadera.

'guangoche Arpillera.

'guangocho Ancho, holgado. || Arpillera, saco.

'guaniquí Bejuco.

'guano Palmera. || Penca.

guantada, guantazo Manotada, manotazo, tabalada, bofetada.

guante Guantelete, manopla, quiroteca, manija, mitón.

guante (arrojar o echar el) Desafiar.

guante (poner como un) Suavizar, ablandar. || Castigar, reprender.

guapear Baladronear, bravear, bravuconear, fanfarronear, echar chuzos, escupir por el colmillo.

guapeza Gallardía, majeza, bizarría, apostura.

guapo Bello, bien parecido, agraciado, elegante, hermoso, lindo, soberbio. ↔ *Feo.* || Gallardo, galano. || Chulo, perdonavidas, matamoros, matasiete, valentón, jácaro, curro, bravucón, fanfarrón.

'guara Guacamayo. || Perifollo, garambaina.

'guaraca Honda, zurriago.

'guarache Sandalia, cacle.

'guarana Paulinia.

'guarango Descarado, desvergonzado. || Aromo.

guaraní 'Cario.

guarda Guardián. || Tutela, tutoría, curatela, curaduría. || Observancia, cumplimiento. || Guarnición, defensa, guardamano.

guardabrisa Parabrisa, 'brisera.

guardacantón Guardarruedas, marmolillo, recantón, trascantón, trascantonada.

guardador Conservador, curador, tutor, tesorero. || Observante, cumplidor. || Miserable, apocado.

guardagujas 'Cambiador, 'cambiavía.

guardamano Guarda, guarnición.

guardameta Portero.

guardapiés Tapapiés, brial.

guardapolvo Bata, umbela. || Sobradillo.

guardar Cuidar, custodiar, vigilar, conservar, tener, velar, preservar, proteger, defender, entretener. ↔ *Abandonar.* || Observar, cumplir, respetar, acatar, obedecer. ↔ *Infringir.* || Retener, conservar, albergar.

guardarse Prevenirse, precaucionarse, reservarse, recelarse.

guardarropa Armario, ropero. || Abrótano.

guardarropía Vestuario, *atrezzo.

guardia Defensa, custodia, amparo, protección, asistencia, honor, honra. || Policía. || Retén, piquete, escolta, patrulla, presidio. || Centinela, escucha, plantón, guaita, vigía, guardián.

guardián Guarda, guardia, vigilante, custodio, carcelero, alcaide, hafiz, conserje. || Ordinario, monje.

guardilla Buhardilla, desván.

guarecer Acoger, abrigar, cobijar, refugiar, defender, amparar, asilar, socorrer, albergar, amadrigar. ↔ *Exponer.*

'guaria Orquídea.

'guaricha Hembra, mujer.

guarida Manida, cubil, madriguera, cado (osera, lobera, raposera, topera, etcétera). || Amparo, refugio, abrigo, albergue, reparo, asilo.

guarín Lechón.

'guarisapo Renacuajo.

guarismo Signo, cifra, símbolo, expresión, sigla.

guarnecer Adornar, revestir, paramentar, ornar, exornar, acicalar, decorar, colgar, vestir, tapizar, amueblar. || Dotar, proveer, equipar, abastecer. || Guarnicionar, reforzar, presidiar, defender.

guarnición Adorno, accesorio, paramento, ornato. || Guardamano, guarda, defensa. || Tropa, guardia, presidio.

guarniciones Arreos, jaeces, arneses, aparejo, atelaje, atuendos, equipo, montura.

'guaro Aguardiente.

guarro Cerdo, cochino.

'guarura Caracola.

guasa Burla, broma, chanza, chunga, 'chercha. || Sosería, ñoñez, sandez, insulsez, patarra, mala sombra, pesadez.

'guasanga Bulla, algazara, gresca.

'guasasa Mosquito.

guasca 'Huasca.

'guasca Cuerda, soga.

guasear 'Chucanear.

'guaso Campesino. || Tosco, grosero, incivil.

guasón Bromista, burlón, chancero, zumbón, cuchufletero, chuzón, jacarero, chunguero.

'guataca Azadilla.

'guate Malojo.

guateque 'Cacharparí.

'guateque Baile, fiesta, jolgorio.

'guatusa Paca.

guaya Lloro, lamento, queja, plañido, lamentación.

'guayaca Bolsa, talega.

'guayuco Taparrabo.

'guazapa Perinola.

gubernamental Ministerial. || Gubernativo, oficial, estatal.

gubia Formón, 'gurbia.

guedeja Vedeja, madeja, mata (de pelo), cabellera, melena.

guengoche 'Gangocho.

guerra Hostilidad, pugna, discordia, desavenencia, diferencia, rivalidad, conflicto. || Batalla, lucha, pelea, combate, campaña, operaciones, cruzada, refriega, lid. ↔ *Paz*.

guerra (dar) Molestar, importunar.

guerrear Batallar, luchar, contender, combatir, pelear, reñir, hacer armas. || Resistir, rebatir, opugnar, contradecir.

guerrera Pelliza, dormán, chaqueta, casaca, tabardo.

guerrero Guerreador, bélico, belicoso, marcial, militar, armígero. ↔ *Pacífico*. || Soldado, militar.

guerrilla Partida, facción. || Escaramuza.

guerrillero Partidario, *partisano, *maquis, 'montonero.

guía Conductor, ductor, director, guiador, piloto, cicerone. || Maestro, mentor, dirigente, preceptor. || Faro, norte, pauta, jalón, mira, blanco, hito, meta. || Prontuario, indicador, índice, manual. || Itinerario. || Julo, cabeza.

guiar Dirigir, llevar, mostrar, indicar, encaminar, orientar, aconsejar, encauzar, encarrilar, senderear, conducir, enderezar

|| Mandar, gobernar, regir. || Pilotar. || Adiestrar, aconsejar.

guija Almorta. || Guijarro.

guijarro Guija, callao, peladilla de río, canto, canto rodado, pedrusco, morrillo, morro, china, chinarro, almendra, escrúpulo.

guijeño Duro, empedernido, impenitente; contumaz, recalcitrante.

guijo Cascajo, grava, recebo, balasto.

guilla Cosecha, copia, abundancia, agosto.

guillado Maniático, chiflado, loco, tocado, lelo, ido. ↔ *Sensato, sano*.

guillotina Cadalso, degolladero.

guimbalete Pinzón.

guinda Cereza.

guindaleta Cuerda, soga, maroma.

guindaleza Cabo.

guindar Subir, izar, levantar. || Colgar, ahorcar. || Ganar, birlar, conseguir.

guindilla 'Uchú.

guiñada Guiño.

guiñapo Andrajo, jirón, harapo, 'alaco.

guiñar Cucar, bizcar. || Advertir, avisar.

guiño Cuco, coco, jeribeque, visaje, ojeada, guiñada, seña, aviso.

guión Estandarte, pendón, confalón, enseña. || Argumento, sinopsis.

guipar Ver, percibir, columbrar, descubrir.

güira Higüero, hibuero, 'totumo, 'jícaro.

guirnalda Guirlanda, corona, lauréola.

guisa Modo, manera, forma, modalidad, suerte, tenor.

guisado Cocido, estofado,

G

ahogado, rehogado, guiso, condumio.

guisador, guisandero Cocinero, marmitón, pitancero, ranchero.

guisante Arvejo, pésol, 'arveja, 'alverja, 'clarín.

guisar Cocer, cocinar, estofar, aderezar, sazonar, adobar, aliñar. || Cuidar, preparar, disponer, arreglar, ordenar, componer.

guiso Guisado, condumio, estofado. || Manjar, comida, plato, condimento.

guisote Bazofia, baturrillo, frangollo, bodrío, mazacote, batiborrillo.

guita Cordel, bramante, cuerda. || Dinero, cuartos, pasta, plata.

guitarra Vihuela.

guitarrillo Requinto, guitarro

guitarrón Picarón, camastrón, culebrón, zorrastrón,

cuco, lagarto, zascandil, raposa.

guitón Pícaro, vagabundo, pillo.

gula Glotonería, tragonería, voracidad, intemperancia, avidez. ↔ *Temperancia.*

gulusnear Gazmiar, golosinear, olfatear.

'gurbia Gubia.

gurdo Necio, simple, bobo.

gurrumina Condescendencia, contemplación, transigencia. || Pequeñez, fruslería. || Cansera, molestia.

gurrumino Ruin, vil, mezquino, desmedrado. || Cobarde, pusilánime. || Chiquillo, muchacho.

gurullada Grullada.

gusanear Hormiguear, bullir, cosquillear.

gusano Lombriz, oruga, helminto, verme, gusarapo.

gustar Probar, paladear, catar, tastar, saborear. ||

Agradar, placer, complacer, halagar, satisfacer, deleitar, cuadrar. ↔ *Disgustar.* || Desear, querer, apetecer, ambicionar, codiciar, pirrarse, hipar.

gusto Sabor, sapidez, boca, saborcillo, embocadura, paladar, punta, deje, dejillo. || Placer, deleite, satisfacción, agrado, complacencia, delicia, contento, godeo, placimiento, amenidad, afición. ↔ *Disgusto, desagrado.* || Voluntad, arbitrio, antojo, capricho. || Discernimiento, apreciación, sentimiento. || Moda, modo, sentir.

gustoso Sabroso, apetecible, deleitable, apetitoso, suculento. ↔ *Disgustado, repugnante.* || Agradable, divertido, grato, entretenido, ameno, placentero. ↔ *Aburrido.*

H

haba Roncha, equimosis.

habanera Danza, danzón, americana.

habano Cigarro puro, puro.

haber Data, crédito. ↔ *Debe.*

haber. Tener, poseer. || Coger, alcanzar. || Acaecer, ocurrir, sobrevenir. || Existir, ser, estar. || Hacer, realizar, efectuar, verificar.

haberes Hacienda, caudal, bienes, capital. || Paga, sueldo, emolumentos, retribución, gratificación.

haberse Portarse, proceder (bien o mal).

habérselas con Contender, luchar, disputar.

haberío Ganado. || Bestia, caballería, mulo, 'carguero.

habichuela Judía, alubia.

hábil Inteligente, diestro, dispuesto, docto, competente, sagaz, capaz, apto, útil, ducho, idóneo, perito, técnico, ejercitado, industrioso, ingenioso, mañoso, habilidoso, diligente, entendido, experto, diplomático, ladino, licurgo, cachicán, 'calchudo. ↔ *Inhábil, inexperto, novato.*

habilidad Inteligencia, dexteridad, disposición, saber, competencia, sagacidad, aptitud, idoneidad, peri-

cia, técnica, ejercicio, hábito, industria, ingenio, maña, diligencia, entendimiento, tacto, diplomacia, trastienda, maestría, arte, 'baquía. ↔ *Impericia, incompetencia.*

habilidoso Hábil.

habilitado Substituto, encargado. || Pagador.

habilitar Capacitar, facultar, investir.

habitación Vivienda, morada, mansión, casa, domicilio, residencia. || Cuarto, aposento, pieza, estancia. || Habitat.

habitante Residente, morador, íncola, poblador, ciudadano, vecino, inquilino, domiciliado, sito.

habitar Vivir, morar, residir, ocupar, anidar, aposentarse.

hábito Vestido, traje, vestido talar. || Costumbre, habitud, uso, práctica, rutina. || Facilidad, destreza, habilidad.

habituado Avezado, familiarizado, acostumbrado, hecho, mostrado. ↔ *Inexperto.*

habitual Maquinal, tradicional, familiar, usual, ordinario. ↔ *Desusado, desacostumbrado.*

habituar Avezar, familiarizar, acostumbrar.

habitud Hábito, costumbre.

habla Lenguaje, lengua, idioma, dialecto. || Oración, discurso, arenga, sermón, razonamiento.

hablador Charlatán, charlador, parlanchín, hablanchín, hablantín, hablistán, locuaz, verboso, gárrulo, blasonador, bocaza, boceras, lenguaraz, lengüilargo, cotorra, cotorrera, fodolí, trápala. ↔ *Callado, mudo, cazurro.* || Indiscreto, farfantón, blando de boca.

habladuría Picotería, charlatanería, hablilla, rumor, chisme, cuento.

hablar Decir. ↔ *Callar.* || Pronunciar, abrir o despegar la boca. || Conversar, conferenciar, tratar, platicar, departir. || Expresar, manifestar, exteriorizar, discurrir. || Perorar, arengar, discursear, declamar, hacer uso de la palabra. || Parlar, garlar, charlar, chacharear, chuchear, pablar, paular, musitar, murmurar. || Criticar, írsele la burra. || Rogar, interceder, suplicar. || Proponer, razonar.

H

hablarse Comunicarse, tratarse, entretenerse, entrevistarse.

hablilla Habladuría, chisme, parlería, picotería, charlatanería, bulo, cuento, rumor, mentira, murmuración.

hacedero Factible, realizable, posible, asequible, 'hatero. ↔ *Irrealizable.*

hacendado Potentado, rico, acaudalado.

hacendarse Arraigarse, fijarse, establecerse. || Afincarse.

hacendoso Diligente, solícito, cuidadoso, trabajador. ↔ *Indolente.*

hacer Formar, producir, fabricar, construir, sacar, confeccionar, crear, concebir, engendrar, elaborar, plasmar, trabajar. || Ejecutar, realizar, obrar, operar, consumar, practicar, perpetrar, verificar, cumplir, cometer. || Caber, contener. || Causar, ocasionar, determinar, motivar. || Disponer, aderezar, arreglar, componer, combinar, urdir, proceder. || Mejorar, perfeccionar. || Juntar, convocar. || Acostumbrar, habituar, avezar. || Procurar, adquirir, ganar, amasar. || Proveer, proporcionar. || Expeler, echar. || Corresponder, concordar, importar, convenir. || Blasonar, fingir, aparentar, simular, imitar, afectar, actuar. || Obligar, constreñir, coercer. || Experimentarse, sobrevenir.

hacerse Crecer, aumentarse. || Volverse, transformarse, convertirse, fingirse, simular.

hacienda Finca, predio, heredad, heredamiento, propiedad, 'estancia, 'hato. || Fortuna, caudal, capital, dinero, bienes. || Erario, fisco, tesoro (público).

hacina Rimero, montón, acervo.

hacinamiento Aglomeración, amontonamiento, acumulación, mezcolanza.

hacinar Enhacinar, amontonar, acumular, aglomerar, apilar, juntar.

hacha Antorcha, blandón, hachón.

hacha Segur, doladera, marrazo.

'hachazo Encabritamiento, enarmonamiento.

hada Hechicera.

hadar Encantar.

hado Destino, sino, signo, estrella, suerte, fortuna, fatalidad.

hagiografía Santoral.

halagar Adular, lisonjear, complacer, agasajar, cortejar, festejar, regalar, obsequiar, atraer, popar, acariciar, incensar, mimar, hacer la zalá. || Agradar, gustar, deleitar.

halago Agasajo, adulación, caricia, fiesta, lisonja, mimo, coba, marrullería, roncería. ↔ *Insulto.*

halagüeño Halagador, encomiástico, complaciente, lisonjero, risueño, satisfactorio, adulador, mimoso, cariñoso. ↔ *Desfavorable.*

'halar Estirar.

halcón Niego, prima, terzuelo, torzuelo.

halda Falda. || Harpillera.

hálito Aliento, vaho, soplo, aura, vapor.

halo Cerco, corona. || Aureola, resplandor.

hallar Encontrar, inventar. || Observar, ver, notar. ||

Averiguar, descubrir. || Topar, tropezar, dar con.

hallarse Estar, encontrarse, ubicar.

hallazgo Hallada, encuentro, invención, descubrimiento. ↔ *Pérdida.*

'hallulla Pan.

hamaca 'Campechana.

hamaquear Mecer, columpiar. || Marear.

hambre Apetito, gana, gazuza, carpanta, necesidad. ↔ *Desgana.* || Apetencia, ansia, deseo, afán, anhelo.

hambre canina Bulimia, polifagia.

hambrear Malcomer, matar de hambre, estar a diente.

hambriento Famélico, hambrón, necesitado. ↔ *Harto, saciado.* || Ávido, insaciable, glotón, deseoso, ansioso, anheloso, codicioso. ↔ *Harto, cansado.*

'hambrón Gandido.

hampa Hez, chusma, bahorrina, golfería, pillería. ↔ **Élite.*

hampón Valentón, bravucón, bravo, perdonavidas, haragán, bribón.

haragán Holgazán, gandul, tumbón, maula, harón, hampón, gandumbas, guillote, perezoso, poltrón, 'atorrante.

harapiento Andrajoso, haraposo, roto, astroso, guiñaposo. ↔ *Elegante.*

harapo Andrajo, guiñapo, pingajo, colgajo, calandrajo, arambel, argamandel, estraza, 'carlanga, 'alaca.

harapos 'Garras.

harem, harén Serrallo, gineceo.

harinoso Farináceo, panoso.

harnero Arel, criba, cedazo, zaranda.

harón Holgazán, haragán.

harpillera Arpillera, estopón, halda, malacuenda, rázago.

hartar Saciar, llenar, satisfacer, empapujar, atiborrar, atracar, empachar, ahitar, empapuciar, empapuzar. || Hastiar, fastidiar.

hartarse 'Empajar.

hartazgo Panzada, tripada, atracón, repleción, hartazón, hartura, empacho, atafea, tupa.

harto Lleno, repleto, saciado, cebado, satisfecho, ahíto. ↔ *Hambriento, famélico.* || Cansado, fastidiado, hastiado. ↔ *Hambriento, ávido.* || Bastante, sobrado, asaz.

hartura Repleción, copia, abundancia, hartazgo, hartazón, llenura. ↔ *Hambre canina.*

hastiado Fastidiado, fastidioso, hastioso, harto, aburrido, cansado, tedioso, hasta el gollete, hasta la coronilla. ↔ *Satisfecho, contento.*

hastiar Aburrir, cansar, fastidiar, empalagar, hartar, estomagar, repugnar, embazarse. ↔ *Agradar, satisfacer.*

hastío Tedio, aburrimiento, cansancio, disgusto, repugnancia, esplín. ↔ *Satisfacción, goce.*

hatajo Hato.

hatería Víveres, provisión. || Hato, hatillo, equipo, bagaje, impedimenta, fardel, ajuar.

'hatero Hacendado.

hatillo Hatería, equipo.

hato Hatería, hatillo, equipo, 'majada. || Hatajo, manada, rebaño. || Junta, corrillo, hatajo, cuadrilla, pandilla, sarta, cúmulo,

copia, mazo, multitud, montón.

'hato Hacienda.

haz Gavilla, atado, paquete, legajo, manojo, fagote, mostela.

haz Rostro, faz, cara.

hazaña Proeza, gesta, heroicidad, hecho, acción, valentía.

hazmerreír Bufón, mamarracho, adefesio, esperpento, ente, tipo.

hebdomadario Semanal.

hebilla Pasador, broche, corchete, fíbula.

hebraísmo Judaísmo, sionismo.

hebreo Judío, chueta. || Usurero, avaro, mohatrero.

hebroso 'Hebrudo.

'hebrudo Hebroso.

hecatombe Sacrificio, inmolación. || Matanza, degollina, mortandad, carnicería, carnaje.

hechicera Sibila, pitonisa, saga. || Bruja.

hechicería Brujería, jorguinería, magia, 'imbunche. || Encantamiento, hechizo, maleficio, encanto, ensalmo, conjuro. || Filtro, bebedizo.

hechicero Brujo, jorguín, mago, mágico, encantador, nigromante, nigromántico, ensalmador, aojador, trasguero, cohén, saludador, sortílego, 'nagual. || Atrayente, cautivador, fascinador, seductor, embelecador, hechizador, embelesador. ↔ *Repelente.*

hechizar Cautivar, seducir, fascinar, deleitar, atraer, encantar, embelesar, 'catatar. || Enartar, embrujar, ensalmar, aojar, ojear, saludar, dar algo.

hechizo Atractivo, encanto,

seducción, embeleso, deleite, fascinación, 'mandinga. || Hechicería, encantamiento.

hecho Obra, acción, acto. || Acontecimiento, suceso, lance, hazaña, caso, asunto, acaecimiento, materia.

hecho Perfecto, acabado, maduro, zorollo, cerondo, cabal. || Avezado, acostumbrado, habituado, familiarizado. || Constituido, formado, dispuesto, proporcionado. || Aceptado, resuelto, sea, conforme.

'hechor Malhechor. || Garañón.

hechura Obra, producción, producto, fruto, criatura, hijo. || Composición, contextura, formación, forma, organización, complexión. || Imagen, figura. || Confección.

heder Apestar, oliscar. || Enfadar, cansar, aburrir, estomagar, cargar, fastidiar.

hediondez Hedor.

hediondo Fétido, pestífero, maloliente, pestilente, apestoso, viciado, carroñoso, nauseabundo. ↔ *Oloroso, odorante.* || Molesto, enfadoso, cargante, estomagante, insufrible, insoportable, fastidioso, enojoso. ↔ *Simpático, ameno.* || Repugnante, sucio, asqueroso, obsceno, torpe. ↔ *Limpio, sano.*

hedor Hediondez, fetor, fetidez, pestilencia, peste, hedentina, mal olor, tufo, cochambre, sentina, 'catinga. ↔ *Aroma.*

hegemonía Supremacía, predominio, superioridad.

héjira Era, égira.

helada Congelación, escarcha.

H

H heladería Nevería.
helado Glacial, gélido, frío. ↔ *Caliente, tórrido.* || Suspenso, atónito, pasmado, estupefacto, sobrecogido, turulato. || Sorbete, mantecado.
helar Congelar, enfriar. || Pasmar, sobrecoger, paralizar. || Desalentar, apocar, acobardar, desanimar.
helarse Coagularse, garapiñarse, cuajarse, tomarse.
helecho Polipodio, 'quilquil, 'súrtuba.
helénico Griego.
helera Lera, granillo.
helero Glaciar, ventisquero.
hélice Voluta. || Espiral, espira.
helminto Gusano, verme.
helvecio o helvético Suizo.
hematíe Eritrocito, glóbulo rojo.
hematites Oligisto rojo.
hematoma Chichón.
hembra Mujer, fémina, 'guaricha. || Rosca. || Molde, encaje.
hemiciclo Semicírculo, anfiteatro.
hemicránea Jaqueca.
hemisférico Semiesférico.
hemoglobina Crúor.
hemorroide Almorrana.
henchidura Henchimiento, hinchazón, plenitud, repleción, preñez, plétora, inflación, atestamiento. ↔ *Vaciedad.*
henchir Llenar, rellenar, colmar, atestar, atarugar, atiborrar, cargar, inflar, emborrar, repletar, hinchar. ↔ *Vaciar.*
hender, hendir Agrietar, rajar, abrir, resquebrajar, partir, abrir, cascar, quebrantar. || Cortar, atravesar, acuchillar, separar, romper.

henderse o hendirse Ventearse, consentirse.
hendidura Hendedura, grieta, fenda, raja, abertura, fisura, ranura, rendija, resquebradura, resquebrajadura, raza, incisura, surco, muesca, entalla, corte, resquicio. ↔ *Saliente.*
'hendija Rendija.
henil Almiar.
heno Forraje, pienso.
heñir Sobar, trabajar, amasar, maznar.
hepatita Baritina.
heptasílabo Septasílabo.
heraldo Faraute, mensajero, rey de armas.
herbajar Apacentar, pacer, pastar.
herbaje Herbazal, pasto.
herbazal 'Hierbal.
herbolario Botarate, alocado, descabellado, insensato.
hercúleo Fuerte, forzudo.
hércules Sansón, atleta.
heredad Heredamiento, predio, posesión, propiedad, finca, hacienda, bienes, alodio.
heredar Suceder, recibir, adquirir. || Sacar, semejarse, parecerse.
heredero Sucesor, legitimario, legatario, fiduciario, beneficiario.
hereditario Patrimonial, atávico.
hereje Heresiarca, apóstata, herético, incrédulo, impío, heterodoxo, infiel, descastado, cismático, sectario. ↔ *Fiel, ortodoxo, creyente.*
herejía Error, heterodoxia, impiedad, sacrilegio, apostasía.
herén Yeros.
herencia Sucesión, beneficio, transmisión. || Bienes, patrimonio. || Propensión,

inclinación, temperamento, atavismo.
herético Hereje.
herida Lesión, vulneración, traumatismo, corte, plaga, llaga, contusión, excoriación, desgarrón, desolladura, descalabradura, fractura, quemadura, hendiente, fendiente, cuchillada, garranchazo, chirlo, jabeque, tiro, mordedura, arañazo. || Ofensa, agravio, dolor.
herir Vulnerar, asestar, dar, picar, acribillar, alancear, acuchillar, señalar, lesionar, lisiar, golpear, batir, percutir, machucar, descalabrar. || Tocar, pulsar. || Impresionar, conmover, zaherir, mover, excitar, pungir. || Ofender, agraviar, lastimar, lacerar, injuriar, insultar. || Acertar.
hermafrodita Andrógino, bisexual, bisexuado.
hermana Sor.
hermanar Juntar, unir, armonizar, uniformar. || Ahermanar, fraternizar, confraternar, avenirse.
hermandad o hermanazgo Cofradía, congregación. || Amistad, fraternidad, confraternidad, unión, avenencia, simpatía. || Gremio.
hermano Colactáneo, tato. || Fray, frey, freire. || Lego, donado, oblato.
hermano mayor 'Ñaño.
hermético Cerrado, impenetrable. ↔ *Abierto.*
hermosear Embellecer, adornar, zafar, agraciar, acicalar, realzar. ↔ *Afear, desfavorecer.*
hermoso Bello, bonito, lindo, gracioso, pulcro, agra-

ciado, pulido, magnífico, soberbio, espléndido, encantador, sublime, perfecto, elevado, divino, 'galano. ↔ *Feo*. || Apacible, sereno, despejado, resplandeciente. ↔ *Encapotado, fosco*.

hermosura Belleza, beldad, lindeza, venustidad, venustez, atractivo, graciosidad, divinidad, sublimidad, perfección, excelencia, amenidad. ↔ *Fealdad*.

hernia Quebradura, potra, relajación.

hernioso Herniado, potroso, quebrado.

héroe Epónimo, campeón, cid, león. || Semidiós, titán. || Protagonista, autor.

heroicidad Heroísmo, rasgo, proeza, gesta, hazaña, valentía, guapeza. ↔ *Cobardía*.

heroico Épico, perínclito, esforzado, hazañoso, intrépido, bravo, valiente, bizarro, estrenuo, invencible. ↔ *Cobarde*.

herpe 'Cativi.

herpil 'Barcina.

herrada Cubo.

herradero 'Hierra, 'hierre.

herrador Mariscal.

herradura Casquillo.

herradero Hierra, hierre.

herraje Guarnecido.

herramental Equipo, *utillaje, apero, avío, aparejo, enseres.

herramienta Instrumento, útil, trebejo, utensilio, chirimbolo.

herrería Forja, fragua, ferrería. || Confusión, alboroto.

herrero 'Encasquillador.

herreruelo Cerrojillo, cerrojito.

herrete Cabete.

herrón Arandela, aro.

herrumbre Orín, moho, herrín, robín, oxidación. || Roya, alheña, pimiento, sarro, añublo, niebla.

herrumbroso Ruginoso.

hervidero Hervor. || Muchedumbre, copia, cantidad, multitud, remolino, hormiguero, agolpamiento, oleada, torrente.

'hervido Cocido.

hervir Bullir, burbujear, fermentar, borbollar, cocer. || Agitarse, encresparse, levantarse, picarse, alborotarse. ↔ *Calmarse*.

hervor Hervidero, efervescencia, ebullición. || Fogosidad, inquietud, impetuosidad, viveza, animosidad, ardor, vehemencia. ↔ *Sosiego*.

hervoroso Fogoso, impetuoso, inquieto, acalorado, enardecido, ardoroso, vehemente, animoso. ↔ *Frío, tranquilo*.

hesitar Dudar, vacilar.

hetaira, hetera Ramera.

heteróclito Irregular, extraño, singular, raro. ↔ *Regular, corriente*.

hespérides Pléyades.

heterodoxo Hereje, disconforme, disidente. ↔ *Ortodoxo*.

heterogéneo Diverso, mezclado, híbrido, surtido, múltiple, vario. ↔ *Homogéneo*.

hético Tísico, tuberculoso. || Flaco, débil, extenuado.

hexagonal Sexagonal.

hexágono Sexágono, sexángulo, seisavo.

heces Excrementos, inmundicias, desechos, desperdicios, escoria, mierda.

hez Poso, sedimento, lía,

depósito, precipitación, zurrapa, zupia, madre, turbios, solera. || Chusma, hampa, taifa. ↔ *Flor*.

hibernés Irlandés, hibérnico.

híbrido Mestizo, cruzado, heterogéneo, atravesado, bastardo, mixto. ↔ *Puro*.

hidalgo Ahidalgo, hijodalgo, noble, ilustre, prócer, distinguido. ↔ *Don Nadie*. || Generoso, justo, magnánimo, caballeroso. ↔ *Mezquino*.

hidalguía Quijotismo, caballerosidad, generosidad, nobleza. ↔ *Ruindad*.

hidrargirio Mercurio, azogue.

hidrato Base, hidróxido.

hidroavión Hidroplano.

hidrofobia Rabia.

hidropesía Opilación, hidrocefalia, hidrotórax.

hidrópico Sediento, insaciable.

hiedra Cazuz, yedra.

hiel Bilis. || Amargura, amargor, aspereza, desabrimiento. ↔ *Miel*.

hieles Adversidades, disgustos, fatigas, trabajos, penas, dolores.

hielo Carámbano. || Pasmo, enajenamiento, suspensión. || Frialdad, indiferencia, desabrimiento. ↔ *Ardor*.

hierático Sacerdotal, religioso. || Solemne, afectado, rimbombante. ↔ *Sencillo*.

hierba Yerba. || Césped, gazón, verde, tepe, gleba. || 'Zácate, 'zacatón.

hierbabuena Menta, hierba santa.

'hierbal Herbazal.

'hierra y hierre Herradero.

hierro Ferrete, marca, estigma. || Arma, acero.

H hierro (para marcar reses) 'Carimba.

hierros Grillos, prisiones, cadenas.

higa Burla. || Dije, amuleto.

hígado Asadura. || Ánimo, valentía, esfuerzo, valor. ↔ *Miedo.*

higiene Profiláctica, profilaxis, limpieza, aseo, curiosidad.

higo Breva, albacora, bujarasol, 'tuno.

hijastro Alnado, entenado.

hijo Niño, retoño, vástago. || Natural, nativo, originario, descendiente, nacido, oriundo. || Producto, fruto, obra, idea, resultado, consecuencia. || Rebrote, renuevo, retoño, remero, hijato.

hijodalgo Hidalgo.

hijuela Rama, anexo, anejo, aledaño, dependencia. || Vereda, sendero, ramificación, atajo.

'hijuela Parcela.

'hijuelar Parcelar.

hila Hilera, hilada.

hila Hebra, hilacha, mota.

hilas Vendaje, apósito.

hilacha Hila.

hiladillo Rehiladillo.

hilado Torzal, torcido, hilaza, gurbión.

hilar Discurrir, trazar, tejer, inferir.

hilarante Regocijante, alegre, jocoso, gracioso. ↔ *Lacrimoso.*

hilaridad Risa, risibilidad, jocosidad, algazara, alegría, humorismo. ↔ *Tristeza.*

hilaza Hilado. || Hilo, hilera.

hilera Fila, línea, hila, hilada, ala, ringlera, tirada, retahíla, teoría, procesión, cola, ristra, sarta. || Hilo,

hilaza. || Parhilera, cumbrera.

hilo Hebra, filamento, cabo, fibra, hilaza, brizna, hilera, 'hilván. || Filo, corte, arista. || Chorrillo. || Continuación, prosecución, progresión, cadena.

hilván Basta, baste, embaste.

'hilván Hilo.

hilvanar Apuntar, embastar. || Proyectar, forjar, preparar.

himeneo Casamiento, boda, nupcias, esponsales, epitalamio.

himno Cántico, canción, poema, loor, peán.

hincapié (hacer) Insistir, mantener, reafirmar.

hincar Clavar, meter, plantar, introducir, fijar, chantar, empotrar.

hincarse de rodillas Prosternarse, arrodillarse.

hinco Poste, puntal, estaca, espigón, palo.

hincón Noray, proís.

hincha Antipatía, encono, ojeriza, enemistad, odio.

hincha Exaltado, fanático.

hinchado Finchado, vanidoso, ensoberbecido, presumido, vano, fatuo, hueco, presuntuoso, infatuado. ↔ *Humilde.* || Ampuloso, redundante, hiperbólico, enflautado, afectado, pomposo, opado. ↔ *Conciso, clausulado.* || Tumefacto, abotagado, tumescente, edematoso, túrgido, mórbido.

hinchar Inflar, henchir, ahuecar, soplar. ↔ *Deshinchar.* || Infartar, distender, enconar, inflamar.

hincharse Fincharse, envanecerse, engreírse, ensoberbecerse. || Entumecerse, abotagarse. ↔ *Deshincharse.*

hinchazón Inflamación, intumescencia, inflación, tumefacción, abultamiento, bulto, edema, infarto, verdugón, burujón, chichón, tumor.

hiniesta Retama.

hinojo Rodilla.

hinojo marino Empetro, perejil de mar o marino.

hinojos (ponerse de) Arrodillarse, prosternarse, hincarse de rodillas.

hipar Resollar, jadear. || Fatigarse, cansarse. || Gimotear, lloriquear. || Codiciar, ansiar, desear, anhelar, ambicionar.

hipérbaton Transposición, anástrofe.

hipérbole Exageración, ponderación, abultamiento, amplificación, andaluzada. ↔ *Moderación.*

hiperbólico Hinchado.

hiperbóreo Ártico.

hiperclorhidria Acidez, acedia, pirosis, rescoldera.

hipermetría Cabalgamiento, encabalgamiento.

hipertono Armónico.

hípico Caballar, ecuestre, equino.

hipnosis Sueño, insensibilidad.

hipnótico Somnífero, sedante.

hipnotizar Magnetizar, dormir, sugestionar, adormecer.

hipo Singulto. || Ansia, anhelo, deseo. || Encono, rabia, hincha, enojo.

hipocampo Caballo de mar o marino, caballo de agua.

hipocondríaco Sombrío, lúgubre, triste, melancólico, fúnebre, raro, extravagante, neurasténico. ↔ *Alegre.*

hipocresía Falsedad, fingimiento, ficción, simulación, doblez, fariseísmo, gazmoñería, disimulo, afectación, mojigatería, comedia, pasmarota, santurronería, camandulería, engaño. ↔ *Franqueza, sinceridad.*

hipócrita Falso, fingido, farsante, impostor, fariseo, farisaico, fingidor, comediante, tartufo, mojigato, gazmoño, nebulón, beatón, santurrón, moscón, camandulero. ↔ *Sincero, franco.*

hipodérmico Subcutáneo.

hipódromo 'Cancha.

hipófisis Cuerpo pituitario, glándula pituitaria.

hipopótamo Caballo de agua.

hipotaxis Subordinación.

hipoteca Carga, gravamen, garantía, caución.

hipotecar Cargar, empeñar, gravar.

hipótesis Suposición, supuesto, figuración, conjetura, presunción, posibilidad, probabilidad, sospecha, creencia.

hipotético Dudoso, incierto, infundado, gratuito, teórico, por demostrar, supuesto, problemático. ↔ *Cierto, comprobado.*

hipsometría Altimetría.

hirco Cabra montés.

hirsuto Rufo, enmarañado, híspido, erizado. ↔ *Liso.* || Áspero, intratable. ↔ *Dócil.*

hisopillo Morquera.

hisopo Aspersorio.

híspido Hirsuto.

histérico Uterino. || Excitable, encendido.

histerismo Mal de madre.

historia Crónica, fastos, anales, narración, epopeya, gesta, leyenda, relación. || Cuento, chisme, ficción, fábula, patraña, hablilla, anécdota.

historiador Historiógrafo, analista, cronista.

historiar Describir, detallar, referir, relatar, narrar, contar, biografiar.

histórico Auténtico, averiguado, comprobado, positivo, seguro, verdadero, cierto. ↔ *Fabuloso.*

histrión Actor, representante, comediante, cómico, farsante, bufón, juglar, saltimbanqui, saltabanco, payaso, prestidigitador, volatín.

hito Unido, inmediato, contiguo, junto. || Fijo, firme, estable. ↔ *Inestable, móvil.* || Hita, mojón, cipo, testigo, pilar. || Blanco, objetivo.

hocicar Hozar, tropezar. || Besucar.

hocico Jeta, morro. || Boca, rostro, cara.

hocicón o hocicudo Bezudo, morrudo, picudo. ↔ *Chato.*

hocino Hoz, angostura, hoya, arroyada, valle. || Honcejo, falce.

hogar Casa, domicilio, lar, morada, familia, fuego, humo. || Chimenea, fogón, hoguera, horno, fuego.

hogaza Pan.

hoguera Alcandora, falla, pira, fogata, rogo, candelada, 'fogaje.

hoja Pétalo, pámpano. || Lámina, plancha, hojuela. || Folio, carilla, plana, página. || Diario, gaceta, escrito, impreso. || Cuchilla, espada, tizona.

hoja (de ventana) 'Abra.

hojarasca Broza, encendaja, seroja, serojo. || Pampanada, pampanaje, ripio, plepa, pampirolada, frusle-ría, bagatela. ↔ *Enjundia, importancia.*

hojalata Lata, hoja de lata.

hojear Trashojar, leer, examinar, repasar.

hojuela Hollejo, cascarilla. || Lámina, hoja.

holandés Neerlandés.

holandilla Holandeta, mitán, forro.

holgachón Cómodo, regalón.

holgado Desocupado, ocioso, 'guangocho. ↔ *Atarcado.* || Ancho, desahogado, sobrado, hornaguero. ↔ *Encogido.* || Acomodado, situado. ↔ *Mísero, pobre.*

holganza Descanso, ocio, reposo, inacción, quietud. ↔ *Actividad, trabajo.* || Gandulería, haraganería, holgazanería, ociosidad, pereza. ↔ *Diligencia, afán.*

holgar Descansar, reposar. || Sobrar. || Nadar.

holgarse Divertirse, entretenerse, alegrarse, regocijarse, gozarse, recrearse.

holgazán Haragán, harón, gandul, perezoso, ocioso, maula, rompepoyos, tumbón, vagamundo, vago, gandumbas, guillote, mogollón, pigre, torreznero, pelafustán, vainazas, maltrabaja, pamposado, galbanero, indolente, remiso, remolón, negligente, 'canchero, 'atorrante. ↔ *Activo, diligente.*

holgazanear Vaguear, gandulear, haraganear, vagamundear, pajarear, 'canchear. ↔ *Trabajar.*

holgazanería Haraganería, holganza, gandulería, pereza, ociosidad, maulería, haronía, tuna, desidia.

holgorio Holgura, holgueta, jolgorio, regocijo, fiesta, bullicio, jarana, juerga,

H

diversión, parranda, regodeo, escorrozo, gaudeamus, 'tambarria. ↔ *Funeral, tristeza.*

holgura Holgorio. ‖ Anchura, amplitud, desahogo, comodidad. ↔ *Estrechez.*

holocausto Sacrificio, ofrenda, dedicación, abnegación, renunciamiento.

holoturia Cohombro de mar.

holladura Huella.

hollar Pisar, pisotear, conculcar, trillar. ‖ Atropellar, abatir, ajar, humillar, mancillar, despreciar, menospreciar, escarnecer.

hollejo Hojuela, cascarilla, pellejo.

hollín Tizne.

holliniento Fuliginoso, tiznado, fumoso, humoso.

hombracho u **hombrachón** Hombrón, jayán. ↔ *Enano.*

hombre Varón, individuo, señor. ‖ Especie humana, humanidad, género humano.

¡hombre! ¡Zape! ¡Caramba! ¡Vaya!

hombre de Estado Político, estadista.

hombre de letras Literato, escritor.

hombre de Iglesia Clérigo, capellán, religioso.

hombrear Competir, rivalizar.

hombrecillo Hominicaco, chiquilicuatro, **chisgarabís.**

hombrera Charretera.

hombría de bien Honradez, probidad, integridad, honorabilidad, buena fe. ↔ *Deslealtad.*

hombro (echar al) Responsabilizarse.

hombrón Hombracho, 'bagual.

hombros (encogerse de) Resignarse, desinteresarse.

homenaje Ofrenda, don, acatamiento, veneración, sumisión, respeto. ‖ Celebración, exaltación ‖ Pleito homenaje. -

homérico Épico, heroico.

homicida Asesino, matador, criminal.

homicidio Asesinato, muerte, crimen.

homilía Sermón, conferencia, exégesis, discurso.

hominicaco Hombrecillo.

homogéneo Semejante, parecido, homólogo. ↔ *Heterogéneo.*

homologación Verificación, confirmación, aprobación, sanción.

homologar Registrar, aprobar, confirmar, verificar.

homólogo Equivalente, análogo, comparable, concordante, conforme, similar, semejante, parecido, homogéneo. ‖ Sinónimo.

homónimo Tocayo.

homosexual Sodomita.

honcejo Hocino.

honda 'Guaraca.

hondear Sondear, tantear, reconocer.

hondero Fundibulario, pedrero.

hondillos Entrepiernas.

hondo Profundo, bajo. ↔ *Elevado.* ‖ Recóndito, intenso, extremado, misterioso. ↔ *Superficial.* ‖ Hondonada.

hondón Hondura. ‖ Hondonada.

hondonada Hondón, hondo, hondura, hoya, hoyada, depresión, valle. ↔ *Altozano, meseta.*

hondura Hondonada. ‖ Profundidad, hondón, sima, abismo.

honestar Honrar. ‖ Cohonestar.

honestidad Decencia, compostura, moderación, decoro, honra. ‖ Recato, pudor, pudicia, castidad, pureza. ↔ *Desvergüenza.* ‖ Urbanidad, modestia.

honesto Honrado, honroso, decente, decoroso. ‖ Modesto, casto, recatado, puduroso, púdico, puro. ↔ *Libertino.* ‖ Justo, equitativo, razonable, recto. ↔ *Arbitrario.*

hongo Seta.

honor Honra, reputación, pundonor, renombre, fama, respeto, consideración, estima, opinión. ‖ Aplauso, celebridad, gloria, obsequio. ‖ Honestidad, recato. ‖ Distinción, título, dignidad, cargo, empleo.

honorabilidad Hombría de bien, honradez, buena fe.

honorable Estimable, respetable, venerable, benemérito, honorífico, distinguido. ↔ *Despreciable.*

honorario Honorífico, honroso.

honorarios Estipendio, retribución, remuneración, devengo, emolumentos, gajes, paga, sueldo.

honorífico Honorario, honorable, honroso, preeminente, decoroso. ↔ *Ignominioso.*

honra Honor, reputación. ‖ Honestidad, honra, decencia.

honradez Hombría de bien, probidad, honra, honorabilidad, integridad, rectitud, moralidad. ↔ *Indignidad.*

honrado Íntegro, probo, recto, leal, incorruptible, honesto, honroso, hombre de bien, honorable, virtuoso. ↔ *Venal, deshonesto.* ‖ Respetado, venerado, estimado, apreciado, enaltecido. ↔ *Deshonrado, envilecido.* || Cortés, correcto, imparcial.

honrar Venerar, respetar, reverenciar. ↔ *Despreciar.* || Distinguir, favorecer, enaltecer, ennoblecer, ensalzar, realzar, premiar, encumbrar, condecorar. ↔ *Rebajar.*

honras fúnebres Exequias, funerales.

honrilla Amor propio, pundonor, puntillo, vergüenza.

honroso Honorífico, preciado, preeminente, señalado, singular. ↔ *Ignominioso.* || Decente, decoroso, honesto, honrado. ↔ *Deshonroso.*

hontanar Fontanar, manantial, venero, fuente, fontana.

hopalanda Sopalanda, hopa, ropón, falda.

hopear Corretear. || Colear, rabear.

hopo Copete, mechón. || Rabo, cola.

hora Tiempo, momento, circunstancias. || Ahora.

horadar Agujerear, taladrar, perforar, escariar.

horado Agujero. || Caverna, cueva, concavidad, espelunca.

horario Reloj. || Indicador, memento.

horca Patíbulo, torga. || Horquilla, horcón. || 'Garabato.

horcajadas (a) A escarramanchones.

horcajo Confluencia.

horcón 'Garabato.

horda Tribu, clan, turba, chusma, populacho.

horizontal Plano, tendido, yacente, supino.

horizonte Límite, confín, extensión, espacio.

horma Forma, molde. || Hormaza, albarrada.

hormiga amarilla 'Galga.

hormigón Calcina, concreto, granujo, mazacote, nuégado, derretido.

hormiguear Bullir, pulular, abundar, verbenear.

hormiguero Hervidero, muchedumbre, afluencia, diversidad, enjambre, torbellino, 'tacuru.

hormiguillo Cosquilleo, hormigueo, picazón.

hornacina Hueco, cavidad, nicho, capilleta.

hornada Promoción, pléyade.

'hornaguearse Menearse.

hornaguera Carbón de piedra.

hornaguero Flojo, holgado, espacioso, holgado. ↔ *Estrecho.*

hornazo Torta, regaifa, mona.

hornecino Bastardo, fornecino, adulterino.

hornero Panadero, pastelero.

hornillo Anafe, hornilla. || Recámara. || 'Reverbero.

horno Calera. || Mufla, boliche, jábega. || Cocina. || Tahona, panadería.

horóscopo Oráculo, predicción, pronóstico, augurio, vaticinio, profecía, adivinación. || Agorero.

horquilla Horcón, horca, horqueta, horcajo, horcate, tridente, bidente, 'gancho.

'horrar Ahorrar.

horre (en) A granel.

horrendo Horrible, horripilante, hórrido, horrífico, horroroso, horrísono, espantoso, pavoroso, monstruoso, feo, tremebundo, espeluznante, aterrador, te-

rrorífico, repulsivo, escandaloso, siniestro. ↔ *Admirable, espléndido.*

hórreo Granero, silo, troj, troje.

horrible, hórrido, horrorífico, horrífico u horripilante Horrendo.

horripilar Horrorizar.

horrísono Fragoroso, horrendo. ↔ *Melodioso.*

horro Libre, desembarazado, exento. || Manumiso, manumitido. ↔ *Sujeto, esclavo.*

horror Terror, miedo, consternación, espanto, temblor, angustia, pánico, pavor, repulsión, aversión, fobia. ↔ *Atracción.* || Atrocidad, monstruosidad, enormidad, crueldad, infamia.

horroroso Horrendo. || Feísimo, deforme, repulsivo.

horrura Bascosidad, escoria, superfluidad.

hortaliza Verdura.

hortelano Huertano, horticultor, labrador, vergelero, cigarralero, 'huertero.

hortera Escudilla, cazuela. || Mancebo, motril, dependiente, muchacho.

hosco Fosco, fusco, obscuro. || Adusto, ceñudo, intratable, áspero. ↔ *Ameno.*

hoscoso Erizado, áspero.

hospedaje Hospedería, hospedamiento, albergue, alojamiento, posada, pupilaje, hospicio, fonda.

hospedar Alojar, albergar, aposentar, acoger, amparar, posar.

hospedería Hospedaje.

hospedero Hostelero, hotelero, patrón, pupilero, mesonero, fondista, huésped.

hospicio Asilo, casa de cuna, albergue. || Hospedaje.

H

H

hospital Dispensario, enfermería, clínica, policlínica, nosocomio, sanatorio, lazareto. || Asilo, hospicio.

hospitalario Protector, acogedor, agasajador, amable.

hospitalidad Refugio, abrigo, asilo, acogida, albergue, protección, bienvenida, acogimiento.

hostelero Hospedero.

hostería Hospedaje, posada, mesón, parador, hostal, fonda, hotel, residencia.

hostia Forma, Sagrada Forma, Pan eucarístico.

hostigar Azotar, castigar. || Fustigar, atosigar, fastidiar, aguijonear, acosar, perseguir, inquietar, molestar, mosquear, picar, 'ajotar.

hostil Contrario, opuesto, adverso, enemigo, desfavorable. ↔ Benévolo, amigo.

hostilidad Enemistad, enemiga, oposición. || Contienda, agresión, acometida, ataque.

hostilizar Acometer, molestar, hostigar, agredir, perseguir, tirotear.

hotel Hostería.

hotelero Hospedero.

hoto Esperanza, confianza.

hoy Ahora, actualmente, en este día, en el presente, a la sazón, en la actualidad, en estos momentos.

hoya Hoyo. || Huesa, hoyanca, sepultura. || Hondonada, hondura. || Almáciga, semillero, 'cepa.

hoyada Hoya, hondonada.

hoyo Hoya, pozo, agujero, bache, concavidad, foramen, hondura. || Huesa, sepultura.

hoyuelo 'Camanance.

hoz Segur, falce, honcejo, hocino. || Angostura, arro-

yada, hoya, valle, hondonada. || 'Calabozo.

hozar Hocicar.

'huasca Guasca.

huebra Yugada. || Barbecho.

hueco Cóncavo, vacío, vacuo, huero, vano. ↔ Lleno. || Presumido, hinchado, vano, ensoberbecido, fatuo, presuntuoso, orondo. ↔ Humilde. || Hinchado, pomposo, enflautado. ↔ Conciso. || Mullido, esponjoso, fofo, fungoso. ↔ Tupido, macizo. || Espacio, lugar, sitio, puesto, laguna, interrupción. || Oquedad, ahuecamiento, concavidad, hornacina.

hucha Olla, ladronera, alcancía, vidriola, ciega, 'guaca.

huchear Gritar, ajordar, abroncar, algarear. || Azuzar, jalear.

huelga Ocio, holganza, inactividad, inacción. || Paro. || Recreación, asueto, descanso. || Huelgo.

huelgo Aliento, respiración, resuello. || Holgura, huelga, anchura, vacío.

huella Holladura, pisada, rastro, jacilla, paso, impresión, vestigio, marca, traza, estela, carril, rodada, surco, pisada, señal, cicatriz, estigma.

huérfano Desamparado, solo, abandonado, falto, carente. ↔ Asistido, apoyado. || Pupilo, 'guácharo, 'guacho.

'huérfano Expósito, borde.

huero Hueco, vacío. || Insubstancial, soso, vano.

huero (salir) Malograrse, frustrarse, fracasar.

huerta Huerto, vergel, vega, cigarral, jardín, regadío.

huertano Hortelano.

'huertero Hortelano.

huerto Huerta.

huesa Sepultura, fosa, hoya, hoyo, yacija.

'huesera Osario.

hueso Zancarrón. || Pipa, cuesco, grano. || Trabajo, ajobo, aperreo, martirio, incomodidad. || Residuo, plepa, zupia. || 'Carozo.

huesoso Óseo.

huésped Convidado, invitado, pupilo, alojado, comensal, pensionista. || Hospedero, patrón, anfitrión, albergador.

hueste Ejército, tropa, banda, partida, facción.

huesudo Osudo.

hueva Ovas.

huevera Madrecilla, overa.

huevo Óvulo, embrión, feto, germen.

huida Fuga, evasión, abandono, escapatoria, deserción, apelde, escape, escurribanda, éxodo, salida. ↔ Invasión, entrada.

'huilfín Nutria.

'huincha Cinta, lazo.

huir Evitar, eludir, sortear, esquivar, obviar, escurrir el bulto, escurrir la bola, volver el rostro. || Transcurrir, pasar, alejarse, desvanecerse, perderse. || Apartarse, separarse, fugarse, escapar, evadirse, largarse, tocárselas, tomar soleta, tomar las de Villadiego, chaquetear, afufar, apeldar, liar el petate, escabullir, poner pies en polvorosa, jopar, dar las espaldas, apretar los talones, poner tierra por medio, salir pitando, irse a leva y a monte. ↔ Afrontar.

hule Linóleo.

hulla Carbón.

hulla blanca Agua, fuerza hidráulica.

humanidad Naturaleza humana, género humano, linaje humano, hombre. ‖ Carnalidad, flaqueza, fragilidad, carne, sensualidad. ‖ Humanitarismo, sensibilidad, compasión, misericordia, piedad, bondad, caridad, filantropía, amor al prójimo, benignidad, afabilidad, mansedumbre, benevolencia. ‖ Corpulencia, balumba, mole, obesidad.

humanidades, humanismo Letras humanas, Buenas letras, Bellas letras, Literatura.

humanitario Caritativo, benévolo, benigno, bueno, benéfico, piadoso, sensible, filántropo, compasivo, indulgente, bondadoso, afable. ↔ Inhumano.

humanitarismo Humanidad, sensibilidad.

humanizar Humanar.

humanizarse Ablandarse, desenojarse, suavizarse, dulcificarse, aplacarse.

humano Humanal. ‖ Humanitario.

humazo Humareda, humarazo, humarada, humaza, humo, humada, fumarada.

humear Fumar, ahumar, ahumear, sahumar, fumigar. ‖ Avahar, bafear. ‖ Entonarse, ensoberbecerse, presumir.

humectante Humectativo, humedeciente.

humedad Sereno, relente, rocío, niebla. ‖ Agua, vapor, vaho.

humedecer Humectar, bañar, remojar, mojar, embeber, empapar, impregnar, ensopar, calar, regar, rociar. ↔ Secar.

húmedo Ácueo, húmido, aguanoso, liento, empapado, mojado, rociado, hecho una sopa. ↔ Seco.

humera Borrachera, jumera.

humeral Cendal, banda, paño de hombros, velo.

humero Chimenea.

humildad Modestia, encogimiento, timidez, reserva, obediencia, docilidad, sumisión, acatamiento, rendimiento, recato. ↔ Orgullo. ‖ Bajeza, pobreza, plebeyez, obscuridad, vulgaridad. ↔ Cuna, nobleza.

humilde Sencillo, modesto, dócil, obediente, sumiso, respetuoso, bondadoso, afable, rendido, cuitado, abatido, tímido, encogido, reservado. ↔ Orgulloso, engreído. ‖ Pobre, obscuro, plebeyo, vulgar. ↔ Noble. ‖ Bajo, reducido, pequeño. ↔ Alto, encumbrado.

humillación Abatimiento, abajamiento, sumisión, humildad, arrastramiento, degradación, vileza, vergüenza. ↔ Exaltación.

humillante Humillador, degradante, denigrante, depresivo, vergonzoso, injurioso, vilipendioso. ↔ Enaltecedor.

humillar Abatir, postrar, doblegar, achicar, rebajar, ajar, apocar, anonadar, hollar, pisotear, mimbrar, someter, domeñar, ofender, lastimar, herir, insultar, mortificar, envilecer, deshonrar, confundir, deslucir, abochornar, avergonzar, afrentar, cachifollar, oprimir, sojuzgar, hacer bajar la cola, bajar los humos. ↔ Enaltecer.

humillarse Prosternarse, postrarse, arrastrarse, anu-

larse, besar la correa, bajar las orejas, doblegar la cerviz, arrastrarse por el suelo, echarse de rodillas, ponerse de hinojos.

humillo Humo, vanidad, altanería, presunción, fatuidad, tonillo, jactancia, ensoberbecimiento. ↔ Humildad.

humo Vapor, exhalación, emanación, fumarola, humada.

humor Secreción, linfa, aguanosidad, aguaza, serosidad, linfa, sanie, sanies, icor, baba, saliva, flema, pus. ‖ Humorismo, jovialidad, agudeza, chiste, gracia, gracejo. ‖ Genio, índole, condición, carácter, talante, temperamento.

humor (buen) Alegría, satisfacción.

humor (mal) Misantropía, aspereza, irritación.

humorada Capricho, extravagancia, antojo, fantasía, rareza, ventolera, desplante. ‖ Chocarrería, chuscada, jocosidad, arranque, chascarrillo.

humorismo Humor, ironía, aticismo, causticidad, sátira, carientismo. ↔ Gravedad, pedantería.

humorista Burlón, ironista, satirizador.

humorístico Irónico, cáustico, mordaz, jocoso, epigramático, satirizante. ↔ Grave, serio.

humos Hogares, fuegos, casas. ‖ Vanidad, humillo.

humoso Fumoso, humeante, fumífero, fuliginoso.

humus Mantillo.

hundimiento Hundición, caída, desplome, desmoronamiento, ruiná, cataclismo.

H

H

|| Baja, declinación, declivio, descenso. || Postración, debilitamiento, descaecimiento. || Naufragio, inmersión.

hundir Sumir, sumergir, abismar, afondar, echar a pique, echar a fondo. ↔ *Poner a flote.* || Abrumar, abatir, oprimir, deprimir. ↔ *Alegrar, animar.* || Confundir, convencer. || Destruir, derribar, arruinar, consumir, barrenar. ↔ *Levantar, edificar.*

hundirse Arruinarse, desplomarse, desmoronarse, caer, derrumbarse, 'fundir. || Zahondar, naufragar, irse a pique, hacer agua. ↔ *Flotar, nadar.* || Ocultarse, desaparecer, esconderse. ↔ *Aparecer.*

húngaro Magiar.

huracán Galerna, ciclón, tifón, manga de viento, baguío, vendaval, tromba, torbellino, tornado, borrasca. ↔ *Calma.*

huraño Arisco, esquivo, hosco, insociable, intratable, áspero, retraído, misántropo, apartadizo, furo, cena a oscuras. ↔ *Sociable.*

hurera Huro, huraco, huronera, agujero, madriguera.

hurgamandera Ramera.

hurgar Hurgonear, mover, remover, menear, revolver, manosear. ↔ *Dejar estar.* || Tocar, sobar, tentar, palpar, andar, sobajar, tentalear. || Incitar, excitar, atizar, pinchar, aguijonear. ↔ *Frenar.*

hurgón Hurgador, hurgonero, atizador. || Estoque, espetón.

hurgonada Hurgonazo, cintarazo, estocada.

hurguillas Bullebulle, chisgarabís, trafalmejas, bullicioso, argadillo. ↔ *Indolente.*

hurón Sabueso, buscavidas, fiscal, sacatrapos, echadizo.

huronear Husmear, fisgar.

huronera Hurera, madriguera. || Escondrijo, ladronera, escondite.

hurtadillas (a) Furtivamente, bajo mano, por lo bajo, solapadamente, a escondidas.

hurtar Quitar, substraer, soplar, limpiar, gatear, robar, 'bolsear. || Desviar, apartar, separar, esquivar. ↔ *Arrostrar.*

hurtarse Zafarse, eludir, rehuir, evitar. || Ocultarse, enfoscarse, esconderse. ↔ *Comparecer.*

hurto Robo, escamoteo, sisa, substracción, ratería, fraude, rapiña, despojo, pecorea, latrocinio. ↔ *Restitución, donación.*

husmeador Fisgón, fisgoneador, fisgador, indagador, entremetido, curioso, deshollinador, inquiridor, inquisidor. ↔ *Discreto, comedido.*

husmear Huronear, curiosear, fisgonear, fisgar, ventear, oliscar, candiletear, brujulear, escudriñar, investigar, escarbar, indagar, perquirir, meter las narices. || Rastrear, olfatear, barruntar, gulusmear. || Apestar, heder.

husmeo Husma, olfateo. || Sondeo, perquisición, rastreo, investigación, escudriñamiento, fiscalización.

husmo Hedor, tufo.

huso Malacate.

hutía 'Jutía.

¡huy! ¡Ay!

I

ibero Ibérico, iberio, español.

íbice Cabra montés.

icástico Natural, sin disfraz. ↔ *Disfrazado.*

icneumón Mangosta.

iconoclasta Destructor, vandálico, vándalo.

icor Humor, sanie, sanies.

ictericia Aliacán, morbo regio.

ictíneo Submarino.

ictiófago Piscívoro.

ida Ímpetu, arranque, prontitud, impulso, acometimiento. || Huella, rastro.

idea Imagen, concepto, representación. || Noción, conocimiento, concepción, pensamiento, opinión, juicio. || Plan, diseño, trazo, designio, esquicio, proyecto, croquis, disposición, esbozo, intención, propósito. || Visión, aspecto, apariencia. || Ingenio, inventiva, imaginación. || Manía, capricho, tema, obsesión, quimera, ilusión. || Doctrina, creencia.

ideal Irreal, inmaterial, incorpóreo, imaginario. || Perfecto, sublime, elevado, puro, excelente, supremo, absoluto, soberano, ejemplar. || Modelo, prototipo, arquetipo, perfección. ||

Ilusión, ambición, deseo, sueño, ansia.

idear Imaginar, discurrir, pensar, maquinar, concebir. || Trazar, inventar, ingeniar, disponer, proyectar.

idéntico Equivalente, igual, exacto, conforme, parecido. ↔ *Diferente.*

identidad Equiva l e n c i a, igualdad. || Autenticidad.

identificar Igualar, asemejar. || Reconocer.

identificarse Coincidir, confundire, hermanarse.

ideología Ideario, doctrina.

idioma Lengua, lenguaje, habla.

idiosincrasia Carácter, individualidad, temperamento, modo de ser, índole, personalidad, peculiaridad, particularidad.

idiota Imbécil, tonto, bobo, necio. || 'Opa.

idiotez Imbecilidad, tontería, necedad.

idiotismo Ignorancia, incultura. || Modismo.

idólatra Pagano, fetichista. || Amante, adorador, apasionado.

idolatrar Adorar, reverenciar, amar. ↔ *Abominar.*

idolatría Paganismo, fetichismo. || Adoración, amor,

veneración, culto, apasionamiento, pasión.

ídolo Fetiche, tótem, mascota, amuleto, figura, imagen, estatua.

idoneidad Aptitud, capacidad, suficiencia, disposición, competencia. ↔ *Ineptitud.*

idóneo Apto, competente, capaz, suficiente, dispuesto. ↔ *Incapaz.* || Conveniente, adecuado. ↔ *Inoportuno.*

iglesia Comunión cristiana, Esposa de Cristo, Congregación, Comunidad, grey. || Templo, basílica, capilla, casa de Dios, casa del Señor, casa de devoción.

ignaro Ignorante.

ignavia Pereza, desidia, indolencia, flojedad, pusilanimidad, poquedad. ↔ *Actividad, valor.*

ignavo Flojo, indolente, cobarde, pusilánime, apocado. ↔ *Alentado, valiente.*

ígneo Ignito, encendido, al rojo, pírico, ardiente, flagrante, abrasador. ↔ *Apagado.*

ignición Combustión, ustión, quema, incandescencia.

ignominia Afrenta, humillación, baldón, ludibrio, infamia, descrédito, deshonra, deshonor, abyección, oprobio, vergüenza. ↔ *Honorabilidad, respetabilidad.*

ignominioso Odioso, abyecto, vil, infamante, innoble, deshonroso, desacreditativo, afrentoso, oprobioso, vergonzoso. ↔ *Honroso.*

ignorado Ignoto, incógnito, desconocido, oculto, secreto, inexplorado, anónimo, incierto. ↔ *Conocido, sabido, ilustre.*

ignorancia Incultura, desconocimiento, insapiencia, nesciencia, analfabetismo, barbarie, nulidad, incapacidad, insuficiencia, tinieblas, tosquedad, incompetencia, impericia, ineptitud, inexperiencia, inocencia. ↔ *Conocimiento, sabiduría, experiencia.*

ignorancia supina Ignorancia crasa.

ignorante Inculto, indocto, ignaro, desconocedor, nesciente, insipiente, lego, iletrado, profano, iliterato, analfabeto, zote, obtuso, pollino, asno, rocín, alcornoque, bolonio, gofo, modorro, molondro, mostrenco, cernícalo, borrego, calabacín. ↔ *Sabio, instruido, ilustrado.*

ignorar Desconocer, rebuznar, estar in albis, estar pez, estar en pañales, no saber el cristus, no saber una jota, no saber la cartilla, no saber lo que se pesca, no saber por donde se anda, no saber donde tiene los ojos, no saber cuántas son cinco, no saber ni el abecé, no saber de la misa la mitad, ver el cielo por un embudo, no haber oído campanas, 'inorar. ↔ *Saber, conocer.*

ignoto Ignorado, inexplorado. ↔ *Conocido, ilustre.*

igual Exacto, idéntico, parejo, parecido, par, mismo, equivalente, sinónimo, similar, semejante, comparable, paralelo, equipolente, gemelo, hermanado, esculpido, 'cuate. ↔ *Desigual, distinto.* || Liso, llano, uniforme, homogéneo, plano, raso, unido. ↔ *Desigual, discontinuo.* || Constante, invariable, regular. || Indiferente. || Proporcionado, relacionado.

iguala Igualación. || Estipendio, pago.

igualación Igualamiento, emparejadura, equilibrio, nivelación, equiparación. || Convenio, pacto, transacción, concordia, iguala, ajuste.

igualar Identificar, emparejar, equiparar, nivelar, uniformar, parear, equilibrar, compensar, equivaler, contrapesar, promediar. || Allanar, explanar, ajustar.

igualarse Ser todo uno, semejarse, parecerse, correr parejas.

igualdad Conformidad, paridad, identidad, uniformidad, exactitud, emparejadura, semejanza, equivalencia, paralelismo, sinonimia, consonancia, correspondencia, parejura, coincidencia. ↔ *Desigualdad* ||

igualmente También, asimismo. || Idem, lo mismo, así, al igual, a la par, por igual, a este tenor, otra que tal. ↔ *Al contrario.*

iguana 'Camaleón, 'teyu.

ijada Ijar.

ilación Inferencia, deducción, consecuencia.

íleo Volvo, vólvulo.

ilegal Ilícito, ilegítimo, prohibido, indebido, subrepticio, clandestino, injusto. ↔ *Legal.*

ilegalidad Ilicitud, ilegitimidad, arbitrariedad, tropelía, clandestinidad, prevaricación, corruptela.

ilegible Ininteligible, indescifrable, incomprensible. ↔ *Legible.*

ilegitimidad Falsía, bastardía, falsedad.

ilegítimo Bastardo, falsificado, fraudulento, espurio, fementido, falso, postizo, supuesto, mentido, incierto, injusto, ilegal, de mala ley. ↔ *Legítimo.*

ileso Indemne, incólume, zafo, salvo, sano y salvo. ↔ *Leso.*

iletrado Ignorante, indocto, inculto.

ilícito Ilegal, ilegítimo, indebido. ↔ *Legal.*

ilimitado Indeterminado, infinito, incomensurable, indefinido, inextinguible, inagotable, inacabable, imperecedero, interminable. ↔ *Limitado, finito.*

iliterato Ignorante.

ilógico Absurdo, desatinado, irrazonable, infundado, paradójico, disparatado, descabellado, descabezado, antinatural, inconsecuente, contradictorio, inverosímil. ↔ *Lógico.*

ilota Esclavo, siervo, paria.

iluminación Alumbrado, luz, luminaria, alumbramiento, irradiación. || Inspiración, visión, sueño, alucinación.

iluminar Alumbrar, encender, dar luz. || Irradiar,

resplandecer, destellar, esplender, relucir. || Colorear, pintar. || Ilustrar. || Inspirar, infundir, revelar.

ilusión Imagen, ficción, quimera, sueño, engaño. || Esperanza, confianza, deseo.

ilusionarse Fiar, confiar, esperar, alimentar, acariciar, levantar castillos en el aire, hacerse la boca agua, prometérselas felices, alimentarse de esperanzas.

ilusivo Falso, engañoso, aparente, fingido, inexistente, ilusorio, ficticio, mentido, fementido, engañoso. ↔ *Cierto, real.*

iluso Cándido, seducido, engañado, embaucado, encandilado. ↔ *Desengañado, avisado.* || Soñador, visionario, idealista, utopista, quimerista. ↔ *Realista.*

ilusorio Ilusivo, engañoso. || Nulo, inexistente, sin efecto.

ilustración Instrucción, educación, aleccionamiento, esclarecimiento, aclaración, explicación, comentario, exégesis, explanación. || Saber, cultura, civilización, preparación, erudición. || Imagen, estampa, grabado, figura, lámina, iluminación, dibujo.

ilustrado Docto, sabio, instruido, culto, erudito, letrado, documentado, entendido, versado, leído. ↔ *Ignorante.*

ilustrar Enseñar, educar, imponer, alumbrar, formar, iniciar, documentar, aleccionar, instruir, iluminar, aclarar, explicar, explanar, esclarecer. || Iluminar. || Ennoblecer, afamar, engrandecer.

ilustre Linajudo, noble, blasonado. ↔ *Plebeyo.* || Egregio, grande, esclarecido, insigne, célebre, renombrado, prestigioso, ínclito, eximio, augusto, notable, preclaro, eminente, perínclito, distinguido, excelso, eximio, brillante, reputado, celebrado, magistral, maestro, relevante, respetable, excelente, conspicuo, sobresaliente, afamado, glorioso. ↔ *Oscuro, ignoto.*

imagen Idea, representación, especie, símbolo, simulacro, figuración. || Figura, efigie, retrato, estampa, estatua. || Reproducción, representación, modelo, imitación, semejanza, copia, parecido. || Metáfora, tropo, comparación, semejanza.

imaginación Imaginativa, magín, inventiva, fantasía, la loca de la casa. || Aprensión, aberración, ilusión, falencia, ficción, alucinación, penseque, quimera, ofuscación, delirio, desvarío, visión, fantasmagoría, espejismo, embaimiento, engaño, entelequia, integumento, fábula, novelería. ↔ *Realidad.*

imaginar Crear, idear, forjar, inventar, concebir, representar, recordar, evocar, fantasear, divagar, presumir, suponer, quimerizar, pensar, reflexionar, conjeturar.

imaginaria Guardia, vela.

imaginario Irreal, falso, ficticio, inexistente, supuesto, inventado, fantástico, quimérico, fabuloso, utópico, inmaterial. ↔ *Real, concreto, material.*

imaginero Estatuario, escultor.

imán Caramida, calamita, magnetita, piedra imán. || Atractivo, embeleso, seducción.

imanar Imantar, magnetizar, atraer.

imbécil Idiota, tonto, alelado, lelo, estúpido, bobo, necio.

imbecilidad Idiotez, tontería, estupidez, bobería, necedad.

imberbe Lampiño, barbilampiño, carilampiño, rapagón. ↔ *Peludo, piloso.*

imbibición Absorción, adsorción.

imbornal Alcantarilla, sumidero.

imborrable Indeleble, fijo, indestructible, indisoluble, permanente, durable. ↔ *Efímero, deleble.*

imbuir Infundir, persuadir, inculcar, infiltrar, inducir, meter en la cabeza, convencer.

'imbunche Feo, gordo, rechoncho (niño). || Maleficio, hechicería. || Embrollo.

imitación Reproducción, copia, facsímile, remedo, plagio, caricatura, simulacro, refrito, repetición, falsificación, parodia.

imitar Seguir, copiar, remedar, contrahacer, tomar, calcar, plagiar, hurtar, fusilar, arrendar.

imitativo o **imitatorio** Mimético.

impaciencia Inquietud, desasosiego, intranquilidad, zozobra, ansiedad, nerviosidad, excitación, conturbación, torozón. ↔ *Impasibilidad.*

impacientar Incomodar, irritar, enrabiar, exacerbar, enviscar, exasperar, embravecer. ↔ *Calmar.*

impacientarse Quemarse, desesperarse, reconcomerse, pudrirse, repudrirse.

impaciente Inquieto, agitado, alterado, argadillo, trafalmejas, bullicioso, nervioso, excitado, desasosegado, malsufrido, intranquilo. ↔ *Impasible, tranquilo, sosegado.*

impacto Impacción, balazo, bombazo, embudo, cráter.

impagable Inapreciable, extraordinario.

'impago Acreedor.

impalpable Fino, sutil, intangible, incorpóreo, imperceptible, tenue, minúsculo, microscópico, invisible, etéreo. ↔ *Tangible, grueso.*

impar Non, desigual. ↔ *Par.*

imparcial Justo, justiciero, ecuánime, sereno, neutral, equitativo, recto, íntegro, honesto. ↔ *Parcial, injusto.*

imparcialidad Justicia, rectitud, igualdad, equidad, ecuanimidad, neutralidad. ↔ *Parcialidad, injusticia.*

impartir Repartir, comunicar, dar, distribuir, compartir, asignar.

impasibilidad Imperturbabilidad, inalterabilidad, impavidez, serenidad, calma, tranquilidad. ‖ Indiferencia, insensibilidad. ↔ *Impaciencia, compasión.*

impasible Imperturbable, inalterable, impávido, sereno, impertérrito, tranquilo, templado, intrépido, indiferente, displicente, apático, insensible, frío. ↔ *Impaciente, deferente.*

impavidez Impasibilidad, denuedo, valor, serenidad. ↔ *Aturrullamiento.*

impávido Impasible, valeroso, sereno, imperturbable. ↔ *Aturdido.*

impecable Perfecto, puro, limpio, correcto, cabal, intachable, irreprochable. ↔ *Defectuoso.*

impedido Imposibilitado, tullido, paralítico, inválido, baldado, anquilosado, entumecido, incapacitado, inútil. ↔ *Apto, sano.*

impedimenta Bagaje, equipaje.

impedimento Estorbo, entorpecimiento, obstáculo, dificultad, traba, atascamiento, atasco, atolladero, apuro, pana, pega, obstrucción. ↔ *Facilidad.*

impedir Estorbar, entorpecer, obstaculizar, dificultar, imposibilitar, embarazar, empachar, empecer, embargar, dificultar, paralizar, frenar, vedar, prohibir, obstruir, atascar, empantanar, obstar, obviar, cortar las alas, atar de manos. ↔ *Facilitar.*

impeler Impulsar, empujar, empellar, propulsar, arrojar, aventar, lanzar. ↔ *Frenar.* ‖ Incitar, achuchar, aguijonear, estimular, animar, instigar, mover, inclinar. ↔ *Desanimar.*

impender Gastar, expender, invertir.

impenetrable Hermético, cerrado, clausurado, misterioso, incomprensible, indescifrable, inaccesible, incognoscible, impermeable. ↔ *Accesible.*

impenitente Contumaz, incorregible, reincidente, resistente, terco, recalcitrante, empedernido, obstinado. ↔ *Contrito.*

impensado Imprevisto, inesperado, repentino, insospechado, inopinado. ↔ *Supuesto, previsible.*

imperante Dominante, difundido, propagado, reinante, en voga. ↔ *Inexistente, carente.*

imperar Predominar, prevalecer, reinar, soberanear, señorear, sojuzgar, someter, sujetar, tiranizar, despotizar, avasallar, mandar, dominar.

imperativo Imperioso, perentorio, conminatorio, dominante, exigente, mandante, autoritario, preceptivo, categórico, prescrito. ↔ *Discrecional.*

imperceptible Inapreciable, insensible, indiscernible, indistinto, invisible. ↔ *Distinto, claro, tangible, visible.*

imperdible Fíbula, broche. ‖ Inadmisible. ↔ *Olvidadizo.*

imperecedero Perdurable, perpetuo, eterno, inmortal, perenne, interminable. ↔ *Perecedero, mortal.*

imperfección Defecto, falta, tacha, vicio, deficiencia, falla, maca, lacra, borrón, laguna, mota, mancha. ↔ *Perfección.* ‖ Torpeza, inhabilidad, deficiencia, descuido, grosería. ↔ *Habilidad, acierto.*

imperfecto Incompleto, defectuoso, inacabado, defectivo, falto, faltoso, inconcluso, manco, deforme, tosco, grosero, rústico, chanflón, chapucero, verde, inmaturo. ↔ *Perfecto, cabal, insuperable.*

imperial Cesáreo, augusto. ‖ Tejadillo.

impericia Inhabilidad, ineptitud, incompetencia, inexperiencia, insuficiencia, incapacidad, ignorancia, desmaña, torpeza. ↔ *Pericia, dexteridad, destreza.*

imperio Autoridad, mando, dominio, poder, señorío, caudillaje. || Potencia, estado. || Altanería, orgullo, ensoberbecimiento, soberbia. ↔ *Humildad.*

imperioso Imperativo. || Despótico, altanero, soberbio, orgulloso, arrogante. ↔ *Sumiso.*

impermeabilizar Hidrofugar, alquitranar, embrear, calafatear, recauchutar.

impermeable Estanco, impenetrable. || Trinchera, gabardina, chubasquero.

impertérrito Imperturbable, sereno. ↔ *Turbado.*

impertinencia Inconveniencia, despropósito, importunidad, necedad, disparate, clarinada, pejiguera, frescura, pata de gallo, badajada, zanganada. ↔ *Cortesía, obsequio.*

impertinente Inconveniente, inoportuno. || Importuno, molesto, indiscreto, cargante, fastidioso, pesado, chinche, chinchorrero, chinchoso, mosca, moscardón, cócora, patoso, degollante, metemuertos, 'espeso. ↔ *Cortés, respetuoso.*

imperturbabilidad Inalterabilidad, impasibilidad, impavidez, serenidad, tranquilidad, calma, equilibrio, estoicismo, apatía, indiferencia. ↔ *Inquietud, impaciencia.* || Intrepidez, valor, arrojo, denuedo, sangre fría. ↔ *Cobardía.*

imperturbable Impertérrito, impávido, impasible, in-conmovible, inalterable, sereno, tranquilo, estoico, templado, cariparejo, indiferente, calmoso. ↔ *Aturdido, inquieto.* || Valeroso, intrépido, valiente, denodado, osado, resoluto, farruco. ↔ *Cobarde.*

impetrar Obtener, alcanzar, conseguir, lograr. || Implorar, rogar, solicitar.

ímpetu Impetuosidad, impulso, vehemencia, fuerza, violencia, brusquedad, ida, frenesí, arrebato, fogosidad, arranque, ardor, hervor, furia, resolución, prontitud, sobrevienta. ↔ *Placidez, flema.*

impetuoso Impulsivo, vehemente, violento, brusco, frenético, arrebatado, fogoso, célere, febril, acucioso, hervoroso, raudo, irrefrenable, súbito, pronto, rápido, vertiginoso. ↔ *Plácido, tranquilo.*

impiedad Irreligiosidad, incredulidad, irreverencia, indevoción, laicismo, ateísmo. ↔ *Piedad.*

impío Irreligioso, incrédulo, descreído, impiedoso, irreverente, laico, ateo, infiel, anticlerical, indevoto, sacrílego. ↔ *Pío, devoto.*

implacable Inexorable, inflexible, intolerante, inclemente, cruel, duro, despiadado, inhumano, riguroso, severo, rencoroso, vengativo, vindicativo, exigente, draconiano. ↔ *Clemente, compasivo.*

implantar Establecer, instituir, instaurar, fundar, crear, constituir, introducir. ↔ *Destruir, abrogar.*

implicación Contradicción, oposición, discrepancia.

implicar Envolver, enredar, encerrar, enlazar, incluir, entrañar, suponer, llevar consigo. || Obstar, impedir, contradecirse.

implícito Incluso, incluido, callado, tácito, sobreentendido, virtual, expreso. ↔ *Excluso, explícito.*

implorar Rogar, pedir, impetrar, suplicar, clamar, invocar, exhortar, deprecar, conjurar, instar, postular.

impolítica Descortesía, incivilidad, grosería, rustiquez.

impolítico Descortés, incivil, inurbano, desatento, grosero, basto, agreste, rudo, rústico, ordinario, malcriado, mal educado. ↔ *Cortés, atento.*

impoluto Limpio, nítido, inmaculado, neto, .intachable, morondo, sin tacha. ↔ *Manchado.*

imponderable Inmejorable, inestimable, insuperable, relevante, excelente, soberbio. ↔ *Incalificable.*

imponderables Fatalismo, hado, imprevisibles.

imponente Cuentacorrentista, rentista. || Grandioso, respetable. descomunal, inmenso, formidable, temible, alarmante, considerable. ↔ *Mezquino, miserable.* || Espantoso, aterrador, terrorífico, pavoroso. ↔ *Ridículo.*

imponer Gravar, cargar, colocar, dar, asignar, obligar, exigir. || Instruir, enseñar, educar, iniciar, enterar, informar. || Dominar, sojuzgar. || Imputar, incriminar, acusar, calumniar. || Asustar, amedrentar, acobardar, aterrar. || Infligir, aplicar.

imponible Tributable, gravado.

impopular Desautorizado, desacreditado, malmirado, malquisto. ↔ *Popular.*

impopularidad Desprestigio, descrédito, mala reputación. ↔ *Popularidad.*

importancia Valor, alcance, consideración, significación, categoría, trascendencia consecuencia, autoridad, entidad, calidad, ascendiente, gravedad, cuantía, monta, interés, peso, fuste, poder, precio, estimación, influencia, crédito. ↔ *Insignificancia.* || Vanidad, presunción, elación, fatuidad, suficiencia. ↔ *Humildad.*

importante Valioso, considerable, significante, significativo, sustancial, interesante, conveniente, principal, fundamental, primordial, capital, esencial, vital, trascendente, trascendental, cardinal, central, grave, serio, preponderante, precipuo, inapreciable, culminante, notable, enorme, atroz, granado, morrocotudo. ↔ *Insignificante.* || Infatuado, vano, presuntuoso, ensoberbecido. ↔ *Humilde.*

importar Convenir, interesar, significar, venir a cuento, hacer el caso, atañer, tener que ver, merecer la pena. ↔ *No valer un ardite* o *un bledo.* || Valer, costar, subir, montar, sumar, elevarse. || Introducir, entrar. ↔ *Exportar.*

importe Cuantía, coste, costo, valía, valor, precio, monto, monta. || Anualidad.

importunar Molestar, incomodar, fastidiar, cargar, perseguir, jeringar, jorobar, chinchar, machacar, aburrir, agonizar, asediar, apretar, embestir, acosar, acribillar, no dejar ni a sol ni a sombra, dar la lata, dar murga, dar la matraca, 'cantaletear. ↔ *Agradar, ser discreto.*

importuno Inoportuno. || Molesto, enfadoso, cargante, chinchoso, fastidioso, pesado, molesto, latoso, machacoso, machacón, impertinente, majadero, jaquecoso, mogollón, cócora, moscatel, chinche, posma, mazacote, quebrantahuesos, 'carlanca, 'fregado. ↔ *Simpático, agradable.*

imposibilidad Dificultad, impedimento, improcedencia, incompatibilidad, contradicción, oposición, quimera, utopía. ↔ *Posibilidad.*

imposibilitado Tullido, inválido, impedido, atrofiado, paralítico, anquilosado. ↔ *Hábil, sano.*

imposibilitar Impedir, estorbar, empecer, dificultar, entorpecer, obstruir, empantanar, embarazar, empachar, embargar. ↔ *Facilitar.*

imposible Improbable, impracticable, irrealizable, increíble, insostenible, inadmisible, inasequible, inaccesible, inejecutable, inverosímil, dudoso, quimérico, absurdo, utópico, incompatible. ↔ *Posible, hacedero, realizable, concebible.* || Inaguantable, enfadoso, intratable.

imposición Carga, obligación, tributo, impuesto, gravamen. || Coacción, coerción, mandato, exigencia.

impostor Difamador, calumniador, infamador, maldiciente, murmurador. ↔ *Adulador.* || Simulador, farsante, embaucador, falsario, camandulero, mentiroso, hazañero, engañador, comediante. ↔ *Auténtico, leal, honesto.*

impostura Imputación, inculpación, incriminación, calumnia, cargo, murmuración, engaño, superchería. || Fingimiento, falacia, artificio, recoveco, doblez, camandulería, engañifa, mentira. ↔ *Verdad, lealtad, franqueza.*

impotencia Incapacidad, insuficiencia, ineptitud, imposibilidad, inutilidad, ineficacia. ↔ *Capacidad, poder.* || Desfallecimiento, debilidad, exinanición, decaimiento, desaliento, agotamiento. ↔ *Fortaleza, vigor.* || Infecundidad, esterilidad, senilidad. ↔ *Virilidad, fecundidad.*

impotente Incapaz, ineficaz, inactivo, infructuoso. ↔ *Potente.* || Débil, exinanido, agotado. ↔ *Fuerte, vigoroso.* || Infecundo, estéril, senil. ↔ *Viril, fecunda.*

impracticable Irrealizable, infranqueable, imposible. ↔ *Posible.* || Intransitable, inaccesible. ↔ *Cómodo, accesible.*

imprecación Execración, apóstrofe, detestación, anatema, maldición. ↔ *Elogio.*

imprecar Execrar, condenar, maldecir, abominar, anatematizar, detestar. ↔ *Elogiar.*

impreciso Indefinido, indeterminado, indistinto, incierto, indeciso, vago, ambiguo, equívoco, neutro, confuso, aproximado. ↔ *Determinado, taxativo, inconfundible.*

impregnar Empapar, embeber, mojar, ensopar, bañar, calar, pringar, humedecer. ↔ *Exprimir, vaciar, secar.*

impremeditación Imprevisión, inadvertencia. ↔ *Premeditación.*

imprenta Tipografía, estampa. || Impresión.

imprescindible Indispensable, irreemplazable, insustituible, imperioso, preciso, esencial, vital, necesario, forzoso, obligatorio. ↔ *Prescindible, fútil, inoperante.*

impresión Estampación, tirada. || Imprenta. || Huella, marca, señal, reliquia, vestigio, estampa, rastro. || Efecto, sensación, excitación, afección, emoción, sobrecogimiento, pasmo.

impresionable Emocionable, excitable, emotivo, sensible, sensitivo, sensiblero, afectivo, delicado, nervioso, susceptible, receptible. ↔ *Indiferente, insensible.*

impresionar Excitar, emocionar, alterar, conmover, conturbar, turbar, suspender, afectar tocar, seducir. ↔ *Dejar indiferente.*

impreso De molde. || Escrito, papel, prospecto, libro, diario, revista.

impresor Tipógrafo, cajista.

imprevisión Impremeditación, inadvertencia, irreflexión, imprudencia, descuido, ligereza, negligencia. ↔ *Previsión, conjetura.*

imprevisor Impróvido, descuidado, desapercibido, desprevenido, confiado. ↔ *Previsor, cauteloso.*

imprevisto Inopinado, impensado, inesperado, insospechado, repentino, súbito, fortuito, casual, volandero, como llovido del cielo. ↔ *Previsto, determinado.*

imprimación Aparejo, preparación.

imprimátur Nihil obstat.

imprimir Estampar, tirar, editar, dar a luz, sacar a luz, publicar. || Fijar, retener, conservar, guardar. ↔ *Olvidar.*

improbable Imposible, ilógico, inverosímil, extravagante, inaudito, raro, sorprendente. ↔ *Probable, cierto.*

improbidad Iniquidad, perversidad, infamia, maldad. ↔ *Rectitud, bondad.*

ímprobo Malo, malvado, perverso, infame, inicuo. ↔ *Bueno, recto, justo.* || Abrumador, agotador, costoso, fatigoso, afanoso, laborioso, trabajoso, operoso, penoso. ↔ *Fácil, expedito.*

improcedente Incongruo, extemporáneo, inadecuado, inconveniente, impropio. ↔ *Propio, procedente.*

improductivo Infértil, infecundo, infructífero, infructuoso, estéril, baldío, yermo, inútil. ↔ *Fértil, feraz.*

impronta Señal, sello, marca, huella.

improperio Dicterio, denuesto, descuerno, invectiva, lindeza, injuria, insulto. ↔ *Cumplimiento.*

impropiedad Inoportunidad,

desconveniencia, incongruencia, disonancia, despropósito, desacuerdo. ↔ *Propiedad, acuerdo.*

impropio Inoportuno, inadecuado, improcedente, inconveniente, intempestivo, incongruo, incorrecto, inexacto, discordante, disonante, disconforme, desplazado, extemporáneo. ↔ *Propio, correcto.* || Ajeno, extraño, foráneo.

improrrogable Inaplazable, definitivo, listo, consumado. ↔ *Diferible.*

impróspero Aciago, adverso, infortunado, desdichado. ↔ *Afortunado.*

impróvido Imprevisor, descuidado.

improvisación Iniciativa, pronto, repente, repentización, in promptu.

improvisador Repentista.

improvisar Repentizar. || Componer, interpretar, tocar, versificar.

improviso (de) De repente, de sopetón, de rebato, de pronto, de súbito, de la noche a la mañana, a quema ropa, a hurta cordel, sin pensarlo, de manos a boca. ↔ *Maduramente, reflexivamente.*

imprudencia Impremeditación, imprevisión, despreocupación, descuido, precipitación, atolondramiento, aturdimiento, irreflexión, ligereza, temeridad. ↔ *Prudencia, cautela.*

imprudente Atolondrado, aturdido, ligero, irreflexivo, precipitado, inadvertido, desatinado, incauto, indiscreto, arriesgado, atrevido, osado, temerario, 'marocha. ↔ *Prudente, sensato.*

impúber o **impúbero** Niño, chiquillo.

impudencia Descaro, atrevimiento, desfachatez, descomedimiento, desvergüenza, descoco, impudor, cinismo, petulancia, inverecundia, insolencia, impudicia, procacidad. ↔ *Delicadeza, atención, pudor.*

impudente Desvergonzado, descarado, inverec u n do, desfachatado, deslenguado, atrevido, fresco, insolente, raído, zafado. ↔ *Atento, cortés.*

impudicia o **impudicicia** Deshonestidad, procacidad, impudencia, impudor, indecencia, obscenidad, concupiscencia, liviandad, impureza. ↔ *Pudicia o pudicicia, honestidad.*

impúdico Impudente, desvergonzado, inmundo, deshonesto, torpe, libidinoso, licencioso, descocado, procaz, lúbrico. ↔ *Honesto, púdico.*

impudor Impudicicia, deshonestidad, libertinaje, lujuria, procacidad. ↔ *Honestidad.* || Impudencia, descaro, cinismo. ↔ *Delicadeza, atención.*

impuesto Obligación, tributo, carga, tributación, contribución, arbitrio, gabela, censo, cédula, pecho, subsidio, sobretasa, azaque, gravamen, derecho. ↔ *Exoneración.*

impugnación Redargución, obyecto, mentís, metido, pateadura, negación. ↔ *Aprobación, defensa.*

impugnar Opugnar, refutar, contradecir, rebatir, confutar, oponer, redargüir, objetar, replicar, desmentir, oponer, discutir, com-batir, repeler, volver la pelota. ↔ *Aprobar, corroborar.*

impulsar Impeler, empujar, lanzar, empellar, arrojar. ↔ *Frenar.* || Incitar, achuchar, estimular. ↔ *Desanimar.*

impulsivo Impelente, propulsor, propelente. ↔ *Retardador.* || Arrebatado, arrebatoso, impetuoso, ardiente, ahincado, efusivo, vehemente, súbito. ↔ *Flemático.*

impulso Impulsión, ímpetu, empujón, empellón, empuje, envión, achuchón, propulsión, presión, pechugón, movimiento, lanzamiento. ↔ *Freno.* || Instigación, incitación, estímulo, incentivo, aguijón, aciamiento, excitación, pinchazo. ↔ *Desaliento.*

impune Impúnido, inulto, sin castigo.

impureza Impuridad, turbiedad, suciedad, mancha, corrupción, adu l t e r ación, mezcla. ↔ *Pureza, legitimidad.* || Impudicicia, deshonestidad. ↔ *Castidad.*

impuro Turbio, sucio, adulterado, mezclado, revuelto, manchado, metalado. ↔ *Puro, legítimo.* || Impúdico, deshonesto. ↔ *Casto.*

imputar Atribuir, achacar, reprochar, cargar, tachar, hacer cargo de, hacer responsable de, echar las cargas, acusar, incriminar, inculpar. ↔ *Excusar, eximir, exonerar.*

imputrescible Incorruptible.

inabarcable Inalcanzable, dilatado, inmenso.

inabordable Inaccesible, impracticable.

inacabable Inagotable, interminable, inextinguible, infinito, sin fin. ↔ *Finito.* || Aburrido, latoso, molesto, fastidioso. ↔ *Ameno, divertido.*

inaccesible Inabordable, impracticable, inalcanzable, impenetrable, intrincado, abrupto, escarpado, fragoso. || Difícil, imposible, incomprensible, inasequible. ↔ *Fácil, comprensible.*

inacción Inercia, inmovilidad, inactividad, quietud, sosiego, descanso, tregua, paro, pausa, ociosidad, ocio, holganza, gandulería. ↔ *Acción, movimiento, actividad, diligencia.*

inacentuado Átono.

inaceptable Inadmisible.

inactividad Inacción. || Indolencia, desidia, pereza, ocio, ociosidad, apatía. ↔ *Actividad, diligencia.*

inactivo Inerte, parado, quieto, estático, inmóvil, detenido. ↔ *En movimiento.* || Ocioso, pasmado, desocupado, tumbado. ↔ *Diligente, activo.*

inadaptable Inacomodable, inaplicable, inajustable, inconformable.

inadaptado Extraño, paria.

inadecuado Impropio, inconvenible, inconveniente, inapropiado. ↔ *Propio, correspondiente.*

inadmisible Inaceptable, insostenible, impropio, improbable, falso, injusto, repelente. ↔ *Conveniente.*

inadvertencia Irreflexión, olvido, distracción, omisión, descuido, aturdimiento, negligencia, oscitancia. ↔ *Atención.*

inadvertido Desadvertido, atolondrado, precipitado,

irreflexivo, distraído, imprudente. ↔ *Atento, prudente.*

inagotable Inextinguible, inacabable, interminable, fecundo, continuo, infinito, sin fin, indefinido, eterno. ↔ *Finito.*

inaguantable Insoportable, insufrible, intolerable, cargante, pesado, fastidioso. ↔ *Ameno, sobrellevable.*

inalámbrico Hertziano.

in albis En blanco, a la luna de Valencia.

inalcanzable Inasequible, inasible, inabordable, incomprensible. ↔ *Fácil.*

inalterable Invariable, imperturbable, permanente, fijo, impasible, inquebrantable, estable, inmutable. ↔ *Inestable, tornadizo.*

inamisible Imperdible.

inamovible Quieto, fijo, estático, sujeto. ↔ *Móvil.*

inane Fútil, baladí, vano, vacuo, inútil. ↔ *Útil.*

inanición Debilidad, desfallecimiento, inedia, depauperación, extenuación. ↔ *Fortaleza.*

inanidad Futilidad, vacuidad, inutilidad, puerilidad, insubstancialidad, fatuidad. ↔ *Provecho, utilidad.*

inanimado o **inánime** Exánime, desmayado, insensible, inmóvil, muerto. ↔ *Vivo, animado.*

inapagable Inextinguible.

inapelable Inexorable, inevitable, irrecusable, irremediable.

inapetencia Desgana, anorexia, disorexia, saciedad. ↔ *Hambre.*

inaplazable Improrrogable, definitivo, fijo. ↔ *Diferible.*

inapreciable Inestimable,

valioso, precioso. ↔ *Baladí.* || Imperceptible, invisible, insensible, indiscernible. ↔ *Evidente.*

inaprovechable Inservible, estropeado, inútil. ↔ *Útil.*

inarmónico Disonante, discorde, discordante, destemplado. ↔ *Armónico.*

inarticulado Desarticulado. || Inconexo, confuso.

inasequible o **inasible** Inalcanzable, inaccesible, inabordable. || Incomprensible, inapelable, abstruso, difícil. ↔ *Fácil.*

inastillable Irrompible, templado.

inatacable Invulnerable, inmune. ↔ *Vulnerable.* || Inconquistable, inexpugnable. ↔ *Expugnable.* || Irreprochable, impecable, perfecto. ↔ *Defectuoso.*

inatento Desatento, distraído, olvidadizo. ↔ *Atento.*

inaudito Increíble, sorprendente, extraordinario, nuevo, desconocido, extravagante, raro, extraño. ↔ *Corriente, normal.* || Monstruoso, atroz, escandaloso, vituperable, censurable. ↔ *Encomiable, ejemplar.*

inauguración Apertura, abertura, comienzo, principio, estreno. ↔ *Cierre, clausura.*

inaugurar Abrir, estrenar, principiar, comenzar, empezar. ↔ *Terminar, clausurar.*

incalculable Inconmensurable, inapreciable, innumerable, indefinido, inmenso, ilimitado, infinito, sin fin, enorme. ↔ *Limitado.*

incalificable Inconcebible, indeterminable, indefinido. || Vituperable, censurable,

reprobable, vergonzoso, inconfesable, innoble, indigno. ↔ *Encomiable.*

incandescente Candente, encendido, al rojo. ↔ *Apagado, negro.*

incansable Infatigable, inagotable, invencible, incesante, tenaz, resistente, persistente, porfiado, obstinado, activo, laborioso. ↔ *Cansado, apocado.*

incapacidad Insuficiencia, incompetencia, inhabilidad, nulidad, ineptitud, torpeza, ignorancia. ↔ *Aptitud.* || Insuficiencia.

incapacitado Imposibilitado, inepto, carente, falto. ↔ *Apto.*

incapacitar Eliminar, inutilizar, inhabilitar, invalidar.

incapaz Inhábil, insuficiente, inepto, incompetente, torpe, negado, nulo, ignorante, engarnio, estropajo, abogado de secano. ↔ *Hábil, ducho.*

incasto Inmoral, incontinente, deshonesto, libertino. ↔ *Decente, casto.*

incautarse Confiscar, apropiarse, retener, usurpar, expoliar.

incauto Ingenuo, inocente, inocentón, imprevisor, cándido, sencillo, simple, primo, crédulo, imprudente, irreflexivo. ↔ *Despierto, prudente, cauto.*

incendiar Encender, inflamar, quemar, conflagrar, prender fuego. ↔ *Apagar.*

incendiario Piromaníaco, quemador. || Apasionado, arrebatado, violento, agresivo, subversivo, sedicioso, escandaloso. ↔ *Pacífico.*

incendio Fuego, quema, inflamación, ustión, ignición. ↔ *Extinción.* || Siniestro, desastre.

incensada Lisonja, elogio, adulación, lagotería, carantoña. ↔ *Vituperio, diatriba.*

incensario Turífero, turíbulo, turiferario.

incentivo Incitamiento, incitación, estímulo, aliciente, acicate, aguijón, quillotro, yesca. ↔ *Freno, paliativo.*

incertidumbre o **incertinidad** o **incertitud** Incerteza, indecisión, indeterminación, inseguridad, irresolución, vacilación, duda, perplejidad, hesitación, volubilidad, fragilidad. ↔ *Certitud, seguridad.*

incesante Incesable, perpetuo, ·perenne, continuo, persistente, constante. ↔ *Periódico, efímero, pasajero.*

incidencia Incidente, circunstancia, coyuntura, ocasión, caso, eventualidad, particularidad, ocurrencia.

incidente Incidencia. || Cuestión, litigio, discusión, disputa, suceso, acontecimiento.

incidir Incurrir, dar, caer, resbalar, faltar, contravenir. ↔ *Eludir.*

incienso Incenso, olíbano. ↔ *Lisonja, alabanza.*

incierto Inseguro, inconstante, indeciso, indeterminado, ignorado, incógnito, ignoto, fortuito, variable, mudable, vacilante, titubeante, perplejo, dudoso, eventual, desconocido, contestable, aleatorio, precario, confuso, vago, nebuloso, oscuro, neblinoso. ↔ *Cierto, verdadero.*

incinerar Quemar, calcinar, cenizar.

incipiente Naciente, novicio, principiante, primerizo, novato. ↔ *Consumado.*

incisión Corte, cesura, cisura, punción, puntura, hendedura.

incisivo Cortante, picante, tajante, agudo, penetrante, punzante, acre, mordaz, cáustico, irónico, satírico. ↔ *Impreciso, benevolente.*

inciso Cortado, partido, separado, sesgado, dividido, suelto. ↔ *Unido.* || Coma, paréntesis.

incisura Escotadura, hendidura, fisura.

incitación Incentivo, incitamiento, aguijón, acicate, estímulo, excitación, inducción, picón, aliciente. ↔ *Disuasión, desaliento.*

incitar Inducir, mover, aguijonear, aguijar, excitar, animar, empujar, estimular, avivar, pinchar, picar, soliviantar, alentar, azuzar, engrescar, enguizcar, alzaprimar, enzalamar, poner espuelas. ↔ *Disuadir, desalentar.*

incitativo Aguijatorio, estimulante, animador. ↔ *Tranquilizante.*

incivil Inurbano, impolítico, ineducado, incorrecto, insolente, impertinente, malcriado, mal educado, descortés, grosero, 'guaso. ↔ *Educado, cortés.*

inclasificable Indeterminable, incasillable, anárquico, fuera de lo común. ↔ *Normal.*

inclemencia Crueldad, severidad. ↔ *Bondad.* || Dureza, aspereza, rigor, reciura. ↔ *Suavidad.*

inclemente Despiadado, severo, cruel, rígido, riguroso, áspero, duro, recio, fuerte. ↔ *Benigno, suave.*

inclinación Tendencia, preferencia, propensión, afecto, afección, afición, apego, querencia, cariño, predisposición. ↔ *Desapego.* || Talud, pendiente, declive. ↔ *Llanura.* || Ángulo, oblicuidad, través. || Reverencia, saludo, cabezada, cabezazo, mocha. || Disposición, vocación, índole.

inclinado Ladeado. || Propenso, afecto.

inclinar Ladear, oblicuar, agachar, acostar, tumbar, doblar, bajar, amorrar, desviar, apartar, pingar. ↔ *Enderezar.* || Incitar, mover, impulsar, convencer, persuadir, excitar. ↔ *Disuadir.*

ínclito Ilustre, afamado, esclarecido, perínclito, célebre, famoso, renombrado, preclaro, insigne. ↔ *Corriente, vulgar.*

incluir Contener, englobar, reunir, encerrar, implicar, comprender, adjuntar, insertar, introducir, poner, inserir, 'enjaretar. ↔ *Separar, desglosar.*

inclusa Torno, casa de expósitos.

inclusive Inclusivamente, incluso.

incluso Inclusive. || Hasta.

incoar Iniciar, principiar, comenzar, empezar. ↔ *Acabar, liquidar.*

incobrable Fallido, suspenso, moroso.

incoercible Irreductible, irrefrenable, incontenible. ↔ *Manso.*

incógnita Equis, solución.

incógnito Ignorado, ignoto, desconocido, anónimo, oculto, secreto. ↔ *Conocido, sabido.*

incognoscible Inasequible, inasible, incomprensible, impenetrable, insondable, inescrutable, abstruso, recóndito, oscuro, escondido. ↔ *Asequible, comprensible.*

incoherente Inconexo, discontinuo, desordenado, enredado, discordante, embrollado, confuso, desunido, incomprensible. ↔ *Conexo, seguido.*

íncola Morador, habitante, poblador.

incoloro Descolorido, desteñido, apagado, tomado, transparente. ↔ *Coloreado.*

incólume Indemne, ileso, intacto, zafo, sano y salvo, sin novedad. ↔ *Dañado, perjudicado, contuso.*

incombustible Ininflamable, refractario. ↔ *Ustible.* || Desapasionado, frío, inconmovible. ↔ *Apasionado, enamoradizo.*

incomestible Incomible, indigerible. ↔ *Comestible.*

incomodar Desagradar, disgustar, molestar, enfadar, fastidiar, enojar, irritar, embarazar, mortificar, potrear, hacer la barba. ↔ *Agradar.*

incomodidad Desagrado, disgusto, molestia, pejiguera, enfado, fastidio, enojo, irritación, estorbo, embarazo, mortificación, perturbación, extorsión, malestar, inconveniente, lavativa. ↔ *Agrado.*

incómodo Desagradable, molesto, pejigoso, enfadoso, fastidioso, embarazoso, irritante, irritable, mortificador, mortificante, perturbador, inconveniente,

pesado, penoso, arduo, cargante, difícil, dificultoso. ↔ *Agradable, ameno.*

incomparable Imparangonable, inconmensurable, inmensurable.

incompatibilidad Disconformidad, oposición, repugnancia. ↔ *Avenencia.* || Imposibilidad, impedimento, obstáculo, incapacidad, tacha, vicio. ↔ *Facilidad.*

incompatible Desconforme, desacorde, inconciliable, opuesto, repugnante. ↔ *Acorde.*

incompetencia Incapacidad, inhabilidad, ineptitud.

incompetente Inhábil, inepto, incapaz, inexperto, torpe, desmañado, ineficaz. ↔ *Hábil, competente.*

incompleto Imperfecto, insuficiente, deficiente, falto, defectuoso, descabalado, truncado, fragmentario, inacabado. ↔ *Perfecto.*

incomplexo Incomplejo, desunido, desligado, desarticulado, inarticulado. ↔ *Unido, trabado.*

incomprensible Incomprehensible, inexplicable, ininteligible, impenetrable, inconcebible, imperceptible, inescrutable, inescudriñable, incoherente, inasequible, inalcanzable, inasible, inextricable, indescifrable, inapelable, enigmático, misterioso, oscuro, difícil, abstruso, embrollado, arcano. ↔ *Claro, evidente.*

incomprensión Desacuerdo, desavenencia, desunión. ↔ *Acuerdo.*

incomunicar Aislar, confinar, retraer, apartar, retirar. ↔ *Relacionar, juntar.*

inconcebible Incomprensible. || Sorprendente, inadmisible, extravagante, fenomenal, extraño. ↔ *Normal, corriente.*

inconciliable Incompatible, disconforme, desacorde. ↔ *Armónico.*

inconcino Descompuesto, alterado, desarreglado, trastornado, revuelto. ↔ *Ordenado.*

inconcuso Indudable, incontestable, indubitable, incuestionable, innegable, indiscutible, seguro, evidente, palmario, firme. ↔ *Dudoso.*

incondicional Absoluto, ilimitado. ↔ *Condicionado.* || Adepto, adicto, partidario, prosélito, afiliado, secuaz. ↔ *Disidente.*

inconexión Desconexión, incongruencia, discontinuidad, desunión, discordancia. ↔ *Armonía, acorde.*

inconexo Incoherente, incongruo, inadecuado, inarticulado, desenlazado, desunido, discontinuo, desenlazado, discordante. ↔ *Unido, coherente.*

inconfesable Deshonesto, abominable, incalificable, indigno, reprensible. ↔ *Honorable.*

inconfundible Distinto, claro, personal, característico. ↔ *Indistinguible.*

incongruente Incongruo, incoherente, inconexo, impropio, inconveniente, inadecuado. ↔ *Oportuno, coincidente.*

inconmensurable Inmenso, infinito, ilimitado, inmensurable. ↔ *Finito.*

inconmovible Firme, perenne, permanente, estable, fijo, inalterable, impasible, insensible, estoico. ↔ *Móvil, tornadizo.*

inconquistable Inexpugnable, incontrastable, inasequible, inaccesible. ↔ *Fácil, débil.*

inconsciencia Ensimismamiento, abstracción, embausamiento, distracción.

inconsciente Involuntario, instintivo, subconsciente, irreflexivo, maquinal, automático, 'marocha. ↔ *Meditado, responsable.*

inconsecuente Inconsiguiente, ilógico, casual, impensado, fortuito. ↔ *Ilativo, siguiente.* ‖ Irreflexivo, informal, ligero, voluble, inconstante, veleta, aturdido. ↔ *Tenaz, firme.*

inconsideración Desconsideración, desatención, aturdimiento, atolondramiento, irreflexión, atontamiento, inadvertencia, precipitación, ligereza. ↔ *Atención, miramiento.*

inconsiderado Precipitado, irreflexivo, desconsiderado, desatento, atolondrado, imprudente, aturdido, ligero, inadvertido, desatentado. ↔ *Consciente, reflexivo.*

inconsistente Frágil, endeble, deleznable, blando, dúctil, maleable, flojo. ↔ *Tupido, duro.*

inconsolable Apesadumbrado, afligido, apenado, desconsolado, acongojado, abatido, desesperado, abrumado. ↔ *Distraído, regocijado.*

inconstancia Inestabilidad, versatilidad, volubilidad, inconsistencia, inconsecuencia, levedad, mudanza, ligereza. ↔ *Firmeza, constancia.*

inconstante Versátil, veleidoso, voluble, mudable, tornadizo, ligero, instable, inconsecuente, incierto, vacilante, cambiante, inestable, infiel, vario, veleta. ↔ *Firme, seguro.*

incontable Inconmensurable, innumerable, incalculable, infinito, inmenso, numerosísimo. ↔ *Determinable, finito.*

incontaminado Exento, salvo, puro, incorrupto. ↔ *Enfermo, corrupto, impuro.*

incontenible Irresistible, indomable, indómito.

incontestable Irrefutable, irrebatible, indudable, incontrovertible, incontrastable, indiscutible, incuestionable, inconcuso, innegable, indubitable, inatacable, irrecusable, seguro, cierto, palmario, axiomático, demostrado, reconocido, justificado, probado. ↔ *Discutible, falso, inseguro.*

incontinente Sensual, libertino, desenfrenado, deshonesto, liviano, libidinoso, lujurioso, lúbrico, lascivo, concupiscente. ↔ *Temperante, sobrio, honesto.*

incontinenti Pronto, al instante, luego, al punto, sin dilación, sin demora, sin tardanza, en seguida, ahora mismo, inmediatamente.

incontrastable Inexpugnable, inconquistable, invencible, incontestable, incuestionable. ↔ *Discutible, impugnable.*

incontrovertible Incontestable.

inconveniencia Desconveniencia, incomodidad, molestia, contrariedad. ↔ *Comodidad, provecho.* ‖ Disconformidad, inverosimilitud, incorrección. ↔ *Acuerdo.* ‖ Despropósito, grosería, descortesía, falta. ↔ *Atención, respeto.*

inconveniente Dificultad, complicación, conflicto, impedimento, estorbo, obstáculo, hueso, traba, pega, pejiguera. ↔ *Facilidad.* ‖ Incorrecto, incivil, inadecuado, descortés, grosero. ↔ *Cortés, atento.*

incordio Bubón. ‖ Cócora, ajobo, pejiguera, postema, molestia.

incorporación Anexión, añadidura, aditamento, juntura. ↔ *Separación.*

incorporar Unir, reunir, juntar, agregar, anejar, aunar, fusionar, añadir, yuxtaponer, englobar, integrar, concentrar, adjuntar, asociar, mezclar. ↔ *Separar, desunir.*

incorporarse Alzarse, levantarse, erguirse. ↔ *Abajarse, tenderse.*

incorpóreo Incorporal, inmaterial, etéreo, alado, intangible, insensible, impalpable. ↔ *Material, de carne y huesos.*

incorrección Falta, defecto, error, imperfección, inconveniente, anormalidad, deficiencia, irregularidad. ↔ *Conformidad, perfección.* ‖ Inconveniencia, despropósito, descortesía, grosería, incivilidad, desatención. ↔ *Cortesía, atención.*

incorrecto Defectuoso, imperfecto, erróneo, inconveniente, anormal, irregular, 'deficiente. ↔ *Conforme, perfecto, acabado.* ‖ Inconveniente, desatento, descortés, grosero, mal educado, incivil, desatento, indiscreto, impolítico. ↔ *Atento, cortés, discreto.*

incorregible Impenitente, reincidente, recalcitrante, obstinado, terco, pertinaz, testarudo, empecatado. ↔ *Dócil, enmendable.*

incorruptible o **incorrupto** Inalterable, imputrescible, invariable. || Puro, virtuoso, casto, probo, firme, íntegro, recto, insobornable. ↔ *Deshonesto, débil.*

incredulidad Descreencia, descreimiento. ↔ *Duda.* || Impiedad, irreligiosidad, ateísmo. ↔ *Fe.* || Suspicacia, recelo, desconfianza. ↔ *Confianza.*

incrédulo Descreído, impío, irreligioso, ateo. ↔ *Creyente, religioso.* || Receloso, suspicaz, desconfiado, malicioso. ↔ *Confiado.*

increíble Inaudito, inverosímil, imposible, inconcebible, incomprensible, inadmisible, inimaginable, irracional, ilógico, insólito, extraño, extravagante, raro, sorprendente, asombroso, absurdo, fantástico, extraordinario, singular, excesivo. ↔ *Verosímil, cierto.*

incrementar Añadir, agregar, adicionar, incorporar, aumentar, acrecer, acrecentar, ampliar, engrosar, agrandar, desarrollar, extender, dilatar, ensanchar, amplificar. ↔ *Disminuir, reducir.*

incremento Incrementación, aumento, desarrollo, crecimiento, acrecentamiento, ampliación, dilatación, ensanchamiento. ↔ *Disminución.*

increpar Reprender, amonestar, regañar, reñir, sermonear, corregir, sofrenar. ↔ *Alabar.*

incriminar Inculpar, acusar.

incrustar Embutir, taracear. || Cubrir, recubrir.

incubar Encobar, empollar.

íncubo Espíritu, diablo, gnomo, demonio.

incuestionable Indisputable, indiscutible, incontrovertible, incontestable, innegable, irrefutable, irrefragable, indudable, evidente, axiomático. ↔ *Dudoso, problemático.*

inculcar Repetir, imbuir, infundir, infiltrar, introducir. ↔ *Disuadir.*

inculpabilidad Inocencia, exención. ↔ *Culpa.*

inculpado Culpado, reo, acusado, procesado.

inculpar Incriminar, acriminar, acusar, incusar, culpar, tachar, imputar, recriminar, achacar, recusar, atribuir, cargar, colgar, echar en cara. ↔ *Disculpar.*

inculto Abandonado, yermo, baldío, salvaje. ↔ *Cultivado.* || Indocto, iletrado, ignorante, rústico, ineducado, grosero, bruto, 'chontal. ↔ *Culto, sabio.* || Desaliñado, desgarbado. ↔ *Pulcro, atildado.*

incultura Ignorancia, rusticidad, rustiquez, grosería. ↔ *Sabiduría, cultura.*

incumbencia Jurisdicción, obligación, cargo, 'atingencia. ↔ *Desentendimiento.*

incumbir Competer, concernir, atribuir, corresponder, atañer, tocar, pertenecer, importar, interesar.

incumplir Infringir, vulne-

rar, quebrantar, violar, contravenir, pisar. ↔ *Satisfacer, cumplir.*

incurable Insanable, inmedicable, desahuciado. ↔ *Curable.*

incuria Negligencia, apatía, dejadez, abandono, desidia, indiferencia, pereza, despreocupación, desaplicación, indolencia. ↔ *Diligencia.*

incurrir Caer, incidir, resbalar, tropezar. ↔ *Eludir.*

incursión Penetración, invasión, irrupción, correría, batida, exploración, *razzia.

indagación Investigación, inquisición, perquisición, indagatoria, información, inspección, busca, búsqueda, encuesta, pesquisa.

indagar Investigar, inquirir, perquirir, averiguar, buscar, pesquisar, inspeccionar, husmear.

indebido Ilícito, ilegítimo, prohibido, vedado, negado. ↔ *Permitido.*

indecencia Deshonestidad, obscenidad, indecorosidad, indecentada, indignidad, grosería, cochinería, liviandad. ↔ *Honestidad, decencia.*

indecente Deshonesto, obsceno, indecoroso, grosero, cochino, puerco, liviano. ↔ *Honesto.*

indecible Inexpresable, inenarrable, inefable, indescriptible. ↔ *Normal, corriente.*

indecisión Incertidumbre, irresolución, indeterminación, duda, perplejidad, vacilación, dubitación, hesitación, titubeo. ↔ *Determinación, seguridad.* -

indeciso Irresoluto, incierto, vacilante, fluctuante, cambiante, titubeante, perplejo, variable, confuso. ↔ *Resoluto, seguro.*

indecoro Indecencia, deshonor, 'lisura.

indecoroso Indecente, indigno, vil. ↔ *Decoroso.*

indefectible Infalible, seguro, cierto, positivo. ↔ *Precario.*

indefendible o **indefensable** Insostenible, impugnable, contestable, refutable. ↔ *Inexpugnable, irrebatible.*

indefenso Inerme, desamparado, abandonado, desvalido, solo, desarmado, desguarnecido. ↔ *Amparado, apoyado.*

indefinible Inexpresable, difícil, complicado. ↔ *Comprensible, fácil.* || Indefinido.

indefinido Indeterminado, impreciso, ilimitado, indefinible, vago, confuso. ↔ *Concreto, determinado.*

indeleble Imborrable, indestructible, durable, fijo, permanente, definitivo, eterno, indisoluble, inextinguible,˙ inalterable. ↔ *Efímero, pasajero.*

indeliberado Impensado, irreflexivo, involuntario, instintivo, imprevisto, espontáneo, fortuito. ↔ *Consciente, causal, consecuente.*

indemne Libre, exento, incólume, sano, zafo, ileso, salvo, sano y salvo, limpio. ↔ *Dañado,. perjudicado.*

indemnidad Inmunidad, incolumidad, garantía. ↔ *Sujeción.*

indemnizar Resarcir, reparar, compensar, subsanar, devolver, descontar, remunerar, satisfacer, desagraviar. ↔ *Perjudicar.*

independencia Libertad, autonomía, manumisión, autodeterminación, emancipación. ↔ *Sujeción.* || Integridad, entereza, firmeza, resolución. ↔ *Vacilación.*

independiente Libre, exento, franco, emancipado, liberto, autónomo, manumiso, mostrenco, salvaje, dueño de sí mismo, autárquico. ↔ *Dependiente, sujeto.*

independizar Libertar, eximir, emancipar, manumitir, liberar. ↔ *Sujetar, oprimir.*

indescifrable Incomprensible, impenetrable, oscuro, misterioso, sibilino, criptográfico, ininteligible, enrevesado, embrollado, en clave, jeroglífico. ↔ *Claro, diáfano, inteligible.*

indescriptible Inexpresable, inenarrable, inexplicable, indecible. ↔ *Explicable, palmario.*

indeseable Malquisto, mal visto, desagradable, antipático, perjudicial, peligroso, indigno.

indestructible Inalterable, inconmovible, permanente, fuerte, fijo. ↔ *Frágil.*

indeterminación Indecisión, irresolución, vacilación, duda, incertidumbre. ↔ *Decisión.* || Cambio, versatilidad, fluctuación. ↔ *Exactitud, concreción.*

indeterminado Indefinido, indeciso, irresoluto, impreciso, indistinto, vago, abstracto, equívoco, vacilante, versátil. ↔ *Seguro, resoluto.*

indicación Convocación, convocatoria, llamamiento, llamada, citación, señal.

indicador Cuadro, anuncio, tablero, señal.

indicar Mostrar, señalar, significar, predecir, avisar, anunciar, apuntar, enseñar, guiar, denotar, barruntar, aconsejar, advertir. ↔ *Esconder, celar.*

índice Índex, lista, catálogo, repertorio, tabla. || Indicio, señal, muestra. || Manecilla, sagita; gnomon, indicador. || Raíz, radical.

indicio Índice, señal, signo, muestra, vislumbre, asomo, barrunto, conjetura, sospecha, síntoma, ribetes, vestigio, rastro, huella, pista, reliquia, marca, indicación, manifestación, síntoma.

indiferencia Insensibilidad, apatía, despreocupación, descuido, desafición, desapego, descariño, displicencia, desabrimiento, desamor, hielo, frialdad, distancia, olvido. ↔ *Aprecio, amor, interés.*

indiferente Displicente, apático, desafecto, sordo, indolente, escéptico, frío, glacial, insensible. ↔ *Férvido, apasionado.*

indígena Originario, nativo, oriundo, aborigen, natural, autóctono, vernáculo. ↔ *Forastero.*

indigente Pobre, menesteroso, desvalido, necesitado. ↔ *Pudiente.*

indigestarse Ahitarse, empacharse, enaguacharse. ↔ *Probar, sentar bien.*

indigestión Empacho, ahíto, atafea, cargazón, embargo.

indigesto Nocivo, dañino. ↔ *Saludable.* || Áspero, hosco. ↔ *Amable.*

indignación Enojo, ira, enfado, irritación, cólera, excitación, rabia, picazón. ↔ *Complacencia, agrado.*

indignar Enojar, enfadar, irritar, encolerizar, enfurecer, enrabiar, exacerbar, exasperar, incomodar. ↔ *Complacer.*

indignidad Desmerecimiento, injusticia. ↔ *Equidad, justicia.* || Deshonor, vileza, humillación, bajeza, abyección, ruindad, perversidad, maldad, inmoralidad. ↔ *Honor.*

indigno Inmerecido, injusto. ↔ *Justo.* || Despreciable, indeseable, vil, ruin, rastrero, abyecto, bajo, infame, innoble, malo, bellaco, indecoroso, repugnante. ↔ *Noble, leal.*

índigo Añil.

indio Indo, indostánico, hindú.

indio Azul, azulado.

indirecta Alusión, puntada, eufemismo, vareta, remoquete, rodeo, insinuación.

indirecto Desviado, oblicuado, al sesgo. ↔ *Recto.*

indiscernible Indistinguible, imperceptible, confuso, oscuro, diluido. ↔ *Claro, diáfano.*

indisciplina Indocilidad, inobediencia, insubordinación, insumisión, desobediencia, rebeldía, rebelión, resistencia. ↔ *Docilidad.*

indisciplinado Inobediente, indócil, insubordinado, incorregible, ingobernable, insumiso, indomable, insurgente, desobediente, díscolo, rebelde, reacio, recalcitrante, renuente, se-

dicioso, malmandado, sacudido. ↔ *Disciplinado.*

indiscreción Indelicadeza, imprudencia, fisgoneo, intromisión, curiosidad.

indiscreto Indelicado, imprudente, impertinente, importuno, intruso, curioso, entrometido, fisgón, husmeador, oficioso, descarado, charlatán. ↔ *Delicado, formal.*

indisculpable Culpable, inexcusable, injustificable, craso. ↔ *Inocente.*

indiscutible Incontrovertible, indisputable, irrebatible, irrefutable, incuestionable, cierto, evidente, palmario, axiomático. ↔ *Dudoso, incierto.*

indispensable Insustituible, indefectible, imprescindible, inevitable, esencial, substancial, forzoso, necesario, obligatorio, preciso, principal, fundamental, sine qua non. ↔ *Accidental, prescindible.*

indisponer Enemistar, malmeter, malquistar, concitar, cizañar, desavenir, desunir, enzurizar. ↔ *Amigar, conciliar.*

indisponerse Enfermar.

indisposición Malestar, quebranto, desazón, dolencia, enfermedad, mal, achaque, padecimiento, pródromo, afección. ↔ *Bienestar.*

indispuesto Maldispuesto, achacoso, doliente, enfermo, malo, delicado, descompuesto, destemplado. ↔ *Bueno, sano, bien.*

indisputable Indiscutible.

indistinto Indistinguible, imperceptible, indiscernible, oscuro, confuso, **esfumado**, diluido, nuboso, neblinoso. ↔ *Claro, diáfano.*

individual Particular, propio. ↔ *Colectivo.*

individualidad Idiosincrasia, personalidad, carácter, particularidad. ↔ *Despersonalización.*

individualismo Egoísmo, egolatría, particularismo, egocentrismo, amor propio. ↔ *Generosidad, amor al prójimo.*

individuar Individualizar, concretar, especificar, particularizar, pormenorizar, detallar. ↔ *Generalizar.*

individuo Persona, ser, ente, sujeto, prójimo, socio.

indivisible Inseparable, infraccionable, entero, indiviso. ↔ *Fraccionable.*

indiviso Uno, unitario, indivisible. ↔ *Fraccionado, separado.*

indócil Indisciplinado, díscolo. ↔ *Dócil.*

indocilidad Indisciplina.

indocto Inculto, iletrado, ignorante. ↔ *Sabio.*

índole Genio, carácter, natural, jaez, temple, condición, natural, propensión, inclinación.

indolencia Apatía, desgana, indiferencia, incuria, negligencia, dejadez, flojera, pereza, pachorra, galbana, calma chicha, ignavia, flojedad, dejadez. ↔ *Diligencia.*

indolente Apático, frío, poltrón, gandul, flojo, haragán, perezoso, dejado, negligente, 'echado. ↔ *Diligente.*

indomable Indomesticable, indomeñable, indomesticado, indoméstico, indómito, ingobernable, indoblegable, inflexible, arisco, salvaje, bravío, cerril, fiero, montés, montaraz, silvestre, 'bagual, 'retobado. ↔ *Dócil, domesticado.*

indubitable Indudable.

inducción Incitación, instigación, inducimiento.

inducia Dilación, tregua, detención, demora.

inducir Incitar, instigar, mover, llevar, excitar, persuadir, conducir, empujar. ↔ *Apartar, disuadir.*

inductor Promotor, causante.

indudable Indiscutible, indubitable, incont e s table, innegable, incuestionable, indisputable, cierto, seguro, palmario, evidente, positivo, lógico, manifiesto. ↔ *Dudoso, incierto.*

indulgencia Misericordia, benevolencia, benignidad, condescendencia, perdón, tolerancia, piedad, compasión, lenidad. ↔ *Inflexibilidad.*

indulgente Misericordioso, benevolente, benévolo, benigno, condescendiente, tolerante, compasivo, lene, dulce, suave, remisorio, condonante, perdonador. ↔ *Inflexible.*

indultar Perdonar, dispensar, amnistiar, conmutar, condonar, remitir, absolver. ↔ *Condenar.*

indulto Perdón, amnistía, gracia, remisión, condonación, absolución. ↔ *Condena.*

indumentaria Indumento, vestidura, vestido, traje, ropaje, veste, prenda.

industria Maña, destreza, dexteridad, pericia, garbo, habilidad, artificio, invención, ingenio. ↔ *Impericia.* ‖ Fabricación, producción, manufactura, explotación, construcción.

industrial Fabricante.

industrialismo Mecanicismo, mercantilismo.

industriar Instruir, adiestrar, amaestrar, aleccionar, ejercitar, enseñar.

industriarse Ingeni a r s e, arreglarse, apañarse, componérselas, bandearse. ↔ *Fracasar.*

industrioso Ingenioso, diestro, mañoso, artificioso. ↔ *Torpe, desmañado.* ‖ Instruido, hábil, práctico, experto, astuto, ladino, fino, sutil, camastrón, peje. ↔ *Inepto, zoquete.*

inédito Original, desconocido, nuevo, fresco, reciente, impublicado. ↔ *Divulgado; publicado.*

ineducado Iletrado, ignorante, profano, inculto, nesciente. ↔ *Educado.*

inefable Inexpresable, indecible, inenarrable, indescriptible, maravilloso. ↔ *Infando.*

ineficaz Inactivo, inerte, incapaz, infructuoso, inepto, estéril, nulo, vano, infructuoso, infructífero. ↔ *Provechoso, eficiente.*

inelegancia Cursilería, superfluidad, ramplonería, ridiculez. ↔ *Distinción.*

inelegante Tosco, torpe, chanflón, grosero, cursi, pedante. ↔ *Distinguido, fino, elegante.*

ineluctable Inevitable.

ineludible Inexcusable, inevitable, ineluctable, irrevocable, inapelable, fatal, forzoso, necesario, obligatorio. ↔ *Azaroso, aleatorio.*

inenarrable Inefable.

inepcia Necedad, tontería, majadería, estupidez, incapacidad. ↔ *Listeza.*

ineptitud Incapacidad, inhabilidad, inexperiencia, insuficiencia, incompetencia, impericia, torpeza, desmaña. ↔ *Aptitud.*

inepto Incapaz, inhábil, inexperto, ineficaz, torpe, desmañado, nulo, estúpido, chancleta. ↔ *Apto.*

inequívoco Indudable, indubitable, indiscutible, incuestionable, evidente, palpable, cierto, seguro, evidente, verdadero, positivo, fijo, claro, manifiesto. ↔ *Incierto, dudoso.*

inercia Flojedad, desidia, inacción, quietismo, indiferencia, apatía, inactividad, pasividad, indolencia, pereza. ↔ *Actividad.*

inerme Indefenso, desarmado, solo. ↔ *Armado, amparado.*

inerte Inactivo, ineficaz, estéril, inútil, indiferente, apático, pasivo. ↔ *Activo.* ‖ Flojo, desidioso, perezoso, lento. ↔ *Diligente.*

inescrutable Inescudriñable, impenetrable, incognoscible, oscuro, misterioso, arcano. ↔ *Cognoscible, asequible.*

inescudriñable Inescrutable.

inesperado Impensado, imprevisto, inopinado, insospechado, repentino, súbito, casual, fortuito, accidental, brusco, de improviso. ↔ *Previsto.*

inestable Instable, variable, transitorio, inseguro, cambiante, móvil, precario, débil, frágil, perecedero, versátil, voltario, tornadizo. ↔ *Seguro, fijo.*

inestimable Inapreciable, valioso, precioso. ↔ *Inútil, baladí.*

inevitable Ineludible.

inexactitud Infidelidad, error, falta, equivocación, falsedad, mentira, anacronismo. ↔ *Estrictez, rigor.*

inexacto Infiel, erróneo, equivocado, equívoco, falso, mentiroso, imperfecto, anacrónico. ↔ *Fiel, estricto, preciso, exacto.*

inexcusable Injustificable, indisculpable, apremiante, requiridor. ↔ *Justificado, voluntario.*

inexistente N o n a t o. ‖ Irreal, vano, falaz, ilusorio, ilusivo, imaginario, hipotético, quimérico, especioso, supuesto, utópico, ideal, virtual, engañoso, mentiroso. ↔ *Real, de carne y hueso.*

inexorable Implacable, inflexible, inquebrantable, despiadado, duro, cruel, inapelable, irrecusable. ↔ *Evitable, elusivo.*

inexperiencia Impericia.

inexperto Inepto, inhábil, inexperimentado, incapaz, torpe, principiante, novato, neófito, novicio, bisoño, pipiolo, mocoso. ↔ *Hábil, ducho.*

inexpiable Irreparable, impurificable, irremediable. ↔ *Expiativo.*

inexplicable Indecible, inaudito, inexpresable, inconcebible, increíble, incomprensible, raro, obscuro, misterioso, extraño. ↔ *Racional, lógico.*

inexplorado Ignoto, inhabitado, deshabitado, desierto, desconocido, virgen, yermo. ↔ *Conocido, trillado.*

inexpresable Indecible, indescriptible, inexplicable, inenarrable, extraordinario, maravilloso. ↔ *Corriente, vulgar.*

inexpresivo Enigmático, seco, adusto, expletivo, reservado, cara de póquer. ↔ *Elocuente, expresivo.*

inexpugnable Inconquistable, inasequible, invencible, insuperable. ↔ *Fácil.* ‖ Inquebrantable, firme, tenaz, estólido. ↔ *Débil, benevolente.*

inextensible Definido, limitado, conscrito, ceñido. ↔ *Ilimitado.*

inextenso Finito, limitado, pequeño, corto. ↔ *Vasto, dilatado.*

inextinguible Inapagable. ↔ *Incendiable.* ‖ Inacabable, infinito, eterno, inagotable, interminable, sin fin. ↔ *Finito.*

inextricable Intrincado, enmarañado, embrollado, enrevesado, complejo, arduo, desordenado, confuso. ↔ *Claro, discernible.*

infalible Indefectible, incontestable, seguro, cierto, verdadero, positivo. ↔ *Azaroso, dudoso.*

infamante, infamativo o **infamatorio** Denigrante, ignominioso, oprobioso, ultrajante, afrentoso, ofensivo, envilecedor, degradante, inconfesable. ↔ *Honorable, honroso.*

infamar Denigrar, afrentar, difamar, desacreditar, denostar, vilipendiar, ofender, ultrajar, enlodar, sambenitar, avergonzar, menospreciar, almagrar, pringar. ↔ *Honrar, alabar.*

infame Deshonrado, desacreditado, despreciable, ‖ Malo, vil, perverso, indigno, ignominioso, deshonesto, inicuo, abyecto, bajo, innoble, malvado, maligno, depravado, corrompido, ruin, protervo, pravo, torpe. ↔ *Bueno, honorable, honrado.*

infamia Vileza, afrenta, ignominia, indignidad, deshonra, descrédito, maldad, oprobio, perversidad, abyección, depravación, iniquidad, bajeza, ruindad, vergüenza, torpeza, indecencia, deshonor, crimen, mal caso. ↔ *Bondad, honradez.*

infancia Niñez, precocidad, puericia, pequeñez, menor edad. ↔ *Mayor edad, vejez.*

infando Torpe, nefando, indigno, repugnante. ↔ *Digno.*

infanta Princesa.

infante Niño. ‖ Príncipe. ‖ Soldado (de a pie), áscari.

infantil Pueril, aniñado. ↔ *Viejo, viril.* ‖ Inocente, candoroso, ingenuo, cándido, inofensivo. ↔ *Malicioso.*

infanzón Hijodalgo.

infarto Dilatación, inflamación.

infatigable Incansable, inagotable, laborioso, trabajador, resistente, activo. ↔ *Cansino, perezoso.*

infatuado Afectado, tragavirotes, petulante, vanidoso. ↔ *Humilde.*

infatuar Engreír, envanecer, inflar, hinchar, ahuecar, ensoberbecer, entontecer. ↔ *Desengañar.*

infatuarse Pavonearse, entoldarse, entronizarse. ↔ *Humillarse.*

infausto Desgraciado, infeliz, triste, doloroso, infortunado, desafortunado, desgraciado, desdichado, desventurado, malaventurado, malhadado, nefasto, aciago, funesto, fatídico. ↔ *Feliz, alegre.*

infección Corrupción, perversión, contaminacion, contagio, epidemia, lúe.

infeccioso Contagiable, comunicable, contagioso, pegadizo.

infectar Inficionar.

infecto Inficionado.

infecundidad Esterilidad, infertilidad, improductividad, improductibilidad, atocia, aciesis, aridez. ↔ *Fertilidad.*

infecundo Estéril, infértil, improductivo, infructuoso, infructífero, pobre, árido, yermo. ↔ *Fértil, fecundo.*

infelicidad Infortunio, infortuna, desdicha, desventura, desesperanza, adversidad, malaventura, mala sombra, mala suerte, revés. ↔ *Dicha.*

infeliz Desdichado, desventurado, desafortunado, infelice, infortunado, malaventurado, pobre, pobre diablo, miserable, víctima, míseroᵣ ↔ *Dichoso.*

inferencia Ilación, consecuencia.

inferior Dependiente, subordinado, subalterno, sujeto, secundario, servidor, doméstico, accesorio. ↔ *Superior.* || Malo, peor, menor, bajo. ↔ *Mejor.*

inferioridad Dependencia, subordinación. ↔ *Superioridad.* || Bajura, imperfección, medianía, insignificancia. ↔ *Perfección.* || Desventaja, mengua, minoría, menoscabo. ↔ *Ventaja.*

inferir Deducir, colegir, su-

poner, educir, obtener, sacar, inducir, entresacar, derivar, razonar, conjeturar, argumentar. || Hacer, ocasionar, causar, producir.

infernáculo 'Goloso, 'luche.

infernal Satánico, diabólico, demoníaco, endemoniado, endiablado, mefistofélico, estigio, maléfico, perjudicial, nocivo, dañino, malo. ↔ *Angelical, bueno.*

infestar Inficionar. || Devastar, saquear, pillar, hostilizar, estragar.

inficción Infección.

inficionar Infestar, infectar, infeccionar, apestar, contaminar, contagiar, corromper, viciar, enviciar, envenenar, emponzoñar. ↔ *Purificar.*

inficionado Infecto, infestado, corrompido, viciado, contagiado, contaminado, putrefacto, apestoso, mefítico, fétido, emponzoñado, envenenado, podrido, pestilente. ↔ *Sano, puro.*

infidelidad Deslealtad, falsía, felonía, perfidia, traición, vileza, alevosía, villanía, ingratitud, mala fe, prodición, perrería. ↔ *Lealtad.* || Incredulidad, impiedad. ↔ *Religiosidad.*

infiel Desleal, traidor, pérfido, felón, alevoso, aleve, engañador, perjuro, infame. ↔ *Leal.* || Impío, incrédulo. ↔ *Religioso.*

infiernillo Infernillo, cocinilla, reverbero.

infierno Averno, orco, érebo, báratro, érebe, tártaro, gehena, fuego eterno, abismo, calderas de Pedro Botero, condenación (eterna), perdición. ↔ *Cielo.*

infiltrar Introducir, imbuir, inculcar, infundir, inspirar. ↔ *Disuadir, sacar.*

ínfimo Bajo, último, mínimo, inferior, despreciable, miserable. ↔ *Alto, notable.*

infinidad Infinitud, inmensidad, cúmulo, montón, congerie, multitud, abundancia, sinnúmero, sinfín, muchedumbre. ↔ *Escasez.*

infinitesimal Microscópico, atómico, imperceptible, minúsculo. ↔ *Grande, macroscópico.*

infinito Interminable, inextinguible, inconmensurable, inagotable, inacabable, incalculable, indefinido, ilimitado, inmenso, imperecedero, excesivo, extraordinario. ↔ *Limitado.*

inflación Inflamiento, hinchazón, intumescencia, intumefacción. || Engreimiento, envanecimiento, ensoberbecimiento, infatuación, vanidad. ↔ *Humildad.* || Desvalorización. ↔ *Deflación.*

inflamación Congestión, enconamiento, flegmasía, hinchazón. ↔ *Descongestión.*

inflamar Incendiar, abrasar, encender. ↔ *Apagar.* || Acalorar, animar, avivar, e n a rdecer, entusiasmar, apasionar, exaltar, exacerbar, atizar, excitar, irritar, exasperar, enconar. ↔ *Apaciguar, desanimar.*

inflar Hinchar, soplar, ahuecar, abultar, levantar. ↔ *Reducir.*

inflarse Hincharse, engreirse, ensoberbecerse, infatuarse. ↔ *Humillarse.*

inflexible Inexorable, inquebrantable. incorruptible, inconmovible, duro, firme, rígido, tenaz. ↔ *Benévolo.*

inflexión Torcimiento, alabeo, desviación, comba, inclinación. ↔ *Rectitud.* || Modulación, tono. || Terminación, desinencia.

infligir Imponer, aplicar, causar, producir, inferir. ↔ *Aliviar.* || Condenar, castigar, penar. ↔ *Remitir.*

influencia Influjo, acción, peso, efecto. ↔ *Inacción.* || Valimiento, poder, ascendiente, autoridad, predominio, preponderancia, crédito, prestigio, privanza, favor, pujanza, palanca, dominio, importancia.

influir Actuar, ejercer, accionar. || Apoyar, ayudar, contribuir, intervenir, pesar, hacer caer la balanza.

influjo Influencia. || Flujo.

influyente Importante, acreditado, poderoso, potente, eficaz. ↔ *Don Nadie.*

información Averiguación, indagación, indagatoria, pesquisa, perquisición, investigación, encuesta, reportaje, *interview.

informal Irregular, inconvencional. ↔ *Expreso, corriente.* || Inconsecuente, ligero, voluble. ↔ *Asiduo, puntual.*

informar Noticiar, comunicar, participar, anunciar, prevenir, avisar, enterar, notificar, contar, dar cuenta, reseñar, poner al corriente, dar razón, dar aviso, facilitar (datos). ↔ *Callar, guardarse.*

informarse Estudiar, documentarse, investigar, buscar. ↔ *Ignorar.*

informe Noticia, testimonio, dato, referencia, razón. ||

Exposición, certificado, discurso, dictamen.

informe Impreciso, indefinido, indeterminado, imperfecto, irregular, deforme, vago, confuso, amorfo, grosero, chanflón. ↔ *Conforme, preciso, perfecto.*

infortunado Desgraciado, desafortunado, desventurado, desdichado, infeliz, malaventurado, pobre, mísero, 'salado. ↔ *Dichoso.*

infortunio Desgracia, infelicidad, desdicha, adversidad, fatalidad, desventura, mala sombra, mala suerte, revés. ↔ *Suerte, dicha.*

infracción Quebrantamiento, transgresión, vulneración, violación. ↔ *Acatamiento.*

infractor Transgresor, malhechor.

infranqueable Impracticable, intransitable, insuperable, inaccesible, inabordable, abrupto, quebrado, escarpado, intrincado, difícil, imposible. ↔ *Accesible, fácil.*

infrascrito Firmante, suscrito, abajo firmante.

infrecuente Insólito, extraño, raro, desusado, extraordinario, inhabitual. ↔ *Habitual, corriente.*

infrecuentado Deshabitado, despoblado, solitario, desierto. ↔ *Poblado, trillado.*

infringir Vulnerar, quebrantar, contravenir, violar, transgredir, hollar, conculcar. ↔ *Cumplir.*

infructífero Infrugífero. || Infructuoso.

infructuoso Infructífero, infecundo, improductivo, infértil, estéril, ineficaz,

machorro, inútil, vano. ↔ *Fecundo, productivo.*

ínfulas Presunción, vanidad, fatuidad, orgullo, vanidad, engreimiento, infatuación. ↔ *Modestia.*

infundado Infundamentado, insubsistente, falso, pueril, sin ton ni son. ↔ *Justificado.*

infundir Imbuir, inspirar, infiltrar, inducir, introducir, comunicar, inculcar.

infusión Bautizo. || Solución, extracto.

infusorio Ciliado.

ingeniar Imaginar, idear, inventar, discurrir, maquinar, planear, trazar.

ingeniarse Aplicarse, arreglarse, componérselas, apañarse, bandearse, darse maña, sacar las uñas.

ingenio Inventiva, talento, iniciativa, industria, destreza, habilidad, maña, inspiración, idea, traza. || Máquina, aparato, artificio, arma, utensilio, instrumento.

ingenioso Diestro, mañoso, hábil, habilidoso, industrioso, inventivo, sagaz, agudo, astuto, sutil. ↔ *Torpe, inhábil.*

ingénito Innato, nonato. ↔ *Nacido, engendrado.* || Connatural, congénito, ínsito. ↔ *Adquirido.*

ingente Grandioso, enorme, exorbitante, infinito, inmenso, monumental, superlativo. ↔ *Pequeño.*

ingenuidad Buena fe, candidez, candor, inocencia, pureza, naturalidad, llaneza, sencillez, sinceridad, simplicidad, credulidad, bobería. ↔ *Astucia, trastienda.*

Ingenuo Cándido, candoroso, inocente, puro, natural, llano, franco, sencillo, sincero, simple, crédulo, primo, bobo, pasmado, sandio, boquirrubio, 'candelejón, 'berengo. ↔ *Astuto, artero, ladino.*

ingerir Introducir, meter, comer, tragar. ↔ *Arrojar, devolver.*

ingle Bragadura.

inglés Británico, britano, anglo.

inglesismo Anglicismo.

inglete Unión, ensambladura, cartabón, escuadra.

ingobernable Indisciplinado, insubordinado, desobediente, díscolo, rebelde, reacio, recalcitrante, insurgente, sedicioso. ↔ *Sumiso.*

ingratitud Infidelidad, deslealtad, desagradecimiento, desafección, olvido. ↔ *Reconocimiento.*

ingrato Desleal, desagradecido, descastado, infiel, olvidadizo. ↔ *Reconocido.*

ingrávido Ligero, suelto, tenue, liviano, leve. ↔ *Pesado.*

ingrediente Componente, substancia, material, droga, fármaco.

ingresar Entrar, infiltrar, colarse, internarse. || Asociarse, afiliarse, darse de alta, ser alta. ↔ *Ser baja.*

ingreso Entrada. || Caudal, ganancia, beneficio. || Alta. ↔ *Baja.*

inguinal Inguinario.

ingurgitar Engullir, tragar.

inhábil Inexperto, inexperimentado, incapaz, incompetente, inepto, torpe, novato, novicio. ↔ *Experto, ducho.*

inhabilitar Incapacitar, imposibilitar. ↔ *Capacitar.*

inhabitable Incómodo, insano, insalubre, inhóspito.

inhabitado Deshabitado, desierto, despoblado, abandonado, solitario, vacío.

inhalar Aspirar, absorber. ↔ *Soplar, respirar.*

inherente Unido, concomitante, relacionado, relativo, perteneciente, tocante, inmanente, adjunto, anexo, agregado. ↔ *Separado, distante.*

inhibición Retraimiento, apartamiento, abstención, alejamiento, separación, exención. ↔ *Intromisión.*

inhibir Prohibir, vedar, privar, estorbar, celar. ↔ *Permitir.*

inhibirse Abstenerse, retraerse, apartarse, alejarse, eximirse, alejarse. ↔ *Inmiscuirse.*

inhospitalario Inhumano, inabordable, salvaje, bárbaro, duro, rudo, áspero, basto. ↔ *Protector.* || Inhóspito, inhabitable, insano, deshabitado, agreste, selvático, desierto, feroz, salvaje, amenazador. ↔ *Acogedor.*

inhumano Malo, perverso, despiadado, inhospitalario, brutal, bárbaro, feroz, áspero, cruel, fiero, desalmado, fiero, salvaje, inclemente, sanguiñario, violento, implacable, atroz, monstruoso. ↔ *Humanitario, benévolo.*

inhumar Enterrar, sepultar, soterrar. ↔ *Exhumar.*

iniciación Preparación, aprendizaje, principio, comienzo, instrucción. ↔ *Terminación, perfección.*

iniciado Neófito, catecúmeno, adepto, afiliado, partidario. ↔ *Profano, extraño.*

iniciador Creador, innovador, introductor, promotor.

inicial 'Original, preliminar, primicial, primordial, inaugural, naciente, fundamental, originario, incoativo. ↔ *Terminal.*

iniciar Comenzar, empezar, principiar, emprender, encabezar, promover, suscitar. ↔ *Acabar, liquidar.* || Instruir, enseñar, formar, enterar, afiliar. ↔ *Negar, rechazar.* || Incoar, entablar. ↔ *Resolver, sentenciar.*

iniciativa Anticipación, delantera, adelanto. ↔ *Resultado, conclusión.* || Proposición, idea.

inicio Comienzo, principio, origen, fundamento, encabezamiento, base, raíz. ↔ *Final, coronamiento.* || Iniciación.

inicuo Arbitrario, injusto, ignominioso. ↔ *Justo.* || Inmoral, malvado, vil, perverso, infame, malo. ↔ *Bueno.*

inimaginable Extraño, raro, sorprendente, extraordinario, inconcebible. ↔ *Representable, concreto.*

inintelegible Inconcebible, incomprensible, incognoscible, indescifrable, incoherente, confuso, oscuro, ambiguo, difícil, embrollado, enigmático, misterioso. ↔ *Comprensible, claro.*

ininterrumpido Incesante, inacabable, inagotable, constante, contiguo, continuado, junto. ↔ *Separado, fragmentado.*

iniquidad Injusticia, arbitrariedad, maldad, perversidad, infamia, ignominia, pravedad. ↔ *Justicia.*

injerencia Entremetimiento, indiscreción, intromisión, fisgonería. ↔ *Discreción, inhibición.*

injerir Ingerir, incluir, inserir, introducir, intercalar, entretejer, traer a cuento. ↔ *Alejar, separar.*

injerirse Mezclarse, intervenir, inmiscuirse, interponerse, meterse. ↔ *Abstenerse, separarse.*

injertar Injerir, vincular, enjertar.

injerto Enjerto, empalme.

injuria Agravio, ofensa, afrenta, ultraje, denuesto, insulto, entuerto, baldón, tuerto, tarascada. ↔ *Merced, favor.* ‖ Menoscabo, perjuicio, daño. ↔ *Bien.*

injuriar Agraviar, ultrajar, afrentar, insultar, denostar, baldonar, ofender, personalizar, denigrar, zaherir, vilipendiar, deshonrar. ↔ *Honrar, ensalzar.* ‖ Dañar, menoscabar, perjudicar, lacerar, vulnerar, herir. ↔ *Hacer bien, beneficiar.*

injusticia Arbitrariedad, iniquidad, ilicitud, ilegalidad, desafuero, atropello, sinrazón, abuso, inmoralidad, parcialidad, irregularidad, tiranía, despotismo. ↔ *Equidad, justicia.*

injustificable Inexcusable, indisculpable, indebido, inaceptable, injusto, irregular, ilícito, vergonzoso, culpable. ↔ *Demostrable, evidente, justificable.*

injusto Injustificado, ilegal, indebido, inicuo, inmerecido, infundado, inaceptable, irregular, parcial, arbitrario, abusivo, desaforado, malo. ↔ *Equitativo, recto.*

Inmaculada Purísima, Concepción.

inmaculado Limpio, límpido, impoluto, puro, sin tacha. ↔ *Poluto.*

inmanente Inseparable, inherente, unido, indistinguible. ↔ *Separado.*

inmarchitable Inmarcesible, imperecedero, duradero, durable, eterno, perpetuo, lozano, juvenil, rozagante. ↔ *Marcesible.*

inmaterial Incorporal, incorpóreo, intangible, invisible, impalpable, alado, etéreo. ↔ *Corpóreo, de carne y hueso.*

inmaturo Inmaduro, prematuro, precoz, verde, 'tierno, 'neto, en agraz, adelantado. ↔ *Maduro.*

inmediación Contigüidad, proximidad, vecindad, cercanía.

inmediaciones Alrededores, contornos, afueras, aledaños.

inmediatamente Luego, incontinenti, al punto, en el acto, de contado, en seguida, acto continuo, acto seguido, prontamente, seguidamente.

inmediato Cercano, próximo, junto, lindante, vecino, contiguo, seguido, consecutivo, adjunto, yuxtapuesto. ↔ *Lejano.*

inmejorable Insuperable, imponderable, perfecto, superior, óptimo, excelente, notable, sin par. ↔ *Pésimo, malo.*

inmemorial Inmemorable, remoto, vetusto, arcaico, antiguo, histórico. ↔ *Reciente, de feliz memoria.*

inmensidad Infinidad, infinitud, vastedad, magnitud, enormidad, exorbitancia, atrocidad, gigantez, grandiosidad, numerosidad, cantidad, muchedumbre, innumerabilidad. ↔ *Limitación, exigüidad.*

inmenso Incontable, incalculable, inconmensurable, indefinido, infinito, inmensurable, innumerable, considerable, enorme, fenomenal, crecido, gigante, colosal, notable, monstruoso, desmesurado, descomunal, desmedido, extraordinario, grandioso, exorbitante, como una casa. ↔ *Exiguo, mínimo, limitado.*

inmensurable Inconmensurable, insondable, incalculable, inmenso. ↔ *Limitado, preciso.*

inmerecido o **inmérito** Injusto, arbitrario, desaforado. ↔ *Justo, merecido.*

inmersión Sumersión, zambullida, calada, buceo, capuz, chapuzón, zambullimiento.

inmerso Abismado, sumergido, hundido, sumido, zambullido, anegado. ↔ *Despejado, atento.*

inminente Inmediato, próximo, pronto, cercano, perentorio, apremiante, inaplazable, imperioso. ↔ *Remoto.*

inmiscuir Mezclar, entremezclar, injerir.

inmiscuirse Entremeterse, intervenir, interponerse, injerirse, mezclarse, cucharetear, meter cuchara, meter baza, meterse donde no le llaman, meterse en camisa de once varas. ↔ *Desinteresarse, desentenderse.*

inmoble Inconmovible, inmóvil.

inmoderado Intemperante,

incontinente, desenfrenado, desmedido, desarreglado, destemplado, descomedido, excesivo, exagerado. ↔ *Mesurado.*

inmodestia Engreimiento, presunción, altanería, vanidad, fatuidad, petulancia, jactancia, altanería, arrogancia, altivez, vanagloria, pedantería, ostentación, alarde. ↔ *Timidez, decoro.*

inmodesto Arrogante, altanero, orgulloso, engreído, altivo, insolente, impertinente, despectivo, pechisacado. ↔ *Tímido, pusilánime, modesto.*

inmolar Sacrificar, matar, ofrendar, ofrecer.

inmoral Indecoroso, indecente, incasto, impúdico, indigno, inicuo, ilícito, injusto, indebido, deshonesto, desvergonzado, desaprensivo, disoluto, liviano, obsceno, verde, picaresco, lujurioso, escandaloso, crapuloso, laxo, puerco, pornográfico. ↔ *Decoroso, honesto, casto.*

inmoralidad Indignidad, indecorosidad, impudicicia, impudicia, injusticia, deshonestidad, desvergüenza, liviandad, obscenidad, depravación. ↔ *Decoro, honestidad, castidad.*

inmortal Imperecedero, sempiterno, perpetuo, perdurable, eterno. ↔ *Perecedero, imperdurable.*

inmortalizar Perpetuar, eternizar, recordar.

inmóvil Inmoble, inmovible, inamovible, inanimado, inmoto, inactivo, invariable, inconmovible, fijo, quieto, firme, estable, estacionado, estacionario, detenido,

estático, pasivo, petrificado, de una pieza. ↔ *Móvil, movible, variable.*

inmovilidad Invariabilidad, i n a c t i vidad, pasividad, tranquilidad, estabilidad, quietud, reposo, calma, inacción, inercia, parálisis. ↔ *Movimiento, acción.*

inmovilizar Parar, detener, atajar, paralizar, aquietar. ↔ *Poner en marcha.* || Fijar, asegurar, afirmar, afianzar, clavar, plantar, consolidar. ↔ *Disparar, dejar.*

inmovilizarse Encalmarse, sosegarse, tranquilizarse, detenerse. ↔ *Lanzarse.* || Anquilosarse, permanecer, calmar, estancarse. ↔ *Moverse, agitarse.*

inmuebles (bienes) Raíces, bienes raíces, fincas, casas.

inmundicia Impureza, suciedad, basura, porquería, bascosidad, ascosidad, cochambre, mugre. ↔ *Limpieza.* || Deshonestidad, vicio, impudicicia. ↔ *Decencia, pudor.*

inmundo Sucio, asqueroso, nauseabundo, cochambroso, puerco, repugnante. ↔ *Limpio.* || Impuro, deshonesto, impúdico. ↔ *Decente, decoroso.*

inmune Libre, exento, incólume, invulnerable, inviolable, inatacable, exceptuado, protegido. ↔ *Débil, sujeto a, vulnerable.*

inmunidad Exención, libertad, liberación, dispensa, exoneración, prerrogativa, privilegio, protección, inviolabilidad, invulnerabilidad. ↔ *Afección, vulnerabilidad.*

inmunizar Librar, eximir,

exceptuar, preservar, proteger, vacunar. ↔ *Hacer vulnerable.*

inmutable Invariable, inalterable, impasible, imperturbable, inmudable, constante, sereno, permanente, estable, fijo, estoico, impávido, tranquilo, templado, quieto, impertérrito, flemático, calmoso. ↔ *Intranquilo, agitado, impaciente.*

inmutarse Alterarse, conmoverse, desconcertarse, emocionarse, conturbarse, turbarse. ↔ *Sosegarse, tranquilizarse.*

innatismo Nativismo.

innato Connatural, ingénito, ínsito, natural, peculiar, propio, personal, congénito. ↔ *Adquirido.*

innecesario Inútil, superfluo, fútil, prolijo, sobrado, farragoso, excusado, excesivo. ↔ *Imprescindible, forzoso.*

innegable Indudable, indiscutible, incontestable, incontrovertible, irrefragable, indisputable, irrefutable, indubitable, incuestionable, evidente, cierto, positivo, real, seguro, apodíctico. ↔ *Discutible, dudoso.*

innoble Indigno, infame, despreciable, abyecto, rastrero, vil, bajo, mezquino, ruin. ↔ *Caballeroso, augusto.*

innocuo Innocivo, inofensivo, inocente, anodino, inerte. ↔ *Dañino, perjudicial.*

innovación Creación, novedad, invención. ↔ *Reposición, statu quo.*

innovador Creador, inventor, novador, padre, iniciador, renovador, reformador, improvisador, revolucionario, introductor. ↔ *Reaccionario.*

innovar Mudar, alterar, variar, cambiar, modificar. ↔ *Conservar, restaurar.*

innumerable o **innúmero** Incontable, numeroso, incalculable, numeroso, múltiple, crecido, copioso, indeterminable, infinito. ↔ *Finito, concreto.*

inobediente Desobediente, indócil, indisciplinado, rebelde, reacio, díscolo, recalcitrante, insumiso, ingobernable, inobservante, contraventor. ↔ *Sumiso, dócil.*

inocencia Candor, sencillez, simplicidad, simpleza, candidez, ingenuidad, honradez. ↔ *Malicia, maña.* || Pureza, virginidad. ↔ *Impureza.* || Inculpabilidad, irresponsabilidad, exculpación, justificación, salva. ↔ *Culpa.*

inocentada Burla, engaño, trampa, bribia, trápala, cancamusa, socaliña.

inocente Sencillo, simple, candoroso, cándido, ingenuo, simple, honrado. ↔ *Complejo, malicioso.* || Virgen, puro, casto, virginal. ↔ *Impuro.* || Inculpado, absuelto, horro, libre. ↔ *Culpado, culpable.* || Inofensivo, innocuo.

inocentón 'Candelejón.

inocular Comunicar, contagiar, contaminar, infundir, vacunar.

inocuo Innocuo.

inodoro Excusado, *wáter, *w.c., comuna.

inofensivo Innocuo, innocivo, imbele, inerme, desarmado, inocente, tranqui-

lo, pacífico. ↔ *Dañino, perjudicial.*

inolvidable Inmemorial, imperecedero, famoso, histórico, ilustre. ↔ *De mal recuerdo.* || Imborrable, inomitible, importante. ↔ *Negligible.*

inope Pobre, mísero, indigente, miserable. ↔ *Rico.*

inopia Pobreza, miseria, indigencia, estrechez. ↔ *Riqueza.*

inopinado Inesperado, súbito, repentino, impensado, imprevisto, casual, fortuito, volandero, accidental, brusco, rápido, de sopetón. ↔ *Esperado, previsto.*

inoportunidad Inconveniencia, desconveniencia, incorrección, zanganada. ↔ *Feliz coyuntura, buena ocasión.*

inoportuno Importuno, inconveniente, inadecuado, intempestivo, incorrecto, incongruente, extemporáneo, impertinente, impropio, fuera de lugar, a deshora. ↔ *Justo, oportuno.*

'**inorar** Ignorar.

inordenado Desordenado, desorganizado, desarreglado, descompuesto, trastocado, trastornado, revuelto, alterado, descabalado. ↔ *Correcto, organizado.*

inquebrantable Inflexible, inalterable, invariable, infrangible, inexorable, inexpugnable, firme, tenaz, resuelto, constante. ↔ *Asequible, compasivo, benevolente, frágil, débil.*

inquietante Alarmante, amenazador, turbador, conmovedor, grave. ↔ *Tranquilizador, tranquilizante.*

inquietar Impacientar, intranquilizar, importunar,

incomodar, molestar, fastidiar, alarmar, desasosegar, soliviantar, jorobar, encocorar, conturbar, atormentar, agitar, turbar, perturbar, excitar, enojar, enfadar, mortificar, revolver, tarazar, asurar, remorder. ↔ *Tranquilizar, sosegar.*

inquieto Intranquilo, impaciente, importuno, nervioso, desasosegado, excitado, excitable, turbulento, activo, emprendedor, dinámico, diligente, agitado, revuelto, alterado, confuso, argadillo, soliviantado, trafalmejas, bullicioso, vivaracho, travieso, zarandillo, bulle bulle. ↔ *Sosegado, tranquilo, pacífico.*

inquietud Impaciencia, intranquilidad, importunidad, desasosiego, excitación, nerviosidad, agitación, ansiedad, turbulencia, cuidado, tormento, zozobra, malestar, torozón, turbación, conturbación, alarma, alteración, confusión, hervor, bullicio, conmoción, alboroto, mosca, reconcomio. ↔ *Tranquilidad, sosiego.*

inquilino Arrendatario, vecino, ocupante, alquilador. ↔ *Casero.*

inquina Antipatía, aversión, mala voluntad, ojeriza, malquerencia, tirria, animadversión, animosidad, odio, aborrecimiento, enemistad. ↔ *Simpatía, amistad.*

inquinar Manchar, contagiar, mancillar, inficionar.

inquirir Indagar, averiguar, investigar, pesquisar, informarse, escudriñar, escarbar, oliscar, husmear, esculcar, examinar, preguntar, sondar, perquirir. ↔ *Desentenderse.*

inquisición Santo Oficio.

inquisidor Indagador, investigador, inquiridor, inquisitivo, pesquisador, curioso, fisgador, averiguador, descubridor, sonsacador, buscavidas, sacatrapos, hurón, zahorí, mirón, espía.

inquisitivo Inquisitorio, requisitorio.

insaciable Insatisfecho, ansioso, ávido, ambicioso. ↔ *Satisfecho, campante.* || Glotón, comilón, tragón, famélico. ↔ *Harto, ahíto.*

insalubre Insano, malsano, nocivo, perjudicial, dañoso, dañiño. ↔ *Saludable.*

insanable Incurable, irremediable, inmedicable. ↔ *Curable, remediable.*

insania Locura, vesania, alienación, enajenación, manía, monomanía, chifladura. ↔ *Cordura, juicio.*

insano Loco, demente, alienado, vesánico, orate, maníaco, maniático, enajenado, insensato, chiflado, ido, lunático, mochales, insensato. ↔ *Cuerdo, juicioso.*

insatisfecho Insaciable, malcontento, descontento, inquieto, ambicioso, ávido. ↔ *Contento, rozagante.*

inscribir Grabar, trazar. || Apuntar, alistar, enrolar, matricular, anotar, asentar, sentar, registrar, consignar. ↔ *Borrar, tachar.*

inscripción Epígrafe, leyenda, rótulo, escrito, cartel, epigrama, epitafio, lema. || Alta, asiento, abonamiento, apuntamiento, enganche. ↔ *Baja, despido.*

inscrito Abonado, suscrito, apuntado, anotado, enganchado, afiliado, dado de alta. ↔ *Dado de baja.*

insecticida Antiparasitario.

inseguridad Incertidumbre, instabilidad, indecisión, vacilación, duda, perplejidad. ↔ *Certidumbre, resolución.* || Riesgo, peligro, exposición. ↔ *Seguridad.*

inseguro Incierto, instable, indeciso, vacilante, dudoso, perplejo, variable, mudable, voluble, veleidoso. ↔ *Resoluto, decidido.* || Peligroso. ↔ *Seguro.*

insensatez Necedad, nesciencia, imbecilidad, estolidez, sandez, simpleza, tontería. ↔ *Sesudez, juicio.*

insensato Necio, desatinado, irreflexivo, disparatado, estólido, badulaque, bobo, mentecato, tonto, tocho, imprudente, inconsciente, porfiado, terco. ↔ *Juicioso, cauto.*

insensibilidad Impasibilidad, indiferencia, indolencia, dureza, endurecimiento, apatía, frialdad, inercia, imperturbabilidad. ↔ *Ternura, benevolencia.*

insensibilizar Adormecer, entorpecer, calmar, anestesiar, cloroformizar, eterizar. ↔ *Despertar, avivar.*

insensible Indiferente, impasible, duro, frío, sordo, empedernido, endurecido, apático, tranquilo. ↔ *Deferente, tierno.* || Imperceptible, indiscernible, inapreciable. || Inanimado, exánime, adormecido, entorpecido, como un tronco. ↔ *Despierto, con todos los cinco sentidos.*

insensiblemente Poco a poco.

inseparable Inherente, adjunto, unido, pegado, ligado, fijado, adjunto. ↔ *Separado, aislado.* || Íntimo, fiel, adicto, entrañable. ↔ *Extraño, enemigo.*

inserción Inserto.

insertar Inserir, ingerir, introducir, incluir, intercalar. ↔ *Excluir.* || Publicar.

inservible Inútil, inaprovechable, inaplicable, deteriorado, estropeado. ↔ *Útil.*

insidia Acechanza, engaño, perfidia, traición, trampa, celada, intriga, maquinación, cábala, lazo, zancadilla, emboscada. ↔ *Franqueza, campechanía.*

insidioso Insidiador, astuto, pérfido, capcioso, acechante, cauteloso, traidor, trasechador. ↔ *Leal.*

insigne Ilustre, célebre, distinguido, famoso, señalado, preclaro, renombrado, reputado, esclarecido, glorioso, afamado, notable, relevante, sobresaliente, eximio, superior, egregio. ↔ *Vulgar, oscuro, ignorado.*

insignia Divisa, distintivo, señal, marca, emblema, enseña. || Bandera, estandarte, guión, pendón, pabellón. || Medalla.

insignificancia Insuficiencia, inutilidad, nulidad, m e n u dencia, pequeñez, mezquindad, futilidad, futesa, fruslería, minucia. ↔ *Importancia, grandeza.*

insignificante Baladí, fútil, ruin, pequeño, mezquino, trivial, exiguo, ordinario, módico, bizantino, despreciable, desdeñable.↔

Importante, de gran relieve.

insinuante Insinuador, insinuativo, reticente, sugeridor, alusivo, tácito. ↔ *Manifestante, a todas luces.*

insinuar Sugerir, apuntar, indicar, señalar, verter, deslizar, aludir, personalizar, dar a entender. ↔ *Decir claramente.*

insipidez Insulsez, insubstancialidad, desabrimiento, insabor, sosería. ↔ *Gusto, sabor.*

insípido Insulso, insubstancial, desabrido, desaborido, inexpresivo, soso, zonzo. ↔ *Gustoso, sabroso.*

insipiencia Ignorancia, incultura, desconocimiento, nulidad, nesciencia. ↔ *Sabiduría, saber.* || Necedad, tontería, inepcia, insensatez. ↔ *Conocimiento, sensatez.*

insipiente Ignorante, inculto, ignaro, nesciente, zote, torpe, pollino. ↔ *Sabio, docto.* || Necio, tonto, inepto, insensato, zafio. || *Sensato, prudente.*

insistencia Porfía, obstinación, pertinacia, testarudez, terquedad, matraca, pesadez, permanencia, instancia. ↔ *Condescendencia, negligencia.*

insistente Porfiado, obstinado, pertinaz, testarudo, terco, posma, pesado, machacón, matraca. ↔ *Condescendiente, negligente.*

insistir Instar, porfiar, iterar, perseverar, reclamar, importunar, tenacear, tozar, machacar, hacer hincapié, volver a la carga, no dar su brazo a torcer, volver a la misma canción, metérsele en la mo-

llera, 'chantaletear. ↔ *Desistir.*

ínsito Ingénito, connatural, innato, propio. ↔ *Adquirido.*

insobornable Incorruptible, íntegro, recto, justo, probo, honrado, firme, invariable. ↔ *Sobornado, cohechado.*

insociable Insocial, intratable, arisco, huraño, retraído, esquivo, hosco, salvaje. ↔ *Afable, tratable.*

insolencia Descaro, desfachatez, atrevimiento, descoco, petulancia, desvergüenza, audacia, temeridad. ↔ *Respeto, deferencia.*

insolentarse Atreverse, desmandarse, descararse, deslenguarse, descocarse, desbocarse, desvergonzarse. ↔ *Respetar.*

insolente Descarado, desvergonzado, irreverente, arrogante, grosero, atrevido, insultante, inverecundo, deslenguado, desfachatado, descocado, fresco, zafado, soberbio, cínico, altanero, petulante, orgulloso. ↔ *Respetuoso, deferente.*

insólito Inusual, inusitado, inhabitual, desacostumbrado, desusado, nuevo, raro, extraño, extravagante, extraordinario, asombroso. ↔ *Corriente, habitual.*

insoluble Indisoluble. || Irresoluble, indeterminable.

insolvente Desacreditado, pobre, arruinado. ↔ *Rico, acreditado.*

insomne Desvelado, despierto. ↔ *Dormido.*

insomnio Desvelo, vigilia, vela, despertamiento, agripnia. ↔ *Sueño.*

insondable Inescrutable, inescudriñable, indescifrable, incomprensible, impenetrable, incognoscible, inmensurable, profundo, obscuro, recóndito. ↔ *Comprensible, asequible, claro.*

insonoro Aislado. ↔ *Resonante, sonoro.*

insoportable Intolerable, enojoso, fastidioso, enfadoso, cargante, pesado, fatigoso, irritante, molesto, insufrible, inaguantable. ↔ *Ameno, agradable.*

insostenible Indefendible, indefensable, impugnable, contestable, rebatible, refutable, inadmisible. ↔ *Irrebatible, incuestionable.*

inspección Investigación, examen, registro, reconocimiento, intervención, verificación, visita, alarde, revista, control, vigilancia. ↔ *Admisión, tolerancia.*

inspeccionar Investigar, examinar, verificar, controlar, reconocer, registrar, intervenir, visitar, revistar. ↔ *Admitir, tolerar, permitir.*

inspector Vigilante, interventor, intendente, prefecto, verificador.

inspiración Iluminación, arrebato, vocación, excitación, sugestión, soplo, voz del cielo, plectro, estro, furor, musa, numen, vena, lira, entusiasmo, tocamiento.

inspirar Aspirar. ↔ *Expirar.* || Soplar, instilar. || Iluminar, inculcar, infundir, sugerir, imbuir, infiltrar.

instable Inestable, inseguro, variable, precario, cambiante, transitorio, perecedero, móvil, débil. ↔ *Permanente, estable, equilibrado.*

instalación Colocación, disposición, emplazamiento, situación, alojamiento, aposentamiento, decoración. ↔ *Desguace, desbaratamiento.*

instalar Colocar, emplazar, apostar, armar, poner, situar, acomodar, aposentar, alojar, aparcar, establecer, disponer, preparar, decorar, 'ubicar. ↔ *Desarmar, desguazar, deshacer.*

instancia Petición, petitoria, solicitación, solicitud, suplicación, súplica, apelación, ruego, memorial.

instantáneo Momentáneo, breve, corto, rápido, fugaz, fugitivo, precipitado, súbito. ↔ *Duradero, largo.*

instante Momento, segundo, minuto, punto, soplo, periquete, tris, santiamén, relámpago.

instante (en un) En un decir Jesús, en un decir amén, en una avemaría, de golpe, de pronto.

instar Pedir, solicitar, suplicar, pretender, reclamar, urgir, insistir, apremiar, apretar, apresurar, apurar, ahincar. ↔ *Desestimar, renunciar.* || Impugnar, refutar.

instaurar Renovar, restaurar, restablecer, reponer. ↔ *Deponer.* || Establecer, hacer, inaugurar, implantar, estatuir, fundar, erigir. ↔ *Deshacer, abolir.*

instigar Incitar, inducir, impeler, impulsar, empujar, estimular, animar, mover, excitar, provocar, alentar, exhortar, persuadir, aguijar, aguijonear,

soliviantar, punzar, picar, pinchar, espolear, fustigar, azuzar, engrescar, enguizcar, dar cuerda, poner espuelas. ↔ *Disuadir, desanimar.*

instilar Infiltrar, infundir, introducir. ↔ *Extraer.*

instintivo Irreflexivo, involuntario, intuitivo, automático, maquinal, inconsciente, reflejo. ↔ *Deliberado, consciente.*

instinto Estimativa, inclinación, impulsión, propensión. ↔ *Reflexión.*

institución Fundación, establecimiento, creación, centro, organización, instituto.

instituir Crear, establecer, estatuir, principiar, fundar, erigir, instaurar. ↔ *Abolir, destruir, derrocar.*

instituto Constitución, regla, estatuto, ordenanza, reglamento, orden. ↔ *Desorden, anarquía.* || Corporación, sociedad, centro, institución, academia. || Liceo, gimnasio.

institutor Instituidor. || Profesor, maestro, pedagogo, preceptor.

institutriz Maestra, educadora, aya, dama de compañía, carabina.

instrucción Enseñanza, educación, ilustración, erudición, saber, cultura, ciencia, conocimientos. ↔ *Obscurantismo, ignorancia.*

instrucciones Reglas, normas, preceptos, ordenanzas, advertencias, explicaciones.

instructivo Científico, ilustrativo, educativo, cultural, edificante, ejemplar. ↔ *Corruptivo, demoledor.*

instructor Monitor.

instruido Docto, sabio, leído, culto, sabedor, erudito, científico. ↔ *Ignorante.*

instruir Adiestrar, aleccionar, enseñar, adoctrinar, educar, cultivar, ilustrar. || Informar, enterar, advertir, iniciar.

instrumento Herramienta, útil, aparato, utensilio, artefacto, máquina, arma.

insubordinación Indisciplina, indocilidad, rebeldía, rebelión, insumisión, insurrección. ↔ *Docilidad, sumisión.*

insubordinado Indisciplinado, insumiso, insurgente, sedicioso, rebelde, díscolo, desobediente, renuente, indomable. ↔ *Obediente, sumiso.*

insubordinar Indisciplinar, insurgir.

insubordinarse Indisciplinarse, desobedecer, levantarse, alzarse, rebelarse, sublevarse, amotinarse, insurreccionarse. ↔ *Acatar, obedecer.*

insubstancial Insípido, desabrido, soso, insulso, vacuo, ñoño, vano, hueco, huero, chirle, vacío, frívolo, ligero, vulgar. ↔ *Substancioso, lleno, importante.*

insubstancialidad Insipidez, desabrimiento, sosería, insulsez, aguachirle, pampringada, frivolidad, ligereza, vacuidad, trivialidad, vaciedad, vulgaridad. ↔ *Substancia, importancia.*

insudar Afanarse, esforzarse, atrafagarse, azacanarse. ↔ *Desentenderse.*

insuficiencia Incapacidad, ineptitud, ignorancia, incompetencia, torpeza, impericia, inhabilidad. ↔ *Ca-*

pacidad, competencia. || Cortedad, poquedad, penuria, deficiencia, falta, escasez. ↔ *Abundancia, plétora.*

insuficiente Corto, escaso, pobre, defectuoso, poco, pequeño, incompleto, imperfecto. ↔ *Abundante.*

insuflar Soplar, henchir, hinchar. ↔ *Vaciar.*

insufrible Insoportable, intolerable, inaguantable, irritante, enojoso, molesto, cargante, pesado, enfadoso, fastidioso, desagradable. ↔ *Tolerable, agradable.*

ínsula Isla.

insular Isleño, insulano.

insulsez Insubstancialidad, estupidez, sosería, tontería. ↔ *Sapidez, expresión.*

insulso Insubstancial, inexpresivo, estúpido, zonzo, soso, tonto, simple, necio. ↔ *Substancioso, expresivo.*

insultante Insultador, insolente, vejatorio, humillante, agravioso, afrentoso, injurioso, ofensivo, provocativo, irrespetuoso. ↔ *Exaltante, elogioso.*

insultar Agraviar, ofender, afrentar, injuriar, ultrajar, vilipendiar, humillar, herir, denostar, zaherir, faltar, infamar, baldonar, deshonrar, denigrar, irritar, atropellar, lastimar, zurrar la badana, escupir en la cara, arrojar el guante. ↔ *Loar, elogiar.*

insulto Agravio, ofensa, ultraje, afrenta, injuria, insolencia, denuesto, dicterio, improperio, baldón, tuerto, oprobio, invectiva, lindeza, descuerno, rebotada, vituperio, sonrojo,

coz. ↔ *Elogio, loa.* || Accidente, desmayo.

insume Caro, dispendioso, costoso. ↔ *Barato.*

insumergible Flotante.

insumiso Inobediente, rebelde, insurgente, indisciplinado, díscolo, sedicioso. ↔ *Obediente.*

insuperable Inmejorable, imponderable, óptimo, bonísimo, perfecto, excelente, sin par. ↔ *Mejorable, perfeccionable.* || Invencible, invicto, invulnerable. ↔ *Derrotado, vencido.* || Infranqueable, impracticable, difícil, arduo. ↔ *Fácil, cómodo.*

insurgente Insurrecto, rebelde, sedicioso, amotinado. ↔ *Sumiso, sometido.*

insurrección Algarada, asonada, cuartelada, revuelta, alzamiento, sublevación, levantamiento, rebelión, motín, sedición, pronunciamiento, insubordinación. ↔ *Disciplina, sumisión.*

insurreccionar Rebelar, levantar, amotinar, sublevar, revolucionar, alzar, insubordinar, insurgir, indisciplinar. ↔ *Sujetar, apaciguar, dominar.*

insurrecto Insurgente, amotinado, sublevado, sedicioso, rebelde, faccioso, revolucionario. ↔ *Leal, sumiso.*

insustituible Irreemplazable, indispensable, insuplantable, imprescindible, necesario, fundamental. ↔ *Superfluo.*

intacto Puro, virgen. ↔ *Mancillado.* || Completo, íntegro, entero. ↔ *Carente, falto.* || Indemne, ileso, incólume, salvo. ↔ *Dañado, perjudicado.*

intachable Recto, íntegro,

honrado, probo, respetable, honorable, honroso, irreprochable, a carta cabal. ↔ *Vituperable, censurable.*

intangible Intocable, impalpable, incorporal, incorpóreo, inmaterial, inviolable. ↔ *De carne y hueso, vulnerable.*

integral Completo, cabal, total, entero, justo, lleno. ↔ *Falto, incompleto.*

integrar Completar, totalizar, componer. ↔ *Deshacer.* || Reintegrar, reponer. ↔ *Substraer.*

integridad Honradez, probidad, equidad, rectitud, desinterés, hombría de bien. ↔ *Cohecho, deshonestidad.* || Castidad, pureza, virginidad. ↔ *Corrupción.* || Plenitud, perfección. ↔ *Imperfección.*

íntegro Uno, entero, completo, cabal, lleno, total. ↔ *Falto, incompleto.* || Recto, honrado, probo, intachable, irreprochable, justo, equitativo, desinteresado, incorruptible. ↔ *Deshonesto.* || Incólume, intacto, indemne. ↔ *Dañado.*

intelectual Intelectivo, especulativo, teorético, razonado. || Espiritual, mental. ↔ *Material.* || Sabio, erudito, estudioso, docto.

inteligencia Intelecto, intelectiva, intelección, entendimiento, mente, especulativa, conocimiento, juicio, razonamiento, uso de razón, comprensión. || Habilidad, destreza, experiencia, capacidad. ↔ *Torpeza, ineptitud.* || Trato, correspondencia, acuerdo. ↔ *Desavenencia.*

Inteligente Clarividente, despabilado, listo, esclarecido, lúcido, penetrante, profundo, prudente, cuerdo, talentudo, juicioso, perspicaz, sagaz, despierto, caladizo, entendido, experimentado, enterado, ingenioso, instruido, docto, sabio. ↔ *Limitado, estúpido.*

inteligibilidad Claridad, lucidez, comprensibilidad, limpidez, facilidad, lectura. ↔ *Dificultad, incomprensibilidad.*

inteligible Comprensible, asequible, penetrable, descifrable, legible, accesible, claro, distinto, lúcido, diáfano. ↔ *Incomprensible, difícil.*

intemperancia Desenfreno, exceso, inmoderación, incontinencia, libertinaje. ↔ *Moderación, templanza.*

intemperante Inmoderado, apasionado, destemplado. ↔ *Moderado.*

intemperie Destemplanza. || (a la) A sol y sereno, al sereno, al aire libre.

intempestivo Inesperado, inopinado, impensado, inoportuno, extemporáneo, a deshora. ↔ *Oportuno.*

intención Intento, propósito, designio, mira, voluntad, proyecto, idea, determinación, resolución, pensamiento. ↔ *Renuncia, renunciamiento.*

intencional Premeditado, ex profeso, voluntario, deliberado, querido. ↔ *Sin querer, inconsciente.*

intendencia Cuidado, dirección, administración, gobierno. || Suministros, servicios, abasto, abastecimiento.

intendente Administrador, gerente, mayordomo.

intensar Intensificar.

intensidad Intensificación, tensión, vehemencia, fuerza, energía, vigor. || Viveza, violencia, virulencia.

intensificar Intensar, reforzar, vigorizar, fortalecer. ↔ *Debilitar.*

intenso Intensivo, fuerte, enérgico, vivo, violento, agudo, penetrante, grande, extremado, profundo, vehemente, hondo. ↔ *Débil, tenue.*

intentar Probar, tantear, tratar de, pretender, procurar, ensayar, agenciar, abordar, emprender, embarcarse, iniciar. ↔ *Desistir, renunciar.*

intento Intención, propósito, fin, designio, proyecto, propuesta, empresa, ensayo. ↔ *Renuncia, abandono.*

intentona Tentativa, probatura, ensayo. || Fiasco, malogro, fracaso.

intercalación Intercaladura, inserto, entrelínea, añadido, inserción.

intercalar Interponer, interpolar, entrelinear, interlinear, inserir, insertar, barajar, introducir, traer a cuento, escoliar, 'enjaretar. ↔ *Entresacar.*

intercambio Cambio, reciprocidad, barata, permuta, trueque, canje.

interceder Mediar, abogar, intermediar, intervenir, interponerse, rogar, suplicar. ↔ *Lavarse las manos, desentenderse.*

interceptar Interrumpir, obstruir, estorbar, entorpecer, detener, parar, impedir, cortar, incomuni-

car. ↔ *Permitir, dar paso, dejar paso.*

intercesión Mediación, intervención, arbitraje, arreglo.

intercesor Mediador, recomendante, propiciatorio, componedor, avenidor. ↔ *Acusador.*

interdecir Vedar, prohibir, proscribir, impedir, oponerse, privar. ↔ *Permitir, conceder.*

interdicto Entredicho, interdicción, privación, prohibición, veto, suspensión, oposición. ↔ *Permiso, autorización.*

interés Provecho, utilidad, beneficio, rendimiento, ganancia, rédito, lucro, beneficio, producto, conveniencia, renta. ↔ *Pérdida.* || Atracción, atractivo, curiosidad, atención, inclinación, afecto, importancia. ↔ *Desapego.*

interesado Solicitante, compareciente. || Avaro, codicioso, egoísta, utilitario. ↔ *Desprendido, genèroso.* || Asociado, afectado.

interesante Cautivante, cautivador, atrayente, encantador, atractivo, curioso, notable, importante, original. ↔ *Indiferente.*

interesar Importar, concernir, atañer, tocar, afectar. ↔ *Desinteresarse.* || Atraer, cautivar, sugestionar, impresionar. ↔ *Aburrir.* || Hacer partícipe, dar parte, asociar.

interesarse Empeñarse, encariñarse, tomar con calor.

intereses Bienes, hacienda, fortuna, capital.

interfoliar Interpaginar.

ínterin Interinidad. || Entretanto, mientras, de momento, por el momento.

interinidad Ínterin, intervalo, pausa, tregua, detención, interrupción. ↔ *Perpetuidad.*

interino Provisional, transitorio, momentáneo, pasajero, accidental, provisorio, suplente, substituto. ↔ *Perpetuo, permanente.*

interior Interioridad. ‖ Interno, central, profundo, secreto, recóndito, íntimo, intestino, doméstico, familiar. ↔ *Exterior, externo.*

interioridad Interior, intimidad, entrañas, alma, ánima, fondo, fuero (interno), seno, sanctasanctorum. ↔ *Exterior, exterioridad.*

interlinear Intercalar, entrerrenglonar, entreverar, interpolar, escoliar. ↔ *Marginar.*

interlocución Diálogo, plática, controversia, coloquio.

interlocutor Dialoguista, dialogador, protagonista, internuncio.

interludio Intermedio, entremés.

intermediar Mediar, promediar, intervenir, arbitrar, interponerse, interceder. ↔ *Desentenderse.*

intermediario Mediador, medianero, intercesor, negociador, negociante, traficante, proveedor. ↔ *Comprador, vendedor.*

intermedio Interludio, entremés, entreacto. ‖ Intervalo, interrupción, espera, tregua. ↔ *Inicial, terminal, extremo.*

interminable Inacababable, inagotable, infinito, perpetuo, eterno, largo, lento,

continuo, sin fin. ↔ *Finito, limitado.*

intermisión Cesación, interrupción, dilación. ↔ *Prosecución.*

intermitencia Discontinuidad, interrupción, periodicidad, discontinuación, irregularidad. ↔ *Continuidad.*

intermitente Discontinuo, irregular, esporádico, entrecortado, interrumpido. ↔ *Regular.*

internacional Universal, mundial, cosmopolita. ↔ *Local, regional.*

internar Extrañar, desterrar. ‖ Penetrar, introducir, encerrar. ↔ *Sacar.*

internarse Adentrarse, entrar, enfrascarse, enzarzarse, embreñarse, meterse. ↔ *Salir.*

interno Interior, central, profundo, íntimo, recóndito, intestino. ↔ *Externo.* ‖ Pensionista.

interpelación Demanda, petición, pregunta, encuesta, solicitación, requerimiento, intimación. ↔ *Respuesta.*

interpelar Requerir, preguntar, demandar, pedir, solicitar, instar. ↔ *Responder.*

interpolación Intercalación, escolio, interposición.

interpolar Intercalar, interlinear, interponer, escoliar. ↔ *Marginar.*

interponer Intercalar, injertar, mezclar, entremezclar, entretejer, acoplar, entreverar, interlinear, entrerrenglonar, insertar, entremediar, obstruir, enfrentar. ↔ *Sacar, apartar.*

interponerse Entremeterse,

mediar, intervenir, atravesarse, ponerse de por medio. ↔ *Apartarse, salir de en medio.*

interpretación Explicación, exégesis, traducción, comentario, paráfrasis, razonamiento, homilía, hermenéutica, significación, inteligencia, sentido.

interpretar Explicar, comentar, traducir, comprender, descifrar, parafrasear, glosar.

intérprete Trujamán, dragamán, trujimán, traductor, lengua. ‖ Comentador, interpretador, exegeta, expositor.

interrogación Pregunta, interpelación, cuestión, información, demanda, propuesta, erotema. ↔ *Respuesta.*

interrogador Examinador, juez, escudriñador.

interrogar Pedir, preguntar, examinar, consultar, escudriñar, sondear, inquirir, pesquisar, demandar, interpelar, informarse. ↔ *Contestar, responder.*

interrogatorio Inquisitoria, sondeo, examen, cuestionario, informe. ↔ *Respuesta.*

interrumpir Suspender, cortar, detener, romper, parar, impedir, estorbar, interceptar, intermitir, atajar, truncar, trabucar, aguar, romper las oraciones. ↔ *Proseguir, continuar.*

interrupción Intermisión, suspensión, detención, parada, impedimento, oclusión, atasco. ↔ *Prosecución, continuación.*

intersección Cruce, encuentro. ↔ *Desviación.*

intersticio Hendidura, grieta, raja, resquicio, rendija. || Intervalo.

interurbano Larga distancia.

intervalo Intermedio, pausa, inducia, tregua, dilación. ↔ *Continuación.* || Espacio, hueco, claro, distancia, vacío, intersticio.

intervención Intromisión, interposición, mediación. ↔ *Ausencia.* || Investigación, fiscalización, arbitraje, control. ↔ *Abstención.* || Operación (quirúrgica).

intervenir Interp o n e rse, participar, terciar, mezclarse, mediar, tomar parte, meter baza, traer entre manos, fiscalizar, inspeccionar. ↔ *Abstenerse, estar al margen.* || Operar.

interventor Inspector, fiscalizador, mediador, comisario.

intestino Interno, profundo, íntimo, 'achura. ↔ *Externo.* || Civil, doméstico, familiar.

intestinos Entrañas, tripa.

intimar Requerir, conminar, advertir, reclamar, exigir, avisar, notificar, declarar. ↔ *Obedecer, aceptar.* || Fraternizar, avenirse, congeniar, amigar. ↔ *Enemistarse.*

intimidad Amistad, adhesión, apego, confianza, familiaridad, unión, relación, intrinsiqueza. ↔ *Enemistad, desconfianza.*

intimidar Asustar, amedrentar, acobardar, atemorizar, amilanar, imponer, acoquinar, aterrar, aterrorizar. ↔ *Animar, incitar, alentar.*

íntimo Interior, interno, recóndito, secreto, particular, profundo, reservado. ↔ *Externo, exterior.* || Afecto, adicto, entrañable, inseparable, dilecto. ↔ *Extraño, de ocasión.*

intitular Titular, nombrar, llamar, designar, decir, apodar, denominar.

intolerable Insoportable, inaguantable, insufrible, fastidioso, excesivo, fatigoso,˙doloroso. ↔ *Llevadero.*

intolerancia Intransigencia, fanatismo. ↔ *Indulgencia.* || Incompatibilidad.

intonso Peludo, cabelludo, melenudo. ↔ *Rapado.* || Ignorante, inculto, rústico, zafio, torpe. ↔ *Listo, sagaz.*

intoxicar Envenenar, emponzoñar, inficionar, infectar, inocular, envarbascar, atosigar. ↔ *Desintoxicar.*

intraducible Indecible, inexplicable, indescifrable, inexpresable. ↔ *Comprensible.*

intramuscular Parenteral.

intranquilidad Desasosiego, inquietud, ansiedad, agitación, cuidado, zozobra, alarma, congoja. ↔ *Serenidad, sosiego.*

intranquilizar Desasosegar, inquietar, perturbar, conturbar, agitar, conmover, turbar, alarmar, desazonar, atormentar, soliviantar. ↔ *Calmar, sosegar.*

intranquilo Desasosegado, inquieto, perturbado, turbado, agitado, alarmado, desazonado, atormentado, soliviantado, impaciente. ↔ *Sereno, despreocupado.*

intransferible Intransmisible, inalienable, personal.

intransigencia Intolerancia, obcecación, obstinación, pertinacia, testarudez, fanatismo. ↔ *Tolerancia.*

intransigente Intolerante, obstinado, terco, testarudo, obcecado, pertinaz, fanático. ↔ *Comprensivo, tolerante.*

intransitable Impracticable, infranqueable, inabordable.

intransitado Solitario, desierto, aislado. ↔ *Animado, concurrido.*

intransmisible Intransferible, inalienable, personal.

intratable Insociable, insocial, incivil, inconversable, huraño, arisco, hosco, esquivo, sacudido, áspero, retraído. ↔ *Cortés, afable.*

intrepidez Valor, valentía, arrojo, denuedo, esfuerzo, osadía, coraje, bravura, ánimo. ↔ *Cobardía.*

intrépido Valeroso, valiente, arrojado, denodado, esforzado, osado, bravo, animoso, impávido, audaz, arrestado, atrevido.˙↔ *Cobarde.*

intriga Manejo, maquinación, cautela, maniobra, complot, cábala, treta, ardid, artimaña, manganilla, enredo, trama, embrollo, trapisonda, confabulación, empanada, conchabanza, contubernio, pastel, entruchada, 'tamal.

intrigante Maquinador, trapisondista, culebrón, chanchullero, tejemaneje, urdemalas, 'tejedor. ↔ *Indiferente, discreto.*

intrigar Tramar, urdir, maquinar, conspirar, complotar, trapichear, cabildear, trapisondear, manejar, 'tejer.

intrincado Enredado, complicado, confuso, oscuro, enmarañado, embrollado, enrevesado, espeso, difícil, arduo, inescrutable, complejo, mezclado, desordenado, inextricable, entrecruzado, peliagudo, revuelto, espinoso. ↔ *Desembarazado, despejado, liso.*

intrincar Enredar, embarullar, embrollar, enmarañar, engarbullar. ↔ *Desenredar.* || Confundir, oscurecer. ↔ *Aclarar.*

intríngulis Intención, quid, busilis, clavo, incógnita.

intrínseco Íntimo, esencial, interior, constitutivo, interno, propio, idiosincrático. ↔ *Extrínseco.*

introducción Entrada, admisión, penetración, infiltración. ↔ *Salida, expulsión.* || Preparación, disposición, aproches, apropincuación, preparativo. ↔ *Remate, coronamiento, asalto.* || Exordio, prólogo, prefacio, preámbulo, prolegómenos, pórtico, introito, principio. ↔ *Epílogo.* || Sinfonía.

introducir Entrar, pasar. || Meter, encajar, embutir, hundir, clavar, insertar, intercalar, deslizar, inculcar, infiltrar, ingerir, implantar, incorporar, envasar, llenar, encajonar, interponer. ↔ *Sacar, extraer.* || Atraer, ocasionar, causar, producir. ↔ *Alejar, aliviar, descargar.*

introducirse Entremeterse, infiltrarse, cucharetear. ↔ *Desentenderse.*

intromisión Entremetimiento, indiscreción, curiosidad, oficiosidad, fisgoneo,

fisgonería, intrusión, mangoneo, injerencia, **mediación,** importunación, cuchareteo. ↔ *Desentendimiento.*

introspección Introversión, meditación, reflexión. ↔ *Divagación, contemplación.*

intrusión Intromisión.

intruso Entremetido, indiscreto, importuno, chisgarabís, 'entrador. ↔ *Apropiado, pertinente.*

intuición Percepción, concepción, aprehensión, visión, clarividencia, conocimiento, presentimiento. ↔ *Reflexión, meditación, examen.*

intuir Percibir, vislumbrar, entrever, distinguir, aprehender, columbrar. ↔ *Reflexionar, meditar.*

intuito Vista, ojeada, mirada.

intumescencia Hinchazón, inflación, tumefacción, inflamación, edema. ↔ *Deshinchamiento.*

inulto Impune, impunido, sin castigo.

inundación Anegación, aluvión, diluvio, riada, arroyada, avenida, desbordamiento. ↔ *Retracción.* || Muchedumbre, multitud, cantidad, abundancia, copia. ↔ *Escasez, cuatro gatos.*

inundar Anegar, alagar, arriar, aplayar. ↔ *Retraer.* || Llenar, abrumar, colmar. ↔ *Vaciar.*

inurbanidad Ineducación, incivilidad, descortesía, grosería, ordinariez, rusticidad. ↔ *Cortesía, educación.*

inurbano Incivil, ineducado, impolítico, descortés, desatento, ordinario, grosero,

tosco, rústico. ↔ *Educado, cortés.*

inusitado Inusual, desusado, insólito, desacostumbrado, inhabitual, raro, extraño, extravagante, desueto, nuevo. ↔ *Corriente, común, habitual.*

inútil Ineficaz, inservible, infructuoso, improductivo, infecundo, insignificante, innecesario, incapaz, imposibilitado, inválido, nulo, estéril, vano, fútil, ocioso, inane, despreciable, engarnio, mandria, caduco, 'ruco. ↔ *Capaz, válido, fértil, aprovechable, útil, listo.*

inutilidad Ineficacia, improductividad, infructuosidad, insignificancia, incapacidad, ineptitud, inhabilitación, invalidación, invalidez, esterilidad, ociosidad, inanidad, futilidad, zupia, zarandaja. ↔ *Capacidad, validez, fertilidad, aprovechamiento, ingenio.*

inutilizar Estropear, averiar, anular. || Incapacitar, invalidar, inhabilitar, desautorizar, abolir. ↔ *Confirmar.*

invadir Irrumpir, penetrar, entrar, asaltar, violentar, ocupar. ↔ *Retirarse.*

invalidar Anular, inutilizar, incapacitar, desautorizar, abolir, abrogar. ↔ *Convalidar.*

inválido Imposibilitado, inhabilitado, lisiado, tullido, inútil, mutilado, impedido. ↔ *Útil, sano.*

invariable Inmutable, inmudable, inalterable, inconmovible, inquebrantable, permanente, constante, estable, firme, flojo. ↔ *Mudable, móvil.*

invasión Entrada, irrupción, incursión, correría, algarada, ocupación. ↔ *Retirada.*

invectiva Diatriba, sátira, sarcasmo, mordacidad, filípica, catilinaria, apóstrofe. ↔ *Elogio, lagotería.*

invencible Invicto, invulnerable, indomable, indomeñable, insuperable, inquebrantable. ↔ *Vencido, derrotado.*

invención Invento, hallazgo, descubrimiento, innovación, creación. ↔ *Imitación, copia, plagio.* || Engaño, ficción, mentira, fábula. ↔ *Suceso real.*

inventar Hallar, descubrir, crear, imaginar, concebir, asacar, fraguar, forjar, ingeniar, idear, discurrir. ↔ *Imitar, plagiar.* || Fingir, improvisar, tejer, urdir, levantar.

inventariar Compilar, acopiar, recopilar.

inventario Lista, catálogo, relación, descripción, repertorio, estado, nomenclátor, registro, **retahíla.**

inventiva Talento, cabeza, imaginación, genio, magín, maña, penetración, pesquis, pupila, perspicacia, ingenio, inteligencia. ↔ *Vaciedad, nesciencia.*

invento Invención, descubrimiento, hallazgo.

inventor Inventador, invencionero, descubridor, creador, padre, autor, novador, fraguador, fabricador, productor, tracista. ↔ *Copista, imitador.*

inverecundo Insolente, desvergonzado, descocado, impúdico, descomedido, irrespetuoso. ↔ *Tímido, respetuoso.*

invernadero Invernada, invernáculo.

invernal Aquilonal, hibernal, hibernizo, hiemal. ↔ *Veraniego.*

inverosímil Inverisímil, increíble, inadmisible, imposible, inconcebible, inimaginable, fantástico, sorprendente, raro. ↔ *Posible, real.*

inversión Alteración, trastocación, alternación, trasposición, cambio, hipérbaton. ↔ *Ordenación, normalización.* || Empleo, colocación, compra, adquisición.

inverso Alterado, trastornado, trastocado, cambiado. ↔ *Ordenado.* || Contrario, opuesto, contrapuesto, contradictorio. ↔ *Propio, recto.*

invertido Sodomita.

invertir Alterar, trocar, trastocar, trastornar, trasponer, trabucar, voltear, subvertir, contraponer, alternar, cambiar. ↔ *Colocar, ordenar, restablecer.* || Emplear, poner, colocar, gastar, comprar. || Destinar, ocupar. ↔ *Perder, tirar.*

investidura Dignidad, título, cargo.

investigar Buscar, indagar, averiguar, inspeccionar, escudriñar, sacar, perquirir, revolver, curiosear, pesquisar, escarbar, fisgonear, rastrear, tantear, sondear, diligenciar. ↔ *Descubrir, hallar.*

investir Envestir, conferir, conceder, ungir.

inveterado Antiguo, arraigado, envejecido, viejo, enraizado, acostumbrado, tradicional, añejo. ↔ *Reciente, nuevo, desusado.*

inveterarse Envejecerse.

invicto Invencible, victorioso, triunfador, vencedor. ↔ *Vencido.*

inviolable Intangible, respetable, venerable, sagrado, santo. ↔ *Abominable, nefando.*

inviolado Incorrupto, íntegro, intacto, virgen, puro. ↔ *Profanado.*

invisible Inmaterial, incorpóreo, incorporal, impalpable, inapreciable, encubierto, oculto, escondido, secreto, misterioso. ↔ *Aparente, noto.*

invitación Convite, convocatoria, llamada. ↔ *Repulsión.* || Billete, boleto, entrada, pase. || Incitación, conminación, inducción. ↔ *Disuasión.*

invitar Convidar, brindar, ofrecer, servir. ↔ *Despedir.* || Incitar, instigar, inducir, impeler, animar, excitar, concitar. ↔ *Disuadir.*

invocación Imploración, deprecación, conjuro, súplica, ruego, recuesta, plegaria, llamada. ↔ *Maldición, repulsa.*

invocar Llamar, apelar, implorar, suplicar, impetrar, pedir, solicitar, rogar. ↔ *Exigir, maldecir.* || Alegar, exponer, citar, basarse, apoyarse, fundarse, acogerse, aducir.

involución Retroceso, retrocesión. ↔ *Progresión.*

involucrar Envolver, mezclar, comprender, complicar, confundir, ingerir, insertar.

involuntario Indeliberado, instintivo, irreflexivo, impensado, inconsciente, espontáneo, maquinal, reflejo, automático. ↔ *Consciente, reflexivo.*

invulnerable Invencible, invicto, inexpugnable, inquebrantable, inatacable, inmune, fuerte, resistente, protegido. ↔ *Débil, dañable.*

inyectar Introducir, inocular, irrigar, jeringar. ↔ *Extraer, exprimir.*

ipecacuana Bejuquillo.

ipso facto En el acto, en seguida, inmediatamente.

ir Moverse, dirigirse, trasladarse, caminar, acudir, asistir. ‖ Venir, ajustarse, acomodarse. ‖ Distinguirse, diferenciarse. ‖ Conducir. ‖ Extenderse, ocupar, comprender. ‖ Obrar, proceder.

ira Cólera, furia, rabia, arrebato, furor, indignación, molestia, enojo, enfado, irritación, coraje, exasperación. ↔ *Placidez, calma.*

iracundo Irascible, irritable, colérico, bilioso, atrabiliario, airado, furioso. ↔ *Pacífico, plácido.*

irascible Excitable, irritable, arrebatado, nervioso, vivo, bilioso, colérico. ↔ *Tranquilo.*

irídeo Lirio hediondo.

irisar Reflejar, colorear.

irlandés Hibernés, hibérnico.

ironía Burla, mofa, escarnio, sarcasmo, chanza, punta, chifla, fisga, mordacidad, causticidad. ↔ *Cumplimiento, adulación.*

irónico Burlón, burlesco, punzante, cáustico, guasón, chocarrero, mordaz, ático, sarcástico, sardónico. ↔ *Virulento, de armas tomar.*

irracional Animal, bruto,

bestia. ↔ *Racional.* ‖ Absurdo, ilógico, insensato, extraviado. ↔ *Lógico.* ‖ Inconmensurable, radical.

irradiar Centellear, centellar, destellar, difundir, esparcir, divergir. ↔ *Concentrar.*

irrealizable Impracticable, inejecutable, inaplicable, imposible, utópico, quimérico. ↔ *Positivo, hacedero.*

irrebatible Irrefutable, inexcusable, irrechazable, indiscutible, incontestable, incuestionable, incontrovertible, incontrastable, indisputable, innegable, lógico, probado, categórico, perentorio, cierto, seguro, corroborado, establecido, demostrado, explicado. ↔ *Dudoso, inseguro, hipotético.*

irreconciliable Enemistado, opuesto, dividido, enemigo. ↔ *Amigo.*

irrecusable Irrebatible.

irreductible Irreducible, incoercible, simple.

irreemplazable Insustituible.

irreflexión Inconsideración, atolondramiento, aturdimiento, ligereza, precipitación, atropello, imprudencia. ↔ *Ponderación, meditación.*

irreflexivo Atolondrado, tolondro, atropellado, arrebatado, aturdido, ligero, insensato, inconsecuente, tarambana, imprudente, precipitado, inconsiderado. ↔ *Sensato, cauto.* ‖ Instintivo, involuntario, indeliberado, maquinal, automático. ↔ *Preconcebido, deliberado.*

irrefragable Irresistible,

irrecusable. ↔ *Contrarrestable.*

irrefrenable Incoercible, incontenible.

irrefutable Irrebatible.

irregular Anormal, anómalo, variable, desordenado, desusado, estrambótico, caprichoso, raro, desigual, discontinuo, intermitente, periódico, inconstante, injusto, ilícito. ↔ *Normal, corriente, matemático, justo, exacto, regular.*

irregularidad Falta, error, excepción, anomalía, rareza, anormalidad. ↔ *Normalidad, uniformidad, precisión.*

irreligión Impiedad, incredulidad, ateísmo. ↔ *Creencia, fe.*

irreligioso Impío, incrédulo, descreído, infiel, antirreligioso, ateo. ↔ *Piadoso, devoto, religioso.*

irremediable Irreparable, incurable, perdido.

irremisible Culpable, imperdonable.

irreparable Irremediable, perdido.

irreprensible Irreprochable, intachable, virtuoso, justo, perfecto, inocente. ↔ *Vituperable.*

irresistible Indomable, incontrastable, invencible, fuerte, violento, pujante, excesivo. ↔ *Suave, domeñable.*

irresolución Indeterminación, incertidumbre, indecisión, perplejidad, fluctuación, vacilación, duda. ↔ *Firmeza, determinación.*

irresoluto Irresuelto, indeterminado, indeciso, incierto, vago, flotante, vacilante, móvil. ↔ *Decidido, seguro.*

irrespetuoso Irreverente, desatento, injurioso, inconveniente, descomedido, desatento. ↔ *Deferente, cortés, respetuoso.*

irrespirable Asfixiante, denso, cargado, viciado. ↔ *Límpido.*

irresponsable Insensato, fuera de sí, menor de edad. ↔ *Subsidiario, garante.*

irreverencia Inconveniencia, desconsideración, indelicadeza, irrespetuosidad, grosería, profanación, desacato, ultraje. ↔ *Consideración, respeto.*

irrevocable Invariable, inapelable, inevitable, irreparable, inmutable, decidido, determinado, fijo, resuelto, arreglado, necesario. ↔ *Anulable, abrogable.*

irrigar Regar, rociar, bañar, canalizar.

irrisión Burla, risa, broma, desprecio, mofa, ridiculez, chirigota, inocentada, escarnio, ludibrio, befa. ↔ *Respeto.*

irrisorio Ridículo, risible, irrisible, insignificante, cómico, desestimable, minúsculo, despreciable. ↔ *Relevante, serio.*

irritable Irascible, iracundo, colérico, díscolo, feróstico, pronto, bilioso. ↔ *Calmoso, tranquilo.* || Anulable, invalidable, abolible, abrogable. ↔ *Intocable.*

irritación Ira, agitación, enfado, enojo, rabia, cólera, arrebato, berrenchín, despecho, ensañamiento, exacerbación, rebeldía, saña, excitación, ferocidad, indignación, furor, hincha, excandescencia, encarnizamiento, embravecimiento, 'afarolamiento. ↔ *Calma, apacibilidad.* || Comezón, picazón, prurito.

irritar Enojar, enfurecer, encolerizar, enfadar, exasperar, sulfurar, amostazar, enviscar, enconar, impacientar, endemoniar, incomodar, espirituar, enzalamar, exacerbar, embravecer, escandecer, indignar, emborrascar, alocar, 'enchilar. ↔ *Calmar.* || Incitar, enervar, crispar, agriar, excitar, encrudecer, lastimar, desasosegar, indisponer, acalorar, disgustar, alborotar, sublevar, agravar, estimular. ↔ *Suavizar.*

irritarse Impacientarse, alterarse, arrebatarse, rabiar, encresparse, enfuriarse, entigrecerse, enarbolarse, encalabrinarse, trinar, emberrenchinarse, picarse, atufarse, atocinarse, encoraginarse, montar en cólera, echar espumarajos por la boca, salir de sus casillas, estar hecho un basilisco, echar chispas, perder los estribos, subirse a las bovedillas, 'azarearse, 'afarolarse, 'enchivarse. ↔ *Apaciguarse, aplacarse.*

irrogar Causar, ocasionar, producir, acarrear. ↔ *Evitar.*

irrompible Indestructible.

irrumpir Invadir, caer como una bomba.

irrupción Entrada, invasión, incursión, intrusión, desbordamiento. ↔ *Salida.*

irse Morirse, agonizar. || Gastarse, consumirse, perderse. || 'Emputar.

isla Ínsula, islote, isleta, cayo, bojeo. || Manzana, cuadra, bloque.

islamismo Mahometismo, Islam.

islamita Mahometano, musulmán, muslime, islámico.

isleño Insular, insulano. ↔ *Continental.*

islilla Sobaco. || Clavícula.

ismaelita Árabe, moro. || Agareno, sarraceno.

israelita Hebreo, judío.

ita Aeta.

italiano Itálico, italo.

item Aditamento, añadidura.

iterar Repetir, reiterar, insistir.

iterativo Repetido, reiterativo, renovado, reemprendido. ↔ *Único.*

itinerario Recorrido, pasaje, ruta, camino, guía, dirección.

izar Subir, levantar, alzar. ↔ *Cargar, aferrar, arriar.*

izquierda (mano) Mano siniestra, mano zoca, mano zurda.

izquierdista Revolucionario, radical. ↔ *Derechista.*

izquierdo Zurdo, zocato, siniestro.

J

jabalcón Jabalón.

jabalí Puerco montés, puerco salvaje, 'cariblanco.

jabalina Pica, venablo, jáculo, azagaya.

jabardillo Bandada, remolino, tropel. ‖ Jabardo.

jabardo Enjambre, escamocho. ‖ Jabardillo, confusión, multitud, remolino.

jábega Jábeca, bol, red.

jabeque Chirlo, herida, cuchillada, navajazo, puñalada.

jabí Quebracho, quiebrahacha.

jabillo Árbol del diablo.

jabón Sebillo.

jabón (dar) Adular, lisonjear, lagotear.

jabonadura Enjabonado, enjabonadura.

jabonar Lavar, enjabonar.

jaboncillo Jabón de sastre, esteatita.

jabonera Lanaria, saponaria. ‖ Herbada, jabón de la Mancha.

jabonoso Saponáceo.

jaca Haca, asturión, cuartago. ‖ 'Yegua.

jacal Choza, cabaña, 'bohío.

jácara Romance, novela. ‖ Parranda, bullanga, zarabanda, zambra. ‖ Pejiguera, molestia, joroba, molienda. ‖ Mentira, patraña, embuste, bola, paparrucha. ‖ Cuento, historia, hablilla, fábula.

jacarandana Jerga, jerigonza.

jacarandoso Donairoso, alegre, desenvuelto, airoso, gallardo, garboso, florero. ↔ Mohíno, murrio, saturnino.

jacarear Alborotar, zahorar, rondar, parrandear. ‖ Molestar, enfadar, fastidiar, marear, dar dolor de cabeza, encocorar, jeringar, jorobar, importunar, mortificar. ↔ Agradar, distraer.

jacarero Alegre, festivo, dicharachero, jaranero, chancero, bullanguero, bromista, alborotador. ↔ Mohíno, apagado.

jácaro Chulo, guapo, fanfarrón, baladrón, majo, bocón, macareno, perdonavidas, matasiete, curro.

jacilla Señal, impresión, huella, vestigio, estampa, paso.

jacinto Bretaña. ‖ Circón, jacinto de Ceilán.

jacinto occidental Topacio.

jacinto oriental Rubí.

jaco Rocín, matalón, jamelgo, penco, sotreta, cuartago.

jacobino Revolucionario, demagogo, sanguinario. ↔ Conservador.

jacobita Monofisita.

jactancia Vanagloria, presunción, petulancia, arrogancia, vanidad, fatuidad, alabanza, pedantería, ventolera, ostentación, postín, junciana, barrumbada, farfolla, fachenda, leonería, alardeo, faramalla, infatuación, cacareo, faroleo, fanfarria, fanfarronada, fieros, afectación, altanería, orgullo, chulería, pavoneo, farolería, insolencia. ↔ Humildad, encogimiento.

jactancioso Vanidoso, vanaglorioso, presumido, fatuo, petulante, arrogante, vano, pedante, ostentoso, postinero, fachendoso, farfantón, empapirolado, fanfarrón, infatuado, farolero, fiero, altanero, orgulloso, chulo, insolente, ensoberbecido, fachenda, postinero, espantajo, blasonador, ufano, vendehumos, alabancioso, figurón, cacareador, glorioso. ↔ Humilde, discreto.

jactarse Vanagloriarse, gloriarse, preciarse, pagarse, pavonearse, alabarse, en-

J greírse, ensoberbecerse, achularse, ufanarse, presumir, alardear, vocear, cacarear, envanecerse, abantarse, eructar, blasonar, fachendear, farolear, chulear, pompear, gallardear, echar bocanadas, darse tono, hacer gala, darse pisto, hacer el paripé, echar doblones. ↔ *Humillarse, doblar la cabeza.*

jaculatoria Oración, invocación.

jaculatorio Fervoroso, intenso.

jáculo Jabalina.

jade Lemanita, piedra nefrítica, piedra de ijada.

jadeante Transido, despernado.

jadear Carlear, hipar, ahogarse, acezar, bufar, sofocarse, cansarse, fatigarse, tronzarse.

jadeo Acezo, resoplido, ahogo, cansancio.

jaenés Jaenero, giennense, jienense.

jaez Guarnición, aderezo. || Calidad, índole, clase, estofa, laya, pelaje, calaña, ley, raza.

jaguar 'Tigre.

jaguarzo Estepa negra.

'jagüey Balsa, pozo, alberca.

'jaiba Cangrejo. || Cámbaro.

jalbegar Enjalbegar, blanquear, encalar. || Afeitar, maquillar.

jalbegue Encaladura, blanqueo.

jalea Gelatina, jaletina.

jaleo Jarana, bulla, bullicio, fiesta, alegría, diversión, alboroto, desorden, riña, 'barrullo. ↔ *Quietud, silencio.*

jalma Enjalma, albardilla.

jalón Piquete, vara.

jalonar Alinear.

jaloque Sudeste. ↔ *Gregal.*

jamar Comer, manducar, papar, manullar, yantar. ↔ *Ayunar.*

jamás Nunca, ninguna vez, en la vida, en ningún tiempo, de ningún modo.

jamelgo Jaco, matalón, rocín, penco, cuartago.

jamerdar Fregotear, lavotear.

jamilia Alpechín.

jamón Pernil.

jamugas Angarillas, samuga, silla.

'jamurar Achicar.

jangada Impertinencia, badajada, bachillería, clarinada, despropósito. ↔ *Ocurrencia, oportunidad.* || Balsa, almadía, armadía. || Trastada, pillería, travesura, bribonada.

'janja Burla, fisga, vaya.

japonés Nipón.

jaque Amenaza, peligro.

jaque Valentón, perdonavidas, chulo, matasiete, guapo, bravucón, majo.

jaquear Amenazar, hostigar, molestar, inquietar, atormentar, acosar, atosigar, fustigar. ↔ *Dejar tranquilo.*

jaqueca Neuralgia, hemicránea, migraña, dolor de cabeza.

jaquecoso Molesto, fastidioso, cargante, pesado, chinchoso, estomagante, enfadoso. ↔ *Grato, placentero.*

jaquel Escaque.

jáquima Cabestro, ronzal, 'cencapa.

jara Jara negra, lada. || Vira, virote, saeta, flecha.

jara blanca Estepilla.

jara cerval o **cervuna** Jara macho.

jarabe Sirope, jarope, almíbar, lamedor.

jaracalla Alondra.

jaraiz Lagar.

jaral Enredo, maraña, espinar, baruca, laberinto, lío, jaramago Raqueta, balsamita, ruqueta, sisimorio, 'yugo.

jarana Bulla, bullicio, jaleo, holgorio, jolgorio, fiesta, diversión, alegría, boruca, zambra, juerga, hollín, jollín, macana, fandango, francachela, tracamundana, escorrozo, pecorea, refocilación, 'embullo, 'sandunga. || Alboroto, tumulto, confusión, pendencia, desorden. || Trampa, engaño, socaliña, burla, inocentada.

jaranero Juerguista, parrandero, chunguero, fandanguero, vividor, bullicioso. ↔ *Pacífico, serio.*

jarcia Aparejo, cordaje, cordelería.

jardín Vergel, pensil, carmen, arrizafa, ruzafa, parque.

jarifo Hermoso, rozagante, vistoso, compuesto, peripuesto, acicalado, galano, majo. ↔ *Abandonado, adán.*

'jarocho Campesino.

jaropar 'Emboticar.

jarope Jarabe.

jarra Vasija, pichel, terraza, zalona, aguamanil.

jarretar Enervar, debilitar, desanimar, desalentar, descorazonar. ↔ *Animar, alentar.*

jarrete Corva. || Corvejón.

jarretera Charretera, liga.

jarro Catavino, adecuja, bobillo, bocal, aguatocho.

jarrón Vaso, búcaro, florero, tichela.

jasador Sajador, sangrador.

jasadura Jasa, sajadura.

jasar Sajar, cortar.

jaspe Diaspro.

jaspeado Veteado, salpicado, irisado, pintorreado, marmoleado.

Jato Ternero.

jaula Gayola, cávea, pajarera, gavia, alcahaz, grillera, nasa, 'guacal. || Cárcel, prisión, chirona.

jauría Perrería, traílla, muta.

jayán Hombrón, hombracho, mocetón, gigante, pendón, tagarote, espingarda, cangallo, zagalón, zanguayo. ↔ *Enano, hominicaco.*

'jebe Añumbre, goma.

jefatura Presidencia, regencia, superintendencia, dirección. || Mando, autoridad, poder, gobierno.

jefe Superior, director, dueño, amo, patrón, principal, cabeza, caudillo, cacique, capitán, adalid, arráez, atamán, guía, jeque, paladín, mayor, jerarca, presidente, regente, régulo, soberano, rey, *leader, conductor, cabecilla. ↔ *Súbdito, vasallo, dependiente.*

Jehová Señor, Dios, Creador, Hacedor.

'jeme Palmito, cara, rostro.

'jenabe Mostaza.

jeque Jefe, régulo, superior.

jerapellina Andrajo, argamandel.

jerarca Superior, principal, director, cabeza, régulo, general, presidente.

jerarquía Orden, grado, rango, subordinación, escala, escalafón, función,

graduación, cargo. || Jerarquía.

jeremiada Lamentación, letanía, llanto, gemido, plañido, lamento. ↔ *Satisfacción.*

jeremías Llorón, plañidero, quejicoso, quejoso, doliente.

jerga Jerigonza, jacarandana, caló, germanía, *argot. algarabía, galimatías, gringo, griego.

jergón Jerga, colchón, márfega, almadraque. || Holgazán, pelafustán, mogollón, gandumbas.

jeribeque Guiño, visaje, contorsión, seña.

jerigonza Jerga.

jeringa Jeringuilla, inyector. || Molestia, importunación, pejiguera, jácara, joroba, molienda.

jeringar Jacarear, molestar, jorobar, importunar, fastidiar, marear, encocorar, mortificar. ↔ *Agradar, distraer.*

jeringuilla Celinda.

jeroglífico Pasatiempo. || Dificultad, atasco, complicación, vacilación, pantano, problema, traba, contratiempo, estorbo. ↔ *Facilidad, posibilidad.*

jerpa Serpa, sarmiento.

jeruga Vaina, farfolla, cáscara, envoltura.

jesuita Ignaciano, iñiguista.

Jesús Jesucristo, Cristo, Cordero de Dios, Divino Cordero, Hijo de Dios, Hijo Divino, Mesías, Salvador, Redentor, Nazareno, Buen Pastor, Dios Hombre, Verbo, Unigénito, Crucificado, Señor.

jeta Hocico, morro, boca. || Rostro, cara. || Grifo, llave, espita, canilla.

jíbaro Campesino, silvestre.

jibia Sepia.

jícara Tacita, pocillo, 'cumba, 'tibor, 'pilche.

'jícaro Güira, 'zapallo.

jicote Avispa.

jifero Matarife, matachín. || Sucio, puerco.

jifia Pez espada.

'jijallo Caramillo.

jilguero Colorín, cardelina, pintacilgo, pintadillo, silguero, sirguero.

jineta Gineta, ganeta, papialbillo, patialbillo.

jineta Charretera, galón, sardineta.

jinete Caballero, cabalgador, caballista, *jockey, amazona, 'gaucho.

jinetear Domar.

'jinglar Mecerse, columpiarse.

'jinjolero Jinjo, azufaifo.

jira Jirón.

jira Banquete, merienda, merendona, cuchipanda, 'rubiera. || Paseo, excursión.

jirón Jira, trozo, pedazo, andrajo, harapo, guiñapo, trapajo, desgarrón, pendajo, colgajo. || Pendón, guión, gallardete.

'jisca Carrizo.

'joco Orangután.

jocoserio Tragicómico.

jocosidad Gracia, sandunga, donaire, chiste, agudeza, donosura, salero, comicidad, humorismo, gracejo, broma, festividad. ↔ *Patochada, sandez.*

jocoso Festivo, gracioso, donoso, chistoso, salado, saleroso, sandunguero, divertido, cómico, jocundo, ocurrente, chusco, loquesco, donairoso, gachón. ↔ *Mustio, mohíno.*

jocundo Plácido, alegre,

J agradable, jovial, jocoso, chancero, divertido, entretenido. ↔ *Triste, abatido.*

jofaina Aljofaina, aljebena, almofía, palangana, zafa.

jolgorio Holgorio, jarana, bulla, bullicio, hollín, jollín, 'sandungo, 'guateque.

jolito Calma, suspensión, tranquilidad, apaciguamiento, sosiego. ↔ *Intranquilidad.*

jollín Hollín, gresca, jolgorio, holgorio, bulla.

jonjabar Engatusar, lagotear, lisonjear, engaitar.

'jorfe Muro (de contención).

'jorge Abejorro.

Jorguín Hechicero, mago, brujo, encantador.

Jorguinería Hechicería, magia, brujería.

Jornada Camino, correría, caminata, trecho, trayecto, ruta, viaje, excursión. || Expedición, marcha. || Jornal, obrada, día. || Lance, ocasión, circunstancia, caso, oportunidad, coyuntura.

Jornal Sueldo, estipendio, retribución, salario, ganancia, soldada. || Jornada, obrada, día.

Jornalero Trabajador, operario, bracero, asalariado, obrero, labrador, 'faenero.

Joroba Corcova, giba, chepa, renga, deformidad. || Molestia, engorro, pejiguera, impertinencia, trabajera.

Jorobado Jorobeta, giboso, corcovado, corcoveta, contrahecho, malhecho, deforme.

Jorobar Jacarear, molestar, fastidiar, marear, encocorar, jeringar, importunar, mortificar, 'fregar. ↔ *Agradar, distraer.*

joven Muchacho, mancebo, efebo, adolescente, doncel, mozo, mocito, zagal, pollo, garsón, zangón, rapagón, galán. ↔ *Anciano.* || Nuevo, reciente, actual. ↔ *Viejo.*

jovenzuelo Pimpollo, mozalbete.

jovial Alegre, festivo, jocundo, divertido, gracioso, risueño, animado, optimista, ufano, chancero, campante, bullicioso, comunicativo, vivaracho, juguetón, alborozado. ↔ *Triste, amargado.*

joya Joyel, alhaja, presea, alcorcí, brocamantón. || Flor, flor y nata, tesoro, fénix. || Astrágalo.

joyería Orfebrería, bisutería.

joyero Joyelero, guardajoyas, estuche, escriño, cofrecillo.

'joyo Cizaña.

'juanillo Propina, gratificación, soborno. || Alboroque.

jubilar Eximir, licenciar, retirar, pensionar. || Desechar, apartar, arrinconar, relegar. ↔ *Usar, utilizar.* || Alegrarse, regocijarse.

jubileo Indulgencia plenaria, dispensa. || Movimiento, concurrencia, muchedumbre.

júbilo Alegría, alborozo, regocijo, exultación, contento, gozo, animación, entusiasmo, transporte, felicidad, holgorio, jolgorio, algazara. ↔ *Tristeza, congoja.*

jubiloso Ufano, ledo. ↔ *Triste.*

jubón Almilla, ajustador, justillo, chupetín, armador, 'camisola.

judaico Judío, hebreo.

judas Falso, hipócrita, traidor, desleal, alevoso, delator. ↔ *Leal, fiel.*

judería Aljama, *ghetto.

judía Alubia, habichuela, frísol, fréjol, fríjol, fásol, 'chaucha.

judiada Usura, ganancia.

judío Judaico, israelita, hebreo, chueta. || Avaro, usurero, cicatero, explotador, mohatrero.

juego Recreo, distracción, divertimiento, recreación, solaz, entretenimiento, pasatiempo, diversión, esparcimiento, deporte. || Funcionamiento, acción, mecanismo, movimiento, movilidad. || Unión, articulación, juntura, gozne, coyuntura. || Serie, colección, surtido, combinación.

juerga Jarana, 'farra. || Huelga, descanso, ocio, recreación. ↔ *Actividad.*

juez (de línea) 'Canchero.

jugada Lance, partida, pasada, tirada. || Jugarreta, treta, ardid, mala pasada, mala jugada.

jugador Tahúr, fullero, cuco, garitero, chamarillero.

jugar Entretenerse, divertirse, recrearse, esparcirse, pasar el tiempo. ↔ *Aburrirse.* || Juguetear, triscar, retozar, travesear, enredar, zaragatear. || Apostar, poner, arriesgar, aventurar. || Funcionar, marchar, actuar, moverse, andar, caminar. ↔ *Pararse.* || Intervenir, tomar parte, actuar. || Mover, menear, tocar.

jugarreta Jugada, mala jugada, mala pasada, tunantada, treta, ardid, trastada, picardía.

juglar Bardo, rapsoda, coplero, vate. || Chistoso, picante, gracioso, picaresco, dicaz, 'payador, 'pallador.

jugo Suco, zumo, jugosidad, substancia, esencia, néctar, extracto. || Utilidad, provecho, ganancia, ventaja.

jugoso Zumoso, aguanoso. ↔ Seco. || Suculento, substancioso, provechoso, fructífero. ↔ Pobre, desaborido.

juguete Trebejo, muñeco, trástulo. || Burla, chanza.

juguetear Jugar, triscar, retozar.

juguetón Inquieto, travieso, retozón, bullicioso, vivaracho, revoltoso, alocado, zaragatero, enredador, zaragutero. ↔ Quieto, pacífico.

juicio Discernimiento, estimación, apreciación, comprensión, criterio, entendimiento, razón, inteligencia, sentido común. ↔ Incomprensión, sinrazón. || Cordura, seso, sensatez, tino, madurez, prudencia, sindéresis, reflexión, tiento, discreción. ↔ Insensatez, necedad. || Opinión, parecer, dictamen, decisión, sentencia, veredicto, sentimiento, crítica, sentido, gusto, entender, parecer.

juicioso Lógico, cabal, recto, derecho, consecuente, cuerdo, prudente, ajuiciado, reflexivo, maduro, sesudo, grave, sensato, meolludo, sentencioso. ↔ Irreflexivo, atolondrado.

julepe Poción, jarabe, sirope. || Reprimenda, castigo, admonición, reprensión. ↔ Elogio.

'julepe Susto, miedo, espanto.

julo Guía, cabestro, encuarte.

jumento Asno, burro, pollino, rucio, rocín, rozno, borrico.

jumera Humera, borrachera.

juncal Juncar, junqueral, izaga. || Flexible, airoso, apuesto, bizarro, garrido, gallardo, galano, majo. ↔ Esmirriado, exinanido.

junciana Jactancia, petulancia, hojarasca. ↔ Humildad.

junco 'Tule, 'ñapo.

junglada Lebrada.

junípero Enebro.

junquillo Rota, junco de Indias. || Baqueta, moldura, tapajuntas.

junta Reunión, asamblea, grupo, agrupación, congregación, cónclave, comité, consejo, aljama. || Juntura, unión, articulación, coyuntura.

juntar Unir, reunir, acoplar, ligar, enlazar, trabar, casar, combinar, atar, pegar, encolar, ensamblar, conectar, apretar, soldar. ↔ Deshacer, desmontar. || Asociar, congregar, acopiar, agavillar, aunar, anejar, anexar, anexionar, fusionar, agrupar, incorporar, conglomerar, aglutinar, concentrar, apeñuscar, englobar, mezclar, coordinar, yuxtaponer, combinar, hermanar, aliar, aparear, unificar, adicionar, sumar, añadir, adjuntar, coacervar, amontonar, atropar, aglomerar, acumular, estrechar. ↔ Separar, desunir. || Entornar, entreabrir. ↔ Abrir.

juntarse Arrimarse, acercarse, aproximarse, llegarse, coserse. ↔ Alejarse. || Acompañarse, amigarse. ↔ Enemistarse.

junto Unido, cercano, contiguo, adyacente, vecino, próximo, inmediato, adjunto, anexo, solidario, yuxtapuesto, inherente, inseparable, pegado. ↔ Separado. || A la vez, al unísono. || Cerca de, al lado de.

juntura Junta, juego, unión, empalme, ensambladura, acoplamiento, costura, articulación, coyuntura, acopladura, atadura, enchufe, engatillado, galce, gozne, charnela.

jura Juramento, promesa, obtestación, compromiso, salva, pleitesía.

jurado Tribunal.

juramentar Conjurar.

juramentarse Confabularse, unirse.

juramento Jura. || Voto, reniego, taco, terno, ajo, palabrota, imprecación, peste, blasfemia.

jurar Afirmar, asegurar, certificar, prometer, negar. || Votar, renegar, blasfemar, echar pestes.

jurel Chicharro.

jurídico Legal.

jurisconsulto Jurista, legista, jurisperito, jurisprudente, abogado, letrado, legisperito.

jurisdicción Autoridad, poder, facultad, competencia, atribución, fuero, dominio, mando, gobierno, carta blanca. ↔ Incompetencia. || Término, distrito, territorio.

jurisprudencia Derecho, legislación, jurispericia.

justa Pelea, torneo, certa-

J

J

men, competencia, combate.

justador Adversario, rival, campeón, combatiente, luchador.

justar Pelear, luchar, combatir, tornear, rivalizar.

justicia Equidad, rectitud, igualdad, imparcialidad, ecuanimidad, probidad, honradez, conciencia, severidad, austeridad, moralidad, derechura, razón, justificación. ↔ *Parcialidad, inmoralidad, sinrazón, arbitrariedad.* || Pena, castigo, **condena.**

justiciero Justo. || Riguroso.

justificación Defensa, excusa, exculpación, prueba, testimonio, apología. ↔ *Inculpación, acusación.*

justificar Probar, demostrar, evidenciar, acreditar, aducir, alegar, razonar, autorizar, documentar, verificar. ↔ *Inculpar.* || Rectificar, enmendar, corregir, reformar. ↔ *Man-*

tener. || Ajustar, arreglar. || Defender, exculpar, disculpar, excusar, vindicar, sincerar, paliar, descargar, abonar. ↔ *Acusar.*

justillo Ajustador, jubón, chupetín, armador.

justipreciar Preciar, apreciar, evaluar, valorar, tasar, estimar, tener en cuenta. ↔ *Menospreciar.*

justo Justiciero, ecuánime, recto, imparcial, equitativo, íntegro, neutral, incorruptible, austero, escrupuloso, honesto, decente, honrado, correcto, insobornable, a carta cabal, concienzudo. ↔ *Parcial, injusto.* || Justificado, justificable, razonado, razonable, fundado, indiscutible, racional, asegurado. ↔ *Dudoso.* || Exacto, cabal, preciso, ajustado, como pintado, puntual. ↔ *Inexacto, equivocado.* || Lícito, legítimo, legal, procedente. ↔ *Ilícito.* || Apretado, estrecho, ajustado. ↔ *Holgado.*

'jutía Hutía.

juvenil Mocil, muchachil, insenescente.

juventud Adolescencia, nubilidad, mancebez, mocedad, mocerío, insenescencia, inexperiencia, abril, edad temprana, albor de la vida, primavera, años mozos. ↔ *Ancianidad.*

juzgado Tribunal. || Judicatura.

juzgamundos Murmurador, chismoso, maldiciente, criticón, tijera, deshonrabuenos, mala lengua. ↔ *Discreto.*

juzgar Deliberar, dictaminar, decidir, sentenciar, fallar, condenar, arbitrar. || Creer, estimar, apreciar, opinar, reputar, calificar, valorar, conceptuar, discernir, considerar, conjeturar, pensar, sentir, tener por, parecer, ser del parecer.

K

kan Príncipe, soberano, jefe. **kilo** Kilogramo.
*kermese Fiesta. ‖ Tómbola. **kiosco** Quiosco, pabellón.
kirie Kirieleison, funeral, entierro.

L

lábaro Estandarte, enseña, guión. || Crismón, cruz.

labe Mancha, tilde, plaga, peste.

laberíntico Confuso, enredado, difícil, complicado, enmarañado, intrincado, tortuoso, caótico. ↔ *Sencillo, claro.*

laberinto Dédalo, caos, confusión, lío, maraña, complicación.

labia Verbosidad, facundia, verborrea, verba, parla, parlería, parola, picotería. ↔ *Silencio, mutismo.*

labiérnago Sao, ladierno.

labio Bezo, buz, belfo. || Borde, canto.

labor Laborío, trabajo, obra, tarea, faena, quehacer, tajo, ocupación. ↔ *Ocio, huelga.* || Labranza, laboreo, cultivo. || Besana, cava, cavada. || Excavación. || Costura, bordado, punto, encaje, realce.

laborable Arijo.

laborar Labrar. || Gestionar, intrigar, trapisondear, urdir, tramar.

laboreo Cultivo, labranza, cultura.

laborioso Laboroso, trabajador, asiduo, diligente, aplicado, estudioso, celoso. ↔ *Perezoso, gandul.* || Trabajoso, quejicoso, azacanoso, difícil. ↔ *Fácil.*

labrado Labra, trabajo, trabajado, adorno. ↔ *Liso, sencillo.*

labrador Cultivador, agricultor, labrantín, campesino, labriego, payés, aldeano, pegujalero, pelantrín, destripaterrones.

labrantío Sembradío.

labranza Agricultura, laboreo, labor, cultivo, cultura, trabajo.

labrar Trabajar, laborear, laborar. || Cultivar, arar, barbechar, surcar, remover, rasgar. || Edificar, construir, levantar. || Coser, bordar, hacer punto, hacer media, hacer encaje. || Hacer, causar, producir, formar, originar. ↔ *Deshacer.*

labriego Labrador, campesino, agricultor.

labrusca Parrón, parriza, parra, vid silvestre.

laca Goma laca, maque, zumaque del Japón, barniz del Japón.

lacayo Espolique, mozo de espuelas, 'achinchingue. || Criado, doméstico, servidor, sirviente. ↔ *Amo.*

lacear Enlazar, atar, atrapar, ligar, 'lazar.

lacerado Desdichado, desventurado, infeliz. || Lazarino, leproso.

lacerar Lastimar, golpear, herir, despedazar, magullar, golpear, desgarrar. || Dañar, vulnerar, perjudicar, mancillar.

lacería Miseria, estrechez, pobreza. ↔ *Riqueza, opulencia.* || Trabajo, pena, fatiga, ajobo, molestia, azacanamiento. || Lepra, elefancía.

lacertoso Musculoso, fornido, membrudo. ↔ *Esmi-'rriado, enteco.*

lacio Marchito, ajado, mustio. ↔ *Lozano.* || Desmadejado, flojo, descaecido, débil, decaído, blando. ↔ *Fuerte, recio.*

lacón Jamón.

lacónico Breve, conciso, corto, compendiado, compendioso, sucinto, abreviado, sobrio, sumario, seco. ↔ *Florido, retórico.*

laconismo Brevedad, concisión, compendio, sobriedad, sequedad. ↔ *Exuberancia, prolijidad.*

lacra Vicio, defecto, achaque. ↔ *Virtud.* || Señal, reliquia, cicatriz, chirlo.

lacrar Dañar, pegar, contagiar.

lacrar Sellar, enganchar. ↔ *Abrir.*

lacrimoso Lagrimoso, lloroso, lastimoso, lastimero, triste, afligido, compungido. ↔ *Alegre.*

lactación Lactancia, amamantamiento.

lactar Criar, amamantar. || Nutrir, alimentar.

lácteo Lechoso, láctico, lacticíneo.

lactosa Azúcar de leche, lactina.

lacunario Lagunar.

lacustre Pantanoso, uliginoso.

'lacha Haleche, boquerón.

'lacha Vergüenza, pundonor, estimación, amor propio.

lada Jara, jara negra.

ladeado Inclinado, soslayo, soslayado, oblicuo, sesgado. ↔ *Derecho.*

ladear Inclinar, soslayar, torcer, sesgar, oblicuar. ↔ *Enderezar.*

'ladearse Enamorarse.

ladera Pendiente, talud, balate, ribazo, declive, declivio, 'faldeo.

ladero Lateral.

ladino Taimado, sagaz, astuto, zorro, hábil, fistol, pícaro, sátrapa, 'ardiloso. ↔ *Incauto, cordero.*

lado Flanco, costado, banda, cara (anverso o reverso). || Arista, generatriz. || Ala, flanco, costado. || Valimiento, ayuda, favor, protección. || Modo, medio, camino, senda, procedimiento

ladrar Ladrear, latir, aullar, gruñir. || Vociferar, chillar, gritar, amenazar. ↔ *Callar.* || Impugnar, motejar, calificar, censurar.

ladrido Aullido, aúllo, gañido, gruñido. || Murmuración, calumnia, crítica, censura, mote, dicterio.

ladrillo Ladrillejo, azulejo, rasilla, *tocho, *tochana.

ladrón Caco, sacre, carterista, cortabolsas, descuidero, descuidadero, expoliador, despojador. faltrero, galafate, gato. ladrillo, ladronzuelo, hurtador, merodista, petardista, randa, rapaz, raptor, rata, ratero, mechera, atracador, estafador, fullero, pillete, salteador, saqueador, cuatrero, abigeo, cleptómano, largo de uñas, 'camilano, 'lunfardo, 'macuteno.

ladronera Guarida. || Ladrón, aliviador. || Ladronicio. || Matacán, portillo. || Alcancía, hucha.

ladronicio Latrocinio, ladronera, robo, hurto.

ladronzuelo Ladrón.

lagar Almíjar, lagareta, lagarejo, tino, trujal, jaraíz.

lagartija 'Gallego, 'salamanquina.

lagarto Lagartijo, lagarta, lagartija, fardacho, 'camaleón. || Pícaro, taimado, escurridizo, tuno. ↔ *Tolondro, botarate.*

lagarto de Indias Caimán.

lago Laguna, pantano, albufera, estanque.

lagotear Adular, halagar, lisonjear, embelecar, agasajar, incensar, enjabonar, roncear, mimar. ↔ *Criticar.*

lagotería Halago, adulación, lisonja, embeleco, agasajo, incenso, jabón, mimo, carantoña, zalamería, arrumaco, requiebro, cucamonas, botafumeiro. ↔ *Crítica, vituperio, diatriba.*

lagotero Halagador, adulador, lisonjeador, zalamero, alabancero, roncero, lavacaras, pelotilla, pelota, tiralevitas. ↔ *Reparón, catón, tijera.*

lágrima Lloro, sollozo, suspiro.

lagrimear Lloriquear, gimotear, lagrimacer, lagrimar.

lagrimoso Lacrimoso, lagrimón, llorón, lloricón, lloriqueador, tristón, legañoso, pitarroso, gimiente, quejumbroso, apesadumbrado, desazonado, mustio. ↔ *Gozoso, alborozado.*

laguna Alberca, balsa, charca, 'aguaje, 'bañadera, 'cocha. || Hueco, vacío, falta, espacio, defecto, omisión, olvido, supresión. ↔ *Interpolación, relleno.*

laico Lego, seglar, secular, profano. ↔ *Clérigo.* || Civil, neutro. ↔ *Religioso.* || Irreligioso, impiadoso, antirreligioso.

laja Lastra, lancha. || Bajo, bajío. || Lámina.

lama Cieno, lodo, fango, verdín, musgo. || Ova.

lama Monje (budista).

'lama Tejido.

lambel Lambeo, gota.

'lambida Lamedura.

lambrija Lombriz. || Escuálido, flaco, escurrido, delgado, zancarrón. ↔ *Robusto.*

lameculos Lisonjero, adulador.

lamedal Cenagal, lodazal, lapachar, fangal, tremedal, barrizar. ↔ *Yermo, secano.*

lamedor Jarabe, sirope. || Halago, lisonja, adulación. ↔ *Crítica.*

lamedura 'Lambida.

lamentable Lastimoso, las-

L

L

timero, lamentoso, deplorable, triste, sensible, doloroso, aflictivo, horrible, horroroso, atroz, desgarrador, desolador, desesperante, flébil, lúgubre. ↔ *Alegre, jocundo, gozoso.*

lamentación Lamento, gemido, queja, llanto, plañido, clamor, treno, jeremiada. ↔ *Loanza.*

lamentar Llorar, sentir, deplorar. ↔ *Loar.*

lamentarse Quejarse, dolerse, sentir, plañir, gemir, llorar. ↔ *Gozar, alegrarse.*

lamento Lamentación.

lameplatos Goloso, laminero, lamerón.

lamer Relamer, lengüestear, lamiscar. || Rozar, fregar.

lamerón Lameplatos.

lamido Flaco, delgado, escurrido, escuchimizado, cenceño, chupado. ↔ *Grueso, gordo.*

lámina Lama, plancha, chapa, hoja, hojuela, placa. || Estampa, figura, efigie, dibujo, reproducción, litografía, grabado, cromo, cromolitografía.

laminar Esquistoso, exfoliado, laminoso.

laminar Aplastar, calandrar. || Exfoliar.

laminero Lamerón, lameplatos, goloso.

laminilla Plaquita, lengüeta.

'lampa Azada.

lámpara Aparato de luz, candil, candelero, quinqué, bombilla. || Mancha, lamparón.

lamparilla Mariposa.

lamparón Mancha, lámpara, chafarrinada, churrete

lampatán China.

lampazo Lapa, purpúrea, bardana.

'lampear Cavar.

lampiño Imberbe, carilampiño, barbilampiño, glabro, calvo. ↔ *Barbudo, piloso, peludo.*

lampión Fanal, farol.

lampo Resplandor, destello, fulgor, brillo, relámpago, fusilazo. ↔ *Oscuridad, tinieblas.*

'lampreada Azotaina, paliza.

lana Vellón, borra.

lanar (ganado) Ganado ovino.

lance Percance, incidente, ocurrencia, suceso, acontecimiento, trance, situación, episodio, accidente. || Encuentro, contienda, querella, riña, quimera. || Suerte, pase.

lance (de) De ocasión, saldo, barato.

lancear Alancear.

lancéola Llantén menor, quinquenervia.

lanceta Sangradera, bisturí.

lancinar Punzar, desgarrar.

lancha Barca, embarcación, bote. || Lastra, laja. || Lancho, loncha, losa.

landa Páramo, llanura. ↔ *Vergel.*

landre Tumor, nacencia, excrecencia.

landrilla Lita.

lanería Colchonería.

langosta 'Chapulín.

langostón Cervática, langosta de campo, 'tara.

languidecer Debilitarse, enflaquecer, desanimarse, desalentarse, anonadarse, abandonarse, dejarse, entorpecerse, adormecerse. ↔ *Robustecerse, vigorizarse, despabilarse.*

languidez Flaqueza, debilidad, langor, desánimo,

abatimiento, desaliento, descorazonamiento, postración, desmayo, extenuación. ↔ *Aliento, ánimo, vigor.*

lánguido Flojo, flaco, débil, fatigado, endeble, abatido, decaído, desanimado, descaecido, muelle. ↔ *Fuerte, vigoroso, enérgico.*

lanosidad Vellosidad, pilosidad, pelusa, pelambrera. ↔ *Calvicie.*

lanoso Aterciopelado, peludo. ↔ *Pelado, glabro.*

lanudo Lanoso, lanígero, lanero, velloso, velludo.

lanza Pica, asta, chuzo, alaveza, espontón, alabarda, gorguz, venablo, azagaya. || Vara, pértiga, pertigal, pértigo, timón.

lanzadera Rayo tectorio, jugadera, espolín.

lanzamiento Botamiento, botadura, proyección, salida, eyección, disparo.

lanzar Arrojar, emitir, enviar, despedir, proyectar, tirar, echar, disparar, descargar, aventar. ↔ *Retener, aguantar, ofrecer.* || Exhalar, prorrumpir, decir, exclamar. ↔ *Callar.* || Soltar, librar, liberar. ↔ *Sujetar.* || Vomitar, basquear.

lanzazo Lanzada, enristre, alanceadura, rejonazo, espontonada.

laña Grapa, gafa

lañar Trabar, unir, gafar, engrapar. ↔ *Soltar.*

lapachar Cenagal, barrizal, pantano, lamedal, tremedal, fangal, lodazal. ↔ *Yermo, secano.*

lapicero Lápiz, portaminas.

lápida Losa, laude, estela.

lapidación Apedreamiento, laceración.

lapidar Apedrear.
lapidario Conciso, sobrio. ↔ *Prolijo, redundante.*
lapislázuli Lazulita, cianea, azul de ultramar.
lápiz Lapicero, 'chalchal.
lapo Golpe, varazo, bastonazo, cintarazo. || Trago, chisguete.
'lapo Bofetada, cachete.
lapso Espacio, período, tracto, intervalo. ↔ *Continuidad, encadenamiento.*
lapsus (linguae o calami) Lapso, error, desliz, falta. ↔ *Acierto.*
lardear Lardar, pringar, untar, engrasar, enlardar, mechar.
lardo Tocino, grasa, unto. ↔ *Magro.*
lardoso Grasiento, pringoso, mugriento, untoso. ↔ *Limpio.*
lares Penates. || Hogar, casa.
largar Soltar, aflojar, desplegar. ↔ *Arriar.*
largarse Marcharse, irse, escabullirse, ausentarse, ahuecar el ala. ↔ *Quedarse.*
largas Dilación, retardación, prolongación, aplazamiento. ↔ *Apremio.*
'larguero Liberal, dadivoso. || Copioso, abundante.
largo Alargado, luengo, extenso, dilatado, amplio, difuso. ↔ *Corto.* || Continuado, lento, tardío. ↔ *Breve.* || Copioso, abundante, excesivo. ↔ *Poco.* || Liberal, dadivoso, generoso. ↔ *Avaro.* || Pronto, expedito, diestro, rápido. ↔ *Tardo.* || Largor.
largor Largo, longitud, largueza, largura. ↔ *Cortedad, estrechez, brevedad.*
larguero Barrote. || Cabezal.

largueza Largura, generosidad, esplendidez, liberalidad, desprendimiento, nobleza. ↔ *Estrechez, avaricia.*
larguirucho Pericón, perigallo, pendón, espingarda, cangallo, tagarote. ↔ *Bajo, enano.*
largura Largor. || Largueza.
'lasaña Oreja de abad.
lascivia Sensualidad, lujuria, liviandad, incontinencia, libídine, salacidad, obscenidad. ↔ *Castidad, templanza.*
lascivo Sensual, lujurioso, lúbrico, libidinoso, obsceno, libertino, incontinente, sátiro, salaz, voluptuoso, vicioso, licencioso, carnal, mocero. ↔ *Casto, púdico.*
laserpicio Comino rústico.
lasitud Desfallecimiento, cansancio, agotamiento, postración, flojedad, languidez, descaecimiento, decaimiento, desaliento. ↔ *Energía, vigor.*
laso Cansado, desfallecido, abatido, fatigado, exhausto, derrengado. ↔ *Fuerte, enérgico.* || Flojo, macilento, deprimido. ↔ *Sano.*
lástima Enternecimiento, piedad, compasión, misericordia, conmiseración. ↔ *Inexorabilidad, inflexibilidad.* || Lamento, quejido.
lastimado Leso, dañado, agraviado, perjudicado. ↔ *Ileso, inmune.*
lastimar Herir, dañar, lesionar, vulnerar, perjudicar, damnificar, carpir. ↔ *Beneficiar.* || Compadecer, apiadarse. ↔ *Ser inexorable.* || Agraviar, ofender, incomodar, injuriar, despreciar. ↔ *Honrar, alabar.*

lastimarse Dolerse, quejarse, lamentarse, compadecerse. ↔ *Alegrarse.*
lastimero Triste, lastimoso, plañidero, compasivo. ↔ *Indiferente, riguroso.*
lastimoso Doloroso, lamentable, deplorable, desgarrador, sensible, lastimero, miserable, mísero, desolador, consternador, desesperante, flébil. ↔ *Satisfactorio, placentero.*
lastra Lancha, laja, losa, rajuela, loncha.
lastrar Aplomar. ↔ *Deslastrar, aligerar.*
lastre Peso, plomo. || Juicio, madurez, sensatez.
lata Hoja de lata. || Tabla, tablero, rollizo. || Tabarra, pejiguera, fastidio, rollo. ↔ *Diversión.*
'latebra Escondrijo, cueva, madriguera, guarida, refugio.
latente Oculto, escondido, recóndito, secreto, obscuro. ↔ *Manifiesto.*
lateral Ladero, adyacente, contiguo, pegado, confinante, tangente. ↔ *Frontal, separado.*
látex Jugo, leche. || Cauchú.
latido Pulsación, palpitación.
latigazo Trallazo, vergajazo, zurriagazo, lampreazo, 'cuartazo. || Represión, censura, corrección, sermón, fraterna. ↔ *Alabanza.*
látigo Tralla, rebenque, zurriago, fusta, manopla, disciplina, *knut, 'azotera, 'cuarta, 'chicote, 'chichirrón, 'talero.
latir Palpitar, pulsar. || Ladrar, aullar.
latitud Amplitud, extensión, ancho, anchura, vastitud.

L

L

↔ *Encogimiento, angostura, estrechez.*

lato Dilatado, extenso, extendido, amplio, vasto. ↔ *Estrecho, angosto.*

latón Azófar, cení.

latoso Cargante, pesado, molesto, fastidioso, aburrido, 'charlanca. ↔ *Divertido.*

latrocinio Robo, hurto, fraude, rapiña, estafa, ladronera, ladronería.

'laucha Ratón.

laudable Loable, digno, meritorio, plausible. ↔ *Abominable.*

laudatorio Laudativo, encomiástico, lisonjero, alabador, apologético, ditirámbico, halagador, halagüeño, elogioso, aprobador. ↔ *Censurable.*

laudo Fallo, sentencia, decisión.

laurear Honrar, enaltecer, premiar, coronar, **graduar,** galardonar.

laurel Corona, **triunfo, premio,** honor, **honra, palma,** gloria.

laurel real o **cerezo** Lauroceraso.

laurel rosa Adelfa.

lauréola Auréola, **corona,** resplandor.

'lauto Rico, espléndido, opulento, pudiente, **potentado.** ↔ *Pobre.*

lavabo Tocador, palanganero, aguamanil. || Aseo, *water.

lavacaras Lagotero, 'barbero.

lavadero Artesa, tina, estregadero.

lavadura Lavado, lavamiento, lavatorio, **lavaje, lavación,** limpiadura, baño, blanqueo, colada, **coladura,** enjuague, **enjuagatorio, co-** lutorio.

lavamanos Aguamanil, palangana, jofaina.

lavamiento Lavadura. || Lavativa.

lavar Lavotear, aclarar, bañar, limpiar, purificar, blanquear, hacer la colada, enjuagar. ↔ *Ensuciar.*

lavativa Lavamiento, ayuda, clíster, clistel, 'visitadora. || Molestia, incomodidad, pejiguera, joroba. ↔ *Comodidad.*

laxante Laxativo, solutivo, diarreico, purgante, relajante, catártico. ↔ *Constipante.*

laxar Relajar, aflojar, ablandar, disminuir, suavizar, cejar. ↔ *Mantener, sostener.* || Purgar, exonerar, evacuar. ↔ *Constipar.*

laxitud Laxidad, flojedad, flojera, atonía, distensión, relajación, descanso. ↔ *Tensión.*

laxo Flojo, relajado, distendido. ↔ *Tenso.*

laya Linaje, calidad, especie, género, clase, condición, ralea, calaña, jaez.

lazada Lazo, atadura, nudo.

lazar Lacear, enlazar, apresar, cazar, coger, sujetar.

lazarillo Gomecillo, destrón.

lazarino Lazaroso, lacerado, leproso, elefancíaco.

lazo Atadura, nudo, ligadura, ligamento, cordón, lazada, vencejo, traílla, balso, 'huincha, 'torzal. || Ardid, asechanza, red, zalagarda, emboscada, trampa, ratonera, garlito. || Unión, vínculo, obligación, conexión, afinidad, alianza, dependencia. ↔ *Independencia.*

lazulita Lapislázuli, cianea, azul de ultramar.

leal Fiel, franco, **sincero,** honrado, noble, **devoto,** afecto, confiable. ↔ *Desleal, traidor.* || Fidedigno, verídico, cierto, verdadero, legal. ↔ *Engañoso.*

lealtad Fidelidad, adhesión, nobleza, rectitud, acatamiento, cumplimiento, observación, sinceridad, franqueza, constancia, **fe, ley,** amistad. ↔ *Deslealtad, traición.* || Veracidad, verdad, realidad, legalidad, seguridad. ↔ *Engaño.*

lebrada Junglada.

lebrato Lebroncillo.

lebrillo Terrizo, alcadafe, 'apaste.

lebrón Cobarde, huidizo, tímido, gallina, capón, mandria, pusilánime. ↔ *Valiente.*

lección Lectura. || Interpretación, comprensión, significado, variante. ↔ *Error.* || Enseñanza, conferencia, clase, 'lición. || Capítulo, parte, título. || Amonestación, aviso, advertencia, consejo, ejemplo.

lector Leedor, leyente. || Profesor, catedrático, encargado de curso.

lectura Lección, leída, recitación, leyenda, ojeada.

lechal Recental, lactante, mamante, de leche, tierno. ↔ *Hecho.*

leche Látex, jugo, sanguaza, licor.

leche (hermano de) Colactáneo.

lechería Granja, vaquería.

lechero Lácteo. || Logrero, cicatero, aprovechado. || Granjero.

lechetrezna Titímalo, ésula.

lechigada Ventregada, camada, cachillada, cría || Cuadrilla, pandilla, banda.

lechino Torunda, tampón, clavo.

lecho Cama, yacija, camastro, petate, echadero, litera, camilla, tálamo. || Triclinio. || Cauce, álveo, madre. || Fondo. || Capa, estrato, tongada.

lechón Cochinillo, guarín, 'sute. || Puerco, sucio, desaseado. ↔ Limpio.

lechoso Lácteo, láctico. || Blanco, blanquecino.

lechuga Ensalada.

lechuguino Figurín, petimetre, pisaverde, currutaco, virote, *dandi, gomoso, caballerete, 'futre. ↔ Adán.

lechuza Curuca, curuja, estrige, óliva, 'ciguapa, 'cucubá, 'nuco, 'guindá.

ledo Alegre, jubiloso, plácido, contento, gozoso. ↔ Triste.

leer Deletrear, releer, hojear, repasar, descifrar, deletrarear, pasar la vista por, devorar. || Penetrar, profundizar, interpretar, calar.

legación Legacía, embajada, representación.

legado Allegado, dejación, manda, herencia. || Enviado, comisionado, representante, embajador, nuncio.

legajo Pliego, atado, lío, mamotreto.

legal Lícito, legalizado, legislativo, reglamentario, estatutorio, permitido, vigente, promulgado, regular, estricto. ↔ Ilegal, fuera de la ley. || Verídico, puntual, fiel, justo. ↔ Injusto, desleal.

legalidad Legitimidad, justicia, derecho, ley.

legalista Ordenancista.

legalizar Legitimar, atestar, autorizar, certificar.

légamo Lodo, cieno, fango, barro, limo, tarquín.

legaña Pitarra, pitaña.

legar Dejar, transmitir, transferir, traspasar, testar.

legatario Fiduciario, heredero, mandatario.

legendario Proverbial, tradicional, vetusto, antiguo. ↔ Reciente. || Fabuloso, quimérico, épico. ↔ Histórico.

legible Leíble, descifrable.

legión Cohorte, ejército. || Caterva, multitud, muchedumbre, tropel, cantidad.

legislación Régimen, ley, código.

legislador Codificador, alfaquí, licurgo.

legislar Codificar, sancionar, promulgar, estatuir, establecer, regular.

legisperito o **legista** Jurisconsulto.

legitimar Legalizar, certificar, atestar, autentificar. || Habilitar.

legítimo Legal, lícito. ↔ Ilícito. || Auténtico, fidedigno, cierto, probado, verdadero, ortodoxo, evidente, infalible, positivo, genuino. ↔ Ilegítimo, falso.

lego Laico, seglar. ↔ Clérigo. || Profeso, hermano, donado. || Ignorante, iletrado, indocto, incompetente. ↔ Conocedor, leído.

leguleyo Picapleitos, charlatán, abogado de secano.

legumbre seca Menestra.

leíble Legible, comprensible, inteligible. ↔ Ilegible, difícil.

leída Lectura.

leído Instruido, docto, erudito, sabio. ↔ Ignorante, lego.

lejanía Alejamiento, distan-

cia. ↔ Proximidad. || Pasado. ↔ Hoy.

lejano Alejado, apartado, distante, extremo, reculado, retirado, ulterior, longincuo. ↔ Próximo. || Remoto, pasado. ↔ Actual.

lejos Acullá, remoto, remotamente, a distancia.

lelo Bobo, idiota, memo, papanatas, pasmado, simple, tonto, estafermo, torpe, zafio, zoquete, 'tuturuto, 'tilingo. ↔ Avispado, listo, cuerdo.

lema Título, encabezamiento. || Mote, divisa, letra. || Tema. || Contraseña.

'lena Aliento, vigor, ímpetu, impulso. ↔ Desaliento.

lene Suave, blando, dulce, agradable, grato, sosegado, apacible, ligero, leve. ↔ Áspero, ingrato, pesado.

lengua Sinhueso, maldita. || Lenguaje, idioma, habla. || Intérprete, traductor, trujamán, dragomán. || Badajo.

lenguado Suela.

lenguaje Lengua, idioma, habla, dialecto, parla. || Sermón, expresión, frasis, estilo, elocución, palabra.

lenguaraz o **lengüilargo** Deslenguado, descocado, descarado, desfachatado, desvergonzado, insolente, descomedido, mala lengua, malhablado, maldiciente, dicaz, zafado, frescales, inverecundo, atrevido. ↔ Lengüicorto, tímido.

lenidad Benevolencia, suavidad, benignidad, blandura, apacibilidad. ↔ Inexorabilidad, severidad.

lenificar Dulcificar, calmar, ablandar, suavizar, consolar, aliviar. ↔ Excitar, exasperar.

L

L

lenitivo Emoliente, calmante. ↔ *Excitante, revulsivo.* || Alivio, consuelo, bálsamo. ↔ *Arrebato, aguijón.*

lenocinio Prostíbulo.

lentamente Poco a poco, pian piano, poquito a poco, a placer, despacio, despacito, gradual. ↔ *Aprisa.*

lente Lentilla, lupa, menisco, carlita, objetivo, cristal.

lentes Anteojos, antiparras, quevedos, ojuelos, gafas.

lentecer Ablandarse, reblandarse, revenirse. ↔ *Endurecerse.*

lenticular Combado, convexo.

lentisco Almácigo, charneca, mata.

lentitud Tardanza, cachaza, calma, posma, roncería, apatía, flema, pachorra, pesadez, morosidad, pelmacería, dilación, pereza, pausa, espacio, duración. ↔ *Rapidez, diligencia.*

lento Tardo, cachazudo, calmoso, roncero, apático, flemático, pachorrudo, pesado, moroso, pelma, pigre, vilordo, tardón, pando, perezoso, estantío, bausán, lerdo, maturrango, adormecido, tibio, pausado, espacioso, paulatino, lánguido, retardado, tardío, 'amarrado. ↔ *Rápido, diligente.* || Gelatinoso, glutinoso, pegajoso.

leña Chasca, chámara, chamarasca, hornija, chamiza, encendaja, fajina, seroja, chavasca, tuero, rozo, despunte, ramullo, ramojo, ramiza. || Paliza, zurra, tunda, castigo.

leñador Leñatero, leñero, aceguero, 'carapachay.

leño Bausa, tuero, trasho-

guero, madera. || Nave, embarcación. || Torpe, zafio, tolondro, necio.

león Leo. || Puma. || Valiente, gallo, bravo, héroe. ↔ *Cobarde.*

leonado Buriel, rubión, bermejo.

leonera Timba, garito, tasca, matute, chirlata, gazapón. || Trastero.

leonería Majeza, desgarro, farfantonada, bravata, bizarría. ↔ *Timidez.*

leonés Legionense.

leonino Injusto, abusivo, arbitrario, oprimente. ↔ *Equitativo.*

leopardo Pardal.

'lépero Soez, grosero, indecente. || Astuto, perspicaz.

lepra Lacería, gafedad, malatía, elefancía.

lepidóptero Mariposa.

leporino Lebruno.

leprosería Lazareto.

lerdo Lento, tardo, torpe, cansino, pesado, obtuso, tarugo. ↔ *Listo.*

lesión Lastimamiento, herida, contusión, magullamiento, magulladura, golpe, desolladura, lisiadura, mutilación. || Daño, perjuicio, detrimento, pérdida, menoscabo. ↔ *Bien, favor.*

lesionar Lastimar, vulnerar, dañar, desgraciar, herir, menoscabar, lacrar, perjudicar, descalabrar, lisiar. ↔ *Favorecer.*

leso Lastimado, malparado, damnificado, agraviado, ofendido. ↔ *Ileso, indemne.*

letal Letífero, mortal, mortífero, deletéreo. ↔ *Vivificador.*

letanía Retahíla, sarta, serie, sucesión, teoría, pro-

cesión, encadenamiento, lista. ↔ *Hueco, claro.*

letárgico Soporífero, adormecedor, abrumador. ↔ *Incitante, despabilador.*

letargo Sopor, modorra, torpor, torpeza, soñolencia, aturdimiento, entorpecimiento, parálisis, insensibilidad, marasmo, coma, hibernación. ↔ *Viveza, despertar, sensibilidad.*

letificar Divertir, alegrar, animar, regocijar. ↔ *Aburrir, entristecer.*

letra Carácter, signo, garabato, perfil.

letrado Sabio, ilustrado, instruido, docto, leído, cultivado. ↔ *Ignorante, lego.* || Abogado.

letrero Cartel, rótulo, pasquín, placarte, anuncio, muestra, inscripción, lema, epígrafe.

letrina Privada, necesaria, retrete, común, excusado, garita, *wáter.

leucocito Glóbulo blanco.

leudar Aleudar, lleudar, 'lindar.

leudarse Fermentarse, revenirse.

leudo 'Liudo.

leva Recluta, reclutamiento, enganche. ↔ *Licenciamiento.* || Espeque, palanca.

levadura Diastasa, fermento.

levantado Alto, elevado, encumbrado, eminente, noble, sublime, excelso, excelente. ↔ *Bajo, rastrero.*

levantamiento Insurrección.

levantar Alzar, elevar, subir, izar, erguir, guindar, aupar, encimar, encumbrar, encaramar, enriscar. ↔ *Bajar.* || Enderezar, enhestar, enarmonar, enarbolar, arbolar, enerizar, incorporar, aplomar. ↔ *Inclinar*. || Separar, despegar, desasir, desprender, quitar, arrancar, arrebatar, apartar, retirar, recoger. ↔ *Descansar, apoyar*. || Dirigir, apuntar. ↔ *Abajar*. || Construir, fabricar, edificar, erigir, obrar. ↔ *Derribar*. || Abandonar, dejar, trasladar. ↔ *Asentarse*. || Batir, acosar, matear, mover, ahuyentar, cazar. || Fundar, establecer, instituir, instaurar. ↔ *Derogar, derrocar*. || Aumentar, subir, encarecer. ↔ *Rebajar*. || Inflamar, inflar, intensificar. ↔ *Reducir*. || Abollar, hinchar. ↔ *Deshinchar*. || Perdonar, remitir, amnistiar. ↔ *Condenar*. || Rebelar, sublevar, amotinar. ↔ *Mantenerse fiel*. || Engrandecer, ensalzar, enaltecer, exaltar, realzar, elogiar. ↔ *Humillar, abatir*. || Reclutar, alistar, enganchar, agavillar. ↔ *Licenciar*. || Ocasionar, mover, formar, motivar, suscitar, imponer. ↔ *Desentenderse*. || Atribuir, malsinar, calumniar, imputar. ↔ *Callar, excusar*. || Alentar, animar, esforzar. ↔ *Desalentar*.

levantarse Sobresalir, destacar, resaltar, remontarse, 'pararse. ↔ *Desaparecer, ocultarse*. || Abandonar el lecho, saltar de la cama. ↔ *Acostarse*.

levante Este, oriente, orto, naciente, saliente. ↔ *Poniente*.

levantisco Revoltoso, sedicioso, insurgente, indómito, inquieto, indócil, **dís-**

colo, rebelde, subversivo, revolucionario. ↔ *Fiel, sumiso*.

levar Recoger, desaferrar, desamarrar, descepar, desanclar. ↔ *Anclar*.

leve Ligero, liviano, tenue, suave, sutil, lene, ingrávido, vaporoso, aéreo. ↔ *Pesado*. || Insignificante, trivial, venial, bizantino, fútil, frívolo, insubstancial. ↔ *Importante, grave*.

levedad Ligereza, liviandad, tenuidad, ingravidez. ↔ *Pesadez*. || Inconstancia, volubilidad, versatilidad, mudanza ↔ *Firmeza*. || Insignificancia. ↔ *Gravedad*.

levita Diácono.

levita Levosa, levitón, futraque.

levítico Eclesiástico, clerical, sacerdotal, beato. ↔ *Anticlerical*.

léxico Diccionario, glosario, vocabulario, lexicón, tesoro.

ley Norma, regla, uso, costumbre. || Precepto, prescripción, ordenanza, carta, estatuto, pragmática, constitución, fuero, código, mandato, decreto, legislación, establecimiento. || Lealtad, fidelidad, amor, veneración, dilección, amistad. ↔ *Infidelidad*. || Calidad, clase, índole, casta, raza, estofa, jaez, calaña, pelaje. || Cantidad, proporción.

leyenda Lectura, lección. || Historia, tradición, mito, epopeya, fábula, narración. || Letrero, lema, divisa, mote.

lezna Alesna, lesna, punzón.

lía Soga, soguilla, liñuela, liatón, libán, tomiza, his-

cal, bramante, cuerda, cordel, crizneja.

liar Atar, ligar, encordelar, ensogar, trabar, lazar, enmaromar, apiolar, lacear, trincar. ↔ *Desliar*. || Engañar, engatusar, enredar. ↔ *Ser leal*.

liarlas o **liárselas** Morir, fenecer, traspasar.

lías Heces, poso, sedimento, pie.

libar Sorber, chupar, catar, gustar, beber, aspirar. || Sacrificar.

libelo Sambenito, baldón, difamación, panfleto.

libélula Caballito del diablo.

líber Sámago.

liberal Noble, generoso, desinteresado, largo, humanitario, desprendido, espléndido, pródigo, munificiente, dadivoso, manilargo, caritativo, 'larguero. ↔ *Avaro, mezquino*. || Expedito, pronto, dispuesto, desembarazado. ↔ *Tardo*. || Libre, independiente, liberalesco. ↔ *Reaccionario*.

liberalidad Generosidad, desinterés, larguera, desprendimiento, esplendidez, prodigalidad, dádiva, regalo, caridad. ↔ *Avaricia*.

liberar Libertar.

libertad Independencia, libre albedrío, autodeterminación, autonomía. ↔ *Dependencia*. || Emancipación, redención, manumisión, quita, quitanza, licenciamiento, franqueamiento. ↔ *Esclavitud, sujeción*. || Rescate, desencarcelamiento, libramiento, liberación. ↔ *Prisión*. || Prerrogativa, privilegio, exención, licencia, inmunidad, dispensa, franqui-

L

L

cia, permisión, facultad, poder. ↔ *Limitación.* || Franqueza, familiaridad, desembarazo, soltura. ↔ *Etiqueta, formalismo.* || Holgura, despejo, facilidad, espontaneidad. ↔ *Inconveniencia.* || Atrevimiento, osadía, descaro. ↔ *Respeto.* || Libertinaje, desenfreno, licencia. ↔ *Moralidad.*

libertado Libre.

libertar Liberar, librar, licenciar, liberalizar, eximir, exonerar, cancelar, soltar, rescatar, excarcelar, desencerrar, desencarcelar, destrabar, desaprisionar, enfranquecer, manumitir, redimir, emancipar,. franquear, dispensar, desvincular, desatar, destrabar, desembarazar, desembridar, desencadenar, desuncir, desatascar, desatollar, despejar, preservar, aflojar, descuidar, dar alas, poner en libertad, abrir la mano, abrir el grifo. ↔ *Oprimir, sujetar, cerrar, obligar, gravar, interrumpir.*

libertario Anarquista, ácrata. ↔ *Totalitario.*

libertinaje Libertad, atrevimiento, desenfreno, licencia, inmoralidad, indecencia, inhonestidad, deshonestidad, liviandad, desenfreno, atrevimiento, lujuria, vicio, orgía, crápula, obscenidad, lubricidad, concupiscencia, disipación, perversidad, corrupción, sensualidad, profanidad, inmundicia. ↔ *Virtud, moralidad, continencia, honestidad.*

libertino Libre, liviano, licencioso, libidinoso, laxo,

depravado, desenfrenado, disipado, lascivo, vicioso, relajado, perdido, desvergonzado, descerrajado, disoluto, crapuloso, inmoral, impudente, intemperante, impúdico, lúbrico, lujurioso, sensual, erótico, obsceno, verde, calavera, juerguista, jaranero, galocho, goliardo. ↔ *Virtuoso, honesto, continente, decente, santo.*

liberto Libre, manumiso, franco, horro, exento. ↔ *Esclavo.*

libídine Lujuria, lascivia, concupiscencia, lubricidad. ↔ *Continencia, virtud.*

libidinoso Libertino, lujurioso, salaz. ↔ *Virtuoso.*

librador Cogedor, vertedor.

libranza Libramiento, orden de pago, talón, cheque.

librar Libertar. || Entregar, dar, poner, ceder, depositar, abandonar. ↔ *Quitar.* || Expedir, girar, despachar, enviar. ↔ *Aceptar.* || Parir, alumbrar.

libre Independiente, autónomo, voluntario, espontáneo. ↔ *Dependiente.* || Emancipado, manumiso, manumitido, liberto. ↔ *Esclavo, sumiso.* || Liberado, libertado. ↔ *Preso.* || Franco, horro, quito. ↔ *Sujeto.* || Exento, abierto, desembarazado, expedito, llano. ↔ *Cerrado, tapado.* || Indemne, inmune, zafo, ileso. ↔ *Perjudicado, dañado.* || Suelto, desligado, destrabado. ↔ *Atado.* || Privilegiado, dispensado, licenciado, permitido. ↔ *Limitado.* || Cerril, salvaje, montaraz, silvestre. ↔ *Doméstico, domesticado.* || Limpio, saneado. ↔ *Gra-*

vado. || Libertino. || Soltero. ↔ *Casado.* || Osado, atrevido, ingenuo. ↔ *Rutinario, convencionalista.* || Inocente, absuelto. ↔ *Acusado, convicto.*

librepensador Irreligioso, incrédulo. ↔ *Creyente, religioso.*

librería Biblioteca.

libreta Cuaderno, cartapacio. || Cartilla.

libro Obra, volumen, ejemplar, tomo.

licencia Permiso, consentimiento, autorización, venia, anuencia, aprobación, beneplácito, aquiescencia, accesión. ↔ *Negación, prohibición.* || Libertad, libertinaje. ↔ *Moralidad.* || Salvoconducto, documento, pase, pasaporte.

licenciado Graduado, diplomado (médico, abogado, farmacéutico, etc.). || Sabihondo, sabelotodo, sabidillo, marisabidilla.

licenciar Autorizar, permitir, facultar, consentir, otorgar. ↔ *Denegar, desautorizar.* || Despedir, despachar, echar. ↔ *Admitir, reclutar.* || Graduar, diplomar.

licencioso Libertino.

liceo Instituto, gimnasio, colegio.

'lición Lección.

licitación Puja, concurso, oferta, mejora.

licitador Licitante, postor, pujador, ponedor.

lícito Legal, legítimo, justo, permitido, autorizado. ↔ *Ilícito.*

licor Líquido, humor. || Bebida, elíxir, alcohol, poscafé.

licuar Liquidar, licuefacer, colicuar, fluidificar, di-

luir, desleír, fundir, derretir, disolver. ↔ *Solidificar.*

licurgo Legislador. || Hábil, astuto, inteligente. ↔ *Zote.*

lid Combate, lucha, pelea, contienda, liza, lidia, batalla. ↔ *Paz.* || Disputa, controversia, altercado, polémica, debate, agarrada, discusión, pelotera. ↔ *Acuerdo.*

lidia Lid. || Corrida, becerrada.

lidiar Luchar, pelear, contender, combatir, pugnar, reñir, batallar. ↔ *Estar en paz.* || Debatir, oponerse, altercar, controvertir, disputar, pugnar. ↔ *Ponerse de acuerdo.* || Torear, sortear, capotear.

liego Lleco, inculto, erial, yermo. ↔ *Fértil.*

liento Húmedo, mojado, salpicado. ↔ *Seco.*

lienzo Tela, paño. || Pintura, cuadro. || Fachada, pared, panel, paramento.

liga Cinta, atapiernas, cenojil, ataderas, jarretera, charretera. || Venda, faja. || Muérdago. || Hisca, visco, ajonje. || Unión, ligación, mezcla, aleación. || Federación, coalición, confederación, alianza, agrupación, *hansa.

ligadura Atadura, ligamento, trenzadura, amarradura, enlazadura, lazo, dogal, nudo, trinca, vencejo. || Sujeción, trabazón, ceñimiento, ensamblaje, acoplamiento, traba. ↔ *Holgura, desunión.*

ligar Atar, liar, amarrar, encorrear, reatar, encordelar, ensogar, apersogar, apiolar, enmaromar, envi-

lortar, encadenar, trabar, lazar, lacear, enlazar, trincar, engarrotar, estacar, agarrotar, religar, aprisionar. ↔ *Desatar, desencadenar.* || Mezclar, alear. || Unir, anudar, ensamblar, combinar, conectar, conciliar, pegar, soldar, aglutinar. ↔ *Desunir, separar.* || Obligar, compeler. ↔ *Librar.*

ligazón Unión, trabazón, enlace, conexión, encadenamiento, engarce, concatenación. ↔ *Desunión.*

ligereza Presteza, agilidad, prontitud, listeza, celeridad, viveza, brevedad, velocidad, festinación, prisa. ↔ *Lentitud, pachorra.* || Levedad, tenuidad, liviandad. ↔ *Pesadez.* || Inconstancia, versatilidad, inestabilidad, volubilidad. ↔ *Constancia, firmeza.* || Irreflexión, inconsideración, imprudencia. ↔ *Madurez.*

ligero Leve, lene, ingrávido, liviano. ↔ *Pesado.* || Ágil, veloz, pronto, suelto, raudo, rápido, presto, vivo, presuroso, vertiginoso, alígero, alado, célere, activo, diligente, expedito. ↔ *Tardo.* || Insignificante, insubstancial, fútil, huero, trivial, anodino, baladí, somero, superficial, bizantino. ↔ *Importante.* || Digerible. ↔ *Indigesto.* || Inconstante, voltario, versátil, voluble, tornadizo. ↔ *Constante, firme.* || Trefe, tenue, delgado, etéreo, impalpable, menudo. ↔ *Resistente, tenaz.*

lignario Maderero.

lignito Madera fósil.

lígula Epiglotis.

ligur Ligurino, ligústico.

ligustro Alheña.

lija Melgacho, pintarroja. || Zapa, abrasivo, papel de vidrio, tela esmeril.

lilaila Astucia, artería, treta, martingala, gatada, chalanería, maturranga, estratagema.

liliputiense Enano, pigmeo. ↔ *Gigante.*

lima Limatón, cantón, escofina, bastarda, mediacaña, redondo, cola de rata, carleta.

limadura Limalla, escobina, ralladura.

limar Desgastar, raspar, raer, pulir. || Corregir, enmendar, retocar. || Debilitar, cercenar. ↔ *Fortalecer.*

'limatón Lima.

'limaza Babosa.

limazo Viscosidad, babaza.

limbo Borde, orla, extremidad. || Corona graduada. || Lámina.

limen Umbral.

limero Lima.

limitación Tasa, cortapisa, restricción, condición, deslindamiento, prohibición, confinamiento. ↔ *Indeterminación.* || Demarcación, circunscripción, término, distrito.

limitado Finito, definido, restricto, circunscrito. ↔ *Infinito, ilimitado.*

limitar Restringir, delimitar, determinar, demarcar, fijar, señalar, circunscribir, deslindar, jalonar, acotar, apear, amojonar. ↔ *Ampliar.* || Abreviar, acortar, coartar, cortar, cercenar, reducir, compendiar, acortar. ↔ *Amplificar.*

limitativo Taxativo, restrictivo. ↔ *Extensivo.*

L

L límite Término, confín, frontera, linde, lindero, línea, borde, contorno, orilla, periferia, ruedo, marco, muga, barrera, jalón, hito, coto, raya. || Fin, meta, final, culminación, acabamiento, máximo, mínimo, máximum, mínimum. ↔ *Principio, origen.*

limítrofe Confinante, lindante, contiguo, colindante, frontero, rayano, asurcano, aledaño, adyacente, paredaño. ↔ *Lejano, apartado.*

limo Lodo, cieno, barro, fango, légamo, tarquín.

limón Citrón, agrio.

limonada Refresco, gaseosa.

'limonar Limonero.

limonero 'Limonar.

limosidad Sarro.

limosna Socorro, caridad, dádiva, providencia, beneficencia, óbolo, donación, largueza.

limosnear Pordiosear, mendigar, gallofear, bordonear, hambrear.

limosnero Caritativo, dadivoso. ↔ *Avaro.* || Bacinero, cuestor, agostero.

limoso Cenagoso, barroso, fangoso, pantanoso, sucio. ↔ *Secó.*

limpiadientes Mondadientes, palillo.

limpiar Asear, acicalar, purificar, lavar, enjuagar, baldear, fregar, enlucir, barrer, cepillar, frotar, raspar, ahechar, mundificar, carmenar, absterger, escamondar, deshollinar, desempegar, desempolvar, desembarrar, escamondar, mondar, abrillantar, pulir, 'carpir. ↔ *Ensuciar, manchar, macular, tiznar, mezclar, confundir.* || Echar,

ahuyentar, expulsar. ↔ *Dejar.* || Podar. || Robar.

límpido Limpio, inmaculado, impoluto, nítido, terso, transparente, diáfano, cristalino, claro, como el agua. ↔ *Maculado, poluto.*

limpieza Limpia, limpiamiento, limpión, mundificación, pulcritud, aseo, curiosidad, nitidez, mundicia, pureza, higiene, expurgo, lavado, baldeo, fregado, abstersión, monda. ↔ *Suciedad, basura, impureza, rusticidad.* || Castidad, virginidad. ↔ *Impudicia.* || Integridad, honradez, desinterés. ↔ *Avidez.* || Precisión, destreza, agilidad, perfección, exactitud, meticulosidad. ↔ *Imprecisión, malogro.*

limpio Límpido, pulcro, aseado, curioso, depurado, lavado, morondo, lamido, neto, mondo y lirondo. ↔ *Sucio, desaseado.* || Puro, intacto, inviolado, casto, virginal, acendrado. ↔ *Contaminado, impúdico.* || Libre, exento, neto. ↔ *Gravado.* || Desembarazado, despejado, expedito, horro. ↔ *Dificultoso, difícil.*

linaje Ascendencia, descendencia, estirpe, progenie, casa, raza, familia, casta, prosapia. || *Pedigree.* || Condición, clase, calidad, especie, género, estofa, calaña, laya, ralea, pelaje, índole.

linajudo Ahidalgado, encopetado, patricio, señorial. ↔ *Aplebeyado, plebeyo.*

lince Rayo, águila, genio, sagaz, agudo. ↔ *Torpe, asno.*

linceo Perspicaz, sagaz, avispado, caladizo, pene-

trante. ↔ *Tonto, estulto.*

lindante Limítrofe, rayano, colindante, contiguo, adyacente, aledaño, vecino, frontero, confinante. ↔ *Lejano, separado.*

lindar Umbral.

lindar Confinar, rayar, limitar, colindar, confrontar.

linde Límite, confín, término, lindero, borde.

lindero Linde, contorno, extremo, frontera, marco, periferia, confín, raya, línea, limítrofe, contiguo, adyacente, frontero, aledaño, rayano. ↔ *Lejanía, separación, separado.*

lindeza Guapeza, hermosura, gentileza, delicadeza, preciosidad, gracia, donosidad, lindura. ↔ *Fealdad.* || Chiste, graciosidad, donosura. ↔ *Tontería.*

lindezas Insultos, claridades, improperios, invectivas, dicterios. ↔ *Alabanzas.*

lindo Bonito, gracioso, precioso, hermoso, bello, delicado, primoroso, agraciado, exquisito, pulido, pulcro, perfecto. ↔ *Feo.* || Bueno, cabal, exquisito. ↔ *Imperfecto, defectuoso.* || Narciso, jarifo, adonis, barbilindo, serafín, lindo don Diego.

línea Raya, rasgo, trazo, lista, veta, estría, barra, palo. || Renglón, hilera, fila, ringlera, liño. || Vía, servicio, itinerario, dirección. || Clase, género, especie, linaje. || Límite, confín, linde. || Frente, trinchera, primera fila, primera línea.

lineal Rayado, listado. || Largo, delgado, linear.

linear Rayar, tirar líneas,

subrayar. || Bosquejar, abocetar.

linfa Suero, humor, agua, serosidad.

lingote Barra.

lingüística Glotología, filología.

linimento Embrocación, bálsamo, ungüento.

lino Cárbaso.

linóleo Hule.

linterna Farol, lámpara. || Faro.

liño Línea.

liñuelo Ramal, lía, cabo.

lío Atadijo, fardel, fardo, paca, bala, envoltorio, bulto, paquete, rebujo, ovillo, 'tamal. || 'Tanate. || Embrollo, confusión. ↔ Orden.

lionés Lugdunense.

liorna Algazara, barahúnda, desorden, confusión, trapatiesta, gresca, zambra, boruca, bulla, algarabía. ↔ Silencio, orden.

lioso Embrollador, enredador, quisquilloso. ↔ Contentadizo, ordenado.

lipemanía Melancolía.

lipoideo Grasoso, grasiento, graso, craso, lardoso, mantecoso. ↔ Magro.

liquidable Licuable. ↔ Solidificable.

liquidar Licuar, licuefacer, colicuar, fluidificar. ↔ Solidificar. ↔ Gasear. || Saldar, pagar, finiquitar, ajustar. ↔ Demorar. || Extinguir, acabar, rematar, terminar, ultimar, concluir. ↔ Iniciar.

líquido Fluido, humor, licor. ↔ Sólido, gaseoso. || Saldo, residuo, remanente.

lira Numen, inspiración.

lirio Lis.

lirón Dormilón, perezoso, gandul. ↔ Diligente.

lirondo Pelado.

lis Lirio.

lisa Mújol, liza.

lisboeta Lisbonés, lisbonense.

lisera Berma.

lisiado Lesionado, mutilado, baldado, impedido, imposibilitado, tullido, inválido. ↔ Sano, indemne, incólume.

lisiar Lesionar, herir, estropear, lastimar, tullir, mutilar, baldar. ↔ Curar, sanar.

lisis Remisión, mejora. ↔ Crisis, empeoramiento.

liso Igual, llano, plano, pulido, pulimentado, parejo, suave, fino, roso, raso, leve, como la palma de la mano. ↔ Desigual, arrugado, áspero, peludo. || Sencillo, ingenuo, campechano, natural, afable. ↔ Complicado. || Desvergonzado, carota, fresco. ↔ Cortés.

lisonja Alabanza, incienso, adulación, halago, candonga, lagotería, carantoñas, jabón, lamedor, incienso, aplauso. ↔ Desaire, tarascada.

lisonjear Alabar, adular, incensar, camelar, enjabonar, jonjabar, dar jabón, dar coba, hacer coro, 'barbear. ↔ Desairar, despreciar. || Agradar, deleitar, satisfacer, regalar, complacer, gustar. ↔ Disgustar, desagradar.

lisonjero Adulador, alabancero, halagüeño, halagador, florero, lisonjeador, jonjabero, candongo, pelotillero, lameculos. ↔ Altanero, despreciativo. || Agradable, deleitable, grato, simpático, satisfactorio,

complaciente. ↔ Desagradable, antipático.

lista Tira, cinta, franja, orillo, faja, veta, tabla. || Catálogo, enumeración, relación, inventario, registro, repertorio, rol, índice, elenco, nómina, padrón, estado, estadillo, retahíla, letanía, censo, sílabo, detalle, minuta, menú, factura.

listado o **listeado** Entreverado, rayado, veteado. ↔ Liso.

listel o **listón** Filete.

listeza Ligereza, prontitud, sagacidad, presteza, viveza, rapidez, agilidad, festinación. ↔ Torpeza.

listo Pronto, diligente, expedito, vivo, presto, activo, veloz. ↔ Tardo. || Avisado, astuto, sagaz, dispuesto, apercibido, avispado, caladizo, preparado, inteligente, despejado, despierto, despabilado, perspicaz, clarividente, sutil, ingenioso, talentudo, claro, 'bagre, 'caima, 'cauque. ↔ Torpe, tonto.

listo (ser) No tener pelo de tonto, saber más que Lepe, saber más que Briján, tener mucha trastienda, cogerlas al vuelo, sentir crecer la hierba, ser una centella. ↔ No ser para silla ni para albarda, tener malos dedos para organista.

listón Cinta, lista, faja. || Listel, filete. || Larguero, barrote, moldura, tapajuntas.

lisura Igualdad, tersura, finura, pulimento, suavidad. ↔ Desigualdad, arruga. || Ingenuidad, sinceridad, sencillez, llaneza,

L

campechanía, afabilidad, franqueza. ↔ *Engreimiento, altivez.*

'lisura Desvergüenza, indecoro.

lita Landrilla.

litarge o **litargirio** Almártega, almartaga.

lite Pleito.

litera Camastro, yacija. || Palanquín.

literal Textual, recto, exacto, fiel, propio. ↔ *Inexacto.*

literalmente De pe a pa, al pie de la letra, palabra por palabra.

literato Escritor, autor, publicista, polígrafo, hombre de letras.

literatura Bellas letras, buenas letras, letras humanas, humanidades, filología. || Obras, escritos, publicaciones, bibliografía.

litiasis Mal de piedra, cálculo.

lítico Petrográfico, roquizo.

litigante Parte, pleiteante.

litigar Pleitear, querellarse, pedir en justicia, parecer en juicio, poner ante el juez. || Disputar, contender, altercar, discutir, debatir, controvertir, porfiar, reñir. ↔ *Ponerse de acuerdo, avenirse.*

litigio Litis, lite, pleito, querella. || Disputa, contienda, debate, cuestión, polémica, porfía, pelotera, altercado, controversia, discusión, riña. ↔ *Avenencia, acuerdo.*

litigioso Contencioso, cuestionable, dudoso, erístico, bizantino. ↔ *Claro, evidente, sin lugar a dudas.*

litoclasa Raja, hendidura, grieta, quiebra, fisura, fenda.

litofotografía Fotolitografía.

litoral Costero, ribereño, costa, ribera, marina. ↔ *Interior, continental.*

'liudar Leudar.

'liudo Leudo.

liviano Ligero, leve, lene, ingrávido. ↔ *Pesado.* || Fácil, inconstante, versátil, voltario, voluble, tornadizo, inseguro, cambiable. ↔ *Constante, firme.* || Anodino, insignificante, fútil, trivial, huero, superficial, somero, baladí, de poca monta. ↔ *Importante.* || Lascivo, incontinente, impúdico, deshonesto, libertino. ↔ *Virtuoso.* || Pulmón, bofe. || Julo, canga, guía.

lívido Amoratado, cárdeno, morado. || Apagado, demacrado, pálido, cadavérico, marchito. ↔ *Rozagante, sano.*

liza Mújol, **lisa.**

liza Lid, combate, contienda, lidia, lucha. || Palenque, palestra, arena, estadio.

loa Loanza, loor, alabanza, elogio, encomio, enaltecimiento, ditirambo, panegírico, apología, aplauso, incienso, engrandecimiento, ponderación. ↔ *Crítica, reprobación.*

loar Alabar, **elogiar, encomiar,** enaltecer, engrandecer, aplaudir, incensar, engrandecer, ponderar, ensalzar, realzar, exaltar, glorificar. ↔ *Criticar, reprobar.*

lobagante Bogavante.

lobanillo Lupia, tumor, bulto.

lobina Lubina, róbalo.

lobo Lobezno, lobato. || Bo-

rrachera, embriaguez, mona, melopea, papalina.

'lobo Zambo.

lobo cerval o **cervario** Lince.

lobo de mar Marinero.

lobo marino Foca.

lóbrego Como boca de lobo, oscuro, sombrío, tenebroso. ↔ *Claro.* || Triste, melancólico, mohíno, mustio. ↔ *Alegre.*

lobreguez o **lobregura** Oscuridad, tenebrosidad, tinieblas, calígine. ↔ *Claridad.*

lobulado Lobado.

locación Arrendamiento, arriendo.

local Lugareño, departamental, de aquí. || Municipal, comarcal, provincial. ↔ *Nacional.*

localidad Lugar, pueblo, aldea, población, punto, paraje, sitio, territorio, villa, ciudad, comarca, provincia, cantón, departamento. || Asiento, puesto, plaza, luneta.

localizar Fijar, determinar, emplazar, situar, limitar, delimitar, descubrir. ↔ *Indeterminar, generalizar.*

locatario Arrendatario, inquilino. ↔ *Arrendador, casero.*

loción Lavadura, lavaje, lavamiento, lavatorio, baño.

loco Demente, alienado, orate, insano, perturbado, enajenado, maniático, maníaco, vesánico, frenético, chiflado, tocado, guillado, lunático, mochales, ido, idiota, loco de atar. ↔ *Sano, juicioso.* || Imprudente, atolondrado, aturdido, insensato, inconsciente, disparatado. ↔ *Prudente, sensato.*

locomoción Traslación, traslado, transporte.

locomotor, locomotora Locomotriz, locomóvil, máquina.

locuacidad Verborrea, verbosidad, pico, palabrarería. ↔ *Silencio.*

locuaz Charlatán, hablador, parolero, parlanchín, gárrulo, verboso, chacharero, bachiller. ↔ *Callado, silencioso.*

locución Colocución, expresión, frase.

locura Demencia, alienación, enajenación, insania, perturbación, manía, monomanía, vesania, paranoia, frenesí, chifladura, guilladura, 'taranta. ↔ *Juicio.* || Sinrazón, disparate, aberración, extravagancia, absurdo, imprudencia, atolondramiento. ↔ *Prudencia, sensatez.*

locutor *Speaker.

locutorio Parlatorio, libratorio, cabina.

locha Loche, lasún.

lodazal Cenagal, barrizal, ciénaga, pantano, lamedal, tremedal, trampal, coluvie, 'bañadera, 'esteral, 'estero, 'suco, 'tacotal. ↔ *Yermo.*

lodo Gango, légamo, barro, cieno, limo, tarquín, reboño, 'sanco.

lógica Dialéctica, razonamiento, razón.

lógico Justo, racional, legítimo, deductivo. ↔ *Ilógico, injusto.*

logográfico Oscuro, difícil, enigmático, incomprensible. ↔ *Fácil.*

logogrifo Enigma, pasatiempo.

lograr Alcanzar, obtener, conseguir, disfrutar, go-

zar, sacar, guindar, merendarse, hacer caer la balanza. ↔ *Perder, escaparse.*

logrero Usurero, renovero, lechero, cicatero, especulador. ↔ *Generoso.*

logro Usura, lucro, ganancia, granjería, especulación. || Obtención, consecución, goce.

'loica Estornino.

loma Altozano, lometa, altura, alcarria, 'cantón.

'lomada Lomo.

lombriz Gusano, lambrija, verme, miñosa.

lomera Caballete.

lomienhiesto Presumido, engreído, jactancioso, presuntuoso, fatuo. ↔ *Humilde, sencillo.*

lomo Dorso, espina dorsal, columna vertebral, 'lomada. || Caballón, atajadero.

lona Loneta, vela, toldo.

lona (de circo) 'Carpa.

loncha Lancha, laja, lastra. || Lonja, rodaja, tajada.

longanimidad Grandeza, constancia, paciencia, resignación, entereza, valentía, nobleza. ↔ *Pusilanimidad.*

longánimo Grande, constante, paciente, entero, resignado, valiente, impávido, noble, sereno. ↔ *Pusilánime.*

longaniza Salchichón.

longevo Anciano, viejo, cano, provecto, antañón, avejentado, vejestorio. ↔ *Joven.*

longincuo Distante, lejano, apartado, retirado, alejado, reculado. ↔ *Próximo, propincuo.*

longitud Largo, largura, largueza, largor, distancia, alcance, eslora.

longuería Dilación, proliji-

dad, morosidad, retardo. ↔ *Festinación.*

lonja Tajada, rodada, loncha, sección.

lonja Atrio, galería.

lontananza Segundo término, distancia, lejanía.

loor Loa, alabanza, elogio. ↔ *Crítica.*

lopigia Alopecia.

loquear Alborotar, chillar, regocijarse, trastornar.

loquesco Alocado, desatinado, atronado, tolondro, saltabardales. || Chancero, decidor, chacotero, guasón, jacarero. ↔ *Serio.*

'lora Loro.

loro Papagayo, guaro, cotorra, perico, 'lora.

loro Lauroceraso, laurel cerezo o laurel real.

loro verde 'Catana.

lorza Alhorza.

losa Lápida. || Sepulcro, osera, hoya, tumba.

losange Fuso, rombo.

lote Porción, parte, partición, división. ↔ *Todo.* || Dote.

lotería Rifa, tómbola.

lotero 'Suertero.

loza Cerámica, mayólica. || Cacharrería, vajilla, porcelana, china.

lozanear Enlozanarse, remozar, potrear.

lozanía Verdor, frondosidad. ↔ *Agostamiento.* || Viveza, gallardía, proceridad, robustez, ánimo, jovialidad. ↔ *Descaecimiento.* || Orgullo, altivez, altanería, envanecimiento, engreimiento. ↔ *Humildad.*

lozano Frondoso, verde, lujuriante. ↔ *Agostado.* || Vigoroso, gallardo, airoso, robusto, sano, jovial, animoso, 'galano. ↔ *Descaecido.* || Altivo, arrogante,

L orgulloso, engreído, envanecido, rozagante. ↔ *Humilde.*

lubigante Bogavante.

lubricán Crepúsculo.

lubricar Lubrificar, engrasar, aceitar.

lúbrico Resbaladizo, resbaloso, escurridizo. ↔ *Aspero.* || Lascivo, obsceno, lujurioso, libidinoso, sátiro, salaz. ↔ *Púdico.*

lucera Claraboya, lumbrera, lucerna.

lucerna Araña. || Lucera. || Milano. || Luciérnaga.

lucero Estrella, astro. || Lucífero. || Planeta Venus, Lucero del alba, Lucero de la mañana, Lucero de la tarde. || Lustre, brillo, esplendor. ↔ *Opacidad.* || Postigo, cuarterón. || Ojo.

luces Ilustración, cultura, conocimientos.

lucidez Clarividencia, claridad, perspicacia, inteligencia. ↔ *Ofuscación.* || Limpidez, claridad.

lucido Garboso, espléndido, rumboso, generoso, elegante. ↔ *Deslucido, mezquino.*

lúcido Luciente, lucio, luminoso, brillante, claro, resplandeciente, límpido, puro, espléndido. ↔ *Oscuro, turbio.* || Clarividente, perspicaz, penetrante, sagaz. ↔ *Obtuso, torpe.*

luciérnaga Lucerna, noctiluca, 'candelilla.

lucifer Diablo, Belcebú, Satán, Satanás, Luzbel, Pero Botero, Belial, Leviatán, Pateta, Patillas, Cachano.

lucífero Lucifer, resplandeciente, luminoso, refulgente. ↔ *Opaco, oscuro.* || Lucero.

lucilina Petróleo.

lucio Lúcido.

lucir Brillar, resplandecer, iluminar. ↔ *Estar apagado.* || Sobresalir, descollar, aventajar, resaltar. ↔ *Disminuirse, confundirse.* || Ostentar, mostrar, parecer, manifestar, presumir. ↔ *Disimular, esconder.* || Enlucir, encalar.

lucirse Vestirse, adornarse, embellecerse, aderezarse, acicalarse.

lucrar Conseguir, lograr, alcanzar, obtener. ↔ *Perder.*

lucrarse Beneficiarse, aprovecharse, ganar, obtener, embolsar, sacar astilla, hacer su agosto. ↔ *Perder, desperdiciar.*

lucrativo Fructuoso, fructífero, beneficioso, productivo, provechoso, ganancioso, útil. ↔ *Perjudicial, ruinoso.*

lucro Ganancia, logro, provecho, beneficio, utilidad, producto, remuneración, emolumento. ↔ *Pérdida.*

luctuoso Funesto, fúnebre, triste, lamentable. ↔ *Regocijante, alegre.*

lucubración Vela, vigilia. || Estudio (nocturno).

lucubrar Velar. || Estudiar, trabajar, pensar (durante la noche).

lucha Pelea, contienda, altercado, pugilato, pugna, riña, reyerta, pendencia. ↔ *Concordia.* || Lid, combate, conflicto, guerra, revuelta, fregado. ↔ *Paz.* || Disputa, pelotera, querella, discusión, rivalidad, debate, desavenencia. ↔ *Acuerdo.*

luchador Lidiador, justador, combatiente, contendiente, batallador, campeador, torneador, púgil, contrincante.

luchar Pelear, justar, tornear, altercar, pugnar, reñir, bregar. || Lidiar, combatir, guerrear, hostigar, contender, batallar, hacer armas. ↔ *Estar en paz.* || Discutir, disputar, rivalizar, debatir, querellarse. ↔ *Ponerse de acuerdo, coincidir.*

'luche Infernáculo.

ludibrio Escarnio, mofa, burla, befa, oprobio, desprecio. ↔ *Loa.*

ludimiento Frotamiento, estregamiento, estregadura, restregamiento, restregadura, rozamiento, roce.

ludir Estregar, restregar, frotar, rozar.

luego Pronto, al punto, al momento, en seguida, al minuto, de súbito, al acto, al instante, incontinenti, sin demora, a toda prisa, sin dilación, al contado, de contado. || Después, más tarde. || Ergo, pues, por tanto.

luego que o **luego como** Así que, no bien, apenas, al punto que, desde que, al tiempo que.

luengo Largo, alargado, dilatado, amplio, extenso. ↔ *Corto.*

lugar Espacio, sitio, puesto, punto, emplazamiento, posición, situación, paraje, andurrial, comarca, región. || Villa, ciudad, aldea, pueblo, lugarejo, población. || Pasaje, texto, autoridad, sentencia, expresión. || Tiempo, ocasión, oportunidad, situación. || Empleo, cargo, dignidad, oficio, ministerio. || Causa, motivo, ocasión.

lugareño Aldeano, pueblerino, paisano, campesino,

rústico, 'poblano. ↔ *Ciudadano.*

lúgubre Triste, funesto, fúnebre, tétrico, sombrío, luctuoso, melancólico, mustio, taciturno. ↔ *Alegre, festivo.*

lujo Ostentación, exceso, opulencia, suntuosidad, fausto, boato, magnificencia, rumbo, esplendor, esplendidez, riqueza, profusión, abundancia, demasía. ↔ *Pobreza, carencia, sobriedad.*

lujoso Ostentoso, rumboso, pomposo, magnífico, rico, suntuoso, opulento, fastuoso, espléndido, adornado. ↔ *Pobre, sobrio.*

lujuria Lascivia, liviandad, libídine, lubricidad, impudicia, carnalidad, intemperancia, libertinaje, obscenidad, incontinencia. ↔ *Temperancia, castidad.*

lujuriante Lozano, abundante, abundoso, excesivo, ufano, rozagante. ↔ *Mustio, agostado.*

lujurioso Lascivo, liviano, libidinoso, lúbrico, impúdico, carnal, intemperante, incontinente, libertino, obsceno, sensual, rijoso, salaz. ↔ *Temperante, virtuoso, casto.*

lumbre Ascua, llama, fuego. || Luz, lumbrera, lu-

cerna. || Esplendor, lucimiento, claridad.

lumbrera Lumbre, lucerna, luz, lucernario, claraboya, tragaluz, escotilla, ventana, buharda, tronera, abertura, hueco, vano. || Genio, sabio, luminar. ↔ *Asno, ignorante.*

lumia Ramera.

luminaria Luz, alcandora, iluminaria.

luminoso Brillante, refulgente, resplandeciente, esplendoroso, rutilante, coruscante, lumínico, lucífero. ↔ *Apagado, extinto.*

luna Satélite. || Lunación. || Luneta. || Espejo.

lunar Peca, mancha. || Defecto, falta, tacha, laguna. ↔ *Cualidad, nota.*

lunario Calendario.

lunático Maníaco, maniático, raro, caprichoso, alunado, fantástico, atreguado, loco. ↔ *Sensato.*

'lunfardo Ratero, ladrón. || Rufián.

lùpanar Prostíbulo.

lustrar Aluciar, atezar, abrillantar, alustrar. ↔ *Empañar, deslucir.* || Andar, peregrinar, vagabundear.

lustre Brillo, tersura, resplandor, esplendor. ↔ *Empañamiento, opacidad.* || Gloria, fama, realce, honor, reputación, notorie-

dad, honra, prez, palma. ↔ *Descrédito, deslustre.*

lustrina Forro, percalina.

lustro Quinquenio.

lustroso Reluciente, brillante, terso, pulido, resplandeciente, esplendente, coruscante, fúlgido, rutilante, lúcido, fulgente, fulgurante. ↔ *Mate, deslucido.*

lútea Oropéndola, oriol, papafigo, víreo, virio.

lúteo Lodoso, fangoso, barroso.

luteranismo Protestantismo, reformismo.

luto Duelo, aflicción, pena. ↔ *Gozo, alegría.*

lutria Nutria.

'luvia Lluvia.

luxación Dislocación, distorsión, torcedura.

luz Radiación, fulgor, claridad, brillo, esplendor, resplandor, luminaria, llama. ↔ *Oscuridad, tinieblas.* || Aparato de luz, lámpara, candelero, araña, lucerna, aplique, plafón, bujía, vela, candela, antorcha. || Noticia, aviso, indicio. || Modelo, guía, ejemplo. || Día, jornada. || Dinero, blanca, cuartos. || Vano, abertura, ventana, tronera. || Abertura, anchura, amplitud.

luzbel Lucifer, diablo, Satán, Satanás, Belcebú.

L

LL

llaga Plaga, úlcera, lesión, fístula, **herida.**

llagar Ulcerar.

llagarse Encentarse, encorecer, encorar.

llama Flama, soflama, llamarada, fogarada, chamarasca, fogonazo, lengua de fuego. ↔ *Rescoldo.* || Ardor, apasionamiento, abrasamiento, pasión. ↔ *Frialdad.* || 'Carnero, 'oveja.

llamada Llamado, llamamiento. || Nota, advertencia, aviso.

llamador Aldaba, aldabón, avisador, picaporte, campanilla, botón, pulsador, timbre, zumbador.

llamamiento Llamado, llamada, apelación, reclamo, voz, citación, aviso, indicación, señal, advertencia, admonición.

llamar Vocear, dar voces, gritar, huchear, clamar, hacer gestos, hacer señas, advertir. ↔ *Callar.* || Invocar, implorar, pedir. ↔ *Maldecir, rechazar.* || Convocar, citar, invitar, atraer, muñir, emplazar. ↔ *Despedir, licenciar.* || Nombrar, apellidar, designar, titular, designar, denominar, iñtitular. ↔ *Omi-*

tir, callar el nombre. || Excitar, exacerbar, despertar. ↔ *Aplacar.* || Golpear, aldabear, tocar, picar.

llamarada Llama, 'fogaje.

llamativo Excitante, provocante, provocador, ocasionador. ↔ *Calmante.* || Excéntrico, extravagante, exagerado, atrayente, interesante, atractivo, hechicero. ↔ *Inadvertido.*

llameante Ardiente, chispeante, centelleante, rutilante, brillante. ↔ *Apagado, marchito, muerto.*

llamear Arder, flamear, chispear, rutilar, centellear, quemar, brillar, relucir. ↔ *Estar apagado.*

llana Badilejo, plana, trulla.

llanada Llano, llanura, planicie. ↔ *Montaña, sierra.*

llaneza Sencillez, naturalidad, familiaridad, franqueza, campechanía, espontaneidad, confianza, afabilidad. ↔ *Cumplidos, zalemas, protocolo.* || Moderación, modestia. ↔ *Engreimiento.* || Sinceridad, buena fe, ingenuidad, lisura. ↔ *Cautela.*

llano Allanado, liso, plano, igual, raso, abierto, roso, parejo, descampado. ↔ *Montañoso, accidentado.* ||

Llanura, llanada, 'cancha. ↔ *Montaña, sierra.* || Accesible, sencillo, afable, natural, campechano, franco, tratable, espontáneo. ↔ *Cumplimentoso, etiquetero.* || Claro, evidente, palmario, cierto, fácil, obvio. ↔ *Difícil.* || Grave, paroxítono.

llanta Calce, cerco.

llantén Arta plantaina. || Lancéola, quinquinervia.

llanto Lloro, planto, plañido, llorera, lloriqueo, gimoteo, sollozo, gimoteo, jeremiada, perrera, rabieta, lamentación, gemido, queja, pena. ↔ *Risa, júbilo.*

llanura Llana, llanada, llano, landa, ladería, planicie, plana, explanada, campo raso, páramo, paramera, alcarria, acirate, ajarafe, terraza, meseta, altozano, estepa, sabana, pampa, 'cocha. ↔ *Montaña, sierra.*

llave Llavín, picaporte. || Grifo. || Corchete. || Apretador. || Pala, tienta, pista, tranquilla, pasador, cuña. || Clave, información, dato, resorte, vía, camino, puerta. || Presa, zancadilla.

llavero Clavero.

lleco Erial, alijar, escajo, añojal, vago.

llegada Arribo, arribada, venida, advenimiento, aparición, acceso. ↔ *Ida, marcha, partida.*

llegar Venir, arribar, abordar, aterrar, aterrizar, amarrar, atracar. ↔ *Partir, zarpar, salir.* || Durar, datar, extenderse. ↔ *Pararse, detenerse.* || Conseguir, obtener, salir con. ↔ *Perder.* || Tocar, alcanzar, rozar, fregar, abastar. ↔ *Faltar.* || Venir, verificarse, empezar. ↔ *Pasar.* || Ascender, subir, importar, costar. ↔ *No alcanzar.* || Allegar, juntar, acopiar, acumular. ↔ *Desperdigar.* || Arrimar, acercar, aproximar. ↔ *Alejar.*

llegarse Acudir, ir, acercarse, encaminarse, marchar, dirigirse, presentarse, comparecer. ↔ *Quedarse, apartarse, ausentarse.*

llena Crecida, arroyada, riada, avenida. ↔ *Estiaje.*

llenar Ocupar, henchir, rellenar, colmar, tapar, cegar, saturar, atestar, atarugar, atochar, cargar, abarrotar, embutir, impregnar. ↔ *Vaciar.* || Preñar, fecundar. || Hacer, ejecutar, cumplir, desempeñar. ↔ *Faltar.* || Agradar, satisfacer, contentar, cuajar. ↔ *Desagradar.*

llenarse Hartarse, saciarse, henchirse, atiparse, atiborrarse, empaparse. ↔ *Ayunar.* || Atufarse, irritarse, encresparse, arrebatarse. ↔ *Calmarse.*

llenero Cumplido, cabal, pleno, ilimitado, completo, íntegro, acabado, consu-

mado, total. ↔ *Defectuoso, incompleto.*

lleno Ocupado, henchido, relleno, completo, repleto, pleno, saturado, abarrotado, atiborrado, harto, saciado, colmado, rebosante, abundante, pletórico, grávido, macizo, preñado, invadido, de bote en bote. ↔ *Vacío.* || Abundancia, colmo, plétora. ↔ *Escasez.* || Perfección, esmero, sazón. ↔ *Incompleto.*

llenura Copia, abundancia, plenitud, lleno, plétora, repleción, exceso, hartura, profusión, fecundidad, riqueza, acopio, inundación. ↔ *Escasez.*

llera Cascajar, cascajera, glera.

lleta Brote, vástago, retoño, renuevo.

lleudar Leudar, fermentar.

llevadero Tolerable, soportable, sufrible, aguantable, pasadero, sufridero, comportable. ↔ *Insoportable, insufrible.*

llevado Traído, gastado, raído, usado. ↔ *Nuevo.*

llevanza Arriendo.

llevar Transportar, conducir, acarrear, trasladar, portear, ajorar, trechear. ↔ *Enviar, expedir.* || Cobrar, exigir, percibir, tomar en cuenta. ↔ *Regalar, renunciar.* || Producir, granar, frutecer, dar, rendir. ↔ *No dar.* || Cortar, separar, rebanar, trinchar, retazar. ↔ *Conservar.* || Tolerar, sufrir, soportar, aguantar, sobrellevar. ↔ *Impacientarse.* || Inducir, persuadir, convencer, incitar. ↔ *Disuadir.* || Traer, vestir, ponerse. || Lograr, conseguir, obtener, mere-

cer. ↔ *Perder.* || Conducir, dominar, manejar. || Arrendar. || Contar, pasar, exceder, adelantar, sobrepasar. ↔ *Faltar.*

lloradera Llanto.

llorar Lloriquear, sollozar, zollipar, hipar, gemir, gimotear, plañir. ↔ *Reír.* || Lagrimar. || Destilar, fluir. || Deplorar, lamentar, sentir, condolerse. ↔ *Celebrar.*

llorera Llanto.

lloriquear Llorar.

lloriqueo Llanto.

lloro Llanto.

llorón Plañidero, lacrimoso, suspirón, quejoso, lloroso, gemebundo, berrín, lloraduelos. ↔ *Reidor.*

llovedizo Caladizo.

llover Lloviznar, gotear, rociar, molliznar, cerner, chispear, arroyar, diluviar, descargar, descargar el nublado, abrirse las cataratas del cielo, venirse el cielo abajo. ↔ *Estar sereno.* || Venir, caer, manar, plagar, pulular, agolparse. ↔ *Faltar, escasear.*

llovizna Lluvia, 'garúa, 'tapayagua. || Mollizna, marea, orvallo, calabobos, rocío.

lloviznar Llover, 'garuar.

llueca Clueca.

lluvia Llovizna, chaparrón, aguacero, chubasco, cellisca, turbonada, nubada, nubarrada, manga de agua, argavieso, aguaviento, diluvio, temporal, borrasca, torva, tromba, 'luvia. || Copia, cantidad, abundancia, río, torbellino, raudal, inundación, profusión, granizada, plaga, peste, afluencia. ↔ *Escasez.*

lluvioso Pluvioso, húmedo. ↔ *Sereno, despejado.*

LL

M

maca Magulladura, señal. ‖ Tara, defecto. ‖ Disimulación, engaño, fraude, superchería, pella. ↔ *Verdad.*

macabro Fúnebre, lúgubre, mortal. ↔ *Vital.*

macaco 'Coatí, 'cuatí.

macaco Feo, deforme, grotesco, repugnante, repulsivo. ↔ *Bello.*

macadán Macadam, asfaltado, apisonado, firme.

macana Palo, porra, garrote. ‖ Saldo. ‖ Broma, camelo, paparrucha, disparate.

'macana Mentira.

macanudo Chocante, estupendo, portentoso, extraordinario. ↔ *Común.*

macareno Guapo, majo, baladrón, trabucón, perdonavidas. ↔ *Sencillo.*

macarrón Mostachón.

macarrónico Defectuoso, impuro, ridículo. ↔ *Depurado, castizo.*

macear Machacar, porfiar, insistir. ↔ *Abandonar.*

macedónico Macedonio, macedón.

macelo Matadero, degolladero, desolladero.

macerar Ablandar, estrujar, exprimir. ‖ Diluir, sumergir, sumir, calar. ‖ Mortificar, maltratar, humillar, afligir, abatir. ↔ *Confortar, consolar.*

maceta Tiesto, 'canco. ‖ Florero, pichel.

maceta Maza, macillo, martillo. ‖ Empuñadura, mango.

macilento Flaco, descolorido, alicaído, desmejorado, mustio, maganto, pilongo, triste. ↔ *Robusto, rubicundo.*

macizar. 'Emplantillar.

macizo Lleno, sólido, relleno, compacto, denso, pesado, fuerte, grueso, de cal y canto. ↔ *Hueco, débil.*

macrogameto Óvulo.

'macuco Cuco, taimado. ‖ Muchachón, grandullón.

mácula Mancha, tacha, tizne. ‖ Chafarrinada, labe, churrete. ↔ *Perfección.* ‖ Engaño, trampa, embuste, mentira, maca, pella. ↔ *Verdad.*

maculado Mancillado, moteado, salpicado, poluto, embarrado. ↔ *Inmaculado, impoluto.*

macular Manchar, ensuciar, mancillar, motear, enlodar, emporcar. ↔ *Limpiar.*

'macuteno Ladrón, ratero.

macuto Bolsa, saco, costal, mochila, escarcela, zurrón.

machacante Ordenanza, asistente.

machacar Aplastar, majar, quebrantar, triturar, moler, pulverizar, desmenuzar, machar, maznar, macear, apelmazar, pistar, arrepistar, golpear, aporrear. ‖ Porfiar, insistir, repetir, reiterar, importunar. ↔ *Comedirse.*

machacón Machaca, pesado, importuno, fastidioso, insistente, porfiado, tenaz, prolijo. ↔ *Discreto.*

machaquería Machaconería, importunidad, pesadez, porfía, molestia, **ajobo,** insistencia. ↔ *Discreción.*

machar Machacar.

machete Bayoneta. ‖ Alfanje, yatagán, 'facón.

'machi Curandero, curandera.

machihembrar Ensamblar.

'machín Mico, mono.

machina Cabria, grúa. ‖ Martinete.

macho Semental. ‖ Mulo. ‖ Maslo. ‖ Puerco, cebón. ‖ Fuerte, vigoroso, robusto, firme, recio, membrudo, resistente. ↔ *Afeminado.* ‖ Machón, pilar, pilastra. ‖ Tornillo, eje.

macho cabrío Cabrón.

macho romo Burdégano.

macho Mazo, martillo. || Yunque.

machorro Estéril, infructífero. ↔ *Fértil.*

machota Marimacho, virago, varona, sargentona. ↔ *Coqueta, muñeca, femenina*

'machote Borrador, dechado, modelo.

machucar Herir, golpear, magullar.

machucho Sosegado, juicioso, calmoso, sensato, maduro, sesudo, prudente, reflexivo. ↔ *Atolondrado, imprudente.*

madama Señora, dama, señora mía, dama mía.

madamisela Damisela, señorita.

madeja Cadejo. || Mata de pelo.

maderaje o **maderamen** Enmaderado.

maderero Lignario.

madero Tablón, plancha, tablero, tabla. || Nave, buque.

mador Transpiración, sudor.

madre Causa, origen, principio, raíz. || Cauce, lecho. || Religiosa, hermana, sor. || Superiora. || Matriz. || Mamá, mama, mamaita, madraza. || Madrastra.

madre política Suegra.

madrearse Ahilarse, adelgazarse, debilitarse. ↔ *Fortalecerse.*

madrecilla Huevera.

madreña Almadreña, zueco.

madriguera Refugio, guarida, cubil, cado, hura, reparo.

madrina Comadre.

madroño Madroñero, madroñera, alborto, 'pesgua.

madrugada Alba, alborada, aurora, ·amanecer, cre-

púsculo matutino. ↔ *Atardecer.*

madrugar Mañanear, alborear, alborecer. || Anticiparse, adelantarse, ganar tiempo. ↔ *Llegar tarde, tardar.*

madurez Sazón, punto, envero. ↔ *Precocidad, verdor.* || Sensatez, prudencia, juicio, seso, reflexión. ↔ *Irreflexión.* || Virilidad, edad provecta.

maduro Madurado, sazonado, en sazón. ↔ *Verde.* || Sensato, juicioso, machucho, prudente, reflexivo, sesudo, provecto. ↔ *Precoz, irreflexivo.*

maestral Noroeste, cauro. ↔ *Gregal, sudeste.* || Magistral.

maestre Superior, prior.

maestría Destreza, arte, industria, ingenio, habilidad, pericia. ↔ *Impericia.*

maestro Profesor, dómine, preceptor, pedagogo, ayo, 'institutor. || Perito, experto, ducho, hábil, avezado, adiestrado. ↔ *Inhábil.* || Músico.

maganto Macilento, pálido, enfermizo. ↔ *Sano, rubicundo.*

magaña Magancería, ardid, treta, artificio, astucia, engaño.

magarza Matricaria, arrugas, expillo.

magia Hechicería, ocultismo, encantamiento, brujería. || Atractivo, hechizo, encanto, sortilegio, embeleso. ↔ *Antipatía.*

mágico Hechicero, mago, cabalístico, nigromante, brujo, encantador. || Fascinante, fascinador, seductor, hechicero, maravilloso, estupendo, sorprenden-

te, pasmoso, misterioso, sibilino. ↔ *Natural.*

magín Entendimiento, mente, caletre, cabeza, imaginación, cacumen, mollera, chirumen, pesquis.

magistrado Juez, árbitro.

magistral Perfecto, soberbio, superior, magnífico, importante,, grande, bello. ↔ *Defectuoso, malo, infame.*

magnanimidad Nobleza, generosidad, longanimidad, grandeza de alma. ↔ *Pusilanimidad.*

magnate Prócer, grande, poderoso, prohombre, ilustre, principal.

magnesita Espuma de mar.

magnetita Piedra imán, calamita, caramida.

magnetizar Imanar, imantar. || Hipnotizar, fascinar. ↔ *Repeler.*

magnificar Ensalzar, engrandecer, alabar. ↔ *Empequeñecer.*

magnificencia Liberalidad, generosidad, esplendidez. ↔ *Avaricia.* || Esplendor, grandeza, pompa, ostentación, suntuosidad, aparato, opulencia, lujo. ↔ *Penuria.*

magnífico Espléndido, suntuoso, fastuoso, grandioso, pomposo, opulento, soberbio, regio. ↔ *Pobre.* || Excelente, admirable, notable, magistral, excelso, valioso, importante. ↔ *Baladí.*

magnitud Tamaño, dimensión, grandor, extensión, volumen. || Grandeza, importancia, excelencia. ↔ *Nadería.*

magno Grande, vasto, extenso, extraordinario, superior. ↔ *Inferior, parvo.*

M

M mago Hechicero, brujo, jorguín, encantador.

magro Flaco, seco, enjuto, delgado. ↔ *Gordo.* || Molla. ↔ *Sebo.*

maguer Aunque. || A pesar.

'maguey Pita.

magulladura Magullamiento, contusión, golpe, lesión.

magullar Machucar, lastimar, golpear, herir, pegar, estropear.

mahometano Musulmán, islamita, muslime, ismaelita, sarraceno. || Mahomético, mahometista, islámico, muslímico.

maído Maullido, maúllo, miau.

maitinada Alborada.

maíz Panizo, mijo, borona, zahína, 'abatí, 'capí, 'cuatequil, 'curagua.

maizal 'Cecesmil, 'milpa.

majada Apero, aprisco, cubil, hato. || Estiércol, bosta.

majadería Patochada, sandez, pampringada, pampirolada, 'candinga. ↔ *Sensatez.*

majadero Necio, porfiado, mentecato, molesto, fastidioso, incordio, bolonio, mastuerzo, majagranzas, sandio, tonto, 'fregado. ↔ *Sensato, prudente.*

majar Machacar, aplastar, quebrantar. || Molestar, importunar, reiterar, porfiar. ↔ *Tener moderación.*

majestad Majestuosidad, magnificencia, grandeza, soberanía, sublimidad, solemnidad, dignidad, pompa. ↔ *Modestia.*

majestuoso Majestoso, majestático, mayestático, augusto, imponente, solem-

ne, pomposo, señorial, regio. ↔ *Modesto.*

majo Guapo, curro, hermoso, lindo, vistoso. ↔ *Feo.* || Ataviado, adornado, lujoso, compuesto, acicalado. ↔ *Dejado, desaseado.* || Jaque, jácaro, jacarandoso, macareno, chulo, valentón, pinturero, farolero, vendehumos, fanfarrón. ↔ *Capón, gallina.*

majorca Mazorca.

majuelo Pirlitero, marzoleto.

mal Malo. ↔ *Bueno.* || Ilicitud, deshonestidad, inhonestidad, inmoralidad, injusticia, indignidad. ↔ *Bien.* || Daño, ofensa, perjuicio, lesión. ↔ *Beneficio.* || Desgracia, calamidad, amargura, pena, tormento, aflicción, desolación. ↔ *Consuelo.* || Enfermedad, dolencia, padecimiento, dolor, sufrimiento, indisposición. ↔ *Bienestar.* || Vicio, tara, imperfección, insuficiencia. ↔ *Cualidad.*

mal Indebidamente, de mala manera, infelizmente, difícilmente, poco, insuficientemente.

mala Valija. || Correo, posta.

malabar Malabárico.

malabarista Equilibrista, escamoteador, prestidigitador.

'malacate Huso.

malacología Conquiliología.

malacostumbrado Malcriado, consentido, mimado, viciado. ↔ *Sufrido.*

malagradecido Desagradecido, ingrato. ↔ *Agradecido.*

malagueño Malacitano.

malagueta Pimienta de

Chiapa, tabasco, pimienta inglesa.

malandanza Malaventura, d e s ventura, infortunio, desgracia, desdicha. ↔ *Suerte, aventura.*

malandrín Malvado, maligno, bellaco, ruin, perverso. ↔ *Bueno.*

malaquita Azul, azurita.

malar Pómulo.

malato Gafo, leproso.

malaventura Malandanza, percance, contratiempo, infortunio, desgracia, desventura, desdicha. ↔ *Suerte, fortuna, ventura.*

malbaratar Malvender, malgastar, malrotar, malmeter, dilapidar, despilfarrar, disipar, derrochar. ↔ *Ahorrar, aprovechar.*

malcaso Traición, infamia. ↔ *Lealtad.*

malcontento Descontento, disgustado, quejoso. ↔ *Satisfecho.* || Revoltoso, sedicioso. ↔ *Pacífico.*

malcriado Descortés, desatento, grosero. ↔ *Educado, cortés.*

malcriar Consentir, condescender, malacostumbrar, mimar, viciar. ↔ *Educar.*

maldad Malicia, perversidad, ruindad, protervia, nequicia, sevicia, malignidad. ↔ *Bondad.*

maldecir Condenar, imprecar, execrar, pestar, reprobar. ↔ *Loar.* || Denigrar, detractar, murmurar. ↔ *Adular.*

maldiciente Chismoso, detractor, susurrón, juzgamundos. ↔ *Carantoñero, lavacaras.*

maldición Reprobación, condenación, anatema, imprecación, execración. ↔ *Alabanza, loa.*

maldito Malvado, malintencionado, perverso, endemoniado. ↔ *Benévolo.* || Condenado, réprobo. ↔ *Premiado, bendito.* || **Ruin**, miserable, aborrecible. ↔ *Estimable.* || Ninguno.

maleable Manejable, flexible, dócil, suave, obediente, plástico, elástico, flexuoso, correoso. ↔ *Resistente, indócil.*

maleante Maleador, burlador, maligno, perverso. ↔ *Hombre de bien.*

malear Dañar, perjudicar, amalar, maliciar, malignar, estropear, deteriorar, echar a perder, alterar, inficionar, desnaturalizar, enmalecer. ↔ *Beneficiar.* || Viciar, pervertir, corromper, enviciar, depravar. ↔ *Aleccionar.*

malecón Dique, terraplén, muralla, rompeolas, 'tajamar, 'molo.

maledicencia Murmuración, denigración, detracción, chismorreo, habladuría. ↔ *Adulación.*

maleficio Sortilegio, encanto, agüero, hechizo, magia, 'imbunche.

maléfico Nocivo, pernicioso, dañoso, perjudicial. ↔ *Benefactor.*

malestar Desazón, desasosiego, inquietud, ansiedad, incomodidad, indisposición, fastidio, sinsabor, disgusto, angustia. ↔ *Bienestar.*

maleta Maletín, valija, mala, cofre, saco de mano, manga.

maletero 'Canchero.

maletín 'Carriel, 'garniel.

malevolencia Mala voluntad, animosidad, odio, rencor, resentimiento, ene-

mistad. ↔ *Benevolencia, simpatía.*

malgastar Dilapidar, despilfarrar, derrochar, malbaratar, disipar, malrotar, malmeter, tirar. ↔ *Ahorrar.*

malhablado Deslenguado, lenguaraz, desvergonzado. ↔ *Bienhablado.*

malhadado Desventurado, infortunado, desdichado, infeliz. ↔ *Afortunado.*

malhechor Criminal, delincuente, salteador, 'hechor. ↔ *Bienhechor.*

malhumor 'Catoche.

malhumorado 'Frondio.

malicia Perversidad, maldad, malignidad. ↔ *Bondad.* || Picardía, astucia, estratagema, ardid, recelo, sospecha, maña, cautela, taimería. ↔ *Buena fe.* || Penetración, sutileza, sagacidad, trastienda, sutilidad. ↔ *Bobería, candidez.*

maliciar Sospechar, recelar, presumir, conjeturar. || Malear.

malicioso Artero, astuto, zorro, receloso, solapado, taimado, ladino, maulero, sagaz, perillán, bellaco, 'ardiloso. ↔ *Cándido.*

malignar Malear.

maligno Malo, malino, malandrín, perverso, pernicioso, dañino, vicioso, virulento. ↔ *Beneficioso.*

malmeter Malbaratar. ↔ *Ahorrar.* || *Pervertir.* *Educar.* || **Malquistar, ene-** mistar. ↔ *Amistar.*

malmirado Malquisto. ↔ *Bienquisto.* || Descortés. ↔ *Educado.*

malo Malvado, enviciado, bajo, ruin, bellaco, depravado, corrompido, vicioso,

perverso, fementido, pravo, protervo, mal bicho. ↔ *Bueno.* || Dañoso, dañino, perjudicial, nocivo, pernicioso, peligroso, funesto, aciago, nefasto, infausto. ↔ *Beneficioso.* || Enfermo, doliente, indispuesto, postrado, paciente. ↔ *Sano.* || Irrazonable, ilegal, ilegítimo, sedicioso. ↔ *Respetuoso, hombre de bien.* || Dificultoso, difícil, trabajoso, fastidioso. ↔ *Ameno.* || Molesto, desagradable, repelente. ↔ *Agradable.* || Travieso, inquieto, revoltoso, enredador. ↔ *Sosegado.* || Malicioso, bellaco. ↔ *Cándido.* || Deslucido, deteriorado, estropeado, usado. ↔ *Nuevo.*

malograr Perder, estropear, echar a perder. ↔ *Aprovechar.*

malograrse Abortar, fracasar, frustrarse, salir huero. ↔ *Triunfar.*

malogro Fracaso, frustración, pérdida, aborto. ↔ *Éxito.*

'maloja Malojo.

malojo 'Maloja, 'guate.

maloliento Apestoso, cochambroso. ↔ *Odorífero.*

'malón Felonía, bellacada.

malparado Maltrecho, estropeado, maltratado. ↔ *Indemne.*

malquerencia Antipatía, enemistad, enemiga, tirria, ojeriza, desamor, odio. ↔ *Bienquerencia, cariño.*

malquistar Malmeter, enemistar, indisponer,' ' descompadrar, desunir, descomponer, enzurizar, encizañar, enzarzar. ↔ *Amistar, bienquistar.*

M

M

malquistarse Reñir, desavenirse, desajustarse. ↔ *Bienquistarse*.

malquisto Malmirado, desacreditado, desconceptuado, discorde. ↔ *Bienquisto*.

malrotar Malgastar, malbaratar, derrochar. ↔ *Ahorrar*.

malsano Insano, insalubre, dañino, nocivo. ↔ *Saludable*. || Enfermizo, endeble, delicado. ↔ *Sano*.

maltratar Tratar mal, brutalizar, pisotear, zamarrear, sopetear, zurrar la badana, poner de vuelta y media, tratar como un perro. ↔ *Tratar bien, atender*. || Menoscabar, dañar. ↔ *Beneficiar*.

maltratamiento Maltrato, ofensa, daño, menoscabo. ↔ *Agasajo*.

maltrecho Maltratado, malparado, estropeado, dañado, perjudicado, tronado. ↔ *Indemne*.

malva real 'Varita de san José.

malvado Malo, perverso, criminal, bribón, descomulgado, descerrajado, pirata, malandrín, mal bicho. ↔ *Bueno*.

malvavisco Altea.

malversación Concusión, exacción, hurto, robo.

malversar Defraudar, distraer.

malvís Malviz, tordo, alirrojo.

mallo Mazo, mallete, malleto.

mama Mamá, madre.

mama Teta, ubre.

mamadera 'Tetera.

'mamancoma Vieja. || Gorda.

'mamandurria Ganga.

mamar Succionar, chupar. || Comer, engullir. · || Obtener, alcanzar, lograr. ↔ *Merecer*.

mamarracho Moharracho, espantajo, pelele, adefesio, facha, espantapájaros.

mamelón Pezón. || Eminencia, cumbre, cima.

mameluco Necio, bobo. ↔ *Avispado*.

mamotreto Legajo, librote, memorial.

mampara Cancel, pantalla.

mamporro Golpe, coscorrón, torniscón. ↔ *Caricia*.

mampostería Calicanto.

maná 'Mana.

manada Hato, rebaño, torada, vacada, yeguada, piara, cuadrilla, grey, bandada, cardumen, cardume, pavada, 'tropa.

manantial Fuente, fontana, hontanar, fontanar, alfaguara, azanca, manadero, chortal, venero, venera. || Origen, principio, germen, semillero. ↔ *Acabamiento, desembocadura*.

manar Surgir, brotar, salir, surtir.

manatí Rosmaro, pez mujer, pezmuller.

manceba Amante, amasia, amiga, coima, combleza, concubina, coja, daifa, entretenida, favorita, manfla, mantenida, maturranga, pupila, querida, quillotra, tronga, 'camote.

mancebía Prostíbulo.

mancebo Mozo, joven, muchacho, adolescente. || Soltero. ↔ *Casado*.

máncer Borde, espúreo, bastardo. ↔ *Legítimo*.

mancera Esteva, estevón.

mancilla Mancha, desdoro, tacha, tilde, baldón.

mancillar Amancillar, manchar, desdorar, deslucir, deslustrar, empañar, funestar, deshonrar, sambenitar, tildar, 'salar. ↔ *Ponderar, acrecer*.

manco Lisiado, mutilado, 'tuco. || Defectuoso, incompleto. ↔ *Completo*.

mancomunar Unir, aunar, asociar, federar. ↔ *Desunir*.

mancha Mácula, tizne, lámpara, lamparón, labe, churrete, chafarrinada. || Tacha, mancilla, deshonra, desdoro, estigma, tilde. ↔ *Honra*.

manchado Berrendo, poluto, maculado, **mancillado**, 'saraviado. ↔ *Limpio*.

manchar Ensuciar, emporcar, entiznar, pringar, entarquinar, macular, enlodar, entintar, 'salar. ↔ *Limpiar, desmanchar*. || Mancillar, desdorar, deshonrar. ↔ *Ponderar*.

manda Legado, donación.

mandamás Gallo, faraute, mandón.

mandamiento Mandado, orden, precepto, prescripción, mandato, ley.

mandar Ordenar, preceptuar, prescribir, decretar, dictar, establecer, disponer, imponer, intimar. ↔ *Exonerar, obedecer*. || Legar, dejar. ↔ *Desheredar*. || Ofrecer, prometer. || Enviar, remitir, remesar. ↔ *Recibir*. || Encargar, encomendar, pedir, comisionar. || Gobernar, regir, dirigir, regentar, conducir, dominar, sojuzgar, llevar.

mandato Orden, precepto, prescripción, disposición, mandamiento, mandado. ||

Poder, procuración, delegación, comisión, encargo.

mandíbula Quijada, 'carretilla.

mandil Delantal.

mandilón Mandria.

'mandinga Pateta. || Encantamiento, brujería, hechizo.

mando Poder, autoridad, dominio, gobierno, dirección. || Mandato.

mandoble Cintarazo, cuchillada, fendiente, hendiente.

mandón Mandamás.

mandria Mandilón, apocado, pusilánime, cobarde. ↔ *Resuelto.*

manducatoria Comida, alimento, sustento, pitanza, condumio, bodrio. ↔ *Ayuno.*

manecilla Broche, abrazadera. || Aguja, saetilla, mano.

manejable Manuable, manual.

manejar Manear, utilizar, manipular, maniobrar, 'manijar. || Usar, gobernar, dirigir, conducir, guiar, regir.

manejo Uso, empleo, práctica, maniobra, manipulación, desenvoltura. ↔ *Falta de uso.* || Dirección, gobierno, administración. || Manganilla.

manera Modo, forma, método, sistema, procedimiento, guisa, medio, son, aire, tono.

maneras Porte, modales, ademanes, educación.

manes Sombras, almas, espíritus.

manezuela Manija. || Manecilla, broche, abrazadera.

manfla Manceba.

manga Tubo, manguera. ||

Red, esparaval. || Colador. || Tifón, tromba, turbión, aguacero, borrasca, torbellino, huracán, temporal.

manga Capote.

mangañear 'Apealar.

manganesa Pirolusita.

'manganeta Manganilla, ardid, treta.

manganilla Manejo, ardid, treta, engaño, artería, amaño, intriga, artimaña, tráfago, zalagarda, 'manganeta.

mangle 'Yanilla.

mango Asidero, cogedero, manija, puño, empuñadura, cabo.

mangonear Vagabundear, errabundear. || Entremeterse, ingerirse. || Mandonear, gobernar, manipular, cucharetear. ↔ *Desentenderse.*

mangosta Icneumón.

manguera Manga, tubo. || Tifón, tromba, turbión.

'manguera Corral.

mangueta Pasador, listón. || Palanca.

'manguilla Manzote. || Manguito.

manguita Funda.

manguito Mangote, 'manguilla. || Refuerzo, zuncho, anillo. || Estufilla, regalillo.

manía Monomanía, capricho, tema, rareza, extravagancia, extravío, idea fija, guilladura, prurito, antojo, chifladura, locura, 'cocolía, 'barreno. ↔ *Sensatez, cordura.* || Ojeriza, antipatía, tiranía, animadversión. ↔ *Simpatía.*

maníaco o **maniático** Caprichoso, antojadizo, extravagante, raro, lunático, original, enajenado, loco. ↔ *Cuerdo.*

manicomio Casa de locos, casa de orates.

manida Guarida, vivienda, albergue, mansión, refugio, reparo.

manido Ajado, sobado, manoseado, usado, trivial, vulgar, conocido, archisabido. ↔ *Original, nuevo.*

maniego Ambidextro.

manifacero Revoltoso, entremetido.

manifestar Declarar, decir, afirmar, expresar, exponer, opinar, notificar, descubrir, patentizar, mostrar, presentar, exhibir, revelar, publicar, anunciar, vaciar el costal, sacar a luz. ↔ *Callar.*

manifiesto Cierto, evidente, claro, ostensible, patente, visible, notorio, palmario, palpable, descubierto. ↔ *Oculto, callado.* || Declaración, proclama, proclamación, alocución.

manigero Capataz.

maniguero 'Sota.

manija Mango, puño, manubrio, empuñadura. || Abrazadera. || Maniota.

'manijar Manejar.

manilargo Manirroto. ↔ *Avaro.*

manilla Pulsera, puñete. || Argolla, esposa.

maniobra Manipulación, operación. || Artificio, treta, manejo, maquinación, ardid, amaño, estratagema, trama. || Evolución, ejercicio, práctica.

maniota Manea, maneota, manija, apea, lazo, amarradura, traba, guadafiones, suelta, 'torzal.

manipular Manejar, operar, forcejear, manosear, tocar, manotear.

maniquí Figurilla, muñeço.

M manirroto Manilargo, malgastador, malbaratador,
malrotador, pródigo, des-
pilfarrador, derrochador,
disipador, gastador, bolsa
rota. ↔ *Avaro.*

manivela Manubrio, cigüe-
ña, cigüeñal.

manjar Comida, yantar, alimento, mantenimiento, co-
mestible, comida. || Re-
creo, deleite.

mano Extremidad, palma,
pie, pata. || Lado, costa-
do. || Manecilla, saetilla.
|| Majadero, triturador,
maza. || Capa, baño, pintu-
ra. || Vez, vuelta, tanda. ||
Medio, manera, sistema. ||
Habilidad, destreza, dex-
teridad. ↔ *Torpeza.* || Pa-
trocinio, favor, ayuda,
asistencia, auxilio, socorro. ↔ *Indiferencia, des-
amparo.* || Represión, cas-
tigo, admonición. ↔ *Elo-
gio.*

manojo Hatajo, atajo, hace-
cillo, puñado, mazo, rami-
llete.

manopla Guante, guantele-
te.

manoseado Manido, sobado.
↔ *Nuevo.*

manosear Sobar, manotear,
manejar, ajar, tocar, tentar, palpar, maznar, ma-
nipular, transfregar, arrebujar.

manotada o manotazo Ta-
banazo, tabalada, mano-
tón, guantada, puñetazo.

manotear Manosear.

manoteo Manoseo, manejo,
gesto, ademán.

manquedad Falta, defecto,
imperfección. ↔ *Perfec-
ción.*

mansedumbre Suavidad,
benignidad, dulzura, apa-
cibilidad, tranquilidad,

bondad, benevolencia. ↔
Intemperancia, orgullo.

mansión Morada, albergue,
residencia, manida, habi-
tación. || Detención, esta-
da, estadía, estancia, permanencia. ↔ *Prosecución.*

manso Masada, casa de
campo.

manso Dulce, benigno, dó-
cil, suave, apacible, tranquilo, sosegado, mego, pacato, poncho, quieto, re-
posado, 'tambero. ↔ *Indócil, intemperante.*

manta Abrigo, cobertor, frazada, capa, 'cobija, 'coria-
na, 'rito. || Zurra, soman-
ta, paliza. || Manteleta.

manteca Gordo, gordura,
lardo, saín, grasa, 'empe-
lla. ↔ *Magro.* || Pomada.

mantel Paño de mesa. ||
Paño de altar.

mantener Proveer, alimen-
tar, nutrir, sustentar. ↔
Abandonar. || Conservar,
amparar, sostener, apo-
yar, manutener. ↔ *Descui-
dar.* || Defender, salva-
guardar, patrocinar. ↔ *Desertar.*

mantenerse Perseverar, resistir, cerrarse a la banda.
↔ *Resignar.*

mantenida Manceba. || Ra-
mera.

mantenimiento Sustento,
sustentación, sustentamien-
to. || Manjar, alimento.

mantilla Mantellina.

mantillo Humus, tierra ve-
getal. || Estiércol.

'mantillón Sinvergüenza,
caradura.

manto Capa, clámide, burato, cendal, céfiro, alme-
jía, 'chalón.

mantón Pañolón, 'tápalo.

manual Manuable, maneja-
ble. || Casero, ejecutable,

fácil. ↔ *Difícil.* || Dócil,
suave, apacible, manso. ↔
Indócil. || Compendio, su-
mario, breviario, epítome.

manubrio Empuñadura, ma-
nija, manivela, cigüeña. ||
Organillo.

manufactura Obra, obraje,
producto. || Fábrica.

manumitir Liberar, eman-
cipar, libertar. ↔ *Esclavizar.*

manutención Alimentación,
sostén, sostenimiento, pro-
veeduría, mantenimiento,
sustento, alimento. || Con-
servación, entretenimien-
to. ↔ *Abandono.*

manzana Poma. || Bloque,
isla, 'cuadra.

manzanilla Camomila.

manzote 'Manganilla.

maña Destreza, habilidad,
arte, maestría, ingenio,
apaño, industria, solercia,
mano, buena mano. ↔ *In-
habilidad, torpeza.* || Arti-
ficio, treta, astucia, triquiñuela, camándula, ma-
rrullería, picardía, arte,
sagacidad. || Vicio, resa-
bio. || Manojo, atadijo.

mañana En el futuro, en el
porvenir. ↔ *Ayer.*

mañana (de) Al amanecer,
al despuntar el día.

mañanear Madrugar.

mañero Sagaz, astuto, cuco,
zamacuco, candongo. ↔
Bobo. || Hacedero, reali-
zable, ejecutable, manejable. ↔ *Irrealizable.*

mañoco Tapioca, mandioca.

mañoso Diestro, habilidoso,
capaz, industrioso, hábil,
apañado, expeditivo, 'calducho, 'entrazado. ↔ *Inhábil.*

mapa Carta, plano, atlas,
mapamundi, planisferio.

'mapurite Mofeta.

M

maqueta Modelo, **diseño**, bosquejo.

maquiavélico Taimado, astuto, pérfido, falaz, falso, solapado, tortuoso. ↔ *Noble.*

maquillar Afeitar, acicalar.

máquina Artificio, artilugio, aparato, artefacto, armatoste, mecanismo. || Traza, proyecto, invención, combinación. || Locomotora. || Obra, fábrica, edificio. || Multitud, abundancia, copia, caudal, porrada. ↔ *Escasez.* || Tramoya.

maquinación Amaño, artería, ardid, intriga, maniobra, astucia, manganilla, busilis, trastienda, cábala, facción, treta, candonga, artimaña, entruchado, enredo, asechanza, maca, conjura, complot, conspiración.

maquinal Instintivo, reflejo, automático, involuntario. ↔ *Deliberado.*

maquinar Tramar, urdir, fraguar, forjar, conspirar, conjurar, maniobrar, intrigar.

mar Ponto, piélago, océano. || Abundancia, plétora, cantidad. ↔ *Escasez.*

'**maraca** Maracá.

'**maraca** Ramera.

'**maracaná** Guacamayo.

'**maracaya** Triguillo.

marana Maleza, broza, hojarasca, espesura. || Coscoja. || Cadejo, lío, embrollo, enredo, baruca, confusión.

marañero Marañoso, enredador, embolismador, cizañero, cuentista.

marasmo Enflaquecimiento, delgadez, debilitamiento. ↔ *Obesidad.* || Suspensión,

paralización, inmovilidad, apatía. ↔ *Actividad.*

maravilla Admiración, entusiasmo, asombro, extrañeza, pasmo, estupefacción, portento, prodigio, milagro, fenómeno. ↔ *Horror.*

maravillar Admirar, pasmar, sorprender, asombrar, suspender, extrañar, fascinar, aturdir, deslumbrar, embazar. ↔ *Horrorizar.*

maravilloso Sorprendente, admirable, asombroso, prodigioso, portentoso, milagroso, extraordinario, estupendo, mirífico, fantástico, mágico, pasmoso, sorprendente, inusitado, chocante, sobrenatural. ↔ *Corriente, horroroso.*

marbete Etiqueta, marchamo, precinto, cédula, marca. || Orilla, perfil, filete.

marca Provincia, territorio. || *Récord. || Escala, talla, módulo, regla, medida. || Señal, contraseña, marbete, almagre, distintivo, etiqueta, atributo, signo, cruz, nota, cuño, estampilla, filigrana, rúbrica, inscripción, huella, estigma, marchamo, precinto.

marcar Señalar, distinguir, notar, sellar, caracterizar, numerar, estampillar, rayar, marchamar, herrar, ferretear. || Bordar. || Indicar. || Aplicar, destinar.

marcial Bélico, guerrero, militar, castrense. ↔ *Civil.* || Bizarro, varonil, franco, desembarazado, arrojado, intrépido, aguerrido, valiente, marchoso. ↔ *Cobarde, desgarbado.*

marco Cerco, cuadro, recuadro. || Cartabón.

marcha Partida, encaminamiento. ↔ *Regreso.* || Movimiento, andadura, velocidad, celeridad, **paso**, tren. || Funcionamiento, procedimiento, sistema, método, curso, camino, proceso.

marchamar Marcar.

marchamo Marbete.

marchante Mercantil, mercante, comercial. || Traficante, comerciante, negociante, mercader.

'**marchante** Parroquiano.

marchar Andar, caminar, partir, ir, trasladarse, dirigirse, encaminarse, ponerse en camino, levantar el campo, transitar, recorrer, circular, pasar, amblar, errar, discurrir, avanzar. ↔ *Estar quieto, hacer alto.* || Funcionar, moverse, desenvolverse, accionar, jugar. ↔ *Estar parado.*

marcharse Partir, largarse, ahuecar el ala, liar los bártulos, liar el petate, escapar, irse. ↔ *Regresar, volver.*

marchitar Ajar, deslucir, agostar, enlaciar, enmustiar. ↔ *Lozanear.*

marchitarse Secarse, mustiarse, alheñarse, aborrajarse, anublarse, agostarse, 'achucutarse. ↔ *Enlozanarse.* || Envejecer, arrugarse, apergaminarse. ↔ *Rejuvenecerse.* || Enflaquecer, debilitarse, adelgazarse. ↔ *Recobrarse.*

marchito Ajado, mustio, deslucido, agostado, lacio, verriondo, seco, muerto. ↔ *Lozano.*

marchoso Airoso, garboso,

M

apuesto, gallardo, donoso. ↔ *Apagado.*

marea Flujo. || Reflujo. || Rocío, llovizna.

marear Fastidiar, molestar, aburrir, enfadar, agobiar, apurar, cansar, turbar, importunar, encocorar, incomodar, 'hamaquear. ↔ *Distraer.*

marejada Mareta, oleaje, marola.

maremágnum Tumulto.

mareo Vértigo, desmayo, congoja. || Molestia, enfado, importunación, fastidio, pesadez, incomodidad, ajetreo.

marfileño Ebúrneo, eborario, blancuzco.

marfuz Repudiado, desechado, recusado, rechazado. ↔ *Admitido.* || Falaz, embustero, engañoso, mentiroso. ↔ *Verdadero.*

margallón Palmito.

margarita Chiribita, maya. || Perla.

margen Orilla, borde, ribera, canto, labio, orla, espuenda, balate, arcén, perfil, filete, acera, límite. ↔ *Centro.* || Apostilla, nota, escolio. || Ocasión, oportunidad, motivo, coyuntura, pretexto, motivo, excusa.

marginar Apostillar, escoliar.

marguera Almarga.

maricón Sodomita.

maridaje Enlace, unión, conformidad, acoplamiento, ensamblaje, armonía, analogía, casamiento, correspondencia. ↔ *Desunión.*

marido Esposo, consorte, casado, cónyuge, hombre.

marimacho 'Machota, sargentona, varona, virago, maritornes.

'marimba Tímpano, tamboril.

marimorena Camorra, pendencia, bronca, contienda, riña.

marina Costa, litoral. || Armada. || Náutica, navegación.

marinar Sazonar, aderezar, salar, adobar.

marinería Tripulación, marinaje, equipaje, dotación.

marino Marítimo, náutico, pelágico, naval, neptúneo. ↔ *Terrestre.* || Marinero, navegante, nauta, tripulante, lobo de mar.

marioneta Títere, fantoche.

mariposa Palomilla, 'chapola. || Lamparilla, candelilla.

mariposear Variar, mudar, cambiar (la casaca). ↔ *Fijarse.*

mariscal Albéitar.

marismo Orzaga.

'maritata Cedazo. || Trebejos, chismes, baratijas.

marítimo Marino.

maritornes Moza, criada, sirvienta, fámula. || Marimacho.

marjal Pantano, chortal, boteal, almarjal.

marmita Olla, puchero, cacerola, pote.

marmitón Sollastre, pinche, galopillo, galopín.

'marocha Imprudente, descuidada, atolondrada, inconsciente.

maroma 'Toa.

marón Esturión.

marón Morueco, carnero, maroto.

marquesina Pabellón, baldaquín. || Cobertizo, alpende.

marquetería Taracea, incrustación, embutido, ataujía.

marrajo Astuto, taimado, marrullero, malintencionado. || Tiburón.

'marraqueta Pan, bizcochada.

marrano Puerco, cerdo. || Sucio, cochino, asqueroso. ↔ *Limpio.*

marrar Errar, fallar, faltar, desviarse. ↔ *Acertar.*

marras Antaño, antiguamente.

marro Falta, yerro, omisión, laguna. ↔ *Perfección.*

marroquí Tafilete.

marrullería Marrulla, zalamería, artimaña, astucia, maturranga, ardid, maulería, martingala, treta, zalagarda, lilaila, magaña, matrería, mañuela. ↔ *Lealtad, sinceridad.*

marrullero Marrajo, martagón, matrero, mañero, maxmordón, camastrón, galopín, zorro, zascandil, gazapo, lagarto, bellaco, astuto, taimado, cauto, ladino, truchimán', guitarrón, chuzón, 'narajudo. ↔ *Leal, sincero.*

marsupial Didelfo.

marta Vero.

martillo Mazo, mallo. || Templador, llave. || Azote, perseguidor. || Percutor, percusor. || Subasta.

martín pescador Alción, guardarrío, pájaro polilla, 'camaronero.

martinete Martín del río.

martinete Macillo. || Mazo, batidor, machina, batán, martillón, pilón.

martingala Marrullería, artimaña, trampa. ↔ *Lealtad.*

martirio Tormento, tortura, sufrimiento, suplicio, sacrificio. || Ajobo, ajetreo,

aflicción, molestia, tramo-
jos, perrera, lacería. ↔
Diversión.

martirizar Torturar, matar,
sacrificar. || Afligir, ape-
sadumbrar, importunar,
atormentar, molestar, in-
quietar. ↔ *Divertir, agradar.*

marxismo Socialismo. || Co-
munismo.

mas Pero.

masa Masilla, papilla, pasta, argamasa, plasta, ga-
cha, magma. || Cuerpo, to-
do, junto, suma, junta, reunión, aglomeración, con-
junto, materia. || Multi-
tud, pueblo.

masada Mas, manso, alquería, masería, casa de
campo.

'mascada Bocado.

mascar Masticar, mascujar,
machacar, mamullar, ru-
miar, ronchar, triturar,
'tascar. || Mascullar.

máscara Careta, carantoña,
carantamaula, carátula,
mascarilla, antifaz, gam-
box, cambuj, gambux. ||
Disfraz, embozo, tapujo. ||
Pretexto, disimulo, excu-
sa. ↔ *Verdad, razón.*

mascarada Mojiganga, en-
camisada, comparsa, car-
naval, máscaras.

mascujar Mascar. || Mascu-
llar.

masculino Viril, varonil,
macho, hombruno, fuerte.
↔ *Femenino.*

mascullar Mascujar, mascar, murmurar, maullar,
murmujear, musitar, bar-
botar, farfullar, susurrar,
bisbisar, cuchichear, re-
zongar. ↔ *Hablar claro.*

maslo Tallo, mástil. || 'Pen-
ca.

masón Francmasón.

masticar Mascar. || Rumiar,
meditar, reflexionar.

mástil Palo, árbol. || Tallo,
maslo, tronco. || Puntal,
poste, percha,. hinco, asta,
fuste.

mastique Almáciga, almástiga.

mastranto o **mastranzo**
Matapulgas.

mastuerzo Berro, cardami-
na. || Necio, bobo, torpe,
cernícalo. ↔ *Listo.*

mata Matojo, arbusto, plan-
ta. || Macizo, soto, mato-
rral. || Lentisco. || Cha-
parro, carrasca, coscoja.

matacabras Bóreas, norte.

matacán Nuez vómica. ||
Ripio, canto, pedrusco,
piedra.

matacandelas Apagavelas,
apagador.

matacandiles Baya.

matachín Matarife, jifero.

matadero Macelo, degolladero, desolladero, rastro,
'carneada, 'camal. || Re-
ventadero, ajobo, ajetreo,
aporreo, tute, trote, zurra.
↔ *Diversión.*

matador Espada, torero.

matadura Llaga, plaga, herida.

matafuego Extintor.

matajudío Mújol.

matalahúva Matalahúga,
matafalúa, anís.

matalobos Acónito.

matalón Matalote, jamelgo,
penco, rocín, sotreta, cuartago, 'ruco, 'matungo.

matamoros Matón, valentón.

matanza Carnicería, degollina, mortandad, destro-
zo, exterminio, hecatom-
be.

'matapiojos Caballito del
Diablo.

matar Asesinar, acabar,

apiolar, despachar, trin-
car, chinchar, despabilar,
despenar, despanzurrar,
destripar, escabechar, ato-
cinar, acochinar, vendi-
miar, eliminar, extermi-
nar, finiquitar, suprimir,
sacrificar, inmolar, ejecutar, fusilar, electrocutar,
degollar, desnucar, deca-
pitar, guillotinar, ahogar,
linchar, dar garrote, pasar
a cuchillo, quitar de en
medio, pasar por las ar-
mas, dejar en el sitio, cortar el hilo de la vida. ↔
Salvar, resucitar. || Reba-
jar, apagar, extinguir. ↔
Avivar. || Calmar, satisfa-
cer, saciar. ↔ *Despertar.* ||
Herir, llagar. || Empañar,
deslustrar. ↔ *Hacer bri-
llar.* || Achaflanar, despal-
mar. ↔ *Cantear.* || Reba-
jar, atenuar, disminuir. ↔
Agudizar, exagerar. || Su-
primir, aniquilar, destruir.
↔ *Erigir, levantar.* || Es-
trechar, violentar, compeler, obligar, constreñir. ↔
Liberar. || Molestar, im-
portunar, fastidiar, encocorar. ↔ *Ayudar, divertir.*
|| Agobiar, abrumar, apu-
rar, atrafagar. ↔ *Aliviar.*

matarife Jifero, matachín,
'camalero.

matasanos Medicastro, mediquillo, curandero, ensalmador, saludador.

matasellos 'Fechador.

matasiete Matón, valentón.

mate Jaque. || Amortigua-
do, opaco, apagado, ate-
nuado, deslucido, deslus-
trado, sin brillo. ↔ *Brillante.*

mate (amarillo) 'Cabayo.

mate (negro) 'Cimarrón.

'mate Calabaza. || Calva-
trueno.

M matemáticas Ciencias exactas, cálculo.

matemático Exacto, preciso, justo, clavado, riguroso. ↔ *Erróneo*.

materia Sustancia, elemento, cuerpo, pasto, principio, material. ↔ *Espíritu, esencia, idea*. || Pus, podre. || Asunto, objeto, motivo, tema, punto, cosa, sujeto. || Causa, ocasión, motivo, razón.

material Materia. || Tangible, sensible, sustancial, palpable, corpóreo. ↔ *Impalpable, espiritual, metafísico*. || Basto, grosero, burdo, tosco, ramplón. ↔ *Perfecto*.

materiales Utensilios, herramientas, *utillaje, herramental, instrumental, enseres, trebejos, avíos, aperos, cachivaches, chirimbolos, 'utilería.

materno Maternal, matronal. ↔ *Filial*.

matinal Matutino, matutinal.

matiz Tono, tintura, gradación, cambiante, tintas, visos, aguas, colorido, color.

matizar Graduar, escalonar, variar, diversificar. ↔ *Unificar*.

mato Matorral.

matojo Mata.

matón Valentón, matamoros, matasiete, guapetón, perdonavidas, chulo, fanfarrón, tragahombres, bravucón, pendenciero, camorrista, jaque, jácaro, farfantón. ↔ *Cagón, cangalla*.

matorral Mato, maleza, breñal, barzal, soto, 'tacotal.

matraca Burla, importunación, pesadez, chinchorrería, molestia, porfía, insistencia. ↔ *Discreción*.

matracalada 'Tracalada.

matrería Marrullería.

matrero Marrullero.

matricaria Arugas, expillo, magarza.

matrícula Lista, catálogo, inscripción, registro, rol, alistamiento, patente.

matrimonial Nupcial, conyugal, esponsalicio, connubial, marital.

'matrimoniarse Casarse.

matrimonio Casamiento, boda, conyungo, nupcias, himeneo, enlace, coyunda, desposorio, casorio, unión. ↔ *Divorcio, separación*.

matriz Útero, claustro materno, madre, seno. || Hembra, troquel, molde. || Tuerca, rosca. || Principal, materna, generadora. ↔ *Subalterna, sucursal*.

matrona Comadrona, partera, comadre.

'matungo Matalón.

maturranga Manceba. || Ramera.

maturranga Marrullería.

'maturrango Pesado, bruto, tosco.

matute Contrabando, fraude, alijo. || Garito, leonera, timba.

maula Hojarasca, plepa, ripio, zupia, zurrapa. || Retal, retazo, trozo. || Engaño, treta, manganilla, camama, dolo, fraude. || Inglés, deudor, moroso, acreedor. || Gandul, remolón, holgazán, molondro, ganso. ↔ *Diligente*.

maullar Mayar, miar.

maullido Maúllo, miau, maído, mayido.

mausoleo Sepulcro, tumba, panteón.

máxima Regla, precepto, axioma, apotegma, pensamiento, concepto, principio, sentencia, aforismo, adagio, dicho, decir, moraleja.

máxime Ante todo, en primer lugar, sobre todo.

máximo Maximum, límite, extremo, tope. || Mayúsculo, inmenso, superlativo, fenomenal. ↔ *Mínimo*.

maya Margarita.

mayar Maullar, miar.

mayestático Majestuoso, augusto, imponente, solemne, áulico. ↔ *Modesto, humilde*.

mayólica Loza, cerámica.

mayor Superior, jefe, principal, cabeza, preboste, decano, senior. ↔ *Menor*. || Importante, considerable. ↔ *Insignificante*.

mayoral Caporal, rabadán. || Conductor, tronquista. || Mampostero. || 'Arrenquín, 'caporal.

mayorazgo Primogenitura.

mayores Ascendientes, antecesores, antepasados, progenitores, abuelos. ↔ *Descendientes*.

mayoría Mayor edad. ↔ *Menoría*. || Superioridad, ventaja, quórum. ↔ *Inferioridad*. || Generalidad, pluralidad, totalidad, masa, todo el mundo. ↔ *Élite, minoría*.

mayúscula Capital, inicial, versal.

mayúsculo Máximo, inmenso. ↔ *Minúsculo*.

maza Porra, cachiporra, clava. || Martinete.

mazacote Barrilla, soca. || Hormigón. || Bazofia, guisote, pegote.

mazdeísmo Parsismo.

mazmorra Prisión, celda, calabozo, ergástula, gayola, chirona, 'bartolina, 'sambubia, 'ulpo.

maznar Amasar, ablandar, estrujar, heñir, sobar.

mazo Mallo, maza, almádena, martillo, macillo, macho, 'combo. || Atajo, hatajo, manojo, haz, fajo, brazado, gavilla.

mazorca Husada, rocada. || Majorca, panoja, panocha, espigón, 'cenacle, 'choclo, 'elote.

'mazorca Autarquía, despotismo, dictadura.

'mazorquero Déspota, autócrata, dictador.

mazorral Rudo, grosero, tosco, palurdo, patán, mogrollo. ↔ *Fino.*

meandro 'Caney.

mecanismo Artificio, ingenio, artilugio, dispositivo.

mecanografía Dactilografía.

mecenas Protector, patrocinador, bienhechor, favorecedor.

mecer Cunar, cunear, columpiar, balancear, menear, agitar, hamaquear. ↔ *Parar.*

'meco Salvaje.

mecha Mechón, pabilo, torcida, matula.

mechero Boquilla, piquera. || Encendedor, chisquero.

mechón Verneja, guedeja, bucle, mecha, hopa, pulsera, pelluzgón.

medalla Medallón. || Distinción, premio, galardón.

medallón Medalla, guardapelo.

medano o **medaño** Duna, mégano.

media Calceta.

mediacaña Troquilo.

mediación Intervención, arbitraje, arreglo, acuerdo.

mediador Medianero, intermediario, intercesor, conciliador, tercero, negociador, árbitro.

medianía Medianería, medianil, medianidad, término medio. || Mediocridad, vulgaridad. ↔ *Excelencia.*

mediano Regular, intermedio, razonable, módico, moderado, mediocre. ↔ *Excelente, considerable.*

mediar Intervenir, interceder, terciar. || Interponerse. ↔ *Desentenderse.* || Sobrevenir, ocurrir, presentarse, entremediar. || Transcurrir, pasar.

medicación Tratamiento, régimen, cura.

medicamento Medicina, remedio, droga, poción, pócima, específico, potingue, menjurge, mejunje, brebaje.

medicastro Matasanos, medicucho.

medicina Medicamento.

medicinar 'Emboticar.

médico Doctor, galeno, facultativo, cirujano. || Matasanos.

medida Medición, mensuración, mensura, dimensión, evaluación. || Proporción, correspondencia. || Disposición, prevención, precaución, providencia. ↔ *Consecuencia.* || Prudencia, moderación, regla, tasa, mesura, circunspección, cordura. ↔ *Insensatez.*

medio Mediano, mitad, centro. ↔ *Extremo, periférico.* || Corazón, interior, yema. ↔ *Exterior, corteza.* || Médium. || Procedimiento, manera, forma, sesgo, facultad, poder, vía, método, mediación. || Diligencia, expediente, arbi-

trio, recurso. || Ambiente, lugar, espera, espacio. || **M** Mellizo, gemelo.

mediocre Mediano, común, ordinario, vulgar, adocenado, mezquino, imperfecto, gris, regular, tal cual. ↔ *Excelente.*

mediocridad Medianía, insuficiencia, pequeñez, pobreza. ↔ *Excelencia.*

mediodía Sur, meridión. ↔ *Norte.*

medios Bienes, recursos, dinero, caudal, fortuna, posible.

mediquillo Medicastro, matasanos.

medir Mensurar, estimar, calcular, evaluar, valuar, apreciar, dosificar, cubicar, examinar, juzgar, comparar. || Escandir.

meditabundo Reflexivo, absorto, caviloso, pensativo. ↔ *Distraído.*

meditar Pensar, excogitar, discurrir, rumiar, reflexionar, considerar, repensar, imaginar, proyectar, quillotrar, devanarse los sesos, romperse la cabeza, hablar consigo, 'bartulear. ↔ *Observar, distraerse.*

medra Aumento, progreso, adelanto, mejora, crecimiento. ↔ *Paro, descenso, retroceso.*

medrar Adelantar, progresar, mejorar, aumentar, crecer, florecer, prosperar, acrecer, acrecentar. ↔ *Perder, detenerse, retrasarse.*

medroso Apocado, pusilánime, miedoso, irresoluto, temeroso, cobarde. ↔ *Decidido, valiente.*

medula o **médula** Meollo, pulpa, tuétano. || Centro, sustancia, esencia, meollo, núcleo.

M medusa Aguamala, aguamar, aguaverde.

mefítico Fétido, ponzoñoso, malsano, infecto. ↔ *Sano.*

mego Suave, manso, apacible, tratable, halagüeño. ↔ *Arisco, huraño.*

mejillón Mítulo.

mejilludo Carrilludo, cachetudo.

mejor Superior, perfeccionado, preferible.

mejora Mejoría, mejoramiento, medra, aumento, perfeccionamiento, progreso, adelanto. ↔ *Retroceso.* || Puja. ↔ *Pérdida.*

mejorana Amáraco, sarilla, sampsuco, almoraduj, moradux.

mejorar Adelantar, aumentar, acrecentar, aventajar, prosperar, perfeccionar, bonificar, corregir, enmendar, reformar, embellecer, hermosear. ↔ *Desmerecer, perder.* || Pujar, licitar. || Aliviarse, restablecerse, curar, robustecerse, ganar, sanar. ↔ *Desmejorar.*

mejoría Mejora. || Alivio, restablecimiento. ↔ *Empeoramiento.*

mejunje Mezcla, pócima, potingue, poción, droga, menjurje.

melado Gilvo.

melancolía Tristeza, pena, languidez, pesadumbre, abatimiento, murria, exantropía, zangarriana, 'flato. ↔ *Alegría.*

melancólico Triste, mohíno, mustio, apesarado, afligido. ↔ *Alegre.*

melca Zahína.

melcocha Arropia, melaza.

melena Melenera, pelambrera, cabellera. || Crin.

'melga Amelga.

melifluo Dulce, meloso, dul-

zón. ↔ *Áspero, agrio.* || Suave, tierno, delicado. ↔ *Hosco, huraño.*

'melgar Amelgar.

meliloto Trébol de olor.

melindre Dengue, remilgo, afectación, repulgo, ambage, 'mitote.

melindroso Melindrero, dengoso, remilgado, afectado, mimoso, quisquilloso, esquilimoso, 'pedante. ↔ *Desenvuelto.*

melisa Toronjil, cidronela, abejera.

melocotón 'Blanquillo, durazno.

melodía Melopea.

melodioso Melódico, armonioso, arpado, musical. ↔ *Cacofónico.*

melodrama Drama, tragedia.

melojo Marojo, roble borne.

melómano Musicómano, musicólogo, diletante.

melón Badea.

meloso Melifluo, dulce, dulzón, almibarado, empalagoso. ↔ *Áspero, agrio.* || Blando, suave, afectado, tierno. ↔ *Hosco, huraño.*

mella Rotura, hendedura, fenda, raja, 'melladura. || Vacío, hueco, entrante. || Menoscabo, merma, pérdida.

'melladura Mella.

mellizo Gemelo, hermanado, mielgo, medio, 'cuate.

membrana Tela, tímpano, piel.

membrete Brevete, memoria, anotación, apunte, minuta. || Encabezamiento, título, nombre.

membrillo Codoñate.

membrudo Corpulento, robusto, recio, fornido, forzudo, atlético, vigoroso. ↔ *Escuálido, esmirriado.*

memento Memorándum, agenda, carnet.

memo Simple, bobo, tonto, mentecato, menguado, majadero, sandio, zolocho, panarra, fatuo, imbécil, necio, 'tilingo. ↔ *Listo, inteligente.*

memorable Memorando, famoso, glorioso, célebre, notable, importante, recordable. ↔ *Digno de olvido.*

memorar Recordar, hacer memoria, rememorar. ↔ *Olvidar.*

memoria Retentiva. || Recuerdo, rememoración, reminiscencia, remembranza, recordación. ↔ *Olvido.* || Fama, gloria. || Exposición, relación, escrito, estudio. || Memorial.

memorias Saludos, recados, recuerdos, expresiones. || Anales.

memorial Memoria, demanda, ruego, solicitación, memorándum, instancia, solicitud.

memorialista Amanuense.

menaje Moblaje, ajuar, equipo, atalaje. || Equipo, *utillaje.

mención Referencia, cita, citación, indicación, alusión, recuerdo.

mencionar Citar, nombrar, contar, referir, recordar, aludir, mentar. ↔ *Omitir.*

mendaz Mentiroso, embustero, falso, fingido, falaz. ↔ *Sincero.*

mendicante Mendigo.

mendicidad Pordiosería, mendiguez, indigencia. ↔ *Riqueza, dadivosidad.*

mendigar Pordiosear, mendiguear, limosnear, pedir, pordonear.

mendigo Mendicante, mendigueante, mendigante, pordiosero, menesteroso, mísero, pobre, indigente, 'cachimbo. ↔ *Rico, dadivoso.*

mendoso Errado, equivocado, mentiroso, feliz. ↔ *Cierto.*

mendrugo Corrusco, cuscurro, cantero, regojo, zato, cacho de pan. || Rudo, tonto, zoquete, tarugo, bolo. ↔ *Listo.*

menear Mover, remover, revolver, sacudir, trastear, zangolotear, agitar. ↔ *Dejar tranquilo.* || Manejar, dirigir, gobernar.

menearse Agitarse, debatirse, diligenciar, procurar, 'hornagucarse.

meneo Vapuleo, tollina, paliza. || Contoneo. || Agitación, movimiento, sacudimiento, temblor, zangoloteo. ↔ *Quietud, reposo.*

menester Necesidad, falta, apuro. ↔ *Abundancia.* || Empleo, ejercicio, profesión, ministerio, ocupación. ↔ *Ocio.*

menesteroso Pobre, necesitado, falto, indigente, mísero, miserable, carente, careciente. ↔ *Rico, abundante, opulento.*

menestra Rancho, vitualla. || Legumbre.

menestral Artesano, trabajador, obrero.

mengano Perengano, zutano, fulano.

mengua Menguamiento, disminución, merma, menoscabo. ↔ *Aumento.* || Falta, defecto, carencia, imperfección. ↔ *Perfección.* || Pobreza, escasez. ↔ *Riqueza.* || Descrédito, perjuicio, desdoro, deshonra. ↔ *Honra.*

menguado Cobarde, pusilánime, apocado. ↔ *Valiente.* || Tonto, simple, mentecato, bobo. ↔ *Listo.* || Miserable, ruin, mezquino, tacaño. ↔ *Generoso.*

menguar Amenguar, decrecer, mermar, disminuir, consumirse, faltar. ↔ *Aumentar.*

mengue Diablo, demonio, satanás.

menhir Anta.

menor Pequeño, inferior, benjamín. ↔ *Mayor.* || Franciscano.

menoría Inferioridad, subordinación. || Menor edad, menoridad, minoridad. ↔ *Mayoría, mayoridad.*

menos Excepto, salvo.

menoscabar Disminuir, reducir, acortar, mermar. ↔ *Aumentar.* || Deteriorar, dañar, deslucir, deslustrar, perjudicar, ajar. ↔ *Abrillantar, resaltar.* || Mancillar, desprestigiar, desacreditar, quebrantar. ↔ *Acreditar, honrar.*

menoscabo Merma, mengua, disminución. ↔ *Aumento.* || Daño, deterioro, perjuicio, deslucimiento. ↔ *Relevación, resalto.* || Quebranto, descrédito, desdoro, trasquilimocho, deshonor. ↔ *Honra, crédito.*

menospreciar Desdeñar, despreciar, desestimar, rebajar, degradar, desairar, popar, tener en menos, subestimar. ↔ *Justipreciar.*

mensaje Recado, encargo, comisión, aviso, misiva, escrito, carta.

mensajero Comisionario, ordinario, recadero, delegado, enviado, heraldo, faraute.

menstruación Regla, período, menstruo.

mensualidad Mes, mesada, sueldo, salario, haber, paga.

mentalidad Conocimiento, razón, cabeza. ↔ *Incapacidad.* || Pensamiento, concepción, cultura, manera de pensar.

mentar Nombrar, mencionar, citar, recordar. ↔ *Omitir.*

mente Inteligencia, entendimiento, espíritu, intelecto, magín, caletre. || Pensamiento, propósito, designio, intención.

mentecatez Mentecatada, mentecatería, idiotez, insensatez, necedad, imbecilidad, simpleza, majadería, sandez. ↔ *Sensatez.*

mentecato Necio, tonto, simple, idiota, menguado, imbécil, majadero, sandio, panarra, pazguato. ↔ *Sensato, listo.*

mentir Engañar, embustir, embustear, trufar, mixtificar, fingir, falsificar, disfrazar, esconder, faltar a la verdad. ↔ *Decir verdad.*

mentira Bola, trola, volandera, bulo, cuento, embuste, engaño, enredo, fábula, ficción, farsa, falsedad, filfa, gazapo, infundio, invención, paparrucha, moyana, patraña, quimera, trufa, 'camote, 'echada, 'guachara, 'magana. || Selenosis.

mentiroso Embustero, mendaz, engañador, falaz, falso, engañoso, aparente, infundioso, embustidor, bocón. ↔ *Verdadero, cierto.*

mentís Desmentida, desmen-

M

M tido, denegación, desdicho, contradicción, reprobación. ↔ *Confirmación.*

mentón Barbilla.

mentor Consejero, guía, preceptor, maestro, instructor, ayo.

menudear Frecuentar, asistir. ↔ *Vacar.* || Repetirse, reiterarse. ↔ *Fallar.* || Detallar, puntualizar, pormenorizar. ↔ *Generalizar.*

menudencia Minucia, bagatela, nadería, pequeñez, bujería, niñería, insignificancia. ↔ *Categoría.*

menudo Pequeño, chico. ↔ *Grande.* || Despreciable, baladí. ↔ *Importante.* || Plebeyo, vulgar, corriente. ↔ *Noble, distinguido.* || Exacto, detallado, escrupuloso. ↔ *Impreciso, general.*

menudos Calderilla.

meollo Seso. || Medula. || Jugo, substancia, fondo, miga. || Juicio, cordura, entendimiento, sensatez. ↔ *Necedad.*

mequetrefe Chafandín, chisgarabís, títere, tarambana, zascandil, muñeco, danzante.

merar Amerar, templar, bautizar, aguar, chapurrar.

mercader Mercadante, comerciante, traficante, tratante, mercante, negociante, mercachifle, buhonero.

mercadería Mercancía, mercaduría, artículo, género, ancheta, atijara.

mercado Contratación, feria, alhóndiga, 'gato.

mercantil Mercante, comercial.

mercantilismo Industrialismo.

mercar Traficar, comprar, adquirir, negociar, comerciar.

merced Don, dádiva, regalo, recompensa, favor, servicio. || Galardón, premio. || Voluntad, arbitrio, intención. || Misericordia, piedad, indulgencia, conmiseración. ↔ *Impiedad.*

mercenario Asalariado, soldado. || Mercedario.

mercería 'Trucha.

mercurio Azogue, hidrargirio, argento vivo.

merecer Ser digno, meritar, lograr, ganarse. ↔ *Desmerecer.*

merecimiento Mérito, virtud, derecho. ↔ *Culpa, demérito.*

merendar Comer, almorzar. || Registrar, acechar.

merendarse Apoderarse, alcanzar, conseguir. ↔ *Dejar escapar.*

merendero Cenador, glorieta, 'caramanchel. || Figón, ventorrillo, bodegón.

merendona Merienda, jira, excursión.

merengue 'Espumilla.

'merengue Alfeñique, delicado, enclenque.

meretriz Ramera.

meridiano Clarísimo, luminosísimo, diáfano. ↔ *Oscuro.*

meridional Austral, antártico. ↔ *Septentrional.*

merienda Merendona. || Corcova, chepa, jiba.

mérito Merecimiento, estimación, virtud, derecho. ↔ *Demérito.*

meritorio Digno, alabable, laudable, loable, plausible. ↔ *Reprensible.* || Aprendiz, aprendiente, auxiliar administrativo. ↔ *Oficial.*

merluza Pescada, pescadilla. || Borrachera, mona, pítima.

merma Disminución, pérdida, menoscabo, decrecimiento. ↔ *Aumento.* || Sisa, substracción.

mermar Menguar, disminuir, minorar, reducir, bajar, aminorarse, decrecer. ↔ *Aumentar.* || Quitar, sisar, hurtar.

mermelada Confitura, letuario.

mero Cherma.

mero Puro, simple, solo. ↔ *Complejo.*

merodear Explorar, reconocer, ir en descubierta. || Vagar, vagabundear, hurtar.

mesa Altar, ara. || Meseta.

mesada Mensualidad, paga.

mesar Arrancar, tirar.

mesenterio Entresijo, redaño.

meseta Mesa, altiplanicie. || Rellano, descansillo, descanso.

Mesías Jesucristo.

mesmedad Naturaleza, virtualidad.

mesnada Compañía, partida, junta.

mesón Venta, parador, hostal, hostería, posada, fonda, 'paseana.

mesonero Ventero, hostalero, posadero, huésped.

mestizo 'Calpamullo, 'cholo, 'colla, 'ñapango.

mesura Gravedad, compostura, seriedad. ↔ *Ineducación.* || Cortesía, reverencia, respeto. ↔ *Irreverencia.* || Moderación, circunspección, prudencia, cordura, juicio. ↔ *Descomedimiento.*

mesurado Comedido, prudente, moderado, circunspecto, ponderado, mirado.

M

↔ *Descomedido.* || Reglado, templado, parco, ordenado. ↔ *Desconcertado.*

meta Término, fin, objeto, objetivo, finalidad, final. ↔ *Origen.*

metafísico Oscuro, difícil, abstruso. ↔ *Fácil.*

metáfora Tropo, figura, imagen, alegoría, traslación.

metal Azófar, latón. || Calidad, condición.

metamorfosis Transformación, transmutación, cambio, mudanza, metempsícosis, mutación, avatar.

metaplasmo Figura de dicción.

meteco Advenedizo, extranjero, forastero. ↔ *Natural, aborigen.*

metemuertos Entremetido, sacasillas, metesillas, sacamuertos.

meteorito Aerolito.

meter Introducir, incluir, encajar, encerrar, empotrar, poner. ↔ *Sacar.* || Promover, levantar, ocasionar. ↔ *Apagar.* || Inducir, mover, encaminar, ingerir. ↔ *Disuadir.* || Embeber, encoger. ↔ *Alargarse.* || Colocar, estrechar, apretar, apretujar. ↔ *Ensanchar.* || Dar, propinar. ↔ *Encajar.*

meticuloso Medroso, miedoso. ↔ *Valiente.* || Escrupuloso, concienzudo, reparón, minucioso, nimio, exacto. ↔ *Irreflexivo, negligente.*

metido Abundante, excedente. ↔ *Falto.* || Puñada, golpe. || Represión, refutación, impugnación. ↔ *Consenso.*

metódico Cuidadoso, sistemático, regular, reglado,

mirado, ordenado, arreglado. ↔ *Desordenado.*

metodizar Sistematizar, normalizar, regularizar, ordenar, arreglar. ↔ *Desordenar.*

método Norma, orden, sistema, ordenación, regla, procedimiento, marcha, manera. ↔ *Desorden.* || Uso, costumbre, hábito, modo.

metonimia Trasnominación.

metralla Cascote, balín.

metrificar Versificar.

metro Norma, modelo, patrón.

metrópoli Capital.

metropolitano Arzobispal.

mezcal 'Calamaco.

mezcla Mixtión, mixtura, conmixtión, mezclamiento, mezcladura, mezcolanza, revoltillo, baturrillo, batiburrillo, compuesto, agregado, liga, aleación, amalgama, amasijo, miscelánea, calabriada, menjurje, mejunje, gatuperio, *potpourri. ↔ *Distinción.* || Argamasa, mortero.

mezclar Unir, juntar, incorporar, agregar, barajar, coadunar, mixturar, mixtionar, amalgamar. || Separar. || Embarullar, embrollar, engarbullar, conchabar. ↔ *Desembrollar.*

mezclarse Meterse, inmiscuirse, introducirse, entremeterse, ingerirse, 'entreverarse. ↔ *Alejarse, apartarse.*

mezcolanza Mezcla, frangollo, amasijo, promiscuidad. ↔ *Separación.*

mezquindad Miseria, pobreza, estrechez. ↔ *Riqueza.* || Avaricia, ruindad, cicatería, tacañería. ↔ *Dadivosidad, generosidad.*

mezquino Pobre, necesitado, indigente, miserable. ↔ *Rico.* || Tacaño, avaro, avariento, cicatero, egoísta, roñoso, sórdido, ruin, cutre. ↔ *Generoso.* || Raquítico, escaso, exiguo, corto, menguado, pequeño, diminuto, roído, tenue, escuchimizado. ↔ *Abundante.* || Desdichado, desgraciado, infeliz, transido.

mezquita Aljama.

miasma Efluvio, emanación, exhalación (nocivos).

miau Maullido, maído, mayido.

'mica Coqueta.

mico Mono, 'machín.

microbio Microorganismo, microfito, micrococo, bacilo, bacteria, infusorio. ↔ *Macroorganismo, gigante.*

microscópico Minúsculo, diminuto, pequeñísimo. ↔ *Grande, gigante.*

micho Michino, minino, gato, mizo.

miedo Temor, recelo, aprensión, inquietud, ansiedad, ansia, cuidado, espanto, terror, pavor, pánico, canguelo, jindama, mieditis, cobardía, timidez, pusilanimidad, 'julepe. ↔ *Valentía.*

miedoso Cobarde, apocado, pusilánime, temeroso, receloso, medroso, aprensivo, tímido. ↔ *Valiente.*

mielgo Mellizo, gemelo, medio.

miembro Extremidad. || Individuo, número.

mientras En tanto, entre tanto, mientras tanto, durante.

mierda Excremento, heces.

mies Trigo, cereal.

mieses Sembrados. || Cosecha, siega.

M **miga** Migaja, migajón. ‖
Molledo. ‖ Substancia,
meollo, enjundia, entidad.
migaja Miga, migajón. ‖
Trozo, sobra, resto, pedazo, partícula, 'sobrado.
migajas Desperdicios, restos, sobras, desechos.
migraña Hemicránea, . jaqueca.
mijo Borona, millo. ‖ Maíz.
‖ 'Cañahua.
mil Millar.
milagro Prodigio, portento,
maravilla. ‖ Presentalla,
exvoto.
milagroso Sobrenatural, prodigioso, portentoso, pas-
moso, maravilloso, extra-
ordinario, estupendo, asombroso. ↔ *Natural.* ‖ Mila-
grero.
milano Azor. ‖ Lucerna.
milenrama Aquilea, milho-
jas, altarreina, artemisa
bastarda.
milicia Ejército, tropa, guardia, somatén.
militar Soldado, guerrero,
combatiente, estratega. ‖
Castrense.
militar Servir, cumplir. ‖
Figurar, actuar, pertene-
cer a.
'milpa Maizal.
milla Nudo.
millonario Multimillonario,
acaudalado, potentado, fú-
car, creso, nabab, ricacho,
poderoso. ↔ *Pobre, mise-
rable.*
mimado 'Ñaño.
mimar Halagar, regalar,
acariciar. ↔ *Despreciar.* ‖
Consentir, malcriar, enviciar, acostumbrar, mal
acostumbrar. ↔ *Ser rigu-
roso.*
mimbreño Flexible, cimbreante, correoso. ↔ *Duro,
tenaz.*

mímica Imitación, gesticulación, pantomima.
mimo Caricia, halago, condescendencia, cariño, re-
galo. ↔ *Desprecio.* ‖ Vicio, consentimiento, mal-
crianza. ↔ *Severidad.*
mimosa 'Espinillo, 'plumerilla.
mimoso Melindroso, delicado, regalón, consentido.
↔ *Estrenuo.*
mina Criadero, yacimiento,
filón, minero. ‖ Excava-
ción, galería, túnel, alma-
dén.
minar Excavar, socavar, horadar. ‖ Consumir, debilitar, abatir, arruinar. ↔
Vigorizar.
minarete Alminar.
minio Azarcón.
ministerio Empleo, ejercicio, función, cargo, ocupación, profesión. ‖ Gobierno, gabinete.
ministrante Practicante, enfermero.
ministro Secretario, valido.
‖ Enviado, legado, emba-
jador, representante, agente.
ministro de Dios Sacerdote.
minorar Aminorar, disminuir, acortar, atenuar,
amortiguar, mitigar, pa-
liar, reducir, empequeñe-
cer, amenguar, restringir,
escatimar. ↔ *Aumentar.*
minoría Menoría, minori-
dad. ↔ *Mayoría.* ‖ Oposición.
minucia Menudencia, nimiedad, insignificancia,
futilidad, superfluidad, bagatela, miseria, nadería,
pequeñez. ↔ *Importancia.*
minucioso Escrupuloso, meticuloso, puntilloso, reparón, quisquilloso, nimio,

exacto. ↔ *Irreflexivo, negligente.*
minúsculo Ínfimo, mínimo,
microscópico, enano, liliputiense. ↔ *Mayúsculo.*
minuta Extracto, apunte,
apuntación, anotación, borrador. ‖ Cuenta, honora-
rios. ‖ Lista, catálogo, nómina.
minutero Saetilla, manecilla, aguja.
miope Corto de vista.
miosota Miosotis, raspilla.
mira Intención, propósito,
designio, idea, intención,
fin. ↔ *Realización.*
mirabel Ayuga, perantón,
pinillo. ‖ Girasol.
mirada Vistazo, ojeada, repaso.
mirado Cuidadoso, cauto,
atento, respetuoso, reflexivo, prudente, circunspec-
to, considerado. ↔ *Des-
atento.*
mirador Miradero, miranda, observatorio. ‖ Pabe-
llón, galería, corredor, terrado, terraza, tribuna,
balcón, torreón, *veranda,
*loggia.
miraguano 'Yuraguano.
miramiento Cuidado, circunspección, atención, cautela, respeto, recato, deferencia, prudencia, consi-
deración, repulgo, melin-
dre. ↔ *Desconsideración.*
miranda Mirador, miradero,
observatorio.
mirar Ver, observar, atender, clavar o fijar la vista, examinar, inquirir, buscar, considerar, avizorar,
ojear, contemplar, 'came-
lar. ↔ *Ensimismarse, es-
tar ausente.* ‖ Apuntar, dirigirse. ‖ Apreciar, atender, estimar, admirar. ↔
Despreciar. ‖ Pensar, re-

M

flexionar, juzgar. || Concernir, atañer, tocar, pertenecer, connotar, encajar. || Inquirir, buscar, indagar, reconocer. ↔ *Inhibirse.*

mirarse Esmerarse, reparar, cuidar.

mirasol Girasol.

miríada Multitud, legión, inmensidad. ↔ *Finitud.*

mirífico Portentoso, admirable, maravilloso, asombroso. ↔ *Desdeñable.*

mirilla Ventanilla, rejilla.

mirlo Merla, mirla.

mirobálano Avellana índica, mirabolano, belérico, 'queule.

mirto Arrayán.

misa (solemne) 'Discantada.

misántropo Huraño, arisco, insociable, amargado, sombrío, atrabiliario. ↔ *Sociable, tratable.*

miscelánea Mezcla, reunión, revoltijo, revoltillo, varia.

miserable Desdichado, infeliz, infortunado, desgraciado, mísero, desventurado. ↔ *Feliz.* || Abatido, derrotado, acobardado, necesitado, transido, menesteroso, pobre, indigente. ↔ *Rico.* || Avaro, tacaño, mezquino. ↔ *Generoso.* || Perverso, abyecto, canalla, criminal. ↔ *Honrado.*

miseria Infortunio, desdicha, desgracia, desventura, lacería. ↔ *Suerte.* || Estrechez, pobreza, escasez, desnudez, indigencia. ↔ *Riqueza.* || Avaricia, tacañería, mezquindad. ↔ *Generosidad.*

misericordia Compasión, conmiseración, lástima, piedad, alafia. ↔ *Impiedad.* || Gracia, perdón,

clemencia. ↔ *Inflexibilidad.*

misericordioso Indulgente, bondadoso, generoso, clemente, piadoso, caritativo, compasivo, sensible, filántropo, altruista, humano. ↔ *Inclemente.*

mísero Miserable.

misérrimo Paupérrimo, pobrísimo. ↔ *Riquísimo.*

misión Poder, facultad, delegación, embajada, comisión, encargo, gestión, cometido. || Predicación, apostolado.

misionero Misionario. || Predicador, apóstol, propagador.

misiva Carta, billete, esquela, aviso, escrito.

mismo Igual, exacto, idéntico, propio, semejante.

misterio Secreto, sigilo, arcano, reserva. ↔ *Revelación, evidencia.*

misterioso Oculto, recóndito, místico, arcano, secreto, reservado, oscuro, impenetrable, indescifrable, incomprensible, ininteligible, hermético, esotérico, mágico, sibilino. ↔ *Claro, evidente, palmario.*

místico Misterioso. || Espiritual, religioso.

mitad Medio. || Semi-, hemi-. ↔ *Entero.*

mítico Fabuloso, legendario, ficticio. ↔ *Verdadero, histórico.*

mitigar Dulcificar, moderar, aminorar, minorar, aplacar, suavizar, templar, calmar, atenuar, atemperar, endulzar, consolar, desenconar, paliar. ↔ *Exacerbar.*

mitin Reunión, concentración, asamblea, junta.

mito Leyenda, fábula, tra-

dición, ficción. ↔ *Hecho real.*

mitón Maniquete, confortante, guante.

mitosis Cariocinesis.

'mitote Melindre, aspaviento. || Bulla, pendencia.

'mitotero Bullanguero.

mitra Diócesis, obispado, sede.

mixtión o **mixtura** Mezcla, mezcolanza, combinación. ↔ *Separación.*

mixto Mezclado, incorporado, complejo, combinado, compuesto. ↔ *Simple.* || Mestizo. || Fósforo, cerilla.

miz o **mizo** Micho, michino, minino, gato.

moblaje Mobiliario, ajuar, menaje.

mocedad Adolescencia, muchachez, juventud.

mocetón Hombretón, mozancón, pericón.

moción Movimiento, impulso. ↔ *Quietud.* || Inclinación, propensión. ↔ *Reparo.* || Proposición, propuesta.

mocito Mocete, mozalbete, mozuelo, muchacho, mozalbillo.

moco Mucosidad, flema.

'moco Amaranto.

mocoso Arrapiezo, mocosuelo.

mochil Moril, motril, morillero.

mochila Zurrón, morral, saco, macuto, barjuleta, escarcela, 'tanate.

mocho Romo, mondado, afeitado. ↔ *Puntiagudo, canteado.* || Pelado, esquilado. ↔ *Peludo.*

'mocho Motilón.

moda Uso, usanza, boga, actualidad, novedad. ↔ *Desuso.*

M **modales** Maneras, ademanes, principios, formas, modos.

modalidad Modo, manera, particularidad, circunstancia.

modelar Formar, esculpir, crear.

modelo Pauta, muestra, medida, regla, dechado, ejemplo, patrón, tipo, ejemplar, maqueta, falsilla, figurín, espécimen, 'machote. ↔ *Copia.*

moderación Comedimiento, mesura, sobriedad, templanza, temperancia, morigeración, modicidad, discreción, prudencia. ↔ *Intemperancia, desmesura.* || Sensatez, juicio, cordura. ↔ *Insensatez.*

moderado Mesurado, comedido, sobrio, parco, templado, modesto, módico, atentado, reglado, morigerado, discreto, prudente. ↔ *Inmoderado, desarreglado.*

moderar Atemperar, templar, atenuar, aplacar, refrenar, arreglar, contener, calmar, retardar, ajustar, dulcificar, endulzar, mitigar, aminorar, suavizar, reducir, meter en freno. ↔ *Excitar, exagerar.*

modernizar Rejuvenecer, renovar, actualizar. ↔ *Envejecer.*

moderno Nuevo, actual, reciente, flamante, último, presente, contemporáneo. ↔ *Antiguo, pasado.*

modestia Recato, humildad, moderación, comedimiento, sencillez, timidez, reserva, vergüenza. ↔ *Inmodestia, orgullo.* || Honestidad, decencia, pudor, decoro. ↔ *Indecencia.*

modesto Humilde, moderado, templado, reservado, tímido, temeroso, vergonzoso. ↔ *Orgulloso.* || Honesto, decente, recatado, pudibundo, púdico, decoroso. ↔ *Indecente.*

módico Moderado, escaso, limitado, reducido, parco. ↔ *Exagerado.* || Económico, barato. ↔ *Caro.*

modificar Reformar, cambiar, variar, mudar, alterar, corregir, rectificar, restringir, enmendar, moderar, templar. ↔ *Conservar.*

modillón Can, canecillo.

modismo Idiotismo, giro.

modo Forma, manera, guisa, medio, aire, son, tono, procedimiento, método, regla.

modos Urbanidad, cortesía, educación, decencia. ↔ *Descortesía.*

modorra Soñolencia, somnolencia, soñera, flojera, pesadez, letargo, aturdimiento. ↔ *Vigilia.*

modulación Inflexión, entonación, módulo.

módulo Canon, regla, medida, tipo. || Factor, divisor. || Modulación.

mofa Burla, escarnio, befa, bufa, cuchufleta, chirigota, guasa, ludibrio, zumba, irrisión.

mofeta 'Chinga, 'yaguré, 'gorrillo, 'mapurite.

moflete Mollete, carrillo.

mofletudo Carrilludo, cariredondo, cachetudo, carilleno, 'cachetón. ↔ *Chupado.*

mogol Mongol.

mogollón Holgazán, vago, gorrón, mogrollo. ↔ *Diligente.*

mogollón (de) De gorra.

mogote Montículo, otero, mambla. || Hacina.

mogrollo Mogollón, gorrista, gorrón.

moharracho Mamarracho. || Zaharrón, botarga.

mohatra Fraude, timo, engaño.

mohín Gesto, mueca.

mohína Enfado, descontento, enojo, contrariedad, despecho. ↔ *Contento.*

mohíno Triste, melancólico, disgustado, cabizbajo, mustio. ↔ *Alegre.* || Rabilargo.

moho Orín, herrumbre, verdete, cardenillo, robín.

mohoso Ruginoso, herrumbroso, oriniento, enmohecido. ↔ *Inoxidable.*

mojadura Empapamiento, remojón.

mojar Embebecer, remojar, bañar, calar, empapar, humedecer, sumergir, asperjar, antruejar, bautizar. ↔ *Secar.*

mojicón Bollo, bizcocho. || Torta, cachete, sopapo, soplamocos, torniscón.

mojiganga Farsa, mascarada.

mojigato Gazmoño, hazañero, hipócrita, timorato, santurrón, beato. ↔ *Sincero, desenvuelto.*

mojón Poste, hito, moto, muga, señal, cipo, pina, chito.

mojón Catavinos, catador.

molde Matriz, modelo, hembra, forma, turquesa.

moldura Ataire, bocel.

mole Masa, corpulencia, bulto, cuerpo.

'molejón Farallón.

moler Mólturar, triturar, machacar, quebrantar, pulverizar, aplastar, mascar, arrepistar, majar. ↔ *Molestar.* || Cansar, maltratar.

molestar Incomodar, estorbar, embarazar, fastidiar, moler, mortificar, gibar, jeringar, jorobar, majar, chinchar, atormentar, vejar, enfadar, enojar, desagradar, contrariar, roer, potrear, apesgar, atenacear, atafagar, encocorar, matraquear, mimbrar, hostigar, asediar, cargar, aperrear, dar la matraca, 'embromar, 'fregar, 'enchilar. ↔ *Deleitar, encantar.*

molestia Molimiento, molienda, incomodidad, incomodación, estorbo, embarazo, fastidio, mortificación, joroba, giba, tormento, vejación, enfado, enojo, contrariedad, encocoramiento, matraca, hostigamiento, asedio, carga, pejiguera, extorsión, ajobo, jácara, lavativa, preocupación, alarma, trabajo, enfado, fastidio, inquietud, desagrado, desazón, amargura, perjuicio, dificultad, impedimento, sobrehueso, 'calilla, 'friega, 'gurrumía, 'tequio, 'vaina. ↔ *Agrado, deleite, delicia, goce, regalo.*

molesto Incómodo, enojoso, embarazoso, fastidioso, mortificante, dificultoso, insoportable, desagradable, fastidioso, jaquecoso, patoso, importuno, antipático, cócora, mazacote, postema, 'ahuizote, 'frondio. ↔ *Agradable, simpático.*

molicie Blandura, blandicia. || Regalo, deleite, comodidad, ocio. ↔ *Sacrificio, rudeza.*

molido Molturado, triturado, pulverizado, reducido a polvo. ↔ *En grano.* || Dolorido, cansado, deshecho, fatigado. ↔ *Reposado.*

molienda Moltura, molturación. || Molestia.

molificar Ablandar, suavizar, lenificar. ↔ *Endurecer.*

molimiento Molestia.

molinete Molinillo, torniquete. || Rehilandera, ventolera.

molino Aceña, azud, 'trapiche.

'molo Malecón.

molondro o molondrón Poltrón, holgazán, perezoso. ↔ *Diligente.*

molledo Morcillo. || Miga.

mollera Caletre, seso, cacumen, chirumen, pesquis, cabeza.

mollina o mollizna Llovizna.

momentáneo Instantáneo, breve, rápido, fugaz, pasajero, transitorio, efímero, precario, circunstancial. ↔ *Eterno.*

momento Instante, segundo, minuto, punto, soplo. ↔ *Eternidad.* || Ocasión, tiempo, circunstancia, coyuntura, actualidad, oportunidad. ↔ *Destiempo.*

momificar Desecar, disecar, embalsamar.

momio Magro. || Ganga, prima, propina, provecho.

'momo Mofa, alcocarra.

mona Borrachera, papalina, manta, pítima, tablón.

monacal Monástico, conventual, claustral, cenobítico.

monacato Monaquismo.

monaguillo Monacillo, monago, escolano, acólito.

monarca Rey, soberano, príncipe.

monasterio Convento, claustro, abadía, priorato, cenobio.

monástico Monacal.

mondadientes Escarbadientes, limpiadientes, palillo.

mondado Morondo.

mondadura Monda, cáscara, corteza, piel, peladura, desperdicio. ↔ *Carne, fruto.*

mondar Pelar, descascarar, descortezar. || Podar, escamondar.

mondaria Mundaria, ramera.

mondo y lirondo Limpio.

mondongo Intestinos, panza, andorga, barriga.

'mondongo Adefesio.

moneda Dinero, metálico, monís, peculio, plata, blanca, fondos, parné.

monería Monada, gracia, zalamería, dengue, melindre, arrumaco. || Bagatela, fruslería, nadería.

monetario Pecuniario, cremastístico.

monís Moneda.

monitor Admonitor, amonestador. || Auxiliar, subalterno, ayudante. || Instructor, profesor.

monje Anacoreta, solitario, ermitaño. || Fraile, religioso, cenobita.

mono Simio, antropoide, mico, 'machín. || Bonito, lindo, gracioso, pulido, delicado, primoroso. ↔ *Feúcho, feo.*

monocromo Unicolor.

monodia Solo. ↔ *Polifonía.*

monograma Cifra.

monólogo Soliloquio. ↔ *Coloquio.*

monomanía Paranoia, manía, idea fija, capricho, antojo, guilladura, extravagancia.

monopétalo Gamopétalo.

monopolio Exclusiva, concesión, privilegio, estanco,

M

M

acaparamiento, *trust, *cartel. ↔ *Concurrencia, venta libre.*

monopolizar Acaparar, centralizar, estancar, 'aporratar.

monosépalo Gamosépalo.

monotonía Uniformidad, regularidad, igualdad, invariabilidad, pesadez. ↔ *Variedad, diversión.*

monótono Igual, uniforme, regular, continuo, invariable, pesado, enojoso. ↔ *Variado, diverso.*

monserga Galimatías, embrollo.

monstruo Quimera, endriago, espantajo, 'abocastro, vestiglo.

monstruoso Antinatural, teratológico, inhumano. ↔ *Humano.* || Extraordinario, prodigioso, excesivo, desproporcionado, espantoso, horroroso, colosal, enorme, disforme, fenomenal. ↔ *Natural.*

monta Acaballadero. || Valor, calidad, importancia, estimación, categoría, suma, total, monto.

montacargas Ascensor.

montadura o **montaje** Montura, engaste, engarce, acoplamiento, estructura.

montante Pie derecho. || Listón, columnita, larguero. || Flujo, pleamar. ↔ *Bajamar, reflujo.*

montaña Monte, sierra, cordillera, colina, montículo, macizo, pico, cima, cumbre, punta, cabezo, elevación, cota. ↔ *Depresión.*

montañero 'Campero, alpinista.

montañoso Montuoso, escarpado, abrupto, desigual. ↔ *Llano.*

montar Subir, levantar, en-

caramar. ↔ *Bajar.* || Cabalgar. ↔ *Apearse.* || Importar, elevarse, ascender. || Acaballar, cubrir, descansar. ↔ *Recibir.* || Armar, ajustar, disponer, preparar, amartillar. ↔ *Desarmar.*

montaraz Agreste, arisco, saltero, montés, bravío, rústico, salvaje, selvático, cerril. ↔ *Domado, cultivado.*

monte Montaña.

montés Montaraz.

montículo Mogote, montecillo, terromontero, eminencia. ↔ *Hoyo.*

montón Pila, cúmulo, rimero, porrada, 'alto, 'tonga. || Multitud, sinnúmero, infinidad. ↔ *Nada, escasez.*

'montonera Almiar.

'montonero Guerrillero.

'montuno Rústico.

montuoso Montañoso.

montura Cabalgadura. || Montadura, montaje, engaste, acoplamiento, estructura, disposición, armazón, afuste. || Arreos, montadura.

monumental Grandioso, fenomenal, magno, magnífico, grande, descomunal, gigantesco, majestuoso, extraordinario, piramidal, enorme, morrocotudo. ↔ *Minúsculo, pequeño.*

monumento Obra, documento, inscripción, estatua, sepulcro, túmulo, mausoleo, altar.

moña Muñeca.

moño Castaña, rodete, 'chongo. || Penacho, copete.

moquero Pañuelo, mocador, mocadero.

moquete Puñada, remoquete, soplamocos, coscorrón, mojicón.

mora Zarzamora.

mora Dilación, tardanza, retraso, demora. ↔ *Puntualidad.*

morada Moranza, habitación, casa, hogar, domicilio, mansión, residencia. || Estadía, estancia, estada, permanencia.

morado Cárdeno, carmíneo. || Moretón.

morador Habitante, residente, vecino, poblador, inquilino, íncola.

moral Ética, Filosofía moral. || Ético, moralista.

moral Moreda, morera, 'caulote, 'cuanlote. || Zarzamora.

moraleja Lección, enseñanza, consejo, máxima, moralidad.

moralizar Reformar, aleccionar, predicar, evangelizar, catequizar. ↔ *Corromper.*

morar Habitar, vivir, residir.

moratoria Espera, demora, prórroga, plazo.

mórbido Morboso. || Blando, suave, muelle, delicado, lene. ↔ *Duro, áspero.*

morbo Enfermedad, afección, epidemia.

morboso Mórbido, enfermo, enfermizo, malsano, anormal. ↔ *Sano.*

morcillo Molledo. || Cambujo.

mordacidad Dicacidad, virulencia, causticismo, causticidad, sarcasmo.

mordaz Mordicante, cáustico, corrosivo, acre, áspero, picante. || Murmurador, punzante, dicaz, sarcástico, satírico, incisivo, susurrón. ↔ *Benigno, benévolo.*

mordedura Mordimiento,

M

mordisco, dentellada, tarascada, 'tarascón.

morder Mordicar, mordisquear, mordiscar, mascar, masticar, tarazar, tarascar, triturar. || Gastar, desgastar, roer, corroer, lacerar. || Murmurar, difamar, criticar, desacreditar, satirizar. ↔ *Alabar.*

mordihuí Gorgojo.

mordiscar Morder.

morena Cantal, cantizal, pedregal, morrena.

moreno Carinegro, bronceado, tostado, atezado, bazo, bruno, trigueño, mulato, 'choco, 'morocho.

morería Aljama.

moretón Equimosis, morado, cardenal, chirlo.

morga Alpechín, tina, murga.

moribundo Agonizante, expirante, mortecino, *in articulo mortis, *in extremis.

morigerado Comedido, sobrio, templado, mesurado, moderado. ↔ *Descomedido, desenfrenado.*

morir Fallecer, perecer, fenecer, finar, sucumbir, expirar, finir, quedarse, dar fin, estirar las piernas, cerrar los ojos, dejar este mundo, llamarlo Dios. ↔ *Nacer.*

morirse Agonizar, boquear, entregarse, irse al otro barrio, estar dando las últimas boqueadas.

morisqueta Burla, engaño, trufa, entruchada, treta, lilaila.

moro Mauritano, marroquí, moruno, rifeño, moriego, muslime, musulmán, islamita, sarraceno, agareno, berberisco, morisco.

'morocho Fresco, robusto, vigoroso. || Moreno.

morondo Moroncho, pelado, mondado.

morosidad Demora, dilación, lentitud, tardanza.

moroso Lento, tardo, tardío. || Maula, mal pagador.

morrada Testarazo, molondrón, coscorrón, cabezazo, topetazo. || Guantada, bofetada, moquete, puñada, mojicón.

morral Talego, bolsa, macuto, mochila, 'chuspa, 'escaupil. || Grosero, ordinario, zote. ↔ *Educado.*

morralla Chusma, gentualla, gentuza, taifa.

morriña Comalia, zangarriana. || Melancolía, tristeza, añoranza, nostalgia, soledad. ↔ *Alegría.*

morrión Chacó, chascás.

morro Hocico, jeta.

morrocotudo Monumental, importante, formidable, grave. ↔ *Insignificante.*

morrudo Hocicudo, jetudo, bezudo.

'mortaja Papel de fumar.

mortal Hombre, ser humano, perecedero. ↔ *Inmortal.* || Letal, fatal, mortífero. ↔ *Vital, vivificador.* || Decisivo, concluyente, seguro, cierto. ↔ *Dudoso.* || Fatigoso, penoso, abrumador, cruel, cansado, aburrido, monótono. ↔ *Fácil, divertido.*

mortandad Mortalidad, matanza, carnicería, escabechina, destrozo, hecatombe, degollina.

mortecino Moribundo, apagado, débil, bajo, tenue. ↔ *Vivo, vivaz.*

mortero Almirez. || Argamasa, mezcla, pece.

mortífero Mortal.

mortificar Molestar, afligir, dañar, doler, afligir,

desazonar, apesadumbrar, lastimar, aspar, humillar, jeringar, porrear, tarazar, castigar. ↔ *Vivificar, animar, ayudar.*

morueco Marón, murueco.

moruno Moro.

morusa Mosca, dinero, monís, moneda.

mosca Moscardón, impertinente. || Perilla. || Dinero.

moscardón Estro, moscarrón, rezno. || Moscón. || Avispón. || Abejón. || Impertinente, moscá, cócora, zángano.

mosquear Azotar, vapulear, zurrar, picar.

mosquearse Resentirse, amoscarse, sentirse, picarse.

mosquetón Carabina.

mosquito Cínife, cénzalo, violero, mosco, 'corasí.

mostacho Bigote.

mostachón Macarrón.

mostaza Ajenabe, jenabe.

mostela Haz, gavilla.

mostrar Designar, indicar, señalar, enseñar, presentar, exponer, exhibir. ↔ *Esconder, celar.* || Manifestar, patentizar, ostentar, revelar, probar, evidenciar, dar a conocer, explicar, demostrar. ↔ *Esconder, disimular.*

mostrenco Mesteño. || Ignorante, zafio, torpe, bruto. ↔ *Culto.*

mota Hilacha, nudo. || Pella, ribazo, caballón, ataguía.

mote Lema, empresa, divisa, emblema, sentencia. || Apodo, alias, motete, mal nombre, sobrenombre, baldón, denuesto.

moteado 'Saraviado.

motear Salpicar, vetear, manchar.

M **motejar** Calificar, criticar, zaherir, mortificar, censurar, satirizar.

motilón 'Mocho.

motín Sedición, alboroto, asonada, rebelión, bullanga, revuelta, tumulto, jarana, desorden.

motivar Causar, originar, dar lugar. || Justificar, explicar.

motivo Razón, causa, fundamento, móvil, ocasión, finalidad, objeto, objetivo, plataforma. ↔ *Consecuencia, efecto.* || Tema, asunto, trama, argumento.

motocicleta Moto.

motorizar Mecanizar.

motril Dependiente, mozo, muchacho. || Mochil.

movedizo Movible. || Inseguro, instable. ↔ *Firme.* || Inconstante, versátil, voluble, tornadizo. ↔ *Fiel.*

mover Trasladar, desplazar, mudar, cambiar, animar, agitar, menear, aballar, blandir, agitar, remover. ↔ *Inmovilizar, fijar.* || Persuadir, incitar, inducir, empujar, inclinar, soliviantar, excitar. ↔ *Disuadir.* || Causar, originar, ocasionar, motivar. ↔ *Detener.* || Alterar, conmover, trastornar. ↔ *Sosegar.* || Abortar. || Arrancar, salir.

movible Movedizo, móvil, moviente. ↔ *Inmóvil.* || Variable, voluble, tornadizo. ↔ *Fiel.*

'movido Enteco, raquítico.

móvil Movible, mueble. || Impulso, razón, causa, motivo. ↔ *Consecuencia.* || Vehículo.

movilidad Agilidad, actividad, desplazamiento. ↔ *Inmovilidad.*

movilizar Levantar, llamar, reunir, reclutar, armar, militarizar, abanderar. ↔ *Licenciar.*

movimiento Actividad, circulación, agitación, traslado, cambio, alteración, inquietud, conmoción. ↔ *Quietud.* || Pasión, impulso, impulsión. ↔ *Desapego, frialdad.* || Variedad, juego, alternación, animación. ↔ *Rutina.* || Marcha, maniobra, evolución, circulación. ↔ *Sosiego.*

'moya Perico de los Palotes.

moyana Mentira, engaño, ficción.

moza Chica, muchacha, criada, azafata, maritornes, camarera.

moza de partido, moza de fortuna Ramera.

mozalbete Muchacho, mocito, mozuelo, chico, mozo, mozalbillo.

mozcorra Ramera.

mozo Mancebo, joven, muchacho, mozallón, mozuelo, mozalbillo, mozalbete, mocito, 'cargador, 'chancador. || Recluta, soldado. || Soltero, célibe. ↔ *Casado.* || Ganapán, gañán, costalero, criado, albarrán, esportillero. ↔ *Amo.* || Mayoral. || Factótum. || Apoyo, sostén, tentemozo. || Gato. || Cuelgácapas, colgador, perchero.

'mucamo Criado, sirviente.

muceta Esclavina.

mucosidad Moco, flema.

muchacha Moza, criada, chica.

muchachada Chiquillería, rapazada, niñería.

muchacho Niño, chico, chiquillo, rapaz, arrapiezo, zagal, mozo, mozuelo,

mancebo, adolescente, 'chamaco, 'gurrumino.

muchachón 'Macuco.

muchedumbre Abundancia, multitud, copia, infinidad, sinnúmero, torrente, trulla, gentío, vulgo, masa. ↔ *Escasez.*

mucho Abundante, numeroso, bastante, exagerado, extremado, demasiado, 'muncho. ↔ *Poco.* || Cúmulo, cantidad, profusión, montón, copia, exceso. ↔ *Falta, defecto.* || En extremo, sobremanera, a saciedad, la mar de, de lo lindo.

muda Cambio, remuda, mudanza. || Paso, tránsito. ↔ *Fijación.*

mudable Inconstante, tornadizo, inconsecuente, voluble, versátil, variable, veleidoso, movible, movedizo. ↔ *Firme, fiel.*

mudanza Muda, traslado, cambio. || Inconstancia, variación, alteración, mutación, transformación, mudamiento. ↔ *Inalterabilidad.*

mudar Alterar, cambiar, transformar, trocar, voltear, variar. ↔ *Fijar, afirmar.* || Remover, trasladar, transportar. ↔ *Dejar.*

mudarse Irse, marcharse, liar los bártulos.

mudo Callado, taciturno, silencioso. ↔ *Hablador.*

mueble Móvil. || Trasto, trebejo, utensilio, enser.

muebles Mobiliario, moblaje, efectos.

mueca Gesto, mohín, visaje, contorsión, monería, dengue, parajismo, alcocarra.

muela Rueda de molino, volandera. || Cerro, alcor. ||

Almorta, guijo, tito. || Quijal.

muelle Delicado, suave, blando, mole, mollicio, lene. ↔ *Duro, áspero, recio.* || Voluptuoso, mórbido. ↔ *Virtuoso.* || Resorte, elástico.

muelle Andén.

muérdago Almuérdago, arfueyo, 'quintral.

muerdo Bocado.

'muérgano Antigualla.

muerte Defunción, fallecimiento, expiración, óbito, fin, acabamiento, tránsito. ↔ *Vida.* || Homicidio, asesinato. || Destrucción, ruina, aniquilamiento, término. ↔ *Erección, fundación.* || Parca.

muerto Difunto, extinto, finado, interfecto. ↔ *Vivo.* || Acabado, liquidado, inactivo, terminado. ↔ *Activo.* || Apagado, mortecino, marchito. ↔ *Vivaz.* || Cadáver, cuerpo.

muesca Entalla, entalladura, corte, cran, farda.

muestra Señal, demostración, indicio, prueba. || Rótulo. || Modelo, ejemplar, tipo, espécimen. ↔ *Copia.* || Porte, ademán, apostura. || Esfera, círculo.

muestrario Colección, selección, repertorio, catálogo.

muga Mojón, hito, linde, término.

muga Desove.

mugido Barrito, berrido, bramido, rugido.

mugir Bramar, rugir, resonar, tronar.

mugre Pringue, grasa, porquería, suciedad. ↔ *Limpieza, aseo.*

mugriento 'Chamagoso.

mugrón Provena, rastro, vástago.

mujer Hembra, varona, Eva. || Señora, dama, matrona, madama. || Esposa, cónyuge, costilla, media naranja, cara mitad, dulce enemiga, ángel del hogar, 'tusa, 'guaricha.

mujer pública, mujer mundana, mujer perdida Ramera.

mujeriego Mujeril, femenino, femenil. ↔ *Varonil.* || Mocero, rijoso, faldero.

mújol Lisa, liza, cabezudo, capitón, múgil, matajudío.

muladar Estercolero, basurero.

mulato 'Ñapango.

muleta Apoyo, sostén, muletilla, bastón.

muletilla Muleta. || Estribillo, bordón, bordoncillo.

mulo Burdégano, macho.

multa Pena, sanción, castigo.

multicolor Coloreado, colorido, policromo, vario. ↔ *Unicolor.*

multicopista Policopia, copiador.

multiforme Polimorfo, vario. ↔ *Uniforme.*

multimillonario Acaudalado, potentado, creso, archimillonario. ↔ *Pobre.*

múltiple Complejo, diverso, vario, pluriforme, plurívoco. ↔ *Único.* || Múltiplo.

multiplicar Aumentar, reproducir, propagar, procrear, acrecentar. ↔ *Dividir, reducir.*

multiplicidad Multitud, infinidad, muchedumbre, copia, abundancia, cantidad. ↔ *Escasez.*

múltiplo Múltiple, multíplice.

multitud Muchedumbre, infinitud, abundancia, sinnúmero. ↔ *Escasez.* || Vulgo, gentío, afluencia, aluvión, miríada, nubada, porrada, hormiguero, torrente, trulla, hatajo, barahúnda, turba, masa, turbamulta, pueblo, 'trascalada. ↔ *Pocos, selección.*

mullir Esponjar, ahuecar, ablandar, hispir. ↔ *Endurecer.*

'mullo Abalorio.

'muncho Mucho.

mundana Mujer mundana, ramera.

mundano Mundanal, terrenal, terreno. || Elegante, profano, fútil, frívolo. ↔ *Espiritual.*

mundaria Mujer mundana, ramera.

mundial Universal, internacional, general. ↔ *Nacional, particular.*

mundificar Limpiar, purificar, asear, purgar. ↔ *Ensuciar.*

mundillo Geldre, sauquillo, bola, mundo.

mundo Orbe, universo, Creación, cosmos. || Tierra, globo (terráqueo). || Género humano, humanidad. || Baúl, cofre. || Mundología. || Mundillo.

mundología Mundo, cortesía, educación, tacto, diplomacia, sagacidad. ↔ *Rusticidad, falta de mundo.*

mundonuevo Mundinovi, titirimundi, tutilimundi, totilimundi, cosmorama.

munición Pertrechos, armamento, bastimento, provisión. || Carga, perdigones, balería.

municionar Proveer, abastecer, aprovisionar, pertrechar.

M **municipal** Comunal, urbano. || Guardia.

municipio Municipalidad, ayuntamiento, consistorio, concejo, cabildo, merindad, behetría. || Ciudad, villa, ayuntamiento, vecindad, habitantes. || Termino municipal, règión.

munificencia Generosidad, liberalidad, esplendidez, magnificencia, largueza. ↔ *Avaricia.*

muñeca Pepona, muñeco. || Maniquí. || Hito, mojón, poste indicador. || Linda, delicada, presumida.

muñeco Figurilla, fantoche, maniquí. || Chisgarabís, mequetrefe.

muñón Tocón, 'tuco.

muralla Muro, murallón, paredón, baluarte, fortificación, defensa.

murar Cercar, amurallar, fortificar.

murciélago Morciguillo, vespertilio.

muriático Clorhídrico.

múrice Púrpura.

murmullo Rumor, susurro, bisbiseo. || Murmurio.

murmurar Murmullar, murmujear, susurrar, refunfuñar, rezongar, hablar quedo, *soto voce o entre dientes. ↔ *Gritar.* || Criticar, morder, despellejar, cortar un sayo, darse un filo a la lengua, no dejar hueso sano. ↔ *Alabar.*

muro Pared, paredón, tapia, muralla, barbacana, barrera, defensa.

murria Tristeza, tedio, esplín, morriña, malhumor, melancolía, 'flato, 'taima. ↔ *Alegría.*

murta Arrayán. || Murtón.

musa Numen, inspiración, vena, ingenio, camema. || Castálida, pegáside, piéride, helicónide. || Poesía.

musaraña Animalejo, sabandija, insecto.

muscaria o **muscicapa** Moscareta.

musco Pardo.

musculatura Carnadura, encarnadura.

musculoso Membrudo, lacertoso, fornido, vigoroso, fuerte. ↔ *Enclenque.*

museo Pinacoteca, gliptoteca, galería, exposición, colección.

muserola Sobarba.

musgaño Musaraña.

musgo 'Lama.

música Melodía, armonía, concierto. ↔ *Cacofonía.*

musical Armonioso, melodioso, ritmado. ↔ *Cacofónico.*

musicólogo Musicómano, melómano. ↔ *Melófobo.*

musitar Susurrar, mascullar, mascujar, cuchichear, bisbisar, chuchear, murmujear, murmurar, mistar. ↔ *Gritar.*

muslime Musulmán.

muslo Pernil, pospierna.

mustio Ajado, marchito, lacio. ↔ *Lozano.* || Lánguido, melancólico, mohíno, triste, decaído. ↔ *Alegre.*

musulmán Muslime, mahometano, islamita, ismaelita, sarraceno.

mutación Cambio, mudanza, variación, alteración. ↔ *Permanencia.*

mutilación Ablación, amputación, corte. ↔ *Conservación.*

mutilado Mútilo, incompleto, cortado, imperfecto, trunco, roto, descabalado, 'cuto. ↔ *Entero, intacto.* || Inválido, lisiado. ↔ *Sano y salvo, indemne.*

mutilar Cortar, quitar, amputar, cercenar, circuncidar, truncar. || Deteriorar, romper, fragmentar, estropear. ↔ *Conservar, mantener.*

mutis Salida, retirada, marcha. ↔ *Entrada.*

mutis (hacer) Callar.

mutismo Silencio, mudez.

mutuo Mutual, recíproco, alterno, solidario. ↔ *Unilateral.*

muy Asaz, bastante, harto, demasiado, sobrado.

N

naba Nabicol, nabo gallego.

nabab Creso, multimillonario, potentado, acaudalado. ↔ *Pobre*.

nabo 'Coyocho.

nacarado Nacarino, anacarado, irisado. ↔ *Liso*.

'nacascolo Dividivi.

nacencia Nacido, nacida, divieso, bulto, tumor, excrecencia, landre.

nacer Venir al mundo. ↔ *Morir*. || Salir, germinar, brotar, despuntar, prorrumpir, empezar. ↔ *Finar*. || Provenir, proceder, originarse, emanar, seguir, deducirse.

nacido Nato, oriundo, hijo, natural. || Nacencia. || Apto, a propósito, propio, idóneo. ↔ *Inadecuado, inepto*.

naciente Oriente, levante, este, orto. ↔ *Poniente*. || Reciente, incipiente, nuevo, inicial, principiante. ↔ *Moribundo*.

nacimiento Natividad, nación. || Origen, principio, natío, fuente, manantial. ↔ *Consecuencia*. || Belén. || Descendencia, casta, linaje, nacionalidad, extracción.

nación Pueblo, país, Estado, territorio, patria. || Nacimiento. || Ciudadanía, nacionalidad.

nacional Patrio, gentilicio.

nacionalidad Nación, ciudadanía, raza, naturaleza, nacimiento.

nacionalismo Patriotismo, patriotería, *chovinismo.

nacionalizar Naturalizar.

nacionalsocialismo Nazismo, hitlerismo.

'nactamal Tamal.

'nactete Pollo, polluelo.

'nachete 'Cutache.

nada Ninguna cosa, poquísimo, mínimo. || De ningún modo.

nadar Flotar, sobrenadar, mantenerse a flote, emerger. ↔ *Sumergirse*. || Bañarse, bracear. || Abundar, exceder, holgar, rebosar, afluir. ↔ *Carecer*.

nadería Fruslería, bagatela, nonada, bicoca, insignificancia, papandujo. ↔ *Entidad, categoría*.

nadie Ninguno.

'nagual Brujo, hechicero.

naipe Carta. || Baraja.

naire Cornac, cornaca.

nalga 'Canco.

nalgada Pernil. || Azote, azotazo.

nalgas Asentaderas, trasero, posaderas, salvohonor, culo, tafanario, rabel, tabalario, traspontín. || Ancas, grupa.

nana 'Rurrupata.

'nana Niñera, nodriza, chacha.

'nancear Coger.

'nango Forastero. || Tonto, necio.

nao Nave, leño, bajel, barco, navío.

naranja Cúpula.

naranja (media) Esposa, mujer, cónyuge, consorte.

naranjera Trabuco.

narcótico Dormitivo, estupefaciente, soporífero, calmante, sedante. ↔ *Excitante*.

nardo Tuberosa, vara de Jesé. || Espinacardo.

'narigada Polvo, pulgarada.

narigón Narigudo, narizón, narizudo, narizotas. ↔ *Chato*.

nariz Naso, narizota, napia. || Olfato.

narizotas 'Chamborote.

narración Relato, relación, exposición, cuento, narrativa.

narrar Contar, relatar, referir, explicar, exponer. ↔ *Callar*.

narria Mierra, rastra.

nasa Nansa, garlito, buitrón, 'catanga.

nasal Gangoso.

N

nata Flor, crema. || Excelencia, exquisitez, notabilidad, canela, miel, flor y nata, alhaja, joya. ↔ *Inferioridad, medianía, hez.*

natal Nativo. || Nacimiento, natalicio.

natalicio Aniversario, día natal, nacimiento, cumpleaños.

natillas Crema.

Natividad Navidad, nacimiento.

nativo Nato, natural, nacido, oriundo, originario, hijo, aborigen, indígena. ↔ *Extranjero.* || Innato, propio, espontáneo, conforme. ↔ *Adquirido.*

natura Naturaleza.

natural Natío, nativo, original, puro, real, propio, espontáneo, verdadero, icástico, legítimo. ↔ *Artificial.* || Originario, oriundo, hijo, nacido. ↔ *Forastero.* || Sencillo, franco, ingenuo, llano, sincero. ↔ *Artificioso.* || Corriente, común, regular, lógico, habitual, acostumbrado. ↔ *Extraño, inaudito.* || Genio,. índole, temperamento, carácter, condición, talante.

naturaleza Natura, natural, natío, esencia, virtualidad, mesmedad, sustancia. || Calidad, virtud, propiedad, disposición, orden. || Inclinación, propensión, instinto, tendencia. || Sexo. || Origen, nacimiento. || Clase, género, especie. || Genio, índole, constitución, disposición, temperamento, **carácter.**

naturalidad Simplicidad, ingenuidad, franqueza, sencillez, llaneza, lisura, afabilidad. ↔ *Afectación.*

naturalizar Nacionalizar. || Habituar, aclimatar, introducir.

naufragar Zozobrar, perderse, sumergirse, irse a pique. ↔ *Flotar.* || Fracasar, fallar, malograrse. ↔ *Lograr.*

naufragio Hundimiento. || Fracaso, desgracia, pérdida, siniestro, ruina.

náusea Arcada, basca. || Fastidio, disgusto, repugnancia, asco, 'flato, aversión. ↔ *Atracción.*

nauseabundo Nauseativo, nauseoso, inmundo, asqueroso, repugnante.

nausear Arquear.

nauta Piloto, navegante, marino, marinero, hombre de mar.

náutico Naval, marítimo.

navaja Cuchillo, charrasca, faca.

navajada Navajazo, navajonazo, cuchillada, tajo.

'navajudo Marrullero, taimado.

naval Náutico.

nave Embarcación, nao, navío, buque, bajel, leño.

navegación Náutica.

navegante Nauta.

navegar Singlar, bojear. || Transitar, trajinar.

naveta Navecilla.

Navidad Natividad. || Nacimiento.

navío Nave.

neblí Halcón gentil, nebí.

neblina Bruma, celaje, niebla, 'sabara.

nebuloso Brumoso, nublado, nuboso, nublo, nubloso. ↔ *Despejado.* || Sombrío, tétrico, triste. ↔ *Alegre.* || Confuso, difícil, abstruso, problemático, incierto, vago, oscuro, gris. ↔ *Diáfano.*

necedad Inepcia, mentecatería, mentecatez, bobería, alelamiento, estolidez, estupidez, idiotez, imbecilidad, ignorancia, sandez, insensatez, ñoñería, tontuna, nesciencia, vaciedad, simpleza, estulticia. ↔ *Conocimiento, sensatez.* || Bobada, borricada, desatino, barbaridad, despropósito, dislate, disparate, ciempiés, majadería, mentecatada, niñería, nadería, jangada, pamplina, pampirolada, pamema, pampringada, patochada, panderada, porrería, porrada, tontería, tontera, 'caballada. ↔ *Acierto, destreza.*

necesaria Retrete, excusado, privada, letrina.

necesario Fatal, inevitable, ineluctable. ↔ *Contingente, azaroso.* || Preciso, forzoso, inexcusable, ineluctable, imprescindible, indispensable, obligado, obligatorio, inevitable, urgente. ↔ *Voluntario, prescindible.* || Provechoso, útil, utilitario. ↔ *Superfluo.*

necesidad Fatalidad, azar, sino. || Obligación, precisión, menester, apuro, aprieto, ahogo. ↔ *Facultad.* || Escasez, penuria, carencia, indigencia, miseria, hambre, pobreza. ↔ *Desahogo.*

necesitado Escaso, falto, pobre, mísero, menesteroso, miserable, indigente. ↔ *Desahogado, rico.*

necesitar Precisar, requerir, hacer falta. || Haber menester, estar falto, tener precisión. ↔ *Sobrar, abundar.*

necio Inepto, incapaz, tonto, tonticano, tontiloco, tontucio, tontuelo, torpe, tocho, tontón, ganso, gaznápiro, idiota, imbécil, insensato, irreflexivo, inconsciente, lelo, majadero, mentecato, mameluco, papirote, mandria, panarra, porro, pazguato, simple, sandio, zafio, zopenco, zoquete, zote, bobo, bolonio, boto, cernícalo, cretino, corto, atontado, alelado, estólido, estúpido, estulto, obtuso, paleto, menguado, limitado, lerdo, mastuerzo, bambarria, borrego, borrico, bucéfalo, mastuerzo, mochete, motolito, ñoño, zamarro, naranjo, zamacuco, mamacallos, zampatortas, meliloto, fatuo, absurdo, moledor, analfabeto, desatinado, disparatado, imprudente, 'nango, 'otaria. ↔ *Listo, inteligente, despierto, prudente.*

necrópolis Cementerio, camposanto.

néctar Licor, jugo, elíxir.

nefando Execrable, abominable, repugnante, infame, perverso. ↔ *Elogiable.*

nefasto Funesto, aciago, triste, ominoso, desgraciado. ↔ *Alegre.*

nefrítico Renal.

negado Inepto, torpe, incapaz, inhábil, zafio. ↔ *Hábil.*

negar Desmentir, denegar, contradecir, refutar. ↔ *Afirmar.* || Rechazar, rehusar, abominar. ↔ *Creer.* || Impedir, estorbar, vedar, prohibir. ↔ *Permitir.* || Apostatar, desdecirse, retractarse, apartarse, retirarse, olvidar. ↔ *Permanecer fiel.* || Desdeñar, esquivar, ocultar, disimular. ↔ *Manifestar.*

negarse Excusarse, rehusar, cerrarse a la banda. ↔ *Avenirse.*

negativa Negación, denegación, repulsa, recusación. ↔ *Afirmación.*

negligencia Omisión, olvido, descuido, desidia, incuria, abandono, dejadez, desaliño, oscitancia. ↔ *Atención, diligencia.*

negligente Omiso, descuidado, dejado, desaplicado, desidioso, abandonado, indolente, apático, pigre, perezoso, perdulario, gandul, vainazas. ↔ *Atento, diligente.*

negociación Convenio, concierto, trato, negocio. ↔ *Desacuerdo.*

negociado Dependencia, oficina, sección.

negociante Traficante, mercader, comerciante, traficante, negociador, especulador, estraperlista.

negociar Tratar, mercar, comerciar, traficar. || Traspasar, ceder, enajenar, endosar. || Descontar. || Ventilar, diligenciar.

negocio Negociación, comercio, tráfico, asunto, convenio, trato. || Dependencia, pretensión, tratado, agencia. || Utilidad, interés, provecho, negocillo, ancheta, niquiscocio, filón, ocasión.

negrecer Ennegrecer, renegrear, negrear. ↔ *Blanquear.*

negro Oscuro, bruno, moreno, tostado, atezado, prieto, renegrido, ennegrecido, negruno, negruzco, nigrescente, retinto, sable, endrino, atramento. ↔ *Blanco.* || Sombrío, melancólico, triste, aciago, infausto, infeliz, desventurado. ↔ *Alegre.*

N

negrura Negror, oscuridad, tinieblas. ↔ *Claridad.*

neguilla Lucérnula, candileja, candilejo, neguillón.

nema Sello, cierre, lacre.

nemoroso Selvático, boscoso, silvoso.

nenúfar Golfán, escudete, ninfea.

neófito Converso, convertido, profeso, novicio, prosélito, novato.

nequicia Maldad, perversidad. ↔ *Bondad.*

nervio Tendón, aponeurosis. || Energía, eficacia, fuerza, vigor, vitalidad. ↔ *Apatía.*

nervioso Nervoso. || Excitable, irritable, impresionable, sensible. ↔ *Apático.* || Enérgico, fuerte, vigoroso, nervudo, vivo. ↔ *Blando.*

nervudo Robusto, fuerte, vigoroso, membrudo. ↔ *Débil.*

nesciencia Ignorancia, necedad. ↔ *Sabiduría.*

neto Limpio, puro, terso, inmaculado, claro, transparente, diáfano. ↔ *Empañado, sucio.* || Líquido, limpio. ↔ *Bruto.*

'neto Verde, inmaduro.

neumático Cámara, llanta, cubierta.

neurótico Neurópata, neurasténico, nervioso, anormal, trastornado.

neutral Imparcial.

neutralizar Anular, contrarrestar, contraponer, oponer.

neutro Neutral, imparcial, indeciso, indeterminado. ↔ *Parcial.*

nevada Nevasca, nevazo, nevazón, nevisca, falisca,

N ventisca, ventisco, cellisca, torva.

'nevazón Nevado, nevazo.

nevazo 'Nevazón.

nevoso Nevado, níveo, nivoso.

nexo Nudo, vínculo, enlace, unión. ↔ *Separación.*

niara Almiar, pajar.

nicho Oquedad, hueco, concavidad, hornacina, alvéolo, celdilla. || Sepultura, fosa.

nidal Ponedero, ponedor. || Refugio, guarida, nido, abrigo, morada, casa.

nido Nidal, cubil, madriguera. || Nidal, ponedero.

niebla Neblina, boira, cejo, calina, calígine, bruma, 'camanchaca. || Añublo. || Nube. || Confusión, oscuridad, sombra, tenebrosidad. ↔ *Claridad.*

nigromante Brujo, nigromántico, jorguín, mago, adivino, augur, hechicero.

nimbo Aureola, corona, lauréola, diadema.

nimiedad Prolijidad, amplitud, circunloquio, detalle, filatería. ↔ *Concisión.* || Poquedad, cortedad, puerilidad, pequeñez, exigüidad, parvedad, nonada. ↔ *Importancia.*

nimio Prolijo, minucioso, difuso, amplio, dilatado, machacón, latoso. ↔ *Conciso.* || Insignificante, ocioso, mezquino, banal, bizantino. ↔ *Importante.*

ninfa Crisálida, palomilla. || Sílfide, ondina, náyade, nereida, dríada, hamadríada, sirena, potámide, oceánide, hespérides, napea, apsara, xana.

ninfa Ramera.

niña Pupila.

niñada Niñería, chiquillada, muchachada, chicada, puerilidad.

niñera Nodriza, ama (seca), chacha, orzaya, tata, 'ñaña, rolla, rollona, 'alzadora, 'nana.

niñería Niñada. || Nimiedad, poquedad, cortedad. ↔ *Importancia.*

niñez Infancia, pequeñez, puericia, muchachez, inocencia. ↔ *Vejez.* || Origen, principio. ↔ *Acabamiento.*

niño Bebé, rorro, crío, criatura, nene, angelito, peque, chiquillo, mocoso, arrapiezo, pequeño, chico, muchacho, chaval, chavea, galopín, pollito, churumbel, 'chamaco, 'pebete. ↔ *Viejo.* || Inexperto, inexperimentado, bisoño, pipiolo, novato. ↔ *Veterano, ducho.* || Irreflexivo, inconsiderado, impulsivo, travieso, precipitado. ↔ *Reflexivo.*

niquiscocio Negocillo, ancheta, chilindrina.

nitidez Nitor, pureza, limpidez, claridad, diafanidad, transparencia. ↔ *Nebulosidad.*

nítido Limpio, claro, terso, lamido, puro, resplandeciente, transparente, pulido, inmaculado, mondo. ↔ *Impreciso, nebuloso.*

nitrato Azoato.

nitro Salitre.

nitrógeno Ázoe.

nivel Altura, altitud, cota, elevación. || Horizontalidad, ras, plano, rasante, superficie. ↔ *Desnivel.*

nivelar Allanar, emparejar, aplanar. ↔ *Desnivelar.* || Igualar, equilibrar, rasar, equiparar. ↔ *Desequilibrar.*

níveo Nevado, blanco, lechoso. ↔ *Negro, oscuro.*

no De ninguna manera, ni por pienso, ni por asomo, de ningún modo, por nada de, ni mucho menos, por nada del mundo, quiá, ca, en absoluto. ↔ *Sí, ya lo creo.*

noble Preclaro, ilustre, caballeroso, generoso, leal, honroso. ↔ *Deshonroso.* || Aristócrata, aristocrático, ahidalgado, hidalgo, señorial, linajudo, patricio, eminente, distinguido, encopetado, de alto copete. ↔ *Plebeyo.* || Excelente, estimable, superior, elevado, digno, sublime, augusto, alto, encumbrado. ↔ *Bajo, despreciable.*

nobleza Superioridad, condición, esplendor, calidad. ↔ *Inferioridad.* || Generosidad, distinción, magnanimidad, caballerosidad, hidalguía. ↔ *Bajeza, vulgaridad.* || Aristocracia, infanzonía, caballerosidad, crema, sangre azul, hidalguía. ↔ *Plebeyez.*

noción Idea, conocimiento, noticia, rudimento, principio, fundamento, elementos. ↔ *Ignorancia.*

nocivo Dañino, dañoso, perjudicial, malo, pernicioso, lesivo, maléfico, ponzoñoso, insalubre. ↔ *Beneficioso, saludable.*

noctámbulo Noctívago, nocherniego, trasnochador.

noctiluca Luciérnaga.

nocturno Nocturnal, nocturnino. ↔ *Diurno.* || Melancólico, triste, misántropo, retraído. ↔ *Alegre, comunicativo.*

noche Anochecer, crepúsculo, vigilia, tinieblas, sombra, queda. ↔ *Día.* || Oscuridad, tristeza, confusión, sombra, incertidumbre, tenebrosidad. ↔ *Claridad.*

nodriza Ama de cría, nutriz, pasiega, criandera, niñera, 'nana.

nódulo Concreción, masa, núcleo.

nogal Noguera.

nogueral Noceda, nocedal.

'noli Yesca.

nómada Ambulante, errante, vagabundo, trashumante, migratorio, merodeador, bohemio. ↔ *Asentado, habitante.*

nombradía Fama, celebridad, nombre, renombre, crédito, reputación, aceptación, nota, autoridad, lustre, lucimiento, prez, realce, esplendor. ↔ *Desconocimiento, ignorancia.*

nombramiento Nominación, designación, elección, investidura, ascenso. ↔ *Destitución.* || Despacho, título, cédula.

nombrar Designar, apellidar, denominar, llamar, mencionar, bautizar, nominar, titular, señalar, apodar, motejar, mentar, sacar, calibrar. ↔ *Ignorar, callar.* || Elegir, asignar, escoger, investir, proclamar, colocar. ↔ *Destituir.*

nombre Denominación, designación, cognomento, apellido, gracia, apelativo, calificativo, patronímico, título, apodo, dictado, seudónimo, sobrenombre, mote, alias. ↔ *Anónimo, anonimato.* || Poder, autoridad, delegación, título, facultad. ↔ *Desautorización.* || Contraseña, santo y seña. || Nombradía, re-

nombre. ↔ *Desconocimiento.*

nomenclador, nomenclátor o **nomenclatura** Catálogo, lista, índice, repertorio, nómina.

nómina Nomenclador. || Haberes, sueldos, pagas, emolumentos.

nominación Nombramiento. ↔ *Destitución.*

nominal, nominativo Denominativo. || Figurado, representativo, irreal, simbólico. ↔ *Real.*

non Impar.

nonada Nadería, fruslería, poco, nada, insignificancia, pequeñez, poquedad, menudencia. ↔ *Importancia, algo.*

nonato Inexistente, irreal. ↔ *Existente.*

nonio Vernier, nonius.

nono Noveno.

noray Proís, hincón, cáncamo, amarradero.

nordeste Gregal, brisa.

noria Aguaducho, anoria, azuda, aceña, cenia.

norma Escuadra, regla, falsilla. || Sistema, principio, regla, precepto, guía, pauta, método, conducta, criterio, procedimiento, modelo, medida, canon. ↔ *Desorden, anarquía.*

normal Acostumbrado, natural, habitual, usual, común, corriente, regular, general, frecuente, ordinario, proverbial. ↔ *Inaudito, insólito.* || Estatutario, ritual, regulado, sistemático. ↔ *Anormal.* || Perpendicular. ↔ *Oblicuo.*

normalizar Regular, régularizar, metodizar, ordenar, preceptuar, reglar, pautar. ↔ *Desordenar.*

noroeste Galego, cauro.

nornoroeste Maestral, regañón.

norte Septentrión. ↔ *Sur.* || Polo ártico. || Bóreas, aquilón, tramontana, cierzo. || Fin, objetivo, orientación, meta, dirección, rumbo, camino, objeto, finalidad.

norteamericano Estadounidense, yanqui, 'gringo.

nosocomio Hospital, clínica.

nostalgia Añoranza, morriña, melancolía, tristeza, pesar, pena, mal del país, mal de la tierra, pasión de ánimo, soledad.

nota Señal, marca, característica, contraseña. || Apostilla, notación, llamada, advertencia, acotación, anotación, glosa, escolio, apunte, noticia, comentario, dato, observación. || Reparo, censura, tilde, tacha. ↔ *Fama.* || Crédito, concepto, fama. ↔ *Tilde.* || Calificación, resultado. || Informe, comunicación, aviso, aclaración, reporte, suelto, gacetilla.

notable Grande, importante, extraordinario, considerable, superior, sobresaliente, capital, trascendente, trascendental, vital, culminante, fundamental, cardinal, precipuo, digno de atención, primordial, distinguido, principal. ↔ *Insignificante.*

notar Marcar, señalar. || Reparar, ver, percibir, distinguir, advertir, percatarse, observar, darse cuenta. ↔ *Pasar por alto.* || Apuntar, anotar, acotar, registrar, marginar, escoliar. || Dictar. ↔ *Escribir.* || Infamar, censurar, desacreditar, incriminar, re-

N

prender, amonestar. ↔ *Elo-giar.*

notario Fedatario, escribano público. || Amanuense, escribiente.

noticia Noción, idea, conocimiento, rudimento. ↔ *Ignorancia.* || Nota, apostilla. || Nombradía, fama. ↔ *Desconocimiento.* || Novedad, nueva, comunicación, suceso, aviso, anuncio, información, reporte, informe, gacetilla.

noticiar Notificar. ↔ *Esconder.*

noticiero Notificativo, informador, reportero, gacetillero, avisador, portanuevas, chismoso, alarmista. ↔ *Callado.*

notición Bulo, infundio, paparrucha, patraña, pajarote.

noticioso Conocedor, sabedor, instruido, erudito, enterado. ↔ *Ignorante.*

notificación Aviso, comunicación, participación, nombramiento.

notificar Noticiar, anunciar, declarar, comunicar, informar, participar, manifestar, revelar, hacer saber, avisar, poner sobre aviso, prevenir, significar. ↔ *Esconder, dejar en la ignorancia.*

noto Bastardo, espurio, ilegítimo. ↔ *Legítimo.*

noto Sabido, conocido, publicado, público, notorio, divulgado. ↔ *Ignoto, desconocido.*

notoriedad Nombradía, fama. ↔ *Anonimato.*

notorio Claro, evidente, palmario, cierto, manifiesto, palpable, público, patente, sabido, visible, divulgado, conocido, probado, noto,

averiguado. ↔ *Ignorado, desconocido.*

novador Novator, inventor, descubridor, fraguador, trazador, innovador. ↔ *Conservador.*

novatada Bisoñada, pipiolada, experiencia, escarmiento.

novato Novicio, novel, nuevo, niño, neófito, principiante, inexperto, pipiolo, bisoño, aprendiz, mocoso, boquirrubio. ↔ *Veterano.*

novedad Noticia, nueva. || Innovación, invención, primicia, creación, mutación, mudanza, alteración, variación, trueque. ↔ *Tradición.* || Extrañeza, originalidad, esnobismo, singularidad. ↔ *Familiaridad.*

novel Novato.

novela Narración, romance, historia, folletín. || Fábula, ficción, mentira, patraña, cuento.

novelero Variable, inconstante, vario, versátil, voluble, caprichoso, antojadizo. ↔ *Constante.* || Novador.

novelesco Romancesco, folletinesco, irreal, romántico, sentimental, soñador. ↔ *Realista.*

novelista Novelador.

noveno Nono.

noviazgo Relaciones, relaciones amorosas, corte, esponsales, desposorio.

noviciado Aprendizaje, tirocinio, pasantía, preparación, formación, educación. ↔ *Veteranía, profesión.*

novicio Novato, principiante. ↔ *Veterano.*

novilunio Luna nueva.

novillo Torillo, magüeto, eral, becerro.

novio Prometido, desposado, pretendiente, futuro.

novísimo Postrimería.

nubada, nubarrada Aguacero, chubasco. || Nube, abundancia, multitud. ↔ *Escasez.*

nube Nubarrón, barda, nublado. || Nublado, nubada, abundancia, cantidad, concurrencia, multitud, concurso, tropel, muchedumbre. ↔ *Escasez.* || Pantalla, velo, tapadera, cortina.

núbil Conyugable, casadero, viripotente.

nublado Nublo, nuboso, nubloso, ñubloso, nebuloso, encapotado, cerrado, acelajado, chubascoso, cubierto, oscuro. ↔ *Despejado.*

nublarse Emborrascarse, enfoscarse, ennegrecerse, cargarse, enmarañarse, achubascarse, encelajarse, encapotarse, cerrarse, entoldarse, oscurecerse. ↔ *Despejarse.*

nuca Cogote, testuz, cerviz.

núcleo Fruto, parte mollar. || Centro, corazón, foco, médula.

'nuco Lechuza.

'nuche Tábano.

nudillo Artejo.

nudo Ñudo, nexo, unión, vínculo, lazo, trabazón, ligamento, ligamen, ligadura, atadura, lazada. || Bulto, tumor. || Enlace, conexión, sucesión, enredo, intriga, trama. || Milla.

nuégado Hormigón.

nueva Noticia, novedad.

nuevo Novel, novato, novicio, neófito, principiante, bisoño. ↔ *Veterano.* || Reciente, flamante, fresco, moderno, actual, original, naciente, inédito, calentito, desconocido. ↔ *Viejo, pasado.*

nugatorio Engañoso, frustráneo, ilusorio, delusorio, capcioso. ↔ *Corroborativo.*

nulidad Impotencia, invalidez, incapacidad, caducidad. ↔ *Validez.* || Ignorancia, inutilidad, torpeza, ineptitud. ↔ *Habilidad, utilidad.*

nulo No válido, inútil, ilusorio, abolido, anulado, revocado, rescindido, cancelado, desvirtuado, inexistente, abrogado. ↔ *Válido.* || Ineficaz, incapaz, impotente, inepto, ignorante, torpe. ↔ *Hábil, útil.* || Ninguno.

numen Estro, inspiración, musa.

numeración Algoritmia.

numeral Numérico, numerario.

numerar Cifrar, marcar, notar, foliar, señalar, apuntar.

numerario Numeral. || Dinero, moneda, efectivo, suelto. || Activo, efectivo. ↔ *Honorario, nominal.*

número Cifra, guarismo, signo. || Cantidad, cuantía. || Condición, clase, categoría. || Verso.

numerosidad Cantidad, multitud, muchedumbre, abundancia, multiplicidad, pluralidad, profusión, copia, copiosidad, conjunto, diversidad, número, nubada. ↔ *Escasez, falta.*

numeroso Innumerable, sinnúmero, infinito, copioso, abundante, nutrido, múltiple, repetido, compacto, considerable, incontable, inagotable, muchos, profuso. ↔ *Escaso, limitado.* || Armonioso, proporcionado, rítmico. ↔ *Inarmónico.*

numisma Moneda.

nuncio Mensajero, legado, enviado, emisario, ministro, representante. || Anuncio, señal, augurio, aviso, síntoma.

nupcias Casamiento, matrimonio, boda, esponsales, desposorio, himeneo, casorio, conyungo, enlace, unión. ↔ *Divorcio, separación.*

nutria 'Huilfín.

nutrición Nutrimento, alimentación, asimilación, mantenimiento, manutención, sustentación, sostenimiento. ↔ *Desnutrición.*

nutrir Alimentar, sustentar, mantener, cebar, engordar. ↔ *Hacer pasar hambre, ayunar.* || Reforzar, aumentar, acrecer, sostener, fortalecer, robustecer, vigorizar. ↔ *Debilitar.*

nutritivo Nutricio, alimenticio, trófico, cibal, alible, alimentoso, substancioso, reconfortante, vigorizante, fortificante. ↔ *Insubstancial.*

nutriz Nodriza.

N

Ñ

'ñacanina Víbora.

'ñaco Gachas, puches.

ñagaza Añagaza, señuelo, reclamo, cebo.

'ñandú Avestruz americano.

'ñaña Niñera.

'ñaño Consentido, mimado. ‖ Amigo (íntimo). ‖ Hermano mayor.

'ñapa Adehala, añadidura.

'ñapango Mestizo, mulato.

'ñapo Junco.

ñaque Zupia, fárrago, **chafalonia, cachivada, ripio,** broza, plepla, maula, residuo. ↔ *Sustancia*.

'ñato Chato, romo. ↔ *Aguzado*.

'ñeque Fuerte, vigoroso. ‖ Fuerza, energía.

ñiquiñaque Pícaro, perillán, canalla, rufián, sollastre, bribón.

'ñisñil Anea.

ñoclo Melindre, bizcocho.

ñoñería, ñoñez Apocamiento, melindre, pusilanimidad, encogimiento, dengue, poquedad, cuitamiento, cobardía, cortedad, simpleza. ↔ *Decisión*.

ñoño Apocado, remilgado, melindroso, tímido, corto, dengoso, corito, poquito, pusilánime, cuitado, cojicoso, quejicoso, lamentoso, quejoso, jeremías, indeciso, simple. ↔ *Decidido*. ‖ Soso, insustancial, huero, vacío. ↔ *Esencial, importante*.

ñublo Nublo, **nublado**.

O

oasis Descanso, refugio, tregua, alivio, consuelo.

obcecación Ofuscamiento, ofuscación, ceguera, ceguedad, obnubilación. ↔ *Claridad, diafanidad.*

obcecarse Ofuscarse, cegarse, empeñarse, obstinarse, emperrarse. ↔ *Liberarse, desentenderse.*

obedecer Cumplir, someterse, ceder, acatar, observar, respetar, seguir, asentir, escuchar. ↔ *Desobedecer.* || Ceder, obtemperar, someterse, conformarse, prestarse, bajar la cabeza, agachar la cabeza. ↔ *Rebelarse.*

obediencia Acatamiento, sumisión, sujeción, docilidad, observancia, subordinación, disciplina, respeto, obsecuencia. ↔ *Desobediencia, rebelión.*

obediente Sumiso, dócil, bienmandado, manejable, disciplinado, obsecuente. ↔ *Desobediente, indócil, rebelde.*

obelisco Obelo, aguja, pilar.

obertura Introducción, preludio, sinfonía.

obesidad Gordura, corpulencia, polisarcia, adiposis. ↔ *Delgadez.*

obeso Gordo, grueso, corpulento, pesado, gordinflón, rechoncho, repolludo, rollizo, tripudo, barrigón, ceporro, zaborro, 'cipote. ↔ *Delgado, flaco.*

óbice Obstáculo, embarazo, impedimento, estorbo, dificultad, inconveniente, tropiezo, rémora, pantano. ↔ *Facilidad.*

obispado Mitra, diócesis, sede.

obispo Prelado.

óbito Muerte, defunción, fallecimiento, fenecimiento. ↔ *Nacimiento.*

objeción Observación, reparo, impugnación, tacha, obyecto, oposición, réplica, replicato, respuesta, contradicción. ↔ *Aprobación, consentimiento.*

objetar Replicar, oponer, refutar, contradecir, controvertir, contestar. ↔ *Confirmar, aprobar.*

objetivo Substantivo, material. ↔ *Imaginativo.* || Desinteresado, desapasionado, imparcial. ↔ *Parcial.* || Objeto, fin.

objeto Sujeto, cosa. || Materia, asunto, substancia. ↔ *Idea.* || Objetivo, fin, término, finalidad, propósito, designio, intento, intención, resultado, punto de mira, blanco.

oblación Ofrenda, ofrecimiento, sacrificio, don.

oblicuamente Al soslayo, al sesgo, de refilón.

oblicuo Sesgado, inclinado, enviajado, soslayado. ↔ *Derecho.*

obligación Imposición, exigencia, deber, necesidad, trabajera. ↔ *Facultad, libertad.* || Vínculo, dependencia, correspondencia, compromiso, reconocimiento. ↔ *Desconexión.* || Título, deuda.

obligar Exigir, imponer, constreñir, mover, compeler, impulsar, ligar, precisar. ↔ *Liberar, permitir.* || Obsequiar, favorecer, servir. ↔ *Desdeñar, desatender.* || Violentar, forzar, coaccionar.

obligatorio Forzoso, indispensable, necesario, imprescindible, preciso, insoslayable, coactivo, coercitivo, impuesto, mandado. ↔ *Libre, voluntario.*

obliterar Obstruir, obturar, embarazar, cerrar, taponar.

oblongo Alongado, alargado, prolongado. ↔ *Apaisado.*

obra Producto, producción,

O

resultado. || Libro, composición, volumen. || Trabajo, compostura, labor, faena, tarea, azana, cutio. || Construcción. || Medio, virtud, poder, intercesión, mediación.

obrador Taller, fábrica, estudio, oficina.

obraje Manufactura, fábrica.

obrar Hacer, operar, trabajar, maniobrar, manipular, maquinar. || Construir, fabricar, edificar. || Proceder, portarse, conducirse, actuar, comportarse. || Exonerar, defecar.

obrero Operario, trabajador, productor, jornalero, bracero, asalariado, peón, ganapán, proletario.

obsceno Impúdico, deshonesto, licencioso, libidinoso, lascivo, liviano, lúbrico, indecente, torpe, indecoroso, sicalíptico, pornográfico. ↔ *Decente, honesto, púdico.*

obscurecer Ensombrecer, entenebrecer, enlobreguecer, nublarse, cerrarse. || Anochecer, atardecer. ↔ *Amanecer.* || Deslustrar, ofuscar, apagar, sombrear, confundir. ↔ *Abrillantar.*

obscuridad Sombra, lobreguez, tenebrosidad, tinieblas, noche. ↔ *Claridad, día.* || Ofuscación, confusión, ofuscamiento. ↔ *Nitidez, claridad.*

obscuro Fosco, fusco, opaco, sombrío, umbroso, ensombrecido, lóbrego, tenebroso, caliginoso, nebuloso, indistinto, prieto. ↔ *Claro, diáfano.* || Confuso, inexplicable, **ininteligible**, incomprensible, abstracto, abstruso, embrollado, mis-

terioso, secreto, turbio, equívoco, sibilino, logográfico, enigmático, insondable. ↔ *Claro, comprensible, perspicuo.* || Humilde, bajo, desconocido. ↔ *Notorio, ilustre.* || Incierto, peligroso, azaroso, temeroso. ↔ *Conocido, sabido.*

obsecuente Dócil, obediente, sumiso. ↔ *Indócil.*

obsequiar Agasajar, regalar, festejar. ↔ *Despreciar.* || Galantear, requebrar, cortejar.

obsequio Regalo, agasajo, dádiva, presente, don, cuelga, contentación, fineza. ↔ *Desprecio.* || Obsequiosidad, deferencia, rendimiento, afabilidad, gatatumba. ↔ *Descortesía.*

obsequioso Oficioso, amable, rendido, complaciente, servicial, cortés, lisonjero, atento, sumiso, galante, cortesano. ↔ *Descortés.*

observación Atención, examen. || Advertencia, rectificación, nota, anotación, aclaración, reflexión, reparo, corrección, objeción.

observancia Cumplimiento, observación, reverencia, acatamiento, respeto, honor. ↔ *Desacato.*

observar Examinar, contemplar, atender, vigilar, mirar, estudiar. ↔ *Desatender.* || Cumplir, cumplimentar, respetar, obedecer, guardar, ejecutar, acatar. ↔ *Desobedecer, rebelarse.* || Espiar, atisbar, amaitinar, acechar. || Advertir, reparar.

obsesión Tema, idea fija, desvelo, inquietud, pesadilla, manía, monomanía, ofuscación, prejuicio, pre-

ocupación. ↔ *Idea efímera, ecuanimidad.*

obstáculo Impedimento, embarazo, dificultad, inconveniente, estorbo, traba, rémora, óbice, oposición, atajadero, baruca, incompatibilidad, pantano. ↔ *Facilidad.* || Barrera, trinchera, alambrada.

obstante (no) Sin embargo, a pesar de.

obstar Estorbar, impedir, empecer, ser óbice, dificultar. ↔ *Facilitar.* || Repugnar, oponerse, obviar, ser contrario. ↔ *Avenirse.*

obstetricia Tocología.

obstinación Testarudez, terquedad, porfía, tenacidad, pertinacia, resistencia, reluctancia, petera, 'birria, 'empecinamiento. ↔ *Remisión, docilidad.*

obstinado Testarudo, terco, tenaz, porfiado, pertinaz, recalcitrante, reluctante, inapeable, incorregible, temoso, tesonero, impenitente, 'empecinado, 'retobado. ↔ *Remiso, dócil.*

obstinarse Porfiar, aferrarse, empeñarse, emperrarse, encapricharse, encastillarse, entercarse, mantenerse en sus trece, cerrarse á la banda, no dar su brazo a torcer, 'empecinarse, 'empalarse. ↔ *Ceder, condescender.*

obstrucción Cierre, oclusión. ↔ *Abrimiento.* || Dificultad, impedimento. ↔ *Facilidad.*

obstruir Cerrar, cegar, taponar, tapar, obturar, atascar, ocluir, obliterar, atorar, atracar, aturar, embotellar, entupir, azolvar, interceptar, atrancar, opilar. ↔ *Abrir.* || Dificultar, estorbar, entorpecer, impedir, embarazar. ↔ *Facilitar.*

obtemperar Obedecer, acatar, asentir, conformarse, transigir, consentir, aceptar. ↔ *Resistir, desobedecer.*

obtención Consecución, logro, alcance, adquisición, producción.

obtener Alcanzar, lograr, conseguir, ganar, aquistar, conquistar, adquirir, sacar, producir, extraer. ↔ *Perder.*

obturar Obstruir, ocluir, cegar, taponar, tapar, cerrar. ↔ *Abrir.*

obturarse 'Embancarse.

obtuso Romo, boto, despuntado. ↔ *Agudo.* ‖ Tardo, rudo, torpe, lerdo, tonto, estúpido, zote. ↔ *Listo.*

obús Granada, proyectil.

obvención Emolumento, remuneración, gratificación, gaje.

obviar Apartar, evitar, eludir, remover, prevenir, remediar, zanjar. ↔ *Entorpecer.* ‖ Obstar, oponerse. ↔ *Avenirse.*

obvio Visible, manifiesto, claro, notorio, patente, sencillo, fácil, evidente. ↔ *Obscuro, difícil.*

oca Ánsar.

ocasión Circunstancia, coyuntura, oportunidad, caso, ocurrencia, conveniencia, proporción, sazón, tiempo. ‖ Causa, motivo. ‖ Peligro, riesgo, lance.

ocasión (de) De lance.

ocasional Azaroso, fortuito, accidental, eventual. ↔ *Determinado, establecido.*

ocasionar Originar, causar, producir, motivar, provo-

car, promover, mover, excitar. ↔ *Suceder, ocurrir.*

ocaso Puesta, postura, crepúsculo vespertino, anochecer, atardecer, oscurecer. ↔ *Amanecer.* ‖ Poniente, oeste, occidente. ↔ *Este, oriente.* ‖ Declinación, declivio, decadencia, postrimería, acabamiento. ↔ *Auge, esplendor.*

occidental Ponentino, ponentisco, hespérido. ↔ *Oriental.*

occidente Oeste, ocaso, poniente. ↔ *Oriente.*

occipucio Colodrillo.

océano Piélago, ponto, mar.

ocio Descanso, reposo, inacción, holganza, vacación, tregua, desocupación, ociosidad. ↔ *Actividad, trabajo.*

ociosidad Ocio, pereza, haraganería, inactividad, holgazanería, gandulería, comodidad, indolencia. ↔ *Actividad, diligencia.*

ocioso Inactivo, desocupado, parado. ↔ *Activo.* ‖ Perezoso, gandul, haragán, holgazán, vago, indolente, correznero. ↔ *Diligente, trabajador.* ‖ Inútil, infructuoso, inoperante, estéril, vano, insubstancial, insignificante, baldío. ↔ *Importante, significativo.*

ocluir Cerrar, obturar, obstruir, tupir. ↔ *Abrir.*

oclusión Cierre, obstrucción, obturación. ↔ *Abrimiento.*

'ocote Pino.

ocre Sil, tierra de Holanda, tierra de Venecia.

octogenario Ochentón.

oculista Oftalmólogo.

oculta 'Cata.

ocultamente A escondidas,

a somorgujo, a la chita callando, de tapadillo, a hurto, furtivamente.

ocultar Encubrir, tapar, disimular, velar, cubrir, disfrazar, esconder, celar, recatar, sigilar, callar, arrebozar, solapar. ↔ *Descubrir, manifestar.*

oculto Encubierto, escondido, tapado, velado, furtivo, invisible, latente, recatado, disimulado, disfrazado, secreto, reservado, ignorado, subrepticio, esotérico, anónimo, incógnito, desconocido, inhallable. ↔ *Visible, noto, descubierto.*

ocupación Apoderamiento, posesión, toma. ↔ *Renuncia, abandono.* ‖ Trabajo, quehacer, faena, tarea, labor, empleo, tráfago. ↔ *Ocio, desocupación.* ‖ Oficio, cargo, cuidado, empleo, profesión, negocio, función.

ocupar Posesionarse, apoderarse, tomar posesión, apropiarse, adueñarse, enseñorearse. ↔ *Dejar, abandonar.* ‖ Llenar, colmar. ‖ Vivir, habitar, poseer. ↔ *Desocupar.* ‖ Encargar, emplear, destinar, responsabilizar, atarear. ↔ *Aliviar, aligerar.* ‖ Estorbar, embarazar, embalumar.

ocurrencia Suceso, acontecimiento, ocasión, coyuntura, caso, lance, circunstancia, contingencia, encuentro. ‖ Chiste, agudeza, gracia, salida, pronto.

ocurrente Agudo, gracioso, chistoso, dicharachero, ingenioso. ↔ *Ganso.*

ocurrir Acontecer, acaecer, pasar, suceder, sobrevenir, ofrecerse. ↔ *Ocasionar,*

O

O

provocar. || Concurrir, acudir. || Recurrir.

odiar Aborrecer, abominar, detestar, execrar. ↔ *Amar.*

odio Aversión, antipatía, animadversión, abominación, enemistad, aborrecimiento, tirria, prevención, malquerencia, execración, desamor, rencor, encono, inquina, enemiga, repulsión, saña, animosidad, ojeriza, hiel. ↔ *Amor.*

odioso Execrable, aborrecible, detestable, abominable, indigno, vitando. ↔ *Simpático, estimable.*

odontólogo Dentista.

odorífero Odorante, aromático, fragante, oloroso, perfumado, balsámico. ↔ *Pestífero, hediondo.*

odre Pellejo, cuero, corambre, odrina, barquino, zaque.

oeste Ueste, occidente, poniente, ocaso. ↔ *Este.*

ofender Dañar, maltratar, herir. || Agraviar, insultar, injuriar, afrentar, denostar, difamar, ultrajar, baldonar, empecer, contrapuntear, atacar. ↔ *Elogiar, alabar.*

ofenderse Picarse, resentirse, enojarse, amoscarse, enfadarse, sentirse, llevar a mal. ↔ *Soportar.*

ofendido Leso.

ofensa Herida. || Ofensión, insulto, agravio, ultraje, injuria, denuesto, baldón, afrenta, difamación. ↔ *Elogio, alabanza.*

ofensivo Injurioso, afrentoso, ultrajante, insultante, agresivo, dañoso. ↔ *Inofensivo, inocuo, elogioso.*

oferta Ofrecimiento, promesa. ↔ *Aceptación.* ↔ *Rechazo.* || Don, donativo,

regalo, manda, dádiva. || Proposición, propuesta. ↔ *Demanda.*

oficial Público, legal, solemne. ↔ *Oficioso.* || Menestral, artesano, trabajador. || Verdugo. || Empleado, secretario, encargado.

oficiante Preste.

oficiar Celebrar.

oficina Oficio, despacho, escritorio, agencia, covachuela, 'asistencia. || Laboratorio. || Obrador.

oficio Profesión, ocupación, tarea, trabajo, labor, quehacer. || Cargo, empleo, ministerio, función. || Acción, gestión. || Comunicación, comunicado, escrito. || Deber, servicio. || Oficina, despacho. || Rezo.

oficiosidad Diligencia, solicitud, cuidado, aplicación, laboriosidad. ↔ *Desinterés.* || Entremetimiento, indiscreción, importunidad. ↔ *Discreción.*

oficioso Solícito, servicial, complaciente, diligente, laborioso, hacendoso, cuidadoso, 'acomedido. ↔ *Indiferente.* || Entremetido, importuno, hazañero. ↔ *Discreto.* || Extraoficial, infundado. ↔ *Oficial.* || Provechoso, eficaz, contundente. ↔ *Ineficaz.* || Mediador, componedor, intermediario.

ofrecer Ofrendar, prometer, brindar, presentar, dar, regalar, donar. ↔ *Aceptar.* ↔ *Rechazar.* || Manifestar, enseñar, mostrar, patentizar. ↔ *Esconder.* || Consagrar, dedicar, ofrendar.

ofrenda Ofrecimiento, oferta, don, oblación, dádiva,

obsequio, regalo, servicio. ↔ *Aceptación.* ↔ *Repudio.*

ofrendar Ofrecer.

ofuscación u **ofuscamiento** Turbación, trastorno, obcecación, ceguera, ceguedad, alucinamiento, obnubilación. ↔ *Discernimiento.*

ofuscar Deslumbrar, cegar, turbar, perturbar, oscurecer. ↔ *Iluminar.* || Trastornar, conturbar, embair, confundir, alucinar, obnubilar, obcecar. ↔ *Esclarecer, ilustrar.*

ogro Gigante. || Bárbaro, glotón, goloso.

oídio Cenizo, cenicilla.

oído Oreja.

oír Escuchar, auscultar, aplicar el oído, aguzar el oído, sentir, atender, entreoír, prestar atención, beber las palabras, enterarse, percibir, hacerse cargo, entender. ↔ *Ser sordo.*

ojal Ojete, presilla, alamar.

ojaranzo Carpe. || Adelfa.

ojeada Vistazo, vista, mirada, columbrón, atisbo.

ojear Mirar, trasojar, examinar, observar, repasar, observar.

ojeriza Antipatía, malquerencia, inquina, tirria, mala voluntad, enojo, rencor, rabia, aversión, odio, manía, 'cocolía, 'roña. ↔ *Simpatía.*

ojo Orificio, agujero, abertura, ojete, horado, foramen, taladro. || Manantial, fuente, hontanar. || Alerta, aviso, atención, cuidado. || Malla.

ojos Luceros, columbres, clisos, fanales.

ojota 'Usuta.

'ojota Sandalia.

ola Onda, cachón, embate, golpe de mar, oleada.

oleada Ola. || Muchedumbre, tropel, gentío, nubada, nubarrada, torbellino, caterva, porrada, agolpamiento. ↔ *Escasez.*

oleaginoso Aceitoso, grasiento, graso, grasoso, pringoso, oleoso, oleario. ↔ *Seco, áspero.*

oleastro Acebuche.

oleaje Mareta, marejada, cabrilleo, marola, olaje.

óleo Aceite.

óleos (santos) Extremaunción, unción.

oler Oliscar, olfatear, husmear, barruntar, ventear, gulusmear, fisgar. || Inquirir, indagar, buscar, averiguar, perquirir.

olfateo Olfacción, husma, husmeo.

olfato Tufo. || Sagacidad, instinto, perspicacia.

olíbano Incienso.

olímpico Celestial, divino, celeste, soberano, inmortal. ↔ *Mortal, terrenal.* || Altanero, orgulloso, engreído, soberbio. ↔ *Humilde.*

olimpo Paraíso, edén, campos elíseos, cielo.

oliscar Oler.

oliva Aceituna.

olivarda Atarraga.

olivo Oliva, olivera, arbequín, 'chañar.

olor Aroma, perfume, fragancia, esencia, bálsamo. || Efluvio, exhalación, emanación, husmo, tufo, tafarada, fetor, hedor, hediondez, fetidez, peste, pestilencia, corrupción. || Fama, reputación, opinión, concepto. || Esperanza, promesa, barrunte, indicio.

oloroso Odorífero, olorífero, odorífico, odorante, aromático, aromoso, fragante, perfumado, balsámico. ↔ *Apestoso.*

olvidadizo Desmemoriado, distraído, aturdido, negligente, abandonado. ↔ *Atento.* || Ingrato, desagradecido, egoísta. ↔ *Cumplido.*

olvidar Desaprender, descuidar, desatender, desconocer, arrinconar, abandonar, negligir, postergar, relegar, descuidar, preterir, dejar, omitir, saltar, pasar, dejar de lado, echar en saco roto, dar al olvido, hacer borrón y cuenta nueva, entregar al silencio. ↔ *Recordar.*

olvido Desmemoria, amnesia. ↔ *Memoria.* || Omisión, descuido, preterición, distracción, aturdimiento, negligencia, inadvertencia, postergación. ↔ *Recuerdo.* || Ingratitud, desagradecimiento. ↔ *Gratitud.*

olla Cacerola, puchero, marmita, pote, piñata, 'canco, 'carca, 'cajete. || Cocido, guiso. || Remolino, cadozo.

ollera Herrerillo.

omento Epiplón, redaño.

ominoso Execrable, aciago, vitando, odioso, calamitoso, azaroso, fatal, funesto, siniestro, infausto. ↔ *Fausto, alegre.*

omisión Olvido, supresión, descuido, falta, negligencia, laguna, salto, inadvertencia, imprevisión. ↔ *Recuerdo.* || Dejadez, incuria, desidia, indolencia, flojedad, pereza. ↔ *Atención.*

omiso Flojo, dejado, remiso, descuidado, negligente, tibio, abandonado, pigre. ↔ *Atento.* || Omitido, olvidado, elíptico, sobreentendido. ↔ *Explícito.*

omitir Desatender, descuidar, olvidar, prescindir, preterir, desentenderse, despreocuparse, abstenerse, dejar de. ↔ *Tener presente.* || Callar, silenciar, suprimir, ocultar, saltar, pasar en silencio, pasar por alto, saltarse a la torera, hacer caso omiso. ↔ *Citar, recordar, hacer presente.*

ómnibus Autobús, coche, diligencia, carruaje, tren.

omnipotente Todopoderoso.

omnipresencia Ubicuidad.

omniscio Omnisciente, omnisapiente.

omóplato Omoplato, espaldilla, espalda, paletilla, escápula.

onda Ola. || Ondulación, oscilación, curvatura, curva, sinuosidad. || Vibración, radiación.

ondear Ondular, flamear, serpentear, serpear, fluctuar, festonear, culebrear, flotar. || Mecerse, columpiarse.

ondina Ninfa, potámide.

ondulado Flexuoso, festoneado, serpenteado, flexible, sinuoso, variable, 'saltanejoso. ↔ *Recto.*

ondular Ondear. || Rizar, ensortijar.

oneroso Gravoso, pesado, molesto, enojoso, chinchoso. ↔ *Cómodo.* || Caro, costoso, dispendioso. ↔ *Barato.*

ónice Ónix, ónique, ágata, menfita.

onomástico Patronímico.

O 'onoto Bija.

'opa Tonto, idiota.

opacidad Intransparencia, turbiedad, obscuridad, pantalla, cortina. ↔ *Transparencia.*

opaco Obscuro, sombrío, nebuloso, velado, turbio, esmerilado, deslustrado, intransparente. ↔ *Transparente.* || Triste, melancólico, gris, lúgubre, tétrico. ↔ *Alegre.*

opado Vano, hinchado, ampuloso, grandilocuente. ↔ *Conciso.*

opción Preferencia, selección, elección, escogimiento, adopción, disyuntiva, alternativa, facultad. ↔ *Coacción.*

ópera Obra. || Poema musical, drama lírico, melodrama.

operación Actuación, ejecución, trabajo, manipulación, acción, realización. || Negociación, contrato, trato, convenio, especulación. || Intervención (quirúrgica). || Ejercicio, maniobra, marcha, combate, lucha.

operador Cirujano. || Manipulador, obrador, operante, ejecutor.

operante Activo, eficaz. || Operador.

operar Ejecutar, intervenir, realizar, elaborar, actuar, obrar, participar, terciar, manipular, interesarse, mezclarse, maniobrar, ejercitar. || Especular, negociar.

operario Obrero, trabajador, artesano, oficial.

operativo Obrante, operante, agente, activo. ↔ *Inoperante.*

ópimo Abundante, copioso, cuantioso, fértil, feraz, rico. ↔ *Pobre.*

opinión Juicio, concepto, parecer, dictamen, idea, sentir, criterio, convencimiento, suposición, creencia, sentimiento, decisión, dictamen, informe, consejo, voz, sentencia, voto, doctrina, partido. || Predicamento, fama, voz pública, reputación.

opíparo Copioso, espléndido, abundante, regalado, suculento, orgiástico, substancioso. ↔ *Escaso, mezquino.*

oponer Enfrentar, afrontar, encarar, contrarrestar, estorbar, dificultar. ↔ *Facilitar.* || Opugnar, objetar, contraponer. ↔ *Aceptar.*

oponerse Rechazar, impugnar, contradecir, contrariar, resistir, recalcitrar, excluir. ↔ *Admitir.*

oportunamente A su tiempo, al caso, en sazón, de perilla, al pelo, a tiempo y sazón, a punto.

oportunidad Sazón, coyuntura, conveniencia, pertinencia, congruencia, puntualidad, pie, lugar, ocasión, caso, circunstancia, lance, casualidad, fecha, azar, momento crítico, punto crucial. ↔ *Inoportunidad.*

oportunismo Posibilismo, contemporización, aprovechamiento. ↔ *Altruismo.*

oportunista Pancista, utilitario, aprovechador. ↔ *Altruista.*

oportuno Tempestivo, pertinente, conveniente, preciso, puntual, ocasional, congruente, aparente, crítico, adecuado, provechoso, como llovido del cielo. ↔ *Inoportuno.* || Ocurrente, gracioso, chistoso, donoso. ↔ *Patoso.*

oposición Antagonismo, contraste, contradicción, resistencia, desacuerdo, enemistad, antítesis, incompatibilidad, impugnación, encuentro, dilema, disyuntiva, pugna, colisión, rivalidad, conflicto, opugnación, negativa, dualidad, disconformidad, objeción. ↔ *Conformidad, acuerdo, unidad.* || Contraposición, impedimento, obstáculo, obstrucción, resistencia, traba, dificultad, embarazo, barrera, dique, estorbo. ↔ *Facilidad, facilitación.* || Minoría. || Concurso, examen, prueba.

opresión Dominación, imperio, subyugación, sujeción, avasallamiento, sumisión, vejación, abuso, tiranía, despotismo. ↔ *Libertad.* || Apretura, apretamiento, presión, contricción. ↔ *Abrimiento.*

opresor Autócrata, tirano, déspota, dictador, avasallador.

oprimir Apretar, comprimir, apretujar, estrujar, astreñir, aplastar, heñir, 'trincar. ↔ *Soltar.* || Agobiar, sujetar, avasallar, vejar, esclavizar, tiranizar, ahogar, aherrojar, dominar, subyugar, sojuzgar. ↔ *Libertar.*

oprobio Deshonor, deshonra, ignominia, descrédito, infamia, baldón, mancilla, mengua, estigma, deslustre, afrenta, vilipendio, vergüenza. ↔ *Honor.*

optar Escoger, elegir, preferir, adoptar, inclinarse,

decidir, tomar, triar. ↔ Renunciar.

optimismo Confianza, seguridad, tranquilidad. ↔ Pesimismo.

optimista Seguro, confiado, feliz, boyante. ↔ Pesimista.

óptimo Bonísimo, mejor, insuperable, perfecto, excelente, maravilloso, soberbio, superior, inmejorable, inapreciable. ↔ Pésimo.

opuesto Contrario, contradictorio, antagónico, adverso, adversario, enemigo, encontrado, diferente, distinto, disímil, contrapuesto, desigual, antitético, reluctante, divergente, inverso, incompatible, pugnante, contencioso. ↔ Favorable, propio, igual, idéntico.

opugnación Oposición, impugnación. ↔ Conformidad

opugnar Oponer, contraponer, dificultar, enfrentar, encontrar, obstruir. ↔ Conformar. || Refutar, objetar, combatir, redargüir, discutir, contradecir, oponerse. ↔ Asentir, avenirse. || Asaltar, atacar, asediar. ↔ Defender.

opulencia Copia, copiosidad, plétora, abundancia, superabundancia, exuberancia, profusión, demasía. ↔ Escasez, falta. || Riqueza, hacienda, fortuna, bienestar. ↔ Pobreza.

opulento Copioso, abundante, pletórico, profuso, fecundo, abundante, considerable, colmado, ubérrimo, lujuriante, exuberante. ↔ Escaso, raquítico. || Rico, ricachón, pudiente, creso,

riquísimo, millonario. ↔ Pobre.

opúsculo Obrita, folleto, ensayo, monografía.

oquedad Hueco, depresión, cavidad, vacío, intersticio, abertura, hendedura, hoyo, mella, excavación. ↔ Saliente. || Vaciedad, insubstancialidad. ↔ Enjundia.

oración Plegaria, rezo, rogativa, jaculatoria, súplica, deprecación, ruego, imploración, invocación. || Discurso, razonamiento, disertación, alocución, habla, peroración, conferencia, sermón, homilía, declamación, charla. || Proposición, frase.

oráculo Vaticinio, augurio, auspicio, predicción, profecía, adivinación.

orador Disertador, predicador, disertante, conferenciante, tribuno, declamador, arengador, abogado, pico de oro.

orangután Jocó.

oral Verbal. || Bucal.

orar Rezar, rogar, suplicar, pedir, implorar, invocar, deprecar, hablar con Dios. ↔ Blasfemar.

orate Loco, demente, ido, lunático, alienado. ↔ Cuerdo.

oratoria Elocuencia, retórica, dialéctica, facundia, verbosidad, elocución, palique, labia.

oratorio Capillita.

orbe Mundo, universo, creación. || Esfera, globo. || Círculo, redondez, periferia.

órbita Trayectoria, curva. || Ámbito, espacio, dominio, área.

orcaneta Onoquiles. || Onosma.

orden Colocación, disposición, concierto, ordenación, sucesión, relación, correspondencia, dependencia, subordinación, gradación, armonía, equilibrio, euritmia, tenor, proporción. ↔ Desorden. || Método, regla, sistema. ↔ Confusión. || Instituto, comunidad, hábito, cofradía. || Mandato, precepto, ordenanza, decreto, ordenación, bando, disposición, prescripción, mandamiento, ley, edicto, ucase.

ordenancista Legalista.

ordenanza Orden, mandato. || Reglamento, régimen, estatuto. || Asistente, machacante, subalterno, bedel, mozo.

ordenar Mandar, decretar, decidir, preceptuar, disponer, establecer. ↔ Revocar. || Arreglar, preparar, coordinar, organizar, metodizar, regularizar, armonizar, combinar, dirigir, enderezar, concertar, combinar. ↔ Desordenar.

ordinariez Inurbanidad, incivilidad, incorrección, descortesía, grosería, tosquedad, plebeyez, salvajismo, rustiquez, chabacanería. ↔ Distinción, urbanidad.

ordinario Corriente, común, frecuente, usual, normal, regular, acostumbrado, habitual, familiar, diario. ↔ Anormal, extraordinario. || Vulgar, plebeyo, bajo, inurbano, incivil, malcriado, basto, rústico, inculto, soez, bufo, chocarrero, villano, tosco, ramplón. ↔ Fino, distinguido. || Llano, simple, trivial, mediocre, fácil. ↔ Selecto. || Recade-

0

ro, mandadero, mensajero, cosario.

orear Airear, ventilar, ventear, desavahar, desventar, secar.

orégano Díctamo.

oreja Oído. || Orejeta.

orejón Zafio, tosco.

orfandad Abandono, desamparo, desarrimo, desabrigo. ↔ *Favor, paternidad.*

orfebre Orífice, orive, joyero.

orfebrería Orificia, joyería.

orfeón Coro.

organillo Manubrio.

orgánico Viviente, organizado. ↔ *Inorgánico, fósil, inanimado.*

organismo Cuerpo. || Institución, corporación, entidad, cámara, colectividad, junta.

organización Orden, ordenación, coordinación, funcionamiento, arreglo, distribución, clasificación. ↔ *Desorden.* || Organismo, órgano, representación, asociación, grupo, institución, instituto, cuerpo, ejército.

organizar Ordenar, arreglar, preparar, disponer, metodizar, coordinar, regularizar, combinar, armonizar, concertar. ↔ *Desordenar.* || Constituir, establecer, fundar, instituir, crear, reformar, instaurar, estatuir, reorganizar. ↔ *Desorganizar, disolver.*

órgano Instrumento, medio, conducto, relación. || Portavoz.

orgía Festín, banquete, saturnal, bacanal, comilona, desenfreno, escándalo.

orgullo Engreimiento, soberbia, arrogancia, alti-

vez, altanería, ensoberbecimiento, endiosamiento, elación, inflación, infatuación, fatuidad, hinchazón, presunción, vanidad, vanagloria, envanecimiento, jactancia, ostentación, pretensión, inmodestia, fachenda, fachendería, pedantería, suficiencia, humos, postín, ínfulas, ventolera, fueros, penacho. ↔ *Humildad, modestia.*

orgulloso Engreído, soberbio, altivo, arrogante, altanero, encastillado, arrogante, rozagante, estirado, hinchado, infatuado, fatuo, vano, ufano, presumido, tieso, jactancioso, fanfarrón, fanfarria, fachendoso, pedante, olímpico, empingorotado, pechisacado, ensoberbecido, endiosado, engolletado, lomienhiesto, cogotudo, envirotado. ↔ *Modesto, humilde.*

orientar Situar, emplazar, colocar. || Dirigir, encaminar, guiar, encauzar, encarrilar, enderezar. ↔ *Desencaminar.* || Informar, imponer, instruir, adiestrar, enterar.

oriente Este, levante, naciente, saliente, orto.

orificio Abertura, boca, agujero, boquete, foramen, ojo, horado, resquicio. ↔ *Taponadora.*

oriflama Estandarte, pendón, bandera, guión, enseña, gonfalón.

origen Nacimiento, principio, comienzo, causa, fuente, génesis, motivo, germen, raíz, semilla, motivo, fundamento. ↔ *Término.* || Estirpe, procedencia, linaje, ascendencia, cuna, ve-

nero, cabeza. || *Pedigree.* || Patria, país, oriundez, naturaleza.

original Nuevo, insólito, único, singular, extraño, raro, novedoso, propio, peculiar, inédito, particular. ↔ *Conocido.* || Auténtico, personal, prístino. ↔ *Copia.* || Modelo, ejemplar, patrón, muestra, tipo, ejemplar, prototipo. ↔ *Reproducción.* || Manuscrito, borrador, boceto, diseño. ↔ *Tirada, serie.*

originalidad Autenticidad, novedad, novelería, creación, innovación, esnobismo.

originar Causar, ocasionar, determinar, motivar, producir, suscitar, promover, engendrar, obrar, provocar, acarrear. ↔ *Terminar, acabar.*

originarse Seguirse, resultar, nacer, proceder, derivarse, dimanar, provenir, arrancar. ↔ *Extinguirse, morir.*

originario Primigenio, natural, oriundo, hijo, indígena, procedente.

orilla Margen, ribera. || Borde, término, límite, extremo, remate, canto, carel, acera, orla, espuenda, cenefa, faja, fimbria, banda, tira, arista, rebaba.

orilla Aura, céfiro.

orillar Solventar, concluir, terminar, resolver, liquidar, arreglar. ↔ *Enredar.* || Bordear, cantear, orlar.

orillo Hirma.

orín Moho, herrumbre, óxido, robín, verdete, cardenillo, roña.

orinal Bacín, beque, donpedro, 'escupidera, 'tibor.

orinecer Enmohecerse.

oriniento Enmohecido, oxidado, herrumbroso.

oriundo Originario.

orla Orladura, contorno, nimbo, corona, aureola, filete. || Orilla. || Adorno, ornamento, cenefa.

ornamentar Ornar, adornar.

ornamento Adorno, ornamentación, ornato, atavío, aderezo, compostura, decoración, guarnimiento, embellecimiento, gala, aparato, pompa, quillotro. ↔ *Sencillez, simplicidad.*

ornar Ornamentar, adornar, exornar, decorar, cargar, recargar, engalanar, paramentar, aderezar, aliñar, componer, enriquecer, apañar, arrear, guarnecer, afiligranar, emperifollar, acicalar. ↔ *Despojar.*

ornato Ornamento.

oro Metal amarillo. || Moneda, dinero.

oro (mina de) Placer, arrugia.

orobanca Hierba tora.

orondo Hinchado, esponjado, hueco, vacío, fofo, ahuecado. ↔ *Seco, macizo.* || Ufano, presumido, presuntuoso, engreído, orgulloso. ↔ *Modesto.*

oropel Relumbrón, bicoca, apariencia, quincalla, baratija.

oropéndola Oriol, lútea, virio, papafigo.

orquídea 'Torito, 'guaria.

orozuz Regaliz, palo duz.

ortega Corteza, churra.

orto Nacimiento, salida, aparición. || Levante, naciente, saliente, oriente.

ortodoxo Fiel, conforme, adicto, dogmático. ↔ *Heterodoxo.*

ortografía Corrección.

ortología Fonología, fonética, prosodia.

oruga Gusano, larva.

oruga Ruqueta.

orujo Brisa, hollejo, casca. || Terrón.

orvalle Gallocresta.

orzaga Salgadera, salgada, álimo, armuelle, marismo.

orzar Embicar.

orzaya Niñera.

orzuelo Divieso.

osa mayor Carro Mayor, Hélice.

osa menor Carro Menor, Cinosaura.

osadía Intrepidez, arrojo, atrevimiento, audacia, temeridad, resolución, insolencia, alas, arrestos. ↔ *Miedo, cobardía.*

osado Resuelto, arriesgado, audaz, atrevido, temerario, animoso, valiente, valentón, arrojado, emprendedor, arriscado, decidido, intrépido, trabucaire. ↔ *Miedoso, cobarde.*

osamenta Esqueleto, armazón.

osar Atreverse, aventurarse, arriesgarse, afrontar, intentar, emprender. ↔ *Titubear, hesitar.*

osario Osero, osar, carnero, cavernario, cárcava, sepultura, 'huesera.

oscilación Vibración, balanceo, fluctuación, vacilación, bamboleo, vaivén, agitación, variación. ↔ *Inmovilidad.*

oscilante Cambiante, móvil, movedizo, ondulante, fluctuante, tembloroso. ↔ *Inmóvil.*

oscilar Moverse, balancearse, bambolear, mecerse, fluctuar, vacilar, titubear, ondular. ↔ *Estar quieto.*

oscitancia Inadvertencia, descuido, negligencia. ↔ *Atención.*

ósculo Beso, buz.

oscurecer Obscurecer.

oscuridad 'Escurana.

oscuro Obscuro.

óseo Ososo, huesoso.

osero Osario, osar.

osifraga Quebrantahuesos.

ostensible Manifiesto, palpable, patente, visible, claro, público, aparente. ↔ *Disfrazado, secreto, escondido.*

ostensión Manifestación, exposición. ↔ *Ocultación.*

ostentación Pompa, fausto, lujo, boato, tren, exhibición, magnificencia, suntuosidad, aparato, manifestación, alarde, exteriorización. ↔ *Modestia, sencillez.* || Jactancia, vanagloria, vanidad, presunción, afectación, farfolla, fanfarria. ↔ *Humildad.*

ostentar Manifestar, exteriorizar, exhibir, mostrar, patentizar. ↔ *Esconder.* || Alardear, hacer gala, gallardear, lucir. ↔ *Ser discreto.*

ostentoso Magnífico, suntuoso, **a**paratoso, espléndido, grandioso, regio, pomposo, fastuoso. ↔ *Discreto, modesto.*

ostra Ostia, concha.

ostracismo Proscripción, destierro, exilio, extrañamiento, alejamiento, relegación, postergación. ↔ *Acogimiento, homenaje.*

ostugo Rincón, esquina, esconce. || Pizca, trozo.

'otaria Tonto, necio.

otear Atalayar, avizorar. || Escudriñar, registrar, mirar, observar.

otero Cerro, colina, montí-

O

culo, alcor, mogote, altozano, terromontero, 'cantón.

otomana Sofá, diván, canapé.

otoñal Autumnal.

otorgamiento Licencia, permiso, concesión, consentimiento, consenso. || Testamento, última voluntad. || Rúbrica.

otorgar Consentir, condescender, acordar, conferir, dispensar, conceder, ceder, dar. ↔ *Negar, rehusar.* || Establecer, disponer, prometer, estipular.

otro Distinto, diferente.

otrosí Además, demás de esto.

ova Lama.

ovación Triunfo, aplauso, felicitación, aprobación, vivas, hurras, palmas. ↔ *Silba, silbidos, pitada.*

ovado Oval. || Aovado, ovoide, ovoideo.

oval Ovado, ovalado.

ovante Victorioso, triunfante. ↔ *Derrotado.*

ovario Overa.

ovas Hueva.

oveja Ternasco, borrego, cordero.

'oveja Llama.

ovil Redil, aprisco.

ovillarse Encogerse, contraerse, recogerse, asobinarse, hacerse una pelota, 'arruncharse. ↔ *Dilatarse.*

ovillo Ovillejo, bola, lío, enredo, confusión.

ovino Ovejuno, lanar. || Óvido.

ovoide y **ovoideo** Oval, aovado. || Bola, conglomerado.

óvolo Cuarto bocel.

óvulo Huevo.

oxalato potásico Sal de acederas.

oxalídeo Oxalidáceo.

oxe! Ox!

oxhidrilo Hidroxilo.

oxiacanta Espino.

oxidar Enmohecer, enroñar, orinecer.

óxido Orín, herrumbre, verdín, herrín, cardenillo, verdete, moho.

oxítono Agudo.

oxiuros Gusanos, vermes.

oyente Libre.

P

pabellón Tienda, alfaneque. || Enseña, bandera, insignia, estandarte. || Nación. || Patrocinio, protección. || Colgadura, palio, dosel, baldaquín. || Glorieta, templete, quiosco. || Quinta, chalet, torre. || Marquesina.

pábilo Pabilo, torcida, mecha.

pablar Hablar, garlar, charlar.

pábulo Pasto, alimento, comida. || Sustento, victo, fomento, motivo.

paca Lío, fardo, bulto, bala, 'guatusa, 'tepezcuinte.

pacato Tímido, timorato, corto, encogido, manso, tranquilo. ↔ *Osado, atrevido.*

pacedura 'Talaje.

pacer Pastar, herbajar, ramonear, campear, yacer, comer. || Roer, gastar, consumir. || Apacentar.

paciencia Tolerancia, sufrimiento, conformidad, mansedumbre, calma, aguante, flema, longanimidad, resignación, perseverancia. ↔ *Impaciencia.* || Sosiego, espera. || Lentitud, tardanza. || Tolerancia, consentimiento.

paciente Tolerante, manso, resignado, sufrido. ↔ *Impaciente.* || Doliente, enfermo. || Consentido.

pacienzudo Calmoso, cachazudo. ↔ *Activo, argadillo.*

pacificación Tranquilidad, paz, sosiego. ↔ *Intranquilidad.*

pacificador Mediador.

pacificar Apaciguar, sosegar, aquietar, poner paz, reconciliar, tranquilizar, arreglar, componer, ordenar, calmar, aplacar, mitigar, dulcificar. ↔ *Intranquilizar.*

pacífico Quieto, tranquilo, reposado, sosegado, pausado, manso, plácido, dulce, afable, benigno, suave, grato, pacato. ↔ *Inquieto, belicoso.*

pacotilla Buhonería, mercancía, mercadería. || Desecho, zupia, bazofia.

pactar Estipular, tratar, convenir, ajustar, concertar, condicionar, negociar, entenderse, asentar. || Transigir, armonizar, contemporizar.

pacto Convenio, concierto, ajuste, tratado, estipulación, contrato, alianza, acuerdo, compromiso, convención, arreglo, inteligencia, armonía, pastel.

pachón Pachorrudo, flemático, cachazudo, tardo, pamposado, pánfilo. ↔ *Diligente.*

pachorra Tardanza, flema, calma, cachaza, remanso, indolencia. ↔ *Actividad, diligencia.*

pachucho Papandujo, pasado. || Flojo, alicaído, desmadejado. ↔ *Sano.*

padecer Experimentar, sentir, pasar. || Sufrir, penar, soportar, tolerar, aguantar.

padecimiento Mal, dolor, dolencia, daño, enfermedad, agravio.

padrastro Respigón.

padre Papá, papa, progenitor, 'tata. || Cabeza de familia, principal. || Creador, autor, inventor.

padres Progenitores, abuelos, antepasados, ascendientes, mayores.

padrinazgo Apadrinamiento. || Apoyo, protección, patrocinio, favor.

padrino Favorecedor, protector, valedor, patrocinador, bienhechor, amparador.

padrino de bodas Paraninfo.

padrón Lista, nómina, empadronamiento, encabeza-

P miento. || Patrón, modelo, dechado. || Pilar, columna.

paga Pagamento, pagamiento, pago. || Sueldo, haber, salario, soldada, jornal, honorarios, estipendio, semanal, mesada, anualidad, retribución, remuneración, gajes. || Satisfacción. || Correspondencia, recompensa.

pagador Cajero, habilitado, tesorero.

pagaduría Caja.

pagano Gentil, idólatra, infiel, incrédulo, descreído, irreligioso, politeísta. ↔ Creyente.

pagar Abonar, satisfacer, entregar, liquidar, aprontar, saldar, amortizar, cumplir, costear, sufragar, pitar, rascarse el bolsillo, 'enterar. ↔ Cobrar, deber. || Expiar. || Remunerar, recompensar, indemnizar, reconocer, subvencionar, retribuir. || Adelantar, anticipar.

pagarse Prendarse, aficionarse. || Ufanarse, jactarse.

página Hoja, carilla, plana. || Lance, suceso, episodio.

pago Paga, pagamento, pagamiento, reintegro, 'entero. || Satisfacción, premio, recompensa. || Región, distrito, comarca, alfoz.

'paico Pazote.

paila 'Tacho.

país Región, comarca, territorio, lugar, paraje, nación, patria, reino, tierra, provincia. || Paisaje, pintura.

paisaje País, panorama, vista.

paisano Compatricio, compatriota, coterráneo, con-

ciudadano. || Campesino, aldeano. || Civil.

paja Bálago. || Broza, hojarasca, rastrojo. || Brizna.

pajar Almiar, cija.

pajarear Holgazanear, gandulear, gallofear.

pajarel Pardillo, pardal, pechirrojo, pechicolorado.

pajarero Chancero, bromista, festivo.

pájaro Ave, volátil, alado. || Avecilla, pajarillo. || Astuto, taimado, zorro, cuco, pajarraco, 'guanaco. || Perdigón.

pájaro bobo 'Tolobojo.

pájaro mosca 'Rumbo, 'rundún, tominejo.

pajarota Pajarotada, noticia, bulo, infundio, patraña, paparrucha, mentira.

pajarraco Pájaro, pajarruco, pajarote.

paje Pajecillo, criado, fámulo, escudero.

pajear Comportarse, conducirse.

pajizo Pajado.

pajuela Yesca, luquete.

pala Laya, zapa, badila, achicador. || Aleta, ala, ástil. || Raqueta. || Llave. || Sondeo, sonsacamiento. || Penca, chapa. || Astucia, artificio. || Empella.

palabra Vocablo, voz, dicción, término. || Elocuencia, verbo, discurso, facundia. || Promesa, oferta. || Texto, pasaje.

palabra (de) Verbalmente, a boca.

palabras (medias) Reticencia, insinuación.

palabrería Charla, garla, cháchara, palique, filatería, locuacidad, charlatanería, labia, palabreo. ↔ Taciturnidad, tartajeo.

palabrota Terminajo, ajo, taco, grosería.

palaciego Cortesano, palaciano, palatino.

palacio Alcázar.

paladar Cielo de la boca. || Sabor, gusto.

paladear Saborear, gustar, degustar.

paladín Campeón, defensor, sostenedor, mantenedor, héroe.

paladino Manifiesto, público, patente, claro, diáfano, evidente, patente. ↔ Escondido.

palafrén Montura, cabalgadura, corcel, caz, caballo.

palafrenero Espolique, sota, picador, cochero, 'mozo, 'arrenquín.

palanca Barra, pértiga, alzaprima, espeque, perpalo, palanqueta, mangueta. || Influencia, valimiento.

palangana Palancana, jofaina, zafa, 'apaste.

palanganero Pajecillo, lavabo, aguamanil, aguamanos.

palanquín Ganapán, · mozo de cordel. || Andas, litera.

palatino Palaciego, cortesano, palaciano.

palco Aposento. || Tabladillo, palenque.

palenque Estacada, liza, arena, palestra, coso.

paleta Badil. || Llana, palustre. || Voladera. || Tabloza.

paletilla Omóplato. || Palmatoria.

paleto Palurdo, zafio, rústico, tosco, cerril, aldeano, labriego, zampatortas. ↔ Cultivado, urbano, educado.

paleto Levitón, gabán.

paliar Encubrir, disimular,

cohonestar, disculpar, velar, ocultar, excusar, cubrir. ↔ *Descubrir, evidenciar.* ‖ Atenuar, atemperar, aminorar, templar, mitigar, debilitar, suavizar, calmar, endulzar, rebajar, ablandar, disminuir, apaciguar, aliviar, aquietar, serenar. ↔ *Exacerbar.*

paliativo Paliatorio. ‖ Suavizante, atenuante, calmante, sedante, lenitivo, emoliente. ↔ *Excitante, exacerbante.*

palidez Palor, amarillez.

pálido Descolorido, deslucido, empañado, amarillento. ↔ *Vivo.* ‖ Paliducho, macilento, amarillo, descaecido, cadavérico, demudado, maganto, pocho, pachucho. ↔ *Sano, lozano.*

palillo Mondadientes, escarbadientes. ‖ Palique.

palingenesia Regeneración, renacimiento.

palinodia Retractación, recantación.

palio Pabellón, dosel, baldaquín. ‖ Capa, balandrán.

palique Charla, garrullería, charlatanería, garla, parla, parlería, palillo, cháchara, labia, facundia, verbosidad, comadreo, parloteo, 'talla.

paliza Tunda, felpa, zurra, solfa, vapuleo, tollina, somanta, azotaina, soba, sepancuantos, 'friega, 'zumba, 'lampreada.

palizada Estacada, cercado, valla, empalizada, alambrada.

palma Mano. ‖ Recompensa, gloria, triunfo, laurel. ‖ Palmera, datilera. ‖ Palmito, margallón.

palmar Morir, fenecer.

palmario Palmar, patente, manifiesto, visible, claro, notorio, evidente, paladino, palpable. ↔ *Escondido, secreto.*

palmatoria Candelero, paletilla. ‖ Palmeta.

palmear Palmotear, aplaudir.

palmera 'Carandai, 'caranday, 'catey, 'chaguaramo, 'chonta, 'guano, 'sotole.

palmeta Férula, palmatoria. ‖ Palmetazo.

'palmiche Tela.

palmito Cara, jeme, rostro.

palmito Palma, margallón.

palmotear Palmear, aplaudir.

palo Madera. ‖ Barrote, bastón, tranca, cayado, báculo, vara, marrillo. ‖ Suplicio, garrote, horca. ‖ Mástil, poste, asta, antena, puntal. ‖ Golpe, trancazo, bastonazo, lapo, zurrido.

paloma 'Camao, 'collareja, 'espumuy, 'urpila.

palomadura Atadura, ligadura.

palomero Colombófilo.

palomilla Chumacera.

palomo Pichón.

palote Palillo, baqueta. ‖ Trazo.

paloteado Paloteo, riña, disputa.

palpable Tangible, palmario, paladino, evidente, manifiesto, claro, patente, ostensible. ↔ *Escondido, intangible, inasequible.*

palpar Tocar, tentar, sobar, manosear, manipular, manejar.

pálpebra Párpado.

palpitación Latido, pulsación. ‖ Estremecimiento.

palpitante Jadeante, anhelante. ↔ *Sosegado.* ‖ Emocionante, interesante, pe-

netrante, conmovedor. ↔ *Indiferente.*

palpitar Latir. ‖ Estremecerse.

'palta y **'palto** Aguacate.

palúdico Palustre, lacustre, pantanoso, lagunero, cenagoso, húmedo. ‖ Febril.

palurdo Paleto, rústico, aldeano, tosco, cerril, zafio, rudo, zopenco, desmañado, basto, grosero, meleno, patón. ↔ *Urbano, educado.*

palustre Paleta, llana. ‖ Lacustre.

pallador 'Payador.

'pallador 'Payador, coplero, cantor, juglar.

pamema Ficción, fingimiento, paripé, melindre, pamplina, pampringada.

pampa Llanura, sabana, llano, pradera.

pámpano Pimpollo, sarmiento. ‖ Pámpana. ‖ Salpa.

pampero 'Pampeano.

pampirolada Majadería, necedad, insulsez.

pamplina Pamema, tontería, bagatela, futesa, nadería. ‖ Payasada, pampringada.

pamplina Zadorija, zapatilla de la reina. ‖ Álsine.

'pampón Corral.

pamporcino Artanita, artanica, ciclamino, pan porcino.

pamposado Poltrón, desidioso, pachorrudo. ↔ *Diligente.*

pampringada Necedad, despropósito, majadería, insubstancialidad, pamplina, pamema.

pan 'Catuto, marraqueta.

panacea Remedio, droga, sanalotodo, medicamento.

panadería Tahona, horno, pastelería, bollería.

panadizo 'Doncella, 'sietecueros.

P panal Bresca.

panarra Mentecato, simple, bobo, necio, flojo.

panatela Bizcocho.

'panca Perfolla.

pancarta Pergamino. || Cartel.

pancista Oportunista, positivista, comodón.

pandemónium Confusión, bulla, maremágnum, griterío, algazara.

pandero Adufe, pandereta, pandera. || Birlocha, cometa.

pandilla Unión, liga, reunión. || Gavilla, cuadrilla, caterva, partida, coluvie, 'carpanta.

panecillo Bollo, mollete, 'cocol.

panegírico Loa, encomio, elogio, alabanza, apología, enaltecimiento. ↔ *Censura, reprobación.*

'panela Chancaca.

panera Cesta, canasta.

panetela Papas. || Puro, cigarro.

pánfilo Tardo, pausado, parado, pazguato, lento, calmoso. ↔ *Diligente, ágil.* || Pazguato, panoli, bobo, soso, necio.

paniaguado Allegado, asalariado, servidor. || Favorecido, favorito, protegido.

pánico Espanto, terror, pavor, miedo, pavura, susto.

panícula Espiga. || Panoja.

panoja Mazorca, panocha, panícula, 'cenacle.

panoplia Trofeo, armadura.

panorama Vista, paisaje, espectáculo. || Horizonte.

pantagruélico Exorbitante, descomunal, desmesurado, exuberante. || Comilón, glotón, bebedor.

pantalón Calzón, bragas, calzas, 'calzoneras.

pantalla Mampara, reflector, visera, antipara, tulipa. || Biombo. || Encubridor, tapadera, nube. || Cinematógrafo, cine.

pantano Laguna, paular, atolladero, aguazal, lapachar, marjal, atascadero, embalse, 'bañadera, 'balsar, 'certeneja, 'esteral, 'estero, 'guadal. || Dificultad, embarazo, estorbo, obstáculo, óbice.

pantanoso Uliginoso, lagunoso, lacustre, palúdico.

pantomima Imitación, mímica, remedo.

pantorrilla Pantorra, 'canilla.

pantufla Babucha, chinela, zapatilla.

'panul Apio.

panza Panzón, pancho, abdomen, vientre, barriga, tripa, andorga.

panzada Atracón, hartazgo, hartazón, comilona.

panzudo Panzón, gordo, barrigón, barrigudo. ↔ *Delgado.*

pañete 'Casinete.

'pañete Enlucido.

paño Fieltro, tela, albero. || Colgadura, tapiz. || Materia, asunto.

pañol Compartimiento.

pañolón Mantón.

pañoso Andrajoso, zarrapastroso. ↔ *Elegante.*

pañuelo Mocador, moquero, 'vincha, 'serenero.

papa Santo Padre, Padre Santo, Pontífice, Sumo Pontífice, Romano Pontífice, Pastor Universal, Vicario de Cristo, Sumo Pastor.

papá o **papa** Padre, 'tata.

papa Patata, 'chaucha.

papas Puches, gachas, papilla.

papada Sobarba.

papafigo Becafigo, papahígo, picafigo.

papalina Becoquín, bicoquete. || Cachucha. || Gorro, cofia. || Borrachera, jumera, pítima, embriaguez.

papanatas Papahuevos, papamoscas, papatoste, bobalicón, tontaina, badulaque, sansirolé, mentecato, tonto, bobo, crédulo, pazguato. ↔ *Listo.*

papandujo Pasado, pachucho, desmadejado. ↔ *Lozano.* || Fruslería.

papar Comer, engullir, tragar.

paparrucha Mentira, falsedad, notición, bulo, papa.

papaya Lechosa.

papel Hoja, pliego. || Documento, periódico. || Papiro. || Carta, credencial, título. || Impreso. || Personaje. || Carácter. || Representación, encargo, ministerio.

papel de fumar 'Mortaja.

papelera 'Cambucho.

papeleta Cédula, ficha.

papelón Papelero, farolero, farolón.

papera Bocio, papo. || Parótida. || 'Cantimplora, 'coto.

paperas Escrófulas, lamparones.

papilla Papas, gachas.

papirote Capirote, capirotazo. || Zoquete, tonto.

papo Papada, buche. || Bocio, papera.

papón Bu, coco.

paquebote Buque, correo.

paquete Envoltorio, lío, atado, atadijo, fardo, bulto, mazo, 'bajote, 'encolado.

paquete postal 'Encomienda.

par Igual, semejante, parejo, equivalente, simétrico. ‖ Dos, pareja. ‖ Yunta. ‖ Elemento.

par (sin) Extraordinario, singular. ↔ *Adocenado.*

para A, hacia. ‖ A fin de, a que.

parabién Felicitación, pláceme, enhorabuena.

parábola Narración, alegoría, fábula, moraleja, enseñanza.

parabrisa Guardabrisa, 'brisera.

paracleto Paráclito, Espíritu Santo.

parada Fin, término. ‖ Alto, pausa, suspensión. ‖ Estación, parador. ‖ Acaballadero. ‖ Tiro. ‖ Azud. ‖ Quite. ‖ Formación, desfile, 'paseana.

paradero Término, fin, final. ‖ Seña.

'paradero Estación, apeadero.

paradisíaco Celestial, celeste, feliz, delicioso, perfecto, dichoso. ↔ *Infernal.*

parado Remiso, tímido, pánfilo, pazguato, pacato, flojo, corto. ↔ *Presto, ligero.* ‖ Desocupado, inactivo, ocioso. ↔ *Activo.* ‖ De plantón, estático. ↔ *Móvil.* ‖ Desacomodado, sin trabajo, cesante.

'parado Derecho, de pie.

paradoja Extravagancia, especiota, contradicción.

paradójico Contradictorio, chocante, exagerado, absurdo. ↔ *Racional.*

parador Hostal, hostería, mesón, posada, fonda, 'tambo.

parafrasear Comentar, explicar, glosar, escoliar.

paráfrasis Amplificación, comentario, glosa, escolio.

paraguas Quitaguas, sombrilla, quitasol, parasol.

paraguay Loro del Brasil, papagayo.

paraguaya Fresquilla.

paragüero Bastonera.

paraíso Cielo, edén, elíseo, empíreo, olimpo, nirvana. ‖ Cazuela, gallinero, general.

paraje Parte, lugar, sitio, punto, posición, situación, emplazamiento, andurrial, territorio, país, estancia. ‖ Estado, ocasión, disposición.

parajismo Mueca, visaje.

paralelismo Comparación, semejanza, correlación, correspondencia. ↔ *Divergencia.*

paralelo Semejante, comparable, correspondiente. ↔ *Divergente.* ‖ Cotejo, parangón, comparación.

paralítico Impedido, tullido, baldado. ↔ *Hábil.*

paralización Marasmo, inmovilidad, suspensión.

paralizar Inmovilizar, detener, cortar, atajar, suspender, embotar, estancar, embargar, impedir, estorbar, entorpecer, insensibilizar. ↔ *Excitar, promover, facilitar.*

paralizarse 'Acacharse.

paralogismo Sofisma.

paramentar Adornar, ataviar, decorar, acicalar.

paramento Ornamento, ornato, atavío, adorno, aparato. ‖ Sobrecubiertas, mantillas. ‖ Vestidura.

páramo Desierto, yermo, landa, sabana, 'puna.

parangón Comparación, paralelo, cotejo, semejanza, equivalencia.

parangonar Parear, cotejar, equivaler, comparar, relacionar, paralelar.

paraninfo Padrino de bodas. ‖ Salón de actos.

paranoia Manía, monomanía, locura.

paranomasia Agnominación, aliteración.

parapetarse Resguardarse, protegerse, prevenirse, precaverse, preservarse, cubrirse, abroquelarse, atrincherarse. ↔ *Descubrirse.*

parapeto Muro, pared, terraplén, baranda, resguardo, defensa, antepecho, trinchera, barricada.

parapoco Apocado, tímido, pazguato. ↔ *Osado.*

parar Cesar. ‖ Detener, suspender, atajar, paralizar, frenar, impedir, inmovilizar, 'barajar. ↔ *Proseguir, promover, continuar.* ‖ Concluir, acabar, terminar, reposar, descansar. ‖ Alojarse, hospedarse, habitar, vivir. ‖ Preparar, prevenir. ‖ Convertirse, reducirse.

'pararse Levantarse, enderezarse.

parásito Insecto. ‖ Gorrón, gorrista, chupóptero.

parasol Quitasol, sombrilla, guardasol. ‖ Umbela. ‖ Paraguas.

'paraulata Tordo.

parca Muerte.

parcela Trozo, porción, partícula, ápice, triza, pizca. ‖ Solar, 'hijuela.

parcelar 'Hijuelar.

parcial Incompleto, fragmentario, fraccionario, truncado, partido, imperfecto. ↔ *Total, completo.* ‖ Partidario, secuaz, allegado. ↔ *Enemigo, contrario.* ‖ Injusto, arbitrario.

P

P

parcialidad Partido, bando, bandería, taifa. || Preferencia, inclinación, prejuicio, desigualdad, injusticia, pasión, simpatía. ↔ *Imparcialidad, ecuanimidad.*

parco Corto, escaso, pobre, insuficiente, mezquino, roñoso. ↔ *Abundante, largo.* || Frugal, mesurado, moderado, abstinente, sobrio, abstemio, templado, reglado. ↔ *Inmoderado, desenfrenado.*

parchazo Burla, chifla, culebrazo, chunga.

parche Emplasto, pegote, cataplasma, bizma. || Tambor. || Retoque, brochazo, arrepentimiento.

parchista Sablista, gorrón, parásito.

pardal Gorrión. || Pardillo. || Aldeano, rústico. || Leopardo. || Bellaco, astuto, taimado, zascandil.

pardillo Pardal, pajarel, pechirrojo, pechicolorado.

pardo Terroso, sombrío, obscuro, musco, sucio, 'carí.

parear Comparar, paralelar, parangonar, cotejar, igualar.

parecer Opinión, dictamen, concepto, juicio, idea, creencia, entender.

parecer Aparecer, dejarse ver, salir, manifestarse, presentarse, hallarse, encontrarse, comparecer, surgir, mostrarse. ↔ *Desaparecer.* || Opinar, creer, juzgar, enjuiciar, considerar, sentir, reputar, suputar.

parecerse Asemejarse, semejar, asimilar, pintipararse. ↔ *Distinguirse.*

parecido Semejante, similar, análogo, igual, pariente, parejo, gemelo, paralelo, rayano, afín, símil, parigual, escupido. ↔ *Disímil, discrepante.* || Semejanza, analogía, similitud, maridaje, afinidad, parejura, vislumbre, aire, parentesco. ↔ *Discrepancia, heterogeneidad.*

pared Muro, tapia, tabique, paredón, muralla, jorfe, horma, lienzo, entrepaño.

pareja Par, duplo, dúo, apareamiento, dualidad, yunta, copla, 'casal. || Compañero, compañera.

parejo Parecido, similar, semejante. ↔ *Dispar.*

parejura Parecido, semejanza, similitud. ↔ *Discrepancia.*

paremia Refrán, sentencia, proverbio, adagio, frase.

parentela Familia.

parentesco Vínculo, lazo, unión, relación, enlace, conexión. || Afinidad, agnación, connotación, cognación, alianza, consanguinidad, entronque.

paréntesis Interrupción, digresión, inciso, suspensión.

parhilera Cumbrera, hilera, gallo.

paria Rufián, canalla, golfo, ilota, plebeyo, andrajo, pelagatos, echacantos, 'roto.

parida Puérpera, parturienta.

paridad Parejura, igualdad, similitud, semejanza, exactitud, equivalencia, consonancia, coincidencia, paralelismo. ↔ *Disparidad.* || Comparación, equiparación.

pariente Deudo, allegado, familiar, aliado, consan-

guíneo, agnado, cognado, afín. || Parecido, semejante. ↔ *Disímil, dispar.*

parietal Mural.

parietaria Cañarroya, albahaquilla de río.

parigual Parecido, paralelo, semejante. ↔ *Desigual.*

parihuela Camilla, angarillas, bayarte, cibiaca, 'callapo.

parir Desocupar, alumbrar, librar, dar a luz, acostar, salir de su cuidado. || Crear, producir, hacer, engendrar, causar. || Aovar.

parisiense Parisino, parisién.

parla Parloteo, charla, secreteo, conversación.

parlador Parlanchín.

parlamentar Hablar, conversar, conferenciar, dialogar, discutir, entrevistarse, tratar, pactar, ajustar, concertar, capitular.

palamentario Legado, embajador, emisario, pasavante, conciliador.

parlamento Congreso, cortes, cámara, asamblea legislativa. || Discurso, oración, arenga, razonamiento.

parlanchín Boceras, bocaza, cotorra, chacharachero, charlador, charlatán, faramallero, fodolí, garlador, garlante, gárrulo, grajo, hablador, hablanchín, lenguado, lenguilargo, lenguaraz, boquirrubio, boquiblando, boquiabierto, locuaz, palabrista, parlador, parolero, parlaembalde, picudo, picotero, tarabilla, trápala, vanílocuo, verboso. ↔ *Mudo, callado.*

parlante Hablante, elocuente, expresivo.

parlar Charlar, parlotear, pablar, paular, hablar, picotear, garlar, cascar, rajar, badajear, charlotear, chacharear, charlatanear, vancar, desembanastar. ↔ *Callar.*

parlatorio Locutorio.

parlería Parola, picotería, parleta, parolina, charla, labia, facundia, decideras, explicaderas, verba, verbosidad, verborrea, bachillería, retartalillas, fraseología, faramalla, cuento, prosa, desparpajo, soltura, garrulería, charlatanería, filatería, tarabilla. || Chisme, cuento, hablilla.

parlero Parlanchín.

parleta Parlería.

parlotear Parlar.

parné Dinero, plata, cuartos, mosca, churumo, guelte, redondo, trigo, guita.

paro Suspensión, detención, interrupción, descanso, pausa, huelga, cesación, calma, intermisión, tregua, inacción, supresión. ↔ *Movimiento, acción.* || Desempleo, desocupación, cesantía.

parodia Remedo, contrahechura, refrito, imitación, reproducción, caricatura, simulacro, disfraz.

parola Parlería.

paroxismo Accidente, síncope, acceso. || Exacerbación, enconamiento. || Exaltación, irritación, excitación, exasperación, encendimiento, fogosidad, fiebre, acaloramiento, efervescencia.

parpadear Pestañear.

párpado Pálpebra.

parque Cercado, coto, vedado, dehesa. || Jardín. || Depósito, almacén.

parquedad Parsimonia, parcidad, circunspección, sobriedad, templanza. ↔ *Exceso.*

parra Vid, labrusca, cepa.

párrafo Aparte, artículo, parágrafo.

parranda Holgorio, fiesta, jarana, jaleo, juerga, diversión, jollín, francachela, trulla, 'farra, 'tambarria, 'rumbo.

parrandear Divertirse, esparcirse, holgarse, farrear, refocilarse, loquear, andar de parranda, 'farrear.

parrandista Parrandero, jaranero, juerguista, zaragatero, fandanguero.

parrilla Asador, *ast, 'barbacoa, broqueta.

parro Pato.

párroco Cura, plébano.

parroquia Iglesia. || Feligresía, curato, clientela.

parroquiano Feligrés. || Cliente, consumidor, comprador, concurrente, 'marchante.

parsimonia Parquedad, parcidad, prudencia, circunspección, discreción, moderación, morigeración, mesura, templanza, frugalidad, sobriedad, economía, ahorro, avaricia, mezquindad. ↔ *Inmoderación, exageración, dilapidación.*

parte Porción, partícula, pedazo, fracción, fragmento, trozo, cacho, retal, retazo, segmento, sección, **división**, **sector**. || Repartición, cuota, derrama, escote, **ración**, lote. || Participación, contribución. || Paraje, sitio, lugar, puesto, punto, lado. || Libro, capítulo. || Partido, facción, bandería, banda. || Litigante. || Fautor,

partícipe, autor. || Aviso, despacho, comunicado, orden, noticia.

partera Comadrona.

parterre Arriate, platabanda.

partición División, fraccionamiento, repartición, repartimiento, distribución, partija. ↔ *Acumulación, unión.*

participación Intervención, adhesión, colaboración. ↔ *Oposición.* || Anuncio, aviso, notificación, esquela, informe. || Parte, derrama.

participante Partícipe, colaborador, interesado.

participar Noticiar, notificar, comunicar, avisar, prevenir, advertir, anunciar, significar, informar, dar parte, hacer saber. || Tener parte, colaborar, contribuir, cooperar, compartir, intervenir, terciar, entrar en.

partícipe Particionero, porcionero, fautor, copartícipe, cointeresado. ↔ *Extraño, ajeno.*

partícula Parte, porción, migaja, miga, pizca, grano, gota, parcela, brizna, molécula, átomo, corpúsculo.

particular Propio, privativo, privado, peculiar, personal, individual, doméstico, respectivo, exclusivo, sui generis. ↔ *General, complejo.* || Raro, singular, esencial, original, unívoco, prodigioso, extraño, extraordinario, especial, distinto, aislado, separado, taxativo, específico. ↔ *Corriente, común.*

particularidad Especialidad, originalidad, especia-

P

P lidad, singularidad, peculiaridad, personalidad, propiedad, rasgo, idiosincrasia.

particularizar Singularizar, especializar, definir, determinar, individualizar, individuar, aislar. ↔ *Generalizar.*

partida Partencia, marcha, salida, ida, viaje, encaminamiento, leva, despedida. ↔ *Llegada.* || Asiento, anotación, registro. || Fe, certificación. || Cuadrilla, guerrilla, pandilla, facción, banda. || Porción, cantidad, parte. || Envío, remesa, expedición. || Lugar, sitio, parte, puesto. || Muerte, defunción.

partidario Prosélito, simpatizante, adicto, secuaz, satélite, allegado, afecto, afiliado, adepto, amigo, consagrado, aficionado, fanático, incondicional, banderizo. ↔ *Enemigo.*

partido Bando, bandería, parcialidad, comunión, camarilla, taifa, capilla, congregación, secta, corro, tertulia, grupo, clan. || Ventaja, provecho, utilidad, interés, aplicación, conveniencia. || Amparo, protección, ayuda, favor. || Trato, convenio, concierto, pacto, ajuste. || Medio, procedimiento, sistema. || Disposición, resolución, determinación, opinión, decisión.

partiquino Comparsa, figurante, extra.

partir Dividir, separar, cortar, hender, rajar, abrir, romper, fraccionar, bisecar, tasar, tronchar, trinchar, tronzar, trincar, cachar, fragmentar, tajar,

seccionar, escindir, truncar, cascar, quebrar, fracturar, quebrantar, desmenuzar, desmembrar. ↔ *Unir, juntar, pegar.* || Delimitar, distribuir, compartir, repartir. || Desbaratar, desconcertar, anonadar, abatir. || Salir, marchar, arrancar, irse, partirse, largarse, marcharse, guillarse, pirarse, alejarse, ausentarse, coger el hatillo, tomar el portante, levantar velas, alzar el vuelo, liar el hato, liar los bártulos. ↔ *Llegar.*

parto Alumbramiento.

parvedad Parvidad, pequeñez, tenuidad, levedad, cortedad, poquedad, escasez. ↔ *Grandeza.*

parvificar Achicar, empequeñecer, atenuar. ↔ *Engrandecer.*

párvulo Niño, pequeño, chiquillo, criatura, infante. || Inocente, cándido, ingenuo. ↔ *Maduro.* || Humilde, cuitado, sencillo.

pasacalle Marcha.

pasada Pasadía, congrua. || Trastada.

pasadera Pasarela, puente, pasadero.

pasadero Pasadera. || Mediano, llevadero, tolerable, pasable, soportable, aceptable, admisible, razonable, medianejo, regular, mediocre. ↔ *Bueno.* ↔ *Malo.*

pasadizo Pasillo, pasaje, corredor, tránsito, ándito. || Callejón, angostura, cañón, puerto, garganta.

pasado Antigüedad, ayer. || Pretérito, anterior, remoto, lejano, vencido, caducado, fiambre, muerto. ↔ *Actual, presente* || Desertor, tránsfugo.

pasador Matutero, contrabandista, metedor. || Cerrojo, pestillo. || Fiador, sujetador. || Imperdible, broche, aguja. || Colador, coladero, filtro.

pasaje Travesía, paso, comunicación, pasatiempo, tránsito. || Estrecho, portillo, angostura, enfoscadero. || Paraje, fragmento, paso, trozo, punto, parte, lugar. || Texto, antífona. || Peaje, impuesto.

pasajero Breve, corto, fugaz, efímero, temporal, momentáneo, transitorio, perecedero. ↔ *Eterno, duradero.* || Caminante, viandante, transeúnte, pasante. || Viajero.

pasamanería Cordonería, galoneadura, galones.

pasamano Barandal, barandilla.

pasante Ayudante, auxiliar, asistente, meritorio, amanuense. || Pasajero, viajante.

pasantía Aprendizaje, noviciado.

pasapán Garganta.

pasaportar Licenciar, expedir. || Expulsar, despedir, destituir, dar el pasaporte.

pasaporte Pase, permiso, salvoconducto.

pasar Conducir, llevar, trasladar, transportar. || Mudar, cambiar, transferir. || Ir, franquear, atravesar, transitar, entrar, circular, doblar, cruzar, saltar, salvar, trasmontar, remontar, vencer, superar, rebasar, vadear. || Mandar, remesar, enviar, remitir, transmitir, traspasar. || Meter, introducir, alijar. || Aventajar, sobrepujar, exceder, sobrepasar. || Tolerar, sufrir, aguantar, soportar, padecer. || Filtrar, tamizar, cerner. || Engullir, tragar, deglutir. || Aceptar, aprobar, admitir. || Esconder, ocultar, callar, negligir, disimular. || Perdonar, dispensar. || Leer, repasar, estudiar, aprender. || Comunicarse, propagarse, extenderse, ampliarse, contagiarse, divulgarse. || Vivir, subsistir, vegetar, ir pasando. || Moverse, agitarse, correr, caminar, andar, funcionar. || Mediar, transcurrir, emplear, ocupar, matar. || Morir, expirar, fenecer, desaparecer, cesar, acabar, terminar, finalizar. || Mantenerse, durar, resistir. || Ocurrir, ofrecerse. || Acaecer, suceder, ocurrir, acontecer, devenir.

pasarela Puente, pasadera.

pasarse Abandonar, volver la casaca, desertar. || Estropearse, pudrirse, anublarse, marchitarse. || Agotarse, consumirse || Exceder, desmedirse, descomedirse, extralimitarse. || Rezumar.

pasatiempo Entretenimiento, solaz, diversión, distracción, juego, ocupación, esparcimiento, placer, devaneo, recreo, regocijo, quisicosa, trástulo, solitario.

pasavolante Festinación, arrebato, tropel, chapuz.

pase Permiso, paso, **auto**rización, aprobación, exequátur, plácet, consentimiento, anuencia, carta blanca, licencia, salvoconducto, pasaporte. || Finta.

'paseana Etapa, parada, descanso. || Tambo, mesón.

paseante Vagante, trotacalles, errante, desocupado.

pasear Andar, vagar, asolearse, airearse, orearse, callejear, ruar, deambular, circular, rondar, tomar el sol, estirar las piernas, tomar el aire, dar una vuelta.

paseo Paseata, pavonada, caminata, bordada, excursión, salida, ejercicio. || Rambla, prado, alameda, avenida.

pasiflora Pasionaria.

pasillo Pasadizo, corredor, pasaje, crujía, ándito, tránsito, carrejo, galería.

pasión Sufrimiento, padecimiento. || Vehemencia, ardor, entusiasmo, calor, arrebato, fanatismo, arranque, delirio, emoción, frenesí, llama, fuego, fiebre, furor, transporte, incendio, efusión, ceguera, paroxismo, gusanera. ↔ *Indiferencia.* || Afición, afecto, amor, afección, inclinación, preferencia, apego, querencia. ↔ *Aversión.* || Pasividad.

pasividad Pasión, paciencia, padecimiento, susceptibilidad, sufrimiento. ↔ *Acción.* || Inacción, inmovilidad, inercia, calma. ↔ *Actividad.*

pasivo Víctima, paciente, susceptible, indiferente, inactivo, inmóvil, neutro, quieto, inerte, estático. ↔ *Activo.*

pasmado Aturdido, atribulado, confuso, patitieso, achicado, tolondro, zolocho, tamañito.

pasmar Helar, enfriar, congelar. || Aturdir, atolondrar, confundir, embarazar, trastornar, desorien-

tar, sacar de tino, volver tarumba. ↔ *Serenar.* || Maravillar, despampanar, embelesar, suspender, enajenar, embarazar, extasiar.

pasmarota Pasmarotada, contorsión, aspaviento, pataleta, embazadura.

pasmarote Estafermo, monigote, muñeco, alelado.

pasmarse Desfallecer, embeberse, encanarse, helársele el corazón.

pasmarse de frío Aterirse.

pasmo Enfriamiento, hielo, resfriado. || Admiración, aturdimiento, estupefacción, enajenación, embobamiento, suspensión, enajenamiento, asombro, maravilla.

pasmón Necio, bobo.

pasmoso Asombroso, formidable, estupendo, maravilloso, prodigioso, portentoso, sorprendente, extraordinario, admirable, raro, conmovedor. ↔ *Corriente, vulgar.*

paso Tranco, trancada, pisada, zancada, patada. || Huella. || Escalón, grada, peldaño. || Pasaje, travesía. || Camino, vereda, azogador, arriate. || Porte, aire, marcha. || Gestión, diligencia, empresa. || Pase, permiso. || Lance, suceso, aventura, trance, episodio. || Progreso, adelantamiento, ascenso, progreso, avance. || Dificultad, circunstancia, momento crucial. || Mudanza, giro, pirueta || Quedo, blandamente, a la chita callando, en voz baja.

pasquín Placarte, póliza.

pasta Argamasa, masa, empaste, gachas. || Encuadernación.

P

P

pastar Apacentar, pacer, herbajar, rozar, campear, pastorar.

pastel Torta, bollo, empanada, dulce. || Trampa, fullería. || Convenio, conchabanza, pacto, chanchullo, enjuague, contemporización, 'tamal, 'tongo.

pastelear Contemporizar, pactar, transigir, blandear.

pastelería Dulcería, confitería, repostería, 'bizcochería.

pastelero Hornero. || Repostero, hojaldrista. || Contemporizador, acomodaticio, transigente.

pastilla Tableta, gragea, comprimido.

pastizal 'Zacatal.

pasto Alimento, pábulo, sustento, comida, fomento, incentivo, 'zacate. || Pastura, pacedura.

pastor Zagal, mayoral, albarrán, rabadán, vaquero, cabrero, porquerizo, cabrerizo, 'campañista, 'gaucho, 'tropero. || Cura, prelado, obispo, eclesiástico, sacerdote.

pastoral Pastoril, pastoricio, pecuario, rebañiego. || Bucólico, idílico. || Égloga, bucólica. || Encíclica.

pastoría Pastoreo.

pastos Majadal, pasturaje, apacentadero, boalar, prado.

pastoso Espeso, viscoso, blando, cremoso, denso, fangoso, suave. ↔ Duro, seco. || Gangoso.

pastura 'Talaje.

pata Pierna, zanca, gamba, remo, extremidad. || Pie.

patada Puntapié, coz. || Paso, pisada. || Huella, pista, 'rastro, estampa.

patadas (a) Abundantemente, copiosamente.

patalear Patear.

pataleo Protesta, queja.

pataleta Pasmarota, rabieta, convulsión, perra.

patán Pataco, paleto, pardal, payo, cateto, palurdo, gañán, aldeano, campesino, 'campirano. || Zafio, rústico, tosco, ordinario, grosero, inculto, descortés. ↔ Educado, urbano.

patanería Patanismo, rusticidad, rustiquez, grosería, ordinariez, tosquedad, vulgaridad, rudeza, simpleza, ignorancia, torpeza. ↔ Urbanidad, educación.

patarata Fruslería, tontería, nimiez. || Carantoña.

patas, patillas Diablo.

patata 'Chaucha, 'papa.

patatero Chusquero.

patatús Desmayo, síncope, accidente, convulsión, ataque, 'telele.

patear Patalear, pernear, zapatear, espurrir, piafar, cocear. || Irritarse, enfadarse, excitarse. || Reprender, reprobar, criticar, silbar, abuchear.

patente Manifiesto, evidente, palmario, palmar, cierto, perceptible, visible, palpable, ostensible, claro, notorio, paladino, incontrovertible, indiscutible. ↔ Dudoso, incierto. || Ventaja, privilegio, exclusiva.

patentizar Revelar, demostrar, evidenciar, ostentar, manifestar, mostrar, exteriorizar, sacar a luz. ↔ Esconder.

pateo Pataleo, silba, abucheo.

paternal Paterno. || Benigno, bueno, bondadoso, indulgente, comprensivo, benévolo. ↔ Intransigente.

pateta Diablo, 'mandinga.

patético Emocionante, conmovedor, apasionante, enternecedor, trastornador, turbador, tierno, triste. ↔ Alegre.

patialbo Patiblanco.

patibulario Feroz, terrible, horripilante, espantoso, horroroso, siniestro, avieso, perverso.

patíbulo Suplicio, horca, tablado, cadalso.

paticojo Cojo, renco, pata galana, cojitranco, claudicante.

patidifuso Patitieso.

patiestevado Estevado, 'cambeto.

patillas Chuletas, 'balcarrotas.

pátina Lustre, pulimento || Tono, solera, vetustez.

patinado Gastado, usado, pulido, envejecido, sobado.

patinar Resbalar, deslizarse. || Esquiar.

patio Impluvio, almizcate, luna. || Platea, preferencia, butacas.

patitieso Patidifuso, petrificado, turulato, boquiabierto, extrañado, extasiado, aturdido, sorprendido, extático. || Inanimado, exánime, sin sentido. ↔ Consciente.

patituerto Patiabierto, pernituerto, 'chueco.

patizambo 'Cambado.

pato Ánade, ánsar, ganso, fusca, lavanco, parro, 'quetro.

patochada Disparate, desatino, gansada, sandez, tontería, mentecatada, majadería, despropósito, necedad, desbarro, especiota, ciempiés, bobada, 'enflautada.

patoso Pesado, enfadoso, engorroso, molesto, cargante, chinchoso, aburrido, impertinente, soso, ñoño. ↔ *Ocurrente.*

patraña Pajarota, pamema, pamplina, píldora, embuste, mentira, trola, cuento, invención, farsa, bola, trola, filfa, bulo, infundio, jácara, rondalla, trónica, 'borrego. ↔ *Verdad.*

patria País, tierra, nación, pueblo, cuna, suelo natal.

patria chica Terruño.

patria celestial Gloria, cielo.

patriarca Cabeza de familia, jefe.

patriarcal Familiar. ‖ Anticuado, añejo, rancio, anciano.

patricio Noble, aristócrata, señor, notable, prócer. ↔ *Plebeyo.*

patrimonial Hereditario.

patrimonio Herencia, sucesión, alodio, propiedad. ‖ Bienes, posibilidades, dinero, riqueza.

patriotismo Patriotería, *chovinismo. ‖ Civismo.

patrocinador Patrono, padrino, valedor, protector, amparador.

patrocinar Proteger, favorecer, salvaguardar, amparar, auxiliar, ayudar, apoyar, socorrer, defender, garantizar. ↔ *Acusar, rechazar, perseguir.*

patrocinio Protección, favor, defensa, socorro, auxilio, protección, amparo, auspicio, advocación, recomendación, garantía. ↔ *Imputación, acusación.*

patrón Dueño, señor, amo, jefe, principal, director, empresario, maestro, arráez. ‖ Hospedero, pupilero. ‖ Patrono, defensor, abogado. ‖ Santo, titular. ‖ Modelo, molde, horma, escantillón, original, pauta, dechado, norma, ejemplo, figurín, guía, regla, tipo.

patronímico Nombre, apellido.

patrono Patrón, defensor, abogado, patrocinador, amparador, padrino, valedor.

patrulla Ronda, partida, destacamento, piquete, cuadrilla, escuadra, guardia.

patulea Chusma, ralea, hez, caterva, hato, turba, hampa, gavilla, zurriburri, taifa, marranalla, soldadesca.

patullar Pisar, pisotear, patear, atropellar, chafar.

'paturro Rechoncho, chaparro.

paular Paúl, pantano, barrizal, atolladero, 'bañadera, 'balsar.

paulatino Pausado, acompasado, lento, sistemático, espacioso, despacioso. ↔ *Rápido, sin orden ni concierto.*

paulinia 'Guarana.

pauperismo Miseria, pobreza, empobrecimiento. ↔ *Riqueza.*

paupérrimo Pobrísimo, misérrimo.

pausa Flema, calma, posma, roncería, lentitud, sosiego, tranquilidad, pachorra, tardanza. ↔ *Rapidez, festinación.* ‖ Alto, intervalo, detención, interrupción, descanso, reposo, parada, paréntesis. ↔ *Ininterrupción.*

pausado Paulatino, espacioso, lento, tardo, pesado, torpe, pando, calmudo, lánguido, roncero, moroso, calmoso, lerdo, flemático, monótono, pánfilo, maturrango. ↔ *Pronto, rápido.*

pauta Falsilla, patrón, dechado, escantillón, original, muestra.

pautar Rayar.

'pava Cafetera, tetera

pavada Mentecatería, bobada, necedad.

pavés Escudo, broquel.

pavesa Favila, cardeña, bolisca.

pavidez Pavor, pavura, pánico, terror, miedo, temor. ↔ *Valentía.*

pávido Cobarde, pusilánime, miedoso, temeroso, medroso, apocado, tímido, amedrentado, aterrorizado, espantado, pavorido, amilanado, follón, cangalla. ↔ *Valiente.*

pavimentar Solar, embaldosar, enladrillar, adoquinar, empedrar, losar, tillar, entramar, asfaltar, macadamizar, entarimar.

pavimento Suelo, piso, enlosado, enladrillado, embaldosado, entarimado, adoquinado, afirmado, asfaltado, macadam, asfalto, linóleo, *parqué.

pavo Gallipavo, pavezno, pavipavo, 'guajalote. ‖ Soso, estúpido, imbécil.

pavón Pavo real.

pavonada Paseata, bordada, paseo. ‖ Pavoneo, pompa.

pavonado Negroso, oscurecido, patinado.

pavonear Presumir, ostentar, farolear, blasonar, fachendar, cacarear, lucir, eructar. ↔ *Ser modesto, disimular.*

P **pavonearse** Envanecerse, jactarse, vanagloriarse, engreírse, ufanarse, pagarse, exhibirse, enorgullecerse, picarse, 'zarandearse. ↔ *Anularse, humillarse.*

pavoneo Pavonada, ostentación, fatuidad, presunción, farolería, postín, pisto, pompa, boato, ventolera. ↔ *Discreción, humildad.*

pavor Pavidez, pavura, terror, temor, horror, miedo, espanto, canguelo. ↔ *Valentía.*

pavorido Despavorido, pávido, cobarde. ↔ *Valiente.*

pavoroso Espantoso, terrorrífico, aterrador, horrendo, hórrido, horrísono, horripilante, espeluznante, tremendo, torvo, terrible, horrible, terrífico, truculento. ↔ *Atractivo, seductor, atrayente.*

pavura Pavor, pavidez, terror, miedo. ↔ *Valentía.*

'payador 'Pallador, juglar.

payasada Bufonada, chocarrería, mamarrachada, ridiculez, extravagancia, pamplina, farsa, 'graceada.

payaso Bufón, clown, tonto, caricato, gracioso, mamarracho, moharracho, 'catimbao.

payo Patán, 'guanaco.

paz Tranquilidad, sosiego, quietud, calma, serenidad, tregua, reposo, concordia, armonía, apacibilidad, neutralidad, unión, acuerdo. ↔ *Guerra, discordia.*

pazote Apasote, pasiote, hierba de Santa María, hormiguera, té borde, 'paico.

pazguato Bobo, tonto, palurdo, papanatas, pasmado. ↔ *Listo.*

pea Borrachera.

peana Base, basamento, basa, fundamento, pedestal, tarima, plataforma, pie, apoyo.

peatón Peón, viandante, caminante, andante, andorrero. ↔ *Caballero, ciclista, automovilista, viajero.* || Cartero, correo, estafeta, valijero.

'pebete Niño, chiquillo.

pebetero Incensador, perfumador.

pebre Pebrada.

peca Efélide, lunar.

pecado Infracción, falta, culpa, yerro, desliz, caída. ↔ *Virtud.*

pecador Culpable, nefandario, relapso. || Ser humano, hombre.

pecar Errar, faltar, caer en, ofender a Dios. || Sospechar, maliciar, pasarse de listo. || Tirar a, tender, propender, simpatizar.

peccata minuta Faltas, errores, imperfecciones, defectos.

pecíolo Rabillo.

pécora Bestia, animal, res, cabeza.

pécora (buena o mala) Astuto, taimado, zorro.

pecorea Saqueo, pillaje, rapiña. || Parranda, chacota, farsa.

peculiar Particular, singular, especial, característico, raro, distinto, propio, sui generis. ↔ *Corriente, vulgar.*

peculiaridad Particularidad, singularidad, especialidad, personalidad, idiosincrasia. ↔ *Generalidad, vulgaridad.*

peculio o pecunia Dinero, caudal, numerario, metálico, moneda, numo, numis-

ma, talega, fondos, capital, cuartos, pegujal.

pechar Tributar, cargar, pagar, asumir, responsabilizarse.

pechera Chorrera, peto.

pechero Plebeyo, servil. ↔ *Noble.*

pechina Venera, peche, concha.

pechirrojo Pechiencarnado, pechicolorado, pardillo.

pechisacado Altanero, arrogante, engreído, soberbio, orgulloso. ↔ *Humilde.*

pecho Seno, tórax, busto, escote, pechuga. || Pulmones. || Mama, teta. || Esfuerzo, fortaleza, valor, ardor, valentía, ánimo. ↔ *Cobardía.*

pecho Contribución, tributo, censo, gabela, impuesto.

pechuga Pecho, 'cocán. || Pendiente, repecho, cuesta.

pechugón Ímpetu, impulso, empujón, achuchón, esfuerzo.

pedagogía Instrucción, educación, enseñanza, didáctica.

pedagogo Educador, mentor, instructor, ayo, preceptor, profesor, maestro, zancarrón.

pedalear Acelerar, correr.

pedante Presumido, afectado, tieso, estirado, boquirrubio, engolado, pinturero, lechuguino, petrimetre, pisaverde, vanidoso, enfático, 'facistol, 'físico. ↔ *Desenvuelto, elegante.* || Redicho, sabihondo.

pedazo Trozo, parte, cacho, miaja, triza, añico, fragmento, fracción. ↔ *Total, entero.*

pederasta Sodomita.

pedernal 'Cuyuji.

pedestal Base, basa, basamento, cimiento, fundamento, podio, peana, zócalo, supedáneo, plinto, zoco, nacela, espira.

pedestre Corriente, común, llano, adocenado, vulgar. ↔ *Difícil, singular.*

pedicuro Callista.

pedido Encargo, solicitación, comisión, petición.

pedigüeño Pedigón, pedidor, postulante, pidón,-pordiosero, pidiente, cuestor.

pedir Reclamar, requerir, exigir, reivindicar, solicitar, demandar, impetrar, recabar, rogar, instar, implorar, suplicar, recuestar, mangar, sablear, libelar. ↔ *Dar.* || Mendigar, pordiosear. || Querer, desear, apetecer.

pedrada Chinazo, cantazo, guijarrazo, golpe.

pedregal Pedriscal, pedroche, pedrera, peñascal, pedriza, cantizal, cantera, canchal, desgalgadero, 'carrascal.

pedregoso Petroso, pedrizo, pétreo, guijeño, guijarreño, guijarroso, cascajoso, rocoso, áspero. ↔ *Terroso, arenoso.*

pedrería Joyería.

pedrisco Piedra, granizo.

pedriza Pedregal.

pedrizo Pedregoso.

pedúnculo Pedículo, rabillo, pezón.

pega Pegata, burla, chanza, vaya, broma. || Dificultad, obstáculo, entorpecimiento, obstrucción. ↔ *Facilidad.* || Zurra, azotaina, tollina.

pegadizo Pegajoso, contagioso. || Postizo, artificial, añadido, falso, sobrepuesto.

pegado Pegatoste, pegote, emplasto, parche.

pegajoso Viscoso, glutinoso, untuoso, craso, emplástico. ↔ *Liso.* || Pegadizo, contagioso. · || Meloso, suave, blando, afectuoso, obsequioso, afable. ↔ *Repelente.* || Sobón, halagador, pelota, pelotillero, pegote.

pegamiento Pegadura, encolamiento, encoladura, aglutinación, adhesión, unión, soldadura. ↔ *Separación.*

pegamoide Hule, linóleo.

pegar Adherir, aglutinar, encolar, engrudar, enligar, enviscar, soldar, 'fajar. ↔ *Desencolar, despegar.* || Unir, juntar, enganchar, encadenar, atar, coser, consolidar, arrimar, aplicar, prender, asir, fijar. ↔ *Separar, desunir.* || Comunicar, contagiar, contaminar. || Convenir, venir al caso.

pegar Maltratar, castigar, golpear, dar, propinar, asestar, zurrar. ↔ *Acariciar.*

pegata Pega, burla. || Estafa, engaño.

pegote Pegado, pegatoste, apósito, parche, emplasto, bizma. || Pegajoso, halagador, gorrón. || Guisote, bodrio, bazofia.

pegujal Dinero.

'pehuén Araucaria.

peinador Bata.

peinar Cardar, carmenar, crinar, desenredar, desembrollar, desenmarañar. ↔ *Enmarañar, envedijar, enredar.* || Atusar, acicalar, alisar. || Tocar, rozar.

peine Carmenador, escarpidor. || Peineta. || Carda. || Púa. || Zorro, camastrón, peje, pillo, marrajo, sagaz.

peje Pez. || Peine, zorro, pillo.

pejepalo Abadejo, estocafís.

pejerrey 'Cauque.

pejesapo Rape.

pejiguera Dificultad, molestia, incomodidad, lata, hueso, jácara, aperreo, chinchorrería, pesadez, 'calilla. ↔ *Facilidad.*

peladilla China, canto, pedrusco, guija. || Almendra.

pelado Desnudo, despojado, mondo, lirondo, mondo y lirondo, mocho, chamorro, calvo, pelón, morondo, liso, llano, descubierto. ↔ *Velloso, peludo.* || Pelagatos, pobretón.

peladura Mondadura, pela.

pelafustán Holgazán, perezoso, maula, mandumbas, rompehoyos. ↔ *Diligente,* argadillo. || Pelagatos, pobretón.

pelagatos Pelado, pelafustán, pobretón, pelagallos, pelacañas, pelón, pinchaúvas, don nadie, zarramplín.

pelaje Laya, jaez, calaña, índole, ralea, naturaleza.

pelambrera Pelona, peladera, pelonía, calvicie, alopecia. || Pelusa, vello.

pelandusca Ramera.

pelantrín Labrantín, pegujalero, labradorcillo.

pelar Rapar, motilar, trasquilar, descalvar, depilar, esquilar, descañonar, desplumar. || Mondar, descortezar, descascarar. || Robar, hurtar.

pelar (duro de) Difícil, arduo.

pelazga Pelea, riña.

peldaño Grada, escalón, escalerón, paso, huella.

P

p **pelea** Pelazga, pelamesa, pelaza, peleona, pelotera, petera, pendencia, riña, lucha, contienda, escaramuza, lid, combate, batalla. || Afán, fatiga, aperreo, ajobo, trabajera.

pelear Reñir, luchar, combatir, contender, enfrentarse, habérselas con, hacer armas, batallar. || Oponerse, dominar. || Afanarse, azacanarse, esforzarse, matarse, trabajar.

pelearse Regañar, disputar, indisponerse, enemistarse, desavenirse, agarrarse.

pelechar Mejorar, medrar, ganar.

pelele Monigote, muñeco, bausán, espantajo, espantapájaros. || Simple, bobalicón, inútil.

peleona Pelea.

peliagudo Difícil, complicado, dificultoso, enrevesado, arduo, embarullado, intrincado, morrocotudo. ↔ *Fácil.* || Mañoso, hábil, sutil, diestro.

pelicano Pelícano, platalea, 'tocotoco.

película Cinta, film. || Cutícula, túnica, telilla, piel, membrana, dermis. || Hollejo.

peliforra Ramera.

peligrar Zozobrar, fluctuar, pender de un hilo, verse apurado, verse en apuros, estar sobre un volcán, correr riesgo.

peligro Riesgo, amenaza, albur, exposición, contingencia, inseguridad, discrimen. ↔ *Seguridad.*

peligro (en) En balanza, en un tris, pendiente de un hilo. || Grave, de cuidado.

peligroso Arriesgado, aven-

turado, expuesto, comprometido, temible, alarmante. ↔ *Seguro.* || Turbulento, levantisco, indeseable.

pelillo Puntillo, púa, susceptibilidad, resquemor, cojijo.

pelilloso Picajoso, puntilloso, cojijoso, quisquilloso, aguafiestas.

pelirrojo Barbitaheño, taheño.

pelmacería Lentitud, indolencia, parsimonia, pesadez, cachaza, posma, roncería. ↔ *Diligencia.*

pelmazo Pelma, cargante, chinchoso, chinchorrero, pesado, fastidioso, importuno, molesto. ↔ *Simpático, amable.* || Lento, tardo, calmoso, parado, torpe, remiso, pachorrudo, porrón. ↔ *Activo, diligente.*

pelo Cabello, vello, pelusa, pelambrera, plumón.

pelo (al) Al punto, oportunamente.

pelona Pelambrera, calvicie.

pelonería Pobreza, escasez, miseria. ↔ *Riqueza.*

pelonía Pelambrera, calvicie.

peloso Peludo, velloso. ↔ *Pelado.*

pelota Bola, bala, balón, ovillo.

pelota Ramera.

'pelota Batea.

pelota (en) Desnudo.

pelotear Reñir, disputar, controvertir, contender, discutir, pelearse.

pelotera Pelea, riña.

peluca Peluquín, cabellera, cairel, bisoñé, postizo, casquete, añadido. || Reprensión, reprimenda, ser-

món, filípica, felpa, metido.

peludo Peloso, piloso, velloso, velludo, crespo, hirsuto, lanoso, híspido, ensortijado, grenchudo. ↔ *Pelado.*

peluquero Fígaro, barbero

pelusa Pelo, 'calcha. || Envidia, celos, dentera.

pelusón 'Calchón.

pelleja Pellejo.

pelleja Ramera.

pellejo Pelleja, piel, cuero, vellón. || Odre, corambre, || Hollejo, cáscara, piltrafía. || Borracho, cuba.

'pellín Fuerte, resistente.

pelliza Pellico, pello, zamarra. || Guerrera, dormán, chaqueta.

pellizcar Pizcar. || Asir, coger, apresar, agarrar, atrapar, sorprender.

pellizco Pizco, repisco, pulgarada, pecilgo. 'torniscón.

pena Penalidad, penitencia, castigo, corrección, correctivo, escarmiento, condena, expiación, sanción, multa. || Dolor, aflicción, pesar, tristeza, sufrimiento, congoja, angustia, duelo, pesadumbre, cuidado, traspaso, inquietud, desazón. ↔ *Alegría, satisfacción.* || Penalidad, molestia.

penacho Cimera, airón, plumero, pompón, plumaje, garzota. || Presunción, vanidad, soberbia, engreimiento, altanería, ensoberbecimiento. ↔ *Humildad, modestia.*

penado Preso, recluso, condenado, presidiario, forzado, galeote.

penalidad Pena, castigo, penitencia. || Pena, molestia, trabajo, inconveniencia, incomodidad, importunación, contrariedad; enojo, fastidio, mortificación, disgusto, aflicción, quebranto, fatiga, cansera, ajobo, aperreo.

penar Escarmentar, castigar, infligir. || Sufrir, padecer, aguantar, tolerar, endurar, agonizar.

penarse Apenarse, afligirse.

penar por Ansiar, apetecer, desear, perecer por.

penates Lares.

penea 'Guano.

'penca Maslo.

penco Jamelgo, matalón, rocín, jaco, sotreta.

pendanga Ramera.

pendencia Discusión, altercado, disputa, riña, pelea, 'follisca, 'zacacoca, 'mitote. || Querella, litispendencia.

pendenciero Quimerista, camorrista, buscarruidos, rajabroqueles, reñidor, peleón, pleiteísta, embrollón, rijoso, belicoso, refertero, zaragatero, quisquilloso, rencilloso, batallador, batallón. ↔ *Pacífico, manso.*

pender Colgar, suspender, estar pendiente. || Depender.

pendiente Arete, zarcillo, arracada, pinjante, perendengue, 'gradiente. || Inclinado, suspendido, colgante, pensil, péndulo. ↔ *Derecho, enhiesto.* || Suspenso, irresoluto, indefinido, incompleto, irresuelto, diferido, aplazado, indeciso. ↔ *Acabado, concluso.* || Cuesta, subida, repecho, rampa, costanera, costana, bajada, inclinación, declive. || Empinado, pino, recto, escarpado. ↔ *Suave.*

pendientes 'Candonga, 'caravanar.

pendil Pendingue, manto.

péndola Péñola, pluma. || Péndulo.

pendolista Pendolario, escribano, calígrafo, escribiente, memorialista.

pendón Divisa, estandarte, insignia, enseña, confalón, bandera.

pendón Ramera.

péndulo Pendiente. || Pédmola, perpendículo. || Regulador.

peneque Borracho, ebrio.

penetrable Permeable, diáfano, transparente. ↔ *Impenetrable.* || Claro, fácil, comprensible, inteligible. ↔ *Difícil.*

penetración Talento, comprensión, intuición. || Incursión, correría, invasión, *razzia.

penetrante Agudo, fino, vivo, fuerte, subido, elevado, desgarrador, estrepitoso. ↔ *Bajo.* || Hondu, profundo. || Hendiente, afilado, aguzado. ↔ *Romo.* || Ingenioso, perspicaz, sutil, inteligente. ↔ *Obtuso.*

penetrar Meter, introducir, entrar, pasar, filtrar, infiltrar, calar, impregnar, colarse, embeber. ↔ *Quedarse.* || Entender, comprender, interpretar, enterarse, adivinar.

península Penisla, peñíscola, quersoneso.

penique Dinero, maravedí, cuarto, duro.

penitencia Pena, penalidad, castigo, mortificación, condena, corrección, expiación, maceración, discipli-

na. || Pesar, arrepentimiento, atrición, dolor, contrición.

penitenciaría Penal, prisión, presidio, cárcel.

penitente Arrepentido, remiso, disciplinante. ↔ *Impenitente.*

penoso Difícil, arduo, dificultoso, enojoso, espinoso, fatigoso, laborioso, rudo, trabajoso. ↔ *Fácil.*

pensador Sabio, filósofo.

pensamiento Inteligencia, intelecto, mente, razón, raciocinio, reflexión, cogitación, especulación. || Idea, opinión, designio, proyecto, plan, concepción, juicio. || Máxima, proverbio, frase, sentencia, refrán, aforismo. || Recelo, malicia, sospecha, duda.

pensamiento (como el) Raudo, rápido, veloz, pronto.

pensamiento (en un) En un decir Jesús, en un decir amén, en un instante.

pensar Opinar, creer, juzgar, suponer, calcular, entender, figurarse. || Soñar, acariciar, concebir, proyectar, intentar. || Imaginar, idear, cavilar, discurrir, reflexionar, recapacitar, cavar, razonar, examinar, meditar, devanarse los sesos, romperse la cabeza, quebrarse la cabeza. || Intentar, proyectar, proponerse, idear.

pensativo Reflexivo, absorto, ensimismado, reconcentrado, caviloso, cabizbajo, cabizcaído, meditabundo, preocupado, cogitativo, cogitabundo. ↔ *Distraído.*

penseque Error, yerro, descuido, omisión, distracción.

P

pensil Pendiente. || Jardín, edén.

pensión Canon, censo, beca, retiro, auxilio, renta. || Pupilaje, hospedaje, casa de huéspedes, residencia.

pensionado Internado.

pensionar Asignar, subvencionar, jubilar.

penumbra Media luz.

penuria Escasez, pobreza, carestía, falta, insuficiencia, apuro, desnudez, indiferencia, miseria. ↔ *Abundancia, riqueza.*

peña Roca, peñasco, risco, peñón, morro, tolmo, alcor, roquedo.

peña Grupo, círculo, corro, tertulia, casino, club.

peñascal Pedregal.

peñasco Peña.

peñascoso Escabroso, riscoso, enriscado, rocoso, roqueño, arriscado, abrupto. ↔ *Llano.*

péñola Pluma, péndola.

peón Trabajador, jornalero, bracero, obrero, operario, 'faenero. || Infante. || Peatón, caminero. || Colmena. || Peonza.

peonia Saltaojos.

peonza Peón, trompo, perinola, zaranda.

peoría Detrimento, menoscabo, empeoramiento, recaída. ↔ *Mejoramiento.*

pepita Gabarro.

pepita Pipa, simiente.

pepón Sandía.

pepona Muñeca.

pequeñez Fruslería, tontería, pamplina, futileza, minucia, nadería, nonada, miseria, **insignificancia,** puerilidad, friolera, futesa, inanidad, bicoca, bagatela, 'gurrumina. ↔ *Importancia.* || Parvidad, mo-

dicidad, parvedad, cortedad, exigüidad, mezquindad, bajeza, poquedad. ↔ *Grandeza, enormidad.* || Niñez, infancia, parvulez.

pequeño Pequeñuelo, parvo, párvulo, chico, enano, diminuto, liliputiense, gnomo, pigmeo, breve, exiguo, minúsculo, menudo, mínimo, raquítico, desmirriado, tenue, humilde, mezquino, miserable, flaco, fino, escaso, pobre, limitado, meñique, imperceptible, reducido, corto. ↔ *Grande.* || Niño, infante, párvulo, chiquillo.

peraleda Pereda.

peralte Desnivel.

perantón Mirabel. || Pericón, abanico. || Tagarote, cangallo, espingarda, jayán, pendón, mocetón, gigante. ↔ *Enano.*

percalina Lustrina.

percance Contratiempo, accidente, contrariedad, desgracia, perjuicio, avería, daño, mal. ↔ *Facilidad.* || Ventaja, gaje, utilidad.

percatar Advertir, notar, observar, reparar, considerar.

percatarse Saber, enterarse, conocer, darse cuenta, echar de ver. ↔ *Ignorar.*

percebe Escaramujo.

percepción Impresión, aprehensión, aprensión, conocimiento, sensación. || Idea, imagen, representación. || Clarividencia, discernimiento, inteligencia, penetración. || Recaudación, cobro, recepción, ingresos. ↔ *Pago.*

perceptible Inteligible, sensible, apreciable, visible, manifiesto, ostensible. ↔ *Imperceptible.*

percibir Ver, descubrir, avistar, divisar, descubrir, distinguir, apreciar, apercibir. || Sentir, aprehender, experimentar, notar. || Entender, comprender, adivinar. || Recaudar, recoger, cobrar, recibir.

percudir Ajar, empañar, deslustrar, marchitar, menoscabar, deslucir, sobar, manosear.

percusión Golpe, batimiento, choque, golpeo.

percutir Chocar, golpear, topar, dar, batir, petar, herir.

percutor Percusor, martillo.

percha Perchero, colgadero, alcándara, gancho, astillero.

perder Desperdiciar, derrochar. ↔ *Ganar, aprovechar.* || Deteriorar, destruir, corromper, frustrar, torcer, descaminar, pervertir.

perderse Extraviarse, confundirse, desorientarse, viciarse. || Naufragar, zozobrar. || Arrebatarse, obcecarse, conturbarse.

perdición Pérdida, perdimiento. || Ruina, daño, destrucción. || Desbarate, desarreglo. || Condenación eterna.

pérdida Perdición, perdimiento. || Privación, carencia, falta, menoscabo, merma, quebranto, disminución, trasquilimocho, yactura, daño, ruina, muerte. ↔ *Ganancia, acopio.*

perdida Ramera.

perdido Despistado, desorientado, extraviado, errante, 'alaco. || Vagabundo, pelafustán, fracasado, desesperado, perdis, condenado. ↔ *Recobrado, regenerado.*

perdis Perdido, calavera, perdulario, vicioso. ↔ *Virtuoso.*

perdigar Aperdigar, emperdigar.

perdiz Perdigón, perdigana, estarna, 'urú.

perdón Remisión, gracia, absolución, indulto, indulgencia, piedad, conmutación, clemencia, compasión, alafia. ↔ *Impiedad, severidad.*

perdonar Absolver, dispensar, eximir, remitir, condonar, exceptuar, indultar, amnistiar, indulgir, borrar. ↔ *Condenar.*

perdonavidas Valentón, baladrón, matasiete, matachín, matamoros, matón, majo, chulo, tragahombres, jaquetón, fanfarrón, farfantón.

perdulario Perdis, perdido, calavera, vicioso. || Abandonado, descuidado, apático, negligente.

perdurabilidad Eternidad, perpetuidad, inmortalidad. ↔ *Caducidad.*

perdurable Perpetuo, inmortal, eterno, imperecedero, sempiterno, perenne. ↔ *Perecedero, fatal.*

perdurar Durar, subsistir, continuar, permanecer, mantenerse. ↔ *Fenecer, morir.*

perecedero Breve, efímero, corto, incierto, pasajero, caduco, fugaz, frágil, mortal. ↔ *Perdurable, imperecedero.*

perecer Sucumbir, acabar, fallecer, expirar, morir, fenecer, finalizar, extinguirse. ↔ *Nacer, surgir.*

pereda Peraleda.

peregrinación Peregrinaje, romería, viaje.

peregrinar Vagar, vagabundear. || 'Expiar.

peregrino Romero. || Caminante, viajero, viajante. || Pasajero, exótico, raro, singular, extraño, especial, insólito, extraordinario. ↔ *Usual, normal.* || Primoroso, excelente, perfecto.

perendeca Ramera.

perendengue Pendiente, zarcillo.

perengano Fulano, mengano, perencejo, zutano, robiñano.

perenne Eterno, perpetuo, constante, incesante, continuo, permanente, imperecedero. ↔ *Perecedero, efímero.*

perennidad Eternidad, perpetuidad, perdurabilidad, inmortalidad. ↔ *Caducidad.*

perentoriedad Urgencia, apremio. ↔ *Morosidad.*

perentorio Apremiante, urgente. ↔ *Dilatorio.* || Preciso, terminante, decisivo, definitivo, tajante, concluyente, cortante. ↔ *Indefinido.*

pereza Desidia, descuido, apatía, inacción, indolencia, indiligencia, gandulería, galbana, holgazanería, haraganería, incuria, negligencia, molicie, ociosidad, poltronería, pigricia, haronía, dejadez, ignavia, flojera, calma chicha. ↔ *Diligencia, actividad.*

perezoso Desidioso, descuidado, apático, indolente, negligente, indiligente, tardo, gandul, lento, dormilón, poltrón, pesado, holgazán, haragán, ocioso, dejado, ganso, indolente, pigre, molondro,

roncero, tumbón, harón, vainazas, vilordo, poncho, 'echado. ↔ *Diligente, presto.*

perfección Mejora, mejoramiento, progreso, acabamiento, excelencia. || Gracia, hermosura, excelencia.

perfeccionar Mejorar, refinar, progresar, completar, acabar, pulir, coronar, consumar, ultimar, terminar, dar cabo. ↔ *Estancarse, detenerse.*

perfecto Acabado, completo, cabal, cumplido, absoluto, excelente, insuperable, irreprochable, magistral. ↔ *Imperfecto.*

perfidia Deslealtad, infidelidad, traición, felonía, falsedad, insidia, alevosía. ↔ *Lealtad.*

pérfido Desleal, alevoso, aleve, perjuro, traidor, felón, infiel, falso, falaz, capcioso, insidioso, bellaco. ↔ *Leal, fiel.*

perfil Contorno, silueta, rasgo, raya, límite.

perfilar Rematar, afinar, perfeccionar.

perfilarse Aderezarse, arreglarse, componerse.

perfiles Retoques, complementos.

perfolla 'Panca.

perforar Horadar, agujerear, taladrar.

perfumado Fragante, aromático, oloroso, balsámico.

perfumador Pebetero, fumigatorio.

perfumar Sahumar, fumigar, embalsamar, aromatizar.

perfume Aroma, fragancia, efluvio, esencia, buen olor, bálsamo. ↔ *Hedor.*

P **pergamino** Vitela, piel. ‖ Título, documento.

pergeñar Ejecutar, preparar, trazar, confeccionar.

pergeño Traza, rasgo, aspecto, apariencia, porte.

pérgola Emparrado.

pericia Habilidad, práctica, destreza, idoneidad, conocimiento, experiencia, técnica. ↔ *Impericia.*

periclitar Amenazar, peligrar. ‖ Decaer, declinar.

perico Mariquita, periquito.

perico Perantón, pericón, abanico, paipai. ‖ Sillico, tito. ‖ 'Catey, 'cata.

Perico de los palotes 'Moya.

pericón Perico, abanico. ‖ Perigallo, cangallo.

'pericote Rata.

perídoto Olivino.

periferia Contorno, circunferencia, perímetro.

perifollo 'Guara.

perifollos Adornos, alhajas, abalorios.

perífrasis Circunloquio, circunlocución, rodeo.

perigallo Perantón, pericón, pendón, espingarda, cangallo, mocetón, tagarote, gigante. ↔ *Enano.*

perilla Barbilla, perinola, mosca.

perillán Truhán, bribón, pícaro, pillo, gatallón, ñiquiñaque, bellaco, astuto.

perímetro Periferia, contorno, ámbito.

perínclito Ínclito, insigne, grande, heroico. ↔ *Oscuro.*

perinola Peonza. ‖ Perilla. ‖ 'Guazapa.

períoca Asunto, tema, argumento, sumario.

periódico Habitual, regular, fijo, turnado, alternativo. ↔ *Irregular.* ‖ Diario, pa-

pel, revista, boletín, monitor, heraldo, noticiero, gaceta, *magazine, hebdomadario, semanario.

periodismo Prensa.

período Fase, etapa, lapso, ciclo, grado, estadio, estado, espacio, división, diuturnidad. ‖ Párrafo, frase, oración. ‖ Regla, menstruo, menstruación.

peripatético Aristotélico. ‖ Extravagante, ridículo.

peripecia Suceso, lance, incidente, caso, aventura, accidente.

periplo Circunnavegación.

peripuesto Compuesto, repulido, atildado, ataviado, acicalado, emperejilado, endomingado, cuco, currutaco, 'engomado. ↔ *Adán, desaseado.*

periquito Perico, pericón, papagayo.

perisología Pleonasmo.

peristilo Propileo, columnata, galería.

perito Hábil, capaz, experto, experimentado, conocedor, apto, diestro, idóneo, competente, entendido, técnico, práctico, avezado, ducho. ↔ *Incompetente, incapaz.*

peritoneo Cifaque.

perjudicar Dañar, damnificar, menoscabar, lesionar, atropellar, quebrantar, castigar, deteriorar, arruinar, 'carnear, 'embromar. ↔ *Favorecer.*

perjudicial Malo, nocivo, dañino, dañoso, lesivo, pernicioso, desfavorable, nefando, nefasto. ↔ *Favorecedor, beneficioso.*

perjuicio Daño, quebranto, menoscabo, detrimento, lesión, inconveniente, deterioro, castigo, ruina,

'tequio. ↔ *Favor, beneficio.*

perjurar Jurar, prevaricar.

perjurio Deslealtad, perfidia, infidelidad, **apostasía**, mentira, falsedad, juramento en falso.

perjuro Perjurador, infiel, desleal, apóstata, falso, renegado.

perla Margarita. ‖ Barrueco.

permanecer Persistir, continuar, seguir, quedarse, mantenerse, residir, estar. ↔ *Marchar, partir.*

permanencia Persistencia, invariabilidad, inmutabilidad, duración, permansión, continuación, inmanencia. ↔ *Paso, instabilidad.*

permanente Firme, estable, fijo, constante, continuo, inmutable, invariable, incesante, durable, duradero, eterno, indestructible, indeleble, inalterable, perenne. ↔ *Transitorio, fugaz, pasajero.*

permeabilidad Filtración, absorción, penetración. ↔ *Impermeabilidad.*

permeable Filtrable, traspasable, penetrable. ↔ *Impermeable.*

permisión Epítrofe. ‖ Permiso.

permiso Permisión, autorización, consentimiento, licencia, venia, beneplácito, aquiescencia, condescendencia, tolerancia, concesión, benedícite, sí, pase. ↔ *Denegación, negativa.*

permitido Autorizado, consentido, tolerado, lícito, legal, legítimo. ↔ *Prohibido.*

permitir Autorizar, consentir, facultar, tolerar, dejar, acceder, admitir, sufrir, otorgar. ↔ *Prohibir.*

permuta o **permutación** Trueque, cambio, canje.

permutar Trocar, canjear, cambiar. ‖ Alternar.

pernear Patalear, patear. ‖ Fatigarse, preocuparse. ‖ Impacientarse, irritarse, incomodarse.

pernicioso Dañino, dañoso, nocivo, malo, perjudicial, funesto, lesivo, nefando, nefasto, malsano. ↔ *Favorable, beneficioso.*

pernil Jamón, pérnera. ‖ Anca, muslo, nalgada.

pernio Gozne, bisagra, fija, pomela.

pernituerto Patizambo, patituerto, cojo.

perno Pasador, fiador.

pernoctar Posar, dormir, parar, hacer alto, detenerse.

pero Empero, sino, aunque, por más que, no obstante, bien que, sin embargo, a reserva de. ‖ Tacha, defecto, obstáculo, dificultad.

perogrullada Axioma, grullada, verdad como un templo.

perol Cazo.

peroración Oración, discurso, conferencia. ‖ Epílogo, conclusión.

perorar Declamar, hablar, charlar.

perorata Soflama, alegato, alocución, discurso.

perpendicular Normal.

perpendículo Plomada, péndulo.

perpetrar Consumar, cometer.

perpetuar Inmortalizar, glorificar, eternizar, exaltar.

perpetuidad Inmortalidad, eternidad, perdurabilidad.

perpetuo Eterno, imperecedero, perdurable, sempiterno, perenne, inmortal, infinito. ↔ *Perecedero.*

perplejidad Indecisión, indeterminación, duda, vacilación, titubeo, irresolución, incertidumbre, confusión. ↔ *Seguridad.*

perplejo Dudoso, vacilante, indeciso, irresoluto, apurado, preocupado, suspenso, confuso, asombrado, embarazado. ↔ *Seguro, resoluto.*

perquirir Investigar, indagar.

perquisición Indagación, investigación, búsqueda, averiguación, inquisición.

perra Rabieta, pataleta. ‖ Borrachera, pea.

perrería Jauría, traílla.

perrero Echaperros.

perro Chucho, can, cuzo, tuso. ‖ Cachorro, perreno.

perro (tratar como un) Maltratar, despreciar.

perro (de aguas) 'Chono.

persecución Seguimiento, caza, alcance.

perseguidor Azote, martillo, tormento.

perseguir Acosar, seguir, cazar, acorralar, pisar los talones, buscar el bulto, dar caza, dar alcance. ‖ Proseguir, perseverar, continuar. ‖ Molestar, atosigar, importunar, atormentar, provocar, excitar.

perseverancia Constancia, tenacidad, firmeza, tesón, persistencia, voluntad, insistencia, porfía, apego.

perseverante Porfiado, tenaz, firme, constante, resistente, 'tesonero. ↔ *Inconstante, veleidoso.*

perseverar Proseguir, con-

tinuar, persistir, empeñarse, obstinarse, encastillarse, porfiar, insistir. ↔ *Abandonar, renunciar.*

persiana Enjaretado, celosía, corredera, 'cancel.

persignarse Santiguarse, hacer cruces.

persistencia Insistencia, constancia, permanencia. ↔ *Inconstancia.*

persistente Porfiado, tenaz, continuo, terco, constante, obstinado, resistente, firme, incansable. ↔ *Inconstante.*

persistir Obstinarse, porfiar, perseverar, aguantar, mantenerse en sus trece. ↔ *Renunciar, abandonar.* ‖ Subsistir, durar, permanecer, perdurar.

persona Hombre, individuo, ser, ente, personalidad, personaje.

personaje Persona. ‖ Papel, figura, actor.

personal Peculiar, privado, propio, individual, particular, privativo, subjetivo, íntimo, original. ↔ *Colectivo, general, vulgar.*

personalidad Carácter, personaje, persona. ‖ Sello, distintivo, particularidad, subjetividad.

personarse Presentarse, comparecer, apersonarse, entrevistarse, avistarse.

personificación Encarnación. ‖ Prosopopeya.

personificar Representar, encarnar.

perspectiva Apariencia, faceta, aspecto, representación. ‖ Probabilidad, contingencia, posibilidad. ‖ Alejamiento, lejanía.

perspicacia Penetración, agudeza, sagacidad, sutileza, sutilidad, clarividen-

P

P cia, discernimiento, pesquis. ↔ *Torpeza.*

perspicaz Sagaz, fino, agudo, sutil, penetrante, inteligente, clarividente, lince, zahorí, 'lépero. ↔ *Obtuso, torpe.*

perspicuidad Nitidez, claridad, transparencia, tersura, limpieza.

perspicuo Claro, manifiesto, transparente, terso.

persuadir Mover, convencer, decidir, arrastrar, inducir, obligar, sugestionar, meter en la cabeza, meter en razón. ↔ *Disuadir.*

persuasión Sugestión, convencimiento, convicción, certeza. ↔ *Duda.* || Juicio, inducción, aprensión, aprehensión.

persuasivo Persuasor, sugestivo, convincente, determinante, suasorio, suasor, seductor. ↔ *Dudoso.*

pertenecer Atañer, incumbir, concernir, respectar, corresponder, tocar. || Convenir.

perteneciente Relativo, referente, concerniente, correspondiente, tocante. ↔ *Ajeno.*

pertenencia Dominio, propiedad. || Concesión, arrugia. || Dependencia, accesorio.

pértica Tornadura.

pértiga Vara, caña, bastón, esteba, palo.

pértigo Timón.

pertinacia Tenacidad, testarudez, obstinación, terquedad, porfía, empeño, protervia, contumacia. ↔ *Volubilidad, inconstancia.*

pertinaz Terco, tenaz, obstinado, contumaz, testarudo, recalcitrante. ↔ *In-*

constante, voluble, versátil. || Persistente, duradero. ↔ *Efímero.*

pertinente Referente, relativo, perteneciente, concerniente, conducente. ↔ *Extraño, ajeno.* || Oportuno, conveniente, a propósito. ↔ *Inoportuno.*

pertrechar Abastecer, preparar, proveer, equipar.

perturbación Turbación, alteración, anarquía, desconcierto, desorden, desarreglo, desorganización, trastorno, desasosiego, incomodidad, inquietud. ↔ *Tranquilidad, paz.*

perturbado Conmovido, inquieto, soliviantado, solevantado. ↔ *Sereno.*

perturbador Destructor, revolucionario, amotinador, agitador, sedicioso.

perturbar Trastornar, desordenar, desarreglar, desorganizar, desconcertar, desasosegar, alterar, inquietar, intranquilizar, inmutar, interrumpir. ↔ *Ordenar, concertar, tranquilizar.*

perversidad Perfidia, maldad, malignidad, perversión, depravación, pravedad, protervia, corrupción, disolución, nequicia. ↔ *Virtuosidad, bondad, morigeración.*

perversión Perversidad, pervertimiento, corrupción, adulteración, depravación, maldad, disolución, libertinaje, vicio. ↔ *Virtud, probidad.*

perverso Malvado, infame, maligno, descomulgado, pravo, protervo, perdido, mala cabeza, mal bicho, vicioso, depravado, corrompido, degenerado, di-

soluto, libertino, vicioso, descerrajado. ↔ *Virtuoso, inocente, bueno.*

pervertido Abellacado, abribonado, corrompido.

pervertir Perturbar, trastornar. || Corromper, alterar, viciar, adulterar, depravar, falsear, echar a perder. ↔ *Regenerar.*

pervertirse Encenagarse, enviciarse.

pervulgar Publicar, divulgar. || Promulgar.

pesadez Gravedad, pesantez. ↔ *Ligereza, liviandad.* || Obesidad, gordura. ↔ *Delgadez.* || Terquedad, impertinencia, molestia, chinchorrería, cargazón, fatiga, cachaza, flema, pelmacería, posma, porrería, machaquería, desazón.

pesadilla Congoja, angustia, opresión. || Alucinación, delirio, ensueño. || Preocupación.

pesado Grave, macizo, plomizo, recargado, amazacotado, 'maturrango. ↔ *Ligero, leve, liviano.* || Obeso, gordo. ↔ *Flaco.* || Profundo, intenso, lánguido, soporífero, adormecedor, languideciente, mareador. ↔ *Ligero.* || Tardo, lento, calmoso, cachazudo, ganso, patoso, pánfilo. ↔ *Rápido.* || Cargante, difícil, fatigoso, fastidioso, debilitante, agotador, deprimente, consumidor, apurador, molesto, extenuante, importuno, desagradable, abrumador, cansoso, enojoso, penoso, enfadoso, chinchorrero, impertinente, fatiga n t e , moledor, posma, insoportable, incómodo, mostrenco, majagranzas, tedioso, latoso. ↔ *Ameno, agradable, simpático.* || Duro, áspero, desabrido, violento, fuerte, insufrible. ↔ *Amable.* || Ofensivo, doloroso.

pesadumbre Pesadez, pesantez. || Agravio, injuria. || Pesar, disgusto. ↔ *Satisfacción.*

pesantez Pesadez, gravedad.

pesar Pesadumbre, disgusto, arrepentimiento, remordimiento, aflicción, pena, sentimiento, píldora, trago, molestia. ↔ *Gozo.*

pesaroso Apesadumbrado, dolorido, afligido, sentido, dolido, arrepentido. ↔ *Alegre, indiferente.*

pesca Pesquera, pesquería, redada.

pescadilla Pijota.

pescar Coger, lograr, conseguir, atrapar, agarrar.

pescozón Mojicón, pescozada, sopapo, golpe.

pescuezo Cerviz, cogote, morrillo, pestorejo, gaita, cerviguillo. || Altanería, vanidad, soberbia. ↔ *Humildad.*

pesebre Establo, cuadra, caballeriza, presepio, comedero, dornajo, 'canoa.

pesgua Madroño.

pesimista Triste, hipocondríaco, misántropo, atrabiliario. ↔ *Optimista.*

peso Pesantez, gravitación. || Cargazón. || Fardo, zaborda. || Entidad, substancia, importancia. || Eficacia, fuerza. || Gravamen, carga. || Balanza. || Duro, onza.

pesquis Talento, inteligencia, penetración, caletre, magín, chirumen, cacu-

men, perspicacia, pupila, tino. ↔ *Torpeza.*

pesquisa Información, perquisición, inquisición, averiguación, indagación, investigación, búsqueda.

pesquisar Perquirir, inquirir, investigar, indagar, husmear, buscar, informarse, averiguar.

pestaña Reborde, orilla, saliente, borde.

pestañear Parpadear. || Vivir.

peste Fetor, fetidez, pestilencia, hedor, hediondez, mal olor. ↔ *Olor, perfume.* || Corrupción, plaga, epidemia, epizootia. || Abundancia, exceso, cantidad.

pestífero Nocivo, pernicioso, dañoso, perjudicial, corruptor. || Fétido, apestoso, pestilente, hediondo. ↔ *Odorífico, perfumado.*

pestilencia Peste.

pestilente 'Catingoso.

pestillo Cerrojo, pasador.

pesuño Carnicol.

petaca Pitillera, cigarrera, 'tabaquera.

petar Gustar, complacer.

petardear Engañar, estafar.

petardista Petate, estafador, tramposo, sablista, gorrón, sacadineros, emprestillador.

petardo Morterete, traca, cohete. || Estafa, engaño, timo, sablazo, socaliña.

petate Esterilla. || Lío, equipaje. || Petardista, estafador. || Chisgarabís, badulaque, despreciable.

petate (liar el) Mudarse, marchar. || Morir, fenecer.

petera Obstinación, terquedad, pertinacia. || Pelotera, rabieta.

petición Pedido, pedimento, petitoria, ruego, solicitud, demanda, instancia, súplica, imploración, llamamiento, instancia, deprecación, exigencia.

petigrís Ardilla gris.

petimetre Presumido, pisaverde, lechuguino, currutaco, gomoso, virote, *dandi, elegante, 'catrín. ↔ *Adán.*

petitoria Petición.

pétreo Petroso, pedregoso, peñascoso, rocoso, guijeño, guijarreño.

petrificar Fosilizar, endurecer, solidificar.

petróleo Carburante, lucilina, queroseno, gasolina, 'canfín.

petrolero Barco cisterna, barco aljibe.

petroso Pétreo.

petulancia Vanidad, presunción, fatuidad, engreimiento, insolencia, osadía, barrumbada, ronca, elación.

petulante Vano, vanidoso, fatuo, presumido, postinero, presuntuoso. ↔ *Humilde, modesto.*

pez Peje, pescado, jaramugo.

pez espada Espadarte, jifia, gáleo, emperador.

pez cofre 'Torito.

pez martillo Cornudilla.

pezón Pedúnculo, rabillo. || Botón, mamelón. || Saliente, punta, cabo, extremo

pezuña Carnicol, pesuña, pesuño, casco, zapatilla.

piadoso Devoto, religioso, pío, ferviente, místico. ↔ *Impío.* || Benigno, caritativo, misericordioso, compasivo, humano, blando. ↔ *Inmisericorde.*

piafar Atabalear, patear, escarbar.

P **piar** Gritar, piular, chillar, llamar.

piara Manada, rebaño.

pica Garrocha, ianza, puya, vara, aguja, alabarda, asta.

picacho Pico, cima.

picada Picotazo, picadura, mordedura.

picador Adiestrador, domador, 'amansador, 'chalán. || Tajo.

picadura Pinchazo. || Punzada, mordedura, picada, puntura. || Caries.

picajoso Quisquilloso, puntilloso, susceptible, irritable. ↔ *Manso, sufrido.*

'picana Aguijada.

picante Excitante, condimentado, sazonado. || Acerbo, acre, cáustico, punzante, mordaz, satírico, picaresco. ↔ *Suave, lene.* || Acrimonia, mordacidad, acerbidad.

picaño Parche, compostura, remiendo.

picapleitos Rábula, leguleyo, abogado de secano.

picaporte Llamador, aldaba, aldabón.

picar Clavar, acribillar, herir, punzar, pinchar. || Incitar, excitar, estimular, espolear, aguijonear, mover. || Desmenuzar, partir, cortar, trinchar, desmenuzar, majar, dividir, moler, machacar, pulverizar, tronzar. || Picotear. || Inquietar, desazonar, provocar, enojar. || Tocar, rayar, llegar, rozar.

picardear Retozar, enredar, travesear, revolver, bellaquear.

picardía Ruindad, maldad, bajeza, vileza, bellaquería, pillería, pillada, tunantería, picardihuela, car-

lanca, taimería, bribonada, chanada, truhanada, truhanería. || Burla, travesura, astucia, gatada.

pícaro Bajo, ruin, doloso, pillo, villano, granuja, vil, desvergonzado, bellaco, canalla, belitre, bergante, charrán, ganforro, garulla, granuja, guaja, gatallón, guitarrón, guitón, haragán, infame, maulón, ladrón, ñiquiñaque, perillán, ratero, randa, rufián, ruin, sollastre, tahúr, sinvergüenza, truhán, vaina, villano, zurriburri. || Astuto, tuno, tunante, bribón, bribonzuelo, bribonazo, enredador, taimado, travieso, artero, cuquero, galopín, galopo, gancho, ladino, listo, pillo, pillete, pillastrón, pilluelo, travieso, zorro, zorrastrón.

picarse Enfadarse, molestarse, agraviarse, resentirse, ofenderse. || Apuntarse, agriarse, torcerse, avinagrarse. || Carcomerse, apolillarse. || Alabarse, preciarse, jactarse, vanagloriarse, contrapuntearse.

picazón Desazón, comezón, prurito, urticaria. || Enojo, resentimiento, disgusto, molestia, desabrimiento.

picazones Agujetas.

pico Rostro. || Boca, lengua. || Hocico. || Pito, pitón. || Picacho, pináculo, cima, cúspide, cresta, aguja. || Punta, extremidad, zapapico, piocha. || Locuacidad, verbosidad, facundia.

pico de oro Orador, elocuente, boca de oro.

picón Incitación. || Burla, vaya.

'piconear Aguijar.

picoso 'Tuso.

picota Columna, rollo, viga, madero, poste. || Suplicio.

picotazo Picada, picazo, herronada.

picotear Picar. || Cabecear.

picotería Parlería, verborrea, habladuría, labia, parola, charlatanería.

picotero Picudo, boquirroto, boquirrubio, lenguaraz, filatero, charlatán, blando de boca, suelto de boca. ↔ *Callado, discreto.*

picudo Hocicudo. || Hablador, charlatán, picotero.

'pichana o **pichanga** Escoba.

pie Pata. || Peana, base, fundamento, basa. || Principio, origen. || Motivo, ocasión, razón. || Tronco, árbol. || Poso, hez, sedimento. || Regla, planta, uso, estilo.

pie (poner en) Levantar, enarmonar.

pie (de) 'Parado.

piedad Devoción, caridad, veneración. || Misericordia, compasión, lástima, conmiseración. ↔ *Impiedad, crueldad.*

piedra Peña, peñasco, risco, roca, pedrusco. || Canto, china, guijarro, guijo, matacán. || Pedernal, sílice. || Granizo. || Cálculo, arenillas. || 'Adoquín, sillar, dovela. || Laja, lancha. || Monolito, menhir.

piedra berroqueña Granito.

piedra de afilar o **amolar** Asperón.

piedra meteórica Acrolito.

piedra fina, piedra preciosa Gema.

piedra nefrítica Jade.

piel Dermis, epidermis, tegumento, membrana. ||

Cuero, pellejo, odre, pielgo. || Corteza, cáscara.

piélago Mar, ponto, océano.

pienso Heno.

piérides Musas.

pierna Gamba, pata, zanca, remo.

pieza Trozo, parte, fragmento, pedazo, elemento. || Cuarto, aposento, sala, estancia, habitación. || Ficha. || Moneda. || Alhaja, herramienta, utensilio, mueble.

pieza (de una) Inmóvil, quieto, estático. || Sorprendido, aturrullado.

piezgo Pielgo. || Cuero, odre.

pifia Error, equivocación, descuido, desacierto, golpe en falso, yerro, gazapo, disparate, desatino. ↔ *Acierto.*

pigargo Halieto, melión, culebrera.

pigmentado Teñido, coloreado.

pigmento Colorante, soporte.

pigmeo Enano, liliputiense, gnomo, diminuto, pequeño, semihombre. ↔ *Gigante.*

pignorar Empeñar, hipotecar.

pigre Pigro, negligente, holgazán, tardo, desidioso, perezoso, flojo. ↔ *Diligente.*

pigricia Pereza, negligencia, holgazanería, haraganería, desidia, descuido, flojera, galbana. ↔ *Diligencia, actividad.*

pigro Pigre, negligente.

pihuela Atadura, correa. || Dificultad, obstáculo.

pihuelas Grillos.

pijotero Molesto, cargante, fastidioso, chinchorrero,

pesado. ↔ *Ameno, agradable.*

pila Pilón, recipiente, cuenco, bañera, puente, abrevadero, 'alto, 'tonga. || Montón, rimero, cúmulo, acervo, ñaque, revoltillo. || Parroquia, feligresía. || Machón.

pilar Pilastra, hito, mojón, columna, anta, cipo.

'pilca Tapia.

'pilche Jícara, vasija.

píldora Gragea, comprimido, oblea. || Aflicción, pesadumbre. || Embuste, embolisma, patraña, bola, enredo.

pilón Pila, abrevadero. || Pila, montón. || Lavadero.

pilongo Macilento, flaco, escuálido, extenuado. ↔ *Robusto.*

piloriza Cofia.

píloro Portanario.

pilotar Dirigir, gobernar, guiar, conducir.

piloto Guía, conductor, nauchero, nauchel, timonel, batelero. || Mentor.

piltrafa Piltraca, pellejo, despojo, desecho, residuo.

pillada Pillería.

pillaje Rapiña, saqueo, saco, botín, pecorea, robo, latronicio, despojo, concusión, depredación.

pillar Hurtar, rapiñar, robar, saquear, robar, desvalijar, apandar. || Agarrar, atrapar, coger, aprehender, sorprender, pescar, cazar.

pillería Pillada, tunantada, truhanería, bellacada, trastada, bribonada, bellaquería, picardía.

pillete Granuja, golfo, pillo, pícaro, galopín, vagabundo, vago, 'cipote.

pillo Pícaro, pilluelo, pillas-

tre, pillastrón, pillín, pillete, perillán, ladino, pícaro, tunante, listo, astuto, bribón, granuja, taimado, canalla, tramposo, malvado, belitre, truhán, charrán, zamarro, guaja. ↔ *Bobo, necio, buena fe, hombre de bien.*

pimienta Pebre, *páprica, 'carí.

pimiento Pimentón, morrón, ají, chile, chiltipiquín. || Roya.

pimiento (blanco) 'Chamborote.

pimiento de las Indias Guindilla.

pimpido Colayo.

pimpinela Sanguisorba.

pimpollear o pimpollecer Apimpollarse.

pimpollo Retoño, vástago, tallo, brote, renuevo, botón, capullo. || Mozo, pollo, mocetón.

pina Cama (del carro).

pinabete Abeto.

pinacoteca Galería, museo, exposición, sala.

pináculo Altura, cima, cumbre, pico, fastigio, remate.

pinar Pineda, pinatar, 'pinedo.

pincelada Rasgo, trazo, carácter. || Descripción, explicación, expresión.

pinchado Picado, agujereado, pespunteado, mosqueado.

pinchadura Puntura.

pinchar Punzar, picar, herir, 'chuzar. || Mover, excitar, incitar, provocar, enojar.

pinchazo Picada, punzadura, remoquete. || Reventón.

pinche Galopín, sollastre, aprendiz, mozo. || Marmitón.

P **pincho** Aguja, punta, aguijón, espeque.

pindonga Ramera.

pindonguear Callejear, pendonear.

pineda Pinar, pinatar.

'pinedo Pinar.

pingajo Pingo, andrajo, harapo, colgajo, calandrajo, jirón, arambel, argamandel, jerapellina, guiñapo, 'carlanga.

pingajoso Haraposo, harapiento, andrajoso, roto.

pinganitos (en) Elevado, encumbrado, próspero.

pingar Brincar, saltar. ‖ Gotear. ‖ Inclinar.

pingo Pingajo.

pingorotudo Pino, empinado.

pingüe Graso, gordo, mantecoso, grasiento, craso. ↔ Magro. ‖ Copioso, fértil, abundante, considerable, cuantioso. ↔ Escaso.

pinguosidad Crasitud, gordura, grasa, untuosidad.

pingüino Pájaro bobo.

pinillo Ayuga, mirabel, perantón. ‖ Hierba artética.

pinjante Colgante, pendiente, arete.

pino Pingorotudo, empinado, pingado, enhiesto, erecto, escarpado, costanero, pendiente, 'ocote. ↔ Llano.

pino Aznacho.

'pinol Pinole.

pinole 'Pinol.

pinta Mancha, mota, señal, peca, lunar. ‖ Faz, aspecto.

pintadera Carretilla.

pintado Esmaltado, barnizado, 'saraviado. ‖ Coloreado, matizado.

pintamonas Pintorzuelo.

pintar Pintorrear, pintarrajear, pintarrajar, pincelar, teñir, colorir, colorar. ‖

Describir, narrar, representar. ‖ Fingir, engrandecer, exagerar, ponderar. ‖ Importar, valer, significar.

pintiparado Igual, semejante, parecido, parejo, similar. ↔ Desigual, inexacto.

pintojo Pintado, manchado.

pintor Pincel, colorista, coloridor, pintamonas, pintorzuelo, orbaneja. ‖ Acuarelista, pastelista, fresquista, templista, paisajista, retratista, miniaturista, escenógrafo.

pintoresco Colorido, curioso, atractivo, vivo, animado, expresivo. ↔ Monótono, aburrido.

pintura Tabla, lienzo, tela, cuadro. ‖ Color. ‖ Descripción, retrato, explicación.

pinturero Presumido, farolero, fachendoso.

pínula Dioptra.

piñón 'Tempate.

pío Devoto, piadoso, religioso, benigno, compasivo, caritativo, misericordioso. ↔ Impío.

piocha Zapapico, pico, piqueta.

piojillo 'Totolate.

piojo Cáncano, miseria, 'carángano.

piojoso Mezquino, tacaño, avariento, miserable.

piorno Gayomba. ‖ Codeso.

pipa Tonel, candiota, cuba, barrica, bocoy, barril. ‖ Chibuquí. ‖ Lengüeta. ‖ Pipiritaña. ‖ Espoleta. ‖ Cachimba, 'cachimbo.

pipa Pepita, simiente.

pipería Botamen, botería.

pipiolo Novato, principiante, bisoño, inexperto. ↔ Ducho, baqueteado.

pipirigallo Esparceta.

pipiritaña Pipitaña, pipa, zampoña.

piporro Bajón, 'cántaro.

pique Resentimiento, disgusto, enojo.

pique (a) Cerca de, a riesgo de, a punto de.

pique (echar a) Hundir, destruir.

piqueta Piocha, zapapico, pico.

pira Hoguera, fogata, falla, rogo.

piragua Canoa, bote, batel.

piramidal Colosal, descomunal, fenomenal.

pirata Corsario, filibustero. ‖ Ladrón, despiadado, cruel, malvado.

piratería Robo, pillaje, corso.

pirausta Piragón, piral.

'pirgüín Sanguijuela.

pirita Marcasita, margajita, marquesita, piedra inga.

piropo Requiebro, flor, terneza, chicoleo, quillotro, alabanza, adulación, lisonja. ‖ Carbúnculo.

pirosis Rescoldera, ardencia, resquemor.

pirotécnico Artificiero, cohetero, polvorista, polvorero.

piroxilina Algodón pólvora.

pirrarse Perecerse, desvivirse, anhelar, desear, despepitarse, enamorarse, enloquecer, beber los vientos.

pirriquio Pariambo, periambo.

pirrónico Escéptico.

pirueta Cabriola, voltereta, salto, bote, brinco.

piruja Pizpireta, vivaracha, desenvuelta.

pisada Huella, holladura, pisadura. ‖ Patada.

pisadas (seguir las) Imitar, seguir.

pisar Hollar, apisonar, pisotear. || Apretar, estrujar. || Copular, cubrir. || Conculcar, infringir, quebrantar, atropellar. || Humillar, maltratar, abatir.

pisar los talones Perseguir.

pisaverde Petimetre, lechuguino, presumido, barbilindo, virote, chisgarabís, currutaco, gomoso.

piscina Pecina, estanque, baño.

piscolabis Refacción, colación.

piso Suelo, pavimento, solado. || Suela. || Superficie. || Cuarto, habitación, domicilio, departamento. || Planta.

pisotear Pisar, hollar, apisonar, aplastar. || Despreciar, escarnecer, conculcar, humillar, despreciar, ajar, abatir, maltratar. ↔ *Encumbrar, enaltecer.*

pista Huella, indicio, rastro, vestigio, señal. || Campo, circuito, carretera.

pistar Machacar, aprensar.

pistacho Alfóncigo, alfócigo.

pisto Postín, ciquitroque.

pistolera 'Cañonera.

pistolero Atracador, asesino, *gángster, *gunman.

pistón Émbolo.

pistonudo Morrocotudo.

pistraje Brebaje, bodrio, aguachirle, bebistrajo.

pita Pitera, cabuya, henequén, agave, 'cocuí, 'cocuy, 'caruata, 'magüey.

pita Pitada, silba, abucheo. ↔ *Aplauso, ovación.*

pitada Pita. || Trompetada, clarinada, zanganada, tabarra, joroba.

pitanza Manduca, condumio, comida, pasto, nutri-

ción, vitualla, alimento. || Ración, distribución. || Precio, estipendio.

pitañoso Pitarroso, legañoso. ↗

pitar Silbar, abuchear, desaprobar.

'pitar Fumar.

pitarra Legaña, pitaña.

pitarroso Pitañoso, legañoso.

pitido Pitío, pitico, silbido.

pitillera Cigarrera, petaca, tabaquera.

pitillo Cigarrillo.

pítima Borrachera.

pito Silbato, silbo, chiflo, chifle, pita, sirena. || Taba.

pitón Cuerno. || Pitorro, apículo, ápice, pico, cogujón. || Botón, renuevo, retoño.

pitonisa Pitia, sacerdotisa, adivinadora, hechicera, encantadora.

pitorreo Burla, guasa, choteo, rechifla, mofa.

pitpit Pipí.

'piuquén Avutarda.

píxide Copón.

pizarra Esquisto. || Encerado.

pizca Migaja, chispa, pellizco, ostugo, chichota, pulgarada, mínimo.

pizco Pellizco.

pizpita Aguzanieves.

pizpireta Pizpirete, piruja, vivaracha, desenvuelta, viva, aguda, pronta. ↔ *Boba, tonta.*

placa Lámina, plancha, película, film, clisé.

placarte Cartel, bando, pasquín, edicto.

pláceme Felicitación, enhorabuena, parabién, norabuena, congratulación.

placenta Parias, pares.

placentero Agradable, grato, ameno, plácido, apaci-

ble, placible, afable, alegre, amable, gayo, deleitoso, deleitable, satisfactorio, gustoso, atractivo, gracioso, ledo, confortable. ↔ *Desagradable, enojoso.*

placer Mina, arrugia. || Arenal, banco.

placer Contento, goce, satisfacción, agrado, deleite, gozo, gusto, solaz, dicha, delicia, alegría, felicidad, goce, regocijo, júbilo, contento, regosto, delectación, fruición, regodeo, gloria, molicie. ↔ *Desplacer, disgusto.* || Diversión, entretenimiento, recreo, refocilación, expansión, escorrozo. ↔ *Aburrimiento.* || Sensualismo, disipación, concupiscencia, hedonismo, epicureísmo, voluptuosidad. ↔ *Continencia.* || Consentimiento, voluntad, permiso, aquiescencia, beneplácito. ↔ *Negativa.*

placer Gustar, agradar, cuadrar, satisfacer, deleitar, contentar, halagar, hechizar, lisonjear, caer en gracia, llevarse los ojos.

placer (a) Despacio, poco a poco.

placidez Quietud, tranquilidad, calma, sosiego, espera, paz, bonanza, apacibilidad, serenidad, flema, paciencia, afabilidad. ↔ *Desasosiego, intranquilidad.*

plácido Placentero, apacible, sereno, manso, tranquilo, suave, calmoso, impávido, pacífico, afable, quieto, sosegado. ↔ *Intranquilo, pusilánime, inquieto, tarabilla.*

plácito Dictamen, juicio, parecer.

plaga Calamidad, infortu-

P nio, desgracia, catástrofe, peste, azote, labe, daño, ruina, epidemia, **flagelo.** ‖ Llaga. ‖ **Copia, abundancia,** cantidad, multitud, raudal, lluvia, diluvio, caterva, enjambre. ↔ *Escasez.*

plagar Cubrir, llenar, pulular, llover.

plagiar Copiar, fusilar, imitar, robar, remedar.

plagio Imitación, copia, remedo, reproducción, refrito, robo, apropiación. ↔ *Original, inédito.*

plan Designio, proyecto, idea, intento, programa, propósito, intención. ‖ Extracto, argumento, síntesis, esquema, apunte. ‖ Diseño, esbozo, **bosquejo,** sinopsis.

plan Altitud, altura, nivel. ‖ Plano.

plana Llana.

plana Página, carilla, **cara,** haz. ‖ Planicie.

planada Planicie.

plancha Tabla, chapa, palastro, placa, lámina. ‖ Desacierto, error, yerro, pifia, coladura, malogro, chambonada.

planchar Alisar, allanar, estirar.

planear Planificar, plantear, concebir, trazar, fraguar, proyectar, **forjar, hilvanar,** preparar, combinar, madurar, esbozar, formar, tantear, bosquejar, diseñar, borronear.

planga Planco, dango, pulla, clanga.

planicie Llanura, llanada, llano, planada, plana, mancha, estepa, meseta, sabana. ↔ *Montaña, cordillera.*

plano Llano, liso, igual, aplanado, nivelado, aplas-

tado, raso, horizontal. ↔ *Desigual, alto, bajo.* ‖ Chato, romo. ↔ *Agudo.* ‖ Plan, mapa, carta. ‖ Superficie, cara, extensión.

plantación Plantío.

plantar Hincar, introducir, fijar, poner, colocar, clavar, asentar. ‖ Fundar, establecer, instituir. ‖ Propinar, dar, asestar, soltar, pegar, plantificar. ‖ Dejar, abandonar, burlar, dar esquinazo. ‖ Decir, cantar, largar.

plantarse Detenerse, pararse. ‖ Llegar, arribar, sobrevenir, comparecer, trasladarse.

plantarse (un animal) 'Empacarse, 'armarse.

plante Abandono, dejación. ‖ Complot, confabulación, conchabanza.

plantear Planear, planificar. ‖ Ejecutar, establecer, instituir. ‖ Proponer, sugerir, exponer, suscitar, presentar, fijar.

plantel Plantío.

plantificar Planear. ‖ Plantar.

plantilla Soleta, suela. ‖ Patrón, modelo, regla, escantillón, rasero. ‖ Planta, plan. ‖ Fanfarronería, petulancia, arrogancia, jactancia. ↔ *Modestia.*

plantío Plantación, plantel, planta, vivero, vergel, semillero, criadero, bancal, cultivo, sembradío.

plantón Guardia, centinela.

plantón (estar de) Aguardar, esperar.

plañidera Endechadera, llorona.

plañidero Lloroso, llorón, lacrimoso, lastimero, triste, quejumbroso, querelloso, gemebundo, quejicoso,

gemidor. ↔ *Alegre, contento, satisfecho.*

plañido Lamentación, lamento, llanto, sollozo, lloro, gemido, gimoteo, cojijo, plañimiento, zollipo, jeremiada. ↔ *Risa.*

plañir Gemir, gimotear, clamar, hipar, llorar, lloriquear, sollozar. ↔ *Reír, estar alegre.*

plañirse Quejarse, lamentarse, lastimarse, dolerse, apenarse, entristecerse. ↔ *Gozarse, alegrarse.*

plasmar Figurar, formar, moldear, concretar, esculpir, concebir.

plasta Pasta, masa. ‖ Plepa, chapuz, sotreta, buñuelo, aborto.

plástica Disposición, dibujo, concepción, estructura, contextura. ‖ Escultura, relieve. ‖ Cerámica, alfarería.

plástico Dúctil, blando, flexible, elástico, maleable, amasable, muelle, moldeable. ↔ *Duro, recio.* ‖ Formante, formativo, figurativo. ‖ Cerámico. ‖ Expresivo, conciso, concreto, preciso, exacto. ↔ *Confuso.* ‖ Sintético, polímero.

plata Dinero, moneda, riqueza.

plataforma Tribuna, tablado, palenque. ‖ Apariencia, tema, pretexto, motivo, disculpa, expediente, excusa.

plátano Banano, bananero. ‖ Banana.

platea Patio, preferencia, butacas.

platear Argentear.

platería Argentería, orfebrería, joyería.

platero Joyero, orfebre.

plática Prédica, sermón, homilía, discurso, conferencia, razonamiento. || Coloquio, charla, conversación, diálogo, parola, conciliábulo, palique.

platicar Charlar, conversar, hablar, departir, conferenciar, razonar, estar a razones. || Predicar, sermonear, evangelizar.

platija Acedía, platuja.

platilla Bocadillo.

platillo Comidilla, murmuración, habladuría.

platina Plato, disco.

plato Fuente, bandeja, gábato, escudilla, pátera, gamella. || Manjar, vianda, comida. || Platina.

platónico Romántico, sentimental, ideal, puro, desinteresado, honesto. ↔ Interesado, aprovechado, sexual.

'platudo Adinerado, acaudalado, rico.

plausible Admisible, aceptable, recomendable, probable, posible. ↔ Inadmisible, inaceptable. || Loable, meritorio, digno, laudable.

playa Grao, arenal, playado, ribera.

plaza Explanada. || Ágora, mercado, zoco. || Fortaleza, ciudadela, presidio. || Espacio, terreno, sitio, lugar, asiento, puesto. || Ciudad, villa, población. || Cargo, empleo, dignidad, jerarquía, rango, condición, ministerio.

plazo Término, vencimiento, fecha, caducidad, prescripción, tiempo. || Prórroga, aplazamiento, moratoria, dilación, retardo, tregua, intervalo, interrupción.

pleamar Aguas llenas, flujo.

plebe Pueblo, populacho,

vulgacho, chusma, turba, hampa, gentuza, proletariado, villanaje. ↔ Nobleza, aristocracia, burguesía.

plebeyo Llano, popular, vulgar, soez, ordinario, populachero, grosero. ↔ Distinguido, selecto. || Pechero, villano, proletario, humilde. ↔ Noble, aristócrata, patricio.

plebiscito Sufragio, elección, referéndum, votación.

plectro Musa, estilo, inspiración.

plegable Muelle, blando, maleable, flexible, dúctil. ↔ Rígido.

plegar Doblar, plisar, rebujar, arrugar, encarrujar, gandujar, fruncir, rizar, ondear, escarolar.

plegarse Doblegarse, doblarse, ceder, someterse, inclinarse, amoldarse. ↔ Resistir. || Acostumbrarse, avenirse.

plegaria Oración, rezo, deprecación, ruego, súplica, rogativa, preces, jaculatoria.

pleitear Litigar, querellar, contender.

pleitesía Concierto, avenencia, acuerdo, pacto, convenio. || Reverencia.

pleitista Pleiteador, litigante, picapleitos. || Embrollón, enredador, camorrista, revoltoso.

pleito Litigio, lite, litispendencia, pendencia, querella, contención, diferencia, disputa, riña.

plenario Entero, cabal, cumplido, íntegro, total, pleno. ↔ Incompleto, defectuoso.

plenipotenciario Diplomá-

tico, embajador, ministro, enviado.

plenitud Llenura, llenez, integridad, totalidad, plétora, saciedad, saturación, repleción, henchimiento, preñez, abundancia, hartura. ↔ Defecto, falta, carencia.

pleno Lleno, llenero, cuajado, atestado, repleto, colmado, colmo, preñado, abarrotado, ocupado, saturado, henchido, macizo, completo, plenario. ↔ Vacío, desocupado. || Junta, reunión, asamblea general, asamblea plenaria.

pleonasmo Redundancia, repetición.

plepa Chapuz, aborto, birria, engarnio, buñuelo, 'sotrera.

plétora Abundancia, plenitud, exceso, superabundancia, saciedad, fecundidad, caudal, pluralidad, copia, demasía, cargazón, exuberancia. ↔ Escasez, defecto, falta.

pleurodinia Pleuresía.

pléyade Legión, falange, séquito, hornada, generación.

pléyades Hespérides.

pliego Cartapacio, hoja, cuadernillo. || Carta, oficio, documento, memorial.

pliegue Plegadura, repliegue, plisado, doblez, rugosidad, dobladura, frunce, dobladillo, alforza, fuelle.

plinto Latastro.

plomada Perpendículo, plomo. || Sonda.

plombagina Grafito, plumbagina.

plomizo Plúmbeo, plomoso, plúmbico. || Gris. || Pesado, aplomado.

pluma Péndola, péñola, cá-

p lamo, estilo, estilete, estilográfica. || Plumón. || Plumaje.

plumada Carácter, rasgo, trazo, letra.

plumaje Pluma, plumazón, plumero, copete, airón, penacho, cresta.

'plumerilla Mimosa.

plumón Pluma, flojel, edredón, *duvet, 'calcha.

pluralidad Diversidad, multiplicidad, variedad, mayoría, numerosidad, sinnúmero, sinfín, plétora.

plus Gratificación, propina, sobresueldo, adehala, sobrepaga, regalía, gajes, viático, dieta, extra, obvención.

plusvalía Mayor valía.

plúteo Anaquel, cajón.

plutonismo Vulcanismo.

pluviómetro Odómetro, pluvímetro.

pluvioso Lluvioso, húmedo.

población Populación. || Poblado, ciudad, villa, pueblo, aldea, poblacho, lugar, villorrio. || Vecindario, vecinos, habitantes.

poblado Población, pueblo, aldea.

'poblano Lugareño, campesino.

poblar Fundar. || Ocupar.

poblarse Aumentarse, incrementarse.

pobo Chopo, álamo.

pobre Pobrete, pobreto, pobretón, pelagatos, necesitado, desvalido, cuitado, indigente, menesteroso, miserable, insolvente. ↔ *Rico.* || Mendigo, pordiosero, guitón, pedigüeño, vagabundo, mendicante. || Escaso, corto, falto, raquítico, mezquino. ↔ *Abundante, excesivo.* || Desdichado, infeliz, infortuna-

do, desamparado, triste, maluco, humilde, modesto, insignificante, tronado. ↔ *Feliz, afortunado.* || Pacífico, sencillo, bonachón.

pobreta Ramera.

pobrete Pobre.

pobretería 'Chinaca.

pobreza Pobrería, pobretería, necesidad, escasez, penuria, carencia, inopia, estrechez, miseria, apuro, lacería, pauperismo, mezquindad, desnudez, privación, falta, carestía. ↔ *Riqueza.*

pobrísimo Paupérrimo, misérrimo. ↔ *Riquísimo.*

pocero Privadero.

pocilga Establo, cuadra, corral, porqueriza, chiquero, zahúrda, cocha, cochitril, cochiquera.

pocillo Jícara, taza.

pócima Poción, apócima, apócema, julepe, potingue, cocimiento, brebaje, electuario.

poco Escaso, limitado, corto, insuficiente, parco, moderado, sobrio, parvo, templado. ↔ *Mucho.* || Tris, tantico. || Apenas, casi, medianamente.

póculo Copa, vaso.

pocho Pálido, desvaído, descolorido, apagado. ↔ *Brillante.*

poda Monda, corta, desmoche, escamonada, expurgo.

podadera Podón.

podagra Gota.

podar Cortar, recortar, escamondar, purgar, limpiar, expurgar, desmochar, cercenar, escatimar, suprimir.

poder Imperio, dominio, potestad, mando, jurisdicción, supremacía, facultad, autoridad. || Vigor,

fuerza, potencia, pujanza, eficacia, influencia, ascendiente, brazo, posibilidad, poderío. ↔ *Impotencia.* || Autorización, carta blanca, licencia. ↔ *Desautorización.*

poder Ser dable, ser factible, ser posible. || Lograr, obtener, conseguir. || Atinar, acertar, adivinar.

poderhabiente Representante, apoderado, facultado, administrador, ejecutor.

poderío Poder, dominio, mando, imperio, potestad, potencia, señorío, jurisdicción, facultad, autoridad. || Vigor, fuerza. || Hacienda, riquezas, bienes.

poderoso Opulento, acaudalado, rico, pudiente, adinerado, creso. ↔ *Pobre.* || Grande, excelente, magnífico. ↔ *Miserable.* || Eficaz, activo, enérgico, fuerte, potente, vigoroso, pujante. ↔ *Débil.*

podio Pedestal.

podómetro Odómetro, hodómetro, cuentapasos.

podre Pus, materia, podredumbre, virus, ascosidad.

podredumbre o **podredura** Putrefacción, pudrición, pudrimiento, corrompimiento, corrupción, infección, purulencia, carroña, gangrena, impureza, ulceración, podre. ↔ *Pureza, incorrupción.*

podrido Corrompido, putrefacto, averiado, descompuesto, contaminado, infecto, infectado, purulento, inficionado, gangrenado, viciado. ↔ *Sano, incorrupto.*

poema Poesía, balada, balata, elegía, soneto, lira.

poesía Poema, trova. || Numen, plectro, inspiración, musa.

poeta Vate, rapsoda, bardo, trovador, rimador, felibre, versificador, coplero, cantor, poetastro, ripiador.

poético Lírico.

poetizar Embellecer. || Calzar el coturno, encaramarse a las nubes.

polacada Alcaldada, desafuero, arbitrariedad.

polaco Polonés.

polaina Sobrecalza, antipara, cubrenieves, 'sobrebota.

polarizar Concentrar.

polea Garrucha, carrucha, carrillo, trocla.

poleada 'Ulpo.

polémica Controversia, discusión, disputa.

polemizar Controvertir, disputar, discutir.

policía Vigilancia, seguridad, orden, regla, reglamento. || Guardia, agente, vigilante, detective, polizonte. || Aseo, limpieza, urbanidad, cortesía, buena crianza.

policlínica Consultorio, clínica.

policromo Multicolor.

polichinela Pulchinela, mufieco, títere, pierrot, arlequín, fantoche.

polifagia Hambre canina.

polígala Lechera amarga.

poligráfico Cifrado, en clave.

polígrafo Escritor, publicista.

polipasto Polispasto, aparejo

polípero Madrépora.

política Gobierno. || Urbanidad, policía, cortesía, finura, buena crianza. || Arte, habilidad, traza, gramática parda.

político Hombre público. || Cortés, urbano, atento, cumplido, diplomático, astuto, flexible. ↔ *Impolítico.*

polizón Llovido.

polo Extremo, borne, terminal.

polo positivo Ánodo.

polo negativo Cátodo.

polonés Polaco.

poltrón Perezoso, gandul, holgazán, haragán, molondro. ↔ *Activo, diligente.*

poltronería Haraganería, pereza, gandulería, holgazanería, flojedad, flojera. ↔ *Diligencia, actividad.*

poluto Maculado, contaminado, manchado, sucio. ↔ *Limpio.*

polvareda Tolvanera.

polvo Polvareda, pulgarada, ceniza, polvos, 'narigada.

polvo (reducir a) Pulverizar.

polvo (hacer) Aniquilar, arruinar.

polvo (morder el) Caer.

polvo (hacer morder el) Derribar, vencer.

polvo (sacudir el) Zurrar, vapulear.

pólvora Geniazo, pulguillas, cascarrabias. || Centella, rayos. || Viveza, actividad, vehemencia.

polvorear Espolvorear, esparcir, polvorizar.

polvoriento Pulverulento, polvoroso, pulvífero, cenizoso.

polla Gallina. || Fúlica. || Moza, mocita, muchacha.

pollada Parvada, pollazón.

pollera Andaniño, andador.

pollino Rozno, roche, ruche, rucho, rucio, asno, borrico.

pollo Pollito, mozo, mocito, joven, adolescente, pimpo-

llo, jovenzuelo. || Pollancón, pollastre, pollastro, capón. || Taimado, sagaz, astuto. || 'Nactete.

polluelo 'Nactete.

poma Manzana. || Pomo, perfumador, bujeta.

pomada Ungüento, cosmético, cerato, vaselina, glicerina, crema, *colcrén, mixtura, fijapelo.

pomelo Toronja.

pomo Frasco, bujeta, bote, perfumador, poma.

pompa Pomposidad, suntuosidad, magnificencia, lujo, ostentación, fausto, gala, esplendor, aparato, solemnidad, boato, tramontana, grandeza, rumbo, atuendo, pavonada. ↔ *Sencillez.* || Ampolla, burbuja, ahuecamiento. || Elevador, bomba.

pompa (de jabón) 'Bomba, 'górgoro.

pomposo Pompático, rumboso, suntuoso, magnífico, ostentoso, aparatoso, señorial, rumboso, lujoso, solemne, magnificente, esplendoroso. ↔ *Sencillo.* || Hueco, vano, hinchado, inflado, almidonado, presuntuoso. ↔ *Modesto.* || Rimbombante, retumbante, recargado, enfático, churrigueresco, campanudo.

pómulo Malar.

ponche 'Gloriado.

ponchera Bol.

poncho 'Carí, 'ruana.

ponderación Atención, cuidado, medida, peso, proporción, exactitud. || Exageración, encarecimiento. || Equilibrio, compensación, justo medio, igualdad.

ponderado Equilibrado, justo, sensato, sobrio, orde-

P

nado, retenido, mesurado, contenido. ↔ *Desmesurado.*

ponderador Adulador, exagerador. || Compensador.

ponderar Pesar, examinar, considerar. || Exagerar, encarecer, enaltecer, abultar. || Contrapesar, compensar, equilibrar.

ponderoso Pesado, grave. ↔ *Ligero.* || Atento, cuidadoso, circunspecto, prudente. ↔ *Desatento.*

ponedero Nidal, ponedor.

ponedor Ponedero. || Pastor, licitador.

ponencia Dictamen, informe, resumen.

ponente Relator, informador.

ponentino Ponentisco, occidental.

poner Situar, colocar, sentar, meter, acomodar, establecer, instalar, fijar. ↔ *Sacar, quitar.* || Disponer, arreglar, prevenir, preparar. || Determinar, contar. || Suponer. || Contribuir, concurrir, escotar. || Estrechar, reducir, constreñir. || Abandonar, confiar, poner confianza. || Exponer, arriesgar. || Soltar, producir. || Maltratar, denostar.

ponerse Oponerse. || Vestirse, ataviarse, arreglarse. || Llenarse, mancharse. || Ocultarse, plantarse, trasladarse, ir.

poner fin Rematar, terminar, finalizar.

poner en claro Apurar, investigar, aclarar.

ponerse de hinojos Arrodillarse.

'pongo Criado.

poniente Occidente, ocaso, oeste. ↔ *Levante.* || Céfiro.

pontevedrés Lerense.

pontífice Prelado, obispo, arzobispo, Papa.

pontificado Papado.

ponto Piélago, mar.

pontón Lanchón. || Puente.

ponzoña Veneno, tósigo, tóxico, toxina, virus. ↔ *Antídoto.*

ponzoñoso Dañoso, dañino, nocivo, venenoso, perjudicial, virulento. ↔ *Beneficioso.*

popar Menospreciar, despreciar, desairar. || Halagar, acariciar, carantoñar, incensar.

populacho Plebe, turba, vulgo, chusma, populazo, canalla, 'chamuchina.

popular Nacional. || Común, vulgar, público, bajo. *Selecto.* || Querido, estimado, considerado. ↔ *Impopular, detestado.*

popularidad Fama, favor, crédito, estima, aplauso, renombre, gloria, notoriedad, boga. ↔ *Impopularidad.*

populoso Numeroso, bullicioso, hormigueante, frecuentado. ↔ *Abandonado, solitario.*

poquedad Miseria, escasez, cortedad. ↔ *Abundancia.* || Timidez, apocamiento, pusilanimidad, cobardía. ↔ *Osadía.*

porcentaje Tanto por ciento.

porción Pedazo, trozo, parte, fragmento, fracción, almorzada, pizca. ↔ *Total.* || Cantidad, cuota, ración. || Número, sinnúmero, multitud, montón, muchedumbre. || Congrua.

porche Soportal, atrio, cobertizo, pórtico.

pordiosear Pobretear, men-

digar, mendicar, pedir, limosnear.

pordiosero Mendigo, mendigante, mendicante, pobre, pedigüeño, guitón, pidientero, 'catintre, 'cachimbo.

porfía Discusión, disputa, contienda. || Terquedad, obstinación, contumacia, testarudez, machaquería, machaconería, importunidad, pesadez, insistencia, presura. || Emulación, competencia.

porfiado Porfiador, porfioso, tenaz, insistente, obstinado, testarudo, terco, importuno, pesado, machacón, chinchorro, temoso. ↔ *Remiso, condescendiente.*

porfiar Discutir, disputar, contender. || Machacar, insistir, importunar, instar, perseverar, porrear, obstinarse, emperrarse.

pormenor Detalle, pequeñez, nimiedad, menudencia.

pornografía Obscenidad.

pornográfico Inmoral, licencioso, grosero, impúdico, obsceno. ↔ *Honesto.*

poro Intersticio, orificio, agujero.

'pororó Rosetas.

poroso Agujereado, esponjoso, permeable.

'poroto Alubia.

porque Pues.

porqué Motivo, causa, razón.

porquería Inmundicia, suciedad, basura, mugre, ascosidad, bahorrina, roña, bazofia, mierda. || Indecencia, grosería. || Descortesía, desatención.

porquerizo Guerrero.

porra Maza, clava, cachiporra, rompecabezas, *tomahawck, 'tolete, 'magano.

porrada Porrazo. || Necedad, disparate. || Montón, conjunto, multitud, cantidad.

porrazo Porrada, golpe, golpazo, trastazo, zarpazo, batacazo, costalada.

porrear Insistir, porfiar, machacar.

porrería Necedad, sandez, tontería. || Lentitud, pesadez, tardanza.

porrillo (a) En abundancia, copiosamente, a tutiplén.

porro Necio, pazguato, lelo, bobo.

porrón Botijo. || Pachorrudo, pelmazo.

portada Frontispicio, frontis, fachada. || Portadilla.

portal Vestíbulo, zaguán, porche, pórtico, soportal.

portalero Consumero.

portamanteo Manga.

portamonedas Bolsa, cartera, monedero, bolso, 'chauchera.

portante Paso, ambladura, andadura.

portañola Cañonera, tronera, portaleña.

portañuela 'Tapabalazo.

portaplumas Mango, manguillero, 'canutero, 'canuto.

portar Llevar, transportar.

portarse Comportarse, conducirse, proceder, gobernarse, tratarse, lucirse, pajear, distinguirse.

portátil Transportable, conductible, manual, movible, cómodo, ligero. ↔ *Fijo.*

portaviandas Fiambrera.

portavoz Bocina. || Director, caudillo, *leader, cabecilla.

porte Traslado, transporte,

acarreo. || Apariencia, aire, aspecto, postura, presencia, andares. || Lustre, prestancia, calidad, nobleza.

portear Conducir, llevar, trasladar, transportar.

portento Prodigio, maravilla, milagro, asombro.

portentoso Asombroso, maravilloso, extraordinario, prodigioso, pasmoso, admirable, singular, estupendo, deslumbrante, mirífico, grandioso. ↔ *Insignificante.*

portero Guardián, conserje, bedel. || Guardameta.

pórtico Porche, portal, soportal, atrio, zaguán, galería, peristilo, antetemplo, vestíbulo.

portillo Puerta, postigo, lobera, ladronera. || Paso, camino. || Vacío, abertura, mella, agujero.

portón Contrapuerta.

portorriqueño Puertorriqueño, boricua, borinqueño.

portugués Luso, lusitano.

porvenir Futuro, venidero, mañana. ↔ *Pasado.*

porvida Taco, reniego, voto, terno, juramento.

pos (en) Detrás, después de.

posa Clamor, doble.

posada Domicilio, casa. || Campamento, detención, alto. || Parador, hostería, hostal, mesón, hospedería, venta, figón, fonda, ventorro, ventorrillo, hospedaje, alojamiento, albergue, 'tambo.

posaderas Posas, nalgas, asentaderas, traspontín, rabel, tafanario, nalgatorio, culo.

posadero Mesonero, hostele-

ro, fondista, ventero, huésped.

posar Alojarse, hospedarse. || Pararse, descansar, reped, 'tambero.

posar, percharse.

posarse Sedimentarse.

pose Postura, actitud, apariencia. || Empaque, afectación, prosopopeya. ↔ *Naturalidad.*

poseedor Amo, propietario, dueño, teniente, poderhabiente.

poseer Gozar, disfrutar, tener, dominar.

poseído Poseso. || Furioso, enfurecido, rabioso.

posesión Goce, disfrute, propiedad, usufructo, dominio. || Heredad, finca, predio. || Incautación.

posesionar Investir, instalar, dar posesión.

poseso Poseído, endemoniado, energúmeno, epiléptico.

posibilidad Probabilidad, potencialidad, aptitud, potencia.

posibilidades Medios, hacienda, caudal, riqueza, dinero.

posible Probable, viable, hacedero, realizable, concebible, dable, creíble, acaecedero, accesible, fácil, cómodo, potencial. ↔ *Imposible, improbable.*

posibles Dinero.

posición Estado, situación, postura, asiento, actitud, disposición, ademán, categoría.

positivista Utilitarista, utilitario, pancista. ↔ *Idealista.*

positivo Seguro, real, cierto, auténtico, verdadero, efectivo, innegable, indubitable, indudable. ↔ *Dudoso.* || Práctico, pragmá-

P

P tico, utilitario. ↔ *Ideal, inútil.*

pósito Depósito, almacén, cooperativa.

positura Postura, disposición.

posma Pesadez, pachorra, cachaza, roncería, flema. ↔ *Diligencia.* ‖ Pesado, cachazudo, flemático, postema.

poso Sedimento, zupia, zurrapa, heces, 'concho. ‖ Quietud, reposo, descanso.

posponer Preterir, aplazar, diferir. ‖ Postergar, menospreciar.

posta Cacho, tajada, bocado. ‖ Envite, apuesta. ‖ Correo.

poste Madero, pilar, sustentáculo, mojón, hincón, mástil, columna. ‖ Aviso, indicador.

postema Apostema, absceso. ‖ Posma, pesado.

postergación Preterición, posposición, relegación.

postergado Preterido, pospuesto, a la retaguardia.

postergar Aplazar, diferir, demorar. ‖ Preterir, posponer, humillar, perjudicar, relegar.

posteridad Prole, progenie, familia, descendencia.

posterior Siguiente, subsiguiente, consecutivo, ulterior, zaguero. ↔ *Anterior.*

postigo Contrapuerta, puertecilla, ventanillo, puerta falsa.

postín Pisto, fachenda, entono, alarde, boato, afectación, fausto, jactancia, vanidad. ↔ *Moderación, modestia.*

postinero Fatuo, petulante, jactancioso, pretencioso, pinturero, afectado, vanidoso. ↔ *Modesto, humilde.*

postizo Falso, engañoso, pegadizo, añadido, artificial, sobrepuesto, agregado, ficticio, 'bullarengue. ↔ *Verdadero, legítimo.*

postor Licitador, ponedor, apostador.

postración Descaecimiento, desánimo, desaliento, languidez, abatimiento, aplanamiento, extenuación, desfallecimiento, i n a c ción. ↔ *Ánimo, vigor.*

postrar Abatir, derribar, rendir, debilitar, desfallecer, humillar.

postrarse Hincarse, humillarse, respetar, venerar, prosternarse.

postre Sobremesa, 'ante. ‖ Pos.

postrer, postrero Último, postremo, posterior, zaguero, postrimero, postrimer.

postrimería Final, ocaso, fin, muerte. ‖ Novísimo.

postulación Solicitud, petición, póstula. ‖ Recaudación.

postulado Principio, supuesto.

postulante Solicitante, demandante, pretendiente, aspirante, candidato.

postular Pedir, solicitar, demandar, pretender, reivindicar.

postura Posición, actitud, situación, positura, estado. ‖ Convenio, ajuste, trato, concierto, pacto. ‖ Apuesta.

potable Bebible, saludable, bebedizo, bebedero.

potaje Sopa, caldo, bebida, brebaje, 'calalú.

potámide Sílfide, ninfa.

potar Contrastar, empatronar. ‖ Beber.

pote Cubilete, vaso. ‖ Ties-

to, maceta. ‖ Lata, tarro, horma. ‖ Puchero.

potencia Fortaleza, fuerza, poder, vigor, predominio, imperio, dominación. ‖ Posibilidad, probabilidad. ‖ Estado, nación.

potencial Capacidad, posibilidad, aptitud. ‖ Eventual, posible, probable.

potentado Príncipe, monarca, soberano, déspota, tirano, 'ulmen. ‖ Poderoso, acaudalado, opulento, hacendado, rico. ↔ *Pobre.*

potente Enérgico, vigoroso, pujante, poderoso, eficaz, fuerte. ↔ *Débil, impotente.* ‖ Grande, desmesurado, abultado. ↔ *Pequeño.*

poterna Rastrillo.

potestad Dominio, poder, jurisdicción, autoridad, facultad.

potingue Pócima, brebaje, mejunje, bebedizo, droga.

'potoco Bajo, gordo, rechoncho.

potra Yegua. ‖ Hernia. ‖ Chiripa, suerte, azar.

potrear Molestar, mortificar, incomodar. ‖ Retozar.

'potrero Dehesa.

potrilla Cotorrón, viejo verde.

potro Jumento, caballo, jaca, tuzón. ‖ Tormento.

potroso Hernioso, herniado. ‖ Dichoso, afortunado, feliz. ↔ *Infeliz.*

poyo Pueyo, banco, montador, arrimadero.

poza Charca, alberca, pozuela, balsa, lagunajo, 'certeneja.

pozo Hoyo, pozuelo, airón, sumidero, 'jagüey. ‖ Manantial.

práctica Rutina, experiencia, costumbre, ejercicio,

habilidad, hábito, aplicación. || Destreza, expedición, industria, facilidad. || Empirismo, praxis, modo, método, sistema.

practicable Transitable. || Hacedero, factible, realizable, posible, fácil, cómodo. ↔ *Impracticable.*

practicante Enfermero, ministrante.

practicar Ejercer, ejercitar, usar, cultivar, desplegar.

practicarse Hacerse, adiestrarse, avezarse, instruirse, acostumbrarse.

práctico Experto, conocedor, diestro, hábil, versado, avezado, baquiano, baqueteado, curial, industrioso, madrigado. ↔ *Inhábil, inexperto.* || Empírico, positivo, materialista. ↔ *Ideal, idealista.*

practicón Veterano, perro viejo, trujamán.

pradera 'Sabanazo.

prado Prada, pradera, pradería, pradal, pastos, fenal.

prasma Ágata.

pravo Perverso, depravado, degenerado, inicuo, malvado, inmoral. ↔ *Virtuoso.*

pravedad Depravación, iniquidad, corrupción, perversidad, maldad, inmoralidad. ↔ *Bondad, virtud.*

preámbulo Prólogo, preludio, proemio, introducción, entrada, prefacio, exordio, comienzo, principio, introito, prefación, prelusión, prolegómenos, advertencia. ↔ *Epílogo.*

prebenda Sinecura, canonjía, beneficio, renta, dote. || Cargo, destino, empleo. || Ancheta, enchufe, ventaja, provecho, ganga, oportunidad.

precario Inseguro, instable, inestable, frágil, incierto, perecedero, transitorio, efímero. ↔ *Estable, imperecedero.*

precaución Reserva, prudencia, cautela, circunspección, moderación, prevención, miramiento, recato, cuidado, previsión, garantía, trastienda. ↔ *Imprevisión.*

precaucionarse Precaverse.

precaver Prever, prevenir, soslayar, cautelar. || Evitar, ahorrar, obviar, huir, preservar, esquivar, rehuir.

precaverse Precaucionarse, asegurarse, prevenirse.

precavido Prudente, sagaz, cauto, prevenido, previsor, cauteloso, receloso, discreto, desconfiado. ↔ *Confiado, imprudente.*

precedencia Prioridad, prelación, antelación, anterioridad, antecedencia, anteposición, predestinación. ↔ *Posterioridad.* || Predominio, primacía, preeminencia, eminencia, presidencia, delantera.

precedente Antecedente, precursor, prístino, predecesor, prior, primero, anterior. ↔ *Consecuente, seguidor.* || Susodicho, antedicho, precitado, antes mencionado.

precedente (sin) Sin ejemplo, insólito.

preceder Adelantar, anteceder, anticipar, anteponer, prefijar, antevenir. ↔ *Seguir.* || Presidir, descollar, aventajar, superar, prevalecer, predominar, sobresalir, eclipsar, destacarse,

adelantarse, exceder, rebasar. ↔ *Suceder, venir detrás, quedar atrás.*

precepto Orden, instrucción, regla, disposición, mandamiento, canon, principio, recomendación, máxima.

preceptor Mentor, profesor, maestro, ayo, instructor, monitor, pasante.

preceptuar Disponer, prescribir, ordenar, mandar, reglamentar, legislar, reglar, pautar.

preces Súplicas, ruegos, instancias, demandas. || Oración, plegaria.

preciado Pagado, presuntuoso, infatuado, presumido, vano, fatuo, jactancioso, glorioso, ufano.

preciar Apreciar, estimar, valorar, enjuiciar, considerar.

preciarse Alabarse, presumir, jactarse, gloriarse, vanagloriarse, infatuarse, blasonar, alardear, fachendear, fanfarronear, ensoberbecerse, dárselas, echar fieros.

precintar Sellar, marchamar, asegurar, garantizar.

precinto Marchamo, fleje.

precio Valía, valor, valorización, valoración, evaluación, tasación, tasa, coto, estimación, importancia, significación, significado, consideración. || Costo, coste, importe, monto, monta, postura, tarifa, escandallo, emolumento, honorarios. || Premio, prez, galardón, adehala. || Costa, esfuerzo, pérdida, sacrificio, menoscabo.

preciosidad Beldad, belleza, hermosura, primor, sublimidad, encanto, perfec-

P ción, amenidad, graciosidad. ↔ *Fealdad.*

precioso Raro, importante, inestimable, imponderable, importante, valioso, rico, estimado, valorado. ↔ *Desestimado, sin valor, sin importancia.* || Magnífico, excelente, primoroso, exquisito, delicioso, ameno, hermoso, sublime, bonito, lindo, perfecto, pulcro, gracioso, bello, peregrino, pulido. ↔ *Feo.* || Chistoso, festivo, donoso, agudo, gracioso, decidor. ↔ *Aburrido.*

precipicio Despeñadero, derrocadero, derrumbadero, abismo, sima, precipitadero, desgalgadero, voladero, tajo, acantilado, barranco.

precipitación Aturdimiento, atropellamiento, atolondramiento, brusquedad, temeridad, imprudencia, arrebato, irreflexión, ímpetu, inconsideración, ardor, prisa, tropel. ↔ *Calma, serenidad.* || Imperfección. ↔ *Meticulosidad.*

precipitado Precipitoso, alocado, atropellado, atolondrado, aturdido, arrebatado, atronado, imprudente, impetuoso, desatinado, desapoderado, desalado, inconsiderado, farfullero, farfollón, fargallón. ↔ *Prudente, atinado.*

precipitar Empujar, lanzar, arrojar. || Derrumbar, derribar. || Acelerar, atropellar, apresurar, farfullar, harbar, expedir, festinar, embrollar.

precipitarse Dispararse, abalanzarse, echarse, tirarse. || Despeñarse, desriscarse.

precipitoso Precipitado. || Erecto, vertical, empinado, pino, pendiente. ↔ *Llano, fácil.*

precipuo Principal, notable, señalado.

precisar Fijar, determinar, concretar, deslindar, delimitar. || Estrechar, obligar, constreñir, forzar, reducir, compeler, coaccionar.

precisión Menester, falta, necesidad, requisito, obligación, carencia, indispensabilidad. ↔ *Futilidad, ociosidad.* || Delimitación, exactitud, determinación, distinción, claridad, caracterización. ↔ *Imprecisión, confusión.* || Puntualidad, regularidad, estrictez, fidelidad. ↔ *Incertidumbre.*

preciso Indispensable, imprescindible, insubstituible, inexcusable, irremplazable, necesario, forzoso, imperioso, obligatorio, urgente, esencial. ↔ *Fútil, ocioso, gratuito.* || Justo, cabal, exacto, fiel, puntual, matemático, escrupuloso, minucioso, clavado. ↔ *Impreciso, inexacto.* || Textual, conciso, concluyente, categórico, estricto, claro, abreviado, compendiado, resumido, sumario, restricto, formal, concluyente. ↔ *Exuberante, florido, pomposo.*

precito Maldito, condenado, réprobo.

preclaro Célebre, afamado, famoso, insigne, ínclito, perínclito, conspicuo, ilustre, notable, principal, esclarecido. ↔ *Desconocido, anónimo.*

preconcebido Meditado, reflexionado, pensado, prejuzgado, madurado. ↔ *Irreflexivo.*

preconizar Patrocinar, auspiciar. || Alabar, ensalzar, celebrar, elogiar, encomiar.

preconocer Conjeturar, prever, antever, barruntar, presentir, sospechar, pronosticar, recelar, temer, presumir.

precoz Temprano, adelantado, prematuro, zorollo.

precursor Predecesor, antecesor, antepasado, anterior, ascendiente, progenitor.

predecir Antedecir, adivinar, anunciar, profetizar, pronosticar, presagiar, vaticinar, augurar, hadar, anticipar, barruntar, prejuzgar, preconocer, conjeturar, decirle el corazón, darle el aire de, echar las cartas.

predestinación Fatalidad, destino, hado, sino, determinación, destinación

predestinar Proponer, destinar, marcar, hadar, sentenciar, anunciar, señalar.

prédica Plática, sermón, homilía, discurso, conferencia, arenga, perorata, filípica.

predicador Predicante, perorador, sermoneador, evangelista, apóstol.

predicamento Estima, opinión, consideración, dignidad, reputación, fama, categoría.

predicar Sermonear, platicar, evangelizar, misionar. || Reprender, exhortar, amonestar, recomendar.

predicción Augurio, pronóstico, profecía, presagio, vaticinio, conjetura, suposición, adivinación, oráculo, horóscopo, auspicio, presentimiento, señal, sinario, prefiguración, prenuncio.

predilección Preferencia, precedencia, propensión, prelación, inclinación, favor, cariño, privanza. ↔ *Aversión.*

predilecto Preferido, elegido, favorito, mimado, escogido, dilecto, privado. ↔ *Execrado, odiado.*

predio Dominio, posesión, heredad, tierra, feudo, alodio, finca, hacienda.

predisponer Disponer, inclinar, aprestar, preparar.

predisposición Propensión, inclinación, disposición, tendencia, destinación, reparación. ↔ *Indisposición, aborrecimiento.*

predominar Preponderar, prevalecer, imperar, reinar, señorear, soberanear, dominar. || Sobresalir, exceder, resaltar, surgir.

predominio Imperio, señorío, poder, potestad, influjo, superioridad, ascendencia, dominio, supeditación, autoridad, sujeción, dependencia. ↔ *Independencia, inferioridad.*

preeminencia Prerrogativa, ventaja, exención, superioridad, preferencia, supremacía, preponderancia, privilegio. ↔ *Inferioridad.*

preeminente Culminante, superior, sumo, supremo, eminente, sobresaliente, dominante, preexcelso, descollante, sublime. ↔ *Inferior, bajo.*

preexcelso Eximio, ilustre, perilustre, grande, honorífico, alto, elevado, insigne, egregio, sublime, pre-

claro, preeminente. ↔ *Incógnito.*

preexistencia Anterioridad.

prefacio Preámbulo, prólogo. ↔ *Epílogo.*

prefecto Gobernador, inspector.

preferencia Precedencia, primacía, prioridad, superioridad, prelación. ↔ *Postergación.* || Privanza, privilegio, favor, propensión, inclinación, predilección, parcialidad, distinción. ↔ *Imparcialidad, menosprecio.* || Patio, platea, butacas.

preferible Superior, mejor, primero, deseable. ↔ *Desechable.*

preferido Predilecto, favorito, escogido, mimado, privilegiado, elegido, privado, benjamín. ↔ *Menospreciado, abandonado.*

preferir Preponer, anteponer, distinguir, elegir, aventajar, privar, mimar, sentir debilidad por. ↔ *Preterir, menospreciar.*

prefigurar Predecir, preconocer, barruntar, adivinar, prejuzgar, conjeturar.

prefijar Determinar, predeterminar, predefinir, precisar, prefinir, preestablecer, predisponer, anteponer.

pregón Proclama, promulgación, publicación, divulgación.

pregonar Proclamar, divulgar, promulgar, vocear, notificar, anunciar, publicar. ↔ *Callar.* || Elogiar, encomiar, alabar. || Proscribir, bandear.

pregunta Demanda, pescuda, interrogación, cuestión, cuestionario, examen, interrogatorio, inter-

pelación, investigación, duda, consulta, curiosidad. ↔ *Respuesta.*

preguntar Interrogar, pedir, demandar, interpelar, consultar, investigar, examinar, interesarse. ↔ *Contestar, replicar.*

preguntón Preguntador, interrogador, importuno, impertinente, curioso, indiscreto.

prejuicio Prejudicio, aprensión, arbitrariedad, prevención, parcialidad, monomanía, obsesión. ↔ *Justa opinión.*

prejuzgar Preconcebir, estar poseído, imbuirse.

prelacía Prelatura.

prelación Preferencia, anticipación, antelación.

prelado Capellán, clérigo, pastor, obispo, arzobispo, primado, pontífice.

prelatura Prelacía.

preliminar Anterior, inicial, antecedente, preparatorio, preámbulo. ↔ *Final, conclusivo, subsiguiente.*

preludiar Iniciar, empezar, comenzar, preparar. ↔ *Acabar, terminar.* || Probar, ensayar.

preludio Introducción, principio, inicio, comienzo, entrada, preámbulo, obertura. ↔ *Epílogo, conclusión.*

prelusión Preámbulo.

prematuro Temprano, precoz, anticipado, antuviado, premiso, inmaturo, apresurado, adelantado, verde, abortivo. ↔ *Maduro, retrasado.*

premeditar Meditar, reflexionar, madurar, rumiar, recapacitar, preparar, proyectar, catar. ↔ *Actuar inconscientemente.*

P premiar Recompensar, galardonar, gratificar, honrar, laurear, coronar, remunerar, pagar, retribuir, compensar. ↔ *Castigar.*

premio Galardón, distinción, lauro, laurel, medalla, compensación, retribución, remuneración, pago. ↔ *Castigo.* ‖ Prima, plus, demasía, estímulo. ‖ Aumento, sobreprecio, sobretasa.

premioso Estrecho, apretado, ajustado, encogido. ↔ *Holgado.* ‖ Pausado, tardo, dificultoso. ↔ *Rápido.* ‖ Estricto, riguroso, rígido, severo. ↔ *Benevolente.* ‖ Acucioso, perentorio, apremiante. ↔ *Indeciso.* ‖ Gravoso, molesto.

premisa Proposición.

premiso Presupuesto, prevenido, anticipado, adelantado. ↔ *Postpuesto.*

premura Apuro, aprieto, prisa, prontitud, urgencia, instancia, agobio, perentoriedad. ↔ *Calma, lentitud.*

prenda Garantía, fianza, empeño, caución, prueba. ‖ Mueble, alhaja, enseres, útil, utensilio. ‖ Pieza, ropa, jaez. ‖ Virtud, cualidad, perfección.

prendar Agradar, satisfacer, placer.

prendarse Encariñarse, aficionarse, enamorarse, endevotarse, derretirse, pirrarse, chiflarse, chalarse, enquillotrarse, amartelarse. ↔ *Detestar, odiar.*

prendedero Alfiler, broche, aguja, fíbula, gancho.

prender Coger, agarrar, asir, cazar, apiolar, aferrar, encepar. ↔ *Soltar.* ‖ Apresar, aprehender, encarcelar, detener, aprisionar. ↔ *Liberar.* ‖ Cubrir,

fecundar. ‖ Arraigar, echar raíces.

prendería Cambalache, 'cambullón.

prenderse Enzarzarse, engancharse, enredarse. ‖ Arder, llamear, inflamarse.

prendimiento Detención, arresto, captura, prisión.

prensa Compresor. ‖ Imprenta. ‖ Diarios, periódicos, publicaciones.

prensa (dar a la) Publicar, divulgar.

prensa (meter en) Imprimir, tirar.

prensar Apretar, comprimir, estrujar, exprimir, aplastar, aprensar, oprimir, estrechar, atestar, abarrotar, 'azocar. ↔ *Aflojar, soltar.*

prensil Cogedero, aprehensorio, agarrador, asidor, aferrador.

preñada Grávida, encinta, embarazada, ocupada, fecundada, jeda, paridora.

preñado Embarazado, lleno, cargado, fecundo, rebosante, copioso, colmado, nutrido, grávido, lujuriante, exuberante, ubérrimo. ↔ *Vacuo, vacío, estéril.*

preñez Gravidez, embarazo, gestación.

preocupación Inquietud, cuidado, ansia, ansiedad, desvelo, intranquilidad, desasosiego, tribulación, torozón. ↔ *Despreocupación, tranquilidad.* ‖ Previsión, prevención, anticipación. ↔ *Imprevisión.* ‖ Ofuscación, prejuicio, manía, obsesión.

preocupar Inquietar, absorber, turbar, intranquilizar, desasosegar, alarmar, agitar, quemar. ↔ *Tranquili-*

zar. ‖ Ofuscar, obsesionar, remorder, escarabajear. ↔ *Despreocuparse, desentenderse.*

preocuparse Impacientarse, desvelarse, derretirse, comerse, tomar a pecho, acalorarse, estar en ansia, estar sobre ascuas. ↔ *Tomárselo con calma, serenarse.*

preparación Preparamiento, preparamento, preparativos, previsión, apresto, organización, disposición, aprontamiento, aparejo, avío, preliminares.

preparar Arreglar, disponer, prevenir, aprestar, aparejar, aviar, aprontar, apercibir, acondicionar, elaborar, proyectar, acomodar, organizar, planear, tramar, maquinar, guisar, aparar. ↔ *Realizar, efectuar, improvisar.*

prepararse Aparatarse, estar sobre aviso, tomar las medidas.

preparativo Preparatorio, providente, aviador.

preparativos Preparación.

preponderancia Preeminencia, supremacía, primacía, superioridad, prestigio, autoridad, consideración. ↔ *Dependencia, inferioridad.*

preponderante Predominante, preeminente, prevaleciente, influente, influyente, aventajado, prestigioso, superior, elevado, sobresaliente. ↔ *Inferior, dependiente.*

preponderar Predominar, dominar, prevalecer, sobresalir, aventajar. ↔ *Estar sujeto, ser inferior.* ‖ Influir, decidir, determinar.

preponer Preferir, anteponer, seleccionar, escoger. ↔ *Posponer.*

prepósito General, superior, jefe, principal.

prepóstero Invertido, trastocado, trocado, revuelto.

prerrogativa Privilegio, dispensa, ventaja, exención, atributo, facultad, inmunidad, gracia, merced, preferencia, preeminencia, derecho, poder. ↔ *Desventaja, inferioridad.*

presa Botín, captura, conquista, expugnación. || Palizada, atochada. || Represa, dique, acequia, 'tambre.

presagiar Predecir, profetizar, vaticinar, prefigurar, anunciar, antedecir, pronosticar, adivinar, hadar, barruntar, conjeturar.

presagio Profecía, vaticinio, augurio, pronóstico, conjetura, prenuncio, auspicio, oráculo, señal, horóscopo.

presbicia Hipermetropía.

presbítero Párroco, cura, sacerdote.

presciencia Adivinación, profecía, presagio, acierto.

prescindir Dejar, callar, omitir, silenciar, abstraer. || Privarse, abstenerse, evitar, rehuir, excluir. ↔ *Tener en cuenta, considerar.*

prescribir Ordenar, mandar, dictar, preceptuar, señalar, disponer, determinar, fijar. ↔ *Obedecer.* || Recetar, formular. ↔ *Tomar.* || Caducar, expirar, extinguirse, terminarse, concluir, anularse, borrarse. ↔ *Prorrogarse.*

prescripción Mandato, orden, ordenanza, disposición, precepto. || Receta,

fórmula, fórmula magistral.

prescrito Caducado, anulado, nulo, tardío, pasado. ↔ *Vigente, actual.*

presea Joya, alhaja.

presencia Apariencia, aspecto, figura, talle, disposición, traza, facha, pinta. || Asistencia, audiencia, estancia, permanencia, residencia, comparecencia. ↔ *Ausencia.* || Fausto, representación, pompa, boato.

presenciar Contemplar, mirar, observar, ver. ↔ *Ignorar.* || Asistir, estar presente. ↔ *Estar ausente, ausentarse.*

presentable Digno, correcto, limpio, conveniente, aseado. ↔ *Impresentable, desaseado.*

presentación Exhibición, ostensión, ostentación, mostración, demostración, manifestación, descubrimiento. ↔ *Ocultación.* || Introducción, proemio.

presentalla Exvoto, milagro.

presentar Mostrar, exhibir, ostentar, hacer ver, dar a conocer. ↔ *Ocultar.* || Manifestar, exponer, explanar, explicar. ↔ *Callar.* || Ofrecer, regalar, dar. || Introducir.

presentarse Comparecer, acudir, personarse, asistir.

presentar armas Rendir armas, honrar.

presente Concurrente, asistente, espectador, circunstante, testigo. ↔ *Ausente.* || Don, regalo, obsequio, alhaja. || Actual, ahora, reciente, corriente, vigente, moderno, contemporá-

neo. ↔ *Pasado, pretérito, caducado.* ↔ *Futuro.*

presentimiento Previsión, conjetura, sospecha, corazonada, anuncio, prenuncio, suposición, pronóstico, prenoción, barrunto, intuición.

presentir Preconocer, antever, presentir, conjeturar, sospechar, pronosticar, barruntar.

presepio Pesebre, establo, estala, cuadra, caballeriza.

preservar Defender, amparar, resguardar, conservar, salvar, garantizar, cubrir, proteger. ↔ *Arriesgar, exponer.*

presidario Presidiario.

presidencia Directiva, jefatura. || Mesa. || Superioridad, preferencia, primacía, privilegio. ↔ *Inferioridad.*

presidiario Presidario, penado, condenado, galeote, forzado.

presidio Penitenciaría, prisión, cárcel, penal. || Fortificación, fortaleza, alcázar. || Guarnición, destacamento, guardia, retén, defensores.

presidir Dirigir, regir, mandar, gobernar, predominar, influir. ↔ *Obedecer.*

presilla Alamar. || Costurilla.

presión Tensión, compresión, opresión, apretura, apretamiento, prensadura, aprisionamiento, apisonamiento, estrujón, peso. ↔ *Depresión, relajación.* || Influencia, apremio, insistencia. ↔ *Renuncia.*

preso Cautivo, prisionero, encarcelado, presidiario, penado, apresado, detenido. ↔ *Libre.*

P prestación Tributo, tasa, canon. || Servicio, azofra, deber. || Renta, impuesto, carga, tributo. || Préstamo.

prestamista Prestador, empeñero, prendero, agenciero, mohatrero, usurero.

préstamo Prestación, empréstito, pignoración, anticipo, adelanto, 'avío, mohatra, manlieva.

prestancia Distinción, excelencia, dignidad, superioridad, singularidad, gallardía, despejo. ↔ *Vulgaridad.*

prestar Dejar, proporcionar, facilitar, suministrar, procurar, asistir, ayudar, contribuir, dar, comunicar, 'aviar. || Anticipar, avanzar, pignorar, petardear, fiar. || Beneficiar, aprovechar. || Cundir, extenderse, dar de sí.

prestarse Avenirse, ofrecerse, allanarse, resignarse, conformarse, brindarse. || Aprovechar, ser apto, ser útil.

preste Oficiante.

presteza Velocidad, rapidez, ligereza, festinación, celeridad, prontitud, presura, vivacidad, diligencia, alacridad. ↔ *Lentitud, roncería.*

prestidigitador Ilusionista, escamoteador.

prestigiador Embaucador, fascinador. || Prestigioso.

prestigio Crédito, valimiento, ascendiente, influencia, renombre, reputación, autoridad, influjo. ↔ *Desprestigio.* || Ilusión, fascinación, embaucamiento.

prestigioso Prestigiador, influyente, acreditado, reputado, preponderante, famoso, renombrado, popu-

lar, bienquisto, válido. ↔ *Desprestigiado.*

presto Presuroso, apresurado, alígero, expedito, diligente, rápido, veloz, raudo, pronto, vivo, acucioso, arrebatado, impetuoso, precipitado. ↔ *Lento, tardo, moroso.* || Dispuesto, aprestado, listo, aparejado, preparado.

presumido Vano, vanidoso, fatuo, ufano, farfantón, petulante, jactancioso, ensoberbecido, presuntuoso, encopetado, preciado, ostentoso, glorioso, chulo. ↔ *Humilde, modesto.*

presumir Suponer, sospechar, maliciar, conjeturar, barruntar, husmear, oler, oliscar, prever, imaginar. || Vanagloriarse, jactarse, alardear, envanecerse, engreírse, blasonar, humear, eructar, echar humos, escupir doblones.

presunción Presuntuosidad, petulancia, fatuidad, vanidad, jactancia, vanagloria, engreimiento, elación, entono, entonación, inmodestia, penacho, ventolera, postín, farol, boato. ↔ *Modestia, humildad.* || Suposición, conjetura, sospecha, barrunto.

presunto Supuesto, probable, conjetural, indiciario.

presuntuosidad Presunción.

presuntuoso Presumido. ↔ *Modesto.*

presuponer Admitir, aceptar, dar por.

presuposición Presupuesto, suposición, conjetura, hipótesis, postulado, sospecha, creencia. ↔ *Certidumbre.*

presupuesto Presuposición. || Pretexto, motivo, cau-

sa, supuesto. || Cómputo, cálculo, cuento, importe.

presura Opresión, congoja, ansia, desazón, aprieto. || Presteza. || Ahínco, tenacidad, empeño, porfía. ↔ *Desidia.*

presuroso Presto.

*****pretencioso** Presumido, presuntuoso. ↔ *Modesto.*

pretender Reclamar, solicitar, ambicionar, aspirar, ansiar, desear, andar tras. ↔ *Renunciar, ceder.* || Intentar, procurar.

pretendido Supuesto, quimérico, fabuloso, imaginario, engañoso, falso, mentiroso, fementido. ↔ *Cierto, real.*

pretendiente Pretensor, aspirante, candidato, solicitante. || Galanteador, cortejador, proco.

pretensión Solicitación, aspiración, intención, exigencia, petición, demanda, voluntad, reclamación. ↔ *Renuncia, modestia.*

pretensiones Deseos, anhelos, ganas, ambiciones.

preterición Pretermisión, relegación, omisión, olvido, abandono, descuido, dejación. || Paralaje, paralaxi, paralasis.

preterir Pretermitir, descuidar, relegar, omitir, pasar por alto. ↔ *Tener presente, preceder.*

pretérito Pasado, caducado, remoto, lejano, sucedido, acaecido, vencido. ↔ *Presente.* ↔ *Futuro.* || Ayer, anterioridad.

pretermitir Preterir.

pretexto Excusa, motivo, disculpa, salida, suposición, razón, asilla, efugio, regate, rebozo, plataforma, tapujo, resquicio, son, capa. ↔ *Razón de verdad, certidumbre.*

pretextos Cháncharras máncharras.

pretil Murete, antepecho, vallado.

pretina Correa, talabarte, cinturón.

pretónico Protónico.

prevalecer Prevaler, predominar, preponderar, descollar, sobresalir, aventajar, aumentar, crecer, medrar, dilatarse, imperar, ganar, vencer, reinar, arraigar, prender. ↔ *Perder.*

prevaler Prevalecer.

prevalerse Utilizar, aprovecharse, servirse, valerse.

prevaricar Faltar, delinquir, transgredir, incumplir, infringir, quebrantar, quebrar por. ↔ *Obedecer, cumplir.* || Delirar, desvariar, desbarrar.

prevención Disposición, preparación, providencia, medida, organización, avío. ↔ *Improvisación.* || Previsión, desconfianza, precaución. ↔ *Imprevisión.* || Provisión, suministro, dotación, equipo, abastecimiento, pertrechos, depósito, abasto. || Recelo, sospecha, suspicacia, desconfianza, prejuicio. ↔ *Confianza.*

prevenido Abundante, lleno, provisto. ↔ *Desprovisto, carente.* || Avisado, cuidadoso, apercibido, providente, próvido, premiso, dispuesto, en guardia, sobre aviso. ↔ *Descuidado, desapercibido.*

prevenir Disponer, aparejar, preparar, aprontar, apercibir, aprestar, 'apre-

venir. || Prever. || Evitar, eludir, recelar, precaver. || Adelantar, advertir, avisar, notificar, informar. || Impresionar, imbuir, turbar, preocupar. || Estorbar, impedir, entorpecer, obstaculizar, dificultar. ↔ *Facilitar.* || Sobrevenir, ocurrir, pasar, sorprender, acaecer.

prevenirse Precaucionarse, armarse, apararse, tomar medidas, andar sobre aviso, estar para ello. ↔ *Descuidarse, estar en las nubes.*

prever Antever, preconocer, precaver, prevenir, presentir, adivinar, conjeturar, barruntar, sospechar, presumir, oler, oliscar, darle el corazón, tener una corazonada. || Predecir.

previo Anterior, anticipado, adelantado, antecedente, precedente, delantero, preliminar. ↔ *Consecuente, posterior.*

previsión Precaución, prenoción, preparación, suposición, sospecha, corazonada, barrunto, anuncio, pronóstico, prudencia. ↔ *Imprevisión.*

previsor Prudente, cauto, precavido, presciente, avisado, advertido, sagaz. ↔ *Imprevisor.*

previsto Conocido, sabido, sobresabido, predicho, supuesto. ↔ *Imprevisto.*

prez Honor, estima, fama, honra, consideración, nobleza.

prieto Oscuro. || Apretado, tupido, atestado, comprimido. ↔ *Suelto.* || Escaso, mísero, codicioso, avaro, mezquino. ↔ *Generoso.*

prima Sobreprecio, recom-

pensa, premio, indemnización, regalo, momio, plus.

primacía Preeminencia, preponderancia, excelencia, supremacía, ventaja, superioridad, prioridad. ↔ *Inferioridad.*

primario Primero, principal, elemental, primordial, primitivo. ↔ *Secundario, subordinado, avanzado.*

primate Prócer. || Homínido.

primavera Estación de las flores. || Juventud.

primaveral Joven, nuevo, alegre, vernal, fresco, reciente. ↔ *Otoñal, caduco.*

primero Principal, primordial, prístino, inicial, primigenio, primitivo. ↔ *Segundo, postrero, secundario, final.* || Primo, primado, primario. || Sobresaliente, excelente, grande, superior. ↔ *Inferior.* || Antes, primeramente, antiguamente, previamente. ↔ *Después.*

primicias Comienzos, principio, antecedentes.

primigenio Primitivo, primero, originario.

primitivo Originario, primigenio, primero, primario, prístino, primordial. ↔ *Maduro.* || Simple, sencillo. ↔ *Evolucionado.* || Antiguo, viejo, prehistórico. ↔ *Actual, contemporáneo, hodierno.* || Rudo, tosco, chanflón. ↔ *Perfeccionado.*

primo Primero. ↔ *Secundo.* || Primoroso, excelente. ↔ *Insignificante, sin importancia.* || Incauto, bobalicón, cándido, pazguato. ↔ *Vivo.*

primogénito Mayorazgo.

primogenitura Mayorazgo, progenitura.

P **primor** Esmero, cuidado, destreza, perfección, habilidad, maestría, finura, fililí, canela, canela en rama. ↔ *Chafallo, chapucería, macana.*

primordial Inicial, fundamental, primitivo, original, primero, primario, esencial. ↔ *Secundario, accidental, eventual.*

primoroso Perfecto, delicado, lindo, primo, excelente, esmerado, cuidado, fino, cuidadoso. ↔ *Imperfecto, grosero, chanflón.* || Habilidoso, diestro, hábil. ↔ *Inhábil.*

principada Alcaldada, arbitrariedad.

principal Primero, importante, primordial, preferente, fundamental, capital, esencial. ↔ *Secundario, accesorio.* || Noble, ilustre, distinguido, esclarecido. || Jefe, director, patrono, gerente. || Faraute.

principalísimo Potísimo, especialísimo.

príncipe Soberano. || Infante, alteza.

principesco Soberano, real, magnífico, rico, generoso. ↔ *Miserable.*

principiante Novato, aprendiz, pipiolo, novicio, neófito, currinche, incipiente, inexperto, practicante. ↔ *Ducho, camastrón.*

principiar Empezar, emprender, comenzar, encabezar, abordar, inaugurar, incoar. ↔ *Acabar, finalizar.* || Nacer, surgir, salir.

principio Inicio, iniciación, apertura, **advenimiento**, empiece, comienzo, encabezamiento, arranque, entrada, exordio, proemio, preámbulo, prefacio, preludio, preliminar, prolegómenos, nacimiento, inauguración, introducción, venero, manantial, rudimento, 'empiezo. ↔ *Acabamiento, fin.* || Base, fundamento, origen, causa, raíz. ↔ *Efecto, deducción, ramificación.* || Regla, precepto, máxima, tesis, norma. ↔ *Anarquía.*

principio (al) De buenas a primeras, al primer envite.

principio al fin (del) De un extremo a otro, de cabo a rabo, de arriba abajo.

pringar Untar, engrasar, manchar, 'empavinar. || Infamar, vilipendiar, denigrar. ↔ *Alabar.*

pringoso Grasiento, untuoso, sucio, cochino, puerco. ↔ *Limpio, aseado.*

pringue Grasa, unto. || Suciedad, mugre, churre, porquería. ↔ *Limpieza, aseo.*

'prionodonte Armadillo.

prior Prelado, superior, abad, párroco.

prioridad Precedencia, anterioridad, preferencia, superioridad, primacía, preeminencia. ↔ *Posterioridad, seguimiento.*

prisa Rapidez, prontitud, presteza, presura, celeridad, brevedad, festinación, diligencia, viveza, vivacidad, expedición. ↔ *Calma, pachorra.* || Urgencia, premura, apremio, ansia, perentoriedad. ↔ *Remisión, prorrogación.*

prisa (de) De bolazo.

prisa (a toda) A todo correr, a todo meter, a escape.

prisa (dar) Instar, reclamar.

prisión Prendimiento, aprehensión, captura, detención. ↔ *Liberación.* || Cárcel, chirona, gayola, checa, mazmorra, ergástula, calabozo, correccional, prevención, preventorio, penal, presidio, penitenciaría, celda, galeras. ↔ *Libertad.*

prisiones Grillos, corma, cadenas.

prisionero Preso, cautivo, detenido, recluso, rehén. ↔ *Libre.*

prístino Primitivo, primero, antiguo, original, originario. ↔ *Posterior, actual.*

privación Carencia, falta, ausencia, despojo, miseria. ↔ *Abundancia.*

privado Personal, particular, familiar, íntimo. ↔ *Público.* || Favorito, valido, preferido, escogido, predilecto. ↔ *Detestado.*

privanza Favor, gracia, valimiento, confianza, honra.

privar Suspender, destituir. || Desposeer, despojar, quitar, expoliar. ↔ *Devolver.* || Vedar, prohibir, impedir, proscribir. ↔ *Permitir.* || Tener aceptación, tener privanza, divulgarse, valer. ↔ *Desvanecerse, perderse.*

privativo Personal, propio, particular, peculiar, exclusivo, singular. ↔ *General.*

privilegiado Predilecto, preferido, favorito, privado, escogido, elegido, notable, extraordinario, aventajado. ↔ *Desgraciado, desafortunado*

privilegio Exclusiva, monopolio, exención, prerrogativa, gracia, ventaja, dere- cho. ↔ *Desventaja, daño.*

pro Provecho, favor, utilidad.

proa Prora, tajamar.

probabilidad Contingencia, eventualidad, posibilidad, verosimilitud, apariencia, inminencia, hipótesis. ↔ *Improbabilidad, imposible.*

probable Plausible, verosímil, potencial, contingente, posible, aparente, supuesto, creíble, factible, admisible, aleatorio, eventual. ↔ *Improbable.*

probado Demostrado, realizado, ensayado, experimentado. ↔ *Por demostrar.* || Sufrido, ducho, avezado, acostumbrado, baqueteado. ↔ *Inexperto, novicio.*

probar Examinar, ensayar, tantear, experimentar, catar, degustar, saborear, paladear, gustar. || Justificar, demostrar, confirmar, comprobar, verificar, evidenciar, patentizar, acreditar, atestiguar, contestar, razonar. || Tentar, palpar, pulsear, intentar, tratar, pulsar.

probatura Prueba, ensayo, tanteo, toque, experimento.

probidad Integridad, rectitud, honradez, ecuanimidad, bondad, hombría de bien, escrupulosidad, virtud. ↔ *Deshonestidad, fraudulencia.*

problema Duda, cuestión, dificultad, pega, enigma, punto, rompecabezas, quisicosa. ↔ *Solución.*

problemático Cuestionable, discutible, dudoso, incierto, inseguro, difícil, disputable, irresoluble, hipo-

tético, conjetural, incomprensible. ↔ *Seguro.*

probo Honrado, íntegro, virtuoso, recto, escrupuloso. ↔ *Deshonesto, venal.*

procacidad Descaro, insolencia, desvergüenza, descoco, atrevimiento, desfachatez, impudencia, petulancia, licencia, descomedimiento, tupé, desgarro. ↔ *Verecundia, pudor.*

procaz Descomedido, desvergonzado, deslenguado, insolente, descarado, fresco, cínico, sinvergüenza, raído, liso, zafado, desollado, inverecundo, petulante, atrevido, licencioso, trafalmejas. ↔ *Modesto, pudibundo, honesto.*

procedencia Origen, naturaleza, antecedencia, ascendencia, nacimiento, cuna, causa, raíz, advenimiento, fundamento, derivo, punto de partida, punto de origen. ↔ *Destino.* || Oportunidad, conformidad, pertinencia. ↔ *Inoportunidad, improcedencia.*

procedente Originario, dimanante, derivado, oriundo, prístino, proveniente. || Oportuno, pertinente. ↔ *Improcedente.*

proceder Conducta, comportamiento, maneras, modos, gobierno.

proceder Provenir, dimanar, derivar, arrancar, emanar, descender, salir, suceder, resultar, nacer, originarse, seguirse, remontarse. ↔ *Causar, originar.* || Portarse, comportarse, obrar, actuar, ejecutar, gobernarse, llevarse. ↔ *Pararse, detenerse, retroceder.*

procedimiento Curso, mar-

cha, conducta, manera, método, forma, sistema, actuación, disposición, medio, práctica, costumbre, fórmula, tenor, receta, rito. ↔ *Suspensión, interrupción.*

proceloso Tormentoso, borrascoso, aborrascado, tormentoso, tempestuoso, inclemente, riguroso. ↔ *Plácido, sereno.*

prócer Prócero, primate, prohombre, eminente, elevado, encumbrado, magnate, noble, alto. ↔ *Infimo, inferior.*

proceridad Altura, eminencia, elevación. ↔ *Bajura.* || Vigor, lozanía, pujanza. ↔ *Marchitamiento.*

procesado Inculpado, reo, encartado, acusado. ↔ *Sobreseído, absuelto.*

procesar Encausar, enjuiciar, empapelar.

procesión Hilera, fila, teoría, comitiva, desfile, marcha, séquito, acompañamiento, letanía, carrera.

proceso Sucesión, transcurso, paso, carrera, desarrollo. || Causa, sumario, atestado, pleito.

proclama Notificación, pregón, alocución, programa, bando, edicto, cartel, letrero. || Amonestación, filípica.

proclamación Aclamación, nombramiento, publicación.

proclamar Aclamar, nombrar, elegir. ↔ *Deponer.*

proclive Propenso, inclinado, atraído, dispuesto. ↔ *Ajeno.*

proco Pretendiente.

procrear Propagar, engendrar, producir, fructificar, multiplicar, parir.

procuración Procura, poder,

P mandato. || Diligencia, cuidado, administración, procuraduría, encargo.

procurador Administrador, celador, agente, abogado, intendente, diligenciero, encargado.

procurar Representar, bastantear. || Pretender, intentar, probar, tantear, tratar, ensayar, agenciar, diligenciar, gestionar, pretender, proponer.

prodigalidad Liberalidad, generosidad, disipación, derroche, larqueza, consumo, desperdicio, gasto, malversación, despilfarro. ↔ *Ahorro, economía.* || Abundancia, profusión, copia, exuberancia, exorbitancia. ↔ *Escasez.*

prodigar Dar, distribuir, esparcir, colmar, gastar, dilapidar, disipar, despilfarrar, malgastar, derrochar, malbaratar, dispensar. ↔ *Ahorrar, economizar.*

prodigarse Multiplicarse, excederse, esforzarse, empeñarse, azacanarse.

prodigio Portento, fenómeno, milagro, maravilla, excelencia, primor. ↔ *Banalidad, futilidad.*

prodigioso Portentoso, milagroso, maravilloso, sobrenatural, asombroso, admirable, extraordinario, fenomenal, mirífico, quimérico, mágico, bajado del cielo. ↔ *Ordinario, corriente, natural.* || Exquisito, primoroso, bello, excelente. ↔ *Mediocre.*

pródigo Liberal, generoso, dadivoso, desordenado, gastoso, despilfarrador, derrochador, manirroto, gastador, largo. ↔ *Avaro, ahorrador.*

pródromo Síntoma, síndrome. ,

producción Fabricación, elaboración, creación, fecundación, productividad. || Producto.

producir Procrear, engendrar, criar, crear, inventar, gestar, elaborar, dar fruto, llevar fruto. || Elaborar, fabricar, rendir, rentar, redituar. || Causar, originar, ocasionar, provocar.

producirse Manifestarse, presentarse, comportarse, explicarse, darse a entender.

productividad Producción, rendimiento, fertilidad, redituidad, rentabilidad. ↔ *Carestía.*

productivo Fecundo, feraz, fértil, fructífero, fructuoso. ↔ *Estéril.* || Lucrativo, provechoso, beneficioso, remunerativo. ↔ *Improductivo.*

producto Obra, resultado, fruto, trabajo, provecho, lucro, beneficio, rendimiento, rédito, utilidad, renta, labor, faena, cosecha, hijo, gaje, provento, producción.

productor Obrero, trabajador, elaborador, fabricante, industrial. ↔ *Consumidor.*

proemio Prólogo, prefacio, prolegómenos, exordio, preludio, introito. ↔ *Epílogo.*

proeza Osadía, hazaña, valentía, heroicidad, rasgo, gallardía, hombrada, guapeza, majeza, empresa. ↔ *Cobardía.*

profanación Profanidad, sacrilegio, profanamiento, perjurio, blasfemia, violación, escarnio, mofa. ↔ *Reverencia.*

profanar Quebrantar, violar, funestar, deshonrar, desdorar, prostituir, deslucir, mofarse. ↔ *Respetar, reverenciar, consagrar.*

profanidad Profanación. || Mundanería, mundanalidad, temporalidad, boato, pompa.

profano Laico, seglar, temporal, mundanal, terrenal, terreno, mundano, lego, carnal. ↔ *Espiritual, sagrado, sacro.* || Irreverente, irreligioso, impío, impiadoso, ateo, sacrílego. ↔ *Reverente, piadoso.* || Inmodesto, deshonesto, libertino, licencioso. ↔ *Honesto.* || Ignorante, zote, indocto, extraño, desautorizado. ↔ *Conocedor, impuesto, docto.*

profazar Abominar, incriminar, desacreditar, acusar, censurar. ↔ *Acreditar, calificar.*

profecía Pronóstico, predicción, previsión, presagio, vaticinio, anuncio, oráculo, augurio, adivinación, presentimiento, presciencia.

proferir Decir, prorrumpir, pronunciar, declarar, exclamar, articular, largar, soltar, endilgar, vomitar. ↔ *Callar.*

profesar Ejercer, practicar, ocuparse. || Enseñar, explicar, adoctrinar, sentar cátedra. ↔ *Oír, seguir.* || Ingresar. || Creer, confesar, reconocer, declarar, sentir. ↔ *Abominar, abjurar.*

profesión Ocupación, trabajo, oficio, carrera, facultad, función, puesto, ministerio, situación. || Idea, creencia, pensamiento, sentimiento, confesión, religión.

profeso Neófito, iniciado. ↔ *Novicio.*

profesor Mentor, educador, catedrático, maestro, pedagogo, preceptor, instructor, dómine, auxiliar, 'institutor, monitor, ilustrador. ↔ *Discípulo, alumno, escolar, estudiante.*

profesorado Claustro, personal docente.

profeta Pronosticador, agorero, arúspice, augur, agorero, adivinador, vaticinador, vidente, clarividente.

profético Adivinatorio, augural, délfico, sibilino, présago.

profetisa Pitonisa, sibila, saga.

profetizar Predecir, antedecir, presagiar, augurar, vaticinar, adivinar, pronosticar, prefigurar, conjeturar, hadar, anunciar.

prófugo Desertor, fugitivo, huido, evadido, tránsfuga, tornillero.

profundidad Hondura, depresión, fondo, calado, precipitado, sima, salto, hondonada, abismo. ↔ *Eminencia, prominencia, altura, culminación.* || Inmensidad, intimidad. ↔ *Superficialidad.*

profundizar Calar, ahondar, zahondar, penetrar, hundir, sondear, cavar. ↔ *Emerger, surgir.* || Analizar, discurrir, examinar, escrutar, indagar. ↔ *Mirar por encima, mirar superficialmente.*

profundo Hondo, insondable, abismal, recóndito, deprimido. ↔ *Elevado, al-*

to. || Intenso, penetrante, difícil, oscuro, inteligente, fino. ↔ *Superficial, ligero, fácil.*

profusión Abundancia, plétora, exuberancia, prodigalidad, riqueza, raudal, liberalidad, multiplicidad, desbordamiento, colmo, infinidad, copia, exceso, multitud, 'cardumen. ↔ *Escasez, falta, carencia.*

profuso Copioso, excesivo, pródigo, abundante, abundoso, nutrido, cuantioso, fecundo, colmado, grávido, difundido, extenso. ↔ *Escaso, ahorrado, ralo.*

progenie Abolengo, generación, casta, linaje, familia, progenitura, padres, antepasados, progenitores. ↔ *Herederos, descendientes.*

progenitor Padre, antepasado, ascendiente. ↔ *Hijo, descendiente.*

progenitura Primogenitura. || Progenie.

programa Edicto, bando, pasquín, proclama, aviso. || Plan, declaración, sistema, exposición, tema, doctrina, proyecto.

progresar Adelantar, aventajar, prosperar, mejorar, evolucionar, medrar, perfeccionarse, ascender, desarrollarse, encumbrarse. ↔ *Retroceder, regresar, empeorar.*

progresión Progreso.

progresista Progresivo, de la cáscara amarga, revolucionario, radical. ↔ *Retrógrado, reaccionario.*

progresivo Gradual, creciente, adelantador, provecto, avanzado, evolucionado. ↔ *Súbito, improviso.* || Próspero, floreciente. || Progresista.

progreso Progresión, proceso, prosperidad, perfeccionamiento, evolución, mejoramiento, ascenso, adelanto, adelantamiento, acrecentamiento, avance, aumento, medro, mejora, desarrollo. ↔ *Retroceso, regreso, empeoramiento.* || Civilización, cultura.

prohibido Vedado, interdicho, impedido, denegado, negado, ilícito, indebido, ilegal, injusto, malo. ↔ *Permitido, lícito, admitido.*

prohibir Vedar, interdecir, impedir, proscribir, negar, obstaculizar, entredecir, privar. ↔ *Autorizar, permitir, dejar hacer.*

prohijamiento Prohijación, adopción.

prohibir Adoptar, ahijar, afiliar, acoger, tutelar. ↔ *Repudiar.*

prohombre Prócer, primate, procero.

proís Noray, hincón, amarrador, cáncamo.

prójimo Semejante. || Individuo, socio, sujeto.

prole Descendencia, hijos, linaje, sucesión, familia.

prolegómeno Prólogo, preámbulo, prefacio.

proletariado Plebe, pueblo. ↔ *Burguesía, clase pudiente.*

proletario Plebeyo, pobre, indigente, trabajador, obrero, jornalero. ↔ *Amo, dueño, capitalista.*

prolífico Prolífero, fértil, reproductor, fecundo. ↔ *Estéril.*

prolijidad Difusión, amplificación, fraseología, follaje, ambages, fárrago, redundancia, filatería. ↔ *Concisión, parquedad, laconismo.*

P

P

prolijo Difuso, largo, amplio, dilatado, farragoso, machacón, redundante, extendido, extenso, latoso. ↔ *Conciso, lacónico.* || Cuidadoso, cuidado, esmerado, premioso. ↔ *Descuidado.* || Impertinente, cargante, pesado. ↔ *Ameno.*

prólogo Preámbulo, prefacio, prolegómenos, introito, introducción, exordio, preludio, proemio. ↔ *Epílogo.*

prologuista Faraute.

prolongación Prolongamiento, continuación, extensión, alargamiento, estiramiento, tirón. ↔ *Acortamiento.* || Apéndice, cola. || Retardamiento, aplazamiento, prórroga, larga. ↔ *Abreviación.*

prolongar Alargar, dilatar, extender, estirar, alongar. ↔ *Acortar.* || Retardar, diferir, prorrogar, retrasar. ↔ *Abreviar.*

proloquio Sentencia, proposición.

promediar Igualar, seccionar, repartir, dividir. || Intermediar, terciar, interceder. || Nivelar, equivaler.

promedio Término medio.

promesa Prometimiento, promisión, ofrecimiento, oferta, invitación, palabra, afirmación. || Indicio, señal, augurio. || Manda, salva, ofrenda, voto, fe.

prometer Ofrecer, proponer, dar palabra, empeñar la palabra, hacer voto, obligarse. || Asegurar, aseverar, afirmar, ratificar.

prometerse Desposarse.

prometido Desposado, novio, pretendiente, futuro.

prominencia Eminencia, saliente, protuberancia, relieve, turgencia, bulto, elevación, abombamiento, abolladura, realce, resalto. ↔ *Profundidad, cavidad, hoyo, depresión.*

prominente Saliente, abultado, turgente, abombado, convexo, elevado. ↔ *Deprimido, profundo, cóncavo.*

promiscuidad Mezcla, mezcolanza, entremezcladura, miscibilidad, confusión, heterogeneidad. ↔ *Selección, distinción.*

promiscuo Mezclado, mixto, heterogéneo. ↔ *Separado, dividido.*

promoción Hornada, curso, pléyade. || Impulso, empuje, desarrollo.

promotor Organizador, iniciador, promovedor, generador, impulsor, animador, autor, fundador, inspirador, fautor, factor, causante. ↔ *Abolidor.*

promotor de la fe Abogado del diablo.

promover Ascender, elevar, levantar, impulsar. ↔ *Detener, abolir.* || Iniciar, suscitar, originar, engendrar.

promulgar Publicar, pervulgar, divulgar, difundir, propagar, propalar, generalizar, revelar.

pronosticador Profeta.

pronóstico Predicción, prenuncio, vaticinio, suposición, profecía, conjetura, prefiguración. || Calendario.

prontitud Presteza, velocidad, alacridad, festinación, ligereza, prisa, brevedad, viveza, actividad, rapidez, diligencia, presura, apresuramiento, vivacidad,

expedición. ↔ *Retardo, lentitud.*

pronto Rápido, veloz, presto, presuroso, repentino, a p r e surado, arrebatoso, momentáneo, precipitado, listo, raudo, diligente. ↔ *Tardo, lento.* || Arrebato, arranque, impulso. || Dispuesto, listo, expedito, preparado. ↔ *Indolente, descuidado.*

prontuario Resumen, compendio, epítome, breviario, esquema, síntesis, manual, repertorio, guía.

pronunciamiento Alzamiento, sublevación, levantamiento, insurrección, rebelión, cuartelada, sedición, motín, revolución, amotinamiento, militarada.

pronunciar Proferir, decir, articular, prorrumpir, declarar, soltar, exclamar, endilgar, encasquetar, tronar, clamar. ↔ *Callar.* || Recitar, declamar. || Resolver, determinar, decidir, dictaminar, juzgar. || Levantar, sublevar.

pronunciarse Alzarse, sublevarse, amotinarse, rebelarse, echarse a la calle.

propaganda Publicación, publicidad, divulgación, difusión, irradiación.

propagandista Divulgador, propagador, apóstol, misionero, activista, agitador.

propagar Difundir, irradiar, divulgar, propalar, vulgarizar, pregonar, publicar, esparcir, expandir, contagiar, revelar, transmitir, extender. ↔ *Contener, frenar, limitar, restringir.*

propagarse Circular, ramificar, cundir, trascender.

propalar Propagar.

propasar Avanzar, adelantar, rebasar, dejar atrás. ↔ *Quedarse corto.*

propasarse Excederse, extralimitarse, descomedirse, desmesurarse, desvergonzarse, desmandarse, desatarse, desaforarse, insolentarse, abusar. ↔ *Comedirse, moderarse.*

propender Tender, inclinarse, simpatizar, aficionarse, tirar a. ↔ *Aborrecer, tener aversión.*

propensión Tendencia, afición, inclinación, predisposición, afección, afición, vocación, gusto, preferencia, devoción, simpatía, proclividad, atracción. ↔ *Aversión, aborrecimiento.*

propenso Afecto, devoto, adicto, inclinado, expuesto, sujeto, aficionado, proclive. ↔ *Contrario, ajeno.*

propiciar Ablandar, aplacar, calmar, atenuar. ↔ *Encorajinar.*

propicio Inclinado, útil, próspero, favorable, dispuesto. ↔ *Contrario, animadverso.* || Benigno, próvido, benévolo, amable, leve. ↔ *Despiadado.* || Oportuno. ↔ *Inoportuno.*

propiedad Posesión, pertenencia, dominio. ↔ *Indigencia.* || Hacienda, bienes, patrimonio, herencia, heredad, finca, predio, latifundio, haber. ↔ *Pobreza, miseria.* || Esencia, cualidad, carácter, rasgo, peculiaridad, particularidad, atributo, nota. || Semejanza, exactitud, ajuste, pureza, precisión, imitación, rigor, naturalidad, realidad. ↔ *Impropiedad.*

propietario Posesor, dueño,

amo, señor, hacendado, terrateniente, casero, arrendatario. ↔ *Indigente, proletario, inquilino, arrendador.*

propileo Peristilo, atrio, vestíbulo.

propina Adehala, regalo, momio, unto, gratificación, recompensa, extra, plus, añadidura, 'ganancia, 'juanillo.

propinar Administrar, dar. ↔ *Tomar, beber.* || Atizar, plantificar, zumbar, descargar, pegar, largar, asestar, asentar. ↔ *Recibir, encajar.*

propincuo Cercano, allegado, próximo, vecino, pariente. ↔ *Extraño, lejano*

propio Patrimonial, peculiar, privativo, especial, característico, específico, taxativo, exclusivo, individual, personal. ↔ *Otro, ajeno.* || Adecuado, conveniente, a propósito, apto, oportuno, conforme, bueno para. ↔ *Inoportuno, inadecuado.* || Natural, legítimo, real. ↔ *Impropio.* || Mismo. || Mandadero, mensajero, recadero, enviado.

proponer Prometer, brindar, ofrecer. ↔ *Desaconsejar.* || Expresar, insinuar, opinar, formular, plantear, presentar, sugerir, procurar. ↔ *Disuadir.*

proporción Relación, conformidad, ritmo, armonía, simetría, correspondencia, conveniencia, ponderación, equilibrio. ↔ *Desproporción, desequilibrio.* || Coyuntura, ocasión, oportunidad, lance, caso. ↔ *Inoportunidad.* || Tamaño, medida, dimensión, escala,

razón, escote, contingente.

proporcionado Proporcional, armonioso, simétrico, equilibrado, ponderado, mesurado, bien hecho. ↔ *Desproporcionado.*

proporcionar Dar, suministrar, facilitar, proveer. ↔ *Negar, rehusar.* || Compasar, equilibrar, adecuar, ajustar. ↔ *Desproporcionar.*

proposición Oración, frase. || Enunciación. || Propuesta, ofrecimiento, oferta. || Propósito.

propósito Intención, designio, mira, idea, pensamiento, intento, finalidad, proyecto, proposición, maquinación, aspiración. ↔ *Realización.* || Asunto, plataforma, terreno.

propósito (a) Conveniente, oportuno, conforme, de perlas, al pelo.

propósito (fuera de) Intempestivo, inoportuno.

propuesta Proposición, ofrecimiento, promesa, oferta, invitación, policitación. ↔ *Respuesta, réplica.*

propugnar Proteger, defender, amparar, ayudar, auxiliar. ↔ *Atacar, impugnar.*

propulsar Repulsar. || Empujar, impeler, mover. ↔ *Tirar.*

propulsor Tractor. || Hélice, turbina.

prorrata Cuota, cupo, escote, parte alícuota.

prorrata (a) A razón de, en su tanto.

prórroga Prorrogación, consecución, continuación, prolongación. ↔ *Abreviación, anulación.* || Aplazamiento, moratoria, dilación, retraso, retardo, de-

P

mora. ↔ *Expiración, plazo.*

prorrogar Proseguir, continuar, dilatar. ↔ *Abreviar.* || Suspender, aplazar, demorar, remitir, retrasar, retardar, diferir. ↔ *Adelantar, anticipar.*

prorrumpir Proferir. || Salir, brotar, surgir. ↔ *Destilar.*

prosa Vulgaridad, materialidad. ↔ *Poesía.*

prosaico Común, vulgar, pedestre, insulso, grosero, tosco, material, trivial, banal. ↔ *Poético, elevado.*

prosaísmo Insulsez, vulgaridad, trivialidad, materialidad. ↔ *Poesía.*

prosapia Linaje, ascendencia, progenie, alcurnia, casta, sangre, familia.

proscribir Confinar, desterrar, expatriar, excluir, extrañar. ↔ *Acoger.*

proscripción Destierro, exilio, extrañamiento, expatriación, ostracismo. ↔ *Repatriación.*

prosecución Seguimiento, persecución, acoso. || Proseguimiento, prolongación, continuación, insistencia. ↔ *Interrupción.*

proseguir Seguir, continuar, durar, avanzar, proceder, subsistir, reanudar, llevar adelante, seguir el hilo. ↔ *Interrumpir, hacer alto.*

prosélito Secuaz, partidario, afiliado, incondicional, adepto, adicto. ↔ *Enemigo.*

prosista Prosador.

prosopopeya Personificación. || Presunción, afectación, entono, tiesura, empaque, aplomo, coranvobis. ↔ *Sencillez, modestia.*

prosperar Mejorar, progresar, adelantar, medrar, florecer, pelechar, enriquecerse, triunfar, salir a flote, tener estrella, tener potra, sonreírle la fortuna, alzar cabeza. ↔ *Perder, atrasarse, empeorar.*

prosperidad Progreso, adelanto, medra, ventura, florecimiento, éxito, auge, chiripa, buena estrella, bienandanza, bienestar. ↔ *Desdicha, penuria.*

próspero Propicio, venturoso, feliz, favorable, floreciente, afortunado, rico, radiante, boyante, en pinganitos. ↔ *Infausto, infeliz.*

prosternarse Arrodillarse, postrarse de rodillas, ponerse de hinojos, humillarse.

prostíbulo Burdel, casa llana (casa de camas, non sancta, de lenocinio, de trato, de citas, de prostitución), fornicio, lenocinio, lupanar, mancebía.

prostitución Corrupción, degradación, deshonra, degeneración, envilecimiento, relajación, meretricio, ramería, trata, alcahetería, putaísmo. ↔ *Incorruptibilidad.*

prostituir Corromper, envilecer, pervertir. ↔ *Ennoblecer, redimir.* || Degradar, rebajar, deshonrar, degenerar, desacreditar, mancillar, manchar. ↔ *Rehabilitar.*

prostituta Ramera.

protagonista Personaje, héroe, actor, interlocutor. ↔ *Figurante, comparsa.*

protección Auxilio, amparo, ayuda, favor, defensa, refugio, resguardo, abrigo,

asilo, escudo, égida, salvaguardia, padrinazgo, patronato, patrocinio, pabellón, arrimo, valimiento, auspicio, mano, agarraderas, espaldera, encomienda, alambrada. ↔ *Persecución, oposición, desvalimiento.*

protector Amparador, defensor, campeón, padrino, patrono, tutor, patrocinador, bienhechor, fiador, brazo, sostén, guardián, preservador, validor, mecenas. ↔ *Perseguidor, enemigo.*

proteger Ayudar, socorrer, auxiliar, amparar, acorrer, acoger, preservar, resguardar, defender, cubrir, encubrir, apoyar, sostener, respaldar, tutelar, patrocinar, auspiciar, recomendar, salvaguardar, prevenir, velar, fomentar, propugnar, mirar por, cubrir las espaldas. ↔ *Perseguir, oponerse.*

protegerse Atrincherarse, parapetarse, espaldonarse, arrimarse. ↔ *Salir al descubierto, exponerse.*

protegido Favorito, paniaguado, recomendado, bardado, ahijado. ↔ *Víctima, perseguido.* || Resguardado, defendido. ↔ *Expuesto.*

proteico Versátil, evolutivo, cambiante. ↔ *Constante.*

protervia Protervidad, perversidad, maldad, impenitencia, rebeldía, obstinación, obduración, contumacia, arrogancia, petulancia. ↔ *Modestia, humildad, bondad, compunción.*

protervo Malvado, perverso, rebelde, impenitente, contumaz, empedernido, obstinado, relapso, recalcitrante, soberbio, orgulloso. ↔ *Humilde, bueno.*

protesta Protestación, reparo, reprobación, condenación, reproche, distingo, oposición, desaprobación, desautorización, crítica. ↔ *Conformidad.* ‖ Pita, silba, abucheo, pateo, chicheo, pataleo. ↔ *Aplauso.*

protestación Protesta. ‖ Declaración, confesión, atestación, aseveración. ↔ *Consentimiento, asenso.*

protestar Declarar, negar, oponerse, rebelarse, sublevarse, refutar, contestar. ↔ *Aceptar, admitir.*

protocolizar Protocolar, archivar.

protocolo Formalidad, ceremonia, rito, etiqueta, ritual.

prototipo Modelo, ejemplar, patrón, original, horma, dechado, molde. ↔ *Copia.*

protuberancia Prominencia, bulto, saliente, relieve, turgencia, realce, abombamiento, abolladura. ↔ *Depresión, cavidad.*

provecto Aprovechado, adelantado. ↔ *Retrasado.* ‖ Viejo, maduro, caduco, antiguo, decrépito, anciano. ↔ *Joven, reciente.*

provecho Ventaja, beneficio, rendimiento, ganancia, utilidad, lucro, producto, granjeo, gaje, jugo, zumo. ↔ *Pérdida.*

provechoso Remunerativo, lucrativo, beneficioso, fructífero, productivo, ventajoso, cuestuoso, útil. ↔ *Improductivo.*

proveedor Abastecedor, aprovisionador, abastero, provisor, suministrador, surtidor, furriel. ↔ *Comprador, adquisidor, cliente.*

proveer Surtir, abastecer, avituallar, abastar, dotar, equipar, suministrar, aprovisionar, fardar, armar, proporcionar, guarnecer, facilitar. ↔ *Privar.* ‖ Diligenciar, disponer, resolver. ‖ Confiar, prevenir, preparar.

proveerse 'Armarse.

provenir Proceder, dimanar, originarse, nacer, emanar, descender, derivar, venir.

provento Producto, ganancia, renta, rédito, gaje.

proverbial Sabido, notorio, acostumbrado, tradicional, habitual, conocido. ↔ *Ignorado, desconocido.* ‖ Sentencioso, axiomático, aforístico, gnómico.

proverbio Refrán, adagio, aforismo, sentencia, apotegma, máxima, dicho, parema, pensamiento, moraleja, axioma.

provicero Profeta, vaticinador.

providencia Provisión, prevención, disposición, resolución, medida, remedio, mandamiento, orden, mandato, ordenanza. ↔ *Cumplimiento.* ‖ Fatalidad, necesidad, hado, el cielo, estrella. ‖ Dios.

providencial Fatal, predestinado, elegido, asignable. ‖ Oportuno, feliz, propicio, tutelar, dichoso. ↔ *Inoportuno.*

próvido Prevenido, previsor, providente, diligente, cuidadoso, meticuloso, mirado. ↔ *Impróvido, imprevisor.* ‖ Propicio, benévolo. ↔ *Dañoso.*

provincia 'Territorio.

provinciano Ridículo, atrasado, simple. ↔ *Ciudadano.*

provisión Almacenamiento, depósito, reserva, acopio, abastecimiento, *stock, retén, equipo, anona, surtimento, suministro, víveres, vitualla, abasto, pertrechos, matalotaje, existencias, prevención, subsistencia, municionamiento. ↔ *Penuria, escasez, falta.* ‖ Providencia, remedio.

provisional Provisorio, accidental, interino, actual, temporal, momentáneo, pasajero, efímero, definido. ↔ *Perpetuo, definitivo.*

provisiones 'Cocaví.

provocación Desafío, reto, incitación, bravata, ofensa.

provocador Alborotador, pendenciero, bravucón, fanfarrón, braveador, buscarruidos, chulo, guapo. ‖ Provocativo, excitador, agitador, instigador, perturbador, activista.

provocar Incitar, agitar, hurgar, pinchar, picar, estimular, exacerbar, excitar, aguijar, espolear, desafiar, mover, retar. ↔ *Sosegar, aquietar, tranquilizar.* ‖ Promover, causar, suscitar, inducir. ↔ *Parar.* ‖ Arrojar, vomitar. ‖ Ayudar, facilitar, auxiliar, colaborar. ↔ *Detener, atajar.*

provocativo Provocador, excitador, excitativo, estimulante, instigador, inductor, subversivo. ↔ *Tranquilizador, pacífico.*

proxeneta Alcahuete, correveidile, echacuervos, tercerón, enflautador. ‖

P

p

Celestina, trotaconventos, cobertera, encandiladora.

proximidad Vecindad, inmediación, cercanía, confinidad, contigüidad, víspera, actualidad. ↔ *Lejanía.*

proximidades Cercanías, contornos, alrededores.

próximo Cercano, inmediato, anejo, vecino, contiguo, adyacente, junto, yuxtapuesto, limítrofe, lateral, inminente, anejo, rayano, allegado. ↔ *Lejano.*

proyectar Lanzar, despedir, arrojar. ↔ *Retener, frenar.* || Urdir, fraguar, forjar, tramar, trazar, concebir, imaginar, maquinar, preparar, premeditar, complotar, concertar, planear, planificar. ↔ *Realizar.*

proyectil Bala, obús, granada, pepino, bomba, torpedo, dardo, saeta, mandrón. ↔ *Arma.*

proyecto Propósito, designio, mira, plan, idea, intención, intento, finalidad, maquinación, proposición. ↔ *Realización.* || Esbozo, bosquejo, esquema, apunte, borrador, diseño, croquis, concepción, 'esqueleto. ↔ *Producto.*

proyectura Vuelo.

prudencia Cordura, seso, moderación, mesura, juicio, discernimiento, aplomo, sabiduría, sensatez, acierto, templanza, discreción, reserva, ecuanimidad, previsión, tino, tiento, precaución, cautela, parsimonia, tacto, circunspección, madurez, reflexión, pulso, talento, buen juicio. ↔ *Imprudencia, insensatez, necedad.*

prudente Cuerdo, sesudo, moderado, mesurado, juicioso, aplomado, sabio, sensato, templado, discreto, ecuánime, atinado, precavido, cauteloso, circunspecto, maduro, reflexivo, ponderado, equilibrado, formal, serio, reservado, asentado, previsor, avisado, atentado, providente, machucho, filósofo. ↔ *Imprudente, insensato, necio, estúpido.*

prueba Probación, probatura, ensayo, experimento, experiencia, tanteo, tentativa. || Argumento, razonamiento, razón, testimonio, justificación, alegación, documento, motivo, fundamento, cita, texto, muestra, indicio, señal, evidencia, salva, verificación, comprobación, demostración, confirmación.

prueba de imprenta Galerada.

prurito Comezón, picazón, resquemor, picor. || Manía, reconcomio, deseo.

prusiato Cianuro potásico.

psíquico Anímico, inmaterial, espiritual. ↔ *Material, corporal.*

púa Pincho, punta, aguja, espina, puya, aguijón, pincha. || Diente. || Enfado, pelillo, resentimiento, mosca, hiel. || Astuto, zancarrón, diablo, ladino, sagaz, pieza. ↔ *Obtuso, tonto.*

púber Pubescente, viril, viripotente. ↔ *Impúber.*

pubis Pubes, verija, vedija.

publicación Edición, obra.

publicar Proclamar, pregonar, propalar, revelar, anunciar, descubrir, pro-

pagar, manifestar, expandir, divulgar, difundir, echar la voz, soltar la voz, echar las campanas al vuelo. ↔ *Ocultar, callar.* || Estampar, imprimir, editar, producir, dar a luz, sacar a luz, dar a la estampa, dar a la imprenta, dar a la publicidad.

publicidad Anuncio, reclamo, cartel. || Propaganda, lanzamiento.

publicista Escritor, polígrafo, cronista.

público Conocido, patente, notorio, manifiesto, paladino, ostensible. ↔ *Secreto, privado, reservado.* || Vulgar, común, ordinario. ↔ *Escaso, singular.* || Concurrencia, auditorio, muchedumbre, pueblo, espectadores, oyentes, asistentes, asistencia, senado.

puchero Marmita, olla. || Cocido.

puches Gachas, papas, 'catete, 'ñaco.

pucho Colilla.

pudendo Vergonzoso, torpe. ↔ *Audaz, osado.*

pudibundo Pudoroso.

pudicicia Reserva, castidad, honestidad, decencia. ↔ *Impudicicia, impudicia, indecencia.*

púdico Recatado, modesto, pudoroso, honesto, casto, decoroso. ↔ *Impúdico, indecoroso.*

pudiente Poderoso, opulento, acaudalado, hacendado, acomodado, potentado, rico. ↔ *Pobre, desvalido.*

pudor Pudicicia, decencia, vergüenza, castidad, modestia, decoro, honestidad, recato. ↔ *Impudor, deshonestidad.*

pudoroso Púdico, pudibundo, casto, recatado, modesto, honesto, decenté, decoroso, tímido. ↔ *Indecente, osado.*

pudrición o **pudrimiento** Putrefacción, descomposición, podredumbre, desintegración.

pudrir Podrir, empodrecer, descomponer, corromper, encarroñar, desintegrar. || Consumir, molestar, dañar.

pueblo Población, poblado, lugar, villa, aldea. || Nación, país, raza. || Tribu, vecindario, clan, vecinos. || Plebe, vulgo, público.

puente Viaducto, acueducto, pasarela, pasadera. || Cordal.

puerca 'Chancha.

puerco Cerdo, cochino, tocino, marrano, guarro, verraco, lechón, 'tunca. || Sucio, desaseado, desaliñado, desidioso, cochambrero, cochambroso, jífero. ↔ *Aseado, limpio.* || Descortés, grosero, incivil, inurbano. ↔ *Educado, urbano.*

puerco montés Jabalí, jabato.

pueril Infantil, aniñado. ↔ *Maduro, senil.* || Inocente, cándido, candoroso, ingenuo. ↔ *Malicioso, perverso.* || Fútil, trivial, infundado, vano. ↔ *Importante.*

puerilidad Inocencia, ingenuidad, candor, simplicidad. ↔ *Malicia, perversidad.* || Niñada, trivialidad, futilidad, nimiedad, futileza. ↔ *Gravedad, importancia, seriedad.*

puerro Porro.

puerta Pórtico, portillo, portón, portal, cancela, abertura, entrada, acceso. ||

Medio, introducción, camino, sistema.

puertas (abrir las) Admitir, aceptar.

puerto Desembarcadero, fondeadero, apostadero, dársena, rada, abra, bahía, estuario, abrigo. || Garganta, collado, freo, paso. || Estancia, presa. || Asilo, amparo, refugio.

puerto de arribada Escala.

puerto (tomar o **llegar a)** Arribar, abordar.

puertorriqueño Portorriqueño, boricua, borinqueño.

pues Puesto que, ya que, luego, en vista de que, por tanto, ergo.

puesta Ocaso. ↔ *Salida.* || Apuesta.

puesto Sitio, lugar, paraje, posición, punto, lugar, situación, espacio, rincón. || Tienda, tiendecilla, parada. || Oficio, cargo, empleo, dignidad, plaza. || Acaballadero. || Disposición, estado.

púgil Boxeador, luchador.

pugilato Boxeo, lucha, riña, combate, asalto.

pugna Pelea, contienda, combate, batalla, desafío. || Oposición, porfía, esfuerzo, hostilidad.

pugnacidad Acometividad, intensidad, porfía, hostilidad.

pugnante Adversario, contrario, enemigo, opuesto.

pugnar Pelear, luchar, contender, batallar, porfiar, esforzarse. ↔ *Renunciar, retirarse.*

pugnaz Belicoso.

puja Mejora, aumento, licitación, alzamiento, ofrecimiento. || Esfuerzo, pechugón, forcejón, impulso.

pujante Vigoroso, poderoso, potente, fuerte. ↔ *Débil.* **P**

pujanza Fuerza, poder, vigor, fortaleza, ardimiento, robustez, impulso. ↔ *Debilidad.*

pujar Mejorar, aumentar, subir, alzar, ascender, encarecer, poner. ↔ *Bajar.* || Empujar, arrimar. || Hacer pucheros.

pujo Deseo, vehemencia, ansia, anhelo. || Conato, intento.

pulcritud Cuidado, aseo, esmero, delicadeza, limpieza, atildamiento, escrupulosidad. ↔ *Desaseo, dejadez.*

pulcro Limpio, aseado, curioso, esmerado, pulido, cuidadoso, relamido, escrupuloso, delicado, bello. ↔ *Desaseado, descuidado.*

pulchinela Polichinela.

pulgar Pólice.

pulgarada Pellizco, narigada.

pulguillas Cascarrabias, tufillas, pólvora.

pulgón Piojuelo.

pulido Bello, agraciado, hermoso. ↔ *Feo.* || Pulcro, primoroso, aseado, acicalado, bruñido, alisado, lustroso, abrillantado, laqueado, pulimentado.

pulir o **pulimentar** Alisar, abrillantar, bruñir, lustrar, esmerilar, alcorzar, acepillar. ↔ *Empañar.* || Adornar, componer, aderezar, desbastar, perfeccionar. || Refinar, ultimar, perfeccionar. || Instruir, educar.

pulmón Bofe, chofe, livianos.

pulmonía Neumonía, perineumonía.

pulpa Carne, molla.

P

pulpejo Talón.

púlpito Ambón.

pulque 'Claquinche.

pulsación Pulsada, latido, palpitación.

pulsar Tocar, tañer, golpear. || Tantear, sondear, examinar, tomar el pulso. || Latir.

pulsera Brazalete, manilla, esclava, ajorca. || Guedeja, mechón.

pulso Pulsación, latido. || Muñeca. || Firmeza, seguridad, tino, tiento, acierto, cuidado. ↔ *Marra.*

pulular Retoñar. || Nacer, provenir, originarse. || Abundar, multiplicarse, hormiguear, bullir, agitarse, moverse, hervir.

pulverizar Polvificar, polverizar, polvorizar, moler, triturar, hacer polvo.

pulverulento Polvoriento.

pulla Burla, chunga, rehilete, vaya, cuchufleta, fisga, tiro, broma.

'puna Páramo. || Soroche.

punción Punzadura, incisión, puntura, pungimiento.

puncha Púa, punta, espina.

punchar Pinchar, picar, punzar.

pundonor Honrilla, dignidad, punto, honor, honra. || Delicadeza, susceptibilidad, puntillo.

pundonoroso Puntilloso, delicado, susceptible, delicado, orgulloso, sensible. ↔ *Indiferente, arrostrado.*

pungimiento Punción.

pungir Punzar, pinchar, herir.

punición Castigo.

punir Castigar.

punta Pincho, puncha, puncho, aguja, aguijón, clavo, espina. || Ángulo, esquina,

arista, esconce, cresta. || Espolón, cabo, extremo. || Lengua de tierra. || Pezón. || Pico, picacho, promontorio, eminencia, cima.

punta (estar de) Estar reñido, enemistarse.

puntada Indirecta, eufemismo, pinchazo, insinuación, alusión, vareta, quemazón.

puntal Tornapunta, madero, empenta, asnilla, hinco. || Apoyo, sostén, soporte, fundamento, ayuda. || Prominencia.

puntera Capellada, bigotera, contrafuerte.

puntería Acierto, tino, certería, vista, pulso, destreza, habilidad. || Encaro.

puntiagudo Agudo, aguzado, penetrante.

puntilla Encaje. || Cachetero, puntillero.

puntilla (dar la) Rematar.

puntilloso Susceptible, quisquilloso, meticuloso, reparón, minucioso, pundonoroso, puntoso. ↔ *Indiferente, insensible.*

puntillo Honrilla, pundonor, punto.

punto Puntada. || Sitio, lugar, paraje, puesto, parte, localidad, situación. || Momento, segundo, instante, soplo. || Jugador, zorrastrón, listo. || Fragmento, pasaje. || Puntillo. || Tema, cuestión, asunto. || Intento, fin. || Sazón.

punto (a) Al pelo, oportunamente.

punto (al) De contado, ahora, inmediatamente, luego.

punto (por) Minuciosamente, detalladamente.

punto (en) Por filo, cabalmente, justo.

puntoso Puntilloso, pundonoroso.

puntual Exacto, preciso, diligente, cumplidor, normal, pronto, metódico, matemático, regular. ↔ *Impreciso.* || Cierto, seguro, indudable, indubitable, positivo. ↔ *Incierto.* || Conveniente, conforme, adecuado. ↔ *Inadecuado.*

puntualidad Precisión, matemática, rigurosidad, regularidad, exactitud, cuidado, diligencia. ↔ *Imprecisión.* || Certidumbre, conformidad, seguridad. ↔ *Inseguridad.*

puntualizar Resumir, concretar, detallar, recalcar, menudear, matizar, poner los puntos sobre las íes. ↔ *Dejar al aire.* || Acabar, perfeccionar.

puntura Punción, pungimiento, punzadura, pinchadura, picadura, punzada, incisión.

punzada Puntura. || Dolor, ramalazo, agujeta, 'cimbrón, punzada.

punzadura Puntura. || Punzada.

punzante Pungente, picante, mordaz, agudo, doloroso, violento, roedor, virulento.

punzar Pinchar, picar, pungir, 'chuzar. || Lancinar, roer.

punzarse 'Estacarse.

punzón Estilo, buril, aguja. || Pitón.

puñada Puñetazo, puñete, moquete, remoquete, metido.

puñado Grupo, conjunto. || Puño.

puñal Estilete, cachetero, almarada.

puñalada Cuchillada, navajada, navajazo. || Pesadumbre.

puñaladas (coser a o dar de) Apuñalar.

puñera Almorzada.

puñetazo Puñada, metido, remoquete, moquete, 'combo.

puñete Puñada, puñetazo. || Pulsera, manilla.

puño Puñado. || Empuñadura, mango, pomo, asidero. || Valor, fuerza.

pupa Daño, mal, perjuicio.

pupila Niña, niñeta.

pupila Ramera. || Manceba.

pupilaje Hospedaje, hospedamiento, acogimiento, pensión, casa de huéspedes.

pupilo Huérfano. || Huésped, realquilado.

pupitre Escritorio, bufete, buró.

pureza Perfección, limpidez, puridad, incorrupción. ↔ Corrupción. || Candidez, candor, inocencia, virginidad, doncellez, castidad, pudicicia. ↔ Perversión.

purgación Sangriza.

purgar Purificar, limpiar, acrisolar, depurar. || Expiar, satisfacer. || Evacuar, exonerar, expeler.

puridad Pureza. || Secreto.

purificación Abstersión.

purificar Limpiar, depurar, absterger, purgar, refinar, mundificar, desembarazar. || Rehabilitar. || Acendrar, acrisolar, perfeccionar. || Exorcizar.

purísima Inmaculada.

purista Puritano. || Casticista.

puritano Recto, rígido, severo, inflexible, purista, exigente, riguroso, intransigente. ↔ Tolerante.

puro Depurado, castizo. || Casto, inocente, perfecto, ideal, inmaculado, incorrupto. ↔ Impuro. || Legítimo, mero, exento, solo, simple, recto, correcto, sano, exacto, límpido, limpio, propio, natural, purificado. ↔ Mezclado, adulterado, artificial, complejo, incorrecto.

púrpura Ostro. || Rojo, encarnado, grana.

purpurado Cardenal, prelado.

purpúreo Cárdeno, encarnado, purpurino, rojo.

purulento Ponzoñoso, maligno, virulento.

pus Podre, virus, materia, podredumbre, humor.

pusilánime Temeroso, miedoso, tímido, cobarde, encogido, apocado, corto, ñoño, mandria, 'cangalla, 'gurrumino. ↔ Osado, atrevido, valiente.

pusilanimidad Desánimo, apocamiento, poquedad, cortedad, timidez, encogimiento, cobardía, gallinería, debilidad de ánimo. ↔ Osadía, valentía.

pústula Postilla, costra.

puta Ramera.

putativo Existimativo.

putería Prostitución. || Arrumaco, roncería.

putrefacción Podredura, pudrición, pudridez, pudrimiento, descomposición, corrupción. || Podredumbre, podre, inmundicia.

putrefacto Corrompido, podrido, pútrido, descompuesto, desintegrado, séptico. ↔ Sano, puro.

pútrido Infecto, podrido, putrefacto, fétido, corrompido, apestado, nauseabundo, repugnante. ↔ Incorrupto, fresco, sano.

puya Pica, vara, punta, garrocha, púa.

puyazo Puntada, rehilete, zaherimiento.

puyo 'Poncho, 'capote.

Q

quebracho Jabí, quiebrahacha.

quebrada Hocino, portillo,
cañón, callejón. || Quie-
bra.

quebradero Quebrador, rom-
pedor. || Inquietud, cavi-
lación.

quebradero de cabeza Quillotro.

quebradizo Quebrajoso, delicado, frágil, endeble, deleznable, vidrioso, rompe-
dero, mollar. ↔ *Resistente,
fuerte.*

quebrado Fallido. || Frac-
cionario. ↔ *Entero.* ||
Quebrantado, debilitado. ||
Herniado, hernioso, potro-
so. || Desigual, abrupto,
anfractuoso, escabroso, ba-
rrancoso, accidentado, tortuoso, 'encarnado. ↔ *Uniforme, llano.*

quebrador Quebradero, rom-
pedor. || Quebrantador.

quebradura Hernia, potra.
|| Grieta, rotura, hendedu-
ra, hendidura, raja, abertura, fractura, breña, fragosidad, anfractuosidad.

quebrajoso Quebradizo.

quebrantar Quebrar, dividir, romper, separar, tronchar, tronzar, despedazar.
↔ *Unir, juntar.* || Rajar,
hender, cascar. || Macha-

car, moler, triturar. || Vul-
nerar, profanar, violar, infringir, desobedecer, in-
cumplir, transgredir, contravenir, forzar, traspa-
sar, ir más allá. ↔ *Cum-
plir, satisfacer.* || Debili-
tar, disminuir, reducir,
templar. ↔ *Fortalecer.* ||
Molestar, fatigar, cansar,
irritar. ↔ *Ayudar, animar.*
|| Persuadir, inducir. ||
Revocar, anular. ↔ *Pro-
mulgar.*

quebrantarse Rendirse, capitular.

quebranto Quebrantamiento, perjuicio, daño, deterioro, menoscabo, pérdida,
detrimento. ↔ *Beneficio.* ||
Desánimo, desaliento, descaecimiento, aflicción, lasitud, flojera, laxitud, debilidad. ↔ *Vigor, energía,
ánimo.*

quebrar Quebrantar, romper, dividir, separar, tronzar, tronchar, despedazar,
cascar, escacharrar, tri-
zar, astillar, destruir, hacer trizas, hacer añicos. ↔
Unir, juntar. || Doblar,
torcer. ↔ *Enderezar.* || In-
terrumpir, estorbar. ||
Afear, marchitar, ajar,
deslustrar. || Ceder, fla-
quear.

quebrarse Relajarse, her-
niarse.

quebrar el alba Amanecer,
alborear.

queche Barca.

quechemarín Cachemarín,
cachamarín.

queda Calma, paz, sosiego,
retiro, silencio.

quedar Estar, detenerse,
permanecer, subsistir, durar, morar, restar. ↔ *Par-
tir, marchar.* || Cesar, aca-
bar, terminar, convenir. ↔
Comenzar.

quedar atrás Aflojar, desmayar.

quedarse asperges Fracasar.

quedarse frío Sorprenderse.

quedarse yerto Asustarse.

quedarse hecho un ovillo
Asobinarse.

quedo Quieto. || Suave, ba-
jo. || Despacio, poco a po-
co, con tino.

quehacer Faena, ocupación,
trabajo, tarea, negocio.

queja Quejido, quejumbre,
lamento, lamentación, ge-
mido, jeremiada, suspiro.
|| Resentimiento, desa-
zón, enojo, disgusto, descontento, cuita, quemazón.
|| Querella. || Demanda,
reclamación. || Pataleo.

quejarse Gemir, dolerse, lamentarse, gazmiar, querellarse, quillotrarse.

quejido Queja.

quejoso Quejicoso, quejilloso, quejumbroso, querelloso, cojicoso, gemebundo, lamentoso, lamentuoso, melindroso, delicado, ñoño, jeremías. ↔ *Sufrido.* || Resentido, disgustado, descontento, agraviado, quemado, apesarado. ↔ *Alegre, contento.*

quema Quemazón, fuego, combustión, ustión, incendio.

quema (huir de la) Esquivar, rehuir.

quema ropa (a) A boca de cañón, a boca de jarro.

quemado Incinerado, abrasado, achicharrado, combusto. ↔ *Incólume.*

quemador Hornillo. || Incendiario.

quemar Incinerar, encender, incendiar, abrasar, consumir, devorar, reducir a cenizas. || Arder, calentar. || Malvender, malbaratar, destruir. || Impacientar, desazonar, enojar, enfadar, irritar. ↔ *Tranquilizar.*

quemarse Alterarse, apasionarse. || Anublarse, alheñarse.

quemazón Quema. || Comezón, irritación, prurito. || Puntada, pulla, remoquete, indirecta, puya. || Resquemazón, resquemor, resentimiento, rencilla, queja.

quepis Gorra, chacó, teresiana, ros.

querella Discordia, pendencia, cuestión, contienda, reyerta, pelea, pelotera, disputa, altercado, discusión. || Litigio, queja,
acusación, reclamación, pleito.

querellarse Reñir, disputar, pleitear. || Quejarse.

querelloso Querellante, querellador. || Quejoso.

querencia Inclinación, afecto, tendencia, pasión.

querer Amor, cariño, afecto, estimación, afección, apego, dilección, ternura. ↔ *Desamor, desafecto, enemistad.*

querer Desear, apetecer, codiciar, ambicionar, pretender, procurar. ↔ *Rechazar, menospreciar.* || Determinar, resolver, intentar, tener voluntad. || Amar, estimar, apreciar, adorar. ↔ *Odiar.* || Antojarse, exigir, requerir, pedir. || Aceptar, conformarse. ↔ *Envidiar.*

querida Manceba, 'camote.

querido Amado, estimado, adorado, caro, bienquisto, adorado. ↔ *Odiado, detestado.* || Amigo, amante.

quermes Alquermes, carmes.

querubín Querube, querub. || Ángel, serafín.

quesero Caseoso.

queso 'Catrintre, 'adobera.

'quetro Pato, ganso.

'queüle Mirobálano.

quevedos Lentes, antiparras.

¡quiá! ¡Ca!

quibey Revientacaballos.

quid Motivo, razón, causa, esencia, busilis, toque, porqué.

quídam Sujeto, ente, quisque, alguien, uno. || Quienquiera, cualquiera.

quid pro quo Equívoco, equivocación, error, yerro. ↔ *Verdad.*

quiebra Grieta, raja, hendi-
dura, hendedura, abertura. || Barquinazo. || Menoscabo, pérdida, yactura. || Bancarrota, crac, 'falencia.

quiebro Regate, esguince, cuarteo. || Mordiente.

quietismo Inanición, quietud, inercia.

quieto Quedo, inmóvil, firme, inalterable, inactivo. ↔ *Móvil, activo.* || Calmado, tranquilo, reposado, sosegado, surto, pacífico. ↔ *Inquieto, intranquilo.*

quietud Inmovilidad, firmeza, inalterabilidad. ↔ *Actividad.* || Calma, sosiego, reposo, tranquilidad, beatitud, paz, descanso, serenidad, poso, balsa de aceite. ↔ *Inquietud, intranquilidad.*

quijada o **quijar** Carrilera, mandíbula, barbada, 'carretilla.

quijera Tentemozo.

quijonés Ahogaviejas.

quijotismo Hidalguía, caballerosidad.

'quila Bambú.

'quilco Canasto, banasto, canastón.

'quilquil Helecho.

'quiltro Gozque.

quillotra Manceba.

quillotranza Trance, tribulación, conflicto, amargura. '

quillotro Incentivo, estímulo, síntoma, señal, indicio. || Enamoramiento, amorío, devaneo, preocupación, requiebro, piropo. || Amigo, favorito, amante.

'quimbombo Quingombo.

quimera Monstruo. || Delirio, sueño, imaginación, fantasía, desvarío, ilusión, ficción, fábula, utopía, alu-

Q

Q cinación, capricho. ↔ *Rea-lidad, verdad.* || Pendencia, lucha, trifulca, pelotera, gresca, cuestión, repique.

quimérico Imaginario, utópico, fabuloso, fantástico, ilusorio, fingido, soñado. ↔ *Real, verdadero, positivo.*

quimerista Iluso, novelero, fantaseador. ↔ *Positivista.* || Camorrista, pendenciero, refertero.

quimono Túnica, bata.

quincalla Mercería, bujería, maula.

quincallero Quinquillero, tirolés.

quinina Chinchona, quina.

quinqué Lámpara.

quincuagenario Cincuentón.

quincuagésimo Cincuentésimo.

quindécimo Quinzavo.

'quinfa Sandalia.

quingombo 'Quimbombo.

'quingos Zigzag.

quinquefolio Cincoenrama.

quinta Villa, torre, hotel, quintana, chalet, 'estancia. || Leva, reclutamiento, reemplazo.

quintaesencia Extracto, refinamiento, pureza.

quintaesenciar Sutilizar, refinar, apurar, alambicar.

quintal Centipodio.

quintana Quinta.

quintería Casa de campo, cortijo, masada, alquería, granja.

quinterno Cinquina, quina.

quinto Cinco. || Recluta, soldado, caloyo.

'quintral Muérdago.

quiosco Templete, pabellón, pérgola, cenador, emparrado, glorieta, mirador.

'quique Comadreja.

quirófano Sala de operaciones.

quiroteca Guante.

'quirquincho Armadillo.

quisicosa Problema, dificultad, sutileza, enigma.

quisquilla Tropiezo, reparo, dificultad. || Camarón.

quisquilloso Puntilloso, pelilloso, reparón, meticuloso, exigente, melindroso, picajoso, cosquilloso, delicado. ↔ *Indiferente.*

quiste Tumor, zurrón.

quita o **quitación** Quitamiento, liberación, remisión.

quitamanchas Sacamanchas.

quitanza Finiquito, liberación.

quitapelillos Quitamotas, quitapelos, lagotero, adulador, lisonjeador, obsequioso. ↔ *Adusto.*

quitapesares Alivio, consuelo, solaz.

quitapón 'Tapaojo.

quitar Libertar, librar, redimir, desembarazar, suprimir, extirpar, eliminar, retirar, 'bolsear. ↔ *Cargar, ajobar, agravar, imponer.* || Hurtar, robar, despojar, privar, escamotear. ↔ *Devolver.* || Sacar, apartar, separar, privar, restar. ↔ *Meter, poner, añadir.* || Impedir, estorbar, obstar, prohibir, vedar. ↔ *Facilitar, proporcionar, ayudar.* || Derogar, abrogar, suprimir. ↔ *Promulgar.* || Destituir, despachar. ↔ *Nombrar.*

quitarse Dejar, apartarse, renunciar. || Irse, alejarse.

quitasol Parasol, sombrilla, paraguas.

quite Regate, quiebro, escape, efugio, lance, parada.

quito Libre, exento, horro. ↔ *Sujeto.*

quizá o **quizás** Acaso, por ventura, tal vez, puede ser.

quórum Mayoría.

R

rabadán Mayoral, caporal, pastor.

rabadilla Curcusilla. || Obispillo.

rabanera Verdulera.

rabanillo Rábano silvestre. || Desdén, esquivez. || Ansia, deseo, vehemencia.

rabear Colear.

rabel Asentaderas, nalgas, posaderas.

rabia Hidrofobia. || Irritación, enfado, enojo, coraje, furor, cólera, furia, ira. ↔ *Serenidad.*

rabiacana Arísaro.

rabiar Encolerizarse, enfurecerse, irritarse, enojarse, trinar, enloquecer, crujir de dientes, exaltarse la bilis.

rábida Rápita.

rabieta Rabia, berrinche, berrenchín, perra, petera, rebufe, perrera, entruchado, regaño.

rabihorcado Pájaro burro.

rabilargo Mohino.

rabillo Pecíolo, pedúnculo. || Cizaña.

rabino Rabí.

rabión Rápido.

rabioso Hidrófobo, rábido. || Frenético, colérico, furioso, airado, enojado, crespo, furo, violento, fuerte, desmedido, irasci-

ble, vehemente. ↔ *Tranquilo.*

rabisalsera Verdulera, rabanera, farota, tarasca, moscana, soleta, desenvuelta, de rompe y rasga.

rabo Cola, hopo.

rabo entre piernas (con el) Abochornado, avergonzado, corrido. ↔ *Desenvuelto, orondo.*

rabón 'Choco, 'tuso.

rabopelado Zarigüeya.

raboseadura Raboseado, ajadura, sobajadura, sobo, manoseo, deterioro.

rabosear Apañuscar, manosear, ajar, deslucir, tazar, rozar, desaliñar.

rabotada Coletazo, andanada, destemple, desatención, incorrección, ex abrupto.

rábula Charlatán, picapleitos, abogadillo, abogado de secano, 'tinterillo.

racial Étnico, etnográfico.

racimo Colgajo, arlo.

raciocinar Razonar, discurrir, argumentar, entender, discursar, filosofar, inferir, hilar, sutilizar, sacar en claro, estar en razón.

raciocinio Raciocinación, lucubración, deducción, razonamiento, argumento,

reflexión, juicio. || Argumento, discurso, lógica. || Razón, uso de razón, entendimiento.

ración Medida, porción, racionamiento, parte, tasa, asignación, cupo, razón, cuota, porcentaje. || Prebenda.

racional Razonable, justo, lógico, fundado, ecuánime, equitativo, procedente, incuestionable, probable, exacto, cierto, plausible. ↔ *Irracional.*

racionar Distribuir, proporcionar, repartir, proveer, tasar, dotar, suministrar.

racha Ráfaga.

racha Raja.

rada Bahía, ensenada, abra, fondeadero, broa, ancón.

radiación Irradiación, propagación.

radiante Radioso, rutilante, refulgente, resplandeciente, luminoso, brillante, centelleante, coruscante. ↔ *Mate, apagado.* || Feliz, alegre, satisfecho, contento, animado, campante. ↔ *Infeliz.*

radiar Brillar, centellear, rutilar, resplandecer, refulgir, coruscar, irradiar. || Difundir, divulgar, publicar.

R radical Básico, fundamental, extremado, total, completo, absoluto, extremista. ↔ *Accidental, conservador.*

radicar Arraigar. || Estar, establecerse, encontrarse, situarse, hallarse.

radio Radiograma. || Radiodifusión. || Rayo.

radío Errante, vagabundo.

radioso Radiante.

radioescucha Radioyente.

raedura Raimiento, rasura, raspamiento, raspadura.

raer Raspar, rasar.

ráfaga Racha, fugada, galerna, torbellino, borrasca, tromba, ciclón.

rafe Alero.

rahez Vil, bajo, rastrero, despreciable. ↔ *Noble.*

raído Gastado, usado, ajado, viejo, roso, tazado. ↔ *Nuevo, intacto.* || Desvergonzado, descocado, descarado, descomedido, insolente. ↔ *Respetuoso.*

raigambre Estabilidad, seguridad, consistencia, firmeza, 'champa. ↔ *Inestabilidad.*

rail Carril, riel, corredera.

raimiento Raspadura, raedura, rasuración. || Descaro, desvergüenza, descomedimiento, descoco, avilantez, desfachatez, insolencia. ↔ *Respeto.*

raíz Rizoma. || Origen, principio, causa, fundamento, comienzo.

raja Racha, hendedura, hendidura, raza, grieta, fisura, fenda, rendija, entalle, resquebrajadura, juntura, abertura. || Tajada, rabanada, corte.

rajabroqueles Guapo, chulo, valentón, pendenciero, camorrista.

rajar Abrir, hender, partir, resquebrajar, agrietar, cascar. || Charlar, hablar, parlar. || Mentir, guapear, baladronar, bravear.

rajarse Cuartearse, ventearse, consentirse. || Desistir, desdecirse, volverse atrás.

rajuela Lastra.

ralea Alcurnia, linaje, raza, estofa, género, clase, laya, pelaje, calidad.

ralear Arralar, ardalear.

ralo Raro. || Espaciado, claro, disperso, poroso.

rallar Triturar, desmenuzar, restregar. || Molestar, importunar, fastidiar, incomodar, chinchar.

rama Ramo, gajo, vástago, álabe. || Ramificación, ramal, derivación, subdivisión, bifurcación.

ramas (asirse a las) Disculparse, excusarse.

ramas (andarse por las) Divagar, extraviarse, perderse. ↔ *Concretar.*

ramaje Ramada, enramada, leña, chasca, frasca, chabasca.

ramal Liñuelo, cabo. || Ronzal, cabestro. || Rama.

ramalear Cabestrear.

ramalazo Punzadura, dolor, agujeta. || Chirlo, vestigio, costurón, verdugón, señal, cicatriz.

rambla Ramblazo, cauce, torrentera, álveo.

ramera Bagasa, buscona, callenca, coima, coja, cortesana, chuquisa, churriana, entretenida, gamberra, gaya, hetaira, hetera, hurgamandera, lumia, mantenida, maturranga, meretriz, mondaria, mundaria, mundana, moza de partido, moza de fortuna, mujer pública, mujer munda-na, mujer perdida, ninfa, pelandusca, peliforra, pelota, pelleja, pendanga, pendejo, pendón, perdida, perendeca, pindonga, pobreta, prostituta, pupila, puta, tía, tusona, zurrona, 'campechana, 'capulina, 'coscolina.

ramificación Rama, subdivisión.

ramificarse. Dividirse, subdividirse, esparcirse. || Extenderse, propagarse, intensificarse, propalarse, divulgarse.

ramillete Ramo. || Colineta. || Conjunto, grupo, selección, flor, flor y nata.

ramiza Ramojo, encendaja, ramulla, ramón, chasca, chabasca.

ramo Rama. || Manojo, pomo, ramillete. || Ristra. || Sección, parte, sector.

rampa Calambre, garrampa.

rampa Declive, cuesta, talud, repecho, 'gradiente.

ramplón Ordinario, vulgar, tosco, inculto, pedestre, basto, chafallón, paleto, zafio, desaliñado. ↔ *Selecto.*

ramplonería Chabacanería, tosquedad, zafiedad, desaliño, ordinariez. ↔ *Selección, distinción.*

rancajo Astilla, púa, espina, puncha, punta.

ranciedad Rancidez, antigüedad, solera.

rancio Rancioso, antiguo, añejo, provecto.

rancho Choza, albergue. || Granja, alquería. || Menestra, bazofia.

randa Encaje. || Ladrón, caco. || Pícaro, pillete.

rangífero Reno.

rango Clase, categoría, copete, jerarquía, condición.

ránula Ranas, sapillo.

ranúnculo Botón de oro, hierba belida, apio de ranas, 'centella.

ranura Raja, hendedura, hendidura, entalle, acanaladura, raya, estría, surco, rebajo.

raño Baila, percha, perca, trucha de mar.

rapacería Rapacidad, rapiña. || Rapazada, muchachada.

rapacidad Rapacería, rapiña, avaricia, usura, latrocinio, ladronicio, gazmoñería, cicatería. ↔ *Largueza, honradez.*

rapagón Imberbe, barbilampiño, lampiño. ↔ *Barbudo, barbiluengo.*

rapapolvo Represión, filípica, sermón, bronca, regaño, peluca, réspice, admonición, sepancuantos, zurrapelo. ↔ *Elogio.*

rapar Raer, afeitar, rasurar, pelar, motilar, decalvar. || Robar, pelar.

rapaz Chiquillo, chico, muchacho, arrapiezo, chaval, mozuelo, chicuelo, rapazuelo, rapacejo, mocosuelo. ↔ *Adulto.*

rapaz Avaricioso, codicioso, ávido, rapiñador, rapante. cúpido. ↔ *Pródigo, generoso.*

rapazada Rapacería, trapacería, travesura, diablería, muchachada.

rape Pejesapo.

rape Rapadura, rapamiento.

rape (al) Al cero, a raíz, a la orilla.

rapidez Celeridad, velocidad, prontitud, ligereza, presteza, presura, apresuramiento, festinación, agilidad, viveza, vivacidad, subitaneidad, impetuosi-

dad, vértigo. ↔ *Lentitud, calma.*

rápido Ágil, célere, diligente, presto, presuroso, precipitado, pronto, raudo, vivo, vertiginoso, súbito, acelerado, alígero, alado, impetuoso, repentino, como una bala. ↔ *Lento, calmoso.*

rapiña Rapacidad, avidez, cupidez. || Latrocinio, robo, pillaje, ratería, saqueo.

rapiñar Robar, saquear, pillar.

rapista Barbero, desuellacaras.

rápita Rábida.

raponchigo Ruiponce.

raposa Zorra, vulpeja.

raposear Engaitar, camelar, socaliñar, engatusar, enlabiar.

rapsoda Bardo, juglar, vate, poeta.

raptar Robar, rapiñar, hurtar, secuestrar.

rapto Secuestro. || Impulso, pronto, arrebato, arranque. || Enajenamiento, éxtasis, ensimismamiento, embeleco, arrobamiento.

raptor Arrebatadero, ladrón.

raqueta Pala. || Jaramago. || Barajón.

raquis Columna vertebral, espinazo.

raquítico Anémico, débil, mezquino, exiguo, enclenque, endeble, esmirriado, desmedrado, escaso, pobre, mísero, miserable, 'fifiriche, 'movido. ↔ *Fuerte, vigoroso, robusto.*

rarefacción Enrarecimiento.

rarefacer Enrarecer, rarificar.

rareza Raridad, raleza, escasez, tenuidad. ↔ *Abundancia.* || Singularidad, ex-

travagancia, anomalía, originalidad, curiosidad, quínola. ↔ *Normalidad.*

raro Rarefacto, ralo, disperso, claro, tenue, escaso. ↔ *Abundante.* || Extraño, extraordinario, estrambótico, excepcional, peregrino, singular, notorio, sobresaliente, anómalo, extravagante, anormal, caprichoso, sorprendente, original, fantástico, insólito, inusitado, desacostumbrado, inaudito, curioso, único. ↔ *Normal, corriente, acostumbrado.* || Maniático, maníaco, loco, ido. ↔ *Cuerdo.*

ras Igualdad, nivel, llaneza, línea.

rasar Nivelar, igualar. || Rozar.

rasarse Aclararse, despejarse, desencapotarse, clarear, ↔ *Enlobreguecerse, encapotarse.*

rascadera Rascador. || Almohaza.

rascadura Rascamiento, restregadura, refregadura, restregón, rozamiento, roce, rozadura, frotamiento, frotadura, frote, fregadura, fricción, fregamiento, estregón, estregamiento, estregadura, erosión, ludimiento.

rascar Estregar, restregar, fregar, refregar, escarbar, fricar, frotar, rozar, rasar, raer, ludir, escarbar, pulir, limar, limpiar, transfregar, acepillar, arañar.

rascazón Comezón, prurito, picazón, quemazón.

rasero Rasera, raedor.

rasgadura Rasgón, desgarrón, jirón, siete, rotura.

rasgar Desgarrar, descalandrajar, deshilar, romper. || Rasguear. || Rasguñar.

R

R **rasgar de dientes** Castañatear, tiritar.

rasgo Cualidad, carácter, distinción, nota, atributo. || Afecto, expresión, acción. || Perfil, plumazo, trazo. || Gallardía, heroicidad, guapeza, valentía. ↔ *Cobardía.*

rasgos Facciones, aspecto, parecer, fisionomía, talante, catadura.

rasgón Rasgadura, rotura, jirón, desgarrón, siete.

rasguear Emborronar, rasgar, garrapatear. || Tocar, tañer, pulsar.

rasgueo Rasgueado, garrapateado.

rasguñar Arañar, gatuñar, arpar, carpir, escarbar, dilacerar, rasgar.

rasguño Arañazo, araño, arañamiento, raspadura, rasguño, rasguñadura, aruño, uñada, escarbadura, arpadura, frotamiento, lusión.

raso Llano, plano, desembarazado, desnudo, libre, despejado, pelado, liso, calvo, limpio. ↔ *Desigual, quebrado, anfractuoso.* || Vulgar, común, simple, corriente. ↔ *Extraordinario.* || Saetín.

raspadura Raedura, raimiento, raspamiento, rasura, rasuración. || Legradura.

raspante 'Carrasposo.

raspar Raer, limar, frotar, arañar, ludir. || Rasar, rozar. || Robar, hurtar. || Escocer, picar, alampar.

raspilla Miosota.

'rasqueta Almohaza.

'rasquetear Almohazar.

rastel Barandilla.

rastra Rastro, estela, señal. || Narria. || Rastrillo, recogedor. || Sarta, cuelga. || Grada, escalón, peldaño, escaño.

rastrear Buscar, inquirir, averiguar, indagar, perquirir, escudriñar, perseguir, explorar, catar, batir, buscar.

rastreo Sondeo, búsqueda, escudriñamiento, exploración.

rastrera Arrastradera.

rastrero Vil, abyecto, despreciable, indigno, bajo, ruin, innoble, obsequioso, servil, bajuno, sumiso, terrero, miserable. ↔ *Noble.*

rastrillo Rastra, rastro, recogedero, cogedera, allegadera, rufa.

rastro Vestigio, huella, indicio, señal, pista, traza, rodera, rodada, uñada, patada, estela, pisada, rastra, paso, ida. || Rastrillo. || Mugrón. || Desolladero, matadero.

rastrojera Rastrojal.

rasura Raspadura, raedura.

rasuras Tártaro.

rasurado Barbihecho, barbirrapado.

rasurar Decalvar, rapar, desbarbar, afeitar.

rata Ratón. || Ladrón, caco, ratero, randa. || 'Degu, 'taltuza, 'pericote.

ratear Prorratear, escotar, distribuir, proporcionar, partirequilibrar.

ratear Robar, hurtar, rapiñar, raspar, sisar, soplar, sangrar, despojar, afanar.

ratear Gatear, arrastrarse, andar a gatas, andar a gachas, 'bolsear.

ratería Pillería, latrocinio, robo, sisa, timo, estafa.

ratería Ruindad, vileza, mezquindad, humillación, perrería, jugarreta, trastada, tunantada, bellacada, picardía.

ratero Rata, ladrón, caco, 'arpista, 'launfardo, 'macuteno.

ratificación Confirmación, revalidación, corroboración, adhesión, aprobación. ↔ *Denegación.*

ratificar Confirmar, revalidar, reafirmar, corroborar, aprobar, mantener, afirmarse, hacer coro. ↔ *Denegar, rectificar.*

rato Instante, soplo, momento, pausa, lapso, santiamén, racha, periquete, tris.

rato (buen) Abundancia, copia, cantidad.

ratón 'Tunduque, 'laucha.

ratonera Lazo, trampa.

raudal Abundancia, copia, cantidad, torbellino, diluvio, lluvia, avenida, nubada, aluvión, inundación, granizada. ↔ *Escasez.*

raudo Rápido, veloz.

rauta Ruta, viaje, camino.

raya Línea. || Confín, límite, término, frontera, linde, extremo, fin. || Perfil, rasgo. || Punto, tanto. || Crencha, carrera. || Estría.

rayano Confinante, lindante, limítrofe, fronterizo, vecino, contiguo, próximo, cercano. ↔ *Lejano.*

rayar Subrayar, pautar, tachar, reglar, alinear, trazar, marcar, señalar. || Confinar, lindar, limitar. || Sobresalir, superar, distinguirse, descollar. || Parecerse, asemejarse. || Amanecer, alborear.

rayita Vírgula, tilde, guión.

rayo Relámpago, centella, chispa, exhalación. || Radio. || Águila, lince, genio. || Pólvora, bullebulle.

|| Ramalazo, clavo, agujetas, punzadura. || Estrago, infortunio.

rayo de luz Rafa, raza.

rayuelo Agachadiza.

raza Tribu, clan, familia, horda, cábila, pueblo, ralea, linaje, género, casta, especie.

raza Hendidura, grieta, raja. || Rayo de luz, rafa.

rázago Harpillera.

razón Raciocinio, discernimiento, inteligencia, especulativa, entendimiento. ↔ *Irreflexión, falta de criterio.* || Justicia, equidad, rectitud, buen sentido, racionalidad, juicio. ↔ *Desigualdad, injusticia.* || Razonamiento, argumento, prueba, explicación, demostración. || Causa, motivo, porqué, título, móvil, fin. ↔ *Consecuencia.* || Método, orden, sistema. || Cómputo, relación, detalle. || Poder, derecho. || Fracción, cociente, quebrado.

razón (dar) Informar, notificar, noticiar.

razón (meter en) Convencer.

razonable Sensato, lógico, racional, prudente, inteligente. ↔ *Insensato, fuera de razón.* || Moderado, mediano, suficiente, bastante, regular, sobrio, bueno, conveniente. ↔ *Desmesurado, desproporcionado.* || Justo, legal, arreglado, legítimo, sostenible. ↔ *Injusto, ilegítimo.*

razonador Discutidor, casuista, sofista, ergotista, dialéctico, lógico. || Embrollón, quisquilloso, reparón, repeloso.

razonamiento Argumento, demostración, razón, ex-

plicación, prueba. || Argumentación, dialéctica, discurso, lógica.

razonar Raciocinar, dilucidar, argumentar, reflexionar, discurrir, hablar, discutir, aducir, exponer, conversar, argüir, resumir, inferir, inducir, sintetizar, ergotizar, colegir, atar cabos. ↔ *Disparatar, desbarrar.*

*****razzia** Correría, incursión. || Botín, pillaje, ratería.

reacción Resistencia, oposición. || Tradicionalismo, conservadurismo, carcundia.

reacio Rebelde, indócil, difícil, renuente, remiso, testarudo, porfiado, terco, remolón, reluctante, renitente, indisciplinado, inobediente, opuesto. ↔ *Disciplinado, obediente, dócil.*

reafirmar Ratificar, hacer hincapié. ↔ *Rectificar.*

real Positivo, verdadero, verídico, cierto, efectivo, auténtico, innegable. || Incontestado, indiscutible. ↔ *Irreal, falso, aparente, imaginario.*

real Regio, soberano, principesco, noble. ↔ *Plebeyo.* || Bonísimo, perfecto. || Sitio, lugar, campo.

realce Lustre, brillo, grandeza, esplendor, estimación, relieve. ↔ *Oscuridad.*

realeza Majestad, soberanía, magnificencia, grandiosidad, poder. ↔ *Mezquindad, humildad.*

realidad Objetividad, materialidad, existencia, efectividad, concreción, veras. ↔ *Irrealidad, ideal, abstracción.* || Sinceridad, verdad, propiedad, naturalidad, ingenuidad. ↔ *Men-*

tira, falsedad, impropiedad. **R**

realidad (en) De verdad, en rigor, en esencia, en puridad, en justicia, en efecto, sin duda alguna, de hecho.

realismo Naturalismo, precisión. || Monarquismo.

realizable Posible, factible, hacedero. ↔ *Imposible, irrealizable.*

realizar Efectuar, ejecutar, hacer, llevar a cabo, llevar a efecto, poner a efecto, verificar. || Vender.

realzar Elevar, levantar. ↔ *Bajar, disminuir.* || Enaltecer, engrandecer, aumentar, ilustrar, relevar. ↔ *Rebajar.*

reanimar Confortar, reconfortar, reforzar, fortalecer, vivificar, vigorizar, reavivar, restablecer. ↔ *Debilitar.* || Animar, consolar, alentar, vivificar. ↔ *Desanimar, amilanar.*

reanudar Renovar, continuar, proseguir. ↔ *Interrumpir, parar, detener.*

reata Recua, teoría.

reavivar Reanimar, alentar, vivificar. ↔ *Desanimar.*

rebaba Reborde, orillo.

rebaja Reducción, disminución, deducción, descuento, abaratamiento, baja. ↔ *Subida, encarecimiento.*

rebajar Disminuir, reducir, deducir, abajar, descontar. ↔ *Aumentar, subir.* || Abatir, envilecer, humillar, menospreciar, rebatir, despreciar. ↔ *Enaltecer, elogiar.*

rebajo Acanaladura, canal, ranura, raja.

rebalsa Remanso, balsa, estanque.

R **rebalsar** Embalsar, estancar.

rebalsarse 'Apozarse.

rebalse Estancamiento.

rebanada Rueda, rodaja, loncha, roncha.

rebañar Arrebañar, apurar, recoger. ↔ *Despreciar.*

rebaño Hato, grupo, manada, boyada, vacada, toada, yeguada, pavada, piara, 'tropa.

rebasar Exceder, extralimitarse, salvar, sobrepasar. ↔ *Limitarse.*

rebatir Contradecir, contrarrestar, rechazar, impugnar, confutar, reherir, sacudir el polvo. ↔ *Confirmar.* || Resistir, rechazar, vencer, oponerse. ↔ *Atacar.*

rebato Alarma, somatén.

rebeco Gamuza, rupicabra.

rebelarse Levantarse, alzarse, sublevarse, insurreccionarse, amotinarse, indisciplinarse, desobedecer, resistirse, protestar, tirar coces, soliviantarse. ↔ *Obedecer.*

rebelde Insurrecto, insurgente, sublevado, sedicioso, faccioso. ↔ *Leal.* || Desobediente, inobediente, insubordinado, indócil, refractario, reacio, insumiso, indisciplinado, recalcitrante, soliviantado, descontento, protervo. ↔ *Obediente, sumiso.*

rebeldía Rebelión. || Indisciplina, indocilidad, inobediencia, insubordinación, insurrección, protervia. ↔ *Obediencia, sumisión.*

rebelión Sedición, motín, algarada, asonada, cuartelada, alzamiento, levantamiento, sublevación, revolución, insurrección, mili-

tarada. ↔ *Lealtad, fidelidad.* || Rebeldía.

'**rebenque** Látigo, anguila de cabo, chirrión, 'fusta.

rebina Tercia.

rebisabuelo Tatarabuelo.

rebisnieto Tataranieto.

reblandecer Enternecer, emblandecer, ablandar, enlentecer. ↔ *Endurecer.*

reblandecido Muelle, débil, entorpecido, afeminado. ↔ *Duro, coriáceo.*

rebocillo Rebozo.

rebollo Mesto.

reboño Barro, lodo, fango.

reborde Rebaba, cornisa, faja, orillo, saliente.

rebosar Rebasar, exceder, derramarse, verterse, caer, vomitar.

rebotar Redoblar, remachar. || Resistir, rechazar. ↔ *Admitir.* || Sofocar, conturbar.

rebotica o **rebotija** Trastienda.

rebozar Embozar, tapar, cubrir. || Arrebozar, empanar, enalbardar.

rebozo Rebociño, rebocillo. || Simulación, pretexto.

rebozo (sin) Con sinceridad, sinceramente, con franqueza.

rebrotar Retoñar, retoñecer.

rebrote Retoño, pimpollo, pitón, serpollo, renuevo, hijuelo.

rebufe Bufido.

rebujado Enredado, enmarañado, desordenado.

rebujiña Bullicio, alboroto, algazara, zaragata, zalagarda, trapatiesta, rebullicio, rebumbio. ↔ *Quietud.*

rebujo Embozo. || Lío, envoltorio, reburujón.

rebullir Moverse, agitarse, bullir, hervir.

rebumbio Rebujiña.

reburujar Enredar, revolver, trastear.

reburujón Rebujo, lío.

rebuscado Afectado, repulido, estudiado, complicado, efectista. ↔ *Sencillo.*

rebuscar Inquirir, escudriñar, escrutar, explorar, sondear, examinar, huronear. ↔ *Abandonar, dejar.* || Espigar, recoger.

rebuznar Roznar.

rebuzno Roznido.

recabar Alcanzar, obtener, lograr, conseguir.

recadero Mandadero, ordinario, mensajero, factótum, propio, ganapán.

recado Encargo, mensaje, misiva. || Presente, regalo. || Surtido, provisión. || Seguridad, precaución. || Útiles.

recado de escribir Escritorio, escribanía.

recaer Reincidir.

recaída Reincidencia.

recalar Amerar, penetrar, empapar.

recalcar Insistir, repetir, acentuar, subrayar, machacar. ↔ *Soslayar.*

recalcitrante Obstinado, terco, rebelde, insubordinado, indisciplinado, resistente, pertinaz, impenitente, contumaz. ↔ *Disciplinado, obediente.*

recalcitrar Retroceder, volverse. || Pugnar, oponerse, resistir, rebelarse. ↔ *Obedecer.*

recamado Adornado, labrado, bordado.

recámara Depósito, hornillo. || Cautela, reserva, trastienda, segunda intención. ↔ *Imprevisión.*

recancanilla Énfasis, afectación.

recapacitar Compendiar, re-

R

cordar, resumir, meditar, rememorar, reflexionar, decir para su sayo.

recapitulación Repetición, inventario, resumen, recensión, revista, síntesis, sumario, revisión.

recapitular Repasar, revisar, resumir, recordar, repetir. ↔ *Olvidar*.

recargado Barroco, churrigueresco, pomposo, complicado. ↔ *Sencillo*.

recargar Agravar, aumentar, doblar. ↔ *Aligerar, aliviar*. || Entarascar.

recargo Aumento, sobreprecio, gravamen. ↔ *Disminución, rebaja*. || Reconvención, imputación.

recatado Circunspecto, cauto, prudente, discreto, precavido, reservado. ↔ *Indiscreto*. || Honesto, púdico, modesto, decoroso, pudibundo, pudoroso, casto. ↔ *Deshonesto*.

recatar Esconder, encubrir, tapar, ocultar, disimular. ↔ *Descubrir*.

recato Honestidad, castidad, decoro, pudor, modestia. ↔ *Descaro*. || Reserva, discreción. ↔ *Indiscreción*.

recaudación Recaudo, recaudamiento, cuestación, cobro, cobranza, colecta. ↔ *Pago*.

recaudador Recolector, colector, cobrador, aduanero.

recaudar Percibir, cobrar, recibir. ↔ *Pagar*.

recaudo Recaudación. || Precaución, cuidado, seguridad, caución, fianza. ↔ ↔ *Descuido*.

recaudo (a o a buen) Custodiado.

recebo Arenilla, grava.

recelar Maliciar, sospechar, desconfiar, temer, tener entre ceja y ceja, oler a chamusquina, abrigar sospechas. ↔ *Confiar*.

recelo Suspicacia, desconfianza, sospecha, temor, cuidado, miedo, reconcomio, resquemor, rescoldo. ↔ *Confianza*.

receloso Suspicaz, escamado, desconfiado, temeroso, matrero, escamón, dificiente. ↔ *Confiado*.

recensión Reseña.

recepción Ingreso, recibimiento, admisión. || Besamanos.

receptáculo Recipiente, cavidad, concavidad. || Tálamo, cazoleta. || Acogida, asilo, refugio.

receptar Encubrir, ocultar. || Acoger, recibir.

recepto Asilo, retiro, seguro, refugio.

recésit Recreo, descanso.

receso Desvío, apartamiento, separación. || Cesación, suspensión.

receta Prescripción, fórmula, récipe.

recetar Prescribir, ordenar. ↔ *Tomar*.

recetario Formulario, vademécum. || Farmacopea.

recibidor Recibimiento, recibo, recepción, antesala, antecámara.

recibimiento Recibidor. || Acogida, acogimiento.

recibir Aceptar, tomar, acoger, aprobar, receptar, admitir. ↔ *Dar*. || Embolsar, percibir. || Dar audiencia.

recibo Recibidor. || Recibí, resguardo, albarán, justificante, comprobante. ↔ *Entrega*.

reciedumbre Vigor, fortaleza, fuerza, poder. ↔ *Debilidad*.

reciente Nuevo, actual, moderno, fresco, flamante, acabado de hacer, recién hecho. ↔ *Viejo, pasado*.

recinto Espacio, circuito, estancia.

recio Robusto, vigoroso, fuerte, fortachón. ↔ *Débil*. || Grueso, corpulento, gordo, abultado. ↔ *Delgado, ahilado*. || Duro, áspero, grave. ↔ *Blando*. || Veloz, impetuoso, acelerado. ↔ *Suave*.

récipe Receta. || Disgusto, d e s a z ó n, inquietud. ↔ *Tranquilidad*.

recipiente Receptáculo, vaso, vasija, balón. || Receptor, acogedor, admisor. ↔ *Dador*.

reciprocidad Reciprocación, correlatividad, correspondencia, mutualidad.

recíproco Correlativo, mutuo, mutual, intercambiable. || Inverso.

recitar Decir, declamar. || Contar, referir, explicar.

reciura Inclemencia, rigor, severidad. ↔ *Clemencia*.

reclamación Solicitud, exigencia, oposición, contradicción, protesta, petición. ↔ *Aprobación, agradecimiento*.

reclamante Demandante, demandador, querellador, protestatario, pedigüeño. ↔ *Aprobador*.

reclamar Exigir, pedir, protestar, solicitar, quejarse, clamar. ↔ *Aprobar, asentir, agradecer*.

reclamo Llamada, atracción, atractivo, incentivo, aliciente. ↔ *Desaire, repulsión*. || Señuelo, chilla, cancamusa. || Anuncio, publicidad, propaganda.

reclinar Inclinar, apoyar,

R recostar, descansar. ↔ *Alzar, enderezar.*

reclinatorio Apoyo, sostén, puntal. ‖ Propiciatorio.

recluir Encerrar, encarcelar, enclaustrar, internar, aislar, secuestrar. ↔ *Libertar.*

reclusión Encierro, encerradura, encerramiento, prisión, claustro, internamiento, secuestro. ↔ *Liberación, libertad.*

recluso Preso, presidiario, condenado, forzado, penado. ↔ *Libre.* ‖ Interno, asilado, enclaustrado. ↔ *Externo.*

recluta Reclutamiento. ‖ Soldado, quinto, bisoño, caloyo, sorche.

reclutamiento Recluta, leva, alistamiento, incorporación militar, 'arreada. ↔ *Licenciamiento.*

reclutar Alistar, enganchar, levantar, enrolar. ↔ *Licenciar.*

recobrar Rescatar, recuperar, readquirir, reparar. ↔ *Perder, abandonar.*

recobrarse Reponerse, restablecerse, restaurarse, aliviarse, arribar. ‖ Desquitarse, resarcirse, reintegrarse. ‖ Volver en sí, recuperarse.

recocer Requemar.

recocerse Atormentarse, consumirse, agostarse.

recocido Recocho.

recodo Ángulo, esquina, rinconera, revuelta.

recogedor Rastra, pala.

recoger Juntar, acumular, congregar, reunir, acopiar. ↔ *Disgregar.* ‖ Encoger, estrechar, ceñir. ↔ *Ensanchar.* ‖ Cosechar, recolectar, coger. ↔ *Dejar, abandonar.* ‖ Alzar, guardar. ‖ Acoger. ‖ Encerrar, rehuir. ‖ Añascar.

recogerse Retirarse, abstraerse, refugiarse, incomunicarse. ‖ Moderarse, ceñirse, limitarse. ↔ *Desmandarse.*

recogimiento Aislamiento, apartamiento, abstracción. ‖ Reflexión, reconcentración, unción.

recolección Recopilación, compendio, resumen. ‖ Cosecha. ‖ Recaudación, cobranza. ‖ Meditación, abstracción, recogimiento. ‖ Convento, casa recoleta, monasterio.

recolectar Cosechar, recoger. ↔ *Abandonar.*

recolector Recaudador, cobrador.

recomendable Respetable, meritorio, estimable, confiado. ↔ *Irrecomendable, inaconsejable.*

recomendación Súplica, encargo, encomienda, comisión. ‖ Alabanza, elogio.

recomendar Encomendar, encargar, confiar. ↔ *Desaconsejar.* ‖ Elogiar, alabar. ↔ *Censurar.*

recompensa Recompensación, premio, adehala, gratificación, prima, remuneración, retribución, indemnización, galardón, condecoración, palma. ↔ *Castigo.*

recompensar Compensar. ‖ Remunerar, indemnizar, retribuir, resarcir, premiar, galardonar. ↔ *Castigar.*

recomponer Reparar, remendar, apañar, arreglar, hacer una chapuza. ↔ *Desarreglar.*

reconcentrar Juntar, reunir, congregar. ↔ *Disgregar.* ‖ Introducir, internar. ‖ Ocultar, callar, disimular. ↔ *Evidenciar.*

reconcentrarse Recogerse, abstraerse, ensimismarse.

reconcomio Inquietud, sospecha, recelo. ↔ *Confianza.* ‖ Deseo, ansia, prurito, afán. ↔ *Inapetencia.*

recóndito Escondido, oculto, secreto, reservado, profundo, hondo, incognoscible, inabordable, ininteligible, incomprensible. ↔ *Evidente, palmario, claro, comprensible, público.*

reconocer Inspeccionar, examinar, estudiar, registrar, sondear, explorar, medir. ↔ *Desconocer.* ‖ Declarar, confesar, convenir, aceptar, cantar. ↔ *Negar.* ‖ Recordar, acordarse, distinguirse, evocar. ↔ *Olvidar.* ‖ Considerar, advertir, contemplar. ↔ *Estar ensimismado.* ‖ Agradecer, dar gracias.

reconocido Agradecido, obligado, deudor. ↔ *Desagradecido.*

reconocimiento Registro, examen, inspección, exploración, conocimiento, toma de contacto. ‖ Confesión, admisión. ↔ *Negación.* ‖ Agradecimiento, gratitud. ↔ *Desagradecimiento.*

reconquistar Recobrar, recuperar, reocupar. ↔ *Perder.*

reconstituir Rehacer, reorganizar, restablecer, reconstruir. ↔ *Deshacer.* ‖ Curar, fortalecer. ↔ *Debilitar.*

reconstituyente Confortante, analéptico.

reconstruir Rehacer, reconstituir, reedificar.

reconvención Recriminación, reproche, represión, cargo, admonición, réspice, regaño. ↔ *Aprobación, aplauso.*

reconvenir Regañar, reñir, sermonear, reprochar, recriminar, amonestar. ↔ *Aprobar, aplaudir.*

recopilación Suma, resumen, compendio, compilación, antología, excerta, colección.

recopilar Compendiar, coleccionar, reunir, resumir, aunar, sumar. ↔ *Separar, desunir.*

recordar Evocar, rememorar, reconocer, acordarse, volver la vista atrás, memorar, recapacitar. ↔ *Olvidar.*

recordatorio Aviso, advertencia, recomendación, comunicación.

recorrido Itinerario, trayecto, viaje, curso. ‖ Represión, repasata, reprimenda, sepancuantos. ↔ *Elogio.*

recortadura Retazo, retal, recorte.

recortar Cortar, cercenar, truncar, podar, disminuir, rebajar.

recorte Retal, recortadura, retazo.

recostar Reclinar, inclinar, apoyar, arrimar, adosar. ↔ *Alzar, enderezar.*

recoveco Recodo, revuelta, rodeo. ‖ Artificio, artilugio, evasiva.

recreación Recreo.

recrear Divertir, alegrar, distraer, entretener, deleitar. ↔ *Aburrir, estomagar.*

recrearse Remirarse.

recreativo Distraído, divertido, entretenido. ↔ *Aburrido.*

recrecer Aumentar, acrecer, acrecentar. ↔ *Disminuir.*

recreo Recreación, solaz, distracción, entretenimiento, diversión, pasatiempo, esparcimiento, descanso, ocio, reposo, asueto, recésit, recle. ↔ *Aburrimiento.* ↔ *Actividad.*

recriminación Reproche, regaño, reprensión, reprimenda, filípica, amonestación, observación, sermón, admonición, queja, acusación, increpación. ↔ *Elogio, aprobación.*

recriminar Amonestar, reñir, reconvenir, reprochar, afear, increpar, acusar, sermonear, regañar. ↔ *Elogiar, aprobar.*

recrudescencia Recrudecimiento, agravación, empeoramiento, encono, redoblamiento. ↔ *Mejoría, debilitación.*

rectangular Cuadrilongo.

rectángulo Cuadrilongo.

rectificación Modificación, corrección. ↔ *Ratificación.*

rectificar Enderezar, alinear. ↔ *Curvar.* ‖ Corregir, modificar, reformar, enmendar. ↔ *Ratificar, aseverar.* ‖ Mejorar, purificar, acendrar. ↔ *Estropear.*

rectitud Derechura, enderezamiento. ↔ *Curva, curvatura.* ‖ Justicia, integridad, equidad, sinceridad, imparcialidad. ↔ *Injusticia, parcialidad.*

recto Derecho, en línea recta, a cordel. ↔ *Curvo, ondulado.* ‖ Justo, sincero, imparcial, íntegro, severo, justiciero, razonable, ajustado. ↔ *Injusto, parcial.*

rector Cura, párroco. ‖ Superior, presidente, director.

recua Reata, teoría, cabaña, 'tropa.

recuadro Mazonera, marco.

recubrir Revestir, vestir, tapar, cubrir. ↔ *Descubrir, poner al aire.*

recuento Inventario, arqueo, repaso.

recuerdo Recordación, memoria, reminiscencia, remembranza, membranza, mención, evocación. ↔ *Olvido.* ‖ Regalo, presente, obsequio.

recuerdos Memorias, expresiones, saludos.

recuesta Requerimiento, exhorto, intimación, exigencia, amonestación. ↔ *Renuncia.*

recuestar Demandar, pedir, exigir. ↔ *Renunciar.*

reculada Retroceso, regresión, retrogradación, retrocesión. ↔ *Avance.*

recular Ceder, cejar, retrogradar, retroceder, retraerse, volver atrás, retirarse. ↔ *Avanzar.*

reculo 'Francolino.

recuperar Recobrar, resarcirse, rescatar, salvar. ↔ *Perder.*

recuperarse Rehacerse, convalecer, desempeorarse, restablecerse, fortalecerse. ↔ *Desmejorarse.*

recurrir Acudir, apelar, acogerse, sacar el cristo. ‖ Servirse, hacer uso de, emplear. ↔ *Prescindir.*

recurso Medio, manera, previsión. ‖ Escrito, procedimiento, memorial, petición, expediente, arbitrio. ‖ Demanda, apelación, requerimiento.

recursos Dinero, posibilidades, hacienda, bienes.

R

R **recusar** Negar, denegar, rehusar, rechazar, repeler. ↔ *Aceptar.*

rechazar Rehusar, apartar, repeler, resistir, alejar, despedir, tirar, expulsar, relanzar, desalojar, reherir, cocear. ↔ *Admitir, aceptar.* || Recusar, contradecir, impugnar, desestimar, refutar, redargüir, opugnar. ↔ *Avenirse, permitir, acoger.*

rechifla Burla, mofa, pitorreo, befa. || Abucheo, silba, 'silbatina. ↔ *Aplauso.*

rechiflar Abuchear, silbar. ↔ *Aplaudir.* || Mofarse, ridiculizar, burlarse.

rechinar Crujir, chirriar, gruñir, estridular.

rechino Rechinamiento, rechinido, chirrido, crujido, roce.

rechoncho Gordo, tripudo, barrigón, amondongado, botija, gordinflón, ceporro, cuadrado, grueso, panzudo, redondo, rollizo, tripón, inflado. ↔ *Delgado.*

rechupete (de) Excelente, delicado, exquisito, extra, superior, soberbio, agradable, pistonudo, morrocotudo, macanudo, de campanillas, de marca mayor. ↔ *Abominable, detestable.*

red Malla, redecilla. || Almadraba, traína, ajerife, jábega, boliche, albareque, mandil, esparavel. || Cofia, albánega. || Trampa, lazo, engaño, asechanza, ardid.

redactar Componer, escribir, consignar, extender.

redada Lance, bolichada, bol. || Banda, bandada, grupo.

redaño Omento, epiplón, mesenterio, entresijo.

redaños Fuerza, brío, valor, osadía. ↔ *Temor.*

redargüir Refutar, rechazar, contestar. ↔ *Admitir.*

redecilla Escofieta, gandaya. || Red. || Retículo, bonete.

rededor Contorno, derredor, redor. ↔ *Lejos.*

redel Almogama.

redención Liberación, rescate, libertad. ↔ *Servitud, esclavitud.* || Recurso, medio, efugio, escapatorio, refugio.

redeña Salabardo.

redhibición Devolución, retorno. ↔ *Apropiación.*

redición Repetición, reiteración. ↔ *Prosecución.*

redicho Enfático, afectado, campanudo, pomposo, doctoral, pedante, resabido. ↔ *Sencillo, liso, modesto.*

redil Cortil, aprisco, encerradero, apero, majada, telera, ovil.

redimir Rescatar, libertar, liberar, librar, sacar, eximir, despenar, desempeñar, relevar, exonerar, desobligar, emancipar, manumitir, licenciar. ↔ *Oprimir, esclavizar.*

rédito Renta, ganancia, beneficio, utilidad, provecho, interés, rendimiento, tanto por ciento. ↔ *Capital.*

redituar Producir, rendir, rentar. ↔ *Ser improductivo.*

redituable Reditivo, rentable, productivo, fructífero, utilitario, beneficioso. ↔ *Improductivo.*

redivivo Resucitado, aparecido. ↔ *Muerto.*

redoblar Aumentar, doblar, duplicar. ↔ *Disminuir.* || Reiterar, repetir, bisar,

binar, redoblegar, insistir. ↔ *Renunciar, abandonar.* || Remachar. ↔ *Arrancar.*

redoble Redoblamiento, redobladura. || Rataplán, tamborileo. || Tañido.

redoma Damajuana, bombona, garrafa, botella, frasco.

redomado Cauteloso, sagaz, astucioso, taimado, ladino, zorro, hábil, fistol, 'retobado. ↔ *Simple, ingenuo.*

redonda Comarca. || Coto, dehesa. || Dinero, parné.

redonda (a la) Alrededor, en torno.

redondeado Redondo, combado. ↔ *Recto, plano.*

redondear Igualar, bastantear.

redondel Ruedo, arena. || Círculo, aro.

redondilla Cuarteta, serventesio.

redondo Circular, anular, cilíndrico, abombado, combado, redondeado, orbicular, esférico, torneado, turgente, rotundo. ↔ *Linear, recto, plano.* || Claro, diáfano, fácil, comprensible, sin rodeos, rotundo. ↔ *Difícil.* || Dinero, moneda, parné.

redopelo Pelea, riña, pelotera, fregado.

redro Atrás, detrás. ↔ *Adelante, delante.*

reducción Rebaja, rebajamiento, disminución, restricción, descrecimiento, merma, menoscabo, baja. ↔ *Aumento.*

reducido Pequeño, escaso, estrecho, circunscrito, referido, ceñido, limitado, corto. ↔ *Amplio, grande, vasto.*

reducir Rebajar, acortar,

disminuir, minorar, amenguar, menguar, apocar, achicar, sisar, menoscabar, debilitar, ceñir, estrechar, cortar, cercenar, mutilar, contraer, dividir, abreviar, compendiar, resumir, restringir, ahilar, adelgazar. ↔ *Ampliar, ensanchar, agrandar.* || Someter, domar, sujetar, vencer, oprimir. ↔ *Liberar.* || Cambiar, mudar. ↔ *Mantenerse.* || Atraer, convencer, persuadir. ↔ *Disuadir.* || Convertir.

reducto Fortificación, blocao, casamata, defensa.

redundancia Sobra, plétora, exceso, abundancia, copia, demasía. ↔ *Falta, escasez.* || Repetición, reiteración. ↔ *Parquedad.* || Superfluidad, inutilidad. ↔ *Utilidad, substancia.*

redundante Repetido, reiterado, monótono. ↔ *Parco.* || Ampuloso, hinchado. ↔ *Sencillo, llano.*

redundar Salirse, rebosar, derramarse, refluir. ↔ *Escasear.* || Causar, resultar, acarrear, venir a parar, originar.

reduplicar Redoblar, doblar, aumentar. ↔ *Disminuir.*

reedificar Reconstruir, rehacer, restablecer, reconstituir. ↔ *Derribar, derrocar.*

reembolsar Devolver, indemnizar, resarcir. ↔ *Quedarse, apropiarse.*

reembolso (contra) Contra entrega, a macha martillo.

reemplazante Suplente, interino, sucesor, substituto.

reemplazar Substituir, suplantar, suplir, suceder, relevar, revezar, permutar, renovar, cambiar, de-

volver. ↔ *Continuar, proseguir, mantener.*

reemplazo Substitución, relevo, cambio, permuta, renovación. || Leva, quinta, reclutamiento, recluta.

refacción Refección, colación, piscolabis, bocadillo, refrigerio, refrigeración, 'yapa. ↔ *Ayuno.* || Propina, gaje, adehala, plus, gratificación.

refajo Enagua, faldellín, zagalejo, 'fustán.

refalsado Falso, engañoso, falaz, ficticio, erróneo. ↔ *Verdadero, legítimo.*

refección Refacción. || Restauración, reparación, compostura.

refectorio Comedor.

referencia Relato, relación, narración. || Correlación, semejanza, proporción, dependencia. ↔ *Independencia.* || Noticia, informe, recomendación, calificación, nota. || Remisión, cita.

referir Relatar, recontar, contar, reseñar, narrar, explicar, mencionar, decir. ↔ *Callar.* || Relacionar, enlazar, concatenar, encadenar, ligar, atar, colacionar. ↔ *Separar, independizar.*

referirse Aludir, sugerir, insinuar, personalizar, singularizar. || Atenerse, remitirse, reafirmarse.

refertero Quimerista, pendenciero, bravucón, camorrista, chulo, fiero, provocador, farolero. ↔ *Tímido.*

refilón (de) De soslayo. || De pasada.

refinado Refinadura. || Sobresaliente, distinguido, remilgado, rebuscado, primoroso, enfático, minucioso, delicado, excelente,

perfecto, elegante, alambicado. ↔ *Vulgar, ordinario.* || Astuto, sagaz, ladino, taimado, malicioso. ↔ *Ingenuo, simple.*

refinadura Refinación, refinado, depuración, purificación, expurgación, purgación, limpieza.

refinamiento Rebusca, esmero, afectación, atildamiento, elegancia, primor, distinción. ↔ *Ordinariez, vulgaridad.*

refinar Purificar, depurar, acrisolar, quintaesenciar, lavar, purgar, acendrar, limpiar, expurgar, cribar, clarificar, perfeccionar, acabar, pulir, cuidar. ↔ *Empeorar, dañar.*

refirmar Ratificar, aseverar, confirmar, revalidar, convalidar, mantener. ↔ *Negar, rectificar.* || Asegurar, afianzar, apoyar, estribar, apuntalar. ↔ *Debilitar.*

refitolero Entremetido, entrometido, cominero, chisgarabís, matacaldos, fodolí, mangoneador, cazoletero, salsero. ↔ *Discreto.* || Refectolero.

reflector Reverbero, espejo. || Proyector, faro. || Telescopio.

refleja Reflexión, cavilación, cogitación.

reflejar Reflectar, reverberar, rebotar, devolver, repercutir. ↔ *Absorber.* || Reflexionar.

reflejarse Espejarse.

reflejo Espejeo, espejismo, reverberación, repercusión. ↔ *Absorción.* || Vislumbre, destello, viso, aguas, centelleo. ↔ *Obscuridad.* || Idea, imagen, representación, muestra. || Involun-

R

R tario, espontáneo, instintivo, inconsciente, automático. ↔ *Voluntario, deliberado.* || Reflexivo.

reflexión Reflejo, cogitación, cavilación, meditación, consideración, recapacitación, reconcentración, examen, abstracción, recogimiento, introversión, especulación, preocupación, cálculo. ↔ *Despreocupación.* || Consejo, juicio, cordura, advertencia, prudencia. ↔ *Imprudencia.*

reflexionar Reconcentrarse, recapacitar, ensimismarse, especular, meditar, rumiar, considerar, profundizar, abismarse, abstraerse, cogitar, cavilar, cavar, examinar, detenerse, repensar, revolver, discurrir, especular, pesar, deliberar, juzgar, tantear, filosofar, devanarse los sesos, parar mientes, romperse la cabeza, romperse los cascos, dar vueltas, decir para sí, hablar consigo. ↔ *Desconsideración, arrebato, impulso, indeliberación.*

reflexivo Reflejante, reflectante, iridiscente. ↔ *Absorbente.* || Reflejo, pronominal, recíproco. || Pensativo, cogitativo, considerado, ponderado, contemplativo, meditativo, meditabundo, cabizbajo, cabizcaído, introspectivo, deliberativo, recogido, avisado, juicioso, inteligente, prudente, reposado, ponderativo, pensativo. ↔ *Insensato, indeliberado, desconsiderado, aturdido, atropellado, súbito, atolondrado.*

refluir Volver, retroceder, regolfar. || Redundar.

reflujo Bajamar. ↔ *Flujo.*

refocilar Alegrar, entretener, solazar, recrear, deleitar, alborozar, divertir, expansionar, regodear. ↔ *Entristecer, apesadumbrar.*

refocilo Refocilación, regodeo, escorrozo, solaz, expansión, recreo, alegría, diversión, entretenimiento, buen rato.

reforma Reformación, restauración, restablecimiento, modificación, mejoramiento, mejora, perfección, perfeccionamiento, progreso, reparación, refección, renovación, revisión, innovación, cambio, corrección, enmienda. ↔ *Inmutabilidad, conservación.* || Protestantismo, luteranismo.

reformador Innovador, restaurador, reparador, progresista, perfeccionador. ↔ *Conservador, reaccionario, antirreformista, contrarreformador.*

reformar Cambiar, modificar, perfeccionar, corregir, rehacer, renovar, reparar, restaurar, mejorar, arreglar, restablecer, apañar, quitar. || Enmendar, rectificar. ↔ *Conservar, mantener.* || Suprimir, minorar, quitar, cercenar, retirar. ↔ *Añadir, ampliar.*

reformarse Moderarse, moralizarse, corregirse, reportarse, contenerse, arreglarse. ↔ *Desenfrenarse.*

reformatorio Correccional, disciplinario.

reforzar Aumentar, engrosar, acrecentar, espesar. ↔ *Disminuir, rebajar.* || Fortificar, fortalecer, vigorizar, robustecer. ↔ *Debilitar.* || Reparar, socalzar.

consolidar, afianzar, apoyar. ↔ *Ceder, descalzar.*

refractario Incombustible. || Opuesto, rebelde, reacio, testarudo, enemigo, contrario, remiso, difícil, insumiso, renuente, renitente, irreductible, contumaz, desobediente. ↔ *Disciplinado, obediente.*

refrán Proverbio, aforismo, sentencia, axioma, dicho, máxima, precepto, moraleja, adagio, pensamiento. || Estribillo, canción, tornada.

refranero Paremiología, gnomología.

refregamiento Rascadura.

refregar Rascar, estregar, frotar.

refregón Rascadura.

refrenar Reprimir, reducir, sujetar, sofrenar, parar, detener. ↔ *Acuciar, instigar.* || Contener, moderar, corregir, reportar. ↔ *Desmandar, corromper.*

refrenarse Domeñarse, parar el carro.

refrendar Legalizar, revisar, autorizar, aprobar, permitir. ↔ *Negar, denegar.*

refrendo Refrendación, firma, acreditación, autorización.

refrescar Refrigerar, enfriar, bajar la temperatura. ↔ *Calentar, subir la temperatura.* || Helar, hacer aire. || Beber.

refresco Bebida, sorbete, libación, 'fresco. || Refrigerio.

refriega Pelea, combate, choque, encuentro, escaramuza, contienda, riña, reencuentro. ↔ *Paz.*

refrigeración Refrigerio, refrescadura, enfriamiento,

congelación, aterimiento. ↔ *Calefacción.*

refrigerante Refrescante, refrigerador, resfriador, enfriador, helador, frigorífico. ↔ *Calorífico.*

refrigerar Refrescar, resfriar, pasmar, helar, congelar, aterir. ↔ *Calentar.* ‖ Reforzar, animar, alentar, atemperar.

refrigerio Refacción, colación, refresco, tentempié, piscolabis. ‖ Alivio, confortación, consuelo, ayuda, beneficio, 'causeo.

refuerzo Ayuda, socorro, auxilio, concurso, favor, subsidio, sufragio. ↔ *Debilitación.* ‖ Contrafuerte, arrimo, sostén, entibo, estribo, soporte.

refugiar Amparar, cobijar, guarecer, acoger, socorrer, asilar, acorrer, asistir, sufragar, subvenir, ayudar. ↔ *Desamparar, desasistir.*

refugiarse Defenderse, resguardarse, arrimarse, guarecerse, retirarse, ponerse a buen recaudo, acogerse a las aras, ponerse en cobro. ↔ *Exponerse.*

refugio Cobijo, albergue, abrigo, asilo, amparo, protección, acogimiento, acogida, hospitalidad, regazo, recepto, puerto, manida. ↔ *Desamparo, inhospitalidad, hostilidad.*

refulgencia Brillo, resplandor, fulgor, relumbrón, esplendor. ↔ *Opacidad, obscuridad.*

refulgente Brillante, radiante, resplandeciente, rutilante, coruscante, luminoso, esplendente, cegador. ↔ *Apagado, opaco.*

refulgir Lucir, brillar, ful-

gurar, resplandecer, arder, esplender, relumbrar. ↔ *Estar apagado.*

refundir Rehacer, reformar, compilar, resumir, comprender, incluir. ↔ *Excluir.* ‖ Resultar, redundar.

refunfuñar Rezongar, murmurar, mascullar, mascujar, gruñir, bufar, hablar entre dientes. ↔ *Gritar, hablar a voz en cuello.*

'refusilo Relámpago.

refutación Objeción, rebatimiento, repulsa, **redargüición**, negación, confutación, denegación, réplica, contradicción, distingo, impugnación, metido, pateadura, revolcón. ↔ *Aprobación.*

refutar Impugnar, rebatir, objetar, confutar, negar, denegar, opugnar, redargüir, resistir, repeler, replicar, contradecir, confundir, sacudir el polvo. ↔ *Aprobar, admitir.*

regadera Almanaza, almanaja.

regadío Regadizo, huerta.

regaifa Hornazo, torta.

regajo Regajal, aguachal, charco. ‖ Arroyo, torrente, regato.

regalado Delicado, suave, ameno, sabroso, exquisito, agradable, placentero, grato, deleitoso. ↔ *Ingrato, antipático.* ‖ Gratis, de balde. ‖ Malacostumbrado, vicioso.

regalar Dar, donar, obsequiar, agasajar, halagar, festejar, lisonjear. ↔ *Vender, hacer pagar.* ‖ Recrear, deleitar, alegrar, divertir. ↔ *Aburrir, encocorar.*

regalar Destilar, derretir,

libar. ↔ *Chorrear, manar a chorros.*

regalarse Pasársela en flores, vivir en el Paraíso.

regalía Prerrogativa, preeminencia, privilegio, excepción. ‖ Gratificación, gaje, prebenda, enchufe.

regaliz Orozuz, alcazuz, palo duz, regalicia, regaliza.

regalo Presente, obsequio, agasajo, dádiva, don, recado, contenta, propina, gratificación, albricias, aguinaldo, cuelga, donación, donativo. ‖ Placer, complacencia, gusto. ‖ Conveniencia, comodidad, bienestar.

regalón Comodón, holgachón, buen vividor, *bon vivant.*

regañar Reñir, disputar, pelearse, contender, indisponerse, enfadarse, malquistarse, enemistarse. ↔ *Hacer las paces.* ‖ Reprender, reconvenir, sermonear, amonestar, 'retrobar. ↔ *Aplaudir, elogiar.*

regaño Reconvención, reprensión, reprimenda, reñidura, admonición, sermón, amonestación, repasata, sepancuantos. ↔ *Elogio, aprobación.*

regañón Gruñón, sermoneador, roncero, reprochón, 'retrobón.

regar Rociar, asperjar, asperjear, aspergiar, irrigar, duchar, llover. ‖ Humedecer, humectar, bañar, mojar, remojar, imbibir, inundar. ↔ *Secar.* ‖ Derramar, esparcir, verter.

regate Escape, efugio, quite, parada, lance.

regatear Discutir, debatir, mercadear, mercar. ‖ Rehusar, escasear.

R

R

regatero 'Baratero.

regato Reguera.

regatón Cuento, virola, casquillo, 'baratero.

regazo Halda, falda, enfaldo. || Amparo, cobijo, refugio, seno.

regeneración Reconstitución, restablecimiento, renacimiento, renovación, restauración, palingenesia. ↔ *Degeneración.*

regenerar Reconstituir, restablecer.

regentar Regir, gobernar, administrar. || Dominar, imponer. || Desempeñar, ejercer, llevar.

regidor Edil, concejal.

régimen Dirección, gobierno, administración. || Sistema, trato, regla, orden. || Dieta.

regimiento Agrupación.

regio Real. || Mayestático, majestuoso, magnífico, espléndido, suntuoso, ostentoso, soberbio, grandioso.

región Territorio, país, comarca, provincia.

regional Local, particular, comarcal.

regir Mandar, gobernar, dirigir. || Guiar, conducir, llevar, administrar.

regirse Bandearse.

registrar Mirar, examinar, escudriñar, inspeccionar, reconocer, revolver, deshollinar, cachear, 'escular. || Copiar, sentar, notar, anotar, señalar, matricular, inscribir.

registro Índice, repertorio, encabezamiento. || Archivo, protocolo. || Matrícula, padrón. || Cédula, al balá.

regla Estatuto, constitución, ley, reglamento, precepto, principio, máxima. || Mo-

deración, templanza, tasa, medida. ↔ *Inmoderación, desenfreno.* || Arreglo, concierto, guía, orden, norma, pauta, ejemplo, método, modelo, habitud, rutina. ↔ *Desorden.*

regla Menstruación, menstruo, período.

reglado Regulado, mesurado, templado, moderado, metódico. ↔ *Irregular.* || Parco, sobrio, morigerado. ↔ *Desordenado, desenfrenado.*

reglamentario Legal, protocolario, reglamentado, establecido, reglado, sistemático, regular, convenido, normal. ↔ *Antirreglamentario.*

reglamento Regla, norma, ordenanza, estatuto, pauta.

reglarse Sujetarse, medirse, ajustarse, reducirse, acomodarse, templarse. ↔ *Desmedirse, romper los moldes.*

regleta Corondel.

regocijado Alegre, contento, gozoso, placentero, jubiloso, satisfecho, divertido, distraído. ↔ *Triste.*

regocijar Alborozar, contentar, satisfacer, alegrar, gozar, regodear, letificar, divertir, complacer, gustar, distraer. ↔ *Entristecer, apesadumbrar.*

regocijarse Regodearse, divertirse, recrearse, deleitarse, holgarse, reír. ↔ *Estar abatido.*

regocijo Alegría, gozo, júbilo, contento, satisfacción, alborozo, placer, contentamiento, gusto, regodeo, holgorio, jolgorio, placer, diversión, distracción, escorrozo, fiesta,

gaudeamus. ↔ *Tristeza, pesadumbre.*

regodearse Regocijarse.

regodeo Regocijo.

regojo Mendrugo, corrusco, cuscurro, zato, cantero, cacho.

regoldar Eructar.

regolfar Refluir, repercutir.

regordete Gordo, grueso, rechoncho, barrigudo, panzudo, chaparro, cuadrado, rollizo, repolludo. ↔ *Delgado.*

regresar Retornar, reintegrarse, volver.

regresión Retroceso, retrocesión, retrogradación, reculada. ↔ *Avance.*

regreso Vuelta, retorno. ↔ *Ida.*

regüeldo Eructo.

reguera Acequia, canal, reguero, regadero, regato, regona.

regular Regularizado, regulado, ajustado, medido, arreglado, uniforme, metódico, reglamentado, exacto, igual, sistemático, pendular, cadencioso. ↔ *Irregular.* || Mediano, mediocre, normal, corriente, ordinario, moderado. ↔ *Excelente, extraordinario.*

regular Medir, ajustar, computar, arreglar, acompasar, reglar, regularizar, ordenar. ↔ *Desordenar, desacompasar.*

regularidad Uniformidad, periodicidad, orden, método, precisión. ↔ *Irregularidad.*

regularizar Regular, ordenar, metodizar, normalizar, ajustar, constreñir, uniformar. ↔ *Desordenar, producir el caos.*

rehabilitar Restituir, reivindicar, reponer. ↔ *Destituir.*

rehacer Reconstruir, reponer, reparar, restaurar, restablecer, reconstituir, reedificar. ↔ *Destruir, derribar.*

rehacerse Reforzarse, vigorizarse, fortalecerse. ↔ *Debilitarse.* || Serenarse, tranquilizarse, angustiarse. ↔ *Intranquilizarse, desasosegarse.*

rehén Fianza, seguro, prenda, garantía.

reherir Rebatir, rechazar. ↔ *Aceptar.*

rehilandera Rongigata, molinete, ventolera.

rehilete Garapullo, reguilete, pulla, zaherimiento, carapullo, repullo. || 'Gallito, 'gallo, 'vinchuca. || Banderilla, estoque.

rehogar Estovar, sazonar.

rehoyo Rehoya, barranco, hoyada, cárcava.

rehuir Eludir, evitar, esquivar, soslayar, apartar, sortear, huir de la quema, pasar de largo. ↔ *Salir al encuentro, afrontar.* || Rehusar.

rehusar Rehuir. || Rechazar, excusar, negarse, declinar, denegar, negar, desdeñar, apartar, desechar, recusar, menospreciar. ↔ *Aceptar.* || Renunciar, dimitir. ↔ *Admitir, hacerse cargo.*

reidor Alegre, gozoso, burlón, chacotero. ↔ *Tristón.*

reimprimir Reeditar, reproducir, reinsertar.

reinante Dominante, imperante. ↔ *Inexistente.* || Actual, existente.

reinar Regir, dirigir, gobernar, mandar, imperar. || Predominar, prevalecer.

reincidencia Repetición, reiteración, recaída, torna, insistencia. ↔ *Corrección, enmienda.*

reincidente Relapso, contumaz. ↔ *Escarmentado.*

reincidir Repetir, recaer, reiterar, volver a las andadas. ↔ *Escarmentar.*

reintegrar Devolver, reponer, restituir, restablecer, reconstituir, reconstruir. ↔ *Apropiarse, quedarse.*

reintegrarse Recobrarse. || Incorporarse, regresar.

reintegro Pago. || Restitución, devolución, justificación.

reír Carcajear, estallar, desternillarse, reventar de risa. ↔ *Llorar.* || Burlarse, bromear, chancear.

reiterado Frecuente, repetido, pródigo. ↔ *Interrumpido.*

reiterar Iterar, repetir, reproducir, redoblar, replicar, insistir. ↔ *Interrumpir, truncar.*

reivindicar Demandar, reclamar, recuperar, vindicar. ↔ *Renunciar.* || Exigir, pedir.

reja Enrejado, verja, rejado.

rejalgar Sandáraca.

rejilla Alambrera, celosía.

rejo Punta, pincho, aguijón. || Fortaleza, robustez, valentía, hombría. ↔ *Pusilanimidad.* || Raicilla, radícula.

rejuela Estufilla, maridillo, rejilla, librete.

rejuvenecer Fortalecer, vigorizar, restaurar, reparar, refrescar, remozar. ↔ *Envejecer.*

relación Enlace, correspondencia, conexión, vínculo, lazo, trabazón, 'atingencia. ↔ *Desconexión, independencia.* || Trato, asiduidad, familiaridad. ↔ *Enemistad.* || Relato, informe, narración, descripción, memoria. || Lista, índice, elenco, reparto, catálogo.

relacionar Enlazar, conectar, conexionar, encadenar, vincular. ↔ *Independizar.* || Relatar, referir, narrar, contar.

relacionarse Tratarse, visitarse, alternar, rozarse, codearse, correr con. ↔ *Enemistarse.*

relajación Relajamiento, aflojamiento, laxitud, flojedad. ↔ *Tirantez, tensión.* || Rotura, distorsión. || Hernia, quebradura, potra. || Alivio, disminución, atenuación. ↔ *Agravación, empeoramiento.* || Depravación, vicio, libertinaje. ↔ *Virtud.*

relajado Flojo, desatado, libre. ↔ *Tenso, tirante.* || Estragado, depravado, vicioso, libertino, corrompido, envilecido, descerrajado. ↔ *Virtuoso.*

relajar Debilitar, aflojar, suavizar, soltar, ablandar, laxar. ↔ *Tirar, atirantar, tesar.* || Disminuir, aliviar, atenuar. ↔ *Agravarse, empeorar.*

relajarse Quebrarse, herniarse. || Enviciarse, estragarse, depravarse, corromperse. ↔ *Regenerarse.*

relamerse Chuparse los dedos. || Jactarse, gloriarse, pavonearse.

relamido Recompuesto, repulido, afectado, pulcro, presumido, vano. ↔ *Natural.*

relámpago Centella, rayo, 'refusilo.

R

R relampaguear Resplandecer, brillar, coruscar.

relanzar Repeler, rechazar,
rehusar. ↔ *Aceptar.*

relapso Reincidente, contumaz, reiterante, terco. ↔
Escarmentado.

relatar Narrar, contar, referir, describir, relacionar, exponer, explicar. ↔
Callar.

relatividad Contingencia.

relativo Referente, tocante,
relacionado, perteneciente,
atañadero, atañente, res-
pectivo, concerniente. ↔
Ajeno, extraño. || Varia-
ble, dependiente, subordinado. ↔ *Absoluto.*

relato Exposición, narra-
ción, explicación, descripción, informe, cuento, historia.

releer Repasar, estudiar.

relegar Extrañar, desterrar.
|| Apartar, arrinconar,
despreciar, posponer, re-
chazar. ↔ *Aceptar.*

releje Carrilada, rodada,
rodera, carrilera. || Sarro.

relente Sereno, humedad. ||
Sorna, frescura, desenfa-
do, burla. ↔ *Seriedad.*

relevante Excelente, exi-
mio, sobresaliente, supe-
rior, extraordinario, descollante. ↔ *Ordinario, corriente.*

relevar Perdonar, eximir,
exonerar, excusar, absol-
ver, perdonar. ↔ *Repro-
char, acusar.* || Auxiliar,
remediar, socorrer, apa-
ñar. ↔ *Abandonar.* || Exal-
tar, realzar, enaltecer, en-
grandecer. ↔ *Humillar.* ||
Reemplazar, mudar, subs-
tituir, cambiar. ↔ *Conser-
var, mantener.* || Acen-
tuar, resaltar, subrayar,
intensificar. ↔ *Desvirtuar.*

relevo Reemplazo, cambio,
substitución. || Cambio de
guardia.

relieve Bulto, realce, salien-
te, anáglifo, perfil. || Alto-
relieve, bajorrelieve. ||
Orografía.

relieves Restos, sobras, residuos.

religión Fe, creencia, dog-
ma. ↔ *Irreligión, laicismo,
ateísmo.* || Piedad, devo-
ción, culto, ley. ↔ *Impiedad, descreimiento, profanación.*

religiosidad Fe, piedad,
creencia, devoción, un-
ción, fervor. ↔ *Impiedad,
irreverencia.* || Puntuali-
dad, exactitud. ↔ *Negli-
gencia.*

religioso Devoto, pío, piadoso, místico, fiel. ↔ *Irre-
ligioso, impío.* || Profeso,
ordenado. ↔ *Seglar.* || Mi-
nucioso, exacto, concien-
zudo, escrupuloso. ↔ *In-
exacto, negligente.* || Mo-
derado, parco, frugal. ↔
Descomedido.

relincho Relinchido, hin.

reliquia Residuo, resto, so-
bra. || Vestigio, huella,
traza, señal. || Achaque,
lacra, infortunio.

reloj Horómetro, horario,
cronómetro, cronógrafo.

reloj de arena Ampolleta.

reloj de agua Clepsidra.

reloj (de bolsillo) 'Callana.

reluciente Resplandeciente,
brillante, fulgurante, re-
lumbroso, esplendoroso, esplendente, coruscante, relumbrante. ↔ *Apagado,
opaco.*

relucir Resplandecer, brillar, lucir, fulgurar, relumbrar, coruscar. ↔ *Ser os-
curo, estar apagado.* || So-

bresalir, destacar, resaltar. ↔ *Pasar inadvertido.*

reluctante Opuesto, reacio,
indócil, remiso, renuente,
renitente, testarudo, opuesto, porfiado, indisciplinado. ↔ *Sumiso, obediente.*

relumbrar Brillar, resplandecer, relucir, lucir, fulgurar, coruscar. ↔ *Ser oscuro, estar apagado.*

relumbrón Relumbro, oro-
pel, brillo, apariencia.

rellano Meseta, descansillo,
descanso.

rellenar Colmar, llenar, emborrar, atiborrar, embutir,
emborrar, atochar, atra-
car, algodonar. ↔ *Vaciar.*

relleno Cebado, colmado,
abarrotado, atiborrado,
harto, repleto, saciado. ↔
Vacío, hueco. || Superfluo,
accidente. ↔ *Esencia, subs-
tancia.* || Picadillo.

remachado Clavado, fijo,
hincado. ↔ *Suelto.* || Lla-
no, ancho, chato. ↔ *Fino,
delgado.*

remachar Machacar, roblar,
aplastar. || Robustecer, re-
calcar, asegurar, afianzar.
↔ *Debilitar.*

remache Roblón.

remanente Sobrante, resto,
residuo, albaquía, sedi-
mento. ↔ *Base, suma.*

remanso Cadoza, rebalsa,
restaño. || Lentitud, flema,
posma, roncería, pacho-
rra. ↔ *Diligencia.*

remar Bogar, halar, pale-
tear.

rematar Acabar, terminar,
finalizar, concluir, finiquitar, dar cima, dar fin,
dar la puntilla. ↔ *Empe-
zar, comenzar.*

remate Rematamiento, fin,
final, término, cabo, conclusión, extremo, extremi-

dad, punta, coronamiento. ↔ *Principio, fundamento.* || Penacho, airón, fastigio, cornisa.

remedar Imitar, parodiar, copiar, arrendar, fingir, contrahacer, burlarse.

remediable Subsanable, reparable, evitable, corregible, curable, estar a tiempo. ↔ *Irreparable, irremediable.*

remediar Reparar, corregir, enmendar, subsanar, obviar, salvar, curar. || Socorrer, aliviar, auxiliar. ↔ *Dejar, abandonar.*

remedio Cura, medicamento, medicina, antídoto. ↔ *Tóxico, enfermedad.* || Corrección, enmienda, reparación, subsanamiento. ↔ *Error.* || Auxilio, recurso, refugio. ↔ *Dejación, abandono.*

remedo Parodia, copia, imitación, pantomima, burla, refrito, fusilamiento. ↔ *Original.*

remembranza Memoria, recuerdo, evocación, rememoración, reminiscencia. ↔ *Olvido.*

remembrar Rememorar, recordar, memorar, evocar, conmemorar, hacer memoria. ↔ *Olvidar, poner en saco roto.*

remendado Pañoso.

remendar Componer, repasar, apañar, recomponer, recoser, zurcir. || Enmendar, corregir, remediar. || Aplicar, acomodar, apropiar, destinar.

remero Remador, bogador. || Galeote.

remesa Envío, expedición, remisión. ↔ *Recepción.* || Giro.

remesar Expedir, enviar,

mandar, remitir, facturar. ↔ *Recibir.*

'remezón Terremoto, seísmo, temblor.

remiendo Reparación, apañamiento, apañadura, compostura, composición, recosido, arreglo, zurcido, enmienda, jerapellina, parche.

remilgado Repulido, relamido, afectado, presumido, melindroso, dengoso, dije, recompuesto. ↔ *Negligente, abandonado.*

remilgo Dengue, alfeñique, melindre.

reminiscencia Memoria, recuerdo. ↔ *Olvido.*

remirarse Esmerarse. || Recrearse.

remisión Omisión, descuido. ↔ *Recuerdo.* || Remesa, envío, expedición. ↔ *Recepción.* || Perdón, indulto, quita. ↔ *Pena.*

remiso Reacio, renuente, renitente, dejado, flojo, tardo, lento, reluctante. ↔ *Diligente, sumiso.*

remitente Librador, enviador. || Comisionista, intermediario.

remitir Expedir, enviar, remesar, mandar, facturar. || Perdonar, indultar, eximir, indulgir. ↔ *Castigar.* || Dejar, diferir, aplazar, suspender, dilatar. ↔ *Abreviar, diligenciar.* || Aflojar, ceder, aplacarse. ↔ *Arreciar.*

remitirse Atenerse, limitarse, referirse, sujetarse. ↔ *Extenderse.*

remo Aleta, pala. || Brazo, pierna.

remojar Empapar, ensopar, humectar, humedecer, imbibir. ↔ *Secar.* || Convidar, celebrar, festejar.

remojón Mojadura, empapamiento.

remolacha Betarraga, betarrata.

remolcar Arrastrar, halar, tirar, atoar, acarrear, sirgar. ↔ *Empujar.*

remolino Vórtice, tolvanera, vorágine, torbellino, ciclón, huracán. ↔ *Calma.* || Confusión, disturbio, desorden, alteración. ↔ *Tranquilidad, paz.* || Hoya, gorga.

remolón Indolente, gandul, molondrón, bausán, perezoso, roncero, flemático, lento, tardo, remiso, fofo, flojo, muelle, tumbón, apático, zopenco, embotado, cachazudo, rezagado. ↔ *Diligente, activo.*

remolonear Roncear, gandulear, rezagarse, callejear, holgazanear, juguetear, ir pasando, perder el tiempo, ir tirando. ↔ *Diligenciar, activar, resolver.*

remolque Sirga. || Caravana, **ruluta.*

remontar Elevar, encumbrar, exaltar, enaltecer, alzar. ↔ *Rebajar.* || Remontar, recomponer, echar una chapuza. ↔ *Estropear.*

remontarse Engallarse, subir.

remoquete Remoque, trágala, indirecta, pinchazo, dardo, quemazón. || Puñada, moquete, soplamocos, puñetazo.

rémora Gaicano. || Atasco, atranco, entorpecimiento, dificultad. ↔ *Facilidad, ayuda.*

remorder Inquietar, atormentar, picar, alterar, desasosegar. ↔ *Estar tranquilo, ser indiferente.*

R remordimiento Arrepentimiento, contrición, pesar, inquietud, desazón, voz de la conciencia. ↔ *Tranquilidad, contumacia.*

remoto Lejano, distante, retirado, apartado. ↔ *Próximo.* || Antiguo, pasado. ↔ *Inmediato.*

remover Agitar, mover, trastornar, desplazar, escarbar, hurgar, zangolotear, 'batuquear. ↔ *Aquietar, fijar.* || Quitar, apartar, obviar. ↔ *Mantener.* || Emocionar, conmover. || Deponer. ↔ *Reponer.*

remozar Renovar, fortalecer, robustecer, rejuvenecer, lozanear. ↔ *Envejecer.*

rempujón Empujón, empellón.

remudar Relevar, reemplazar, reponer, substituir.

remuneración Gratificación, premio, recompensa, retribución, obvención, beneficio, gajes, honorarios.

remunerar Retribuir, recompensar, gratificar, galardonar, pagar, indemnizar, premiar.

remunerativo Productivo, retributivo, provechoso. ↔ *Improductivo.*

remusgar Sospechar, barruntar, recelar, conjeturar.

renacer Resucitar, retoñar, revivir, reanimar, revivificar, avivar. ↔ *Matar, morir.*

renacimiento Retorno, regeneración, resurrección, reaparición. ↔ *Decadencia.* || Palingenesia.

renacuajo Girino. || Enano, enclenque, garrapata, pigmeo, sacabuche, 'guarisapo. ↔ *Gigante.*

renal Nefrítico.

rencilla Disputa, riña, pelea, cuestión, pique, quemazón, culebra, chamusquina, jarana, repelo. ↔ *Paz, amistad.*

rencilloso Rencoroso.

rencor Odio, aborrecimiento, encono, aversión, resentimiento, enemistad, enemiga, hincha, mala voluntad. ↔ *Amor, simpatía.*

rencoroso Rencilloso, cojijoso, repeloso, quisquilloso, vengativo, vindicativo, resentido, cruel. ↔ *Indulgente.*

rendibú Agasajo, acatamiento.

rendición Capitulación, rendimiento, entrega. ↔ *Resistencia.*

rendido Obsequioso, sumiso, galante, enamorado. || Fatigado, cansado, agotado, roto. ↔ *Enérgico.*

rendija Hendidura, hendedura, raja, grieta, abertura, 'hendija.

rendimiento Rendición. || Fatiga, cansancio, laxitud, descaecimiento, aplanamiento, desmayo. ↔ *Energía, vigor.* || Sumisión, subordinación, humildad. ↔ *Rebeldía, orgullo.* || Utilidad, beneficio, rédito, producto, producción, renta. ↔ *Improductividad.*

rendir Someter, vencer, debelar. || Fatigar, cansar, sujetar, postrar. || Producir, redituar, rentar.

rendirse Entregarse, capitular, humillarse, quebrantarse, rendir las armas. ↔ *Resistir.*

rendir el arma Presentarla.

rendir las armas Rendirse, entregarse.

rene Riñón.

renegado Elche, apóstata. ↔ *Fiel.* || Maldiciente. || Tresillo.

renegar Abominar, detestar. ↔ *Aplaudir, aprobar.* || Renunciar, abandonar, negar, apostatar, volver la casaca. ↔ *Permanecer fiel, permanecer adicto.* || Blasfemar, jurar, maldecir, injuriar, echar tacos, denostar.

renegrear Negrear, ennegrecer. ↔ *Blanquear.*

renegrido Cárdeno, morado. ↔ *Pálido.*

renglón Línea, raya.

reniego Juramento, voto, taco, blasfemia, execración, terno, derreniego. ↔ *Alabanza.*

renitencia Repugnancia, aversión, renuencia. ↔ *Avenencia, simpatía, obediencia, docilidad.*

renitente Refractario, reacio, renuente, rezongón, refunfuñador. ↔ *Dócil, obediente.*

renombrado Reputado, acreditado, famoso, insigne, prestigioso, célebre, ínclito, popular, afamado. ↔ *Desconocido, ignorado, impopular.*

renombre Fama, crédito, gloria, honra, prez, celebridad, reputación, estima. ↔ *Descrédito.*

renovación Reemplazo. || Progreso, restablecimiento, renacimiento, transformación, reforma. ↔ *Conservación.*

renovar Reanudar, restaurar, restablecer, remozar, rejuvenecer. || **Reemplazar**, remudar, cambiar, trocar. ↔ *Mantener, conservar.*

renovarse Recentarse, reverdecer.

renovero Usurero, logrero.

renquear Cojear.

renta Rendimiento, utilidad, provecho, beneficio, devengo, provento, prebenda, producto, rédito, interés, quitación, tanto por ciento, anualidad.

•**rentas** Posibilidades, capital, dinero.

rentar Producir, rendir, redituar.

rentero Colono, tributario, arrendatario.

renuencia Repugnancia, renitencia, oposición. ↔ *Avenencia, docilidad.*

renuente Reacio, remiso, desobediente, indócil, renitente. ↔ *Dócil, obediente.*

renuevo Renovación. ‖ Retoño, vástago, brote, hijo, pitón, tallo, serpollo.

renuncia Abandono, dimisión, dejación, desistimiento, renunciación, renunciamiento. ↔ *Apropiación.*

renuncio Falta, contradicción, mentira.

reñido Encarnizado, duro, sangriento, porfiado, disputado. ↔ *Sosegado, tranquilo.* ‖ Peleado, enojado, hostil, tirante, •contrario. ↔ *Amigo.*

reñidura Regaño, repasata, filípica, rapapolvo, felpa, peluca, sepancuantos, sermón. ↔ *Elogio.*

reñir Altercar, luchar, pelear, contender, bregar, chocar, disputar, regañar, escarapelear, pugnar, armarla, zamarrear, pelotear, trabarse, envedijarse, emborullarse, empelotarse, enredarse, enzarzarse, asirse, repiquetearse, habérselas con, andar a golpes, armarse la de San Quintín. ↔ *Haber paz, estar en paz.* ‖ Amonestar, reprender, sofrenar, sotanear, sermonear. ↔ *Elogiar.* ‖ Indisponerse, querellarse, enfadarse, desamistarse. ↔ *Amigar, tener simpatía.*

reo Culpable, inculpado, convicto, culpado, incriminado, criminoso, demandado. ↔ *Inocente.*

reorganizar Reparar, mejorar, restablecer, organizar. ↔ *Desorganizar.*

repantigarse Arrepanchigarse, arrellanarse, acomodarse, retreparse, aclocarse. ↔ *Mantenerse enhiesto.*

reparable Rectificable, remediable, enmendable. ↔ *Irreparable.*

reparación Reparo, remiendo, apaño, remedio, arreglo, reposición, mejoramiento, compostura, renovación, restauración, refección, refacción. ↔ *Abandono.* ‖ Indemnización, desagravio, satisfacción, compensación, resarcimiento. ↔ *Agravio, ofensa.*

reparado Remozado, compuesto, remontado, recompuesto, reforzado, proveído. ↔ *Descompuesto.*

reparar Aderezar, componer, apañar, restaurar, enmendar, reformar, corregir, rehacer, remediar, reconstruir, modernizar, renovar, sanear, subsanar. ↔ *Estropear, echar a perder.* ‖ Observar, apercibir, advertir, notar, mirar, percatarse, mirar, atender. ↔ *Pasar por alto.* ‖ Resarcir, desagraviar, indemnizar, purgar, expiar, compensar. ↔ *Ofender.*

repararse Reportarse, contenerse.

reparo Reparación. ‖ Abrigo, protección, defensa, resguardo. ‖ Objeción, observación, crítica, advertencia, censura, nota, amonestación. ↔ *Elogio.* ‖ Dificultad, óbice, obstáculo. ↔ *Facilidad.*

reparo (sin) Sin mirar en barras, sin pararse en barras.

reparón Reparador, motejador, criticón, quisquilloso, puntilloso, minucioso. ↔ *Indiferente, negligente.*

repartición Reparto.

repartir Partir, distribuir, dividir, promediar, impartir, prorratear, erogar, aligerar. ↔ *Unificar, unir.*

reparto Repartición, repartimiento, distribución, división, dividendo, prorrateo, partición. ↔ *Unión, unificación.*

repasar Retocar, corregir, enmendar, releer, repetir, verificar, examinar. ↔ *Olvidar, dejar.* ‖ Estudiar. ‖ Planchar.

repasata Repaso, corrección, reprimenda, rapapolvo, reprensión, regaño, riña, sermón, repulsa, reñidura, filípica, fraterna, paulina, sepancuantos, rociada, chillería. ↔ *Elogio.*

repaso Revisión, estudio, examen, reconocimiento. ‖ Repasata.

repecho Rampa, cuesta, pendiente, subida, costana, reventón, costanera. ↔ *Bajada, declive.*

repelar Carmenar, descañonar. ‖ Quitar, cercenar, disminuir.

R

R **repelente** Inadmisible, recusante, repugnante, repulsivo. ↔ *Atractivo.*

repeler Desdeñar, rehusar, rechazar, desechar, renunciar, repudiar, excluir, despreciar, repulsar, relanzar, arrojar, echar de sí. ↔ *Atraer.* || Contradecir, negar, impugnar, argüir, objetar, resistir. ↔ *Aceptar, admitir.*

repelo Riña, pelea, contienda, pelotera, peleona. || Repugnancia, desabrimiento, hastío, desagrado, disgusto. ↔ *Atractivo, simpatía.*

repeloso Rencilloso, quisquilloso, puntilloso, cojijoso. ↔ *Indiferente, indulgente.*

repensar Meditar, reflexionar.

repente 'Taranta.

repente (de) De súbito, de improviso, de pronto, de antuvión, de rebato, de sopetón, sin preparación, sin pensar, sin reflexionar, de la noche a la mañana, sin decir agua va, sin encomendarse a Dios ni al Diablo. ↔ *Con previsión.*

repentino Súbito, pronto, imprevisto, impensado, inesperado, insospechado, incogitado, supitaño, momentáneo, como caído del cielo. ↔ *Deliberado, calmoso.*

repentista Improvisador. ↔ *Calculador.*

repercusión Reflejo, reflexión, trascendencia, resulta, secuela, corolario, consecuencia, resultado, eco, alcance, repercutida, rimbombo. ↔ *Intrascendencia.*

repercutir Reflejar, reverberar, regolfar, resonar, retundir, rimbombar. ↔ *Absorber.* || Trascender, resultar, implicar, causar, traer cola. ↔ *Ser intrascendente.*

repertorio Compilación, colección, recopilación, catálogo, lista, inventario, índice.

repetición Reproducción, imitación, redición, iteración, recidiva, reincidencia, vuelta, reiteración, vuelta, reposición, recaída, eco, redundancia, frecuencia, periodicidad, menudeo. ↔ *Sola vez.* || Insistencia, importunación, matraca, estribillo, cantinela, monotonía. ↔ *Variación, variedad, amenidad.*

repetido Insistente, frecuente, redundante, periódico, iterativo, cíclico, machacón. ↔ *Único, solo.*

repetir Reiterar, iterar, duplicar, redoblar, segundar, bisar, insistir, menudear, frecuentar, porfiar, redecir, recalcar, machacar, reincidir, reproducir, volver, tornar.

repicar Sonar, tañer, resonar.

repicarse Jactarse, preciarse, presumir, alardear, fanfarronear, echar humos. ↔ *Humillarse.*

repique Repiqueteo, repiquete, tañido, campaneo. || Altercación, cuestión, altercado, riña, pelotera.

repiquetear Repicar, sonar, redoblar, doblar, tañer.

repisa Ménsula, modillón, can. || Rinconera.

repisar Apisonar. || Insistir, porfiar, reiterar.

replantar Repoblar. || Trasplantar.

repleción Colmo, llenura, saciedad, hartura, abundancia. ↔ *Escasez, falta.*

replegar 'Achurruscar.

replegarse Retroceder, retirarse, recogerse, batirse en retirada. ↔ *Avanzar.*

repleto Macizo, relleno, colmado, rebosante, **preñado,** grávido, pletórico, desbordante, ·de bote en bote, hasta los topes. ↔ *Vacío, hueco.* || Harto, ahíto, atiborrado. ↔ *Hambriento.*

réplica Respuesta, objeción, obyecto, distingo, tapaboca, contestación, mentís, contraposición. ↔ *Proposición.*

replicar Argumentar, objetar, contestar, impugnar, oponer, responder, rechazar, contradecir, argüir, rebatir, resistir, contraponer, criticar, censurar. ↔ *Aprobar.*

repliegue Doblez, pliegue, dobladura. || Retirada.

repoblar Replantar.

repolludo Achaparrado, topocho. ↔ *Esbelto, alto.* || Gordo, rechoncho. ↔ *Delgado.*

reponer Reemplazar, rehabilitar, reparar, reinstalar, resucitar, reanudar, substituir, reformar, restaurar, restablecer. ↔ *Deponer.*

reponerse Recobrarse, vigorizarse, fortalecerse, mejorarse, aliviarse. ↔ *Debilitarse.* || Serenarse, animarse, tranquilizarse. ↔ *Desasosegarse.*

reportación Sosiego, calma, tranquilidad, comedimiento, circunspección, sensatez, serenidad, moderación. ↔ *Insensatez.*

reportaje Información, reporte, reseña, encuesta, artículo.

reportar Contener, calmar, reprimir, refrenar, moderar, sosegar, apaciguar. ↔ *Excitar.* || Lograr, conseguir, agenciar, obtener, beneficiar, alcanzar. ↔ *Perder.* || Llevar, traer, retraer, acarrear, transportar.

reporte Reportaje. || Noticia, novedad, información, nueva. || Cuento, chisme, patraña, bulo, historia, embolismo, hablilla.

reportero Periodista, gacetillero.

reposado Sereno, quieto, tranquilo, sosegado, pacífico, impávido, plácido, apacible, manso, surto, sesgo. ↔ *Intranquilo, desasosegado, nervioso.*

reposar Detenerse, descansar, holgar, respirar, sosegar, desahogarse, dar suelta. ↔ *Moverse, inquietarse.* || Dormir, acostarse, yacer, echarse, tumbarse. ↔ *Estar en pie, agitarse.*

reposarse Depositarse, posarse, calmarse, sosegarse, tranquilizarse. ↔ *Intranquilizarse.*

reposición Reconstitución, restablecimiento, . restitución, reversión, repetición, resurrección, renovación, reforma, reinstalación, reversión.

reposo Inmovilidad, quietud, sosiego, calma, tranquilidad, descanso, letargo, pausa, sueño, detención, poso, paz, placidez, serenidad. ↔ *Inquietud, movimiento.*

repostería Dulcería, pastelería. || Fresquería, botillería, charcutería.

repostero Pastelero.

reprender Amonestar, censurar, corregir, desaprobar, criticar, reconvenir, predicar, desloar, regañar, reñir, reprobar, reprochar, sofrenar, sermonear, sosañar, vituperar, zaherir, zamarrear, poner como un guante, decir cuantas son cinco, poner como un trapo, cantárselas. ↔ *Elogiar, encomiar.*

reprensible Reprobable, criticable, vituperable, vituperoso, censurable, incalificable, repudiable, reprochable, blasfemable. ↔ *Elogiable, loable.*

reprensión Amonestación, admonición, corrección, filípica, apercibimiento, julepe, bronca, regaño, regañina, felpa, lección, peluca, reprimenda, repasata, reproche, resplandina, riña, réspice, sermón, zurrapelo, metido, paréntesis, sobarbada. ↔ *Elogio, loa.*

represa Detención, estancación. || Estanque, embalse.

represalia Detención, estancación. || Estanque, embalse.

represalia Venganza, vindicación, desquite, reparación, castigo, compensación, desagravio. ↔ *Perdón.*

represar Contener, detener, reprimir. ↔ *Dejar, soltar.* || Estancar, embalsar.

representación Imagen, símbolo, idea, figura, encarnación, muestra, simulacro. || Suplantación, substitución, suplención, relevo. || Función, drama, comedia.

representante Agente, delegado, poderhabiente, suplente, lugarteniente, sucesor, substituto, revezo. || Comediante.

representar Reproducir, imitar, encarnar, figurar, crear, simbolizar, constituir. || Mostrar, trazar, manifestar. || Reemplazar, substituir, suceder, revezar, relevar, hacer las veces. || Recitar, dar, poner en escena.

represión Freno, detención, contención, sofrenada, limitación, restricción, moderación, coerción, prohibición. ↔ *Autorización, permiso.*

reprimenda Represión, repasata, admonición, 'aguaje. ↔ *Elogio.*

reprimir Contener, refrenar, sujetar, dominar, moderar, sofrenar, coercer, aplacar, coartar, reportar, templar, vencer, apaciguar, aguantar, comprimir, represar, atar corto, poner coto, tirar del freno, echar mano. ↔ *Desmandar, soltar, aliviar.*

reprobable Reprensible, criticable, censurable. ↔ *Elogiable.*

reprobación Represión, crítica, censura, reproche, desaprobación, condena, desalabanza, diatriba, afeamiento, vituperio, nota, tilde, protesta. ↔ *Aprobación.*

reprobar Condenar, criticar, censurar, reprochar, desaprobar, afear, vituperar, desalabar, enrostrar, reconvenir, tachar, notar, execrar, desechar, contradecir, profazar, reparar, patear, silbar. ↔ *Aprobar, admitir.* || Catear, revol-

R

R car, suspender, dar calabazas.

réprobo Maldito, condenado, precito, prescrito, descomulgado. ↔ *Bendito, bueno.*

reprochar Reprobar, reconvenir, regañar, reñir, echar en cara, sermonear, amonestar, recriminar, hacer cargo, tildar, acusar, vituperar, 'enrostrar. ↔ *Aprobar, convenir.*

reproche Reconvención, recriminación, reprensión, cargo, regaño, réspice, admonición, zurrapelo, lección, apercibimiento. ↔ *Aprobación, elogio.*

reproducción Copia, imitación, calco, refrito, remedo. ↔ *Original.* || Repetición, propagación, difusión, producción, proliferación, fertilidad, multiplicación. ↔ *Unidad.*

reproducir Imitar, copiar, remedar, calcar. || Repetir, insistir, porfiar, machacar, reiterar. || Propagar, multiplicar, engendrar.

reproducirse Reflejarse, espejarse. || Engendrar.

reptar Culebrear, serpentear, arrastrarse, deslizarse.

reptil Rastrero, bajo, pérfido, traidor, servil.

república Estado, cosa pública. || Municipio.

repudiado Recusado, desechado, despreciado, aborrecido, rechazado, marfuz. ↔ *Aceptado, admitido.*

repudiar Repeler, desdeñar, rechazar, excluir, desechar, despreciar, aborrecer, despachar, relanzar, arrojar, repulsar. ↔ *Acoger, admitir.* || Dejar,

arrinconar, arrimar, abandonar, deshacerse. || Divorciarse.

repudio Repulsión, divorcio, dejación, renuncia, apartamiento, exclusión, expulsión, abandono. ↔ *Admisión, aceptación.*

repuesto Restituido, restablecido, renovado, devuelto, substituido, cambiado. ↔ *Depuesto.* || Retirado, apartado, oculto, alejado, escondido. || Provisión, prevención, retén, mampuesto, respeto, recambio.

repugnancia Repulsión, antipatía, aversión, asco, náusea, escrúpulo, incompatibilidad, renuencia, repelo, desapego, oposición, disgusto, roncería, desgana, desabrimiento, tirria. ↔ *Atracción, simpatía.*

repugnante Repelente, repulsivo, asqueroso, nauseabundo, infecto, sucio, feo, indeseable, desagradable, innoble, incompatible. ↔ *Atractivo, simpático.*

repugnar Rechazar, rehuir, repeler, rehusar, excluir, cocear, roncear, resistir. ↔ *Aceptar, admitir, atraer.* || Negar, contradecir, opugnar, contradecir. ↔ *Aprobar.*

repulgado Repulido.

repulido Acicalado, peripuesto, engalanado, emperejilado, relamido, soplado, afectado, pinturero, lamido, rebuscado, afectado, soplado, repulgado. ↔ *Desidioso, dejado, abandonado.*

repulsa Reprensión, repasata, corrección, bronca, regañina, reprimenda, riña, amonestación, 'boche. ↔ *Elogio, loa.* || Repulsión,

rechazamiento, repudio, desaire, renuncia. ↔ *Aceptación, admisión.*

repulsión Repulsa, repudio. ↔ *Aceptación.* || Aversión, disgusto, repugnancia, desvío, odio, antipatía. ↔ *Simpatía.*

repulsivo Desagradable, asqueroso, ¨repugnante, repelente, recusante. ↔ *Agradable.*

repullo Rehilete, garapullo. || Ramalazo, sobresalto, consternación, desconcierto, estupor.

repunta Atisbo, manifestación, indicio. || Desazón, quimera, resquemor.

reputación Prestigio, renombre, fama, celebridad, gloria, crédito, honra, honor, prez, consideración, popularidad, nombradía, notoriedad, nota, merecimiento, aceptación, auge, boga, realce. ↔ *Descrédito.*

reputar Estimar, autorizar, calificar, considerar, presumir, conceptuar, apreciar, juzgar, acreditar.

requebrar Lisonjear, piropear, galantear, adular, cortejar, mimar, agasajar, acariciar, admirar, echar flores, decir flores. ↔ *Denostar, insultar.*

requemar Tostar, retostar, soflamar, socarrar.

requemarse Afligirse, consumirse, dolerse. ↔ *Alegrarse.*

requerimiento Amonestación, aviso, intimación, intimidación, demanda, exigencia, solicitación, recuesta.

requerir Amonestar, intimar, intimidar, prevenir, avisar, advertir, notificar.

|| Precisar. necesitar. || Solicitar, demandar, pedir, recuestar, pretender. ↔ *Renunciar.* || Inducir, persuadir, convencer. ↔ *Disuadir.*

requesón Názula, naterón, cuajada.

requiebro Piropo, galantería, flor, lisonja, alabanza, quillotro, terneza, cortejo, ternura. ↔ *Insulto.*

requintar Exceder, sobrepujar, aventajar, superar, rebasar, aumentar. ↔ *Disminuir.*

requisa Inspección, revista, requisición.

requisar Incautarse, decomisar, comisar, confiscar.

requisición Requisa, comiso, decomiso, embargo, confiscación, recogida, reclamación, requerimiento, apercibimiento.

requisito Formalidad, condición, circunstancia, precisión, indispensabilidad, menester, obligación, cortapisa, limitación, arrequives, ajilimójili.

resabiar Enviciar, pervertir, mal acostumbrar. ↔ *Mejorar.*

resabiarse Desazonarse, disgustarse.

resabido Sabihondo, presumido, sabelotodo, afectado, pedante, redicho.

resabio Vicio, perversión, achaque, mala costumbre. ↔ *Cualidad.* || Desazón, disgusto, desabrimiento, sabor, rastro.

resaltar Destacarse, distinguirse, sobresalir, señalarse, descollar, despuntar, presidir, resalir. ↔ *Pasar desapercibido.* || Botar, rebotar, repercutir, resaltar, retroceder.

resalto Resalte, relevación, retallo, saliente, prominencia, saledizo. ↔ *Concavidad,* || Rechazo, rebote, resurtida, choque, bote.

resarcimiento Compensación, restitución, reparación, devolución, indemnización. ↔ *Daño, perjuicio.*

resarcir Compensar, reparar, desagraviar, indemnizar, subsanar, enmendar. ↔ *Dañar, perjudicar.*

resarcirse Desquitarse, vengarse, reintegrarse, recobrarse.

resbaladizo Resbaloso, escurridizo, deslizadizo, nidio, lúbrico. ↔ *Adherente, pegadizo.* || Licencioso, lascivo, libidinoso. ↔ *Casto.*

resbalar Escurrirse, deslizarse, desvarar, esvarar, esborregar, deleznarse. ↔ *Mantenerse.* || Incurrir, incidir, caer, pecar.

resbaloso Resbaladizo.

rescaño Residuo.

rescatar Redimir, recobrar, librar, libertar, reconquistar, recuperar. ↔ *Perder.* || Trocar, cambiar.

rescate Redención, recobro, liberación. ↔ *Pérdida.* || Desempeño, razón.

rescindir Invalidar, anular, abrogar, desvirtuar, deshacer, cancelar, abolir, casar. ↔ *Concertar, promulgar.*

rescoldo Borrajo, calibo. || Pesar, escozor, escarabajo, recelo, escrúpulo. ↔ *Alegría.*

reseda Gualda.

resentimiento Animosidad, tirria, rabia, rencor, odio, resquemor, quemazón, ojeriza, animadversión, dis-

gusto, queja, enojo, agravio, ofensa, entrepado. ↔ *Perdón.*

resentirse Aflojarse, debilitarse, flaquear. ↔ *Crecerse.* || Lastimarse, disgustarse, agraviarse, ofenderse, quemarse, enojarse, picarse, mosquearse, amoscarse, irritarse, contrapuntearse, llevar a mal. ↔ *Alegrarse, tomarlo a bien.*

reseña Inspección, revista. || Descripción, detalle, narración. || Nota, crítica, juicio, recensión.

reserva Depósito, guarda, previsión, stock, disponibilidad, economía, acopio, ahorro, repuesto, recambio. ↔ *Imprevisión.* || Cautela, discreción, circunspección, comedimiento, prudencia, sigilo, pudicia. ↔ *Impudor, descomedimiento.* || Reservación, anomalía, exepción.

reservado Cauteloso, comedido, serio, moderado, discreto, sobrio, modesto, callado, cauto, sagaz, circunspecto, desconfiado, receloso, disimulado, solapado, cerrado, tortuoso, diplomático, secreto. ↔ *Indiscreto, imprudente.*

reservar Economizar, ahorrar, almacenar, retener, recoger, guardar. ↔ *Dispendiar, malgastar.* || Dilatar, aplazar, diferir, retardar, retrasar. ↔ *Apresurar.* || Ocultar, encubrir, celar, callar, tapar, velar, silenciar, esconder. ↔ *Descubrir, desvelar.* || Dispensar, exceptuar, relevar. ↔ *Ocupar.*

reservarse Mantenerse, conservarse, precaverse, recelar, desconfiar, preve-

R

R nirse, cautelarse, resguardarse. ↔ *Exponerse.*

resfriado Resfriadura, resfrío, enfriamiento, constipado, catarro, romadizo.

resfriar Enfriar, refrigerar, refrescar, congelar. ↔ *Calentar.*

resfriarse Acatarrarse, arromadizarse, constiparse, coger un aire.

resfrío Resfriado.

resguardar Preservar, proteger, abrigar, amparar, guarecer, defender, reparar, espaldonar, auxiliar, hacer espaldas. ↔ *Exponer.*

resguardarse Reservarse.

resguardo Guarda, custodia, defensa, protección, amparo, refugio, abrigo, seguridad, garantía, espaldera, vigilancia, reparo. || Recibo, talón, comprobante.

residencia Morada, vivienda, domicilio, estancia, casa, habitación, mansión, edificio. || Pensión, hostería.

residir Morar, habitar, vivir, domiciliarse, parar, radicar, ocupar, anidar, hallarse.

residuo Resto, remanente, sobrante, sobras, rescaño.

resignación Conformismo, conformidad, mansedumbre, humildad, paciencia, sumisión, acatamiento, docilidad, rendimiento, allanamiento. ↔ *Resistencia, inconformismo.* || Renuncia, renunciación, abandono, dimisión. ↔ *Aceptación.*

resignado Sumiso, dócil, paciente, rendido, filósofo. ↔ *Indócil, renuente.*

resignar Entregar, renun-

ciar, dimitir, dejar, abandonar. ↔ *Aceptar, ocupar.*

resignarse Someterse, conformarse, allanarse, doblegarse, condescender, avenirse, doblarse, sujetarse, arreglarse, prestarse, encogerse de hombros, besar el azote. ↔ *Rebelarse.*

resina Asa, zopisa, almáciga, almástiga, almaste, goma, bálsamo, 'cipe.

resinoso Resinífero.

resistencia Vigor, energía, fuerza, potencia, vitalidad, fortaleza, solidez, aguante, fibra, correa, firmeza. ↔ *Debilidad.* || Defensa, oposición, afrontamiento, contrarresto, obstrucción, renitencia, dificultad, reacción, renuencia, repulsa, negativa, rebeldía, desobediencia, indocilidad, intransigencia. ↔ *Aceptación, admisión.*

resistente Testarudo, firme, fuerte, duro, robusto, sólido, vigoroso, tenaz, sufrido, incansable, infatigable, invulnerable, indestructible, de cal y canto. ↔ *Débil, vulnerable*

resistero Resistidero, resol. || Siesta.

resistir Aguantar, soportar, sostener, sufrir, tolerar, tener correa. ↔ *Ceder.* || Rechazar, plantarse, repeler, contrarrestar, repugnar, pugnar, luchar, bregar, forcejar, rebatir, cocear, arrostrar, encararse, afrontar, desafiar, hacer frente, no dar su brazo a torcer, salir al encuentro, poner cara, enseñar los dientes, dar el pecho, hacer rostro. ↔ *Ceder. desistir, renunciar, huir.*

resol Resistero, bochorno,

solana, solanera, resolana. ↔ *Sombra.*

resolución Ánimo, valor, arrojo, osadía, atrevimiento, audacia, arrestos, denuedo. ↔ *Indecisión, cobardía.* || Viveza, presteza, actividad, alacridad, ligereza, prontitud. ↔ *Pereza, calma.* || Decisión, determinación, providencia, decreto, fallo, conclusión, sentencia, auto.

resoluto Resuelto, decidido. ↔ *Irresoluto.* || Sintetizado, abreviado, compendiado, resumido. ↔ *Dilatado, extenso.* || Experto, diestro, hábil, versado, expedito. ↔ *Inhábil.*

resolver Solucionar, acabar, solventar, determinar, decidir, orillar, arreglar, hallar. ↔ *Dejar pendiente.* || Epilogar, recapitular, compendiar, resumir. || Deshacer, destrozar, destruir, aniquilar. ↔ *Hacer.*

resollar Jadear, respirar, bufar, gruñir, alentar, resoplar, roncar, anhelar.

resonancia Eco, repercusión, rimbombo. || Divulgación, publicación, publicidad, reclamo, generalización, bombo. ↔ *Silencio.*

resonante Retumbante, ensordecedor, estrepitoso, ruidoso. ↔ *Silencioso.*

resonar Retumbar, repercutir, rebombar, rimbombar, retronar, atronar, retiñir, rugir, roncar, zumbar.

resoplar Resollar, jadear, alentar, roncar, anhelar, respirar.

resoplido Resoplo, ronquido, rebufe.

resorte Muelle, ballesta, espiral, cuerda. || Influencia, medio, valimiento.

respaldo Reverso, revés, vuelta, dorso. ↔ *Anverso, cara.* || Espaldera, espaldar, respaldar.

respectar Atañer, concernir, tocar, pertenecer, competer, incumbir.

respectivo Recíproco, análogo, atañadero, atinente, relativo, concerniente, referente, mutuo, conexo.

respecto Razón, proporción, relación, atingencia, concernencia, afinidad. ↔ *Inconexión.*

respecto (al) A proporción, a correspondencia, respectivamente.

respecto a Tocante a, acerca de, sobre, referente a.

respetable Venerable, honorable, serio, grande, importante, imponente, circunspecto, importante, sagrado, majestuoso, considerable. ↔ *Despreciable.*

respetado Bienquisto.

respetar Acatar, venerar, reverenciar, estimar, adorar, honrar, deferir, postrar, obedecer, tributar. ↔ *Desacatar, deshonrar, faltar al respeto.*

respetarle Ayunarle.

respeto Veneración, consideración, acatamiento, miramiento, reverencia, sumisión, deferencia, fidelidad, fervor, lealtad, humildad, devoción, admiración, temor, homenaje, rendición, rendimiento, rendibú. ↔ *Desacato, falta de respeto, insumisión.*

respeto (faltar al) Insolentarse, descomedirse, atreverse.

respeto (de) De repuesto, de recambio, de mampuesto.

respetuoso Deferente, cor-

tés, reverente, sumiso, atento, caballero, educado. ↔ *Irrespetuoso, descortés.*

réspice Represión, repasata, regañina, reprimenda, sermón. ↔ *Elogio.*

respigón Padrastro.

respingar Resistir, cocear, sublevarse, protestar, oponerse. ↔ *Acatar.* || Replicar, rezongar, refunfuñar, gruñir, repugnar. ↔ *Callar.*

respingo Enfado, despego, repugnancia, rezongo, roncería, refunfuño, gruñido.

respiración Respiro, inhalación, inspiración, espiración. ↔ *Asfixia.* || Soplo, aliento, alentación, resuello, resoplo, resoplido, rebufe, hálito, jadeo, acezo.

respiradero Abertura, lumbrera, tronera, tragaluz, bravera, conducto. || Atabe, ventosa. || Respiro.

respirar Aspirar, inspirar, exhalar, espirar, alentar, resollar, resoplar, jadear, anhelar. ↔ *Asfixiarse.* || Animarse, esperanzarse, cobrar aliento, aliviarse, descansar, reposar. ↔ *Azacanarse, afanarse, trabajar.* || Hablar, decir.

respiro Respiradero, calma, reposo, sosiego, descanso, tregua, prórroga, aliento, alivio. ↔ *Ajetreo, apereamiento.*

resplandecer Relumbrar, relucir, brillar, coruscar, lucir, fulgurar, refulgir, relampaguear, radiar, rielar. ↔ *Estar apagado.* || Aventajar, sobresalir, destacar, resaltar. ↔ *Pasar desapercibido.*

resplandeciente Deslum-

brante, brillante, fulgurante, rutilante, llameante, cegador, chispeante, reluciente, lucífero, clarífico, luminoso, relumbrante, refulgente, coruscante, deslumbrador, deslumbrante. ↔ *Opaco, obscuro.*

resplandina Represión, repasata, riña, sermón. ↔ *Elogio.*

resplandor Fulgor, brillo, claridad, lucimiento, esplendor, brillantez. ↔ *Opacidad, obscuridad.*

responder Reconocer, pagar, agradecer, corresponder. || Replicar, contestar, objetar, retrucar. ↔ *Decir, afirmar.* || Garantizar, fiar, asegurar, salir fiador, avalar, echar sobre las espaldas. ↔ *Desentenderse.* || Equilibrar, proporcionar.

respondón Deslenguado, insolente, desatento, replicón, rezongón, 'retobado, desconsiderado, protestón. ↔ *Dócil.*

responsabilidad Cargo, cumplimiento, obligación, empeño, garantía, deuda, fianza, resarcimiento. ↔ *Irresponsabilidad.*

responsable Solidario, garante, comprometido, subsidiario. ↔ *Irresponsable.*

responso Responsorio.

respuesta Contestación, réplica, satisfacción, objeción, distingo. ↔ *Proposición, afirmación, pregunta.* || Refutación, contradicción, impugnación, opugnación. ↔ *Admisión, aceptación.*

resquebrajadura Resquebrajo, resquebradura, abertura, grieta, hendedura, hendidura, raja, fractura,

R fenda, raza, exfoliación. ↔ *Lisura, tersura.*

resquebrajar Hender, abrir, agrietar, cuartear, rajar, resquebrajar, quebrajar. ↔ *Igualar.*

resquebrajo Resquebrajadura.

resquebrar Resquebrajar.

resquemar Requemar, irritar, enfadar, disgustar, desazonar, escocer. ↔ *Agasajar.*

resquemazón, resquemo o resquemor Quemazón, escocimiento, picazón, escozor, desazón. || Disgusto, resentimiento.

resquicio Intersticio, hendidura, hendedura, grieta, raza, fenda, ranura, abertura. || Ocasión, pretexto, motivo, coyuntura.

resta Substracción, diferencia. ↔ *Suma.* || Residuo, resto.

restablecer Reponer, resucitar, reinstalar, restaurar, reparar, rehacer, regenerar, reavivar, reconstruir, reintegrar, antipocar. ↔ *Abrogar, destruir.*

restablecerse Curar, sanar, recuperarse, convalecer, fortalecerse, rejuvenecerse, pelechar. ↔ *Empeorar.*

restablecimiento Cura, restauración, convalecencia, curación, recobramiento, recuperación. ↔ *Empeoramiento.*

restallar Chascar, chasquear, estallar, restañar, latiguear, triscar.

restante Residuo, sobrante, sobra, resto.

restañar Cauterizar, detener, parar, estancar.

restañasangre Alaqueca.

restaño Detención, estancamiento, atajamiento. || Re-

balse, remanso, represa, estanque.

restar Substraer, deducir, quitar, mermar, detraer, rebajar, sacar, cercenar. ↔ *Sumar.* || Faltar, sobrar, quedar.

restauración Establecimiento, reestablecimiento, reparación, reposición, reinstalación, reconstitución. ↔ *Revocación.*

restaurador Reparador, recuperador.

restaurante Restorán, comedor. || Fortificante, reparador, reconfortante.

restaurar Recuperar, reintegrar, recobrar, restablecer, reinstalar, reponer, reconstruir, reintegrar. ↔ *Destruir.*

restitución Reposición, reintegración, devolución, restablecimiento, reversión, ↔ *Apropiación.*

restituir Reintegrar, devolver, reponer, restablecer, remitir, rendir. ↔ *Apropiarse.*

restituirse Tornar, regresar, volver. ↔ *Marchar, partir.*

resto Residuo, restante, sobrante, sobras, exceso, vestigio, reliquia, despojos, escurridura, hez, poso, sedimento, detritus, relieves, piltrafa, albaquía, bagazo, ruina. ↔ *Totalidad, total, unidad, base.* || Residuo, resta.

restos 'Tapera.

restos mortales Cadáver, despojos, muerto, fiambre.

restregamiento Rascadura, refregadura, ludimiento, rozadura, rozamiento, frotamiento, fricción.

restregar Rascar, refregar, ludir, rozar, frotar.

restregarse Coscarse, revolcarse, concomerse.

restregón Rascadura, fregadura, erosión, fregamiento, refregón, rascamiento, arañadura, roce.

restricción Obstáculo, reserva, limitación, impedimento, modificación, cortapisa. ↔ *Licencia, permiso.*

restricción mental Excepción, negación.

restrictivo Represivo, restringente, limitativo, taxativo. ↔ *Ilimitado.*

restricto o restringido Limitado, preciso, ceñido, definido, circunscrito. ↔ *Indefinido.*

restringir Limitar, circunscribir, ceñir, cercar, localizar, tasar, coartar, delimitar, deslindar, acotar, amojonar, amelgar ↔ *Ilimitar, abrir.*

restriñimiento Contracción, astringencia, espasmo, convulsión.

restriñir Astringir, constreñir, estipticar, astriñir, envolver, contraer. || Obligar, compeler, coartar, coaccionar, forzar, violentar. ↔ *Libertar, abrir, soltar.*

resucitado Aparecido, redivivo. ↔ *Muerto, difunto.*

resucitar Revivir, renacer, reavivar, resurgir, revivificar, vivificar, regenerar, reanimar. ↔ *Sepultar, matar.*

resudarse Rezumar, escurrirse, filtrarse.

resuelto Osado, decidido, determinado, arrojado, audaz, atrevido, denodado, resoluto, valiente, animado, expedito, arriscado, activo, diligente, intrépido, 'gallote. ↔ *Irresoluto, tímido, cobarde.*

resuello Respiración, jadeo, resoplo, resoplido, alentada, hálito.

resulta Resultado. || Acuerdo, medida, fallo, decisión.

resultado Resulta, resultancia, secuela, consecuencia, corolario, efecto, suceso, derivación, fruto, alcance, producto, desenlace, consecución. ↔ *Causa, antecedente.*

resultar Resurtir, resaltar, rebotar, botar. || Producir, redundar, surtir efecto, originarse, salir, nacer, deducirse, inferirse, repercutir, trascender, venir a parar, arrojar, traer cola. ↔ *Promover, ocasionar.* || Comprobarse, manifestarse, evidenciarse, aparecer.

resumen Recopilación, recapitulación, epítome, compendio, sumario, epílogo, sinopsis, excerta, síntesis, substanciación, extracto, argumento, guión, minuta, esquema, abreviación, prontuario, manual.

resumido Breve, conciso, lacónico, abreviado, compendiado, corto, condensado, sucinto, recapitulado, preciso, breve, restricto, sintético, sinóptico, reducido. ↔ *Amplio, dilatado, extenso.*

resumir Extractar, concretar, reducir, abreviar, compendiar, recopilar, recapitular, cifrar, epilogar, sintetizar, limitar, constreñir, substanciar, condensar, trasuntar, ceñir. ↔ *Dilatar, ampliar, redundar.*

resurgimiento Renacimiento, reaparición, regeneración, revivificación. ↔ *Decadencia, ocaso, muerte.*

resurgir Reaparecer, resucitar, renacer. ↔ *Morir.*

resurtida Rebote, rechazo, bote, rebotadura, choque, resalto, retroceso.

retaco Rechoncho, regordete, gordinflón, gordo. ↔ *Delgado.*

retahíla Serie, sarta, conjunto, teoría, rosario.

retajar Cercenar, circundar.

retal Recorte, recortadura, desperdicio, sobras.

retallar Retallecer.

retallo Pimpollo, vástago, esqueje, brote, gajo. || Resalto.

retama Hiniesta, ginesta, escobera, genista.

'retamilla Agracejo.

'retamo Retama.

retar Desafiar, envidar, provocar. || Reprochar, reprender, reconvenir, echar en cara, afear. ↔ *Elogiar.*

retardar Atrasar, retrasar, aplazar, demorar, posponer, diferir, aplazar, dilatar, preterir, detener, enlerdar, moderar, perecear. ↔ *Avivar, apresurar.*

retardatario Tardo, lento, perezoso, calmoso. ↔ *Diligente, puntual.*

retardo Retraso, retardación, demora, dilación, lentitud. ↔ *Apresuramiento, festinación, adelanto.*

retartalillas Cháchara, charlatanería, filatería.

retemblar Temblar.

retén Provisión, repuesto, acopio, sufrimiento. ↔ *Escasez, imprevisión.* || Refuerzo, guardia, presidio.

retención Retenimiento, detención, reserva, custodia, guarda.

retener Detener, guardar, conservar, reservar, suspender. ↔ *Soltar, librar.*

retentar Rondar.

retentiva Memoria, recuerdo. ↔ *Amnesia.*

retesar Atiesar, endurecer. ↔ *Ablandar.*

reticencia Restricción, precesión, omisión. || Tapujo, medias palabras, indirecta, rehilete. ↔ *Increpación, descaro.*

retículo Red. || Redecilla.

retintín Son, énfasis, retín, tonillo, sonsonete.

retirada Repliegue, retroceso, retorno, regreso, conversión, vuelta. ↔ *Avance.*

retirado Lejano, separado, alejado, distante, aislado, solitario, desviado, apartado. ↔ *Cercano, próximo.*

retirar Separar, alejar, apartar, desviar. ↔ *Acercar, aproximar.* || Quitar, sacar, restar, privar. ↔ *Añadir.* || Jubilar. || Tirar, parecerse, asemejarse.

retirarse Retraerse, aislarse, enterrarse, desaparecer. ↔ *Aparecer.* || Retroceder, volver para atrás. ↔ *Avanzar.* || Recogerse, acostarse. ↔ *Levantarse.* || Guarecerse, abrigarse, defenderse. ↔ *Exponerse.* || Dejar las armas. ↔ *Velar las armas.*

retiro Apartamiento, retraimiento, destierro, alejamiento, aislamiento, encierro, clausura, soledad. ↔ *Asistencia, publicidad.* || Jubilación. ↔ *Actividad, ocupación.* || Refugio, recepto, abrigo.

R

R **reto** Amenaza, desafío, provocación.

'retobado Respondón, rezongón. || Indómito, obstinado. || Taimado, redomado.

'retobar Forrar. || Envolver.

'retobo Desecho, basura. || Arpillera.

retocar Corregir, modificar, restaurar, perfeccionar, pulir, acabar.

retoñar Retoñecer, rebrotar, reproducirse.

retoño Hijato, hijo, pimpollo, pitón, rebrote, serpollo.

retoque Modificación, corrección, última mano. || Amago, amenaza.

retorcer Torcer, entorchar, enroscar.

retorcerse Encarrujarse.

retorcido Maligno, fino, astuto, artificioso, maquiavélico, zorro. ↔ *Sencillo, llano.*

'retorcijón Retortijón.

retorcimiento Retortijón.

retórico Orador, grandilocuente.

retornar Restituir, devolver, tornar. ↔ *Apropiarse.* || Volver, regresar. ↔ *Marchar, partir.*

retorno Devolución, restitución. ↔ *Apropiación.* || Vuelta, regreso, retroacción, reversión. ↔ *Ida.* || Paga, recompensa, satisfacción. || Cambio, trueque, permuta.

retorta Cucúrbita.

retortero (al) A mal traer, al estricote.

retortijón Retorcimiento, ensortijamiento, 'retorcijón.

retozar Saltar, brincar, potrear, chozpar. || Jugar,

juguetear, corretear, triscar, travesear.

retozón Travieso, juguetón, saltarín, alegre.

retractación Rectificación, denegación, palinodia.

retractar Anular, revocar, desdecirse.

retractarse Rectificarse, denegar, volverse atrás, caer o apearse de su asno. ↔ *Ratificar.*

retraer Disuadir, apartar.

retraerse Aislarse, amadrigarse, retirarse, retroceder, huir, escapar. || Acogerse, guarecerse, refugiarse, 'encharcharse.

retraído Refugiado, retirado. || Apartado, reservado, solitario, taciturno, misántropo. || Corto, tímido.

retraimiento Apartamiento, alejamiento, aislamiento, secesión. || Retiro, refugio, guarida. || Cortedad, reserva, timidez.

'retranca Freno.

retrasar Atrasar, suspender, retardar, diferir, demorar, dilatar, aplazar. ↔ *Adelantar.*

retrasarse Endeudarse, adeudarse.

retraso Retardo, demora, dilación, atraso. ↔ *Adelanto.*

retratar Copiar, imitar, representar. || Describir, detallar, pincelar, pintar.

'retratería Fotografía.

retrato Imagen, fotografía, efigie. || Descripción.

retrechero Zalamero, lagotero. ↔ *Desabrido.*

retrete Excusado, común, *wáter.

retribución Recompensa, pago, premio, remuneración, satisfacción, honorarios, gajes, ganancias.

retribuir Recompensar, premiar, pagar, remunerar.

'retrobar Regañar, rezongar.

'retrobón Regañón, rezongón.

retroceder Retirarse, recular, cejar, retrogradar, refluir. ↔ *Avanzar.*

retroceso Retrogresión, regresión, retrocesión, reculada, retirada. ↔ *Adelanto, avance.*

retrogradación Regresión, retroceso. ↔ *Adelanto.*

retrogradar Recular, replegarse, retroceder, retirarse, refluir. ↔ *Avanzar.*

retrógrado Atrasado, reaccionario, retardatario, conservador, carca. ↔ *Progresista, revolucionario.*

retruécano Conmutación.

retumbante Resonante, campanudo, rimbombante, ruidoso. ↔ *Silencioso, callado.* || Ostentoso, pomposo, enflautado. ↔ *Modesto.*

retumbar Resonar, tronar, estallar, rimbombar.

retumbo Ruido, estallido, resonancia, rugido, rimbombo.

retundir Repeler, repercutir.

reunión Asamblea, concurso, sociedad, compañía, agrupamiento, pandilla, tertulia, concentración, pleno, 'capul.

reunir Juntar, allegar, congregar, agrupar, acopiar, recoger, convocar, apandillar, amontonar, aglomerar, apiñar, atropar, agavillar, unir, ayuntar, acumular, amasar, compilar. ↔ *Separar, desunir.*

revalidar Ratificar, confirmar, convalidar. ↔ *Rectificar.* || Antipocar.

revelación Declaración, manifestación, revelamiento, descubrimiento. ↔ *Ocultación.*

revelar Declarar, mostrar, manifestar, descubrir, denunciar, vaciar el costal, patentizar, correr el velo, correr la cortina.

revendedora 'Gatera.

revenirse Encogerse, consumirse. || Avinagrarse, acedarse, acidularse. || Ceder, retractarse.

reventadero Ajetreo, ajobo, matadero, tute, fatiga.

reventar Abrirse, romperse, estallar, quebrarse, deshacerse. || Brotar, nacer. || Desbaratar, aplastar. || Extenuar, fatigar, cansar. || Enfadar, molestar. || Perjudicar, dañar.

reventón Pendiente, cuesta. || Dificultad, aprieto, obstáculo, trabajo, pejiguera, fatiga. || Pinchazo.

reverberación Reflejo, soflama, flama.

reverberar Reflejar.

'reverbero Reverberación. || Cocinilla, infiernillo, hornillo. || Farol.

reverdecer Envigorecer, renovarse, rejuvenecerse. ↔ *Agostarse, marchitarse.*

reverencia Veneración, respeto, consideración, acatamiento. ↔ *Irreverencia.* || Saludo, salutación, mocha, inclinación, gatatumba.

reverenciar Venerar, respetar, honrar, acatar, adorar, considerar. ↔ *Despreciar.*

reverente Respetuoso, temeroso, piadoso, pío. ↔ *Irreverente.*

reverso Dorso, revés, envés, contrario. ↔ *Anverso.*

revés Reverso, contrahaz. ↔

Anverso. || Contratiempo, desastre, percance, accidente, infortunio, desgracia, fracaso. ↔ *Suerte, oportunidad.* || Golpe, bofetada. || Vuelta, mudanza, cambio.

revés (al) Al contrario.

revesado Obscuro, intrincado, difícil, enredado. ↔ *Fácil.* || Travieso, revoltoso, enredador, revuelto, indomable, indócil. ↔ *Quieto.*

revesar Arrojar, vomitar, devolver, regurgitar, provocar.

revestimiento Encostradura, encofrado, recubrición, recubrimiento, vestido, revoco.

revestir Vestir, recubrir, revocar.

revestirse Imbuirse, engreirse, envanecerse.

revezar Substituir, reemplazar, relevar.

revisar Repasar, examinar, rever, estudiar, inspeccionar. ↔ *Pasar por alto.*

revisión Revista, examen, retoque, inspección, control.

revisor Reveedor, inspector.

revista Inspección, revisión, examen, control. || Alarde, parada, desfile.

revistar Examinar, inspeccionar.

revivificar Vivificar, reavivar, animar.

revivir Resucitar, renovar, resurgir. ↔ *Morir.* || Volver en sí. || Reproducirse, renovarse.

revocación Anulación, casación, abrogación, derogación. ↔ *Promulgación.*

revocar Anular, abrogar, desautorizar. ↔ *Promulgar.* || Apartar, retraer,

disuadir. || Pintar, enlucir.

revolcar Revolver, maltratar, pisotear. || Vencer, derribar, hacer morder el polvo. || Reprobar, suspender, catear.

revolcarse Restregarse, refregarse, volquearse.

revoltijo Revoltillo, enredo, mescolanza, confusión, argamasa, batiburrillo, 'frangollo. ↔ *Ordenación, orden.*

revoltoso Alborotador, sedicioso, insurrecto, amotinado, revolucionario, levantador, turbulento, rebelde. ↔ *Hombre de paz.* || Travieso, revesado, inquieto, enredador, perturbador, vivaracho, manifacero. ↔ *Tranquilo, reposado.* || Intrincado.

revolución Agitación, conmoción, perturbación, revuelta, algarada, motín, subversión, levantamiento, asonada, sublevación, sedición, insurrección. ↔ *Paz, tranquilidad, reacción.* || Golpe de Estado. || Alteración, rotación, giro.

revolucionar Tumultuar, agitar, amotinar, revolver, alborotar. || Girar, dar vueltas.

revolucionario Revoltoso, sedicioso, rebelde, insurrecto, amotinado, turbulento, agitador, alborotador. ↔ *Reaccionario, conservador, hombre de paz.* || Innovador.

revolver Menear, arrebujar, agitar. || Trastear, registrar, buscar, husmear. || Enredar, inquietar, desazonar. || Meditar, reflexionar, discurrir. || Girar.

revolverse Encapotarse, en-

R foscarse, aborrascarse, nublarse. ↔ *Serenarse.*

revoque Revoco, revocadura.

revuelta Revolución, insurrección, motín, sedición, alboroto, asonada. || Disensión, riña, trapatiesta, pendencia, pelotera, marimorena. || Vuelta, mudanza, cambio.

revuelto Inquieto, enredador, travieso, revoltoso. ↔ *Tranquilo, sosegado.* || Intrincado, revesado, abstruso, difícil. ↔ *Liso, sencillo.*

revulsivo Revulsorio.

rey Monarca, soberano, majestad.

reyerta Riña, contienda, pendencia, altercación, altercado, cuestión, disputa, trifulca, zaragata. ↔ *Paz.*

reyezuelo Régulo.

'reyuno Tronzo.

rezador 'Rezandero.

rezagado Tardo, lento, atrasado, negligente, postrero, a la retaguardia. ↔ *Primero, adelantado.*

rezagar Diferir, suspender, atrasar.

rezagarse Retardarse, demorarse, perder terreno. ↔ *Adelantarse, avanzarse.*

rezago Atraso, residuo.

'rezandero 'Rezador.

rezar Orar. || Recitar, decir. || Gruñir, refunfuñar, rezongar.

rezno Rosón. || Ricino.

rezongar Refunfuñar, gruñir, mascullar, mascujar, murmurar, bufar, 'retobar.

rezongón Refunfuñador, gruñón, 'retobón.

rezumar Recalar, sudar, filtrar, trazumarse.

rezumarse Traslucirse, susurrarse.

riada Avenida, crecida, desbordamiento, inundación.

riba Ribera.

ribazo Zopetero, ribera.

ribera Ribero, orilla, borde, margen, riba, ribazo, zopetero. || Costa, litoral. || Huerta, huerto.

'riberano Ribereño, costero.

ribereño 'Riberano.

ribete Aumento, añadidura, acrecentamiento. ↔ *Disminución.*

ribetes Asomos, indicios.

ricial Rizal.

ricino Higuereta, palmacristi, cherva, querva, higuera del infierno, higuera infernal, rezno.

ricino (aceite de) Garapato.

rico Ricacho, ricachón, ricote, adinerado, acaudalado, opulento, dineroso, hacendado, latifundista, Creso, Pluto, capitalista, nabab, potentado, acomodado. ↔ *Pobre, mísero.* || Abundante, floreciente, fecundo, próspero, pingüe, fértil, copioso, feraz, exuberante, untuoso, fastuoso, valioso, magnífico, 'ulmen. ↔ *Escaso.* || Gustoso, sabroso, apetitoso, agradable. ↔ *Desaborido, soso.* || Exquisito, óptimo, excelente. ↔ *Malo.*

ridiculez Extravagancia, especiota, patarata, burla.

ridiculizar Burlarse, chancearse, reírse, parodiar, satirizar, caricaturizar, escarnecer. ↔ *Alabar.*

ridículo Risible, divertido, chusco, burlesco, grotesco, fachoso, macarrónico, esperpento, extravagante, raro, bufo, arlequín, 'carriel, 'catimbas. ↔ *Serio, grave.* || Escaso, corto, mezquino, pobre, trivial, transido. ↔ *Abundante, floreciente.* || Extraño, irregular, inconveniente, impertinente. ↔ *Corriente, normal.* || Reparón, nimio, meticuloso, quisquilloso. ↔ *Negligente.*

riego Aguja, barrita. || Carril, raíl.

rielar Fucilar, destellar, resplandecer, cabrillear, coruscar.

riendas Gobierno, dirección, mando. || Sujeción, moderación, continencia. ↔ *Incontinencia.*

riesgo Peligro, aventura, exposición, azar, discrimen.

riesgo (a) A pique, en contingencia.

rifa Sorteo, lotería. || Riña, contienda, reyerta, pelea, pendencia.

rifar Sortear. || Contender, reñir, pelearse.

rifle Carabina, fusil.

rigidez Rigor, inflexibilidad, tiesura, endurecimiento. ↔ *Ductilidad.* || Rigurosidad. ↔ *Benevolencia.*

rígido Tieso, duro, **tenso,** endurecido, yerto, agarrotado, envarado, entumecido, rigente, anquilosado. ↔ *Dúctil.* || Severo, austero, inflexible, estricto, justo, ecuánime. ↔ *Benigno, compasivo, acomodaticio.*

rigor Rigidez. ↔ *Ductilidad.* || Rigurosidad. ↔ *Benevolencia.* || Intención, vehemencia. ↔ *Calma.* || Propiedad, precisión, 'rigurosidad. ↔ *Impropiedad.* || Inclemencia, reciura.

rigorismo Rigurosidad. ↔ *Benevolencia.*

'riguridad Rigor.

rigurosidad Rigorismo, rigor, rigidez, estrechez, severidad, austeridad, inflexibilidad, 'estrictez. ↔ *Benevolencia.*

riguroso Áspero, acre, crudo. ↔ *Dulce.* || Severo, rígido, cruel, duro, rudo. ↔ *Blando, suave.* || Preciso, exacto, estricto, ajustado, meticuloso. ↔ *Negligente.* || Inclemente, extremado, tórrido, glacial. ↔ *Bonancible, templado.*

rija Riña, pendencia, trifulca, alboroto.

rijoso Pendenciero. || Sensual, lujurioso.

rima Consonancia, asonancia. || Consonante, asonante. || Pila, rimero, montón, acopio.

rimar Versificar, aconsonantar, asonantar.

rimbombante Resonante, retumbante, altisonante, campanudo, altísono. ↔ *Llano, sencillo.* || Ostentoso, llamativo, suntuoso, hinchado. ↔ *Corriente, discreto.*

rimbombar Retumbar, repercutir, resonar.

rimero Rima, montón, pila, cúmulo.

rincón Esquina, esquinazo, ángulo, esconce, sucucho, ostugo, 'ancón, 'socucho.

rinconera Recodo, cantonera.

ringla o **ringlera** o **ringle** Hilera fila, línea, ristra.

rinoceronte Abada, unicornio.

riña Altercado, agarrada, bronca, camorra, combate, batalla, contienda, chamusquina, disputa, encuen-

tro, gresca, jarana, lid, peleona, pelotera, pelazga, pelamesa, quimera, jollín, gazapina, gazapera, porfía, pendencia, rija, pelea, peleona, reyerta, trapatiesta, marimorena, cisco, lucha, redopelo, trifulca, zafarrancho, zaragata, zalagarda, zipizape, querella, sanfrancia, sarracina, 'zacacoca. ↔ *Tranquilidad, paz.* || Litispendencia.

riñón Rene. || Interior, centro.

río Corriente, arroyo, torrente. || Abundancia, afluencia, caudal.

ripio Residuo, cascajo, escombros. || Doladura, astilla. || Superfluidad.

riqueza Abundancia, copia, plétora, profusión, fertilidad, holgura, prosperidad, hacienda, opulencia, tesoro, caudal, fortuna, bienestar, dinero, bienes. ↔ *Pobreza.*

risa Risotada, risilla, risita, risada, hilaridad, carcajada, sonrisa. ↔ *Llanto, ceño.*

risco Escarpadura, peñasco, acantilado.

riscoso Peñascoso, enriscado, escabroso, abrupto. ↔ *Llano.*

risible Irrisorio, ridículo, cómico. ↔ *Serio.*

risotada Risa, carcajada.

ristra Fila, ringlera, hilera.

risueño Alegre, placentero, festivo, gozoso, satisfecho, carialegre. ↔ *Triste, lloroso.* || Deleitable, agradable, placentero. ↔ *Desagradable.* || Favorable, próspero. ↔ *Desfavorable.*

rítmico Mesurado, cadencioso, armonioso, acompasado. ↔ *Arrítmico.*

ritmo Simetría, armonía, compás, proporción, medida, mesura. || Metros, verso.

rito Costumbre, regla, ceremonia.

'rito Manta.

ritual Ceremonial, habitual, liturgia.

rival Competidor, antagonista, contrario, adversario, enemigo, concurrente, contendiente. ↔ *Compañero, aliado.*

rivalidad Oposición, antagonismo, competencia, enemistad. ↔ *Alianza.*

rivalizar Competir, hombrear, contender.

riza Estrago, destrozo, escabechina, degollina.

rizado Rizoso, rufo, crespo, ensortijado,' escarolado, encarrujado. ↔ *Lacio, liso.*

rizar Ondular, ensortijar. || Cabrillear. || 'Enchinar.

rizarse Encresparse.

rizo Bucle, sortija, tirabuzón, 'canelón, 'caracol, 'colocho, 'chongo.

rizos (tomar) Alotar, arrizar.

rizoso Rizado.

róbalo Lobina, lubina, céfalo.

robar Hurtar, pillar, pulir, afanar, quitar, tomar, despojar, ratear, substraer, saquear, timar, afanar, limpiar, apandar, carmenar, estafar, escamotear, expoliar, gatear, pecorear, desvalijar, merodear, gatear, distraer, sangrar, rapar,' raspar, aliviar, pellizcar, garramar, garrafiñar, sangrar, sisar, soplar,

R

R 'arrear. ↔ *Dar, devolver, regalar.*

robín Orín, herrumbre, moho, roña, verdete, cardenillo.

roblar Remachar.

roble Carba, carbizo, carvallo.

roblizo Robusto, duro, resistente, tenaz. ↔ *Débil.*

roblón Remache.

'roblón Cobija.

robo Hurto, despojo, estafa, escamoteo, ladronicio, latrocinio, fraude, rapiña, pillaje, pecorea, ratería, saqueo, atraco, substracción, despojo, timo, sisa, concusión, exacción, expoliación, malversación, depredación. ↔ *Donación, devolución.*

roborar Afirmar, afianzar, asegurar, entibar.

robustecer Reforzar, consolidar, fortalecer, fortificar, revigorizar, vigorizar, remozar, tonificar, rejuvenecer, avivar. ↔ *Debilitar.*

robustez o **robusteza** Fortaleza, fuerza, resistencia, vigor, nervio, brío, fibra, rejo, musculatura, carnadura, canilla, puños. ↔ *Debilidad.*

robusto Fuerte, forzudo, firme, enérgico, vigoroso, roblizo, resistente, sólido, toroso, nervudo, fornido, rebolludo, pujante, de pelo en pecho, 'morocho. ↔ *Débil.*

roca Peñasco, peña, roquedo, castro, cantil, molejón, tolmo, escollo, farallón. ‖ Piedra, veta.

rocadero Rocador. ‖ Capillo.

rocalla Abalorio.

roce Rascadura, rozamien-to, frotamiento, fregamiento, restregón, estregón, refregadura, rozadura, erosión, fregadura, estregadura, ludimiento.

rociada Rociadura, rociamiento, rocío, salpicadura, salpique, aspersión. ‖ Reprensión, bronca, corrección, filípica. ‖ Murmuración, hablilla, maledicencia, chismorreo.

rociar Esparcir, regar, asperjar, hisopear, espurriar, irrigar, rosar, derramar, diseminar.

rocín Rocino, rocinante, matalón, jamelgo, cuartago, penco, caballejo, sotreta. ‖ Rudo, zafio, ignorante, lerdo, tosco, zote, grosero, patán, paleto, cateto, rústico. ↔ *Culto, inteligente.*

rocío Escarcha, rosada, sereno, relente, helada, aljófar, cencío, orvallo, marea. ‖ Rociada.

rocoso Peñascoso, pedregoso, roqueño, riscoso, enriscado, roquero. ↔ *Terroso.*

'rocote Ají.

rocho Ruc.

'rodachina Girándula.

rodada Rodera, releje, carrilada, andel, lendel, carril.

'rodado Vehículo.

rodaja Rueda, tajada, loncha. ‖ Roldana. ‖ Rosca.

rodapié Friso, zócalo.

rodar Rular, girar, voltear, remolinear, rodear, correr, circular, rondar, bailar, volitar. ‖ Bolear, caer. ‖ Merodear, vagar, errar, vagabundear. ‖ Rebosar, pulular, abundar, hervir.

rodear Circuir, cercar, envolver, acordonar, encerrar, cerrar. ‖ Rodar. ‖ Detraer, divagar, esquivar, senderear, perifrasear.

rodeo Descarrío, descamino, desvío, guiñada, virada, recoveco, diversión. ‖ Digresión, perífrasis, circunloquio, triquiñuela, ambages, evasiva, cháncharras máncharras.

rodera Rodada.

rodete 'Yagua.

rodilla Hinojo, rótula.

rodillas (hincarse de o **ponerse de)** Arrodillarse, prosternarse, postrarse.

rodillo Cilindro, rulo, polín.

rododafne Baladre, laurel rosa, adelfa.

rodomiel Miel rosada.

rodrigar Arrodrigar, arrodrigonar, enrodrigar, enrodrigonar.

rodrigón Rodriga, tutor, vara, caña, estaca, puntal. ‖ Acompañante.

roedor Turbador, conmovedor, desazonador, intranquilizante, agitador. ↔ *Tranquilizador.*

roer Ratonar. ‖ Carcomer, descantillar, gastar, desgastar, corroer. ‖ Afligir, molestar, atormentar, desazonar, perturbar, punzar. ↔ *Tranquilizar.*

rogar Instar, pedir, suplicar, implorar, invocar, orar, rezar, postular, libelar, recuestar, invitar, interceder, conjurar, deprecar, exhortar, reclamar, apelar, llamar, acudir a. ↔ *Intimar, exigir.*

rogativa Plegaria, súplica, oración, jaculatoria.

rogo Hoguera, fuego, pira.

roído Arratonado. ‖ Mezquino, despreciable, parvo,

exiguo, escaso. ↔ *Abundante.*

rojo Bermejo, bermellón, encarnado, grana, ígneo, purpúreo, roso, rúbeo, rubí, rubro, rosa, rojizo, encendido, almagrado, cárdeno, amaranto, carmín, carminoso, corinto, coral, coralino, coccíneo, escarlata, rodeno, rufo.

rol Lista, nómina, catálogo, índice, padrón, matrícula, serie.

roldana Rodaja.

rolde Rueda, círculo, corro, corrillo, peña.

rollizo Robusto, recio, fornido, gordo, rechoncho. ↔ *Delgado.*

rollo Cilindro, rulo, zurullo. ‖ Tabarra, lata, pejiguera.

rollona Niñera, ama.

romadizo Coriza, catarro.

romance Poema. ‖ Novela, 'galerón. ‖ Románico.

romances Bachillerías, excusas, circunloquios, pretextos.

románico Neolatino, romance.

romanizar Latinizar.

romántico Romancesco, romanceresco, novelesco. ‖ Sensible, sentimental, pasional, altruista, caballeroso, quijotesco. ↔ *Materialista.*

romanza Aria.

romería Romeraje, peregrinación, peregrinaje. ‖ Multitud, muchedumbre, tropel, concurrencia, afluencia, gentío.

romero Peregrino.

romo Chato, achaflanado, porro, boto. ↔ *Agudo.* ‖ Tosco, rudo, obtuso, zafio, torpe. ↔ *Listo.*

rompecabezas Acertijo, pro-

blema, enigma, pasatiempo.

'rompenueces Cascanueces.

rompeolas Dique, escollera.

rompepoyos Holgazán, vagabundo, poltrón. ↔ *Trabajador.*

romper Quebrar, quebrantar, fracturar, aplastar, demoler, destruir, destrozar, despedazar, astillar, cachar, descoyuntar, desgarrar, desgajar, dislocar, estrellar, fracasar, escacharrar, machacar, rajar, rasgar, hender, tronchar, trizar, reventar, arpar, cascar, carpir, hacer cisco, hacer añicos, hacer trizas, hacer tortilla. ↔ *Componer, adobar, arreglar, unir.* ‖ Brotar, salir, irrumpir, prorrumpir. ‖ Roturar, artigar. ‖ Cortar, interrumpir.

romper el alba Alborear.

romper por todo Atropellar, lanzarse, echarse de cabeza.

rompesacos Egílope.

rompesquinas Chulo, guapo, valentón, majo, farfantón, matamoros.

rompiente Escollo, bajío.

rompimiento Rotura, quebrantamiento, efracción, quiebra, fractura. ‖ Riña, cuestión, enemistad, desavenencia, pelotera. ↔ *Amistad.* ‖ *Casus belli.*

ronca Brama, gamitido. ‖ Petulancia, fiero, bravata, amenaza.

roncal Ruiseñor.

roncar Gamitar. ‖ Aullar, bramar, rugir, gruñir, ulular.

roncería Ronce, lentitud, pelmacería, posma, cachaza, tardanza, remolonería.

↔ *Ligereza, diligencia.* ‖ Cariño, lagotería, carantoña, halago. ↔ *Desaire.*

roncero Perezoso, lento, tardo, pando, flemático, calmoso, cachazudo, lerdo, moroso, parado. ↔ *Ligero, diligente.* ‖ Lagotero, adulador, embaucador. ↔ *Despreciativo.* ‖ Quisquilloso, regañón, desabrido.

ronco Enronquecido, bronco, áspero, rudo. ↔ *Suave.*

roncha Cardenal, equimosis. ‖ Timo, estafa, hurto.

ronchas (levantar) Apesadumbrar, mortificar, importunar, molestar, torturar.

roncha Lonja, tajada, rebanada.

ronchar Ronzar, crujir, chascar.

ronda Guardia, vigilancia, custodia, presidio, rondín. ‖ Distribución, repartimiento. ‖ Corro.

ronda Cuento, patraña, conseja, chisme, habladuría.

rondar Guardar, vigilar. ‖ Galantear, cortejar, requebrar, pasear la calle, ruar, pelar la pava. ‖ Voltear, hacer la rosca, hacer la rueda. ‖ Asediar, importunar, molestar, encocorar. ‖ Amenazar, amagar, retentar.

rondín Ronda.

'rondín Sereno, 'vigilante.

ronquear Enronquecer, tomarse la voz.

ronquera Afonía, ronquez, enronquecimiento, carraspera, tejada.

ronronear Murmullar, gruñir.

ronroneo Cuchicheo, murmullo, rumor, gruñido, ruido.

R

R ronzal Ramal, cabestro, camal, jáquima.

ronzar Chascar, ronchar, roznar, crujir.

roña Sarna. || Suciedad, porquería, mugre. ↔ *Aseo.* || Moho, orín, herrumbre, robín, verdete. || Maula, picardía, astucia, sagacidad, 'tirria, 'ojeriza, 'zanguanga. || Roñería.

roñería Tacañería, mezquindad, cicatería, miseria, avaricia. ↔ *Esplendidez.*

roñoso Sarnoso, escabioso. || Sucio, puerco, cochino, sórdido. ↔ *Aseado, limpio.* || Avaro, mezquino, escaso, miserable, cicatero, agarrado. ↔ *Generoso, espléndido.* || Oxidado, mohoso.

ropa Vestido, vestidura, veste, ropaje, encapillado, indumento, indumentaria, prenda, jaez. || Trapo, tela, género, paño, tejido.

ropa blanca Lencería.

ropa (a quema) A boca de jarro, a boca de cañón.

ropaje Ropa. || Lenguaje, expresión, locuela.

ropavejero Trapero, prendero.

ropón Gabán, capa, capote, toga, faldulario, túnica, sayo.

'ropón Amazona.

roque Torre.

roquedal Roqueda, peñascal, riscal, canchal.

roquedo Roca, peñasco, cantil, tolmo.

roqueño Rocoso, peñascoso. ↔ *Terroso.*

roquete Sobrepelliz.

rorro Niño, criatura, nene, llorón, crío, angelito, bebé, *babi, mamón, 'guagua.

'rosado Rubicán.

rosario Sartal, contal, cuenta, sarta. || Espinazo.

rosarse Sonrojarse, enrojecer, sonrosarse, ponerse como la grana, ponerse como una amapola. ↔ *Palidecer.*

rosca Rodaja. || Bollo, tortel.

rosetas 'Pororó

rosetón Florón. || Ventanal.

rosmarino Romero.

rosmaro Manatí, manato, pez mujer, pez muller.

roso Raído, raso, liso, calvo, pelado. ↔ *Peludo, velloso.*

roso Rojo.

rosón Rezno.

rostro Pico. || Apículo, pitón, ápice. || Faz, cara, semblante, efigie, continente, figura, imagen, haz.

rota Derrota.

rota (de) De repente, de sopetón.

rotación Revolución, giro, ruedo, vuelta, circunvolución.

rotativa Imprenta.

rotatorio Circulatorio, circunvalatorio, giratorio.

roto Quebrantado, 'rompido. || Andrajoso, trapajoso, pingajoso, haraposo, harapiento, 'rotoso.

'roto Paria. || Mestizo. || Petimetre.

'rotoso Roto, desharrapado.

rótula Choquezuela. || Trocisco.

rótulo Letrero, cartel, inscripción, pasquín, etiqueta, placarte, **muestra**, *affiche, tejuelo, aviso, título, 'rubro.

rotundidad Redondez, esfericidad, curvatura. ↔ *Rectitud.*

rotundo Redondo, esférico,

orondo. ↔ *Recto, derecho, plano.* || Claro, preciso, definitivo, concluyente, perentorio, conclusivo, concluso, terminante. ↔ *Indefinido, evasivo.* || Sonoro, rodado.

rotura Ruptura, rompimiento, rompedura, rasgadura, fractura, cisura, quiebra, abertura, fenda, desgarrón, quebrantamiento, estropicio, efracción, estrapalucio. ↔ *Integridad, unión, arreglo.*

roturar Artigar, arar.

roya Pimiento, chahuistle, alheña, herrumbre, sarro.

rozadura Rozamiento, rascadura, frotadura, fricción, refregadura, erosión, ludimiento, restregamiento, roce, estregadura, rascamiento, restregón. || Arañazo, excoriación, sahorno, chasponazo.

rozagante Brillante, vistoso, ufano, jarifo, arrogante, llamativo, presumido, satisfecho, orgulloso. ↔ *Abatido.*

rozamiento Rozadura. || Disgusto, disensión, discordia, enemistad, rompimiento. ↔ *Amistad.*

rozar Limpiar, artigar, escaliar, 'socalar. || Rascar, raspar. || Besar, tocar, rasar, acariciar, lamer, rabosear.

rozarse Tratarse, relacionarse. || Trabarse, tartajear. || Parecerse, asemejarse.

roznar Ronzar. || Rebuznar.

roznido Rebuzno.

rozno Asno, burro, borrico, pollino, rucio, rucho, jumento.

rozo Leña, chasca, chabasca, ramiza.

rozón Guadaña, címbara.

'ruana Capote, poncho.

ruano Callejero.

ruano Bayo, roano.

ruar Callejear, pasear, rondar.

rúbeo Rojo, rojizo, rubescente.

rubí Carbunclo, carbúnculo, piropo, rubín.

rubia Granza.

rubicán Rosado.

rubicundo Rojo, colorado, escarlata, grana. || Rubio. || Sanguíneo. || Rechoncho, redondo, rotundo.

'rubiera Calaverada, travesura. || Diversión, jira.

rubio Rubial, rubicundo, rubicán, rútilo, blondo, bermejo.

rubor Erubescencia, sonrojo, soflama, bochorno. || Timidez, empacho, vergüenza, candor, candidez. ↔ *Desvergüenza, desempacho.*

ruborizado Confuso, atolondrado, embarazado. ↔ *Desenvuelto.*

ruborizar Avergonzar, sonrojar, abochornar.

ruborizarse Bajar los ojos.

ruboroso Vergonzoso, rojo, encarnado. ↔ *Pálido.*

rúbrica Marca, rasgo, registro, signatura, 'rubro. || Título, epígrafe, rótulo. || Bermellón.

rubricar Firmar, subscribir, visar, refrendar.

rubro Encarnado, rojo.

'rubro Rúbrica, título, rótulo.

rucio Pardo, blanquecino. || Canoso, entrecano. || Pollino, asno, rucho.

'ruco Viejo, inútil. || Matalón.

rucho Rucio, pollino, asno.

rudeza Rudez, brusquedad,

descortesía, grosería, torpeza, aspereza, tosquedad. ↔ *Cortesía, obsequiosidad.*

rudimentario Rudimental, elemental, embrionario, primitivo, básico, fundamental, inicial. ↔ *Perfecto, acabado, complicado.*

rudimento Principio, embrión, germen, noción, esbozo, iniciación, fundamento, institución.

rudo Tosco, bruto, basto, áspero. ↔ *Refinado.* || Descortés, grosero, brusco, mazorral, ceñudo, torpe, porro, zote, romo, obtuso, boto, zambombo, duro. ↔ *Cortés, amable, atento.* || Violento, riguroso, impetuoso. ↔ *Plácido.*

rueda Círculo, rolde, troco, corro, ruedo, rodaja, lonja, rebanada, tajada. || Turno, vez, tanda.

ruedo Esterilla, estera, felpudo. || Círculo, circunferencia. || Contorno. || Límite, término.

ruego Plegaria, jaculatoria, prez, súplica, petición, instancia, solicitud, plegaria, deprecación. ↔ *Exigencia.*

'rufa Traílla.

rufián Chulo, alcahuete, baratero, 'lunfardo.

rufo Rubio, rojo, bermejo, 'choco. || Encrespado, ensortijado, encrujado. ↔ *Lacio.*

rugido Bramido. || Estruendo, trueno, retumbo.

ruginoso Mohoso, herrumbroso.

rugir Bramar. || Crujir, rechinar, chirriar.

rugosidad Arruga, pliegue, estría, frunce.

rugoso Arrugado, desigual, ondulado. ↔ *Plano.*

ruibarbo Rubárbaro.

ruido Rumor, ronroneo, murmullo. || Pleito, litigio, pendencia, escándalo, barahúnda, alboroto, barbulla, zarabanda, trápala, tiberio, batahola, estrépito, 'baluma. ↔ *Silencio.* || Novedad, rareza.

ruido (sin) A la chita callando.

ruidoso Sonado, escandaloso.

ruin Indigno, vil, despreciable, miserable, bajo, bajuno, bahúno, malandrín, malo, enalmagrado, 'chuchumeco, 'carcamán, 'fregado, 'zaragate, 'gurrumino. ↔ *Digno.* || Raquítico, enclenque, pequeño, humilde, escuchimizado, desmedrado. ↔ *Grande, desarrollado.* || Mezquino, avaro, tacaño, roñoso, cutre, miserable. ↔ *Generoso.*

ruina Perdición, destrucción, devastación, destrozo, desolación, decadencia, fin, pérdida, quiebra, decaimiento, hundimiento, caída, bancarrota, fracaso, barquinazo. ↔ *Suerte, fortuna, apogeo.*

ruinas Vestigios, restos, despojos, escombros, 'tapera.

ruindad Vileza, indignidad, infamia, bajeza, villanía, maldad. ↔ *Bondad, dignidad.* || Avaricia, tacañería, mezquindad, roñería. ↔ *Generosidad.*

ruinoso Cadente, decadente. || Desmedrado, pequeño, desmirriado. ↔ *Grande.* || Caro, costoso. ↔ *Barato.* || Desgraciado, perjudicial.

ruiponce Rapónchigo.

ruiseñor Roncal, filomela,

R

rulo Rodillo, cilindro.

'rumbeador Baquiano.

rumbo Ruta, dirección, orientación, camino, senda. || Pompa, ostentación, gala, boato, aparato. || Desinterés, garbo, generosidad, liberalidad, desprendimiento.

'rumbo Parranda. || Pájaro mosca.

rumboso Aparatoso, ostentoso, suntuoso, magnífico, lujoso, espléndido, pomposo. ↔ *Miserable.* || Generoso, rumbón, desprendido, desinteresado, liberal, dadivoso. ↔ *Avaro, mezquino.*

rumi Cristiano.

rumiar Remugar, mascar. || Estudiar, examinar, meditar, remachar. || Refunfuñar, rezongar, mascujar, mascullar.

rumor Runrún, murmurio, murmullo, tole tole, zumbido, ruido, susurro. || Mareta, son. || Chisme, hablilla.

rumorearse Susurrarse, decirse, runrunearse, andar de boca en boca, sonar, correr la voz.

'runcho Zarigüeya.

'rundún Pájaro mosca.

runfla Colección, serie, clase.

'rungue Tronco, troncho.

runrún Rumor.

ruptura Rompimiento, desavenencia, enemistad, separación, riña, pelea. ↔ *Amistad.* || Rotura.

rural Rústico, campesino, inculto, tosco, campestre. ↔ *Urbano.*

'rurrupata Nana.

rus Zumaque.

rusco Brusco, jusbarba.

rusticano Rústico, silvestre. ↔ *Cultivado.*

rusticidad Rustiquez, rustiqueza, tosquedad, grosería, ordinariez, rudeza, torpeza, selvatiquez, patanería, salvajismo, zafiedad, tochedad, incultura. ↔ *Educación, cultura, refinamiento.*

rústico Palurdo, patán, burdo, inculto, rudo, tosco, basto, grosero, zafio, ordinario, descortés, zamarro, zambombo, 'barbaján, 'chontal, 'montuno. ↔ *Educado, culto.* || Aldeano, pueblerino, campesino, labriego, campestre. ↔ *Urbano.* || Agreste, pastoril, rus-

ticano, rustical. ↔ *Cultivado.*

rustiquez o **rustiqueza** Rusticidad.

'rustir Soportar, sufrir, aguantar.

ruta Derrota, itinerario, rumbo, derrotero, dirección, rauta, rota, vía, senda, camino.

rutilante Brillante, coruscante, resplandeciente, fulgurante, llameante, flameante, chispeante, fúlgido, rútilo, centelleante. ↔ *Apagado.*

rutilar Llamear, resplandecer, refulgir, fulgurar, brillar, relumbrar, coruscar, destellar, cabrillear, rielar, fucilar, chispear, centellear.

rútilo Rubio, áureo. || **Rutilante.**

rutina Uso, costumbre, hábito, práctica, habitud, usanza, querencia, tradición.

rutinario Rutinero, inveterado, común, trillado, sólito, frecuente, acostumbrado, habitual, cursado. ↔ *Insólito.*

ruzafa Jardín, parque, vergel.

s

sábalo Alosa, saboga, trisa.

sabana Planicie, llanada, paramera, páramo, llanura, 'sabanazo, 'sao. ↔ *Selva.*

sábana 'Cobija.

'sabanazo Sabana, pradera.

sabandija Bicho, musaraña, cojijo. ‖ Golfo, granuja, zascandil.

'sabanilla Cubrecama, cobertor.

'sabara Neblina.

sabedor Instruido, entendido, sabiente, docto, conocedor. ↔ *Ignorante.*

saber Sapiencia, sabiduría, cultura, sabihondez, ciencia, erudición, ilustración, conocimiento, inteligencia. ↔ *Ignorancia.*

saber Entender, conocer, dominar, poseer, advertir, estar al corriente, estar fuerte en, estar al tanto, no meterse el dedo en la boca. ↔ *Ignorar, desconocer.* ‖ Semejarse, parecerse, hablar al paladar, tener sabor a. ‖ Acomodarse, adaptarse, sujetarse.

sabidillo Sabihondo.

sabido Noto, notorio, público, consabido, familiar, en boca de todos, de boca en boca. ↔ *Ignorado.* ‖ Sabio.

sabiduría Saber. ↔ *Ignorancia.* ‖ Juicio, tino, sensatez, cordura, prudencia, seso. ↔ *Imprudencia.* ‖ Conocimiento, noticia.

sabihondo Sabidillo, sabelotodo, marisabidilla, pedante, resabido, redicho, doctoral. ↔ *Modesto.*

sabio Docto, culto, doctor, entendido, documentado, impuesto, erudito, esciente, competente, instruido, ilustrado, fuerte, inteligente, lumbrera, pensador, filósofo, prudente, perito, sabido, sapiente, versado, sesudo, salomón, séneca. ↔ *Ignorante, inculto.*

sablazo Estocada. ‖ Petición, préstamo, guante, 'cala.

sable Charrasca, chafarote, 'catana.

sablista Parchista, petardista, parásito, sacacuartos, sacadientes, mangante.

sabor Sapidez, gusto, gustillo, saborcillo, boca, deje, paladar, *bouquet.

saboreamiento Degustación, saboreo, paladeo.

saborear Gustar, degustar, paladear, probar, catar, libar, chuparse los dedos, gozar. ‖ Sazonar, sainetear.

saboreo Saboreamiento.

sabotaje Desperfecto, daño, perjuicio, deterioro.

sabroso Delicioso, agradable, gustoso, suculento, exquisito, rico, apetitoso, deleitable, sazonado, excelente. ↔ *Soso, insulso.*

sabuco Saúco, sabugo.

sabueso Pesquisidor, olfateador, indagador, policía, espía.

sábulo Arena.

sabuloso Arenoso.

saca Extracción, transporte, exportación. ‖ Duplicado, copia. ‖ 'Sacada.

sacabocados Treta, ardid, argucia, trampa, procedimiento, medio, resorte, arma.

sacabuche Títere, chisgarabís, chiquilicuatro, renacuajo.

'sacabuche Cuchilla.

sacacorchos Tirabuzón, sacatapón.

sacacuartos Sacadineros.

'sacada y **'sacadura** Saca, sacamiento.

sacadilla Gancho.

sacadineros Socaliña, timo, estafa, engañifa, sacacuartos. ‖ Enlabiador, engañabobos, socaliñero, pe-

S

tardista, sablista, farandulero.

sacamiento 'Sacada, 'sacadura.

sacamuelas Dentista, sacamolero, saltabanco. || Charlatán, parlanchín, cotorra, trápala, garlador, hablador, bachiller, fodolí, tarabilla. ↔ *Corto, callado.*

sacar Extraer, quitar, separar, alejar, apartar, abrir, arrancar, desenterrar, descubrir, desempolvar, exhumar, desencajonar, desenjaular, vaciar, achicar, desaguar, exprimir. ↔ *Poner, introducir.* || Aprender, averiguar, solucionar, resolver, lograr, obtener, alcanzar, conseguir, colegir, deducir, inferir, desenmarañar, descifrar, hallar. || Votar, elegir, sortear. || Ganar, lucrarse. || Excluir, exceptuar, separar. ↔ *Incluir.* | Manifestar, exponer, revelar, mostrar, enseñar. ↔ *Esconder.* || Inventar, crear, producir, concebir. || Citar, nombrar, mencionar. || Atribuir, aplicar, apodar, tildar.

sacarosa Azúcar.

sacasillas Metemuertos, entremetido, inoportuno, impertinente.

sacatapón Sacacorchos, tirabuzón.

sacatrapos Descargador.

sacerdocio Ministerio sagrado, estado eclesiástico. ↔ *Estado laico.*

sacerdotal Eclesiástico, clerical, hierático. ↔ *Seglar.*

sacerdote Clérigo, cura, capellán, ministro de Dios, padre, mosén, eclesiástico, religioso, prelado, abate. || Pastor, rabino, bracmán,

lama, bonzo, flamen, augur, pope.

saciado Lleno, repleto, satisfecho, ahíto, harto, sacio, tofo. ↔ *Hambriento.*

saciar Hartar, satisfacer, llenar, ahitar, atracar, repletar, empachar, saturar, atestar, cebar, rellenar, colmar, abrevar, atiborrar, empapujar, atarugar.

saciarse Apiparse, empiparse, empajarse, tupirse, matar el hambre, sacar el vientre de penas, sacar el vientre de mal año. ↔ *Pasar hambre, hambrear.*

saciedad Repleción, hartura, hartazgo, hartazón, hartaga, saturación, empalago, panzada, atracón, asco, empacho, cansancio, satisfacción. ↔ *Necesidad, hambre.*

sacio Saciado, harto. ↔ *Hambriento.*

saco Saca. || Bolsa, talego, valija, bolso, 'guangocho. || Mochila, zurrón, macuto, morral. || Desvalijamiento, saqueo, robo. || Hato, montón. || Gabán, sobretodo, abrigo. || Saque. || Ensenada, bahía, abra, rada.

'saco Chaqueta, americana.

sacramental Indeleble. || Ritual, acostumbrado, consagrado, habitual. ↔ *Extemporáneo.*

sacramentar Ungir.

sacramento Misterio. || Juramento.

sacrificado Víctima, mártir. ↔ *Sacrificador.*

sacrificador Inmolador, victimario. ↔ *Sacrificado.*

sacrificar Inmolar, lustrar, ofrendar, libar, ofrecer. || Degollar, matar. || Arriesgar, apeligrar, exponer,

apostar, jugar. || (una res.) 'Carnear.

sacrificarse Consagrarse, dedicarse, conformarse, resignarse, aguantarse, privarse, sufrir. ↔ *Regalarse.*

sacrificio Inmolación, oblación, holocausto, propiciación, ofrenda, hecatombe, lustración, libación. || Renunciamiento, abnegación, privación, desinterés, abandono. ↔ *Beneficio, ganancia.*

sacrilegio Profanación, impiedad, perjurio, violación, blasfemia. ↔ *Veneración, adoración.*

sacrílego Impío, profano, profanador, blasfemo. ↔ *Devoto, fiel, pío.*

sacristán Monaguillo, chupacirios, rapavelas, 'fiscal. || Tontillo.

sacudida Sacudimiento, agitación, revolución, conmoción, temblor, sobresalto, zangoloteo, zaleo, zarandeo, terremoto, vibración, palpitación, salto, golpe, movimiento.

sacudido Áspero, indócil, intratable, desabrido, díscolo. ↔ *Dócil.* || Resuelto, desenfadado, audaz, atrevido. ↔ *Tímido.*

sacudimiento Sacudida.

sacudir Agitar, mover, menear, remover, zarandear, zamarrear. ↔ *Dejar, posar.* || Golpear, pegar, batanear. || Zurrar, vapulear, solfear, apalear, sotanear.

sachar Sallar, escardar, 'carpir.

saeta Flecha, dardo, vira, jara, rehilete, sagita. || Manecilla, aguja, minutera. || Brújula. || Cante, canto, copla.

saetear Asaetear, alancear.

saetilla Manecilla, saeta, minutera. || Sagitaria.

saga Encantadora, adivina, hechicera, bruja.

saga Leyenda.

sagacidad Perspicacia, sutileza, astucia, penetración, taimería, solercia, política, refinamiento, cautela. ↔ *Ingenuidad, ceguera, obtusidad.*

sagaz Astuto, ladino, cauto, taimado, sutil, travieso, perspicaz, peje, inteligente, previsor, prudente, avisado, artero, 'ardiloso, sensato, refinado, guitarrón. ↔ *Corto, obtuso.*

sagita Saeta, flecha.

sagitaria Saetilla.

sagrado Sacro, sacrosanto, consagrado, bendito, santificado, canonizado, sacratísimo. ↔ *Profano.* || Venerable, respetable, inviolable, intangible, improfanable. ↔ *Inverecundo.* || Asilo, amparo, auxilio.

sahornarse Excoriarse, escocerse, escaldarse.

sahorno Excoriación, escocedura, erosión, rozadura.

sahumador Perfumador, incensario.

sahumar Incensar, aromatizar, perfumar.

sahumerio Sahúmo, sahumadura, incienso, incensada.

saín Gordura, grosura, gordo, grasa, crasitud.

sainete Salsa, aderezo. || Entremés, atelana.

sajador Jasador, sanfrador. || Escarificador.

sajadura Jasa, jasadura, saja.

sajar Escarificar. || Cortar, sangrar.

sal Gracia, salero, garbo,

sandunga, donaire, donosura, chispa. ↔ *Desabrimiento, adustez.*

sala Pieza, salón, aposento, aula, tarbea.

sala de espera Antecámara.

sala de estar Habitación, *living.

salabardo Redeña.

salacidad Lubricidad, lascivia. ↔ *Castidad.*

'saladería Saladero.

saladero 'Saladería.

salado Salobre, salobral, salino. ↔ *Dulce, agradable.* || Saleroso.

'salado Desgraciado, infortunado.

'salamanca Cueva, gruta. || Salamandra.

salamandra Salamántiga, 'salamanca.

salamanquesa Estelión, salamandria.

'salamanquina Lagartija.

salar Sazonar, curar, conservar.

'salar Manchar, deshonrar, mancillar. || Desgraciar, estropear.

salario Paga, mensualidad, sueldo, soldada, haber, emolumento, devengo, estipendio, honorarios, gajes.

salaz Lúbrico, libidinoso, lujurioso, lascivo, sensual. ↔ *Casto.*

salazón 'Cecina.

salchichón Longaniza.

saldar Liquidar, pagar, abonar, satisfacer.

saldo Liquidación, remate, finiquito. || Resto, macana.

salero Gracia, garbo, donosura, donaire, chispa, sandunga, sal. ↔ *Desabrimiento, adustez.*

saleroso Donairoso, garboso, salado, gracioso, chis-

toso, sandunguero, ocurrente, agudo. ↔ *Desmañado, torpe.*

salicaria Arroyuela.

salicor Sapina.

salida Marcha, partida. || Mutis. || Apertura, abertura, desembocadura, puerta, derrame, sesgo. ↔ *Oclusión, cerramiento.* || Saliente, resalto. || Despacho, venta, mercado. || Escapatoria, pretexto, recurso, subterfugio. || Medio, razón. || Fin, término, resultado. || Ocurrencia, agudeza, chiste.

salida (callejón sin) Obstáculo, dificultad.

saliente Aparente, prominente, visible, manifiesto, exterior. ↔ *Entrante, escondido.* || Resalte, resalto, salida, pezón, garrancho. || Levante, oriente, este, orto. ↔ *Poniente.*

salino Salado, **salobre.**

salir Partir, ir, marcharse, ausentarse, alejarse, ponerse en camino. ↔ *Quedarse.* || Librarse, libertarse, desembarazarse. || Aparecer, brotar, surgir, nacer, manifestarse, descubrirse. ↔ *Aparecer.* || Desprenderse, echarse, arrojarse. || Sobresalir. || Provenir, proceder, provenir, organizarse. || Ocurrir, sobrevenir, quedar, resultar. || Importar, costar. || Asemejarse, parecerse.

salirse Derramarse, rebosar, desbordar. ↔ *Caber.*

salir por Fiar, abonar, defender. ↔ *Rehuir.*

salitre Nitro.

saliva Baba, babaza.

saliva (tragar) Aguantar, soportar.

'salivadera Escupidera.

S salivazo Salivajo, escupitajo.

salma Tonelada.

salmantino Salamanqués, salamantino, salmantinense, salmanticense.

salmo Alabanza, cántico.

salmodiar Salmear, oficiar. || Modelar, entonar.

salmón Bical, esguín.

salmonado Asalmonado.

salmonete Trilla, tringla, barbo de mar.

salmuera Aguasal.

salobre Salino, salado.

salón Tarbea, sala.

salón de actos Paraninfo.

salpa Salema, pámpano.

salpicado Tigrado, abigarrado, manchado, cebrado, picado, pecoso, jaspeado.

salpicadura Salpicón, salpique.

salpicaduras Consecuencias, resultados.

salpicar Esparcir, asperjar, rociar, aspergiar, aspergear, escarchar, crispir.

salpimentar Adobar, sazonar. || Amenizar.

salpullido Sarpullido, erupción.

salsa Moje, ajilimójili.

salserilla Taza.

saltabanco Saltimbanqui, saltimbanco, saltaembanco, charlatán, sacamuelas, titiritero, saltador, bufón, payaso.

saltabardales Saltaparedes. || Saltarín.

'saltagatos Saltamontes.

saltamontes Cigarrón, caballeta, saltón, saltarén, 'saltagatos.

'saltanejoso Ondulado, accidentado, tortuoso.

saltaojos Peonía.

saltaparedes Saltabardales, saltabarrancos, travieso, alocado. ↔ Sensato.

saltar Brincar, cabriolar, chopar, retozar, pingar, botar. || Lanzarse, arrojarse, desprenderse. || Franquear, atravesar, zanquear. || Romperse, quebrantarse. || Resentirse, picarse. || Omitir, pensar, olvidar.

saltarín Danzarín, bailarín, saltante, saltador, saltabardales.

salteador Bandolero, bandido, ladrón, malhechor.

saltear Asaltar, ◦mbestir, acometer, salir al camino, salir al encuentro. || Sobrecoger, sorprender, ocurrir, sobrevenir.

salterio Dulcémele.

saltimbanco o saltiembanco Saltabanco.

salto Brinco, bote, corbeta, rebote, tranco, cabriola, gambeta, zancada, pirueta, retozo. || Precipicio, despeñadero, derrumbadero, desgalgadero. || Chorro. || Asalto. || Variación, tránsito, cambio, mutación. ↔ Permanencia. || Omisión, olvido. ↔ Recuerdo.

salto de agua Cascada.

saltón Sobresaliente, cóncavo, turgente. || Saltamontes.

'saltón Sancochado.

salubre Saludable, higiénico, salutífero, sano. ↔ Insano, malsano, insalubre.

salubridad Sanidad. ↔ Insalubridad.

salud Salvación, salvamento. || Refugio, sanidad, remedio. ↔ Enfermedad. || Gracia. ↔ Condenación.

saludable Salubre, sano, salutífero, higiénico. ↔ Insano, insalubre. || Conveniente, beneficioso, provechoso. ↔ Perjudicial.

saludador Embaucador, ensalmador, curandero, hechicero.

saludar Cumplimentar, dar los buenos días, dar la bienvenida. || Proclamar.

saludo Reverencia, salutación, salva, zalema. || Cabezada, cabezado, inclinación, sombrerazo. || Besamano, apretón.

salumbre Flor de la sal.

salva Prueba, cata. || Saludo, salutación, bienvenida. || Descarga. || Juramento, promesa.

salvación Salud.

salvadera Arenillero.

salvado Moyuelo, afrecho, bren.

salvador Protector, defensor.

Salvador (El) Jesucristo, Mesías, Redentor.

salvaguardia Guarda, custodia. || Salvoconducto, pasaporte. || Garantía, amparo, tutela, patrocinio.

salvajada Atrocidad, barbaridad, brutalidad, salvajería, salvajez.

salvaje Inculto, áspero, montaraz, montuoso, montés, silvestre, selvático, agreste, bravío, meco. ↔ Culto, cultivado, hospitalario. || Bárbaro, cruel, feroz, atroz, incivil, brutal, indómito, arisco, indomable, insociable. ↔ Dócil, civilizado. || Rudo, zafio, terco, torpe. ↔ Listo, inteligente.

salvajismo Salvajez, atrocidad, brutalidad, barbaridad, incivilidad, ferocidad. ↔ Civilidad, civilización.

salvar Librar, liberar, proteger, sacar. ↔ Condenar, abandonar. || Evitar, exceptuar, excluir. ↔ *Incluir.* || Franquear, vencer, atravesar, escalar, saltar. ↔ *Topar, encontrar.*

salvedad Descargo, excusa, cortapisa, enmienda, excepción, limitación. ↔ *Inclusión.*

'salvilla Angarillas.

salvo Indemne, incólume, ileso, libre, horro, seguro, viviente, libertado. ↔ *Perjudicado, herido, dañado.* || Excepto, exceptuado, omitido, excluso, excluido. ↔ *Incluso, incluido.*

salvoconducto Salvaguardia, pasaporte, pase, permiso, licencia, despacho.

sama Pagel.

sámago Albura, líber.

sambenito Difamación, descrédito, mala nota, profazamiento, vituperio, deshonra. ↔ *Honra, crédito.*

'sambubia Mazmorra.

'samotana Zambra, bulla, algazara.

samovar Tetera.

sampsuco Mejorana, almoraduj.

'samuro Aura, zopilote.

sanalotodo Curalotodo, panacea.

sanar Curar, reponerse, mejorar, restablecerse, convalecer, recobrarse, desempeorarse, pelechar. ↔ *Empeorar, enfermar.*

sanatorio Nosocomio, convalecencia, hospital, balneario.

sanción Pena, punición, castigo. || Ley, norma, ordenanza, estatuto. || Venia, aprobación, autorización, anuencia. ↔ *Denegación.*

sancionar Autorizar, confirmar, aprobar, convalidar, ratificar, homologar. ↔ *Desaprobar.*

'sanco Gachas. || Barro, lodo.

'sancochado Saltón.

sancocho Batiborrillo, frangollo, bazofia.

sancta Santuario.

sanctasanctórum Intimidad, profundidad, reserva. || Desiderátum, excelencia. || Santuario.

sandalia Cacle, caite, 'chalala, 'guarache, 'usuta, 'quinfa, 'ojota.

sandalias Suelas.

sandáraca Rejalgar.

sandez Necedad, mentecatería, simpleza, tontería, insensatez, vaciedad, bobería, cretinismo, 'arracachá. ↔ *Sensatez.*

sandía Pepón, badea.

sandio Necio, tonto, bobo, cretino, fatuo, ganso, estulto, estólido, alelado, atontado, limitado, pazguato, vacío, torpe, zamarro. ↔ *Avispado, listo.*

sandunga Sal, gracia, donaire, salero, gracejo, gallardía, garbo, galanura, jocosidad, gachonería. ↔ *Insulsez, desabrimiento.*

'sandungo Jarana, jolgorio.

sandunguero Garboso, gracioso, salado, saleroso, ocurrente, donairoso, jacarandoso, chusco, jocoso, chirigotero, loquesco. ↔ *Insulso, torpe.*

saneamiento Limpieza, higiene. ↔ *Insanidad.*

sanear Higienizar, purificar. || Reparar, remediar, arreglar, componer. ↔ *Estropear.*

sangradera Lanceta. || Acequia, caz.

'sangradera Sangría.

sangrancia Riña, rija, pelotera, peleona.

sangrador Sajador, jasador.

sangradura Sajadura, sangría, flebotomía. || Desagüe, salida, paso, avenamiento, abertura. ↔ *Atascamiento.*

sangrar Sajar, jasar, abrir. || Desaguar. || Hurtar, robar, sisar, escamotear.

sangre Púrpura, crúor. || Familia, linaje, estirpe, parentesco, casta, raza.

sangre fría Serenidad, denuedo, impavidez, valor, tranquilidad. ↔ *Cobardía.*

sangre azul Nobleza, aristocracia.

sangre (hervirle la o bullirle la) Mocear, pubescer, piñonear.

sangre (en la) Innato, hereditario. ↔ *Adquirido.*

sangría Sangradura, jasadura, sajadura, flebotomía, 'sangradera. || Incisión, corte, brecha. || Hurto, extracción, robo. || Refresco, vinolimón.

sangriento Sanguinolento, sangrante, cruento, ensangrentado, mortífero. ↔ *Incruento.* || Insultante, injurioso. || Sanguinario, inhumano, cruel. ↔ *Pacífico.*

'sanguaraña Circunloquio, rodeo.

sanguijuela Sanguja, sanguisuela, 'pingüín.

sanguinario Inhumano, feroz, sangriento, feral, sanguinoso, sanguino, cruel, vengativo, 'iracundo, neroniano. ↔ *Pacífico.*

sanguino Sanguinario. || Aladierna. || Cornejo.

sanguinolento Sangriento, cruento.

sanguinoso Sanguinario.

sanguisorba Pimpinela.

sanguja Sanguijuela.

sanidad Salubridad, higiene,

S salud. ↔ *Insanidad, insalubridad.*

sanies Icor.

sano Saludable, bueno, salutífero, higiénico, salubre, católico. ↔ *Insano.* || Lozano, robusto, morocho. ↔ *Decaído.* || Entero, inmune, incólume, intacto, fresco, fuerte, íntegro. ↔ *Herido, dañado.* || Recto, sincero, viable. ↔ *Falso.*

sano (cortar por lo) Resumir, abreviar, ahorrar.

sano y salvo Ileso, indemne, sano.

sansirolé Bobalicón, papanatas, necio, bobo, pazguato, tonto. ↔ *Listo.*

sansón Hércules, atleta.

santabárbara Polvorín.

santanderino Santanderiense, montañés.

santiamén Periquete, tris, instante, segundo, soplo, momento.

santiamén (en un) En un decir Jesús, en un dos por tres, en un avemaría, en un decir, amén, en menos que canta un gallo, en un abrir y cerrar de ojos, en un ay.

santidad Santimonia.

santificación Canonificación, glorificación. ↔ *Condenación.*

santificar Consagrar, loar, bendecir, beatificar, nimbar, aureolar, glorificar. ↔ *Condenar.* || Abonar, justificar, excusar, disculpar, arrepentirse.

santiguarse Persignarse, hacerse cruces. ↔ *Jurar.*

santo San, bienaventurado, sacrosanto, sagrado, augusto, bendito, justo, puro, perfecto, virtuoso, ejemplar, elegido, dilecto, predestinado, glorificado,

sacro. ↔ *Impío, diabólico.* || Medicinal, curativo, salutífero. ↔ *Perjudicial.* || Soberano, real. || Imagen. || Estampa, dibujo, grabado, viñeta. || Onomástica, festividad. || Nombre, consigna.

santo de (a) Con motivo de, a fin de, con pretexto de, so pretexto de.

santo de su devoción (no ser) Desagradar, desconfiar, recelar.

santo al cielo (írsele el) Olvidarse, perder el hilo, aturrullarse.

santónico Tomillo blanco. || Semencontra.

santoral Hagiografía. || *Flos sanctórum.

santuario Templo, ermita, capilla, iglesia, casa de devoción. || Sancta, tabernáculo, sanctasanctórum.

'santuario Tesoro.

'santulón Santurrón.

santurrón Santucho, 'santulón, santón, gazmoño, hipócrita, mojigato, beato, tartufo, misticón. ↔ *Piadoso.*

saña Furor, crueldad, rencor, enojo, ira, irritación, encono, furia, cólera, virulencia. ↔ *Apacibilidad.*

sañudo Sañoso, rencoroso, cruel, virulento. ↔ *Pacífico.*

'sao Sabana, estepa.

sapidez Sabor, boca, gusto.

sápido Gustoso, sabroso, saporífero, apetitoso. ↔ *Desaborido.*

sapiencia Saber, conocimiento, conocer, sabiduría, sabihondez. ↔ *Ignorancia.*

sapiente Sabio, conocedor, culto, ilustrado. ↔ *Ignorante.*

sapo Escuerzo, calamito.

'sapo Suerte, chiripa.

saponoso Jabonoso.

saporífero Sápido. ↔ *Desaborido.*

saque Saco.

saqueamiento Saqueo.

saquear Saltear, depredar, merodear, pecorear, pillar, garbear, entrar a saco, correr, robar.

saqueo Saco, salteo, sacomano, capeo, pillaje, pecorea, saqueamiento, pilla, ladronicio, latrocinio, atraco, robo.

'sarape Capote.

sarapia Sarrapia.

sarápico Zarapito.

'saraviado Pintado, moteado, manchado.

sarcasmo Mordacidad, ironía, causticidad, retintín, quemazón, chanza, zaherimiento, chafaldita, burla, rehilete. ↔ *Adulación, cumplimiento.*

sarcástico Irónico, satírico, cáustico, mordaz, punzante, venenoso, sardónico, virulento, agresivo, pullista, dicaz, zaheridor. ↔ *Cumplimentoso, adulador.*

sarcia Recua, carga, fardaje, fardería.

sarcófago Sepulcro, tumba, carnero, pudridero, sepultura, enterramiento.

sarcolema Miolema.

sarda Caballa.

sardina Parrocha.

sardónice Sardónica, ágata.

sardónico Sarcástico. || Sardo, sardesco.

sargalillo Saciña.

sargentear Capitanear, mandonear.

sargentona Marimacho, maritornes.

sarilla Mejorana.

sarmentoso Huesudo, nudoso.

sarmiento Jerpa, serpa, pámpano.

sarna Acariasis, roña, 'caracha.

sarnoso Roñoso, escabioso, 'carachento, 'carachentoso.

sarraceno Musulmán, mahometano, islámico, moro, árabe, agareno, ismaelita.

sarracina Riña, pelea, rija, lucha, marimorena.

sarro Limosidad, tártaro, releje. || Saburra. || Roya.

sarta Serie, retahíla, rosario, letanía, teoría, hilera, sartal, cadena, recua, ristra, fila, sucesión, ringlera, horco.

sartén Padilla, paila.

sartén (fruta de) Buñuelo.

sastre Alfayate, costurero, modista.

satán Satanás, diablo, demonio.

satánico Diabólico, demoníaco, endemoniado, endiablado, perverso, protervo, infernal, condenado. ↔ Angélico, celestial.

satélite Luna. || Secretario, edecán, corchete, alguacil, dependiente, paniaguado, mercenario.

satinado Terso, lustroso, pulido. ↔ Áspero.

sátira Crítica, ironía, mordacidad, dicacidad, indirecta, rehilete, vareta, remoquete, epigrama. ↔ Elogio, loa.

satírico Cáustico, punzante, incisivo, burlón, burlesco, irónico, zaheridor, mordaz, dicaz, epigramático, sarcástico. ↔ Elogiador, panegirista.

satirizar Censurar, burlarse, ridiculizar, zaherir, motejar, criticar, freír, flagelar, vejar, cancerar,

poner como nuevo. ↔ Elogiar, loar.

sátiro Lascivo, lúbrico, libidinoso, licencioso. ↔ Casto.

satisfacción Remuneración, pago, recompensa, retribución, paga. || Excusa, disculpa, descargo, reparación. || Vanidad, presunción, orgullo, ensoberbecimiento. || Respuesta, contestación, réplica, solución, consulta. || Tranquilidad, confianza, gusto, placer, agrado, contento. || Cumplimiento, observancia, consecución.

satisfacer Abonar, pagar, solventar, indemnizar, compensar, reparar, expiar, saldar. ↔ Dañar, lesionar. || Cumplir, desempeñar, evacuar, observar, absolver, obedecer, guardar. ↔ Incumplir, inobservar. || Contentar, saciar, llenar, hartar, ahitar, saturar, repletar, impregnar. ↔ Vaciar, despojar. || Resolver, solventar, despachar. || Aquietar, aplacar, tranquilizar. ↔ Excitar, inquietar.

satisfacerse Vengarse, desquitarse, resarcirse. ↔ Perdonar. || Persuadirse, convencerse, darse por satisfecho. ↔ Sospechar, dudar.

satisfactorio Grato, agradable, lisonjero, ameno, cómodo, confortable, próspero, favorable, satisfaciente, halagador. ↔ Insatisfactorio, desagradable. || Soluble, solvente, resoluble.

satisfecho Dichoso, feliz, radiante, contento, campante, boyante, ufano,

complacido. ↔ Insatisfecho, desgraciado. || Orgulloso, vanidoso, preciado, presumido, ensoberbecido, presuntuoso, pagado de sí. ↔ Humilde, sin pretensiones.

sátrapa Astuto, ladino, zascandil, zorro, culebrón, camastrón. ↔ Torpe, zafio.

saturar Satisfacer, saciar. || Impregnar, llenar, ensopar, empapar.

saturnino Triste, sombrío, taciturno, melancólico, mohíno, tristón. ↔ Alegre.

sauce Salce, sauz, saz.

sauzgatillo Agnocasto.

savia Jugo. || Fuerza, vigor, sangre, energía.

saya Basquiña, falda, 'chircate, 'fondo.

sayagués Burdo, grosero, basto, chanflón. ↔ Fino.

sayo Casaca, capote, 'centro. || Vestido, vestidura, traje.

sayo (cortar un) Murmurar, censurar. ↔ Alabar.

sayo. (decir para su) Recapacitar.

sayón Verdugo, alguacil, sicario.

sazón Madurez, punto, envero. ↔ Inmadurez. || Perfección, refinamiento, culminación, cumplimiento, perfeccionamiento. ↔ Precocidad. || Oportunidad, ocasión, coyuntura, lance, proporción, circunstancia. ↔ Inoportunidad.

sazón (a la) Entonces, en esta ocasión.

sazonar Adobar, aderezar, aliñar, salpimentar, condimentar, marinar, salar, especiar, escabechar. || Concluir, perfeccionar, rematar, apurar, extremar, madurar.

S sebe Barda.
sebestén Sebastiano.
secadal Secano.
secadero Sequero.
secamiento Arefacción.
secano Secadal, sequedal, sequeral, sequío, sequero, rulo. ↔ Regadío.
secano (abogado de) Incapaz, inútil, leguleyo.
secante Chupón.
secar Desecar, enjugar, agotar. ↔ Mojar. || Agostar, marchitar. ↔ Lozanear. || Fastidiar, aburrir, molestar, importunar. ↔ Tranquilizar.
secarse Enflaquecer, extenuarse, apergaminarse. ↔ Engordar.
sección División, porción, fracción, escisión, separación, ruptura, cortadura, corte. ↔ Unidad. || Grupo, departamento, sector, división.
seccionar Dividir, partir, separar, escindir, desunir, despedazar, hender, fraccionar. ↔ Unir.
secesión Separación, segregación. ↔ Unión. || Apartamiento, alejamiento, retraimiento. ↔ Acercamiento.
seco Chupado, desecado, enjugado, exprimido. ↔ Húmedo, mojado, acuoso. || Anhidro. ↔ Hidratado. || Agostado, marchito, sarmentoso. ↔ Lozano. || Flaco, delgado, enjuto, magro. ↔ Gordo, obeso. || Estéril, árido. ↔ Feraz. || Áspero, desabrido, adusto. ↔ Amable. || Riguroso, estricto. ↔ Benevolente, complaciente.
'seco Golpe, coscorrón. || Cachada.
secreción Segregación.

secretar Destilar, evacuar, gotear, filtrar, segregar.
secretaría Covachuela, ministerio, oficina.
secretario Amanuense, actuario, escribano, memorialista, hombre de confianza. ↔ Jefe, encargado. || Ministro.
secreto Recóndito, ignorado, escondido, oculto, enigmático, misterioso, arcano, reservado, confidencial, clandestino, íntimo, impenetrable, furtivo, esotérico. ↔ Manifiesto, aparente. || Callado, silencioso, reservado, tácito. ↔ Explícito. || Reserva, sigilo, puridad. ↔ Indiscreción. || Misterio, cifra, clave. || Escondrijo.
secretorio Segregativo, secretor.
secta Grupo, doctrina, herejía, cisma.
sectario Intransigente, fanático. ↔ Transigente, benevolente. || Partidario, secuaz, partidista.
sector División, porción, grupo, parte.
secuaz Sectario, partidario, parcial, adepto, partidista, adicto, seguidor. ↔ Antagonista, contrario.
secuela Consecuencia, consecución, deducción, resultado, resulta, corolario. ↔ Causa.
secuencia Sucesión, serie, continuación, consecuencia.
secuestrar Encerrar, aprehender, retener, embargar, aislar. ↔ Libertar.
secuestro Embargo, encierro, retención, aprehensión. ↔ Libertad, liberación.
secular Seglar. ↔ Espiritual.

|| Centenario. || Antiguo, veterano, añejo, patriarcal. ↔ Nuevo, reciente, actual.
secundar Coadyuvar, auxiliar, favorecer, contribuir, apoyar, colaborar. ↔ Oponerse.
secundario Inferior, accesorio, auxiliar, dependiente, subordinado. ↔ Primordial. || Insignificante, sin importancia. ↔ Revelador, elocuente.
sed Deseo, apetito, necesidad, apremio, incentivo. ↔ Saciedad, hartura.
seda Seta, cerda.
sedante Sedativo, calmante, tranquilizante, anodino. ↔ Excitante.
sedar Sosegar, apaciguar, calmar. ↔ Excitar.
sede Silla, trono, sitial, asiento. || Diócesis, obispado.
sedentario Estacionario, inmóvil, aposentado, fijo. ↔ Errante, vagabundo, trashumante.
sedente Sentado.
sedera Brocha, escobilla.
sedición Algarada, motín, sublevación, rebelión, cuarteamiento, pronunciamiento, levantamiento, alzamiento, tumulto, insurrección, agitación, efervescencia. ↔ Tranquilidad, orden.
sedicioso Rebelde, sublevado, insurrecto, amotinado, faccioso, insubordinado, turbulento. ↔ Sumiso, obediente, leal.
sediento Deseoso, anheloso, ansioso, acucioso, abrasado. ↔ Ahíto, saciado. || Hidrópico.
sedimento Pósito, poso, zurrapa, heces, 'concho.

sedoso Fino, liso, sérico. ↔ *Áspero.*

seducción Fascinación, persuasión, atracción, engaño, embelecamiento, atractivo, quillotro. ↔ *Repulsión.*

seducir Atraer, tentar, persuadir, enlabiar, arrastrar, embelecar, engatusar, engañar, perder, tentar, sobornar, corromper, echar el anzuelo. || Cautivar, fascinar, hechizar, encantar, ilusionar. ↔ *Repeler.*

seductor Seductivo, cautivante, cautivador, engañador. ↔ *Repelente.* || Tenorio, don Juan.

segador Guadañador.

segar Tronchar, guadañar.

seglar Laico, civil, profano, lego, secularizado. ↔ *Religioso.*

segmento División, porción, fragmento, fracción, sección, trozo, rama, parte. ↔ *Total, unidad.*

segregación Secreción. || Abscisión, desmembración, ramificación, desarticulación, desglose, secesión, disyunción. ↔ *Unificación, agregación.*

segregar Secretar, rezumar, gotear. || Separar, cortar, apartar, dividir. ↔ *Agregar, unir.*

segregativo Secretorio.

seguida Serie, tanda, orden, continuación.

seguida (en) Acto continuo, sin demora, sin tardanza, al punto, en el acto, luego, al momento, incontinenti.

seguida (de) Consecutivamente, sin interrupción, seguido.

seguido Frecuente, continuo, incesante, sucesivo, consecutivo. ↔ *Interrum-*

pido. || Derecho, al frente. || De seguida.

seguir Perseguir, acosar, pisar los talones, ir detrás. ↔ *Preceder, adelantar.* || Proseguir, continuar. ↔ *Interrumpir.* || Acompañar, escoltar. ↔ *Separarse.* || Estudiar, profesar, practicar. || Convenir, conformarse. ↔ *Discrepar.* || Frecuentar, trillar, asistir. ↔ *Vacar, ausentarse.* || Copiar, imitar, remedar.

seguirse Derivarse, originarse, proceder, nacer, inferirse, deducirse. ↔ *Causar.*

según De acuerdo con, conforme a, con arreglo a, como, según y conforme, con arreglo a, según y como.

segundo Secundario. ↔ *Primordial.* || Lugarteniente, suplente, ayudante, auxiliar. ↔ *Principal, jefe.* || Favorable. ↔ *Desfavorable.*

segur Hacha, hoz.

seguridad Tranquilidad, calma, orden. ↔ *Desorden.* || Certidumbre, certeza, garantía, confianza, firmeza. ↔ *Inseguridad.* || Fianza, caución.

seguro Guardado, protegido, garantizado, abrigado. ↔ *Indefenso.* || Cierto, positivo, indudable, inquebrantable, irrecusable, invariable, sólido, innegable, inequívoco, inconcuso. ↔ *Dudoso, incierto.* || Firme, constante, fijo, sólido. ↔ *Inconstante, inestable.* || Tranquilo, confiado. ↔ *Receloso.* || Certeza, seguridad, confianza. ↔ *Inseguridad.* || Salvoconducto,

permiso, licencia. || Contrato, acuerdo, pacto.

seguro (de) Por supuesto, de contado.

seísmo Sacudimiento, sacudida, terremoto, convulsión, cataclismo, temblor de tierra, 'remesón.

selección Preferencia, elección, opción, separación, apartado, escogimiento. ↔ *Indistinción, al buen tuntún.* || Antología.

seleccionar Elegir, escoger, preferir, triar, entresacar. ↔ *Tomar como viene.*

selecto Atractivo, distinguido, escogido, atrayente, primoroso, noble, seleccionado, preferido, mejor, exquisito, excelente, nada corriente. ↔ *Común, ordinario, vulgar.*

selva Bosque, espesura, algaba, monte. ↔ *Desierto, sabana.*

selvático Nemoroso. || Tosco, rudo, rústico, agreste. ↔ *Cultivado.*

selvatiquez Rusticidad, tosquedad, incultura, incivilidad. ↔ *Cultivo, urbanidad.*

sellado Cerrado, cifrado, secreto, arcano. ↔ *Abierto.*

sellar Estampillar, estampar, timbrar, imprimir, grabar. || Terminar, concluir. ↔ *Iniciar.* || Cerrar, tapar, cubrir, sigilar, lacrar, precintar. ↔ *Abrir, destapar.*

sello Timbre, estampilla, marca, sigilo, huella, señal, impresión, cifra, monograma, neuma. || Sellador.

semana Hebdómada. || Paga, sueldo, haber, emolumentos.

semanal Hebdomadario, septenario.

S

semanario Periódico, revista, hebdomadar´o.

semántica Semasiología.

semblante Faz, cara, rostro, parecer.

semblanza Parecido, analogía, similitud, semejanza. ↔ *Disparidad.* || Biografía.

sembradío Labrantío, plantío, arijo. ↔ *Erial.*

sembrado Amelga, sato, mieses.

sembradura Siembra.

sembrar Sementar, resembrar, empanar. || Desparramar, esparcir, diseminar. || Publicar, divulgar, propagar, predicar, lanzar, arrojar. ↔ *Callar, guardar.*

semeja Semejanza, analogía. || Señal, indicio, muestra.

semejante Análogo, parecido, similar, afín, equivalente, parigual, homólogo, parejo, escupido. ↔ *Diferente, dispar, desigual.* || Prójimo.

semejanza Igualdad, analogía, parecido, similitud, semeja, afinidad, símil, parejadura, semblanza. ↔ *Disparidad, desigualdad.*

semejar Asemejar, parecerse.

semen Esperma.

semental 'Carañón, 'grullo.

sementera Siembra, sembradura, simienza.

semicírculo Hemiciclo.

semidiós Semideo, héroe.

semilla Simiente, semen, ▪ germen, polen, grana, pepita, binza, cuesco, grano. ↔ *Fruto.* || Origen, causa.

semillas Granos, áridos.

semita Semítico. || Hebreo, judío, judaico.

sempiterno Eterno, inmortal, perdurable, perpetuo, duradero, interminable, infinito. ↔ *Perecedero.*

senado Asamblea, reunión, cámara, consejo. || Patriciado. || Auditorio, público, concurrentes.

sencillez Naturalidad, simplicidad, ingenuidad, candidez, inocencia, sinceridad, franqueza, afabilidad, llaneza, humildad. ↔ *Presunción, altanería.* ↔ *Complicación.*

sencillo Simple, natural, inocente, cándido, ingenuo, incauto, humilde, llano, franco. ↔ *Complejo, complicado.* ↔ *Presuntuoso, altanero.*

senda Sendero, camino, vereda, derrota, trocha, atajo, 'cancha, 'trillo.

senderear Senderar, asenderar, guiar, encaminar, dirigir, frecuentar.

sendero Senda.

sendos Respectivos.

senectud Vejez, ancianidad, senilidad, vetustez, decrepitud, longevidad. ↔ *Juventud.*

senil Caduco, viejo, anciano. ↔ *Joven.*

seno Concavidad, hueco, hornacina. || Pecho. || Matriz, entrañas, útero. || Regazo. || Golfo, ensenada, bahía, rada.

sensación Sentimiento, impresión, percepción. || Emoción.

sensatez Sesudez, cordura, discreción, prudencia, juicio, circunspección, cautela, reflexión, moderación, buen sentido. ↔ *Insensatez, imprudencia.*

sensato Discreto, prudente, razonable, circunspecto, cuerdo, juicioso, cauto, sentado, sesudo, reflexivo, moderado. ↔ *Insensato, imprudente.*

sensibilidad Ternura, terneza, cariño, delicadeza, comprensión. ↔ *Insensibilidad.*

sensible Sensitivo. ↔ *Insensible.* || Manifiesto, perceptible, aparente, apreciable. ↔ *Imperceptible.* || Lamentable, lastimoso, doloroso, deplorable, enojoso, desgraciado. ↔ *Alegre, gozoso.* || Tierno, impresionable, delicado, sentimental, susceptible. ↔ *Insensible, indelicado.*

sensitiva 'Doncella.

sensual Sensualista, sensitivo, materialista. ↔ *Espiritualista.* || Sibarita, voluptuoso, lascivo, lúbrico, lujurioso, libidinoso, rijoso. ↔ *Casto, continente.*

sensualidad Sensualismo, cachondez, lubricidad, lujuria. ↔ *Castidad, continencia.*

sentada Asentada, sentadera.

sentado Fijo, fijado, determinado, establecido, sedente. ↔ *Móvil, indeterminado.* || Sesudo, juicioso, sensato, quieto, tranquilo, prudente, sosegado, pacífico. ↔ *Intranquilo, insensato, impaciente.*

sentar Inscribir, anotar, registrar. || Asentar, aplanar, allanar, igualar, arrasar.

sentarse Posarse, asentarse, acomodarse, retreparse, arrellanarse, repantigarse, tomar asiento. ↔ *Estar en pie.*

sentencia Fallo, juicio, dictamen, laudo, decisión, resolución, parecer. || Sanción, castigo. ↔ *Exculpa-*

ción, indulto. || Proverbio, máxima, refrán, dicho, adagio.

sentencia (cumplir la) Ajusticiar.

sentenciar Dictaminar, decidir, sancionar, resolver, enjuiciar. || Condenar. ↔ *Indultar.* || Destinar, aplicar.

sentencioso Proverbial. || Grave, enfático, afectado, solemne. ↔ *Desenvuelto.*

sentido Conmovido, expresivo. ↔ *Indiferente.* || Entendimiento, discernimiento, conocimiento, razón. || Aviso, opinión, parecer. || Aptitud, facultad. || Significación, significado, acepción. || Realce, expresión.

sentido (doble) Doblez, equívoco. ↔ *Inequívoco.*

sentimental Conmovedor, tierno, emocionante, sensitivo, impresionante, romántico. ↔ *Insensible, materialista.*

sentimiento Impresión, emoción. || Dolor, pena, pesar, aflicción, tristeza. ↔ *Alegría.*

sentina Sumidero, cloaca, albañal. || Lupanar.

sentir Experimentar, percibir. || Oír. || Sufrir, probar, padecer. || Lamentar, dolerse, deplorar, condolerse. ↔ *Alegrarse.* || Presentir, barruntar. || Juzgar, opinar, creer. || Juicio, opinión, creencia.

sentirse Considerarse, reconocerse.

seña Nota, indicio, señal. || Signo, gesto, ademán, expresión, manifestación.

señal Nota, marca, signatura. || Hito, mojón, jalón. || Seña, nota. || Indicio, muestra, síntoma, quillo-

tro, vestigio, impresión, cuño, huella, rastro. || Distintivo, índice, garantía. || Cicatriz, ramalazo, cardenal, equimosis. || Imagen, representación. || Prodigio. || Caparra, almagre. || Anticipo, paga y señal. || Indicación, ahumada.

señalado Notable, ilustre, destacado, singular, precipuo, granado, distinguido, famoso, glorioso, importante, insigne. ↔ *Corriente, ignorado.*

señalamiento Fijación, designación.

señalar Marcar, trazar, rayar, almagrar. || Firmar, rubricar, subscribir. || Designar, mostrar, denotar, aludir, mencionar, especificar, determinar, fijar. || Apuntar, amagar. || Abalizar, amojonar, ahitar, estacar.

señalarse Distinguirse, singularizarse, evidenciarse, significarse, destacarse. ↔ *Desvanecerse, esconderse.*

señas Dirección, paradero, domicilio. || Amoriciones.

señero Solo, solitario, aislado. ↔ *Acompañado.* || Único, indistinto. ↔ *Distinto.*

señor Amo, dueño, patrono, propietario. || Noble, aristócrata, patricio. ↔ *Plebeyo.*

Señor Dios, Nuestro Señor.

señorear Mandar, dominar, disponer. || Someter, apoderarse, sujetar, oprimir. ↔ *Libertar.* || Vencer, gobernar, disciplinar.

señorial Majestuoso, pomposo, rico, noble. ↔ *Vulgar, miserable.*

señorío Mando, dominio, imperio, potestad. || Gra-

vedad, mesura, discreción, humanidad.

señorita Ama.

señorita de compañía Acompañante, dueña, dama de honor, trotona, carabina.

señuelo Cebo, carnada. || Lazo, trampa, emboscada, engaño, reclamo. || Fullería, estafa, treta. || Cimbel.

sepancuantos Zurra, tollina, felpa, repasata, rapapolvo.

separable Disociable, segregable, dirimible. ↔ *Inseparable.*

separación Abandono, análisis, aislamiento, clasificación, desacoplamiento, desagregación, desglose, desmembración, desunión, desvinculación, desviación, división, escisión, ramificación, bifurcación, remoción, receso, secesión, segregación. ↔ *Unión, agregación, vinculación, confluencia.*

separar Aislar, alejar, apartar, descartar, desgajar, desperdigar, desjuntar, desunir, detraer, disgregar, divorciar, segregar, excluir, abstraer, analizar, seleccionar, triar, dejar de lado, discriminar. ↔ *Reunir, juntar, agregar.*

separarse Ausentarse, desertar, desprenderse. ↔ *Unirse.*

separatista Secesionista. ↔ *Unionista, centralista.*

separativo Disgregante, desmembrador, disyuntivo, eliminativo, dirimente. ↔ *Unificador, aglutinador.*

separata Tirada aparte.

sepia Jibia.

septasílabo Heptasílabo.

S

septenario Hebdomadario, semanal.

septentrión Norte. ‖ Osa Mayor.

septentrional Ártico, boreal, glacial, hiperbóreo, nórdico, norteño. ↔ *Meridional.*

séptico Putrefacto, corruptivo, corrompedor. ↔ *Antiséptico.*

septuagenario Setentón.

sepulcral Cavernoso. ‖ Tumulario, tumbal.

sepulcro Sepultura, 'guaca.

sepultar Enterrar, inhumar, soterrar. ‖ Esconder, ocultar, encubrir, sumergir, abismar, sumir. ↔ *Levantar, descubrir.*

sepultura Sepulcro, tumba, huesa, hoya, hoyo, yacija, sarcófago, carnero, pudridero, túmulo, cenotafio, cárcava, última morada, panteón, nicho.

sepulturero 'Zacateca.

sequedad Sequía, secura, sequera, seca, desecación, aridez, enjutez, agostamiento, estiaje. ↔ *Humedad.* ‖ Desabrimiento, aspereza, descortesía, dureza. ↔ *Cortesía, atención.*

sequedal Secano, sequío, erial, secadal. ↔ *Regadío.* ‖ Secadero.

sequía Sequedad. ↔ *Humedad.*

sequío Secano, sequedal. ↔ *Regadío.*

séquito Acompañamiento, cortejo, comitiva, corte, comparsa, convoy, servicio. ‖ Fama, popularidad.

ser Ente, esencia, entidad, cosa, existencia, criatura, fenómeno, substancia, naturaleza, entelequia. ‖ Valor, precio, coste, estimación.

ser Estar, existir, subsistir, obrar, haber, vivir, andar. ‖ Servir, aprovechar, conducir para, utilizarse. ‖ Suceder, pasar, acontecer, transcurrir. ‖ Valer, costar. ‖ Corresponder, pertenecer, tocar, convenir, formar parte.

sera Serón, serijo, serete, espuerta, cenacho, capazo, sarria, capacho.

seráfico Santo, angélico, puro, virtuoso. ↔ *Diabólico, demoníaco.*

serafín Hermosura, ángel.

serenar Despejar, aclarar, escampar. ↔ *Encapotarse.* ‖ Calmar, sosegar, consolar, tranquilizar, apaciguar, sedar, aquietar, moderar, templar. ↔ *Excitar, inquietar.*

serenarse Posarse, sedimentarse. ‖ Abonanzar, desencapotarse, desalterarse. ↔ *Obscurecer, encapotarse.*

serenata Nocturno, cantata, romanza, rondalla, 'esquinazo.

'serenero Pañuelo.

serenidad Calma, tranquilidad, sosiego, quietud, reposo, apacibilidad, placidez, dulzura. ↔ *Intranquilidad.* ‖ Impavidez, imperturbabilidad, entereza, valor, dominio, flema, sangre fría. ↔ *Cobardía.*

sereno Intrépido, valiente, firme, impertérrito, flemático, frío, impávido, inmutable. ↔ *Cobarde.* ‖ Tranquilo, templado, sesgo, quieto, plácido, suave, manso, sosegado. ↔ *Inquieto, intranquilo.* ‖ Despejado, claro. ↔ *Nuboso, obscuro.* ‖ Relente, humedad.

sereno 'Rondín.

serete Sera, espuerta.

sergas Proezas, hechos, hazañas.

seriar Agrupar, catalogar, escalonar.

sérico Sedoso.

serie Sucesión, encadenamiento, progresión, gradación, juego, conjunto, colección, catálogo, runfla, retahíla, ringlera, fila, ringla, ciclo, rosario, letanía, tirada, columna.

seriedad Gravedad, formalidad, circunspección, prudencia, reserva, sensatez, mesura, tiesura, austeridad, dignidad, severidad. ↔ *Informalidad, imprudencia, guasonería.*

serijo Sera, espuerta. ‖ Asiento, posadero, posón.

'seringa Goma, elástico.

serio Respetable, digno, solemne, grave, señor, majestuoso, mesurado, circunspecto, sentado, mesurado, cauto, formal, prudente, ponderoso, austero. ↔ *Informal, desmesurado, imprudente, guasón.*

sermón Prédica, discurso, plática, homilía, exhortación, charla, oración, arenga. ‖ Reprensión, riña, filípica. ↔ *Elogio.* ‖ Habla, lenguaje, idioma.

sermoneador Regañón, gruñón, increpador, censor, censurador. ↔ *Elogiador.*

sermonear Sermonar, predicar. ‖ Reprender, reñir, amonestar. ↔ *Elogiar.*

seroja Boruja, hojarasca, chamarasca, chasca.

serón Sera, 'chigua, 'cibucán.

serpentear Culebrear, reptar, zigzaguear.

serpiente Sierpe, culebra.

serpollo Renuevo, botón, vástago, retoño.

serrallo Harén. || Orgía, desenfreno.

serranía Montaña, sierra, cordillera. ↔ *Llano.*

serraniego Serrano, montañés. ↔ *Llanero.*

serrano 'Campero.

serrar Aserrar, aserruchar, cortar, tronzar.

serrín Escobina, aserraduras, limaduras.

serrucho Argallera, sierra.

serventesio Redondilla, cuarteta. || Sátira, ironía, parresia.

servicial Servil, atento, complaciente, obsequioso, cumplido, 'acomedido. ↔ *Desatento, descortés.* || Escuderil, famular, lacayesco. ↔ *Señorial.* || Ayuda, lavativa, clíster.

servicio Ayuda, asistencia, trabajo, prestación, famulato, escudería. || Servidumbre, criados, séquito. || Culto, reverencia, obsequio, rendimiento, oficio, ceremonia. || Utilidad, provecho, favor, beneficio, gracia, mérito. || Servicial, servil. || Entidad, organización, corporación, cuerpo. || Cubierto.

servicio militar Milicia.

servicio (hacer el) Sentar plaza, servir.

servidor Doméstico, criado, sirviente, fámulo, mozo, muchacho, lacayo, ordenanza, dependiente, paniaguado, familiar, mercenario. ↔ *Amo.* || Galanteador, cortejador, pretendiente.

servidor (un) Yo, menda.

servidumbre Sumisión, esclavitud, sujeción, obligación, gleba. ↔ *Emancipa-*

ción. || Servicio, séquito, personal, dependencia, famulato, criados. || Gabela, carga, gravamen.

servil Servicial. || Humilde, bajo, vil, rastrero, humillante, vergonzoso, abyecto, infamante. ↔ *Orgulloso, soberbio.* || Esclavo, lacayo, villano, pechero.

servilismo Adulación, humillación, bajeza, abyección, envilecimiento, vileza, sumisión, servicio. ↔ *Orgullo, altanería.*

servilla Zapatilla.

servilleta Toalleta.

servir Valer, aprovechar, ser útil, casar, interesar, concertar, ajustar. ↔ *Ser inútil.* || Auxiliar, ayudar, asistir, prestar servicio, estar a compango, alquilarse, emplearse. ↔ *Establecerse.* || Suplir, substituir, suplantar. || Asistir, repartir, escanciar, dar. || Jugar. || Reverenciar, obsequiar, adorar. || Requebrar, galantear, cortejar, festejar.

servirse Querer, tener a bien, prestarse. || Utilizar, aprovechar, esgrimir, recurrir. ↔ *Despreciar, menospreciar.*

sesentón Sexagenario.

sesera Sesos, mollera, encéfalo, meollo, cerebro, substancia gris.

sesga Nesga, *godet.

sesgadura Sisa, sesgo, bies, inclinación, falseo. ↔ *Derechura, rectitud.*

sesgo Sosegado, tranquilo, reposado, apaciguado. ↔ *Intranquilo.*

sesgo Sesgadura, sisa. ↔ *Derechura.* || Enviajado, oblicuo, sesgado, soslayado, torcido, retrepado, cruza-

do, caído, diagonal, transversal. ↔ *Recto, derecho.* || Serio, grave, hosco, huraño, adusto. ↔ *Chistoso, gracioso.*

sesión Reunión, asentada, deliberación, consulta, conferencia, asamblea.

seso Sesera, mollera, juicio, discreción, madurez, cordura, prudencia, sensatez, circunspección, gravedad, reflexión, formalidad, cabeza, tino, cerebro, substancia gris, chapa, caletre, cacumen, chirumen, pesquis. ↔ *Insensatez.*

sesos (devanarse los) Pensar, reflexionar, recapacitar.

seso Calce, cuña.

sestear Amarizar. || Reposar, dormir, descansar.

sesudez Sensatez, seso, cordura, madurez. ↔ *Insensatez.*

sesudo Sensato, reposado, prudente, discreto. ↔ *Insensato.*

seta Hongo, níscalo, 'callampa.

seto Valla, cerca, 'cerco, cercado, vallado, barda, sebe, alambrada, zarzal, cambronera, matorral.

seudo Falso, supuesto, engañoso, falaz, ficticio, ficto, erróneo. ↔ *Verdadero, legítimo.*

seudónimo Mote, alias, apodo, sobrenombre, apodamiento.

severidad Dureza, rigor, aspereza, mesura, gravedad, circunspección, entereza, austeridad, estrictez, intransigencia, intolerancia, crueldad, inexorabilidad, rigorismo, puntualidad, exactitud, crueldad, desabrimiento. ↔ *Dulzura,*

S *benevolencia, complacencia.*

severo Serio, grave, mesurado, austero, rígido, exacto, puntual, mesurado, estricto, puritano, justiciero, inflexible, duro, exigente, áspero, riguroso, inclemente, inexorable, intolerante, implacable, insensible, despiadado. ↔ *Bueno, dulce, benevolente, tolerante.*

sevicia Crueldad, inclemencia, impiedad, desalmamiento, ensañamiento, encarnizamiento, malos tratos, maldad. ↔ *Bondad, piedad.*

sexagenario Sesentón.

sexo Sexualidad, género.

sexo débil Mujeres, feminidad.

sexo feo o **fuerte** Hombres, masculinidad.

sexto Seiseno, seisavo.

sibarita Refinado, regalón, voraz, epicúreo, comodón. ↔ *Frugal, estrenuo.*

sibarítico Licencioso, sensual, libidinoso. ↔ *Casto.*

sibila Pitonisa, adivina, profetisa, hechicera, saga, bruja.

sibilino Profético, obscuro confuso, indescifrable, inextricable, misterioso. ↔ *Claro, diáfano.*

sicario Sayón, esbirro, alatés, corchete.

sicofante o **sicofanta** Detractor, calumniador, vituperador, zaheridor. || Impostor.

sideral o **sidéreo** Astronómico, astral.

siderosa Hierro espático, siderita.

sidrería Chigre.

siega Segazón, segada, cosecha, mies.

siembra Sembradura, sementera, simienza. || Sembrado.

siempre Continuamente, constantemente, eternamente, invariablemente, perpetuamente. || En todo caso, cuando menos.

siempre que Con tal que, siempre y cuando.

siempreviva Hierba puntera, perpetua amarilla.

sien Templa.

sierpe Serpiente.

sierra Serrucho, argallera, tronzador. || Cordillera, cadena.

siervo Esclavo, cautivo, villano, servidor, ilota, plebeyo. ↔ *Dueño, amo, patricio, señor.*

siesta Resistero. || Reposo, sueño, meridiana.

siete Desgarrón, jirón, rasgón.

'siete Ano.

'sietecueros Panadizo.

sietenrama Tormentilla.

sífilis Gálico, lúes, avariosis.

sifosis Joroba, corcova.

sifué Sobrecincha.

sigilar Silenciar, callar, ocultar, esconder, encubrir. ↔ *Revelar, descubrir.* || Sellar.

sigilo Secreto, reserva, silencio, tapaboca, mordaza, discreción, ocultación, disimulo. ↔ *Indiscreción.* || Sello.

sigla Abreviatura, símbolo, equivalencia.

siglo Edad, época, tiempo, era, período, reinado, temporada. ·

signar Firmar, rubricar. || Persignar. || Señalar, marcar.

signatario Infrascrito, firmante, rubricante.

signatura Firma, rúbrica. || Cota, señal, marca, acotación.

significación Significado, significancia, sentido, representación, acepción, valor, fuerza, característica, importancia, indicación, expresión. ↔ *Insignificancia.*

significado Significación. || Conocido, reputado, ilustre, importante, notorio, noto, esclarecido. ↔ *Desconocido.*

significancia Significación.

significar Figurar, denotar, decir, representar, expresar, indicar, designar, simbolizar, querer decir. || Notificar, comunicar, exponer, declarar, manifestar, hacer saber, dar a entender, aludir.

significativo Característico, representativo, expresivo, elocuente, revelador, claro, indicador. ↔ *Insignificante, inexpresivo.*

signo Señal, gesto, huella, marca, indicio, trazo, representación, vestigio, pista, estigma, síntoma, símbolo, tacha, mancha, seña, nota, emblema, abreviatura, efigie. || Destino, azar, sino, hado, suerte, estrella, ventura, fatalidad, sinario.

siguiente Subsecuente, subsiguiente, sucesor, posterior, ulterior, inferior, sucesivo, correlativo, zaguero. ↔ *Anterior, antecedente.*

sil Ocre.

silabario Abecedario, cartilla, catón.

silabear Deletrear.

sílabo Índice, lista, catálogo.

silba 'Silbatina, chifla, pita, pitada, rechifla, pitidos.

silbar Chiflar, pitar, rechiflar. || Abuchear, sisear, patear, reprobar. ↔ *Aplaudir.*

'silbatina Silba, rechifla.

silbato Chiflo, pito, sirena, castrapuercos.

silbido Pitido, silbo, chiflido.

silencio Mutismo, mudez, taciturnidad, reticencia, callada. ↔ *Charlatanería.* || Insonoridad. || Sigilo, reserva, secreto, ocultación. ↔ *Indiscreción.* || Calma, pausa, tregua.

silencio (imponer) Reprimir.

silencio (entregar al) Olvidar.

silencio (pasar en) Callar, omitir.

silencio (reducir al) Apabullar.

silencioso Callado, taciturno, silente, mudo, áfono, reservado. ↔ *Hablador.*

silente Silencioso. || Tranquilo, sosegado, reposado. ↔ *Intranquilo.*

sílfide Ninfa, potámide, sirena, **ondina, nereida,** dríade, oceánide.

silo Silero, granero, hórreo, cilla, alfolí, troj. || Subterráneo, sótano. || Pósito.

silueta Croquis, contorno, trazo, orla, perfil, sombra.

silúrico Siluriano.

silvestre Salvaje, rústico, montaraz, cimarrón, indómito, agreste, cerril, campestre, inculto, árido, rusticano, indomable, bárbaro, zafio, rudo, pedestre, sayagués, 'jíbaro. ↔ *Culto, domado, cultivado, urbano, civilizado.*

silvoso Selvoso, silvático, nemoroso. ↔ *Desértico.*

silla Asiento. || Jamugas, galápago, anganillas. || Sillón. || (de montar). 'Avío, 'aperō. || Silleta.

sillero 'Silletero.

'silleta Silla.

'silletero Sillero.

sillico Tito, bacín, perico.

sillón Silla, butaca, asiento.

sima Cavidad, fosa, cuenca, hondonada, barranco, depresión, espelunca, 'furnia.

simbólico Expresivo, alegórico, metafísico, emblemático, traslaticio, tropológico, figurado. ↔ *Recto.*

simbolizar Representar, significar, encarnar, figurar, personificar, figurar, alegorizar, compendiar.

símbolo Imagen, emblema, tipo, guarismo, signo, representación, figura, apariencia, encarnación, tropo, personificación, prosopopeya, parábola, comparación, alegoría. ↔ *Realidad.*

simetría Armonía, proporción, ritmo, conformidad. ↔ *Asimetría.*

simétrico Proporcional, proporcionado, igual, armonioso. ↔ *Asimétrico.*

simiente Semen, semilla, pepita.

simienza Siembra, sembradura, sementera.

símil Similar. ↔ *Disímil, diferente.* || Comparación, cotejo, semejanza, figura, parangón.

similar Símil, análogo, parecido, conforme, comparable, equivalente, próximo, parecido, semejante, vecino. ↔ *Disímil, dispar, diferente.*

similicadencia Asonancia. || Consonancia.

similitud Semejanza, analogía, parecido. ↔ *Disparidad.*

similor (de) Falso, fingido, aparente, ficticio. ↔ *Real, positivo.*

simio Mono, macaco.

'simpa Trenza.

simpatía Afición, propensión, tendencia, apego, querencia, afinidad, interés, inclinación, vocación, amor, conformidad, coincidencia, consonancia, gracia, amistad, atractivo, agrado, arregosto. ↔ *Antipatía.*

simpático Amable, atractivo, agradable, gracioso. ↔ *Antipático.* || Amigo, devoto, adicto, adepto, partidario. ↔ *Contrario, antagonista.*

simpatizar Congeniar, aficionarse, avenirse, aquerenciarse. ↔ *Desavenirse.*

simple Sencillo, elemental, sólo, único, limpio, escueto, ·incomplejo, estricto, neto, pelado, incompuesto, puro, uniforme, desnudo, mondo y lirondo. ↔ *Complejo, complicado, compuesto, vario.* || Soso, desabrido, insulso, insípido. ↔ *Sápido, gustoso.* || Manso, apacible, incauto, cándido, simplón, inocente, 'guanaco. ↔ *Zorro, camastrón.* || Bobo, necio, bobalicón, pazguato. ↔ *Listo.*

simpleza Bobería, tontería, mentecatez, necedad, sandez, patochada, estupidez. ↔ *Listeza.*

simplicidad Sencillez, naturalidad, ingenuidad, pureza, inocencia, candor, par-

S vulez. ↔ *Complejidad.* ||
Indivisibilidad, homogeneidad, unidad. ↔ *Divisibilidad.*

simplificar Abreviar, resumir, compendiar, reducir, estilizar. ↔ *Complicar.* || Facilitar, ayudar. ↔ *Obstaculizar.*

simplista Simplificador, simplicista. || Rutinario. ↔ *Novedoso.*

simplón Simple, cándido, ingenuo. ↔ *Malicioso.*

simulación Falsedad, fingimiento, doblez, disimulo, simulacro, gatería, solapa, estratagema, hipocresía, ficción, farsa, gazmoñería, disfraz, segunda intención, pamema, paripé. ↔ *Honradez, verdad.*

simulacro Representación, especie, imagen, idea. || Simulación. || Maniobra, ejercicio táctico.

simulado Aparente, falso, apócrifo, fingido, postizo, imitado, ficto, artificial, artificioso, mentiroso, fabuloso, farisaico, zanguayo. ↔ *Verdadero, legítimo, ingenuo.*

simular Fingir, imitar, figurar, suponer, viciar, aparentar, representar, falsificar, amagar, falsear, afectar.

simultanear Concordar, sincronizar. ↔ *Ir a destiempo.*

simultáneo Coincidente, sincrónico, concordante, isócrono, concomitante, coetáneo. ↔ *Anacrónico, sucesivo, precedente.*

sin Fuera de, además de, a excepción de.

sinagoga Aljama, templo. || Conciliábulo, concilio.

sinalagmático Bilateral.

sinalefa Unión, enlace, trabazón. ↔ *Hiato.*

sinapismo Cataplasma, bizma, emplasto, tópico.

sinario Sino, pronóstico, predicción, augurio.

sincerar Exculpar, vindicar, excusar, justificar, defender, abonar, paliar, descargar. ↔ *Culpar.*

sinceridad Veracidad, realidad, candidez, sencillez, franqueza, ingenuidad, pureza, rectitud, familiaridad, lealtad, honradez, llaneza, cordialidad, lisura, buena fe, limpieza de corazón. ↔ *Doblez, hipocresía, simulación.*

sincero Franco, claro, veraz, verdadero, real, justo, natural, formal, noble, leal, cordial, abierto, sencillo, cándido, puro, candoroso, honrado, espontáneo, genuino. ↔ *Falso, simulado, hipócrita.*

sincopar Resumir, abreviar, compendiar. ↔ *Ampliar.* || Ritmar.

sincrónico Simultáneo, isócrono, coincidente, concordante. ↔ *Asíncrono.*

sindicar Delatar, acusar, echar en cara, incriminar, tachar, sospechar, denostar. ↔ *Exculpar.* || Unir, hermanar, juntar, federar, ligar, coaligar, reunir. ↔ *Separar, desunir.*

sindicato Federación, gremio, asociación profesional.

síndrome Síntomas.

sinecura Ventaja, enchufe, prebenda, canonjía.

sinéresis Compresión, contracción. ↔ *Diéresis.*

sinfín Sinnúmero, infinidad, pluralidad, abundancia, cúmulo, montón, muche-

dumbre. ↔ *Limitación, límite.*

sínfito Consuelda, suelda.

sinfonía Acorde, armonía.

singlar Navegar.

singlón Genol.

singular Solo, único, sin par. ↔ *Plural.* || Extraordinario, raro, extraño, particular, extravagante, original, excéntrico, anormal, especial, fuera de lo corriente. ↔ *Normal, vulgar, corriente.*

singularidad Particularidad, propiedad, especialidad, rareza, excelencia, calidad, distinción, anomalía, extra, extrañeza, excentricidad, originalidad, prodigio, curiosidad, extravagancia, esnobismo. ↔ *Vulgaridad, normalidad.*

singularizar Distinguir, separar, particularizar, diferenciar, caracterizar. ↔ *Plurificar, generalizar.*

singularizarse Señalarse, sobresalir, destacarse, revelarse. ↔ *Pasar desapercibido.*

singulto Sollozo. || Hipo.

siniestro Izquierdo, zurdo. ↔ *Derecho.* || Funesto, aciago, infeliz, trágico, avieso, aterrador, lúgubre, alarmante, espantoso, perverso, malintencionado. ↔ *Afortunado, fausto.* || Desgracia, incidente, accidente, catástrofe, ruina, incendio, fuego, azote, plaga, avería, daño, perjuicio, naufragio, desastre, hecatombe.

siniestros Vicios, resabios. ↔ *Virtudes.*

sinnúmero Sinfín, multitud, abundancia, cúmulo, montón, infinidad. ↔ *Limitación.*

sino Hado, destino, estrella, suerte, ventura.

sino Más que.

sino (no...) Tan sólo.

sínodo Concilio, junta.

sinónimo Semejante, igual, equivalente, equivalencia, parecido, parejo. ↔ *Antónimo, contrario.*

sinopsis Síntesis, compendio, resumen.

sinrazón Injusticia, iniquidad, desafuero, error, tuerto. ↔ *Justicia.*

sinsabor Disgusto, pesar, pena, desazón, pesadumbre. ↔ *Alegría.* || Desabor, insapidez. ↔ *Sabor.*

sinsonte 'Cenzote.

síntesis Sinopsis, compendio, resumen, extracto, suma, integración, recapitulación, sumario, argumento, guión, esquema, minuta, prontuario. ↔ *Desarrollo, argumento.* || Constitución, composición.

sintetizar Extractar, abreviar, resumir, compendiar, substanciar, condensar, trasuntar. ↔ *Desarrollar, amplificar.*

síntoma Manifestación, señal, indicio, revelación, signo, pródromo. ↔ *Causa, enfermedad.*

síntomas Síndrome.

sintonizar Acordar, armonizar, concordar.

sinuosidad Excavación, concavidad, seno, cuenco! ↔ *Convexidad.* || Ondulación, serpenteo, culebreo, sierpe. ↔ *Derechura.*

sinuoso Ondulante, ondulado, undulante, ondulatorio, torcido, serpenteado, tortuoso. ↔ *Recto, derecho.*

sinvergüenza Pícaro, desvergonzado, poca vergüen-

za, inverecundo, desfachatado, bribón, pillastre, zorro, cara dura, carota, 'mantillón. ↔ *Discreto, circunspecto.*

sirena Ninfa, sílfide. || Silbido, pito, pitido, ululato.

sirga Remolque. || Silga, cabo, maroma, cuerda, 'toa.

sirgar Remolcar, arrastrar.

sirguero Jilguero.

siringa Flauta de Pan.

sirle Chirle, sirria, cagarruta.

siroco Sudeste.

sirria Sirle.

sirte Bajío, bajo, banco, alfaque, secadal.

sirvienta Doncella, maritornes, dueña, 'mucama. ↔ *Ama.*

sirviente Servidor, criado, doméstico, mozo, fámulo, escudero, paniaguado, dependiente. ↔ *Amo.*

sisa Substracción, merma, ratería, estafa. || Sesgadura, bies.

sisar Robar, hurtar, escamondar, mermar, rebajar, sangrar, raspar, afanar, ratear.

sisear Desaprobar, pitar, abuchear, silbar, chichar. ↔ *Aplaudir.*

siseo Desaprobación, abucheo, grita, silba, pita, pitada, chifla, protesta, chicheo, pateo. ↔ *Aplauso.*

sisón Gallarón.

sistema Regla, método, procedimiento, norma, plan. || Régimen, ordenanza, gobierno, técnica.

sistemático Regular, metódico, estatutario. ↔ *Anárquico, desordenado, confuso.* || Consecuente, invariable. ↔ *Variable.*

sistematizar Normalizar, reglamentar, metodizar. ↔

Desordenar. || Coordinar, enlazar, vincular, eslabonar. ↔ *Desconcertar.*

sitial Solio, sede, trono.

sitiar Asediar, rodear, bloquear, cercar, circundar, circunvalar, acorralar, poner cerco. ↔ *Romper el cerco.* || Apremiar, atormentar, importunar. ↔ *Exonerar, dejar.*

sitio Situación, espacio, lugar, puesto, punto, paraje, localidad, parte, rincón, región, territorio, esfera. || Asedio, cerco, bloqueo.

situación Sitio, disposición, colocación, posición, estado, postura, emplazamiento, positura, actitud, orientación. || Constitución, aspecto, condición, fase, etapa, curso, circunstancia. || Cargo, empleo, función. || Situado, sito, puesto.

situación pasiva Excedencia, jubilación, reserva, reemplazo. ↔ *Situación activa.*

situado Remuneración, sueldo, estipendio, renta. || Situación, sito, puesto.

situar Poner, colocar, emplazar, 'ubicar, instalar, plantar, acomodar, estacionar, aplicar, asentar, depositar, apostar. ↔ *Sacar, trasladar.* || Lastrar, consignar.

so Bajo.

¡so! ¡Jo!

so Tío.

soasar Asar, rustir.

soba Sobo, sobado, sobadura. || Zurra, aporreamiento, tunda, vapuleo, tollina.

sobaco Axila, islilla. || Enjuta.

sobadura Soba, sobajadu-

S ra, sobajeo, sobado, atrabajado.

sobaquina 'Catinga.

sobar Manosear, ajar.

sobarbada Reprensión, sermón, sofrenada. ↔ *Elogio.* || Sacudida, golpe.

'soberado Sobrado, desván.

soberanía Poderío, poder, imperio, autoridad, dominio, potencia, supremacía, preponderancia. ↔ *Inferioridad, dependencia.* || Alteza, excelencia, majestad.

soberano Rey, monarca, príncipe, señor, emperador. ↔ *Súbdito.* || Grande, elevado, mayúsculo, supremo, excelente, eficacísimo, segurísimo, insuperable. ↔ *Mediocre, regular.*

soberbia Orgullo, altivez, altanería, presunción, inmodestia, arrogancia, penacho, tramontana, tufo, ventolera. ↔ *Modestia, humildad.* || Cólera, ira, arranque. ↔ *Apaciguamiento.*

soberbio Superbo, soberbioso, altanero, orgulloso, arrogante, altivo, encastillado, elato, presuntuoso, inmodesto. ↔ *Humilde, modesto.* || Suntuoso, magnífico, regio, espléndido, grandioso, admirable, sublime, perfecto, bello. ↔ *Mísero, pobre.* || Violento, fogoso, arrebatado. ↔ *Discreto, templado.*

sobón Empalagoso, fastidioso, chinchorrero. ↔ *Ameno.* || Holgazán, perezoso, gandul. ↔ *Diligente.* || Taimado, ladino, camastrón. ↔ *Tonto.*

sobornado Cohechado, dadivado. ↔ *Incorruptible, íntegro.*

sobornal Sobrecarga.

sobornar Corromper, cohechar, comprar, seducir, untar el carro.

soborno Corrupción, cohecho, sobornación, compra, 'juanillo. ↔ *Integridad.*

'soborno Sobrecarga.

sobra Exceso, demasía, superfluidad, 'sobrado. ↔ *Escasez, falta.*

sobradillo Guardapolvo.

'sobrado Sobra, migaja, 'soberado. || Vasar.

sobrado Sobrante. || Audaz, atrevido, osado. ↔ *Comedido.* || Rico, abundante, opulento. ↔ *Pobre.* || Desván, zaquizamí.

sobrante Sobrado, innecesario, demasiado, harto. ↔ *Falto.*

sobrar Restar, quedar. ↔ *Faltar.* || Exceder, sobrepujar, holgar.

sobras Residuos, sobrantes, desechos, migajas, sobejo, restos, relieves, escamocho.

sobre Encima. ↔ *Bajo, debajo.* || Referente, relativo, acerca de. || Además de. || Poco más o menos.

sobre Sobrescrito, carpeta, envoltorio.

sobre todo Principalmente.

sobreabundancia Superabundancia, plétora. ↔ *Escasez.*

sobreabundante Superabundante, excesivo, desmesurado. ↔ *Carente, falto.*

sobrearar Binar.

'sobrebota Polaina.

sobrecalza Polaina.

sobrecama Cubrecama, telliza, colcha, toalla.

sobrecarga Sobornal, recarga, exceso, excedente, 'cinchón, 'soborno.

sobrecargar Abrumar, cargar, exceder, recargar, aplastar. ↔ *Aligerar.*

sobrecejo Sobreceño, ceño.

sobrecincha Sifué, 'cinchón.

sobrecoger Espantar, sorprender, intimidar, asustar, alarmar, amedrentar, pasmar, asombrar, sorprender, horrorizar.

sobrecogerse de frío Aterirse.

sobrecogido Estupefacto, turulato, alelado, atónito. ↔ *Atento, ojo avizor.*

sobrecuello Collarín.

sobredicho Susodicho, nombrado, mencionado, antedicho.

sobreentendido Implícito, virtual, tácito. ↔ *Explícito.*

sobreexcitación Irritación, excitación. ↔ *Tranquilidad.*

sobrefaz Sobrehaz, cubierta, apariencia.

sobrehilar 'Encandelillar.

sobrehueso Molestia, pejiguera, trabajo, fatiga, carga, embarazo, ajobo. ↔ *Ayuda.*

sobrellevar Aguantar, sufrir, tolerar, resignarse, resistir. ↔ *No poder aguantar.* || Ayudar, disimular.

sobremanera Sobre manera, hasta las cachas, a más no poder.

sobremesa Tapete. || Postre.

sobrenadar Flotar, emerger.

sobrenatural Inmaterial, metafísico, milagroso, maravilloso, mágico, divino, taumatúrgico. ↔ *Natural, material, real, físico.*

sobrenombre Mote, apodo, apellido, calificativo, designación, alias.

sobrepelliz Roquete.

sobreparto Puerperio.

sobrepasar Rebasar, exceder, aventajar, superar. ↔ *Quedar corto.*

'sobrepelo Sudadero.

sobreponer Aplicar, superponer, cubrir, recubrir. ↔ *Preparar.*

sobreponerse Dominarse, superarse, recobrarse. ↔ *Desalentarse.*

sobreprecio Aumento, recargo, sobretasa.

sobrepujar Aumentar, aventajar, exceder, superar, rebasar. ↔ *Bajar.*

sobresaliente Excelente, notable. ↔ *Suspenso, reprobado.* || Aventajado, destacado, notorio, descollante. ↔ *Corriente, vulgar.*

sobresalir Despuntar, destacar, descollar, resaltar, distinguirse, señalarse, campar, campear, rayar. ↔ *Pasar desapercibido, ser insignificante.*

sobresaltado Inquieto, intranquilo, asustado, temeroso, turbado. ↔ *Tranquilo, impávido.*

sobresaltar Turbar, alterar, intimidar, atemorizar, intranquilizar, asustar, amedrentar, encocorar. ↔ *Tranquilizar, sosegar.*

sobresalto Susto, sorpresa, repullo, sobrevienta, intranquilidad, temor. ↔ *Prenuncio.*

sobresalto (de) De improviso.

sobreseer Suspender, dejar, aplazar, diferir, cesar.

sobrestante Capataz, mayoral, 'sota.

sobresueldo Plus, gratificación.

sobretodo Sobrerropa, abrigo, gabán.

sobrevenir Acontecer, suceder, pasar, acaecer, ocu-

rrir, surgir, aparecer. ↔ *Estar previsto.*

sobrevienta Furia, ímpetu. || Sorpresa, sobresalto. || Huracán, ventolera.

sobreviviente Superviviente, supérstite. ↔ *Extinto, difunto.*

sobriedad Mesura, moderación, cautela, templanza, parsimonia, parquedad, frugalidad, abstinencia, continencia. ↔ *Inmoderación, incontinencia.*

sobrio Ponderado, moderado, templado, temperante, mesurado, prudente, parco, simple, sencillo, reglado, frugal, abstinente, continente, abstemio. ↔ *Incontinente, desenfrenado, vicioso.*

'soca Brote.

'socalar Desmontar, rozar.

socaliña Ardid, artificio, treta, maña, habilidad, argucia.

socalzar Reforzar, asegurar, entibar.

socapa Disfraz, fingimiento, excusa, disimulo, simulación, astucia, apariencia. ↔ *Realidad.*

socarrar Soflamar, requemar, tostar.

socarrena Hueco, concavidad, espacio. ↔ *Convexidad.*

socarrón Disimulado, solapado, astuto, taimado, bellaco, burlón, zorro, camastrón. || Burlón, guasón.

socarronería Bellaquería, ficción, astucia, maula, disimulo, cautela. || Burla, guasa, chiste, broma.

socava Descalce. || Alcorque.

socavar Minar, excavar.

sociable Tratable, afable,

educado, comunicativo, civilizado. ↔ *Adusto, hosco, incivil.*

sociabilidad Civilidad, cortesía, trato, educación. ↔ *Incivilidad, descortesía.* .

socializar Nacionalizar, estatificar, municipalizar, colectivizar. ↔ *Individualizar, capitalizar.*

sociedad Agrupación, reunión, asociación, compañía, colectividad, entidad, corporación, círculo, peña, casino, ateneo, hermandad, cofradía, archicofradía, gremio, sindicato, colegio. || Compañía, razón social, anónima, empresa.

sociedad (formar) Asociarse.

socio Asociado. || Sujeto, tipo, individuo, prójimo.

socollada Estrechón, estirón, sacudida.

socorrer Ayudar, auxiliar, amparar, asistir, remediar, defender, acorrer, favorecer, proteger, hacer bien. ↔ *Abandonar, desamparar.*

socorro Auxilio, ayuda, favor, amparo, defensa, apoyo, asistencia, protección, remedio, opitulación. ↔ *Desamparo.*

'socucho Rincón, chiribitil, tabuco.

sodomita Homosexual, invertido, maricón, bujarrón, pederasta, bardaje.

soez Bajo, vil, grosero, rastrero, indecente, indigno, bahúno, bajuno, jífero, basto, 'lépero. ↔ *Delicado, fino.*

sofá Canapé, diván, otomana, turca, confidente.

sofión Bufido. || Trabuco.

sofisticar Falsificar, falsear, adulterar, exagerar, remilgar. ↔ *Ser natural.*

S

S **sofístico** Falso, fingido, ficto, aparente, engañoso, falaz. ↔ *Cierto, verdadero, legítimo.*

sofito Plafón, paflón.

soflama Llama, reverberación. | Bochorno, acaloramiento, rubor, encendimiento. ↔ *Palidez.* || Alocución, discurso, perorata, oración. || Arrumaco, roncería.

soflamar Avergonzar, sofocar, abochornar, afrentar. ↔ *Hacer palidecer.* || Socarrar, tostar, requemar.

sofocación Sofoco.

sofocante Tórrido, asfixiante, caliente, abrumador, pesado. ↔ *Aliviador.* || Irritante, opresor, enervante, horripilante. ↔ *Suavizante, suavizador.*

sofocar Ahogar, asfixiar. ↔ *Revivir.* || Reprimir, oprimir, dominar, apagar, extinguir. ↔ *Avivar, encender.* || Avergonzar, abochornar, correr, soflamar. ↔ *Empalidecer.* || Acosar, importunar, molestar, atarugar. ↔ *Aliviar, exonerar.*

sofocarse (las bestias) 'Achajuanarse.

sofoco Sofocación, sofocón, sofoquina, opresión, ahogo, bochorno. ↔ *Respiro, alivio.* || Torozón, inquietud, desazón. ↔ *Tranquilidad, sosiego.*

sofocón Sofoco.

sofrenada Sacudida, represión, sobarbada, serretazo.

sofrenar Detener, reprimir, atajar, retener. ↔ *Excitar.* || Reprender, reñir, abochornar. ↔ *Elogiar.* || Contener, refrenar.

soga Maroma, cuerda, es-

trenque, guindaleta, crizneja, liñuelo, tralla, 'cabuya, 'guasca.

soguilla Trenza, liatón.

sojuzgar Subyugar, sujetar, dominar, someter, avasallar, mancipar. ↔ *Liberar, libertar.*

sol Febo. || Día.

sol (tomar el) Asolearse.

solada Poso, sedimento, pósito, depósito.

solado Suelo, pavimento, piso.

solana Carasol. ↔ *Umbría.*

solano Rabiazorras.

solano Hierba mora.

solapadamente 'Anaina.

solapado Disimulado, astuto, taimado, redomado, malicioso, socarrón, falso, hipócrita, zamacuco, cauteloso, fingido. ↔ *Leal, recto.*

solapar Esconder, velar, ocultar. ↔ *Manifestar.* || Bordear.

solar Casa, linaje, descendencia, fundamento, asiento. || Terreno.

solar Enlosar, enladrillar, embaldosar, pavimentar, revestir.

solaz Distracción, diversión, expansión, recreo, esparcimiento, descanso, entretenimiento, placer, consuelo, alivio. ↔ *Aburrimiento.*

solazar Divertir, alegrar, distraer, recrear, entretener. ↔ *Aburrir, fastidiar.*

solazarse Esparcirse, expansionarse, refocilarse, descansar. ↔ *Aburrirse.* || Trabajar.

soldada Salario, sueldo, jornal, paga, honorarios, emolumento, devengo, haber.

soldadesca Patulea, turba, caterva, hez.

soldado Militar, recluta, quinto, caloyo. ↔ *Oficial.*

soldar Estañar, pegar, unir.

solecismo Incorrección.

soledad Abandono, aislamiento. ↔ *Compañía.* || Desierto. || Pena, pesar, añoranza, melancolía, tristeza. ↔ *Alegría.*

solemne Suntuoso, fastuoso, grandioso, imponente, augusto, majestuoso, mayestático, ceremonioso, enfático. ↔ *Sencillo, corriente.* || Importante, grave, firme, formal, válido. ↔ *Insignificante.* || Crítico, interesante.

solemnidad Festividad, fiesta. || Ceremonia, aparato, festejos.

solemnizar Celebrar, festejar, honrar. || Engrandecer, encarecer aplaudir, autorizar, sancionar. ↔ *Minimizar.*

soler Acostumbrar.

solera Suelo, fondo. || Concha. || Madre, lía.

solera (de) Añejo, viejo.

solercia Astucia, sagacidad, industria, habilidad, maña, socaliña. ↔ *Inhabilidad, tosquedad.*

solerte Sagaz, astuto, ladino, hábil, habilidoso, taimado. ↔ *Torpe, chanflón.*

soletar Componer, remendar, apañar.

solevantado Soliviantado.

solfa Zurra, azotaina, tollina, felpa.

solfear Zurrar, pegar, vapulear, azotar.

solfeo Solfa.

solicitación Solicitud.

solicitante Solicitador, pretendiente, aspirante, licitador, postulante.

solicitar Pedir, requerir, pretender, postular, gestionar, invitar, atraer, tentar. ↔ *Rehusar.*

solícito Cuidadoso, atento, afectuoso, diligente, activo. ↔ *Descuidado.*

solicitud Cuidado, atención, afección, diligencia, cariño, atracción. ↔ *Desatención.* || Solicitación, petición, memorial, instancia, demanda, insistencia, gestión, pedido, invitación. ↔ *Rechazo.*

solidario Junto, unido, inseparable, adherido, mutuo, asociado, responsable, indiviso. ↔ *Aislado, separado.*

solidez Consistencia, cohesión, firmeza, fortaleza, resistencia. ↔ *Debilidad.* || Volumen.

solidez (sin) Aéreo, volátil.

solidificado Endurecido, sólido, condensado, prieto, helado. ↔ *Licuado, gaseoso.*

sólido Firme, duro, resistente, fuerte, consistente, macizo, denso, tenaz, seguro, substancial. ↔ *Fluido.* || Consolidado, establecido, asentado, probado, arraigado. ↔ *Inseguro.*

soliloquio Monólogo.

solimán Argento vivo, sublimado corrosivo, sublimado.

solio Trono, sitial, sede.

solitaria Tenia.

solitario Solo, desamparado, abandonado, desierto, despoblado, deshabitado, apartado, retirado, aislado, desaparejado. ↔ *Acompañado, habitado, concurrido.* || Eremita, ermitaño, anacoreta, penitente, asceta. || Hosco, huraño, adusto. ↔ *Sociable.* || Diamante. || Soltero.

soliviantado Solevantado, inquieto, perturbado, desasosegado, conmovido, perturbado. ↔ *Tranquilo, sosegado.* || Subversivo, rebelde, revoltoso, amotinado, contumaz. ↔ *Dócil, leal.*

soliviantar Mover, inducir, incitar, impulsar, llevar. ↔ *Disuadir.* || Sublevar, rebelar, alborotar, amotinar. ↔ *Apaciguar.*

solivión Estrepada, estirón, tirón, sacudida.

solo Solitario. ↔ *Acompañado.* || Célibe, único, independiente, aislado, huérfano, particular, unigénito, viudo, uno, señero. ↔ *Múltiple, diverso.* || Sin par, distinto, desaparejado. ↔ *Igual, parejo.* || Desvalido, huérfano, abandonado. ↔ *Asistido.* || Monodia.

sólo Solamente, tan sólo, únicamente.

solomillo Entrecuesto, solomo, filete, lomo.

soltar Desatar, desceñir. ↔ *Atar, unir.* || Libertar, excarcelar. ↔ *Aprisionar, encarcelar.* || Desprender, desasir, desunir, desenganchar, desligar, desengarzar, desamarrar. ↔ *Fijar, engastar, prender, ligar.* || Descifrar, explicar, resolver. || Decir, cantarlas. ↔ *Callar.*

soltero Célibe, solitario, solterón, misógino, suelto, libre. ↔ *Casado.*

soltura Agilidad, desembarazo, desenvoltura, desgarro, presteza, prontitud. ↔ *Torpeza, embarazo.*

solución Terminación, fin, desenlace. ↔ *Comienzo.* || Resolución, explicación, decisión. ↔ *Dificultad, pega.* || Satisfacción, arreglo, componenda.

solución de continuidad Laguna, interrupción. ↔ *Continuidad.*

solvencia Responsabilidad, garantía, crédito. ↔ *Insolvencia.*

solventar Solucionar, resolver, arreglar, finiquitar, orillar. ↔ *Dificultar, poner pegas.*

sollastre Marmitón, pinche. || Pícaro, pillastrón, camastrón, zorro.

sollo Esturión.

sollozar Zollipar, gimotear, gemiquear, llorar. ↔ *Reír.*

sollozo Singulto, zollipo, lloro. ↔ *Risa.*

somanta Zurra, felpa, solfa, tollina, vapuleo, sotana.

somatén Rebato. || Alarma, alboroto, bulla.

somático Corporal. ↔ *Psíquico.*

sombra Obscuridad, opacidad. ↔ *Luz.* || Silueta, contorno. || Batimento, esbatimento. || Espectro, aparición, visión, fantasma, aparecido. || Asilo, protección, favor, auxilio, defensa, amparo. ↔ *Desamparo.* || Tacha, mancha, defecto, mácula. ↔ *Cualidad, perfección.* || Semejanza, apariencia, vislumbre, parecido. || Fortuna, suerte, chiripa. || Donaire, chiste, gracia.

'sombra Falsilla.

sombra (mala) Adversidad, mala pata.

sombra (hacer) Estorbar, obstaculizar, achicar.

sombrajo Umbráculo, emparrado, cobertizo, entoldado, resguardo, enramada.

S

S

sombrar Asombrar.

sombrear Hacer sombra.

sombrerazo Sombrerada, reverencia, ceremonia, saludo.

sombrero Chapeo, 'callampa. || (de copa). 'Bomba, 'choco.

sombría Ombría, umbría. ↔ *Solana.*

sombrilla Quitasol, parasol, guardasol, paraguas.

sombrío Tenebroso, lúgubre, tétrico, obscuro, opaco, nuboso, velado, umbroso, sombroso, umbrío, negro. ↔ *Claro, soleado, despejado.* || Taciturno, triste, melancólico, entristecido, apenado, contrito, hipocondríaco. ↔ *Alegre, contento.*

somero Sucinto, superficial, insubstancial, liviano, exterior, ligero. ↔ *Prolijo.*

someter Domar, dominar, vencer, esclavizar, subordinar, subyugar, reducir, sojuzgar, humillar, sujetar, domeñar. ↔ *Liberar, libertar.* || Proponer, exponer, consultar. ↔ *Oponerse.*

someterse Acatar, disciplinarse, obedecer, allanarse, supeditarse, doblegarse, resignarse, rendirse, agachar la cabeza, doblar la rodilla, rendir las armas, ponerse en manos de, darse por vencido, arriar la bandera. ↔ *Sublevarse, rebelarse.*

sometimiento Sumisión, acatamiento, vasallaje, sujeción, rendición, obediencia, obsecuencia, allanamiento, homenaje. ↔ *Rebeldía.*

somnífero Soporífero, dormidero, soporoso, letárgi-

co, comatoso, hipnótico. ↔ *Excitante.*

somnolencia Apatía, sopor, pesadez, torpeza, pereza, aletargamiento, amodorramiento, soñera. ↔ *Vivacidad, vigilia.*

somonte (de) Áspero, tosco, basto, burdo, chabacano, de brocha gorda. ↔ *Fino, pulido.*

somorgujador Buzo.

somorgujar Chapuzar, somormujar, sumergir, bucear.

somorgujo Somormujo, zaramagullón.

somorgujo (a) De escondidas.

son Sonido. || Noticia, voz, fama, rumor, nombre. || Motivo, pretexto, excusa. || Modo, manera, tenor, guisa, talante.

son de (en) Con ánimo de, a título de.

sonado Afamado, conocido, noto, célebre, famoso, notorio, renombrado, acreditado, popular, ruidoso. ↔ *Desconocido, ignorado.*

sonajero Cascabelero.

sonar Resonar, retiñir, retronar, retumbar, rimbombar, tintinar, zumbar, roncar, runflar, crujir, tronar, gruñir, cantar, chascar, estallar, mugir, bramar, tabletear. ↔ *Callar, hacerse el silencio.* || Citarse, expresarse. || Semejar, parecer, tener visos de, oler. || Tener presente, acordarse, venir a las mientes. ↔ *Olvidar.* || Tocar, tañer, pulsar. || Mocar. || Susurrarse, decirse, rumorearse, correr el rumor.

sonda Cala, tienta, sondeo, cata.

sondar Sondear, ahondar,

hondear, pulsar, escandallar. || Inquirir, averiguar, rastrear, explorar, buscar, sonsacar.

sondeo Sonda. || Sonsaca, sonsacamiento.

sonido Son, tañido, rumor, ruido, eco, vibración, rechino, zumbido, sonsonete, música, murmullo, murmurio. ↔ *Silencio.* || Fonema. || Tono, pronunciación, entonación. || Valor, significado.

soniquete Sonecillo. || Sonsonete, tonillo.

sonoro Sonoroso, melodioso, canoro, sonante, fragoso, rumoroso, resonante, vibrante, ruidoso, atronador, altísono. ↔ *Silencioso, callado.* || Insonoro.

sonreír Reírse.

sonriente Alegre, contento, gozoso, risueño, jovial, simpático, placentero. ↔ *Triste, desagradable.*

sonrisa Risa.

sonrojar Confundir, avergonzar, abochornar, sofocar, sonrojear, soflamar, ruborizar, abrasar, sacar los colores a la cara, sacar los colores al rostro. ↔ *Hacer empalidecer.*

sonrojo Rubor, bochorno, vergüenza, erubescencia, soflama, llamarada, timidez, avergonzamiento. ↔ *Palidez, desfachatez.*

sonrosarse Rosarse.

sonsacamiento Sondeo, sonda, buscapié, investigación, tienta llave, indagación, averiguación, tranquilla.

sonsacar Averiguar, indagar, sacar, descubrir, desenmarañar, desenmascarar, ganzuar, poner en claro, sondar, sondear.

sonsonete Soniquete, tonillo, retintín, sonetillo, estribillo. || Sonido.

soñador Imaginativo, quimerista, quimérico, utopista, fantaseador. ↔ Realista, positivista.

soñar Reposar, dormir, descansar. || Ensoñar, trasoñar, evocar, recordar. || Pensar, meditar, desear, fantasear, anhelar, acariciar, codiciar, discurrir, imaginar, divagar. ↔ Tocar de pies a tierra.

soñolencia Soñera, somnolencia, modorra.

soñoliento Adormilado, amodorrado, amodorrido, traspuesto, dormilón. ↔ Despierto. || Tardo, perezoso, lento. ↔ Vivo. || Soporífero, dormitivo.

sopa Sopicaldo, caldo, puré, bodrío, papas, papilla, gachas, gazpacho, 'calalú.

sopa (hecho una) Mojado, empapado. ↔ Seco.

sopapear Abofetear, cachetear, moquetear, cascar, julepear. || Sopear, sopetear, ensopar.

sopaina Sepancuantos, zurra, azotaina, felpa, solfa.

sopapo Bofetada, cachete, mojicón, torta, pescozón, mamporro, gaznatazo, soplamocos, remoquete, moquete.

sopear Sopar, ensopar, sopetear, sopapear.

sopear Hollar, pisar, pisotear. || Supeditar, dominar, vejar, domar, superar.

sopeña Cavidad, concavidad, espelunca, oquedad, cueva.

sopesar Balancear, tantear.

sopetear Sopapear.

sopetear Maltratar, vejar, ultrajar.

sopetón Empujón, golpe, empellón.

sopetón (de) De repente, de improviso.

sopicaldo Sopa.

sopitipando Accidente, desmayo, desvanecimiento.

soplado Inflado, hinchado, hueco, orondo. ↔ Deshinchado. || Estirado, entonado, ensoberbecido, altanero, infatuado, engreído. ↔ Humilde, modesto. || Repulido, compuesto, acicalado, recargado. ↔ Sencillo.

'soplador Apuntador, traspunte.

soplamocos Sopapo.

soplar Insuflar, bufar, espirar. ↔ Aspirar. || Airear, aventar, ventilar. || Inflar, hinchar. ↔ Deshinchar. || Insinuar, sugerir, apuntar. || Soplonear, denunciar.

soplarse Atiborrarse, empacharse, empapujarse, ahitarse, llenarse. ↔ Ayunar. || Hincharse, engreírse, ensoberbecerse, entonarse. ↔ Humillarse.

soplo Soplido, sopladura. || Hálito, viento, aire, aliento, respiración. || Denuncia, delación, acusación. || Momento, instante, tris, periquete.

soplón Acusón, 'acusetas, 'acusete, acusador, delator, denunciante, correveidile, confidente.

soplonear Soplar, denunciar, delatar, descubrir, acusar.

soponcio Desmayo, accidente, síncope, desvanecimiento, mareo, sopitipando, congoja, patatús, paleta, aturdimiento, 'telele.

sopor Letargo, coma, modorra, pesadez, aletargamiento, adormecimiento, somnolencia, soñolencia, soñera. ↔ Despertar. || Fastidio, aburrimiento.

soporífero Soporífico, soporoso, hipnótico, somnífero, soñoliento, dormitivo, narcótico, sedante, calmante, tranquilizante. ↔ Excitante.

soportable Llevadero, sufrible, aguantable, pasadero, tolerable. ↔ Insoportable.

soportal Pórtico, porche, portal, atrio, cobertizo.

soportar Sobrellevar, sostener, llevar, pasar, sufrir, endurar, tolerar, aguantar, 'enflautar, 'rustir, digerir, comportar, tragar saliva, llevar la cruz, besar el azote, pasar el Calvario. ↔ Rebelarse, reaccionar.

soporte Apoyo, sostén, sustentáculo, sustento, fundamento, arrimo, entibo, columna, recostadero, arrimadero, basa, base, pata, cartela.

soprano Tiple.

sor Hermana, sóror.

sorber Absorber, tragar, aspirar, consumir, atraer. ↔ Expeler.

sorbete Refresco, helado, mantecado, 'canuto.

sorbo Succión, chupada, libación, buche, buchada, bocanada.

sorda Agachadiza, rayuelo.

sorda Guindalera.

sordera Sordez, sordedad, ensordecimiento, disecea.

sordidez Avaricia, tacañería, cicatería, gazmoñería, mezquindad, rapacidad. ↔ Prodigalidad. || Ruindad, pobreza, miseria. ↔ Rique-

S za. || Impureza, indecencia, deshonestidad. ↔ *Honestidad.*

sórdido Avaro, tacaño, mezquino, avariento, rapaz, ruin. ↔ *Pródigo.* || Miserable, roñoso, mísero, pobre. ↔ *Rico.* || Sucio, impuro, indecente, deshonesto, escandaloso. ↔ *Honesto.*

sordo Teniente. || Callado, secreto, silencioso, insonoro, silente, amortiguado, opaco, sigiloso. ↔ *Sonoro.* || Indiferente, insensible, inflexible, inexorable. ↔ *Benevolente, deferente.*

sordo (estar) Ser como un poste, ser como una tapia.

sorgo Zahína.

sorna Socarronería, trastienda, maulería, disimulo, capa, tapujo, relente. || Lentitud, calma, cachaza, posma, pausa, roncería, pachorra. ↔ *Diligencia.*

'soroche Vértigo.

soroche 'Puna.

sóror Sor.

sorprendente Asombroso, chocante, extraordinario, insólito, desusado, anormal, impresionante, imprevisto, inconcebible, inaudito, inesperado, increíble, inverosímil, maravilloso, pasmoso, prodigioso, peregrino, raro, turbador. ↔ *Corriente, normal, comprensible.*

sorprender Pasmar, admirar, asombrar, sobrecoger, conmover, turbar, suspender, chocar. || Coger, atrapar, prender, descubrir.

sorprenderse Quedarse frío, quedarse de una pieza, maravillarse.

sorprendido Patitieso, estupeíacto, petrificado, confuso. ↔ *Indiferente, impávido.*

sorpresa Estupor, asombro, admiración, pasmo, maravilla, extrañeza, inadvertencia, sobrevienta, consternación, confusión, sobresalto. ↔ *Preanuncio.*

sorrostrada Desvergüenza, descaro, insolencia, desfachatez, atrevimiento, desuello, claridad. ↔ *Comedimiento.*

sortear Rifar. || Evitar, eludir, escabullirse, soslayar, rehuir. ↔ *Salir al encuentro.*

sortija Anillo, alianza, tumbaga, sello. || Rizo.

sortilegio Auguración, adivinación. || Hechizo, hechicería, encantamiento.

sortílego Pronosticador, adivino, augur, agorero, hechicero, brujo, provicero, vaticinador.

sosaina Soso.

sosañar Reprender, amonestar, castigar. ↔ *Elogiar.*

sosegado Sereno, calmoso, tranquilo, inmutable, reposado, quieto, pacífico. ↔ *Intranquilo, inquieto.*

sosegar Templar, moderar, aquietar, aplacar, serenar, calmar, apaciguar, pacificar, tranquilizar, asosegar, sedar, satisfacer. ↔ *Inquietar, intranquilizar.* || Reposar, descansar, dormir.

sosegarse Reponerse, rehacerse, volver sobre sí. ↔ *Enervarse.*

sosería o sosera Insulsez, pesadez, insipidez, zoncera, zoncería, ñoñez, patarra, desgracia, mala pata, mala sombra. ↔ *Interés, gusto.*

sosiego Calma, placidez, quietud, serenidad, tranquilidad, paz, reposo, confianza, silencio, espera, reportación, ocio, balsa de aceite. ↔ *Intranquilidad, actividad.*

soslayar Ladear, oblicuar, inclinar, esquinar, trincar, sesgar. ↔ *Enderezar.* || Pasar por alto, pasar de largo, rehuir, sortear, evitar, esquivar. ↔ *Afrontar, salir al encuentro.*

soslayo Ladeado, oblicuo, sesgo, cruzado, soslayado, diagonal, transverso, transversal. ↔ *Recto.*

soslayo (al o de) De largo, por cima, oblicuamente.

soso Insípido, desabrido, desaborido, insápido, insulso, zonzo, ñoño, 'cantimpla, sosaina, badea, anodino, pavo. ↔ *Sabroso, gustoso, a punto, salado.*

sospecha Vislumbre, olor, indicio, barrunto, conjetura, presunción, desconfianza, recelo, duda, malicia, suspicacia, temor, duda, prevención, escrúpulo, incredulidad. ↔ *Confianza, seguridad.*

sospechar Presumir, barruntar, temer, conjeturar, recelar, dudar, maliciar, desconfiar, celar, temerse, remusgar, mal pensar, darle que pensar, traer entre ojos, abrigar sospechas. ↔ *Confiar, tener fe.*

sospechas (abrigar) Sospechar.

sospechoso Suspecto, dudoso, equívoco. ↔ *De confianza.* || Receloso, suspicaz, desconfiado, matrero, 'empochado. ↔ *Confiado, de buena fe.*

sostén Sostenimiento, sustento, sustentáculo, apoyo, arrimo, estribadero, entibo, estribo, apeo, arimez, brazo, aznilla, pilastra, hinco, columna. || Amparo, defensa, ayuda, socorro, protección. ↔ *Desamparo.* || Auxiliar, sostenedor, protector, amparador, mantenedor, padrino.

sostener Aguantar, apear, soportar, sustentar, tener, mantener, apoyar. || Proteger, apoyar, amparar, alentar, animar, auxiliar. ↔ *Desamparar.* || Defender, afirmar, ratificar, reafirmarse, asegurar, perseverar. ↔ *Renunciar.* || Sufrir, tolerar. || Alimentar.

sostenido Seguido, continuo, consecutivo, constante, mantenido, proseguido, perseverante, asiduo, ininterrumpido, uniforme. ↔ *Interrumpido, discontinuo.*

sostenimiento Sostén. || Manutención, mantenimiento, sustento, alimentos.

'sota Sobrestante, manijero.

sotabanco Buhardilla, desván, sobrado, buharda, zaquizamí.

'sotacura Coadjutor.

sotana Loba.

sotana Zurra, felpa, solfeo, azotaina, sopapina, somanta, solfa.

sotanear Zurrar, pegar, azotar, solfear. || Reprender, reñir, amonestar. ↔ *Elogiar, loar.*

sótano Subterráneo, cueva, mina, bodega, cava.

sotavento (a) A la ronza.

sotechado Soportal, cochera, tinglado, galpón, cobertizo, alpende, porche, techado. ↔ *Al descubierto.*

soterrar Enterrar, sepultar, sepelir. ↔ *Desenterrar.* || Guardar, esconder, encerrar, amagar. ↔ *Descubrir.*

soto Zarzal, matorral, bosquecillo, arboleda.

'sotole Palmera.

'sotreta Plepa.

sotuer Aspa.

suasorio Persuasivo, persuasor. ↔ *Disuasivo.*

suave Pulido, liso. ↔ *Rugoso.* || Blando, flojo, muelle, delicado, mego, mole, lene, grato, agradable, dulce, mórbido. ↔ *Duro, ingrato.* || Quieto, manso, tranquilo, sosegado. ↔ *Intranquilo.* || Lento, moderado. ↔ *Rápido.* || Dócil, dúctil, flexible, manejable, apacible. ↔ *Indómito, rebelde.*

suavidad Lisura, blandura, finura, lenidad, delicadeza, delicia, dulzura. ↔ *Asperidad, asperosidad.* || Calma, serenidad, tranquilidad, docilidad, apacibilidad, ductilidad. ↔ *Rebelión.*

suavizar Pulimentar, alisar, pulir, asedar. || Lenificar, molificar, enmelar. || Calmar, pacificar, templar, mitigar, poner como un guante.

subalterno Dependiente, inferior, subordinado. ↔ *Superior.*

subasta Puja, encante, martillo.

súbdito Dependiente, vasallo, ciudadano. ↔ *Poder.*

subida Aumento, alza, ascensión, puja. ↔ *Bajada, descenso.* || Cuesta, pendiente, repecho, repechón. ↔ *Bajada, declive.*

subido Elevado, alto, fuerte, excesivo, mantenido. ↔ *Bajo.* || Caro, costoso. ↔ *Barato.* || Fuerte, vivo. ↔ *Suave, claro.*

subir Ascender, trepar, escalar. ↔ *Bajar.* || Montar, cabalgar. ↔ *Apearse.* || Aumentar, crecer, encarecer, remontar. ↔ *Bajar, rebajarse.* || Elevar, aupar. ↔ *Descender.* || Importar, llegar, alcanzar.

súbito Repentino, improviso, subitáneo, inmediato, impensado, rápido, inopinado, inesperado, brusco. ↔ *Lento, tardo.* || Precipitado, impetuoso, violento. ↔ *Calmoso.*

subjetivo Personal, intransferible. || Yo.

sublevación Rebelión, sedición, motín, revolución, alzamiento, pronunciamiento, insurrección, sublevación, subversión, convulsión. ↔ *Orden.*

sublevar Soliviantar, amotinar, levantar, subvertir, amotinar, insurreccionar. ↔ *Poner orden.* || Irritar, encolerizar, indignar, excitar. ↔ *Apaciguar.*

sublevarse Rebelarse, alzarse, alzar banderas, echarse a la calle, alzarse en armas. ↔ *Deponer las armas.*

sublimar Ensalzar, enaltecer, exaltar, engrandecer, calzar el coturno. ↔ *Despotricar, menospreciar.*

sublime Superior, extraordinario, eminente, excelso, elevado, eminente, grande, sobrehumano, divino, de alto coturno, bellísimo. ↔ *Pésimo, malo.*

sublimidad Alteza, excelencia, excelsitud, superiori-

S dad, grandeza, magnificencia. ↔ *Inferioridad, bazofia.*

subordinación Sumisión, dependencia, sujeción, acatamiento, obediencia, menoría. ↔ *Superioridad.*

subordinado Inferior, dependiente, subalterno, sumiso. ↔ *Superior.*

subordinar Sujetar, someter, disciplinar. || Clasificar, relacionar, conexionar.

subrayar Rayar. || Recalcar, hacer hincapié, insistir.

subrepticio Oculto, furtivo, tortuoso, ilícito, ilegal, ilegítimo. ↔ *Manifiesto, lícito.*

subrogar Substituir, reemplazar.

subsanar Disculpar, exculpar, excusar. ↔ *Caer, reincidir.* || Corregir, enmendar, reparar, remediar, rectificar, resarcir. ↔ *Dañar, perjudicar.*

subscribir Firmar, rubricar. || Acceder, asentir, consentir, adherirse, convenir. ↔ *Rectificar, denegar.*

subscribirse Abonarse, obligarse, comprometerse.

subscripción Abono, alta.

subscrito Suscrito, firmante, abajo firmado. || Abonado.

subsidiario Auxiliar, accesorio, dependiente. ↔ *Independiente.*

subsidio Subvención, ayuda, auxilio, socorro. ↔ *Desamparo.* || Impuesto, contribución, carga.

subsistencia Estabilidad, conservación, permanencia, inalterabilidad. ↔ *Alteración.* || Mantenimiento, sostenimiento, alimento,

alimentación, nutrición, victo.

subsistir Permanecer, durar, perdurar, persistir, continuar, conservarse, mantenerse. ↔ *Desaparecer.* || Existir, vivir. ↔ *Morir.*

substancia Ser, esencia, principio, naturaleza. || Valor, estimación, importancia. || Enjundia, meollo, jugo, churumo. || Seso, juicio, madurez. || Dinero, caudal.

substancial Substancioso, esencial, importante, sólido. ↔ *Insubstancial.*

substancioso Substancial, nutritivo, sabroso, suculento, jugoso. ↔ *Insubstancioso, desaborido.*

substitución Reemplazo, relevo, suplantación, cambio. ↔ *Permanencia.*

substituir Relevar, cambiar, reemplazar, suplir, representar, revesar. ↔ *Permanecer, quedarse.*

substituto Suplente, reemplazante, auxiliar.

substracción Resta, merma, deducción, disminución, descuento. ↔ *Suma.* || Hurto, robo, sisa, distracción, estafa.

substraer Restar, deducir, rebajar, mermar, disminuir. ↔ *Sumar.* || Apartar, separar, extraer. ↔ *Añadir, juntar.* || Robar, hurtar, sisar, detraer, recortar, guindar. ↔ *Devolver.*

substraerse Eludir, evitar, rehusar.

subterfugio Pretexto, excusa, escapatoria, efugio, triquiñuela.

subterráneo Sótano, caverna, cueva, cava, mina, bodega, bóveda, catacumbas.

suburbio Arrabal, extrarradio, afueras, barrio.

subvención Amparo, ayuda, socorro, subsidio, auxilio. ↔ *Desamparo.*

subvenir Subvencionar, auxiliar, ayudar, socorrer, sostener, amparar. ↔ *Desamparar.*

subversión Revolución, motín, insurrección, revuelta, desorden, trastorno, alboroto, conmoción. ↔ *Orden.*

subversivo Revolucionario, revoltoso, sedicioso. ↔ *Leal.*

subvertir Trastornar, trastocar, revolver, perturbar, destruir, desordenar. ↔ *Ordenar.*

subyugar Sujetar, domeñar, dominar, someter, conquistar, avasallar, esclavizar, aherrojar. ↔ *Libertar, liberar.*

succión Chupada, chupadura, sorbo, libación, buche, buchada, bocanada.

suceder Substituir, reemplazar, equivaler. ↔ *Conservar, permanecer.* || Heredar. || Descender, proceder, provenir. || Acontecer, acaecer, pasar, ocurrir.

sucedido Suceso.

sucesión Continuación, decurso. || Herencia. || Descendencia, prole.

sucesivo Continuo, ininterrumpido, siguiente, subsiguiente. ↔ *Interrumpido.*

suceso Sucedido, acaecimiento, acontecimiento, hecho, incidente, ocurrencia, accidente, lance, anécdota, caso, trance, circunstancia, eventualidad, coyuntura, percance, catástrofe, página, evento. ||

Transcurso. || Éxito, resultado.

sucesor Heredero, descendiente. ↔ *Antecesor.*

sucesores Venideros.

suciedad Impureza, ascosidad, desaseo. ↔ *Aseo.* || Porquería, basura, miseria, roña, mugre, inmundicia, pringue, cochambre, bazofia, bahorrina, churrete.

sucinto Apretado, recogido, ceñido. ↔ *Amplio.* || Somero, conciso, corto, breve, lacónico, compendioso, extractado. ↔ *Vasto, dilatado.*

sucio Descuidado, desaseado, desaliñado, pringoso, manchado, mugriento, cochambroso, grasiento, roñoso, bisunto, puerco, cochino, marrano, asqueroso, jifero, adán, poluto, inmundo, hediondo, nauseabundo, impuro, sollado, 'chancho, 'frondio. ↔ *Limpio, puro.* || Obsceno, deshonesto, licencioso, libidinoso, salaz. ↔ *Honesto, casto.*

'suco Lodazal

súcubo Espíritu, demonio.

sucucho Rincón.

suculento Substancioso, nutritivo, jugoso, sabroso, gustoso, exquisito. ↔ *Insípido.*

sucumbir Caer, rendirse, someterse. ↔ *Rebelarse.* || Morir, fenecer, perecer, fallecer, expirar. ↔ *Vivir.*

sucursal Rama, agencia, hijuela, filial, dependencia.

'suche Agrio, duro, verde. || Acné, barro (de la piel).

sudadero 'Sobrepelo.

sudar Trasudar, exudar, resudar, transpirar, rezumar, destilar.

sudario Mortaja, sábana, envoltorio, envoltura. || Sudadero.

sudeste Siroco.

sudor Transpiración, trasudor, diaforesis. || Trabajo, fatiga, pena, afán.

suela Cuero. || Lenguado. || Zócalo.

suelas Sandalias.

sueldo Jornal, estipendio, haber, paga, gajes, soldada, salario, emolumento, honorarios, quitación, mensualidad.

sueldo de (a) Asalariado, contratado.

suelo Pavimento, piso, solado, terreno, solar, superficie, solera, tierra. || Asiento, poso. || Fin, término.

suelo (arrastrarse por el) Humillarse.

suelto Ligero, presto, veloz. ↔ *Ganso.* || Ágil, expedito, desembarazado, diestro. ↔ *Inhábil.* || Libre, atrevido, osado. ↔ *Atento.* || Fácil, corriente, llano. ↔ *Difícil.* || Calderilla. || Artículo, gacetilla.

sueño Dormición, descanso. || Ensueño, pesadilla, ilusión, quimera, utopía.

sueño (causar) Adormecer.

sueño (coger el) Dormirse.

suerte Fortuna, ventura, estrella, casualidad, 'zapallo, 'sapo, hado, sino, azar, acaso. || Felicidad, éxito, potra, golpe de fortuna. || Especie, género, modo, manera, forma, condición, estado, carácter.

'suerte Billete, boleto (de lotería).

suertes (a) A la buena barba.

suerte (mala) Adversidad.

suerte (buena) Fortuna.

'suertero Afortunado, dichoso. || Lotero.

suficiencia Competencia, capacidad, aptitud, habilidad, idoneidad. ↔ *Insuficiencia, incapacidad.*

suficiente Bastante, asaz. || Capaz, apto, idóneo, competente, hábil.

suficiente (ser) Bastar, abundar.

sufijo Postfijo.

sufragar Ayudar, auxiliar, favorecer, amparar. ↔ *Desamparar.* || Subvenir, satisfacer, costear, pagar, contribuir.

sufragio Protección, favor, ayuda, socorro, auxilio, amparo. ↔ *Desamparo.* || Funeral, honras fúnebres. || Dictamen, voto, parecer.

sufrido Tolerante, paciente, calmoso, resistente, resignado, apacible. ↔ *Intolerante.*

sufrimiento Paciencia, conformidad, resignación, tolerancia. ↔ *Impaciencia, falta de resignación, intolerancia.* || Pena, dolor, padecimiento, martirio, tormento, tortura, aflicción, malestar. ↔ *Alegría, gozo.*

sufrir Penar, padecer, sentir, experimentar, resistir, 'rustir, sostener, llevar la cruz, estar en el banco de la paciencia. ↔ *Rebelarse.* || Aguantar, tolerar, soportar, tener correa, tener paciencia, atenazar los dientes. ↔ *Intolerar.*

sufrir (hacer) Afligir, martirizar.

sugerir Aconsejar, insinuar, inspirar, soplar, infiltrar. ↔ *Disuadir.*

S **sugestión** Sugerencia, sortilegio, fascinación, hechizo, atractivo. ↔ *Falta de atractivo.*

sugestionar Hipnotizar, dominar, magnetizar.

sui generis Particular, especial, distinto, original. ↔ *Corriente, común.*

sujeción Dependencia, subordinación, obediencia. ↔ *Independencia.* || Constreñimiento, esclavitud, atadura. ↔ *Manumisión, liberación.* || Anticipación, prolepsis.

sujetar Fijar, someter, apremiar, obligar, constreñir, encadenar, sojuzgar, subyugar, dominar, mancipar, contener, supeditar, trincar, meter en cintura, atar corto. ↔ *Libertar, manumitir, soltar, aflojar las riendas.*

sujetarse Reglarse.

sujeto Sumiso, subyugado, dependiente. ↔ *Independiente, liberto, manumiso.* || Expuesto, propenso. ↔ *A cubierto, a resguardo.* || Asunto, materia, tema, objeto. || Quídam, ente, individuo.

sulfato Vitriolo.

sulfurar Irritar, excitar, enojar, encolerizar, enfurecer, exasperar, indignar. ↔ *Apaciguar, tranquilizar.*

sulfurarse 'Afarolarse.

suma Total, agregación, integración, adición, anexión, aumento, agregado, conjunto, colección. ↔*Resta, diferencia, parte.* || Sumario.

suma (en) En resumidas cuentas, para abreviar.

sumar Adicionar, allegar, añadir, completar, agregar, integrar, aumentar, afectar, anexionar, reunir. ↔ *Deducir, sacar, quitar, restar.* || Recopilar, recapitular, concretar, resumir, compendiar, epitomar, abreviar. ↔ *Ampliar, extender.* || Ascender, elevarse, valer, montar, importar.

sumarse Corroborar, hacer coro, apoyar.

sumario Suma, resumen, extracto, indicio, compendio, epítome, recopilación, repertorio, sinopsis, epílogo, recapitulación, perioca. || Lacónico, conciso, corto, rápido, sucinto, resumido, breve, compendiado, abreviado. ↔*Extenso, ampliado.* || Juicio, proceso, causa.

sumergir Inmergir, zambullir, sumir, hundir, meter, abismar, zahondar, somorgujar, capuzar, calar, mojar, introducir, hincar. ↔ *Sacar, extraer, emerger.*

sumersión Sumergimiento, hundimiento, inmersión, zambullida, zambullimiento, calada, chapuzón. ↔ *Emersión.*

sumidero Desagüadero, desagüe, albañal, alcantarilla, cloaca, arbollón, escurridero, 'coladero.

suministrar Abastecer, proveer, surtir, proporcionar, administrar, armar, procurar, facilitar, subvenir, guarnecer, equipar, aprovisionar. ↔ *Desproveer, desguarnecer, desmantelar.*

suministro Suministración, abastecimiento, surtimiento, provisión, aprovisionamiento, racionamiento, víveres, avío, prevención, equipo, dotación, abasto.

sumir Sumergir, introducir, hundir, abismar, inmergir, zahondar. ↔ *Sacar, extraer.*

sumisión Acatamiento, rendimiento, vasallaje, sometimiento, rendición, demisión, obediencia, sujeción, allanamiento, dedición, homenaje, subyugación. ↔ *Rebelión, manumisión, emancipación.*

sumiso Dócil, obediente, obsecuente, bienamado, humilde, manejable, sometido, subordinado, disciplinado, sujeto, forzado, subyugado, rendido, reverente, leal, vasallo, esclavo. ↔ *Rebelde, emancipado, indócil, irreverente.*

súmmum El colmo, lo sumo, lo alto, apogeo, cúspide, vértice.

sumo Supremo, altísimo, elevado, capital, máximo, superlativo, fabuloso, potente, excesivo, enorme. ↔ *Inferior, bajo, mínimo.*

sumo (a lo) Cuando más, si acaso, a lo más, como máximo.

suntuosidad Fastuosidad, aparato, esplendidez, fausto, lujo, pompa, magnificencia, esplendor, alarde, riqueza, tren, grandiosidad, boato, bambolla. ↔ *Miseria, pobreza, mezquindad.*

suntuoso Regio, opulento, señorial, costoso, solemne, grande, magnífico, lujoso, espléndido, ostentoso, pomposo, rico, fastuoso, faustoso, resplandeciente, teatral, babilónico. ↔ *Miserable, pobre, mezquino.*

supeditación Subordinación, dependencia, sujeción, sumisión, subyugación. ↔ *Ascendencia, dominio.*

supeditar Someter, dominar, doblegar, sujetar, avasallar, humillar, domar, oprimir, subyugar. ↔ *Liberar, emancipar.*

superabundancia Colmo, exceso, plétora, fecundidad, copiosidad, exuberancia, demasía. ↔ *Escasez, falta.*

superabundante Pletórico, difuso, abundante, excesivo, exuberante, ubérrimo, abundoso, copioso, profuso, superfluo. ↔ *Escaso, falto.*

superabundar Sobrar, rebosar. ↔ *Escasear, faltar.*

superación Vencimiento, dominio, victoria, superioridad.

superar Exceder, aventajar, sobrepujar, ganar, vencer, rebasar, prevalecer, dominar, resaltar, destacar, eclipsar, derrotar. ↔ *Ser inferior.*

superávit Exceso, residuo, sobra. ↔ *Déficit.*

superchería Invención, fábula, falsedad, engaño, mentira, impostura, cancamusa, socaliña, falacia, fullería, embaimiento, embeleco, embustería, artificio. ↔ *Verdad.*

superficial Frívolo, insubstancial, somero, ligero, exterior, vano, hueco, huero, aparente. ↔ *Fundamental, substancial, importante.*

superficie Espacio, extensión, cara, plano, exterior, sobrehaz, faceta, terreno.

superfino Superior, excelente, perfecto. ↔ *Basto.*

superfluidad Inutilidad, lujo, derroche, fárrago, prolijidad, abundancia, ripio, follaje, exceso. ↔ *Esencia, substancia, meollo.*

superfluo Sobrante, innecesario, inútil, prolijo, recargado, historiado, excesivo, excusado, supervacáneo, farragoso. ↔ *Esencial, básico.*

superhumeral Efod.

superintendencia Sobreintendencia.

superior Preeminente, culminante, dominante, cimero, supremo, predominante, preponderante, sobresaliente, superlativo, excelente, prominente, noble, notable, eminente, insigne, elevado, primero, primado. ↔ *Inferior.* || Jefe, director, rector, prior, prelado, abad, maestro, mandamás. ↔ *Subalterno, vasallo, súbdito, sujeto.* || Anterior, precedente. ↔ *Consecuente.*

superioridad Preeminencia, supremacía, excelencia, eminencia, primacía, presidencia, preponderancia, auge, cima, ventaja, culminación, altura. ↔ *Inferioridad.* || Jefatura, dirección. ↔ *Subordinación, dependencia.*

superlativo Superior, máximo, preponderante, eminente. ↔ *Mínimo.*

supernumerario Excedente.

superponer Aplicar, sobreponer, incorporar, añadir. ↔ *Quitar, sacar.*

superstición Credulidad, fetichismo, hechicería, magia, cábala. ↔ *Fe, creencia.*

supersticioso Crédulo, fetichista, agorero, maniático. ↔ *Incrédulo.* ↔ *Piadoso.*

supérstite Sobreviviente, superviviente. ↔ *Difunto, muerto.*

supervacáneo Superfluo. ↔ *Indispensable.*

supervenir Sobrevenir.

superviviente Supérstite.

supino Horizontal, tendido, alechigado, espalditendido, boca arriba. ↔ *Prono, boca abajo.*

supina (ignorancia) Ignorancia crasa.

supitaño Subitáneo, repentino, de sopetón, inesperado. ↔ *Previsto.*

suplantador Suplente. || Alter ego.

suplantar Substituir, relevar, reemplazar, suplir, revezar.

suplementario Accesorio, anejo, subsidiario, adicional, complementario, junto. ↔ *Principal, fundamental.*

suplemento Supleción, reemplazo, substitución. || Agregado, complemento, ítem, apéndice, adición, anexo, aditamento, postdata, coletilla. ↔ *Cuerpo principal, texto, fundamento.*

suplente Substituto, suplantador, reemplazante, supletorio, sucesor, auxiliar, suplidor, revezo, vicario, interino. ↔ *Titular, ocupante, principal.*

súplica Impetración, solicitud, demanda, imploración, recuesta, suplicación, ruego, petición, apelación, deprecación, preces, plegarias, oraciones. || Memorial, instancia, solicitud, petición, escrito.

suplicar Pedir, rogar, invocar, impetrar, implorar, instar, deprecar, conjurar, exhortar, clamorear, pos-

S tular. ↔ *Exigir, intimar.* ↔ *Denegar.*

suplicio Martirio, tormento, tortura, punición, castigo, pena.

suplidor Suplente.

suplir Substituir, suplantar, revezar, representar, reemplazar.

suponer Pensar, creer, estimar, conjeturar, considerar, presumir, figurarse, representar, imaginar, antojarse, entender, sospechar, barruntar. || Admitir, conceder, presuponer, atribuir, dar por hecho, hacerse la cuenta, contar por hecho, dar caso: || Importar, traer consigo.

suposición Sospecha, supuesto, presuposición, hipótesis, conjetura, presunción, creencia, teoría. || Representación, autoridad, distinción, lustre, talento. || Falsedad, impostura, mentira, engaño. ↔ *Verdad.*

supositicio Inventado, fingido, ficto, supositivo, seudo, supuesto. ↔ *Verdadero, real.*

suprasensible Inmaterial, irreal, incorpóreo. ↔ *Material, tangible.*

supremacía Superioridad, preeminencia, excelencia, preponderancia, culminación, sumidad, presidencia. ↔ *Inferioridad.*

supremo Sumo, soberano, potente, superior, perfecto, culminante, decisivo, final, altísimo, grande, último, divino. ↔ *Infimo.*

supresión Eliminación, omisión, desaparición, cesación, destrucción, exterminio, anulación, elisión, obviamiento. ↔ *Añadido, in-*

corporación, prolongación, prórroga.

suprimir Abolir, abrogar, anular, quitar, destruir, deshacer, eludir, cortar, cercenar, atajar, extinguir, truncar, borrar, aniquilar, eliminar, desvanecer, exterminar, acabar con. ↔ *Mantener, prolongar, prorrogar.* || Omitir, callar, pasar por alto. ↔ *Hablar, publicar.*

supuesto Suposición, supósito, hipótesis. || Fingido, apócrifo, imaginario, hipotético, problemático, supositivo, supositicio, presunto, presupuesto, tácito, putativo, gratuito, infundado. ↔ *Real, implícito.*

supuesto (por) De seguro, por de contado, ciertamente, desde luego.

supurar Segregar, correr, manar.

suputación Cálculo, cómputo, cuenta.

suputar Contar, calcular, computar, tantear.

sur Mediodía, ostro, austro, antártico. ↔ *Norte.*

surcar Azurcar, amelgar. || Cortar, hender, andar, navegar, atravesar.

surco Aladrada, arroyada, besana, cauce, carril, rodada, rodera, releje, ranura, estela, corte, hendedura. || Pliegue, arruga.

surgidero Cala, abra, fondeadero, ancladero.

surgir Anclar, fondear, dar fondo.

surgir Aparecer, manifestarse, levantarse, alzarse, brotar, revelarse, salir, asomar, presentarse. ↔ *Desaparecer.* || Surtir, fluir, chorrear, brotar, saltar.

'suri Avestruz.

surtida Varadero.

surtidero Buzón. || Surtidor.

surtido Reunión, colección, conjunto, juego, mezcla, muestrario, repertorio. ↔ *Uniformidad.* || Variado, diverso. ↔ *Único.*

surtidor Surtidero, saltadero, manantial. || Suministrador.

surtir Suministrar, proveer, aprovisionar, abastecer, equipar, armar, proporcionar, subvenir. ↔ *Desequipar, desmantelar.* || Surgir, brotar, fluir, saltar, chorrear.

surto Varado, anclado, fondeado. || Tranquilo, reposado, quieto, silencioso, callado, sosegado. ↔ *Intranquilo, inquieto.*

'súrtuba Helecho.

susceptible Susceptivo, dispuesto, apto, capaz. ↔ *Incapaz.* || Irritable, irascible, puntilloso, quisquilloso, pelilloso, picajoso, delicado, melindroso. ↔ *Pacífico, manso.*

suscitar Motivar, producir, causar, originar, ocasionar, determinar, provocar, promover, llevar, excitar, engendrar. ↔ *Eliminar.*

susodicho Sobredicho, antedicho, mencionado, citado, antecitado.

suspecto Sospechoso, equívoco, dudoso. ↔ *Inequívoco, de confianza.*

suspender Colgar, ahorcar, guindar, emperchar. || Detener, entullecer, parar, retardar, interrumpir. ↔ *Proseguir.* || Pasmar, aturdir, asombrar, admirar, embargar, maravillar, enajenar, embabiecar, embelesar, arrobar. || Revolcar, catear, calabacear, reprobar, escabechar. ↔ *Aprobar.*

suspendido Suspenso. ↔ *Aprobado.* || En vilo, en el aire, en volandas, pendiente, colgante. ↔ *En pie.*

suspensión Enganchamiento, colgamiento. || Parada, tregua, cesación, detención, pausa, interrupción, privación. ↔ *Prosecución.* || Enajenamiento, embeleco, admiración, pasmo, embaucamiento, asombro, maravilla, marasmo, jolito, asombro, alucinación.

suspenso Admirado, asombrado, atónito, perplejo, pasmado, absorto, maravillado. ↔ *Atento, reflexivo.* || Suspendido, reprobado, calabaceado, cateado. ↔ *Aprobado.*

suspicacia Sospecha, conjetura, barrunto, desconfianza, recelo, malicia, duda, temor, escrúpulo, aprensión. ↔ *Confianza.*

suspicaz Desconfiado, difidente, escaldado, matrero, desengañado, malicioso, temeroso. ↔ *Confiado.*

suspirar Afligirse, quejarse, lloriquear.

suspirar por Desear, apetecer, querer, anhelar, amar, ansiar. ↔ *Renunciar, detestar.*

'suspiro Trinitaria.

sustentáculo Sustento, sostén, apoyo, arrimo, basa, peana, soporte, fundamento, recostadero, pata.

sustentar Alimentar, nutrir, sostener. || Mantener, sostener, soportar, afirmar, sujetar, aguantar. ↔ *Soltar.* || Ratificar, asegurar, corroborar. ↔ *Rectificar.*

sustento Sostenimiento, alimento, subsidio, manutención, mantenimiento, manducatoria, victo, vianda. || Sustentáculo.

susto Sobresalto, zozobra, alarma, sorpresa, aldabada, trabucazo, espanto, miedo, 'julepe.

susurrar Bisbisar, musitar, murmurar, murmullar, murmujear, chuchear, cuchichear, rumorear.

susurrarse Sonar, decirse, correr la voz.

susurro Rumor, murmullo, runrún, cuchicheo, bisbiseo, balbuceo, secreteo, farfulla.

susurrón Murmurador, criticón, maldiciente, mala lengua.

'sute Enteco, canijo. || Lechón. || Aguacate.

sutil Fino, tenue, etéreo, delgado, vaporoso, gaseoso, exquisito, elegante, delicado, menudo. ↔ *Basto.* || Gracioso, agudo, despejado, ingenioso, avispado, alambicado, perspicaz, refinado. ↔ *Obtuso, tonto.*

sutileza Sutilidad, agudeza, perspicacia, finura, ingenio, ingeniosidad, argucia, instinto, trastienda, quisicosa, astucia, destello. ↔ *Tosquedad, necedad.* || Paradoja, sofisma, retórica, argucia.

sutilizar Pulir, limar, atenuar, afinar, adelgazar, asutilar. || Discurrir, profundizar, teorizar, conceptuar, alambicar, sofisticar, pesar el humo.

sutura Costura, juntura, cosido, soldadura.

svástica Cruz gamada.

S

T

taba Astrágalo, carnicol, taquín.

tabacal 'Vega.

tabalada Bofetada, tabanazo, sopapo, cachete.

tabalear Atabalear. ‖ Tamborilear, tamborear, tocar.

tabanazo Tabalada, bofetada, bofetón, sopapo, cachete.

tábano 'Colicoli, 'nuche.

tabaquera Petaca.

tabaquería Estanco.

tabaquismo Nicotismo.

tabardillo Tabardete, insolación. ‖ Pinta. ‖ Tifus. ‖ Molesto, importuno, chinchoso, tolondrón, 'cocoliste, aturdido, trafalmejas. ↔ *Atento.*

tabarra Importunación, engorro, cansera, pesadez, lata, molestia, pejiguera, fastidio, jorobo, chinchorrería, aperreo. ↔ *Diversión, amenidad.*

taberna Tasca, bodega, vinatería, bochinche, cantina, bar, 'estanquillo.

tabernáculo Altar, sagrario, trono.

tabernario Vil, marrano, rastrero, villano.

tabes Consunción, extenuación, caquexia, marasmo.

tabique Pared, separación, muro, colaña.

tabla Tablilla, tablar, tablero, tablón, plancha. ‖ Pliegue. ‖ Índice, catálogo, lista, rol. ‖ Bandal. ‖ Cuadro, retablo. ‖ Mesa, mostrador.

tablado Entablado, tablaje, tablazón, tinglado, entarimado, plataforma. ‖ Patíbulo, cadalso. ‖ Palenque.

tablajería Carnicería. ‖ Tahurería.

tablajero Carnicero. ‖ Tahúr.

tablas Empate. ‖ Escenario, teatro.

tablero Tabla. ‖ Tahurería.

tableta Tablilla, tabloncillo. ‖ Pastilla, comprimido.

'tableta Alfajor, alajú.

tablilla Tableta, tabla, listón.

tablón Tabla.

tabuco Tugurio, cuchitril, chiribitil, zahúrda, zaquizamí, buhardilla, buharda, chiscón, sotabanco, 'cambuco, 'socucho.

taburete Banquillo, alzapiés, banqueta, escabel, escañuelo, tajuelo.

tacañería Cicatería, mezquindad, roñería, avaricia, escasez, ruindad, miseria, sordidez. ↔ *Esplendidez.*

tacaño Mezquino, miserable, ruin, sórdido, roñica, avaro, cicatero, roñoso, menguado, cutre, verrugo, guardoso, cena a obscuras. ↔ *Dadivoso, espléndido.*

tacita Jícara, taza.

tacita de plata Curiosidad, limpieza, aseo.

tácito Virtual, omiso, implícito, supuesto, sobrentendido, hipotético, supositivo. ↔ *Expreso.* ‖ Callado, silencioso, taciturno, reservado, sigiloso, secreto. ↔ *Hablador, locuaz, indiscreto.*

taciturno Sombrío, melancólico, apesadumbrado, cabizcaído, cabizbajo, ensimismado, saturnino. ↔ *Alegre, gozoso.* ‖ Tácito. ↔ *Hablador.*

taco Tapón, tarugo. ‖ Baqueta, tirabala. ‖ Refrigerio, trago, bocado, refacción, piscolabis. ‖ Juramento, reniego, terno, voto, maldición, palabrota, por vida, blasfemia, pestes.

'tacotal Matorral. ‖ Ciénaga, lodazal.

táctica Procedimiento, sistema, habilidad, tacto, tiento, diplomacia. ‖ Despliegue, ataque.

tacto Tocamiento, manoseo, palpamiento, palpadura. || Mano, pulso, tino, acierto, destreza, tiento, maña, habilidad, táctica, procedimiento. || Delicadeza, discreción, juicio. ↔ *Indiscreción.*

'tacuacín Zaragüeya.

'tacuara Bambú.

'tacuru Hormiguero.

tacha Defecto, falta, tilde, imperfección, reprobación, desdoro, mancha, mácula, mancilla, mala nota, impugnación. ↔ *Cualidad, favor.*

'tacha Tacho.

tachar Borrar, rayar, raspar, suprimir, corregir, eliminar, testar, enmendar. ↔ *Añadir.* || Culpar, acusar, incriminar, notar, achacar, tildar, censurar, reprender, deshonrar, mancillar. ↔ *Elogiar, loar.*

'tacho Vasija, cacerola. || Paila.

tachón Raya, borrón. || Clavo, tachuela.

tachonar Clavetear.

tachuela Clavo, tachón.

'tachuela Escudilla.

tafanario Posaderas, asentaderas.

tafetán *Glasé.

tafilete Cordobán, marroquí.

tafo Olor, olfato.

tagarnina Coracero, caliqueño, toscano. || Cardillo.

tagarote Baharí. ||, Escribano, escribiente, calígrafo, pendolista. || Perantón, perigallo, zanguayo, espingarda, cangallo. ↔ *Enano.*

tahalí Charpa, biricú, tiracol, tiracuello.

tahona Atahona, panadería, horno de pan.

tahúr Tablajero, chamarillero, griego, jugador, fullero, garitero, cuco.

tahurería Garito, tablero, tablajería, timba, leonera, tablaje, matute, boliche, coima.

taifa Parcialidad, bandería, bando. || Chusma, hez, purria, gavilla, canalla, soldadesca.

'taima Murria, emperramiento.

taimado Tuno, tunante, ladino, marrullero, zorro, zorrastrón, chuzón, colmilludo, marrajo, bellaco, sobón, zorrocloco, astuto, disimulado, hipócrita, mala pécora, 'gaucho, 'macuco, 'retobado, 'navajudo. ↔ *Bobo, pazguato.*

'taimado Amorrado, temoso.

taimería Marrullería, astucia, malicia, zorrería, socarronería, bellaquería, sagacidad, picardía, pillastrería, hipocresía, tunería, cuquería. ↔ *Bobería.*

tajada Taja, trozo, fragmento, porción, posta, rebanada, roncha, loncha, rueda. || Ronquera, tos. || Borrachera.

tajadera Cortafrío.

tajadura Corte, cortadura, tajo, tajamiento.

tajamar Espolón.

'tajamar Malecón, dique. || Balsa.

tajante Cortador. || Incisivo, cortante, concreto. ↔ *Difuso.*

tajar Cortar, partir, sajar, hender, abrir, dividir, segar, rebanar. ↔ *Unir.*

tajo Hendiente, cuchillada, fendiente. || Tajadura. || Picador. || Escarpadura, sima, precipicio.

tal Igual, semejante. || Así, de esta manera, de esta suerte.

tala Billalda, billarda, toña, estornija.

talabarte Tahalí, pretina, biricú.

taladrar Perforar, horadar, agujerear, barrenar, trepanar, punzar. || Atravesar, penetrar, alcanzar, llegar, desentrañar, sutilizar.

taladro Broca, barrena, berbiquí, chicharra.

'talaje Pastura, pacedura.

tálamo Lecho, cama. || Receptáculo.

talanquera Barrera, valla. || Defensa, reparo, amparo, protección.

talante Estilo, modo, son. || Semblante, aspecto, disposición, cariz, ánimo. || Deseo, voluntad, antojo, gusto.

talar Cortar, tajar, segar, atorar. || Arrasar, destruir, arruinar, devastar.

talega Fardel, talego, bolsa, saco, morral. || Dinero, bolsa, peculio, monises, cuartos, 'guayaca. || Conciencia, pecados.

talento Cabeza, chispa, agudeza, capacidad, conocimiento, destreza, aptitud, cacumen, chirumen, genio, habilidad, discernimiento, entendimiento, ingenio, intelecto, pericia, perspicacia, penetración, maña, pesquis, magín, pupila, razón, sagacidad, sentido, tino. ↔ *Necedad, estulticia, nulidad, ineptitud.*

talentoso Talentudo.

'talero Fusta, látigo.

talismán Fetiche, amuleto, reliquia, higa, mascota.

talón Calcañar. || Pulpejo. ||

T

Resguardo, libranza, recibo. || Cheque.

'talonear Espolear.

talones (pisar los) Acosar, perseguir.

talones (apretar los) Huir, escapar.

talque Tasconio.

'taltuza Rata.

talud Inclinación, declive, rampa, desplome, buzamiento.

'taludín Caimán.

talla Talladura, entallamiento, entallo. || Altura, estatura, medida. || Marca. || Relieve, escultura, bajorrelieve.

'talla Charla, palique.

talladura Talla.

tallar Cortar. || Labrar, esculpir. || Tasar, apreciar, valuar, valorar. || Medir.

'tallar Charlar, conversar.

talle Cintura. || Apariencia, disposición, traza, figura, hechuras, proporción.

taller Obrador, tienda, manufactura, oficina, laboratorio, estudio, fábrica.

taller Angarillas, vinagreras, convoy.

tallo Retoño, vástago, renuevo, esqueje, maslo, brote, pimpollo, mástil, serpollo.

'tallo Col. || Cardo.

talludo Alto, crecido, espigado, medrado, gigante, tagarote. ↔ Enano. || Maduro, experimentado, acostumbrado, avezado, rutinario. ↔ Inexperto.

'tamajagua Damajuana.

'tamal Lío, embrollo, pastel, intriga.

tamañito Confuso, achicado, confundido, aturdido, turulato, patidifuso. ↔ Resoluto, decidido, impávido.

tamaño Grandor, capacidad,

magnitud, dimensión, volumen, corpulencia, grosor, cuerpo, proporción.

'tamarugo Algarrobo.

tambalear Oscilar, vacilar, bambolear, cabecear, menearse, moverse, trastrabillar, cojear.

tambalearse Zangolotearse.

tambaleo Oscilación, zangoloteo, vaivén, bamboleo, fayanca.

'tambarria Holgorio, parranda, gresca.

'tambero Manso, dócil. || Ventero, posadero.

también Así, igualmente, todavía, asimismo, además, aun, hasta, de igual modo, de la misma manera.

'tambo Posada, venta, parador. || Vaquería.

tambor Parche, 'paseana. || Cilindro. || Tamiz, cedazo. || 'Tango.

tamborear Tabalear, redoblar.

tamboril Tamborino, tamborín. || 'Marimba.

tamborilada Tabalada, tamborilazo.

tamborilear Tamboritear. || Publicar, difundir, anunciar, alardear, proclamar, trompetear, vulgarizar. ↔ Guardar, celar, callar.

tamborilete 'Asentador.

'tambre Presa, azud.

tamiz Criba, cedazo, harnero, tambor, zaranda, cernedor.

tamo Pelusa, flojel, pelusilla, polvillo.

tamojo Matojo, mata.

tam-tam 'Tango.

tamuja Hojarasca, chasca, borrajo, encendaja.

'tanate Mochila, zurrón. || Lío, fardo.

tanda Vez, vuelta, alternativa, rueda. || Trabajo, ta-

rea, obra, labor. || Partida, grupo, banda, serie, turno. || 'Tonga, tongada, capa. || Cantidad, conjunto, número.

tanganillas (en) En peligro, con inseguridad.

tanganillo Rodrigón, estaca, sostén, apoyo, puntal.

tangente Tocante, rayano, lindante, vecino, contiguo, junto, próximo. ↔ Lejano.

tangente (escapar por la) Eludir, regatear, capotear, esquivar, soslayar. ↔ Ir al grano.

tangible Sensible, positivo, perceptible, material, palpable, asequible, cierto, real. ↔ Intangible, imperceptible.

tango Chito.

'tango Tambor, tam-tam.

tanque Blindado, carro de asalto, carro de combate. || Aljibe, cuba, depósito. || Carro cuba, camión cuba.

'tanque Estanque, depósito.

tantán Batintín.

tantear Escantillar, medir, comparar, carear, parangonar, hondear. || Considerar, pensar, reflexionar. || Ensayar, intentar, sondear, hondear, pulsar, tentar, probar, explorar, examinar, averiguar, poner a prueba. || Calcular, suponer, suputar, conjeturar.

tanteo Prueba, ensayo, examen, sondeo, exploración, tienta, tentativa, suputación, cálculo. || Puntos, tantos, puntuación.

tanto Punto, baza, unidad, ficha.

tanto (al) Al corriente, enterado, impuesto.

tanto (por lo) Por consiguiente, por lo que, así pues.

tantos Tanteo.

tañedor Tocador, músico.

tañer Tocar, pulsar, rasguear, arañar, puntear, herir, voltear, doblar, repicar, tabalear.

tañido Repique, repiquete, repiqueteo, doblar, campaneo.

tapa Tapadera, tapón, cubierta, cobertera, obturador. || Compuerta.

'tapa Estramonio.

'tapabalazo Bragueta, portañuela.

tapaboca Bufanda. || Contestación, réplica, impugnación, mentís, negación, rectificación. ↔ *Ratificación.*

tapaculo Escaramujo, galabardera, zarzaperruno.

tapadera Encubridor, pantalla, alcahuete, velo, nube, ocultador, testaferro. ↔ *Acusón, correveidile.*

tapadizo Cobertizo.

'tapado Tesoro.

tapagujeros Albañil. || Substituto, suplente.

'tápalo Chal, mantón.

'tapanca Gualdrapa.

'tapaojo Quitapón.

tapapiés Brial.

tapar Taponar, cubrir, atorar, obstruir, obturar, cerrar, atascar, tupir, atarugar, entapujar, encorchar, tabicar, sellar. ↔ *Destapar, descubrir.* || Interceptar, impedir. || Abrigar, amantar, arropar. ↔ *Desarropar.* || Encubrir, disimular, ocultar, celar, simular, disimular. ↔ *Publicar, desenmascarar.*

tápara Alcaparra.

'táparo Tuerto, 'choco.

taparrabo Pampanilla, bañadoɪ, 'calembé, 'entrepiernas, 'guayuco.

taparse Embozarse, arrebujarse, aborujarse, aforrarse, taperujarse, tapujarse, enfoscarse. ↔ *Destaparse, desembozarse.*

'tapate Estramonio.

'tapayagua Llovizna.

'tapera Ruinas, restos, escombros.

taperujo Tapón.

tapete Sobremesa, mantelillo.

tapia Muro, pared, hormaza, 'adobón, 'pilca.

tapial 'Gavera.

tapiar Tapar, cerrar, encerrar, emparedar.

tapicería Cortinaje, colgadura, empalizada, toldadura. || Tapizado.

'tapinga Cincha.

tapioca Mañoco, mandioca, fécula.

tapir Danta, anta.

tapirujo Tapón.

tapiz Colgadura, tapicería, antipendio, arambel, paño, alfombra, zofra, estera.

tapizar Entapizar, entalamar, encortinar, entoldar, endoselar, colgar, emparamentar, guarnecer. ↔ *Destapizar.*

tapón Taperujo, tapirujo, tapa, tapador, taco, espiche, corcho, burlete, obturador.

taponar Tapar.

tapsia Zumillo.

tapujarse Taparse, embozarse.

tapujo Disfraz, embozo. || Disimulo, reserva, engaño, pretexto, astucia, trastienda, solapa, marrullería.

taquigrafía Estenografía.

taquilla Papelera. || Ventanilla, casillero, 'boletería.

taquín Taba, carnicol, astrágalo.

tara Envase, embalaje. ||

Desonce. || Tacha, defecto. ↔ *Cualidad.*

tara Tarja.

'tara Langostón.

tarabilla Cítola. || Zoquete, listón, junquillo. || Charlatán, parlanchín, hablador. ↔ *Callado.*

taracea Marquetería, embutido, incrustación.

taracear Ataracear, incrustar.

taragontia Dragontea.

tarambana Tabardillo, trafalmejas, saltabardales, farota, calavera, mala cabeza, bala perdida, alocado, atronado, aturdido, ligero, irreflexivo. ↔ *Sensato, cuerdo, comedido.*

'taranta Aturdimiento, desvanecimiento. || Repente, locura, vana.

'tarantín Cachivache, trasto. || Tenducha.

tararear Canturrear.

tarasca Gomia, coco, tazaña. || Engullidor, glotón, tragón, tragaldabas, 'bacaza.

tarascada 'Tarascón, mordedura. || Desaire, injuria, mortificación, desabrimiento, ofensa. ↔ *Halago.*

'tarascón Tarascada, mordedura.

taray Taraje, tamarisco, tamariz.

tarayal Taharal.

tarazar Atarazar. || Importunar, molestar, chinchar, mortificar, inquietar, encocorar. ↔ *Animar.*

tarazón Trozo, pedazo, cacho, bocado.

tardanza Dilación, demora, retraso, lentitud, posma, pachorra, detención, pelmacería, perrería, roncería, calma, cachaza, sorna. ↔ *Diligencɪa.*

T **tardar** Diferir, durar, retrasarse, rezagarse, demorarse, detenerse, perecear, invertir, irse consumiendo. ↔ *Diligenciar, abreviar.*

tarde A últimas horas, a hora avanzada. ↔ *Temprano.*

tardío Retrasado, retardado, moroso. ↔ *Avanzado, precoz.*

tardo Calmoso, lento, pausado, indolente, pesado, pigre, tardo, ganso. ↔ *Ágil, rápido.*

tardo 'Amarrado.

tarea Obra, labor, trabajo, quehacer, ocupación, faena, afán, cuidado, función, deber, 'tonga. ↔ *Ocio.*

'tareco Trasto, trebejo, cachivache.

tarifa Tasa, arancel, coste, costa.

tarifar Cuantiar, tasar. || Reñir, pelearse, enemistarse, querellarse. ↔ *Amigar.*

tarima Estrado, entablado, entarimado, tillado.

tarja Tara. || Golpe, azote, zurriagazo, verdugazo, latigazo.

'tarja Tarjeta.

tarjeta Cédula, papeleta, tarjetón, etiqueta, membrete, rúbrica, 'tarja.

tarquín Barro, légamo, fango, limo, lodo, cieno, pecina.

'tarraya Atarraya, esparvel.

tarraza Terraja, vasija, belez, caso, cachivache, cacharro, cachirulo.

tarreña Castañeta, tejoleta, 'castañuela.

tarro Escudilla, taza, bote, lata, grasera.

tarta Tostada, torta. || Tortera, tartera.

tartago Burla, guasa, alco-

carra, tiro. || Desgracia, percance.

tartajear Tartamudear, 'cancanear.

tartajeo Tartamudeo.

tartajoso Tartamudo.

tartalear Tartamudear. || Trastabillar, vacilar, bambalear. || Turbarse, azorarse.

tartamudear Tartajear, tartalear, cecear, farfullar, chapurrear, balbucir, balbucear, sesear, 'canconear, 'gaguear, 'trabarse.

tartamudeo Tartamudez, ceceo, seseo, tartajeo, balbucencia, trabalenguas, gangueo.

tartamudez 'Gaguera.

tartamudo Tartajoso, farfalloso, zazoso, zazo, zopas, tato, estropajoso, balbuciente, 'gago.

tártaro Infierno, báratro.

tártaro Rasuras. || Sarro.

tartera Tarta, tortera. || Fiambrera.

tarugo Cuña, coda, clavija, taco, zoquete. || Baldosa, adoquín.

tarumba (volver) Confundir, atolondrar, aturdir.

tasa Tarifa. || Tasación, valuación, valoración, valor, evaluación, justiprecio, ajuste. || Pauta, medida, regla, norma.

tasajo Mojama, cecina, salazón, carnaje, 'charque, 'charqui. || Tajada.

tasar Valuar, valorar, evaluar, justipreciar, estimar, apreciar, graduar. || Regular, ordenar, metodizar. || Reducir, restringir, apocar.

tasca Taberna, bodega, bar. || Tahurería.

tascar Espadar.

'tascar Mascar, mascullar.

tasquera Riña, pelea.

tasugo Tejón.

tatarabuelo Rebisabuelo.

tataranieto Rebisnieto.

'tata Padre, papá.

'tatetí Tres en raya.

tato Tartamudo.

'tatú Armadillo.

tau Emblema, divisa, distintivo.

taumatúrgico Milagroso, sobrenatural, prodigioso, extraordinario. ↔ *Natural.*

taxativo Determinativo, limitativo, categórico, expreso, preciso, concluyente. ↔ *Tácito.*

taxímetro Odómetro.

taza Jícara, salserilla, bernegal, tacita, pocillo, albornía.

tazaña Tarasca, gomia, coco.

tazar Cortar, partir, hender, sajar.

tazarse Romperse, segarse, rozarse.

tea Cuelmo, antorcha.

teatral Dramático, escénico, histriónico, melodramático, cómico. || Fantástico, conmovedor, aparatoso. ↔ *Real.*

teatro Coliseo, templo de Talía, sala de espectáculos. || Escena, tablas, candilejas, bastidores, escenario, proscenio.

tecla Pulsador, palanca.

tecla (dar en la) Adivinar, acertar, atinar.

teclear Tocar, tantear, intentar, probar.

técnica Norma, sistema, reglas, método, procedimiento. || Habilidad, pericia, sagacidad, maña, industria.

técnico Perito, erudito, entendido, ducho, versado. ↔ *Ignorante.* || Profesional, especial, científico, concreto.

'**tecolote** Búho.

techado, techo o **techumbre** Cubierta, bóveda, cielo raso. || Tejado. || Casa, habitación, vivienda, morada, domicilio, hogar.

techar 'Empajar.

tediar Abominar, aborrecer, odiar, repugnar.

tedio Aburrimiento, desgana, hastío, fastidio, repugnancia, molestia, murria, enfado, monotonía, esplín. ↔ *Distracción, diversión.*

tedioso Aburrido, cargante, fastidioso, repugnante, molesto, enfadoso, pesado, soporífero, latoso, importuno, amerengado. ↔ *Distraído, divertido.*

tegumento Tela, tejido, membrana, telilla, binza.

teja Álabe, combada, roblón, cobija.

teja Tilo.

tejadillo Imperial. || Cubierta, tapa, capote.

tejado Techo, techumbre, cubierta, cobertizo, montera, sobradillo, marquesina, azotea, sotechado.

tejar Tejería, ladrillería.

tejar Recubrir, techar. || 'Entejar.

tejarana Tinglado.

tejaroz Alero, marquesina, barbacana.

'**tejedor** Intrigante, enredador.

tejemaneje Destreza, habilidad, diligencia, acción, actividad. ↔ *Inacción.*

tejer Colocar, ordenar, componer. ↔ *Desordenar.* || Entrelazar, cruzar, entretejer, mezclar. ↔ *Destejer.* || Discurrir, maquinar, fraguar, cavilar, urdir, tramar.

'**tejer** Intrigar, enredar.

tejera Tejar, tejería.

tejido Tegumento. || Textura, entretejedura. || Tela. || 'Ayate, 'lama.

tejo Chito. || Cospel.

tejoleta Tejuela. || Tarreña.

tejón Tasugo.

tela Tejido, lienzo, género, trapo, paño. || Tegumento, telilla. || Flor, nata, flor y nata. || Telaraña. || 'Ayate, 'palmiche. || Embuste, farsa, enredo, baruca, maraña, lío. || Tema, asunto, materia, objeto, cuento, argumento.

tela impermeable Barragán, *loden, impermeable.

telamón Atlante.

telaraña Tela. || Futilidad, fruslería, insignificancia. ↔ *Importancia.*

telefonear Hablar, comunicar.

telefonema Despacho.

telegrama Despacho.

'**telele** Patatús, soponcio.

telendo Animado, vivo, airoso, gallardo, donoso. ↔ *Apagado, muerto.*

teleológico Finalista.

telepatía Doble vista.

telera Eje, travesaño.

teletipo Teleimpresor.

telilla Tela, túnica.

telina Almeja.

telón Forillo, bastidor, decorado.

telliz Caparazón.

telliza Toalla, cubrecama, sobrecama, cobertor, colcha.

tema Proposición, materia, asunto, argumento, objeto, sujeto, sumario, síntesis, pasaje, trozo, accidente, incidente, motivo, períoca. || Obstinación, porfía, manía, idea, cuestión, especie, plataforma, contuma-

cia, 'birria, 'barreno. ↔ *Olvido.*

tembladal Tremedal.

tembladera Zarcillitos. || Tembleque. || Torpedo.

temblador Cuáquero.

temblar Castañetear, tiritar, temblotear, retemblar, temblequear, tembletear, dar diente con diente, titilar, calofriarse, dentellar. || Trepidar, agitarse, vibrar, removerse, vacilar, oscilar. || Temer, recelar. || 'Destemplarse.

tembleque Tembladera. || Tembloroso. || Temblor.

temblor Tembleque, trémor, trepidación, tiritona, vibración, oscilación, escalofrío. || Sacudimiento, sacudida, terremoto, seísmo.

tembloroso Tembleque, trémulo, tembloso, temblante, temblador, temblón, trépido, estremecedor. || Temeroso, miedoso.

temer Dudar, sospechar, recelar, temblar, ayunarle, despavorir. ↔ *Osar, menospreciar.*

temerario Osado, imprudente, atrevido, audaz, irreflexivo, arriscado, arriesgado, aventurero, inconsiderado, desgarrado. ↔ *Cobarde, miedoso, temeroso.* || Infundado, inmotivado, irreflexivo, sin pensar. ↔ *Madurado, deliberado, reflexivo.*

temeridad Decisión, arrojo, osadía, intrepidez, brío, desgarro, arrojo, bizarría, audacia, atrevimiento, imprudencia, irreflexión, inconsideración, barbaridad, avilantez. ↔ *Miedo, cobardía, temor.*

temeroso Miedoso, medro-

T

so, tímido, timorato, cobarde, asustadizo, pusilánime, receloso, poltrón, tembloroso, pávido, despavorido. ↔ *Temerario, valiente.*

temible Inquietante, malo, espantoso, espantable, terrible, terrorífico, peligroso, nocivo, horrendo, espeluznante, formidable, truculento, aterrador. ↔ *Bueno, deseable, apetecible.* || 'Ahuizote.

temor Miedo, espanto, timidez, terror, pavor, pavidez, pavura, pánico, canguelo, horror, cuidado. ↔ *Valentía, temeridad.* || Recelo, sospecha, desconfianza, duda. ↔ *Confianza.*

temoso Tenaz, testarudo, recalcitrante. ↔ *Débil, irresoluto.*

témpano Atabal, timbal. || Carámbano. || 'Taimado.

'**tempate** Piñón.

temperamento Carácter, constitución, manera de ser, naturaleza. || Temperie.

temperancia Templanza. ↔ *Intemperancia.*

temperar Atemperar. || Calmar, templar, apaciguar, sosegar. ↔ *Soliviantar.*

temperatura Temperie. || Calor, temple.

temperie Temperamento, temperatura, temple.

tempestad Temporal, tormenta, torbellino, turbión, tromba, borrasca, inclemencia, galerna, ráfaga, huracán, ciclón, tornado, tifón, manga, argavieso, cerrazón, diluvio, aguacero, tronada, cellisca, ventisca. ↔ *Calma.* || Disturbio, desorden, protesta. || Caudal, copia, cantidad,

granizada, raudal, inundación. ↔ *Falta, carencia.*

tempestuoso Borrascoso, tormentoso, agitado, inclemente, deshecho, impetuoso, proceloso, desencadenado, violento, irritado, iracundo. ↔ *Calmado, tranquilo.*

templado Contenido, moderado, prudente, mesurado, reglado, parco, teñido, sobrio, frugal. ↔ *Inmoderado, desmesurado.* || Sereno, valiente, impávido, osado, temerario, audaz. ↔ *Temeroso.* || Tibio, temperado, atemperado. ↔ *Caliente, frío.*

templanza Temperancia, templamiento, moderación, prudencia, continencia, parquedad, sobriedad, tiento, benignidad, parsimonia. ↔ *Intemperancia.*

templar Suavizar, moderar, atenuar, sosegar, aplacar, contener. ↔ *Excitar, avivar.* || Entibiar, atemperar, temperar. || Atirantar, tesar, tirar. ↔ *Aflojar.* || Mezclar, merar. || Afinar. ↔ *Desafinar.*

temple Temperie. || Temperatura. || Valor, energía, vigor. ↔ *Debilidad.* || Temperamento, índole, disposición, ánimo, arrojo. ↔ *Indecisión.*

templete Pabellón, quiosco, glorieta.

templo Iglesia, capilla, santuario, ermita, casa de Dios, casa de devoción, oratorio, basílica, adoratorio. || Sinagoga, pagoda, mezquita, tencalí.

temporada Estación, época, período, era.

temporal Tempestad.

temporal Laico, profano, se-

cular. ↔ *Espiritual, religioso, divino.* || Temporáneo, temporero, temporario, efímero, precario, provisorio, transitorio, pasajero, breve. ↔ *Eterno.*

temporizar Contemporizar, adaptarse, acomodarse. ↔ *Ser intransigente.* || Solazarse, entretenerse, recrearse, divertirse, pasar el tiempo. ↔ *Aburrirse.*

temprano Prematuro, premiso, tempranero, adelantado, antuviado, pronto, verde. ↔ *Maduro, tardío.* || De antemano, a primera hora, por anticipado, con tiempo, en flor. ↔ *Tarde.*

temulento Borracho.

tenacear Atenacear, atenazar, desgarrar, torturar, importunar.

tenacidad Obstinación, constancia, porfía, tesón, firmeza, testarudez, pertinacia, impenitencia, resistencia, presura. ↔ *Inconstancia.*

tenacillas Tenazas. || Despabiladeras.

tenada Tinada, cobertizo.

tenaz Terco, testarudo, porfiado, pertinaz, reacio, recalcitrante, tozudo, obstinado, inapelable, temoso, incansable, inflexible, firme, fuerte, constante, empecinado, 'empeñoso, 'fregado. ↔ *Inconstante.* || Resistente, duro, adherente, sólido. ↔ *Débil, flojo.*

tenaza Tenacillas, alicates. || Pinzas.

'**tenca** Alondra.

tendal Toldo. || Tendedero, tendalero, secador, enjugadero.

tendedero Tendal, tendalero.

tendencia Vocación, propensión, disposición, inclinación, apego, afecto, gusto, pendiente, cariño, querencia, afección, amor, preferencia, simpatía, afición. ↔ *Aversión, antipatía.*

tendencioso Propenso, aficionado, tendente, partidario, simpatizante, adicto, querencioso, fanático. ↔ *Neutral, adverso, enemigo.*

tender Estirar, dilatar, expandir, extender, desplegar, alargar, desdoblar, alargar. ↔ *Encoger, recoger.* || Esparcir, diseminar. || Colgar. || Aquerenciarse, encapricharse, inclinarse, simpatizar, propender. || Enlucir, cubrir, revestir.

tenderete 'Carpa.

tenderse Echarse, tumbarse, acostarse, alastrarse, arrellanarse. || Abandonarse, descuidarse, negligir, abandonar.

tendero Abacero, comerciante, buhonero, vendedor, dependiente, hortera, 'cajonero.

tendido Veloz, raudo. || Echado, espalditendido, acostado, horizontal, yacente, supino, plano, alechigado, abuzado, prono, boca arriba, boca abajo. ↔ *En pie, derecho, erguido.*

tenducha 'Tarantín.

tenducho Estanquillo.

tenebrosidad Obscuridad, lobreguez, sombra, cerrazón, nebulosidad. ↔ *Claridad.*

tenebroso Obscuro, lóbrego, fosco, opaco, negro, nocturno. ↔ *Claro.* || Misterioso, tétrico, confuso, se-

creto, oculto, escondido. ↔ *Diáfano, evidente.*

tenedor Teniente, poseedor, posesor, habiente. || Horquilla, 'trinche.

tener Poseer, haber, detentar, disfrutar, gozar. ↔ *Carecer.* || Incluir, contener, encerrar, comprender. ↔ *Excluir.* || Coger, asir, sujetar. ↔ *Desasir.* || Mantener, aguantar, sostener, retener. ↔ *Soltar.* || Frenar, dominar, detener, parar, refrenar. ↔ *Soltar.* || Cumplir, realizar. || Juzgar, estimar, valuar, reputar, apreciar.

tenerse Asegurarse, apoyarse, afirmarse. || Opugnar, resistir, enfrentarse, dar cara. || Adherirse, atenerse, seguir.

tener a menos Desdeñar, menospreciar.

tener que ver Relacionarse, supeditarse.

tenia Solitaria.

teniente Tenedor. || Substituto, suplente. || Lugarteniente, alférez. || Miserable, escaso. ↔ *Abundante.*

tenor Contenido, texto. || Son, tema, disposición, suerte, estilo.

tenor Cantor, soprano, alto.

tenorio Don Juan, galanteador, burlador.

tensar Tesar, atirantar.

tensión Tiesura, tirantez, retesamiento, rigidez, presión, erección. ↔ *Relajamiento.*

tentación Atracción, incentivo, instigación, seducción, fascinación, estímulo, acuciamiento, quillotro. ↔ *Repugnancia.*

tentador Seductor, excitante, cautivador, incitador, excitante, encantador, qui-

llotrador, envidiable, atrayente, arrebatador, provocativo. ↔ *Repugnante.*

tentar Tocar, palpar, reconocer, tantear. || Ensayar, probar, examinar, gustar, experimentar. || Intentar, procurar, emprender. || Excitar, provocar, promover, instigar, estimular, inducir, mover, quillotrar, soliviantar, concitar, aguzar, enguizcar. ↔ *Repugnar, rehuir.*

tentativa Prueba, experimento, intento, ensayo, probatura.

tentemozo Sostén, puntal, arrimo, sustentáculo. || Tentetieso.

tentempié Refrigerio, piscolabis, refacción, bocadillo. || Tentetieso.

tentetieso Tentemozo, tentempié, dominguillo, pelele.

tenue Ligero, sutil, frágil, débil, delicado, exiguo, vaporoso, delgado, sencillo. ↔ *Denso, espeso.*

tenuidad Delicadeza, sutileza, debilidad, fragilidad, pequeñez, flacura, escualidez, levedad. ↔ *Densidad, ponderabilidad.*

teñir Entintar, almagrar, alheñar.

teodicea Teología.

teológico Teologal, divino, religioso.

teoría Teórica. ↔ *Empirismo.* || Suposición, hipótesis.

teoría Fila, desfile, comitiva, séquito, hilera, procesión, ringlera, línea.

teórico Teorizante, teorista. || Hipotético, racional, sistemático, especulativo, imaginario. ↔ *Práctico.*

tepe Gallón, césped.

T 'tepezcuinte Paca.

'tequio Molestia, perjuicio.

terapéutica Medicina, tratamiento.

tercero Tercio. || Árbitro, intermediario, imparcial. || Alcahuete.

terceto Trío.

tercia Cava, rebina.

terciar Mediar, intervenir, interponerse. ↔ Apartarse. || Atravesar, sesgar.

terciopelo Velludo, pana.

terco Testarudo, tenaz, tozudo, obstinado, pertinaz, porfiado, cabezudo, inapelable, impenitente, irreductible, persistente, temoso, atestado, cabezota, contumaz, incorregible, 'fregado. ↔ Corregible, arrepentido, disuasivo.

terebinto Cornicabra, albotín.

'tereque Trasto, trebejo, cachivache.

tereniabín Maná líquido.

tergiversación Alambicamiento, sutileza, elusión, trastocamiento, falseamiento, deformación. ↔ Verdad.

tergiversar Torcer, forzar, eludir, deformar, falsear.

terliz Cutí, cotí.

termal Caliente, cálido.

termas Baños, caldas, balneario.

terminación Fin, final, conclusión, clausura, cierre, límite, consumación, extremo. || Desinencia.

terminal Final, término, último. ↔ Intermedio.

terminante Categórico, concluyente, tajante, preciso, claro, definitivo, apodíctico. ↔ Indeciso, ambiguo.

terminar Concluir, acabar, finalizar, finiquitar, clausurar, rematar, orillar,

zanjar, clavetear, echar la llave, llegar a término, hacer borrón y cuenta nueva, 'finir. ↔ Empezar, comenzar.

terminar (para) Por último.

término Objeto, fin, final, remate. ↔ Origen. || Terminal. || Límite, confín, frontera, meta. || Mojón, muga, hito. || Pago, arrabal, alfoz. || Palabra, expresión, voz, vocablo.

término (llegar a) Concluir, terminar, conseguir, obtener.

ternasco Cordero, lechal.

ternero Ternera, jato, recental, becerro, vaquilla, choto, novilla, magüeta, utrera.

terneza Ternura. || Piropo, requiebro, quillotro, lagotería.

terno Taco, reniego, juramento, voto, próvida, blasfemia. || Traje, vestuario, vestido, 'flux.

ternura Terneza, afecto, dulzura, cariño, sensibilidad, afección, delicadeza, agrado, bondad, simpatía. ↔ Animosidad, prevención, desabrimiento.

terquedad Terquería, terqueza, terquez, tozudería, testarudez, pertinacia, tenacidad, obstinación, contumacia, endurecimiento, persistencia, temosidad. ↔ Corrección, arrepentimiento.

terrado Terraza, azotea, ajarafe.

terraja Tarraja.

terraplenar Abancalar, desmontar, allanar.

terráqueo Terreno.

terrateniente Latifundista, hacendado.

terraza Terrado. || Galería, glorieta, veranda, balcón. || Arriate, platabanda. || Jarra, jarrón.

terrazgo Terraje.

terremoto Temblor, seísmo, sacudimiento, convulsión, cataclismo, temblor de tierra, 'remezón.

terreno Terrenal, terrestre, terráqueo. ↔ Celeste, celestial. ↔ Marítimo, marino. || Suelo, tierra, terruño, campo, gleba.

terreno (ganar) Adelantar, aventajar.

terreno (perder) Atrasarse, perder.

terrero Humilde, bajo. ↔ Encumbrado.

terrestre Terreno, terrenal, terráqueo.

terrible Terrífico, horrible, horroroso, terrorífico, pavoroso, espantoso, aterrador, atroz, desmesurado, formidable, extraordinario, monstruoso, gigantesco. ↔ Placentero, atrayente, agradable, normal.

territorio Término, región, comarca, lugar, paraje, cora, demarcación, distrito, cantón, departamento, circunscripción, espacio, país, nación, provincia.

terrizo Lebrillo, barreño.

teromontero Cerro, alcor, colina, otero, altozano, collado. ↔ Llano.

terrón Gleba, terruño, tormo. || Pastilla, comprimido.

terror Miedo, pavor, temor, espanto, pánico, pavidez, horror, temblor, angustia, consternación, fobia. ↔ Atracción, seducción, agrado.

terrorífico Terrible, horroroso, espantoso, aterrador,

pavoroso, horrible, terrífico, apocalíptico. ↔ *Cautivador, atrayente, admirable.*

terrorismo Terror, confusión, convulsión, revolución.

terrorista Amotinador, activista, revolucionario.

terroso Empañado, turbio, sucio, pardo. ↔ *Limpio, claro.*

terruño Terrón. || Comarca, tierra, patria chica. || Terreno, suelo.

tersar Atezar, pulir, alisar.

terso Bruñido, resplandeciente, limpio, límpido, brillante. ↔ *Empañado.* || Puro, transparente, fácil, comprensible. ↔ *Alambicado, conceptuoso.*

tersura Tersidad, lisura, limpidez, transparencia, brillantez. ↔ *Empañamiento, turbieza.*

tertulia Peña, reunión, club. || Conversación, charla, plática, coloquio.

tertuliar Charlar.

tesar Entesar, atesar, atirantar, largar, entiesar, tensar, templar. ↔ *Aflojar, soltar, cargar.*

tesis Exposición, conclusión, proposición. ↔ *Antítesis.* || Disertación.

tesitura Actitud, disposición, postura, posición.

teso Rígido, tenso, tirante, tieso, estirado, largado, tiesto. ↔ *Aflojado, suelto, cargado.*

tesón Firmeza, constancia, empeño, perseverancia, inflexibilidad. ↔ *Inconstancia, blandura.*

'tesonero Constante, firme, perseverante.

tesoro Erario, reserva, hucha. || Dinero, fondos. ||

'Tapado, 'santuario, 'guace.

testa Cabeza. || Cara, frente, anverso. || Capacidad, sensatez, entendimiento, prudencia.

testaferro Tapadera.

testamento Última voluntad. || Legado, manda.

testamentario Albacea, albacea testamentario, cabezalero.

testar Testamentar, disponer, otorgar, legar, dejar.

testarada Testerada, testada, cabezazo, testarazo.

testarudez Tozudez, testarronería, terquedad, obstinación, porfía, obcecación, pertinacia, cabezonería. ↔ *Condescendencia, docilidad.*

testarudo Tozudo, testarrón, terco, tenaz, obstinado, caprichoso, pertinaz, obcecado, porfiado, temoso, cabezudo, entestado, intransigente, arbitrario, 'cabeciduro. ↔ *Condescendiente, dócil, persuasible.*

testificar Testimoniar. || Declarar, deponer.

testigo Testimonio. || Declarante. || Dama, hito, mojón.

testimoniar Testificar, atestiguar, probar, afirmar, aseverar, asegurar, adverar.

testimoniero Calumniador, hazañero, testimoniero, hipócrita, impostor.

testimonio Atestación, aseveración. || Prueba, prenda, comprobación, justificación. || Instrumento.

testimonio (falso) Impostura.

testuz Frente. || Nuca.

teta Ubre, mama, pezón. || Tetilla, mogote.

tetera Samovar, 'caldera, 'pava.

'tetera Tetilla, mamadera.

'tetero Biberón.

tetilla 'Tetera.

tetón Uña.

tetrágono Cuadrilátero.

tetrasílabo Cuatrisílabo.

tétrico Triste, fúnebre, sombrío, lúgubre, tenebroso, funesto. ↔ *Alegre, animado.*

teucro Troyano.

texto Contenido, cuerpo, tenor, pasaje.

textual Literal, al pie de la letra, palabra por palabra, sin poner ni quitar coma. || Exacto, idéntico. ↔ *Desigual.*

textura Contextura, estructura, tejedura, disposición, ligazón, trabazón.

'teyu Iguana.

tez Superficie. || Cara, rostro, aspecto.

tía Mujer, comadre.

tía Ramera.

'tiacuache Zarigüeya.

'tibe Corindón. || Esquisto.

tiberio Alboroto, confusión, desorden, griterío, ruido, algarabía, trapatiesta, zipizape. ↔ *Orden, calma, tranquilidad.*

tibieza Templanza, temple. || Suavidad, benignidad, blandicia, blandidez, negligencia. ↔ *Rigurosidad, inflexibilidad.*

tibio Templado. || Amoroso, suave, lene. ↔ *Áspero.* || Descuidado, flojo, negligente, pigre, indiferente, perezoso, blando, abandonado. ↔ *Diligente, activo.*

'tibor Orinal, jícara.

tiburón Lamia, marrajo, náufrago.

*ticket 'Boleto.

tiempo Duración, decurso,

T

proceso, transcurso, curso, período, época, intervalo, trecho, temporada, tirada, ciclo, era, estación, edad. || Ocasión, oportunidad, sazón, coyuntura, ocurrencia. || Ocio, vacación. || Temperatura, día, cariz. || Movimiento, ejercicio, tempo.

tiempo (buen) Bonanza.

tiempo (mal) Inclemencia, destemplanza.

tiempo (a su o a) Con oportunidad.

tiempo (dar) Aguardar.

tiempo (pasar el) Entretenerse, divertirse.

tienda Comercio, botica, bazar, baratillo, puesto, exposición, 'boliche, 'cajón. || Despacho, almacén, depósito, ·factoría. || Toldo, entalamadura. || Droguería, colmado, abacería.

tienda (de campaña) 'Carpa.

tienta Cala, sonda, tientaguja. || Sondeo, averiguación.

tiento Consideración, miramiento, cuidado, atención, medida, cautela, prudencia, circunspección, cordura, prudencia. || Tacto. || Tino, puntería, pulso. || Golpe, porrazo. || Tentáculo. || Contrapeso.

tiento (dar un) Reconocer, examinar.

tiento (tomar el) Pulsar.

tierno Suave, delicado, blando, muelle, flojo, elástico, débil, flexible, dócil, maleable. ↔ *Duro, rígido, áspero, fuerte.* || Amable, amoroso, cariñoso, afectuoso. ↔ *Hosco, intratable.* || Reciente, nuevo, moderno, verde. ↔ *Pasado, maduro, hecho.* || Sus-

ceptible, impresionable, sensible, sentimental. ↔ *Inflexible, endurecido.* || Verde, inmaduro, agraz.

tierra Mundo, globo terráqueo, globo, orbe. || Suelo, superficie, terreno, piso. || Territorio, país, comarca, terruño. || Campo. || Posesión, predio, finca, heredad, hacienda, dominio.

tierra firme Continente.

tierra (dar en o echar por) Derribar, abatir, destruir.

tierra (echarse por) Humillarse, rendirse.

tierra (echar) Esconder, ocultar.

tierra (venirse a) Derrumbarse.

tierra (tomar) Aterrizar.

tieso Tirante, tenso, erecto, enhiesto, estirado, teso, rígido, yerto, envarado, empinado, duro, sólido, firme. ↔ *Flojo, relajado, suelto, blando.* || Valeroso, esforzado, valiente. ↔ *Cobarde.* || Terco, inflexible, obstinado. ↔ *Dócil, condescendiente.* || Grave, serio, circunspecto, mesurado, comedido. ↔ *Bromista, informal, descomedido.* || Orgulloso, vanidoso, petulante, empingorotado, envirotado. ↔ *Humilde, sencillo.*

tiesto Tieso. || 'Callana.

tiesto Pote, maceta.

'tiesto Vasija.

tiesura Tensión, envaramiento, tirantez, rigidez, dureza. ↔ *Blandura, relajamiento.*

tifón Manga, huracán, torbellino, temporal, turbión, tromba, ráfaga, galerna, .argavieso.

tigrado Zebrado. rayado.

'tigre Jaguar.

tijera Aspa. || Murmurador, criticón, censurador.

tijeras Cizalla.

tijereta Cortapicos. || Cercillo, zarcillo.

tijeretazo Tijeretada, tijerada.

tildar Notar, señalar. || Tachar, enmendar, borrar. || Denigrar, profazar, censurar, mancillar, desacreditar, cauterizar. ↔ *Elogiar, honrar.*

tilde Virgulilla. || Estigma, baldón, labe, mancha, manchilla, borrón, difamación. || Nimiedad, bagatela, fruslería.

'tiliche Baratija, cachivache.

'tilichero Buhonero.

tilín Campanilleo.

tilín (hacer) Agradar, satisfacer, caer en gracia.

'tilingo Memo, lelo.

tilo Teja, tila.

tillado Entarimado, tarima, entablado.

timador Estafador, petardista, mohatrero, engaitador, droguista, trapacista, socaliñero, emprestillador, colusor, sablista, chantagista.

timar Robar, engañar, estafar, socaliñar, defraudar, petardear, sablear, chantajear.

timba Timbarimba, garito, matute, chirlata, boliche, tablajería, tahurería, leonera.

'timba Barriga, vientre.

timbal Atabal, tímpano, témpano.

timbrar Estampar, sellar, estampillar.

timbre Estampilla, precinto, marca, señal, sello, póliza. || Avisador, llamador.

|| Ejecutoria, blasón, proeza. || Metal.

timidez Turbación, encogimiento, empacho, cortedad, poquedad, retraimiento, apocamiento, pusilanimidad, cobardía, temor, desaliento, irresolución, miedo, vacilación, cuitamiento. ↔ *Osadía, atrevimiento, resolución.*

tímido Corto, pacato, remiso, encogido, apocado, atarugado, cobarde, miedoso, pusilánime, medroso, cortito, empachado, embarazado, parapoco, temeroso, timorato, vergonzoso. ↔ *Osado, atrevido, resoluto, decidido.*

timo Estafa, fraude, mohatra, engaño, pegata, dolo, trapaza, aletazo, gatazo, robo, chantaje, extorsión.

timón Gobernalle, lanza, pértigo, caña. || Dirección, mando, gobierno.

timorato Temeroso, **tímido**.

tímpano Timbal. || 'Marimba.

tina Tinaja. || Cuba, barreño, caldera. || Baño.

tinada Teinada, tenada, cobertizo.

tinaja Tina, tinaco, vasija, acetre, pozal, pocillo, orza. || 'Bernegal.

'tincar Capirotar.

'tincazo Capirotazo.

tinelo Refectorio.

tinglado Cobertizo, sotechado, tejavana, 'galpón, almacén, 'galerón, 'galera, 'barraca. || Enredo, artificio, añagaza, maquinación, astucia.

tinieblas Obscuridad, tenebrosidad, opacidad, negrura. || Ignorancia, obscurantismo.

tino Destreza, acierto, pun-

tería, firmeza, pulso, seguridad, tiento, 'atingencia.

tino (perder el) Perder la brújula, desorientarse.

tino (sacar de) Atolondrar, enloquecer.

tino Durillo.

tinta Tinte, matiz, tono, gradación, color, valoración, coloración, gama.

tintar Teñir, colorar, entintar.

tinte Tinta. || Tintura, teñidura, almagradura. || Tintorería.

'tinterillada Embuste, trapisonda.

tinterillo Cagatintas, oficinista, empleado, dependiente.

'tinterillo Rábula.

tinto Rojo, aloque. || Entintado, teñido. || Negro.

'tinto Granate.

tintorería Tinte.

tintura Tinte. || Afeite, cosmético, pintura.

tiña Roña, piojería, tiñería, miseria. || Cortedad, avaricia, mezquindad.

tiñoso Roñoso, piojoso, pijotero, miserable. || Escaso, ruin, avaro, mezquino, cicatero, sórdido. ↔ *Abundante, dadivoso.*

tiñuela Rascalino.

tío Cateto, paleto, palurdo, rústico, patán, zafio. || So.

tiovivo Caballitos.

'tipa Bolsa, cesta.

tipejo Tipo.

'tipiadora Dactilógrafa, mecanógrafa.

típico Característico, patente, inconfundible, simbólico, alegórico, ejemplar, representativo, modélico. ↔ *Atípico.*

tiple Discante. || Diva, cantante, soprano.

tipo Muestra, ejemplar, modelo, espécimen, arquetipo, prototipo. || Tipejo, mamarracho, adefesio, títere, calandrajo, ente, esperpento. || Figura, talle. || Letra, carácter.

tipografía Imprenta.

tipógrafo Impresor.

tiquismiquis Reparos, escrúpulos, afectaciones, rendibú, patarata.

tira Cinta, lista, franja, jira, banda.

tirabala Taco, baqueta.

tirabuzón Sacacorchos, 'colocho.

tiracol o **tiracuello** Tahalí.

tirada Edición. || Tiramira, serie, racha, retahíla, fila.

tirado Ruinoso, barato, a precio de ganga. ↔ *Caro.*

tirador Asidero, agarrador, agarradero, puño, empuñadura, asa. || Prensista.

tiramira Tirada. || Cordillera, serranía, sierra.

tiranía Absolutismo, autocracia, despotismo, 'caudillaje, dominación, dictadura. ↔ *Democracia.* || Arbitrariedad, injusticia, abuso, opresión. ↔ *Libertad.*

tiránico Tirano, despótico, arbitrario, abusivo, opresivo, cruel, opresor, imperioso, sojuzgador, dominante, dominador. ↔ *Liberal, benigno, justo.* || Dictatorial, autocrático. ↔ *Democrático.*

tiranizar Esclavizar, avasallar, oprimir, vejar, sojuzgar, aherrojar, sofocar, despotizar. ↔ *Liberar, ser de la manga ancha.*

tirano Autócrata, dictador, absolutista, amo, señor. || Déspota, opresor. || Tiránico.

tirante Tenso, teso, estira-

T

do, tiesto, tieso. ↔ *Flojo.* || Tiro, mancuerna.

tirantez Tensión, tiesura. ↔ *Relajación.* || Hostilidad, animadversión, enemistad. ↔ *Amistad.*

tirar Echar, lanzar, despedir, arrojar, emitir, botar. ↔ *Recoger.* || Disparar, descargar, fulminar, hacer fuego. || Derrotar, arruinar, destruir. || Malgastar, dilapidar, prodigar, disipar. ↔ *Ahorrar.* || Verter, derramar, rociar, salpicar, volcar. || Estirar, extender, desdoblar, atirantar, desencoger. ↔ *Replegar.* || Ahilar. || Rayar, trazar, hacer. || Adquirir, ganar, sacar, obtener, devengar. || Imprimir. || Torcer, volver, dirigirse, encaminarse. || Durar, mantenerse, conservarse. || Tender, propender, aficionarse, inclinarse. ↔ *Superar.* || Parecerse, imitar, asemejarse. || Procurar, hacer por.

tirarse Acometer, abalanzarse, embestir, atacar. ↔ *Echarse atrás.* || Tumbarse, tenderse. ↔ *Erguirse.*

tirar de Captar, atraer. || Llevar, conducir, arrastrar.

tiritaña Nimiedad, poquedad, fruslería, bagatela.

tiritar Temblar, temblotear, castañetear, calofriarse, dentellar.

tiro Fuego, disparo, estampido, estallido, fogonazo, explosión, detonación, traquido. || Alcance, distancia. || Junta, tronco, posta. || Tirante, mancuerna. || Holgura, anchura, longitud. || Tramo, salto, trayecto, lanzamiento. || Burla, engaño, trampa. || Per-

juicio, daño, dolo. || Robo, hurto. || Alusión, indirecta, insinuación.

tirocinio Aprendizaje, noviciado, enseñanza.

tirón Bisoño, aprendiz, neófito, novicio. ↔ *Maestro, perito.*

tirria Manía, ojeriza, fila, tema, repugnancia, odio, aborrecimiento, aversión, roña. ↔ *Simpatía, amistad, admiración.*

tirulato Turulato.

tisis Tuberculosis.

titán Gigante, coloso. || Eminencia, superhombre, águila. ↔ *Don Nadie.*

titánico Grandioso, descomunal, colosal, gigantesco, ciclópeo, prodigioso, sobresaliente, enorme. ↔ *Pequeño, mezquino.*

títere Fantoche, marioneta, polichinela, muñeco. || Espantajo, tipejo, tipo.

titerista Titiritero.

titilar Centellear, refulgir, rielar, temblar.

titiritero Titirista, titerero, saltimbanqui, saltabanco, funámbulo, equilibrista, volatinero.

tito Almorta. || Perico, sillico, orinal.

titubear Dudar, vacilar, fluctuar, trastabillar, tropezar, oscilar, zozobrar, andar a tienta paredes. ↔ *Decidir, resolver.*

titubeo Vacilación, turbación, confusión, indeterminación, indecisión. ↔ *Decisión, determinio.*

titular Rotular, nominar, intitular, nombrar, denominar, bautizar, llamar, apellidar, substantivar, motejar, apodar, dar nombre, mencionar. ↔ *Innominar.*

titular Nominal, nominati-

vo, denominativo. || Facultativo, profesional, profesante, efectivo. ↔ *Auxiliar, potestativo.*

título Denominación, intitulación, nombre, nominación, rúbrica, epígrafe, epíteto, rótulo, letrero, lema, etiqueta, inscripción, rubro. || Motivo, derecho, razón, pretexto, fundamento. || Dictado, empleo, nombramiento, diploma, honor, tratamiento. || Titulado, noble, distinguido.

título académico Certificado de estudios.

titulado Título.

tiza Yeso, clarión.

tiznado Fumoso, negro, holliniesto, sucio. ↔ *Limpio.*

'tiznado Borracho, ebrio, achispado.

tiznar Entiznar, mascarar, enmascarar, ensuciar, ajar, manchar, almagrar, deslustrar. ↔ *Limpiar.* || Mancillar, sambenitar, tildar, profazar, desacreditar, incriminar, denigrar, censurar. ↔ *Elogiar, ensalzar.*

tizne Humo, máscara, fulígine, hollín, mugre, suciedad. || Tizón.

tiznón Tiznajo, ahumada, mancha.

tizón Tizne, leño, tuero, rozo. || Borrón, mancha, baldón, oprobio, ofensa, estigma, desdoro, descrédito, deshonra.

toa Maroma, sirga.

toalla Toballa. || Sobrecama, cubrecama, teliiza.

toalleta Servilleta.

toba Tosca, tufo. || Sarro. || Cardo borriquero.

tobillo Maléolo.

'toboba Víbora.

toca Gorra, gorro, casquete, impla.

tocado Peinado. || Sombrero.

tocamiento Tacto, contacto, roce, rozamiento. || Inspiración, toque, llamada, llamamiento.

tocar Tentar, palpar, manosear, sobar, sobajar. || Teclear, tañer, pulsar. || Golpear, chocar, tropezar, rozar. || Llegar, arribar, alcanzar. || Corresponder, pertenecer, concernir, atañer. || Convenir, importar. || Rayar, lindar, limitar.

tocarse Acicalarse, emperifollarse, peinarse. || Cubrirse. ↔ *Descubrirse.*

tocata Tollina, vapuleo, zurra.

tocayo Homónimo, colombroño.

tocinería 'Chanchería.

tocino Lardo. || Cerdo.

tocología Obstetricia.

tocólogo Obstetra, comadrón.

tocón Muñón, 'tuco. || Chueca.

'tocotoco Pelícano.

tochedad Necedad, bobería, simplería, patochada, grosería.

tocho Necio, bobo, zafio, rústico, grosero, rudo. ↔ *Avispado, cortés.*

todasana Todabuena, androsema, castellar.

todavía Aún.

todo Total, conjunto, entero, bloque, absoluto. || Por completo, en absoluto.

todos Cada.

todo (sobre) Ante todo, por encima de todo, máxime, en primer lugar.

todopoderoso Omnipotente, omnímodo. || Dios, Ser Supremo, Creador.

'tofo Arcilla (refractaria).

toga Ropa, ropón, ropa talar.

'toldería Campamento.

toldo Toldadura, cubierta, entalamadura, pabellón. || Pompa, vanidad, engreimiento, ensoberbecimiento.

'toldo Cabaña, choza.

tole Confusión, desorden. || Bulla, zipizape.

tolerable Llevadero, soportable, sufrible, aguantable. ↔ *Insoportable, intolerable.* || Permisible.

tolerancia Condescendencia, permiso, anuencia, indulgencia, paciencia, aguante. ↔ *Intolerancia.* || Consideración, respeto, veneración. ↔ *Irreverencia, inconsideración.* || Margen, diferencia, separación.

tolerante Condescendiente, indulgente, paciente, resignado, sufrido. ↔ *Exigente, intolerante, severo.* || Liberal, abierto, considerado, benigno, humano, dulce. ↔ *Cruel, malo.*

tolerar Soportar, aguantar, resistir, sobrellevar, sufrir. || Condescender, disimular, conllevar.

'tolete Garrote, porra.

tolmo Berrueco, peñasco, faya.

'tolobojo Pájaro bobo.

tolondro Tolondrón, turumbón, aturdido, desatinado, alocado, irreflexivo. ↔ *Reflexivo.* || Chichón, golpe.

tolvanera Polvareda, remolino.

tolla Tremedal, tolladar, balsa.

tollina Vapuleo, azotaina, zurra, paliza, tunda, felpa, sepacuantos.

tollo Escondite, escondrijo.

toma Presa, apresamiento, botín.

toma Dosis, ración. || Conquista, presa, asalto, ocupación, rendición.

'tomador Bebedor.

tomar Asir, coger. ↔ *Desasir.* || Aceptar, recibir, admitir, percibir. ↔ *Dar.* || Ocupar, asaltar, conquistar, expugnar, apoderarse, adueñarse, posesionarse, arrebatar. ↔ *Rendirse, entregarse.* || Beber, comer, tragar. || Emplear, adoptar. || Adquirir, contraer, contratar, ajustar, alquilar. ↔ *Rehusar, abandonar.* || Juzgar, entender, interpretar. || Quitar, robar, hurtar. ↔ *Devolver.* || Captar, capturar. ↔ *Libertar.* || Elegir.

tomar agallas Envalentonarse.

tomar alas Engreírse, animarse, osar, embravecerse.

tomar asiento Sentarse.

tomar el aire Pasearse.

tomar el mando Mandar, empuñar el bastón.

tomar el sol Asolearse.

tomar la borla Graduarse, licenciarse, doctorarse.

tomar las armas Armar. || Combatir, luchar.

tomar para sí Asumir.

tomar puerto Abordar.

tomar rizos Arriar.

tomar tierra Aterrizar.

tomar (hacer) Administrar, racionar.

tomatada 'Tomaticán.

'tomaticán Tomatada.

'tomaza Tomillo.

tómbola Rifa, sorteo, *kermesse.

'tomé Espadaña.

tomillo 'Tomaza.

tominejo Pájaro mosca.

tomo Libro, volumen, ejem-

T

plar. || Importancia, entidad, valor, estima.

tonadilla Tonada, cancioncilla, aire.

tonalidad Gama, matiz, tono.

tonel Pipa, barril, bocoy, barrica, carral, cuba.

tonelada Salma.

tonelaje Arqueo.

'tonga Pila, montón. || Tanda, tarea.

tónico Acentuado. ↔ *Átono.*

tongo Trampa, pastel, enjuage.

tónico Reforzante, reconfortante, cordial, vigorizante.

tonificar Vigorizar, reconstituir, entonar, alentar. ↔ *Desanimar.*

tonillo Dejo, sonsonete, soniquete.

tonina Atún.

tono Inflexión, cambiante, matiz, tonalidad. || Aire, carácter, manera. || Tonada. || Vigor, energía, fuerza, ánimo. ↔ *Desánimo.* || Modo, tonalidad. || Intervalo.

tonsurado Clérigo, cura, eclesiástico. ↔ *Intonso.*

tontería Tontera, tontada, tontedad, bobada, bobería, simpleza, necedad. ↔ *Listeza, agudeza.*

tontillo Sacristán.

tonto Atontado, bobo, borrego, boto, ganso, estúpido, corto, cernícalo, majadero, inepto, mentecato, paleto, simple, tonticano, tontiloco, tontón, tontucio, tontuelo, tocho, torpe, zopenco. ↔ *Listo, avispado, agudo.* || Candelejón, baboso, 'dundo, 'guaje, 'guanaco, 'nango, 'opa, 'otaria.

'tonto Boleadoras.

topacio Jacinto occidental.

topadizo Encontradizo.

topar Chocar, topetar, tropezar, topetear, hallar, encontrar. ↔ *Alejarse, separarse.*

tope Parachoque. || Topetón. || Sorpresa, casualidad, sobresalto. || Contienda, reyerta, riña. || Canto, extremo.

topetón Topetada, tope, topada, topetazo, choque, encuentro, mochada.

tópico Lugar común, vulgaridad, trivialidad, expresión manida, dicho adocenado. ↔ *Genialidad.*

tópico Sinapismo, apósito.

topo 'Tucutuco.

'topo Alfiler.

'topocho Repolludo, rechoncho, gordo.

toque Quid, busilis. || Ensayo, prueba, examen. || Tañido, repique, campaneo. || Advertencia, indicación, llamamiento, golpe, tocamiento, clarinada.

toquilla Pañuelo, pañoleta.

tórax Pecho, busto.

torbellino Remolino, vórtice, manga. || Apelotonamiento, concurrencia, generación, muchedumbre, multitud, nube, nubada.

torcedura Dislocación, distorsión, luxación, esguince, desviación, torcimiento, tuerce, torsión. || Aguachirle, aguapié, güetas, casca.

torcer Doblar, retorcer, encorvar, combar, inclinar, arquear, pandear, alabear, cimbrar, 'enhuecar. ↔ *Enderezar, rectificar.* || Desviar, volver, mudar, trocar.

torcerse Frustrarse. || Picarse, agriarse, apuntarse,

cortarse. || Salir desigual.

torcida Mecha, pabilo, pábilo, matula.

torcido Retorcido, corvo, combado, alabeado, inclinado, oblicuo, adunco, sesgo, sesgado. ↔ *Recto.*

torcimiento Torcedura.

tordo Berrendo, 'paraulata.

'tordo Estornino.

torear Lidiar.

torera Fígaro.

'torería Travesura, calaverada.

torero Diestro, lidiador, muleta.

toril Chiquero, encerradero, encierro.

torillo Becerro, novillo, vaquilla.

'torito Orquídea. || Pez cofre.

tormenta Tempestad, borrasca, temporal, galerna, vendaval, cellisca, tronada, diluvio, argavieso, nevasca, aguacero, huracán, turbión. ↔ *Calma, serenidad.* || Desgracia, infortunio, adversidad.

tormentila Sieteenrama.

tormento Suplicio, martirio, tortura. || Angustia, congoja, dolor, pena, aflicción, cuita, traspaso, padecimiento, sufrimiento. ↔ *Gozo.*

tormentoso Borrascoso, tempestuoso, proceloso, huracanado. ↔ *En calma.*

tormo Tolmo. || Terrón.

tornadizo Tornátil, inconstante, voluble, versátil, veleidoso. ↔ *Firme, constante.*

tornar Volver, retornar, regresar. ↔ *Marcharse.* || Devolver, restituir. ↔ *Tomar, hurtar.*

tornatrás Saltatrás.

tornavoz Bocina.

tornear Redondear, labrar. || Justar, luchar, pugnar.

torneo Desafío, combate, justa, liza. || Certamen, controversia, oposición.

tornero Fustero, torneador,

tornillazo Burla, engaño, engarnio, mofa, escarnio.

tornillero Desertor, prófugo.

torniscón Tornavirón, mojicón, mamporro, cachete, soplamocos.

'torniscón Pellizco.

torno Malacate, súcula, baritel.

toro Astado, cornúpeta.

toronjil o toronjina Melisa, abejera, cidronela.

toroso Fuerte, robusto, corpulento, pechisacado, atleta. ↔ Débil, canijo, esmirriado.

torozón Inquietud, desazón, sofocamiento, sofoco. ↔ Tranquilidad. || Torcijón, torzón.

torpe Desmañado, inhábil, boto, gaznápiro, tolondro, mastuerzo, mostrenco, zafio, rudo, rústico, zamacuco, zote, chancleta, gofo, obtuso, incapaz, majagranzas, zopenco, modorro, 'cerrero, 'cauque, 'cufama. ↔ Hábil, listo. || Inconsiderado, indelicado, rudo, tardo. ↔ Delicado. || Deshonesto, impúdico, lascivo. ↔ Honesto. || Ignominioso, infame, pudendo, feo.

torpedeo Torpedeamiento.

torpedero Destructor, corbeta.

torpedo Tembladera, tremielga, trimielga.

torpeza Inhabilidad, impericia, incapacidad, ineptitud, insuficiencia, zafiedad, rusticidad, tontería. ↔

Habilidad, capacidad. || Descuido, yerro, error, indelicadeza, plancha. ↔ Atención.

torre Torreón, torrejón, alminar, atalaya, campanario. || Roque.

torrefacción T o s t a dura, tueste.

torrefacto Tostado.

'torreja Torrija.

torrencial Tempestuoso, copioso, abundante, violento, desencadenado.

torrente Arroyo, barranco, cañada, rambla, torrentera, quebrada. || Muchedumbre, multitud, gente, cantidad.

torreznero Ocioso, gandul, holgazán, 'regalón. ↔ Diligente.

tórrido Quemante, sofocante, ardiente, tropical, abrasador, canicular. ↔ Helado, frígido.

torrija Picatoste, 'torreja.

torsión Torcedura, torcimiento.

torso Tronco, busto, pecho, talla, tórax.

torta Bizcocho, hornazo, regaifa, 'gaznatada. || Cachete, bofetada, soplamocos, sopapo, mojicón, tortazo.

tortera Tarta, tartera.

tortilla 'Gorda.

tórtola 'Cocolera, 'tucurpilla.

tortuga Galápago, 'charapa.

tortuoso Sinuoso, torcido, serpenteante, serpentino, meándrico, laberíntico, anfractuoso, 'saltanejoso. ↔ Recto. || Solapado, cauteloso, astuto, disimulado, taimado. ↔ Franco, abierto.

tortura Tormento, martirio, suplicio. || Dolor, sufrimiento, angustia, congoja,

pena, aflicción, pesar, padecimiento. ↔ Gozo.

torturador Doloroso, martirizante, angustioso, escocedor. ↔ Aliviador, consolador.

torturar Atormentar, martirizar, supliciar, crucificar, aspar, atenacear, acongojar. ↔ Complacer, letificar.

torva Nevisca, nevasca, cellisca.

torvo Amenazador, tosco, airado, avieso, fiero, horripilante. ↔ Agradable, benevolente.

torzal Gurbión. || Lazo, maniota.

tos Tosecilla, tajada.

tosca Toba, tufo.

tosco Grosero, basto, rudo, inculto, burdo, patán, rústico, vulgar, ordinario, ignorante, sayagués, charro, zampatortas, zambombo, tocho, mogrollo, ramplón, zamborotudo, 'barbaján, 'catana, 'maturrango, 'orejón, 'guaso. ↔ Cultivado, culto, educado, refinado.

toser Carraspear, esgarrar.

tosigo Ponzoña, veneno. || Pena, congoja.

tosquedad Patanería, tochedad, rudeza, ignorancia, incultura, basteza. ↔ Cultura, refinamiento, educación.

tostada Tostón, torrija, picatoste.

tostado Torrefacto. || Obscuro, moreno, atezado, asoleado. || Tostadura.

tostadura Torrefacción, tostado, tueste.

tostar Asar, torrar, quemar, carbonizar, dorar, rustir, soflamar, turrar. || Asolear, curtir, atezar.

'tostar Zurrar, vapulear.

total Universal, integral, general, entero, completo. ↔ *Parcial, parte.* || Suma, adición. ↔ *Resta.* || Todo, totalidad, resumen, conjunto, integridad. ↔ *Porción.*

totalidad Total, todo. || Unanimidad, universalidad.

'totolate Piojillo.

'totora Anea.

'totumo Güira.

tóxico Toxicante, venenoso, ponzoñoso, deletéreo. || Droga, estupefaciente.

tozo Pigmeo, enano, bajo, pequeño. ↔ *Alto, grande.*

tozudo Testarudo, terco, obstinado, tenaz, porfiado, pertinaz, contumaz, temoso, cabezudo, 'cabeciduro. ↔ *Condescendiente, dócil.*

traba Estorbo, impedimento, dificultad, embarazo, obstáculo, constreñimiento, inconveniente. ↔ *Facilidad.* || Lazo, ligadura, atadura, trabón. || Arropea, manea, maniota, manija, suelta, guardafiones.

trabacuenta Falsedad, yerro, error, equivocación. || Disputa, controversia, divergencia, discusión, querella.

trabado Fornido, robusto, nervudo, fuerte, toroso. ↔ *Débil.*

trabajado Cansado, molido, aplanado, encallecido, fatigado, asendereado, aperreado, agobiado, gastado. ↔ *Descansado, ágil.*

trabajador Laborioso, aplicado, activo, dinámico, afanoso, infatigable, diligente, estudioso, azacán, burro de carga. ↔ *Perezoso, gandul.* || Jornalero, artesano, asalariado, obrero, operario, bracero, proletario. ↔ *Amo, empresario, dueño, burgués.*

trabajar Elaborar, obrar, laborar, hacer, atrafagar, actuar, sudar, pelear, bracear, ajetrearse, dedicarse, azacanarse, apencar, aplicarse, ocuparse, esforzarse, atarearse, dedicarse, afanarse, aporrearse, aperrearse, matarse, ganarse la vida, sudar la gota gorda, ganarse el pan, arrimar el hombro, poner de su parte. ↔ *Gandulear, holgar, vacar.* || Intentar, procurar. ↔ *Renunciar.* || Ejercitar, adiestrar. || Formar, educar. || Sobar, heñir, pastar. || Funcionar, ir, marchar. ↔ *Pararse.* || Molestar, inquietar, atosigar, perturbar, chinchar, soliviantar. ↔ *Tranquilizar.* || Atarear, ocupar, dar que hacer, dar que roer.

trabajera Pejiguera, joroba, chichorrería, incumbencia.

trabajo Tarea, faena, labor, obra, tajo, cutio, ocupación, fajina, manos, afán, operación, manipulación. || Estudio, lucubración, investigación, análisis, examen, memoria, exposición, monografía, disertación, tesis. || Obra, labor, producción. || Dificultad, impedimento, estorbo. || Penalidad, tormento, molestia, ajobo, trote, enfado, cansera, aperreo, reventadero, pena, laboriosidad, esfuerzo, cuita, sudor, reventón, martirio.

trabajos Miseria, estrechez, pobreza.

trabajoso Costoso, difícil, dificultoso, penoso, laborioso, operoso, afanoso, defectuoso, atrabajado. ↔ *Fácil, perfecto.* || Enfermizo, enfermoso, maganto. ↔ *Saludable.*

trabanco Trangallo.

trabar Unir, juntar, enlazar, entablar, enclavijar, 'entrabar. || Prender, azocar, asir, agarrar, espesar. || Concordar, conformar, coordinar, adoptar. || Triscar.

trabarse Encajarse, entretallarse. || Tartamudear.

trabazón Sujeción, unión, juntura, enlace, conexión, coordinación, relación, aligación. ↔ *Desunión.*

trabe Viga.

trabilla Rabillo.

trabucaire Valentón, osado, atrevido. ↔ *Cobarde.*

trabucar Alterar, trastornar, desbaratar, enredar, 'embrocar, desordenar, descomponer, confundir, ofuscar, turbar, perturbar, trastocar. ↔ *Ordenar, componer.*

trabuco Naranjero, naranjera, sofión, macareno, pedreñal.

trabuquete Catapulta.

'tracaba Trampa, ardid, engaño.

'tracalada Matracalada, cáfila, multitud.

'tracalero Tramposo.

tracamundana Trueque, permuta, cambio, mutación. || Alboroto, trapatiesta, confusión, algarabía.

tracción Arrastre, arrastramiento, remolque, atoaje, zaleo, tiramiento.

tracista Trazadero, fabricador, fraguador, autor, inventor, padre.

tractor Propulsor, remolcador, tiro.

tradición Leyenda, conseja, crónica, creencia, romance. || Costumbre, uso, hábito, práctica, consuetud.

tradicional Inveterado, legendario, acostumbrado, proverbial, consagrado, sacramental. ↔ *Nuevo, reciente.* || *Futuro.*

traducción Transposición, versión, traslación, trujamanía, vulgarización, paráfrasis.

traducir Trasladar, interpretar, verter. || Glosar, explicar, dilucidar, esclarecer, aclarar. || Trocar, mudar, convertir, volver.

traductor Intérprete, trujamán.

traer Transportar, acarrear, trasladar, trajinar, conducir, portear, llevar. || Atraer, acercar. || Ocasionar, acarrear. || Llevar, vestir, usar, ponerse, lucir. || Obligar, coercer, constreñir. || Convencer, persuadir. || Andar, tratar, manejar, conducir, manipular.

traer a mal traer Maltratar, vejar, molestar.

traer de acá para allá Zarandear, marear, inquietar.

trafagador Traficante.

trafagar Traficar.

tráfago Tráfico.

trafagón Buscavidas, hacendoso, afanoso, trabajador, diligente, danzante. ↔ *Gandul, pigre.*

trafalmejas Bullebulle, mequetrefe, saltabancos, zarandillo, chisgarabís, argadillo, bullicioso, atolondrado, insensato. ↔ *Cuerdo, sensato.*

traficante Trafagador, tratante, comerciante, mar-

chante, negociante, trujamán.

traficar Trafagar, trapichear, negociar, especular, mercadear, cambalachear, compra, vender, comerciar. || Errar, correr, andar, vagabundear, viajar, vagar.

tráfico Tráfago, trapicheo, trato, negociación, negocio, comercio. || Circulación, trajín, tránsito, ajetreo.

tragacanto Granévano, alquitira, goma adragante.

tragaderas Creederas, credulidad, buena fe. || Tragadero.

tragadero Tragaderas, boca, estómago. || Faringe.

tragahombres Bravucón, matamoros, chulo, matasiete, perdonavidas, rompeesquinas, farfantón, matón, traganiños, 'majo.

trágala Remoquete.

tragallo 'Tramojo.

'tragallón Tragón, comilón.

tragaldabas Tragón.

tragaluz Claraboya, ventanuco, ventana, lumbrera, lucerna, saetera, ojo de buey.

tragamallas Tragón.

tragantada Trago.

tragantón Tragón.

tragantona Comilona, comilitona, francachela, banquete, festín, bacanal, pipiripao, gaudeamus, cuchipanda, orgía.

traganiños Tragahombres.

tragaperras Báscula.

tragar Ingerir, deglutir, ingurgitar, sorber. || Devorar, gandir, zampar, manducar, jamar, papar. || Absorber, gastar, consumir, emplear, invertir. || Abismar, hundir. || Sopor-

tar, tolerar, aguantar, permitir, aceptar, sufrir.

tragasantos Beato, santurrón, mojigato, misticón.

tragavino Embudo.

tragavirotes Entonado, engreído, envanecido, ensoberbecido, endiosado, infatuado, estirado, empingorotado, erguido, serio. ↔ *Modesto.*

tragazón Tragonería.

tragedia Drama, melodrama. ↔ *Comedia.* || Desdicha, desgracia, infortunio, calamidad, desastre, catástrofe, fracaso, fatalidad, calvario, plaga, cataclismo, contratiempo, naufragio, trago, mal trago. ↔ *Fortuna, suerte.*

trágico Dramático. || Teatral. || Desgraciado, funesto, infausto, lastimoso, horrible, deplorable, siniestro, terrorífico, adverso, nefasto, fatal, fatídico, lúgubre, conmovedor, amargo, azaroso, aciago, ominoso. ↔ *Favorable, fausto.*

tragicómico Jocoserio.

trago Tragantada, sorbo, bocanada, deglución, ingurgitación, bocado, chispo, taco, chisguete, lapo, asentada. || Tragedia. || 'Farolazo.

trago (echar un) Beber.

tragón Tragador, tragamallas, tragantón, tragaldabas, tumbaollas, zampatortas, zampabollos, zampón, tarasca, glotón, epulón, comilón, 'tragallón.

tragonería Tragazón, tragonía, voracidad, gula, glotonería, avidez, intemperancia, incontinencia, sibaritismo. ↔ *Continencia, ayuno.*

traición Felonía, infideli-

T dad, alevosía, deslealtad, mala fe, falsía, perfidia, prodición, zancadilla, apostasía, beso de Judas. ↔ *Lealtad.*

traicionar Estafar, engañar, ser desleal, no tener palabra. || Desertar, abandonar, apostatar, renegar, dejar en la estacada. || Delatar, entregar, vender, descubrir, acusar.

traído Ajado, usado, raído, manoseado, andado, llevado. ↔ *Nuevo, por estrenar.*

traidor Infiel, perjuro, pérfido, desleal, renegado, desertor, felón, alevoso, tránsfuga, delator, aleve, magancés, zaíno. ↔ *Fiel, leal.*

traílla Atadura, cadena. || Tralla. || Jauría. || 'Rufa.

traillar Allanar, aplanar, igualar.

trina Red, jábega, mandil.

traje Vestido, vestidura, indumento, atavío, ropaje, hábito, vestido, ropa, paños, terno, vestimenta, sayo, prenda, uniforme, 'flux.

trajín Ajetreo, tráfico, tránsito, circulación, viaje, idas y venidas.

trajinante Trajinero, arriero, acarreador, portador, porteador, transportador, traedor, cosario, mandadero, recadero.

trajinar Acarrear, trasladar, transportar. || Pasear, vagar, errar, ir arriba y abajo, circular, ajetrear, transitar, ruar.

tralla Soga, cuerda, maroma. || Látigo, traílla, zurriago, fusta, vergajo, azote.

trallazo Fustazo, latigazo,

vergajazo, zurriagazo, lampreazo.

trama Maquinación, intriga, conchabanza, entruchada, pastel, componenda, artificio, enredo, confabulación. || Argumento, asunto, síntesis, sinopsis, sumario, guión, hilo, sujeto, peristasis.

tramar Maquinar, conjurar, complotar, conspirar, confabularse, conchabar. || Urdir, tejer, tramar, fraguar, planear, preparar, organizar.

tramilla Bramante, cordel, soguilla.

tramitación Trámite, diligencia, paso, gestión, procedimiento, oficio, expediente, fórmula, formulario, formalidad, requisito, papeleo.

tramitar Diligenciar, despachar, despedir, solucionar, solventar, facilitar, expedir, resolver. ↔ *Demorar.*

trámite Tramitación. || Paso, tránsito, traspaso.

tramo Trozo, trecho, tiro, ramal, parte.

tramojo Faena, trabajo, azacanería, preocupación, pega, apuro.

'tramojo Trangallo.

tramontana Norte. || Vanidad, altanería, soberbia, engreimiento. ↔ *Humildad.*

tramoya Ficción, enredo, manganilla, farsa, engaño, engañifa, faramalla, camama, parchazo, enlabio. || Artilugio, ingenio, maquinaria, artificio.

trampa Artificio, ardid, engaño, callejo, cepo, lazo, orzuelo, ratonera, emboscada, estratagema, arma-

dijo, asechanza, celada, emboscada, trampantojo, chanada, embudo, pastel, 'cambullón, 'droga, 'tracala, 'tongo. || Escotilla, escotillón, portañuela. || Timo, estafa, arana.

trampas (hacer) Amarrar.

trampal Tremedal, lodazal, cenagal, atolladero, ciénaga, pantano, barrizal, lapachar, lamedal.

trampantojo Trampa.

trampear Estafar, petardear, sablear. || Conllevar.

trampilla Ventanillo, escotilla, postigo, portezuela, portañuela.

tramposo Trampista, embustero, petardista, estafador, droguista, maula, aranero, sablista, garitero, tahúr, tablajero, 'tracalero.

tranca Palo, garrote, bastón, verga.

'tranca Borrachera.

trancada Tranco, paso, zancada.

trancazo Bastonazo, porrada, estacazo, trastazo, varapalo, garrotazo, leñazo, varejonazo. || Gripe.

trance Lance, ocurrencia, suceso, aprieto, compromiso, quillotranza, brete.

trance de armas Duelo. || Batalla, combate.

trance (a todo) A ultranza, con resolución.

tranco Trancada, zancada, paso.

'tranco Ambladura, paso.

tranquilidad Serenidad, sosiego, paz, apacibilidad, reposo, calma, bonanza, placidez, ataraxia, serenidad. ↔ *Intranquilidad.* segar, apaciguar, calmar,

tranquilizar Aquietar, so-

pacificar, serenar. ↔ *Intranquilizar.*

tranquilo Calmoso, calmado, plácido, pacífico, reposado, sentado, quieto, sereno, pachorrudo, cachazudo, impertérrito, apacible, imperturbable, indiferente, insensible, despreocupado. ↔ *Intranquilo, inquieto.*

tranquillón Morcajo.

transacción Concesión, transigencia. || Trato, negocio, convenio, arreglo, pacto, avenencia.

transbordar Transportar, transferir, pasar.

transcribir Copiar, trasladar, trasuntar.

transcripción Copia, traducción, versión.

transcurrir Pasar, sucederse, correr, deslizarse, andar.

transeúnte Viandante, paseante, peatón, **caminante.** ↔ *Pasajero, viajero.* || Transitorio.

transferencia Cesión, traspaso, transmisión.

transferir Traspasar, transmitir, trasladar, pasar, llevar. || Trasegar, transvasar. || Diferir, dilatar, retardar, aplazar. ↔ *Adelantar.* || Ceder.

tansfiguración Mutación, cambio, metamórfosis.

transfigurar Transformar, mudar, metamorfosear, cambiar, variar, transmutar.

transformación Transformamiento, mudanza, cambio, mutación, variación, modificación, alteración, metamórfosis. ↔ *Inalterabilidad*

transformar Variar, cambiar, modificar, alterar,

mudar, transmutar, metamorfosear.

tránsfuga Desertor, prófugo, fugitivo, evasor, huido, escapado.

transgredir Quebrantar, infringir, desobedecer, vulnerar, violar. ↔ *Obedecer, cumplir.*

transición Metamórfosis, cambio, mutación, paso, período.

transido Consumido, fatigado, cansado, angustiado, acongojado, aterido. ↔ *Vigoroso, esforzado, animoso.* || Ridículo, mezquino, miserable. ↔ *Espléndido.*

transigir Pactar, tratar, ajustar, convenir, temperar. || Ceder, claudicar, renunciar. ↔ *Exigir, resistirse.*

transir Pasar, acabar, morir.

transitar Caminar, andar, circular, pasar, viajar.

tránsito Paso, andadura, pasamiento. || Tráfico, circulación, tráfago, trajín, ajetreo. ↔ *Paro.* || Muda, mutación. || Muerte, fallecimiento.

transitorio Momentáneo, efímero, breve, caduco, corto, provisional, accidental, volandero, fugaz, temporal, perecedero. ↔ *Eterno, imperecedero.*

translúcido Trasluciente, opalino, albastrado, esmerilado. ↔ *Transparente.* || Claro, diáfano, transparente. ↔ *Opaco.*

transmisión Transferencia, traspaso, comunicación, parte. || Herencia, legado.

transmitir Comunicar, trasladar, transferir, participar, decir. || Ceder, endosar, legar, traspasar.

transmudar Transmutar, trasladar.

transmutación Cambio, evolución, metamórfosis, conversión, transformación. ↔ *Inalterabilidad.*

transparencia Claridad, diafanidad, limpieza, limpidez. ↔ *Opacidad.*

transparentarse Verse, clararse, traslucirse.

transparente Claro, limpio, cristalino, límpido, diáfano. ↔ *Opaco.* || Trasluciente, translúcido.

transpiración Sudor.

transpirar Sudar, exhalar, rezumar, brotar.

transponer Atravesar, cruzar, traspasar. || Trasplantar.

transponerse Esconderse, ocultarse, desaparecer, desvanecerse.

transportar Acarrear, trasladar, conducir, llevar, desplazar, portear, mudar, aballar, trajinar.

transportarse Enajenarse, retraerse, alejarse. ↔ *Sobreponerse.*

transporte o **transportación** Conducción, acarreo, traslado, tránsito, porte, porteo, arrastre. || Arrobo, arrobamiento, éxtasis, entusiasmo, exaltación. ↔ *Indiferencia, recogimiento.*

transposición Traducción, versión. || Hipérbaton. || Metátesis. || Traspuesta.

transvasar Trasegar.

transversal Atravesado, torcido, oblicuo, colateral, normal. ↔ *Derecho, paralelo.*

tranzar Tronzar, cortar, tronchar.

tranzar Trenzar.

trapacería Trapaza, engaño, magancería.

trapacero Trapacista, engañoso, pérfido, enredador.

trapajoso Trapiento, estropajoso, harapiento, andrajoso, roto, desastrado. ↔ *Compuesto, arreglado.*

trápala Ruido, vocerío, algarabía, confusión, tropel. || Embuste, engaño, trapacería. || Charlatán, hablador, embolismador, tarabilla.

trapatiesta Riña, pelea. || Alboroto, vocerío, algarabía.

trapaza Trapacería.

'trapear Fregar, baldear.

trapero Casquero, tripacallero.

'trapiche Molino.

trapiento Trapajoso. ↔ *Compuesto.*

trapisonda Embrollo, lío, enredo, intriga, zalagarda, bulla, 'tinterillada.

trapisondista Embrollón, enredador, trapacero, intrigante.

trapo Pingajo, calandrajo, jirón, harapo, guiñapo, andrajo, jerapellina. || Velamen.

trapo (poner como un) Confundir, avergonzar.

traquetear Retumbar, resonar, percutir. || Sacudir, mover, agitar. || Manejar, frecuentar.

traquido Chasquido, ruido. || Tiro, disparo.

tras Detrás, después. || Además.

'trasbocar Vomitar, arrojar.

trascantón Guardacantón.

trascendental Trascendente, culminante, eminente, superior, sublime. ↔ *Fácil, simple.* || Metafísico. ↔ *Lógico.*

trascendente Trascendental.

trascender Difundirse, pro-

pagarse, comunicarse, extenderse, manifestarse. ↔ *Moderarse, quedarse.* || Trasvinarse. || Comprender, penetrar, entender.

trasegar Trasvasar, trasbordar. || Trastornar, revolver. || Beber.

trasero Posterior, postrero, ulterior, siguiente, zaguero. ↔ *Delantero.* || Culo.

trasgo Fantasma, duende, espíritu.

trashoguero Tuero.

traslación Transporte, locomoción. || Metáfora. || Enálage.

trasladar Llevar, transportar, portear, endosar, transmudar. || Copiar, verter, traducir.

trasladarse Mudarse, cambiarse, mudar de aires.

traslado Muda, cambio, transporte. || Copia, trasunto, versión.

traslapar Solapar.

traslucirse Transparentarse, verse, divisarse, entreparecerse, advertirse, adivinarse, conjeturarse, trasvinarse.

trasluciente Translúcido.

trasmundo Ultratumba, ultramundo.

trasnochado Macilento, desmejorado. ↔ *Enérgico.* || Antiguo, anticuado, extemporáneo, anacrónico. ↔ *Actual, vigente.*

trasnochar Pasar las noches en claro, correrla. || Pernoctar, dormir.

trasnominación Metonimia.

trasoñar Ensoñar, fantasear, imaginar.

traspapelarse Extraviarse, perderse, confundirse.

traspasar Pasar, repasar, salvar, franquear, avanzar, trasponer, cruzar. ↔

Quedarse, permanecer. || Atravesar, perforar, horadar, taladrar. || Ceder, transferir, transmitir. || Trasvinarse. || Exagerar, abusar, exceder, rebasar, transgredir. ↔ *Respetar, acatar.*

traspaso Trasposición, paso, cruzamiento, franqueo. || Transferencia, cesión, abandono. || Astucia, ardid. || Angustia, aflicción, congoja, pena, tormento, transporte.

traspié Tropezón, tropiezo, resbalón. || Trascabo, zancadilla.

trasplantar Desplazar, replantar, trasladar, trasponer.

traspunte Apuntador, 'soplador.

trasquiladura Trasquilón, esquileo.

trasquilar Esquilar. || Menoscabar, descabalar, disminuir.

trasquilimocho Menoscabo, pérdida.

trastabillar Trastrabillar.

trastada Trastería, picardía, pillada, jangada, bribonada, tunantada, mala pasada. ↔ *Favor.*

trastazo Trancazo, porrazo, costalada, varapalo, golpazo, batacazo.

'traste Trasto.

trastear Revolver, menear, desordenar.

trastienda Rebotica. || Cautela, chirumen, cacumen, tapujo, malicia, mano izquierda, política.

trasto Utensilio, trebejo, herramienta, 'traste, 'tarantín, 'tereque, 'tareco. || Zascandil, chisgarabís, bullebulle, danzante.

trastocado Cambiado, alternado, desordenado, desarreglado, alterado, revuelto. ↔ *Ordenado.*

trastocar Trastornar, revolver, trastear, desordenar. ↔ *Ordenar.*

trastocarse Perturbarse, azararse.

trastornado Confuso, desconcertado, perturbado. ↔ *Ordenado.* || Apesadumbrado, dolido, desasosegado, pesaroso, apenado. ↔ *Alegre.* || Chiflado, ido, tocado, neurótico, neurasténico. ↔ *Cuerdo.*

trastornar Trabucar, trastear, revolver, desordenar, turbar, invertir, trastocar, enredar, embarullar, confundir, mezclar, desarreglar, trasegar, agitar. ↔ *Ordenar, componer.* || Inquietar, disgustar, apenar, cascabelear. ↔ *Tranquilizar.*

trastorno Desorden, confusión, desarreglo, revolución, enredo, embrollo, trasiego, trastueque, mezcla, batiburrillo. ↔ *Orden.* || Inquietud, desasosiego, pena, perturbación, desazón, pesar, dolor. ↔ *Alegría, tranquilidad, apacibilidad.*

trastos 'Cacharpas, 'corotos.

trastrabillado Enrevesado, turbio, confuso, desconcertado, trastocado, revuelto. ↔ *Ordenado.*

trastrabillar Trastabillar, tropezar, tambalear, vacilar, titubear. || Tartamudear, tartalear, tartajear.

trastrocar Invertir, trocar, girar, volver.

trástulo Juguete, pasatiempo.

trasuntar Copiar, trasladar, transcribir.

trasunto Imitación, representación, copia, remedo, traslado.

trasvinarse Traspasar, transcribir, trascender, rezumarse. || Conjeturarse, adivinarse, traslucirse, inferir.

tratable Amable, sociable, cortés, deferente, atento, afable, mego, accesible. ↔ *Hosco, intratable.*

tratado Pacto, trato, ajuste, convenio, compromiso, contrato. ↔ *Desacuerdo.* || Escrito, discurso, obra, libro.

tratamiento Trato. || Título. || Método, procedimiento, sistema. || Cura.

tratar Manejar, usar, proceder, pretender, proceder, intentar. || Comerciar, traficar, negociar, gestionar. || Asistir, atender, cuidar, curar. || Discurrir, conferir, disputar. || Pensar, hablar, escribir. || Comunicar, visitarse, relacionarse.

tratarse Portarse, conducirse. || Rozarse, correr.

trato Tratado. || Relación, frecuentación, intimidad, camaradería, compañerismo, unión, inteligencia. || Título, tratamiento.

tratos (malos) Sevicia.

traumatismo Golpe, contusión, herida.

travesaño Barrote, barra, cencha, chambrana. || Cuadrante, cuadra.

travesear Enredar, trebejar, jugar, retozar, juguetear, triscar.

travesía Trayecto, recorrido, viaje. || Calle.

'travesía Desierto, yermo.

travesura Diablura, jugada, trastada. || Desenfado, vi-

veza, argado, sutileza, ingenio, sagacidad, agudeza. || Bullicio, inquietud, retozo. || 'Torería, 'rubiera.

traviesa Cencha, travesaño.

travieso Sesgado, atravesado. ↔ *Derecho.* || Sutil, agudo, listo, sagaz, ingenioso, malicioso, desvelado, inquieto. ↔ *Tonto.* || Revoltoso, bullicioso, retozón, saltabardales. ↔ *Quieto, sosegado.* || De la cáscara amarga, mal engendro.

trayecto 'Trecho, recorrido, espacio, travesía, viaje, itinerario.

traza Trazado, plano, planta, diseño, gráfico, esquema. || Plan, medio. || Maña, invención, ingenio, recurso, arbitrio. || Aspecto, cara, figura, apariencia, signo, indicio, pista, huella, talle, pelaje.

trazado Traza. || Recorrido, dirección, camino.

trazador Tracista.

trazar Indicar, rayar, marcar. || Escribir, formular, describir, discurrir. || Delinear, diseñar, dibujar, esbozar, proyectar, hilvanar, disponer, inventar, concebir.

trazo Línea, raya, delineación, rasgo, carácter.

trébede Trípode.

trebejar Triscar, travesear.

trebejo Trasto, juguete, 'tereque.

trebejos Enseres, útiles, bártulos, avíos, aparejos, aperos, instrumentos, herramientas, utensilios, 'corotos, 'cacharpas, 'maritatas.

trébol Trifolio, 'carretonero.

trece (estarse o mantenerse en sus) Emperrar-

T

se, obstinarse, entercarse, persistir.

trecha Trepa.

trecho Espacio, distancia, recorrido, trayecto, tramo, tirada, intervalo, transcurso, travesía.

trefe Ligero, delgado, flojo, endeble, fofo, sutil. ↔ *Denso, espeso, gordo.* || Supuesto, fingido, falso, fementido, adulterino. ↔ *Legítimo.*

tregua Cesación, suspensión, pausa, interrupción, espera, licencia, asueto, descanso, intermisión, inducia, armisticio, jolito, clara, vacación, descanso, ocio. ↔ *Actividad, trabajo, acción, movimiento, lucha.*

tremebundo Tremendo, terrible,. terrífico, formidable, horripilante, horrible, horrífico, terrorífico, truculento, torvo, espeluznante. ↔ *Atrayente, atractivo.* || Trémulo. ↔ *Atrevido.*

tremedal Tremadal, tembladal, cenagal, tolla, trampal, fangal, lodazal, lapachar, barrizal, lamedal.

tremendo Tremebundo. || Enorme, gigantesco, colosal, fenomenal. ↔ *Pequeño, diminuto.*

trementina (aceite o esencia de) Aguarrás.

tremielga Torpedo.

tremolar Ondear, enarbolar.

tremolina Confusión, alboroto, trapatiesta, trápala.

trémulo Tembloroso, tremulento, tremulante, tremente, temblón, trepidante, vibratorio, tremebundo. ↔ *Intrépido, tranquilo, impávido.*

tren Convoy. || Ferrocarril. || Recado, juego, aparejo,

material, parque. || Boato, fausto, pompa, ostentación.

trenca Cruz.

trencilla Galoncillo.

trenza Guedeja, crizneja, ristra, coleta, enrame, entretejedura, 'chapa, 'simpa.

trenzar Entretrenzar, tranzar, entretejer, entrelazar, enramar.

trepa Pirueta, voltereta, vuelta de carnero.

trepa Artimaña, artificio, manganilla, chasco, engaño, fraude, martingala, maturranga, zancadilla, trampa, estratagema, trápala || Zurra, tollina, varapalo.

trepado Fornido, fuerte, rehecho, toroso. ↔ *Débil.* || Retrepado, echado, tumbado, arrellanado. ↔ *Enhiesto, erguido.*

treñajuncos Arandillo.

trepanar Trepar.

trepar Trepanar, taladrar, agujerear, perforar, horadar, barrenar, abrir, calar, traspasar, atravesar.

trepar Subir, encaramarse, elevarse, escalar, ascender, gatear, montar, encumbrarse. ↔ *Bajar.*

treparse Retreparse, arrellenarse, echarse, acomodarse.

trepatroncos Herrerillo.

trepidación Temblor, traqueteo, estremecimiento, convulsión, vibración, tremor.

trepidar Vibrar, tremolar, temblar, tembletear, retemblar, vacilar, estremecerse, palpitar.

tresdoblar Triplicar, trasdoblar.

tres en raya 'Tatetí.

tresillo Emperrada.

tresnal Garbera.

treta Trepa, trampa, trápala, magaña, fraude, candonga, estratagema, alicantina, ardid, artificio, artimaña, morisqueta, lilaila, zancadilla, malicia, magancería, maturranga, zangamanga, martingala, chasco, 'gaula, 'manganeta.

tretero Taimado, astuto, matrero, travieso, marrullero. ↔ *Bobo, tonto.*

tría Selección, escogimiento, detracción, apartadijo, elección.

triar Seleccionar, elegir, escoger, separar, entresacar, cerner, reservar. ↔ *Desechar, tirar.*

tribu Clan, familia, pueblo, cábila, horda.

tribulación Amargura, congoja, desasosiego, cuita, sufrimiento, quillotranza, aflicción, pena, pesadumbre, sinsabor, flagelo. ↔ *Alegría, sosiego, serenidad.*

tríbulo Abrojo.

tríbulo Pésame, duelo, condolencia.

tribuna Estrado, plataforma, cátedra.

tributario Dependiente, sumiso, vasallo, feudatario, estipendiario. ↔ *Independiente, manumiso, horro.* || Afluente.

tributo Tributación, arbitrio, diezmo, impuesto, gabela, carga, pecho, patente, censo, gravamen, contribución, derrama, garrama, azaque.

tridente Arpón, fisga.

trifulca Alboroto, algarabía, ruido. || Confusión, enredo, lucha, pelea, riña, rija.

'trifulga 'Zacacoca.

trigla Salmonete, trilla, barbo de mar.

trigo Cuchareta, cascaruleta, fanfarrón, bascuñana, alaga, centeno, candeal, albarico, albarejo. || Dinero, caudal, hacienda.

trigueño Mulato, moreno.

triguillo 'Maracaya.

trilla Trigla.

trilla Abaleo, paleo.

trillar Abalear, palear, traspalear. || Hollar, frecuentar, acostumbrar, cursar, menudear. ↔ Huir, rehuir. || Pisotear, maltratar, quebrantar, humillar.

'trillo Senda.

trinado Trino, gorjeo.

trinar Gorjear. || Rugir, rabiar, mugir, bufar. || Airarse, encenderse, irritarse, impacientarse, patalear, pernear. ↔ Sosegarse.

trincar Trinchar.

'trincar Apretar, oprimir.

trincar Atar, ligar, trabar, sujetar, encordelar, ensogar, lazar, enlazar, religar. ↔ Desligar, desatar.

trincar Beber, apurar, libar, potar, escanciar.

trinchante Cortador, tajante, cortante. || Escoda.

trinchar Trincar, cortar, dividir, sajar, partir, seccionar, entrecortar, desmenuzar, rebanar, capolar, podar. || Disponer, resolver, decidir, solventar.

'trinche Tenedor, trinchero.

trinchera Zanja, parapeto, antestatura, foso, abrigo. || Impermeable, gabardina.

trinchero 'Trinche.

trinchete Lezna, chaira, cuchilla.

trinidad Trimurti.

trinitaria Pensamiento, flor de la Trinidad, 'suspiro.

trino Gorjeo, trinado. || Ternario.

trío Terceto.

tripa Panza, vientre, barriga, andorga, baúl, abdomen.

tripas Entrañas, intestinos, bandullos. || Intimidad.

tripada Hartazgo, llenura, hartada, atracón, panzada, empacho.

tripe Felpa.

tripicallero Trapero, casquero.

tripicallos Callos.

triple Tresdoble, trestante, tríplice, triplo.

triplicar Tresdoblar.

trípode Trébede.

tripón Tripudo, barrigudo. ↔ Escuchimizado.

tripudio Baile, danza, coreografía.

tripudo Tripón, barrigudo, panzudo, gordinflón, rechoncho, gordo. ↔ Delgado.

tripulación Dotación, equipo, marinería, equipaje, gente.

trique Traquido, estallido, explosión, estampido, disparo, tiro.

triquiñuela Eufemismo, evasiva, regate, escapatoria, efugio, ardid, magancería, treta, trepa, argucia, astucia, maturranga, rodeo.

tris Instante, momento, periquete, soplo, segundo, santiamén, casi nada, poco. || Caso, lance, trance, situación.

tris (en un) A punto de, en peligro de.

triscar Jugar, juguetear, travesear, retozar, trebejar. || Mezclar, enredar, confundir, trastornar, em-

brollar. ↔ Ordenar. || Patear, patalear.

triste Afligido, melancólico, apesadumbrado, abatido, acongojado, amargado, apesarado, amarrido, desconsolado, desgraciado, cacoquimio, dolido, hipocondríaco, maganto, lloroso, saturnino, dolorido, mohíno, murrio, malhumorado, mustio, opaco, atribulado. ↔ Alegre, contento. || Funesto, infausto, doloroso, lamentable, aciago, infortunado, desgraciado, deplorable, penoso, abrumador, enojoso. ↔ Feliz, satisfactorio. || Insignificante, insuficiente, ineficaz. ↔ Suficiente.

tristeza Tristura, entristecimiento, sentimiento, pena, aflicción, melancolía, pesadumbre, congoja, desconsuelo, abatimiento, dolor, amargura, murria, consternación, mesticia, zangarriana, 'flato. ↔ Alegría, gozo, contento.

tritón Salamandra acuática.

trituradora 'Chancadora.

triturar Moler, desmenuzar, machacar, quebrantar, magullar, majar, machucar, aplastar, pulverizar, chascar, trinchar. || Mascar, ronzar, masticar. || Vejar, molestar, maltratar. || Censurar, criticar.

triunfador Triunfante, victorioso, triunfal, glorioso, radiante, invicto, debelador. ↔ Vencido, victo, derrotado.

triunfar Vencer, batir, derrotar, ganar, superar, arrollar, debelar, sobrepujar. ↔ Sucumbir.

triunfo Victoria, debelación, trofeo, superación,

conquista, éxito, palma, laurel, corona. ↔ *Fracaso.*

trivial Vulgar, común, sabido, conocido, popular, ordinario, manido. ↔ *Extraordinario, raro.* || Insubstancial, ligero, baladí, frívolo, pueril, insignificante, refrito. ↔ *Importante.*

trivialidad Vulgaridad, ordinariez. || Fruslería, futileza, insignificancia, minucia, paja, nonada, pamplina, bicoca, bagatela, chuchería, embeleco, friolera, futesa, pijotería. ↔ *Importancia.*

triza Migaja, partícula, pizca, chispa, ápice, trozo.

trocar Trastrocar, permutar, cambiar, alternar, invertir, canjear, mudar. || Trasponer, equivocar, desfigurar, tronar, disfrazar, tergiversar. || Arrojar, vomitar.

trocear Trizar, tronchar, trinchar, destrizar.

trocha Vereda, senda, camino, sendero, atajo, derrota, fragosidad.

trocla Polea.

troco Rueda.

trochemoche (a) A troche y moche, por los cerros de Úbeda.

trofeo Triunfo, palma, palmarés, corona. || Botín, lucro, despojo.

troglodita Cavernícola.

troj o **troje** Granero, hórreo, panera, silo, 'coscomate. || Algorín, truja.

trojero Horrero.

trola Embuste, bola, patraña, mentira, engaño, cuento, trufa, droga, coladura, gazapo, farsa, papa, fábula, falsedad, rondalla, embrollo. ↔ *Verdad.*

trolero Mentiroso, bolero,

embustero, falaz, patrañero, fulero, embaucador, macanero, droguista, trápala, echacuervos. ↔ *Veraz.*

tromba Manga, tifón, ciclón, huracán, torbellino, remolino, racha, ráfaga, borrasca, argavieso, tempestad.

trombocito Plaqueta.

trompada Trompazo. || Encontrón, encontronazo, choque, tropezón, topetazo, pechugón. || Puñada, puñetazo, trompis, mojicón, tornisción, sopapo, soplamocos, moquete.

trompazo Porrazo, batacazo, trompada, costalada, cachiporrada, cachiporrazo, trancada, varapalo, tabanazo, manotazo, codazo, cabezazo, porrada.

trompeta Clarín.

trompetada Clarinada, clangor, trompetazo.

trompicar Tropezar.

trompicón Tropezón.

trompillar Tropezar.

trompo Peón, peonza, zaranda, perinola, galdrufa.

trompón Narciso.

trompón (de) Sin orden ni concierto, con desconcierto.

tronada Borrascada, tormenta, braveza, borrasca, tempestad, inclemencia.

tronado Arruinado, ajado, estropeado, roto, maltrecho, raído, sobado, deteriorado, manido. ↔ *Elegante, flamante.*

tronar Tonar, mugir, rugir. || Estallar, detonar. || Impugnar, invectivar, llenar de improperios, atacar, calumniar, pestar.

troncar Truncar.

tronco Torso, cuerpo. || Ti-

ro. || Troncho. || Conducto, vía, canal. || Ascendencia, linaje, línea, raza, origen. || Trunco. || Inútil, indolente, negligente, insensible, tranquilo, impasible, alma de cántaro, corazón de alcornoque. || 'Cañón, 'rungue.

tronchar Segar, partir, talar, cortar, romper, dividir, quebrantar, quebrar, tronzar, trozar, triscar, truncar, troncar, tranzar.

troncho Tronco, tallo, maslo. || 'Rungue.

tronera Portañola, cañonera, ballestera, saetera, buñedera, aspillera, barbacana. || Abertura, tragaluz, respiradero, ventanuco, agujero, ventana. || Perdido, calavera, vicioso, juerguista, perdis, perdulario, saltabardales, farota, tabardillo.

tronga Ramera.

tronica Patraña, chisme, gallofa, conseja, cuento, hablilla, murmuración.

tronido Trueno.

trono Solio, sitial, sede. || Tabernáculo.

tronzador Sierra, serrón.

tronzar Tronchar. || Quebrantar, cansar, fatigar, agotar, aperrear, abrumar, rendir. ↔ *Aliviar.*

tronzo 'Reyuno.

tropa Hueste, mesnada, legión, falange. || Gavilla, caterva, hato, soldadesca, manada, muchedumbre, hatajo, chusma.

'tropa Recua. || Manada, rebaño.

tropel Agitación, movimiento, remolino, oleada, agolpamiento, enjambre, turba, tumulto, alboroto, horda, cáfila, torrente, zaleo, hervidero. || Prisa, precipitación, barbulla, trápala, atropellamiento, tropelía, festinación, aceleramiento. ↔ *Calma.* || Confusión, desorden.

tropelía Abuso, injusticia, desafuero, arbitrariedad, vejación, violencia, alcaldada, ilegalidad, ligereza. ↔ *Justicia, ecuanimidad.* || Tropel, prisa. ↔ *Calma.* || Confusión, desorden, algarabía.

'tropero Pastor, vaquero, cabrero.

tropezar Topar, chocar, trompicar, encontrar, hallar, pegar, encontrar, hocicar, besarse, dar de bruces, trastrabillar, dar de cabeza, dar contra, ir a parar. || Faltar, deslizarse, culpar, pecar.

tropezón Trompicón, tropezadura, traspiés, tropiezo, trompilladura, trastabillón, topetazo, topetón, encuentro, encontronazo, encontrón, pechugón, choque, beso, morrada.

tropical Ardiente, caliente, sofocante, incandescente, tórrido, ahogador, abrumador. ↔ *Frío, helado.*

tropiezo Tropezón. || Desliz, resbalón, culpa, falta, error, yerro, caída, tentación, venialidad, pecado. || Dificultad.

tropo Figura.

troquel Cuño, molde.

troquelar Acuñar.

troqueo Coreo.

troquilo Mediacaña.

trotaconventos Alcahueta, celestina, cobertera, mediadora, encandiladora.

trotamundos Vagabundo, vagamundo, azotacalles, rompesquinas, gallofero,

vago, polizón, pelagallos, holgazán, pícaro.

trotar Andar, amblar, correr, apresurarse, desuñarse, matarse, ajetrearse.

trote Trabajo, faena, ajobo, aperreo, tute, reventadero, paliza, zurra.

trotón Caballo.

trotona Dueña, acompañante, señorita de compañía, carabina.

trova Verso, trovo, poesía.

trovador Bardo, poeta, trovista, trovero, juglar.

trizar Trocear, trozar, destrozar, romper, despedazar, destrizar, destruir, desmenuzar, deshacer, escachar, escacharrar, estrellar, hacer trizas, hacer añicos. ↔ *Componer, apañar.*

trozar Tronchar, trizar.

trozo Cacho, pedazo, fragmento, gajo, chispa, astilla, amelga, ostugo, partícula, porción, rebanada, tajada, sección, tarazón, tramo, triza, pizca, porción, jirón, loncha, brizna. ↔ *Total.*

truco Ardid, treta, trepa, artimaña, embeleco, astucia, engaño, fullería, trampa, cancamusa, trápala, droga, enlabio, señuelo, engañifa, lilaila.

'truco Truque.

truculento Cruel, atroz, feroz, sádico, acerbo, tremebundo, violento. ↔ *Dulce, suave.*

trucha Lancurdia.

'trucha Mercería.

truchimán Trujamán, intérprete. || Tumbón, pícaro, zascandil, culebrón, zorro, lagarto, caimán, ladino, taimado, bellaco.

trueco Trueque.

trueno Tronido, tumbo, retumbo, estampido, estruendo, estallido, disparo, fragor, ruido, traquido, estrépito. ↔ *Silencio.* || Tronera, calavera, saltabardales.

trueque Trueco, tracamundana, trocamiento, cambio, barata, cambalache, contracambio, compensación.

trufa Mentira, patraña, trola, bola, embuste, gazapo, paparrucha.

trufaldín Farsante, engañador, engaitador, impostor, nebulón.

trufar Mentir, bolear, embustear, engañar, embaucar, embelecar, chasquear, trapalear, enflautar, camelar, fingir.

truhán Pícaro, pillo, estafador, escurra, sinvergüenza, guitarrón, sollastre, bellaco, bergante, bribón, canalla, maulón, tuno, vagabundo, haragán, granuja.

truhanada Truhanería.

truhanear Engañar, timar, petardear, escarmenar, engaitar, trampear. || Bromear, chancear, chufletear, chasquear, zumbar.

truhanería Truhanada, pillada, picarada, tunantada, golfería, cochinería, tunería, charranada, bribonada, bellacada, perrada, picardía, canallada, trastada, villanía, mala jugada, mala pasada.

trujamán Truchimán, trujimán, traductor, intérprete, glosador. || Traficante, negociante, comerciante.

trulla Bulla, alboroto, tropel, algarabía, jarana.

trulla Llana.

'trumao Arenisca.

T **truncado** Trunco, **tronco,** tronchado, mutilado, cercenado, imperfecto, incompleto. ↔ *Completo, entero.*

truncar Tronchar, cortar, mutilar, decapitar, descabezar, degollar, cercenar, suprimir, amputar, reducir. ‖ Callar, omitir, silenciar, prescindir, saltar. ‖ Intermitir, interrumpir, quebrar, dejar, trabucar.

trunco Truncado.

truque 'Truco.

tuberculosis Tisis.

tuberculoso Tuberoso. ‖ Tísico.

tubería Cañería.

tuberosa Nardo, vara de Jesé.

tubo Caño, cañón, cánula, canuto, conducto.

tubular Canular, tubuloso, capilar.

'tuco Manco. ‖ Tocón, muñón. ‖ Cocuyo. ‖ Búho.

'tucurpilla Tórtola.

'tucuso Chupaflor.

'tucutuco Topo.

tuerca Rosca, matriz.

tuerce Torcedura.

tuero Trashoguero, tizón, leño, bauza, ceporro.

tuerto Gacho, torcido. ‖ Daño, perjuicio, mal. ‖ Ofensa, agravio, sinrazón, escarnio, ludibrio, ultraje, afrenta, desaire, insulto. ‖ 'Choco, 'táparo.

tueste Tostadura, tostación, torrefacción, cochura.

tuétano Meollo, medula, caña, cañada.

tuétano 'Caracú.

tufo Vaho, vaharada, efluvio, emanación, husmo, tufarada, mal olor. ‖ Vanagloria, soberbia, ensoberbecimiento, jactancia, petulancia, engreimiento,

humos, pedantería. ↔ *Humildad.*

tufo Toba.

tugurio Choza, cabaña, chamizo, cueva. ‖ Tabuco, cuchitril, zaquizamí, zahúrda, garito, buchinche, chiribitil, chiscón, 'caramanchel, 'cambucho.

'tule Junco, espadaña.

tulipa Fanal, pantalla.

tullecer Tullir.

tullidez Tullimiento, parálisis, baldadura, entumecimiento, atrofia.

tullido Inválido, impedido, anquilosado, clueco, paralítico, contrahecho, nidrio, estropeado. ↔ *Válido, indemne.*

tullimiento Tullidez.

tullir Tullecer, entullecer, baldar, estropear, derrengar, deslomar, descaderar, lisiar, relajar, aperrear, ajobar.

tumba Sepultura, sepulcro, fosa, hoya, huesa, yacija, panteón, túmulo.

tumba Tumbo, voltereta, pirueta, acrobacia, volatín.

tumbacuartillos Borracho.

tumbaga Anillo, sortija.

tumbaollas Tragón, comilón, tarasca, zampatortas, zampabollos, tragaldabas, tragamallas, zampón.

tumbar Abatir, derribar, revolcar, derrumbar, tirar, echar, lanzar, derrocar, hacer caer, echar por tierra. ↔ *Levantar, alzar.* ‖ Caer, bolear, voltear, rodar, incidir. ‖ Turbar, atarantar, atontar, aturdir, aturrullar, encalabrinar, enajenar. ↔ *Sosegar, tranquilizar.*

tumbarse Echarse, tenderse, acostarse. ↔ *Levantarse, erguirse.* ‖ Abandonar,

negligir, desistir. ↔ *Insistir.*

tumbo Tumba, salto, vaivén, bandazo, voltereta, pirueta, acrobacia, malabarismo, volatín. ‖ Onda, ondulación, undulación, sinuosidad. ‖ Trueno, tronido, retumbo, estruendo.

tumbón Matrero, camastrón, socarrón, astuto. ‖ Gandul, haragán, perezoso, vago, holgón.

tumefacto Túmido, tumescente, intumescente, hinchado, abultado, edematoso, turgente. ↔ *Deshinchado.*

tumor Flemón, infarto, quiste, landre, lipoma, nacencia, apostema, lobanillo, derrame.

tumorcillo 'Chacota.

túmulo Tumba, sepultura, sepulcro, panteón.

tumulto Alboroto, confusión, motín, turba, revuelta, asonada, intranquilidad, 'bululú. ↔ *Orden, tranquilidad.*

tumultuario Tumultuoso, alborotado, revuelto, agitado, amotinado, desordenado, desconcertado. ↔ *Ordenado.*

tuna Holgazanería, briba, gandaya, vagabundeo, truhanería. ‖ Estudiantina, rondalla.

tuna o **tunal** Chumbera, nopal.

tunantada Truhanería, tunantería.

tunante Tuno, truhán, pícaro, pillo.

tunantería Truhanería.

'tunco Puerco.

tunear Tunantear, bribonear, picarear.

tunda Tollina, zurra, vapuleo, 'friega, 'zumba.

tundear Vapulear, zurrar, pegar.

tundir Desborrar, desmotar.

'tunduque Ratón.

túnel Galería, mina.

tunería Truhanería.

tungsteno Volframio.

túnica Telilla, película. || Vestidura, vestido talar, 'túnico.

tuno Truhán, pícaro, pillo, bribón, escurra.

'tuno Higo.

tuntún (al buen) A tontas y a locas, sin reflexión.

tupa Hartazgo, hartazón, atracón, comilona.

tupé Copete, flequillo. || Desvergüenza, desfachatez, sorrostrada, descoco, inverecundia, raimiento, atrevimiento, desgarro. ↔ *Atención, cortesía.*

tupido Denso, espeso, amazacotado, mazorral, compacto, apretado, prieto. ↔ *Claro.* || Obtuso, torpe, cerrado, lerdo, necio. ↔ *Despierto, vivo.*

tupir Apretar, atestar, compactar, azocar, apelmazar, atacar. ↔ *Clarear, aclarar.* || Entupir, ocluir, taponar, atorar. ↔ *Destapar.*

tupirse Hartarse, atiborrarse, embeberse.

'tuquequere Búho.

turba Tropel, multitud, muchedumbre, patulea, tumulto, agrupamiento, riolada, trulla, ralea, garulla, horda, turbamulta, populacho.

turbación Aturdimiento, alteración, confusión, desconcierto, emoción, trastorno, desarreglo, perturbación. ↔ *Serenidad.*

turbado Aturdido, contrito, atribulado, achicado, patitieso, tolondro, botarate,

inconsecuente, inconsciente. ↔ *Atento, despierto.*

turbar Aturdir, consternar, aturrullar, atolondrar, atarantar, trastornar, desatinar, sacar de tino, volver tarumba, desconcertar, desbaratar, desordenar. ↔ *Calmar, tranquilizar, sosegar.* || Enturbiar. || Interrumpir, deshacer, romper.

turbiedad Turbieza, enturbiamiento, turbulencia. || Calina.

turbio Túrbido, confuso, borroso, vago, velado, nebuloso, tenebroso, opaco. ↔ *Diáfano, transparente.* || Alterado, azaroso, turbulento, dudoso, perturbado. ↔ *Sosegado, tranquilo.* || Difícil, incomprensible, embrollado, enredado, inextricable. ↔ *Fácil, claro.*

turbión Argavieso, aguacero, chubasco, nubarrada, chaparrón, turbonada.

turbulencia Turbiedad. || Confusión, alboroto, marasmo, alteración, desorden, revolución. ↔ *Orden.*

turbulento Revoltoso, alborotador, belicoso, desordenador, sedicioso, tumultuoso, querelloso. ↔ *Pacífico.* || Turbio. || Confuso, desordenado, alborotado. ↔ *Ordenado.*

turca Borrachera. || Cama turca, diván, otomana.

turgente Túrgido, elevado, tenso, prominente, saltón, abultado, combado, redondeado, abombado, hinchado, tumescente, tumefacto. ↔ *Fláccido, lacio.*

turíbulo Incensario.

turiferario Turibulario, turífero.

turificar Turibular, incensar.

turista Visitante, excursionista, viajero, paseante.

turma Testículo, criadilla.

turmalina Chorlo.

turnar Alternar, reemplazarse.

turno Vuelta, vez, tanda, ciclo, alternativa, sucesión, vicisitud, correlación, rueda.

turquesa Molde.

turquesa Calaíta.

turrar Asar, tostar, soasar, quemar, abrasar.

turrón 'Cocada.

turulato Estupefacto, atónito, pasmado, alelado, enajenado, sobrecogido, patitieso, patidifuso, 'tuturuto. ↔ *Atento, despierto.*

'tusa Zuro, carozo. || Crin. || Mujer.

'tusar Atusar.

tuso Cuzo, chucho, perro, can.

'tuso Picoso, cacarañado. || Rabón.

tusón Vellón, vellocino.

tusona Ramera.

tute Trote, aperreo, reventadero, ajetreo, fatiga, zurra, paliza, afán.

tutela Tutoría, curatela, patrocinio. || Sostén, apoyo, defensa, protección, guía, dirección, amparo. ↔ *Desamparo.*

tutelar Amparador, bienhechor, protector, defensor, auxiliar, providencial.

tutor Guardador, curador, administrador, valedor, defensor, guardián, protector, amparador. || Estaca, sostén, rodrigón.

tutoría Tutela.

tutuplén (a) A porrillo, de lo lindo, como el agua, a carretadas, a tentebonete.

'tuturuto Turulato, lelo.

U

ubérrimo Fecundo, abundante, feraz, fértil, productivo, pletórico. ↔ *Estéril.*

ubicar Estar, hallarse, encontrarse.

'ubicar Situar, instalar, colocar.

ubicuidad Omnipresencia, ubiquidad.

ubicuo Omnipresente.

ubre Teta, mama.

'uchú Guindilla.

ufanarse Gloriarse, jactarse, engreírse, envanecerse.

ufano Engreído, envanecido, hinchado, orgulloso, arrogante, presuntuoso, jactancioso. ↔ *Modesto.* || Satisfecho, contento, alegre, rozagante, gozoso. ↔ *Triste.* || Resuelto, decidido. ↔ *Tímido.*

ufo (a) De gorra, de mogollón, de balde, gratis.

ujier Portero, bedel, guardián.

úlcera Llaga, herida, lesión, afta, plaga.

ulcerado Herido, desgarrado, llagado, aftoso.

uliginoso Pantanoso, húmedo. ↔ *Seco.*

'ulmén Rico, potentado.

'ulpo Mazamorra, poleada.

ulterior Allende, del otro lado. || Posterior, consecutivo, siguiente, futuro. ↔ *Anterior, primero.*

ultimar Finalizar, concluir, terminar, rematar, dar fin, finiquitar. ↔ *Comenzar.*

ultimátum Exigencia, intimación. || Resolución.

último Extremo, final, postrer, postrero, postremo, postrimero, zaguero. 'cabero. ↔ *Primero.* || Remoto, escondido, lejano. ↔ *Próximo, cercano.*

último (por) Por fin, al fin, al cabo, en una palabra, en último término, en resumen, para concluir, para terminar.

ultra Además de. || Más allá de, al otro lado de.

ultrajante Injurioso, ofensivo, insolente, insultante, vejante, afrentoso. ↔ *Deferente, encomiástico.*

ultrajar Ofender, insultar, agraviar, injuriar, ajar, vejar, difamar, mancillar, deshonrar, despreciar. ↔ *Honrar, respetar, loar.*

ultraje Insulto, afrenta, injuria, agravio, baldón, afeamiento, ofensa, desprecio, insolencia. ↔ *Loa, adulación.*

ultranza (a) A muerte. || A todo trance, con resolución.

ulular Gritar, aullar, clamar.

ululato Alarido, clamor, grito, lamento.

umbral Lumbral, limen, 'umbralado. || Principio, comienzo, origen, entrada, inicio. ↔ *Fin, término.*

umbría Sombra, follaje, sombría. ↔ *Solana.*

umbrío Sombrío.

umbroso Umbrátil, umbrío, sombrío, sombreado, tenebroso, nocturno, opaco, negro. ↔ *Soleado, claro.*

unánime Concorde, acorde, conforme, general, total. ↔ *Disconforme, parcial.*

unanimidad Conformidad, concordia, fraternidad, avenencia, unión ↔ *Disconformidad, discordia.*

unción Ungimiento. || Extremaunción. || Fervor, devoción, compunción, recogimiento. ↔ *Impiedad.*

uncir Acoyundar, enyugar, juñir, 'acollarar.

undécimo Onceno. || Onzavo.

undoso Ondulante, undulante, sinuoso, rugoso. ↔ *Liso, plano.*

undulación Tumbo. || Onda.

undular Ondular.

ungir Untar, embadurnar. || Dignificar, sacramentar. ||

Investir, proclamar, conferir.

ungüento Untadura, unción, embrocación, bálsamo, untura, linimento, pomada.

único Solo, solitario, aislado, señero. ↔ *Acompañado, agregado.* || Singular, extraordinario, raro, extraño, particular, original. ↔ *Corriente, común.*

unicolor Monocromo. ↔ *Multicolor, policromo.*

unicornio Monocerote. || Rinoceronte.

unidad Unión, concordancia, conformidad, avenencia, afinidad, amistad. ↔ *Desavenencia, desunión.* || Singularidad, unicidad. || Cantidad.

unificar Aunar, agrupar, adunar. ↔ *Desunir.* || Centralizar, generalizar, uniformar, igualar. ↔ *Diversificar.*

uniformar Igualar, aparear, identificar, **equilibrar**, nivelar, unificar, generalizar. ↔ *Diversificar.*

uniformidad Igualdad, semejanza, exactitud, monotonía, isocronismo, coincidencia, parejura. ↔ *Desigualdad, diversidad.*

unión Atadura, ligadura, enlace, trabazón, acoplamiento, nexo, ligazón, lazo, vínculo, conexión, afinidad, conjunción, encadenamiento, 'entredós. ↔ *Desacoplamiento, independencia, desunión.* || Amasijo, composición, aligación. ↔ *Descomposición.* || Concordia, conformidad, inteligencia, amistad, unidad, maridaje, adherencia. ↔ *Disconformidad, separación.* || Casamiento, matrimonio. ↔ *Divorcio.* ||

Correspondencia, simpatía, *Antipatía, animadversión, desacuerdo.* || Familiaridad, trato, frecuentación. ↔ *Desavenencia.* || Agregación; suma, integración, conjunto, grupo. ↔ *División, separación, disgregación.* || Alianza, compañía, federación, confederación, liga, sociedad, asociación, coalición. ↔ *Escisión.* || Aproximación, inmediación. ↔ *Alejamiento.*

unir Juntar, reunir, asociar, adunar, coadunar, conglobar, englobar, concadenar, enlazar, casar. ↔ *Desunir.* || Trabar, fundir, amasar, mezclar. ↔ *Destrabar, soltar.* || Ligar, atar. ↔ *Desatar.* || Ensamblar, enlazar, empalmar, articular, 'empatar. ↔ *Desensamblar, desarticular.* || Agregar, incorporar, sumar. ↔ *Restar, dividir, separar.* || Maridar, casar. ↔ *Divorciar.* || Conformar, concordar, asemejar. ↔ *Desemejar, hacer dispar.* || Congregar, coaligar. ↔ *Escindir, desavenir.* || Acercar, aproximar. ↔ *Alejar.*

unirse Esenciarse, ligarse, confederarse, sindicarse, asociarse, coligarse, confabularse, convenirse. ↔ *Pelearse, regañar, enemistarse.* || Coserse con. || Casarse, matrimoniarse, ayuntarse. ↔ *Divorciarse, romper.*

unísono Acorde, unánime.

unitario Uno, indiviso. ↔ *Separable.*

universal Mundial, internacional, cosmopolita, ecuménico. ↔ *Nacional, regio-*

nal. || General, total, ilimitado, absoluto, completo, común. ↔ *Particular, concreto.*

universo Orbe, cosmos, globo, mundo.

uno Unitario, simple, indiviso, distinto. ↔ *Varios, plural.* || Idéntico. || Único, solo, aislado. ↔ *Acompañado.* || Unidad.

unos Algunos, unos cuantos, algunos cuantos, varios, diversos. ↔ *Otros.*

untadura Untura, ungüento.

untar Ungir, engrasar, empegar, pringar, ensebar, encerotar. || Ensuciar, manchar. ↔ *Limpiar.* || Sobornar, corromper, cohechar.

unto Grasa, gordura, grosura, **grasa.** || Dinero, propina, gratificación, soborno.

untuoso Mantecoso, grasiento, aceitoso, oleoso, craso, acuerdo, comunicación. ↔ pingüe, pringoso, pegajoso, viscoso, graso. ↔ *Seco,* áspero. || Afectado, insinuante, escurridizo, hipócrita. ↔ *Franco.*

untura Untadura, ungüento, unción, ungimiento, embadurnamiento, perfusión.

uña Casco, pezuña, carnicol. || Tetón.

uñas (mostrar las) Amenazar.

uñas (sacar las) Ingeniarse.

uñada Uñarada, uñetazo, araño, arañazo, rasguño, arañamiento, zarpazo, garfada.

uñero 'Gavilán.

upar Aupar.

urbanidad o **urbanía** Corrección, civilidad, cortesía, cortesanía, educación,

U

U

buenos modos, buena crianza, buenos modales, finura. ↔ *Incorrección.* || Amabilidad, afabilidad, sociabilidad, atención, comedimiento. ↔ *Desatención, desabrimiento.*

urbano Ciudadano, civil, cívico. ↔ *Rural, rústico.* || Cortés, atento, amable, fino, cortesano, comedido. ↔ *Descortés, desatento.*

urbe Metrópoli, ciudad, capital, población.

urce Brezo.

urdir Tramar, tejer, preparar, maquinar, intrigar, conspirar, complotar.

urente Ardiente, abrasador, candente, escocedor, urticante. ↔ *Agradable, refrescante.*

urgencia Prisa, premura, apresuramiento, apremio, perentoriedad, inminencia, instancia, precisión, necesidad. ↔ *Demora, retraso, prórroga.*

urgente Inminente, perentorio, apremiante, inaplazable, necesario, preciso. ↔ *Demorable, aplazable, prorrogable.*

urgir Apremiar, instar, precisar, apurar, atosigar, necesitar.

urinario Mingitorio.

urocordado Tunicado.

urraca Picaza, pega, marica.

urticaria 'Fogaje.

'urú Perdiz.

'urucú Bija.

urpila Paloma.

usado Usitado, gastado, viejo, deteriorado, consumido, deslucido, desgastado, raído, ajado, estropeado, agotado, acabado. ↔ *Nuevo, reciente, por estrenar.*

|| Manido, ejercitado, baqueteado. ducho, práctico, habituado. ↔ *Inexperto, inhábil.*

usar Manejar, emplear, servirse, disfrutar, gozar, gastar, practicar, esgrimir, conducir, llevar. || Utilizar. || Acostumbrar, soler, estilar.

usitado Usado.

'uslero Fruslero.

uso Utilidad, usaje, empleo, provecho, destino, destinación, goce, disfrute, manejo, servicio, gasto. || Costumbre, hábito, habitud, rutina, práctica, estilo, manera, usanza, modo, moda.

ustión Quema, ignición, combustión.

usual Común, frecuente, habitual, corriente, general, acostumbrado. ↔ *Inusual, inhabitual.* || Fácil, cómodo, asequible. ↔ *Difícil.*

usufructo Provecho, utilidad, fruto. || Uso, disfrute, consumo.

usufructuar Disfrutar, gozar. || Fructificar.

usufructuario Usuario, beneficiario, guillote.

usura Interés, ventaja, mohatra, logro, provecho.

usurero Usurario. || Renovero, mohatrero, prestamista, judío.

usurpación Incautación, apropiación, apoderamiento, toma, arrebatamiento. || Detentación, asunción, arrogamiento.

usurpar Apropiarse, incautarse, arrogarse, arrebañar, asumir, quitar, despojar, expoliar, detentar, apoderarse. ↔ *Restituir.*

'usuta Ojota, sandalia.

utensilio Trebejo, trasto. || Herramienta, útil, instrumento, aparejo, enseres, artefactos, utillaje.

útero Matriz, claustro materno, madre, seno.

útil Utensilio. || Ventajoso, provechoso, beneficioso, lucrativo, productivo, fructuoso, favorable, eficaz, redituable. ↔ *Desventajoso, ineficaz.* || Utilizable. ↔ *Inutilizable.* || Utilidad.

utilidad Útil, provecho, beneficio, lucro, interés, rendimiento, ventaja, comodidad, producto, conveniencia, fruto, jugo, zumo. ↔ *Desventaja, inconveniencia, pérdida.*

utilitario Interesado, egoísta, positivista, aprovechado, materialista. ↔ *Altruista, romántico.* || Útil, funcional.

utilizable Útil, práctico, aprovechable, conveniente, disponible, servible, interesante. ↔ *Inútil, inutilizable.*

utilizar Usar, explotar, aprovechar, aplicar, emplear, valerse, aprovecharse, sacar tajada, asir la ocasión.

utopía Quimera, fantasía, ficción, ideal, suposición, proyecto, sueño. ↔ *Realidad.*

utópico Fantástico, irreal, quimérico, ficticio, falso, ilusorio, figurado, supuesto, teórico, vano. ↔ *Real, positivo, efectivo.*

uva Agracejo, calagraña.

uvaduz Aguavilla, gayuba.

úvula Campanilla, galillo, gallillo.

V

vacación Reposo, holganza, descanso, asueto, ocio, huelga, punto. || Vacante.

vacante Desierto, abandonado, disponible, accesible, inocupado, abierto, vaco. ↔ *Ocupado, desempeñado.* || Vacación, vacío, vacatura, falta del titular, cesantía.

vacar Descansar, feriar, holgar, cesar. || Aplicarse, dedicarse, darse, entregarse. ↔ *Rehuir, escapar.* || Carecer, faltar. ↔ *Tener, poseer.*

vacatura Vacante, vacación.

vaciadero Vertedero.

vaciado Rehundido. || Excavación. || Moldura, adorno.

vaciador Afilador.

vaciante Menguante.

vaciar Sacar, arrojar, verter, desocupar. || Afilar, aguzar, afinar. || Moldear. || Explicar, exponer, explanar. || Afluir, desembocar, afluir. || Menguar. || Desembuchar, decir, desembaularse, desahogarse. ↔ *Retenerse.*

vaciedad Vacuidad, sandez, mentecatez, necedad, bobería, tontería, insulsez, ignorancia. ↔ *Enjundia.*

vacilación Perplejidad, titubeo, indeterminación, duda, irresolución, indecisión, incertidumbre, alternativa, ambigüedad. ↔ *Decisión, determinio, determinación.* || Vaivén, balanceo, cabeceo, bamboleo, oscilación. ↔ *Firmeza, rigidez.*

vacilante Oscilante, basculante, bamboleante, fluctuante, pendular, tambaleante. ↔ *Quieto, fijo, estable.* || Perplejo, irresoluto, indeciso, indeterminado, remiso, titubeante, versátil, voluble, impreciso, cambiante. ↔ *Seguro, firme, decidido, resuelto.*

vacilar Fluctuar, tambalearse, mecerse, oscilar, bandearse, bambolearse, bascular, pender, temblar, trastrabillar. ↔ *Estar quieto, estar firme, afirmarse.* || Titubear, dudar, hesitar, cespitar, balbucir, balbucear.

vacío Hueco, huero, vacuo, desocupado, vano, fofo, deshinchado. ↔ *Lleno, ocupado, denso.* || Ocioso, inactivo, parado. ↔ *Activo.* || Vano, presuntuoso, presumido, fatuo, hinchado, altanero. ↔ *Humilde, mo-*

desto. || Enrarecimiento. || Vacante, vacación, vacatura, ausencia. || Laguna, carencia, falta, holgura, oquedad, concavidad, vacuidad. || Ijar, ijada.

vaco Buey.

vaco Vacante.

vacuidad Vaciedad, vacío, oquedad, carencia.

vacuna Inmunidad, antivirus. || Linfa.

vacunar Inmunizar, defender. ↔ *Inocular, contagiar.*

vacuno Bovino.

vacuo Vacío. || Vacante. || Vacuidad, vaciedad.

vade Vademécum.

vadeable Transitable, superable, traspasable.

vadear Esguazar, atravesar, pasar. || Vencer, sortear, obviar. || Tantear, inquirir.

vadearse Manejarse, conducirse, portarse.

vademécum Venimécum, memorándum, prontuario, memorial, agenda. || Vade, cartapacio, cartera.

vado Esguazo, vadera. || Remedio, ayuda, auxilio, expediente, medio.

vagabundear Vagar, vaguear, errar, corretear, zanganear, callejear, me-

V rodear, mangonear, gallofar, cantonear, pindonguear, tunar.

vagabundeo Merodeo, callejeo, correteo. || Vagancia. ↔ *Actividad.*

vagabundo Vagamundo, nómada, errático, errante, errabundo, andorrero, bordonero, azotacalles, gallofero, rompehoyos, trotamundos, 'atorrante. ↔ *Sedentario, estático.* || Vago.

vagancia Vagabundeo, inacción, desocupación, huelga, holgazanería, haraganería, gandulería, ociosidad, guitonería, gorronería, tuna, truhanería, gandaya, bordonería. ↔ *Actividad, ocupación, trabajo.*

vagante Vago.

vagar Holgar, vacar, ociar. ↔ *Estar ocupado, estar en activo.* || Holgazanear, vegetar, gandulear, haraganear, pasar el tiempo. ↔ *Trabajar.* || Vagabundear.

vagar Pausa, reposo, tregua, sosiego, espacio, calma, lapso, interrupción. ↔ *Prosecución.*

vagido Gemido, plañido, gimoteo, lloriqueo, lloro, llanto.

'vaguido Vahído.

vago Vagabundo, vagante, tumbón, roncero, remiso, remolón, poltrón, gandul, mogollón, vilordo, harón, ventolero, truhán, guitón, gallofero, gallofo, pícaro. ↔ *Trabajador, diligente.*

vago Vacío, vacuo, desocupado.

vago Impreciso, indeciso, indeterminado, confuso, indistinto, indefinido, ligero, vaporoso. ↔ *Concreto, preciso, definido.*

vagón Coche, carruaje.

vagoneta Carretilla.

vaguada Cañada, cauce, arroyada, torrentera, barranca, rambla, valle.

vaguear Vagabundear.

vaguedad Imprecisión, indeterminación, indecisión, ligereza, confusión. ↔ *Precisión, concreción.*

vaharada Aliento, expiración, inhalación, soplo, hálito.

vahído Desmayo, desvanecimiento, vértigo, síncope, colapso, 'vaguido, turbación, aturdimiento. ↔ *Recobramiento.*

vaho Vaharina, vapor, exhalación, efluvio, emanación, niebla. || Aliento, hálito. || Tufo.

vaina Funda, envoltura, estuche, guarda, forro. || Cáscara, farfolla, cubierta, túnica, 'capi. || Zascandil, rufián, canalla, zurriburri, bacín.

'vaina Contrariedad, molestia.

vainazas Ganso, maulón, rompehoyos, molondro, badea, pelafustán, zanguayo.

vaivén Traqueteo, oscilación, vacilación, tumbo, zigzag, ir y venir. || Inconstancia, mudanza, variabilidad, instabilidad. ↔ *Constancia.*

vajilla Ollería, loza, porcelana, china.

vale Adiós, abur, agur.

vale Bono, boleta, entrada, pase.

valedero Válido, vigente, reglamentario, conveniente, subsistente, irrevocable, obligatorio, firme, eficaz, vivo, legal. ↔ *Caducado, ineficaz.*

valedor Defensor, tutor,

protector, patrocinador, padrino, favorecedor, amparador, brazo, ayuda, auxilio.

valentía Valor, virtud, vigor, ánimo, aliento, esfuerzo, arrojo, decisión, intrepidez, osadía, agallas, arrestos, ardor, acero, acometividad, impavidez, audacia, bizarría, gallardía, arrogancia, atrevimiento, bravura, brío, coraje, corazón, pecho, fiereza, denuedo, resolución, serenidad, temeridad. ↔ *Cobardía.* || Hecho, heroicidad, gesta, hazaña..

valentón Matón, chulo, jactancioso, bravucón, fanfarrón, farfantón, baladrón, matasiete, rompeesquinas, jaque, matamoros, matasiete, rajabroqueles, perdonavidas, hampón, jícaro, braveador, bigornio, arrogante. ↔ *Tímido.*

valentonada Valentona, matonería, bravuconería, desgarro, jactancia, majeza, baladronada, arrogancia, gallardía, bizarría, blasonería, majencia, guapeza, farfantonada, fanfarronada, crudeza, bernardina, chulada. ↔ *Gallinería.*

valer Valía, valor.

valer Amparar, proteger, defender, apoyar, auxiliar, patrocinar. ↔ *Desamparar.* || Dar, fructificar, redituar, producir, rentar. || Costar, montar, importar, subir, sumar, elevarse, ascender. || Equivaler. || Asumir, influir, poder. || Auxiliar, servir, salvaguardar. || Aventajar, prevalecer. || Regir, estar vigente.

valerse Usar, gastar, consumir, utilizar. echar mano, recurrir, acogerse, echar de manga.

valeroso Eficaz, poderoso, operoso, eficiente, potente. ↔ *Ineficaz.* || Valioso. || Valiente.

valetudinario Enfermizo, delicado, enclenque, enfermo, maganto, sufriente, doliente, achacoso, enteco, canijo, impotente. ↔ *Sano, fuerte.*

valía Valer, valor, valúa, valoría, avalúo, estimación, coste, aprecio, apreciación, precio. || Valimiento, privanza, protección, ayuda, favor. ↔ *Desvalimiento.* || Parcialidad, facción, bando, banda.

validación Admisión, aprobación, confirmación, ratificación, eficacia. || Firmeza, garantía, fuerza, permanencia, seguridad, subsistencia. ↔ *Inseguridad.*

validar Admitir, aprobar, aceptar, certificar, confirmar, sancionar, ratificar, homologar, calificar. ↔ *Desautorizar, desvalorar.*

validez Valor, vigencia, valía, vigor, eficacia, autenticidad, irrevocabilidad, permanencia, duración, poder. ↔ *Revocación, abrogación, invalidez.*

válido Sano, robusto, fuerte, gallardo, firme, útil, valiente, vigoroso, apto. ↔ *Inválido, desahuciado, incurable.* || Valedero.

valido Favorito, privado, brazo derecho, primer ministro. || Estimado, creído, preferido, apreciado, querido, amado. ↔ *Odiado.*

valiente Valeroso, bravo, aguerrido, estrenuo, gallardo, resoluto, intrépido,

osado, resuelto, 'gallote, impávido, temerario, sereno, alentado, animoso, audaz, arrojado, bravo, ahigadado, espartano, farruco, fogoso, guapo, heroico, indomable, macho, masculino, varonil, de pelo en pecho, trabucaire. ↔ *Cobarde.* || Válido. || Especial, primoroso, excelente, relevante. || Valentón, chulo. || Excesivo, desmesurado, grande. ↔ *Pequeño, ridículo.*

valija Maleta, saca, mala, 'garriel.

valimiento Ayuda, amparo, apoyo, protección, valía, amparo, influencia, defensa, palanca. ↔ *Desamparo.* || Poder, privanza, favor, patrocinio, padrinaje. ↔ *Desvalimiento.*

valioso Importante, inapreciable, inestimable, precioso, excelente, apreciado, meritorio. ↔ *Inútil, estéril, despreciable, vano.* || Rico, pudiente, acomodado, acaudalado, opulento, caudaloso, godeño. ↔ *Pobre.*

valor Valentía. || Valentonada. || Desgarro, desvergüenza, osadía, descomedimiento, desparpajo, descaro, descoco, desfachatez, atrevimiento. ↔ *Comedimiento, cortesía, atención.* || Utilidad, provecho, conveniencia, beneficio, comodidad, interés, importancia, significación, magnitud, cuantía, rendimiento, monta, crédito, entidad, consideración, alcance, trascendencia, calidad, peso, substancia, enjundia, esencia, miga. || Valía. || Validez. || Fuerza, efica-

cia, virtud, poder. || Cambio. || Renta, fruto, rédito, producto, interés.

valor (cobrar) Animarse, rehacerse.

valor (tener) Importar, no ser barro.

valoración Valuación, evaluación, avalúo, justiprecio, tasa, tasación.

valorar Valorear, valuar, evaluar, apreciar, tasar, estimar, cuantiar, justipreciar, ajustar, tallar.

valores Títulos, acciones, obligaciones, bonos.

valoría Valía, estimación.

valorizar Valorar. || Aumentar, incrementar, acrecentar, significar, dar énfasis, acreditar, afectar, vincular. ↔ *Desvalorizar, desacreditar.*

valuación Valoración.

valuar Valorar.

valva Ventalla.

válvula Grifo, obturador, ventalla.

valla Vallado, valladar, cerca, cerco, cercado, barda, empalizada, seto, estacada, barrera, baranda, espaldón, talanquera, palanquera, 'arrimo. || Obstáculo, dificultad, pega, barrera, oposición. ↔ *Facilidad.*

valladear Vallar.

vallado Valla.

vallar Valladear, cercar, estacar.

valle Vaguada, cañada, hoz, cuenca, hoya, pando, hondura, hondonada, arroyada. ↔ *Montaña.*

vallico Ballico.

vallisoletano Valisoletano, pinciano.

vampiro Monstruo.

vana 'Taranta.

vanagloria Engreimiento, ensoberbecimiento, enva-

V

V

necimiento, altanería, vanidad, fatuidad, altivez, arrogancia, presunción, soberbia, elación, petulancia, importancia, pretensión. ↔ *Humildad, modestia.*

vanagloriarse Preciarse, presumir, pavonearse, engreírse, pompearse, jactarse, glorificarse, alabarse, abantarse. ↔ *Humillarse.*

vanaglorioso Arrogante, ensoberbecido, egotista, farolero, alardoso, cacareador, chulo, petulante, fachenda, fatuo, jactancioso, glorioso, presumido, soberbio, elato, postinero, presuntuoso, vano, vanidoso, rimbombante, ufano, altanero. ↔ *Modesto, humilde.*

vandálico Vándalo.

vandalismo Asolamiento, asolación, devastación, pillaje, ruina, depredación, destrucción, expoliación.

vándalo Vandálico, demoledor, desolador, destructor, devastador, exterminador, asolador. || Cruel, inhumano, bárbaro, desalmado, feroz. ↔ *Benévolo.*

vanidad Vanagloria. || Fausto, pompa, ostentación, inmodestia, tramontana, tufo, postín, penacho, ventolera, aire, farol, fachenda, farfolla, barreno, junciana, vacuidad. viento. prosopopeya. ↔ *Modestia.*

vanidoso Vanaglorioso, vano, huero, hueco, hinchado, engreído, fatuo, presuntuoso, presumido. ↔ *Humilde, modesto.*

vano Irreal, insubstancial, inexistente. ↔ *Real.* || Hueco, vacío, huero, vacuo, fatuo, deshinchado. ↔

Denso, lleno. || Insubstancial, desaborido. || Inútil, infructuoso, ineficaz. ↔ *Eficaz.* || Arrogante, presuntuoso, vanidoso, vanaglorioso. ↔ *Modesto, humilde.* || Infundado, ilusorio, imaginario, pueril, insubsistente. ↔ *Consistente, fundamental.* || Hueco, ventana, balcón, vistas, luz, abertura.

vano (en) En balde, en desierto.

vapor Vaho, fluido, gas. || Hálito, aliento. || Vahído, vértigo, desmayo, síncope. || Buque, barco, nave, paquebote.

vapora Motora, lancha.

vaporación Evaporación.

vaporar Evaporar.

vaporear Evaporar. || Exhalar, respirar, alentar.

vaporizar Evaporar, evaporizar, difundir.

vaporoso Humoso, espiritoso, gaseiforme, aeriforme. || Sutil, aéreo, etéreo, vago, tenue, ligero, flotante, impalpable. ↔ *Denso, espeso.*

vapulación Vapuleo, zurra.

vapulear Azotar, zurrar, vapular, 'tostar.

vapuleo Vapulación, vapuleamiento, vápulo, azote, zurra, tollina, azotaina, tunda, felpa.

vaquería Vacada. || Lechería, 'tambo.

vaqueriza Corral, establo.

vaquero Vaquerizo, pastor, 'gaucho, 'tropero.

vaquilla Ternera, 'vaquillona.

vara Varal, varejón, garrocha, pica, puya. || Bastón, palo, garrote. || Percha, pértiga, bohordo. || Bastón de mando.

varada Varadura, encalladura, encallada, zaborda.

varadero Surtidero, surtida.

varadura Varada.

varal Vara.

varapalo Estacazo, golpe, porrazo, bastonazo, varazo, varejonazo, trancazo, costalazo, trastazo, golpazo, lapo, palo. || Daño, perjuicio, pérdida, menoscabo. ↔ *Ganancia.* || Pesadumbre, desazón, inquietud, desasosiego. ↔ *Serenidad.*

varar Encallar, abordar, zabordar, embarrancar, abarrancar. ↔ *Poner a flote, botar.*

varaseto Cerramiento, enrejado, barda, valla.

varazo Varapalo.

varbasco Verbasco, gordolobo.

vardasca Verdasca.

varea Vareaje, vareo.

varear Golpear, batojar, apalear. || Enflaquecer, adelgazarse, apergaminarse. ↔ *Engordar, poner carnes.*

varejón Vara.

'varejón Verdasca, vergueta.

varejonazo Varapalo.

varenga Orenga. || Brazal.

vareo Varea.

vareta Vara. || Indirecta, rehilete, puntada, tiro, reticencia, insinuación.

varetazo Paletazo.

varetón Cervatillo.

vargano Estaca, hincón.

vargueño Bargueño, canterano.

variabilidad Variación, variedad, alterabilidad, instabilidad, diversidad, mutación, incertidumbre, inconstancia, indecisión, versatilidad, veleidad, ligereza, volubilidad. ↔ *Constancia, certidumbre.*

variable Vario, caprichoso, cambiable, incierto, inconsecuente, inconstante, indeciso, indeterminado, flotante, instable, liviano, irregular, mudable, tornadizo, mudadizo, proteico, vacilante, versátil, veleidoso, voluble, trastrocable. ↔ *Constante, permanente, fijo, estable.*

variación Variabilidad. || Modificación, mutación, cambio, transformación, mudanza, alternación, muda, renovación, trastrueque, alteración, diferenciación. ↔ *Permanencia, estabilidad.* || Variedad.

variado Vario. || Abigarrado, multicolor, policromo, heterogéneo. ↔ *Monocromo, unido.*

variante Variedad, diferencia, discrepancia, disparidad. ↔ *Coincidencia.*

variar Cambiar, mudar, invertir, transformar, diferir, diferenciar, tergiversar, disfrazar, voltear, metamorfosear, desemejar, distar, discordar, distinguirse. ↔ *Coincidir, fijar, permanecer.*

varice Variz.

variedad Variación, diversidad, diferencia, multiplicidad, heterogeneidad, pluralidad, complejidad. ↔ *Simplicidad, sencillez.* || Variabilidad. ↔ *Constancia, certidumbre.*

varilarguero Picador.

varilla Baqueta.

vario Variado, diverso, distinto, diferente, otro, desigual, desemejante, dispar, disímil, heterogéneo, disparejo, misceláneo, múlti-

ple, híbrido, mezclado, surtido, compuesto. ↔ *Único, igual, parejo.* || Variable. || Indiferente, indeterminado, impreciso, indeciso. ↔ *Fijo, determinado.*

varios Algunos, unos cuantos.

varioloide Viruela.

varioloso Virolento.

'varita de san José Malva real.

variz Varice.

varón Hombre, macho, caballero, señor.

varona Mujer. || Marimacho, virago, sargentona, machota, maritornes, amazona.

varonil Viril, hombruno. ↔ *Femenino.* || Masculino, fuerte, firme, esforzado, valeroso, resuelto, animoso, denodado. ↔ *Apocado.*

vasallaje Sujeción, esclavitud, dependencia, sumisión, supeditación, rendimiento, acatamiento, obediencia, homenaje. ↔ *Liberación, manumisión.*

vasallo Sujeto, tributario, feudatario, collazo, pechero. ↔ *Señor.* || Súbdito. ↔ *Monarca, jefe.*

vasar Vasera, andén, anaquel, poyo, repisa, aparador, poyata, entrepaño. || 'Sobrado.

vascuence Vasco, vascongado, éuscaro, éusquero.

vasija Recipiente, belez, vaso, cachirulo, cacharro, alcuza, 'callana, 'caneca, 'tiesto, 'pilche, 'tacho.

vasillo Celdilla.

vaso Póculo, bernegal, pote, cubilete. || Vasija. || Embarcación. || Bacín, orinal. || Copa. || Casco. || Tubo, canal, vena. || Tráquea.

vaso de colmena Capirote de colmena, arna.

vástago Brote, retoño, tallo, renuevo, pimpollo, serpollo, sierpe, verdugo, rebrote, vestugo, hijuelo. || Hijo, descendiente.

vastedad Anchura, dilatación, grandeza, espaciosidad, inmensidad, infinidad, infinitud, extensión, latitud. ↔ *Encogimiento, estrechez.*

vasto Grande, ancho, dilatado, amplio, extenso, anchuroso, holgado, espacioso, despejado, difuso. ↔ *Estrecho, encogido, pequeño.*

vate Adivino, vaticinador. || Poeta, bardo, rapsoda.

vaticinador Vate, provicero, vatídico, cohén, adivino, pronosticador, agorero, profeta, sortílego.

vaticinar Anunciar, presagiar, predecir, pronosticar, profetizar, adivinar, antedecir, augurar, hadar, prever.

vaticinio Conjetura, previsión, profecía, predicción, adivinación, pronóstico, oráculo, augurio, agüero, auspicio, adivinamiento.

vatídico Vaticinador.

vatro Batro.

vaya Burla, chasco, mofa, pitorreo, rechifla, befa, escarnio, sarcasmo, ludibrio, zumba, chunga, broma, cantaleta, guasa, cuchufleta, chafaldita, 'janja.

vecero Parroquiano, cliente.

vecinal Comunal, vecindario.

vecindad Cercanía, proximidad, contigüidad. ↔ *Alejamiento.* || Vecindario. || Alrededores, contornos, in-

V

V

mediaciones, proximida-des.

vecindario Vecindad, municipio, gentes, vecinos, habitantes, comunidad, pueblo, población.

vecino Morador, habitante, inquilino, domiciliado. || Contiguo, inmediato, cercano, próximo, lindante, adyacente, asurcano, limítrofe. ↔ *Lejano*. || Semejante, parecido, análogo, coincidente, parigual. ↔ *Dispar, diferente.*

vecino de mesa Comensal.

vedar Prohibir, estorbar, privar, impedir, acotar, embarazar.

vedegambre Eléboro blanco, veratro.

vedeja Guedeja.

vedija Mechón, vellón. || Verija.

veedor Inspector.

vega Huerta.

'vega Tabacal.

vegetar Crecer, germinar. || Vivotear, vivir, pasarla.

vehemencia Ardor, ímpetu, impetuosidad, pasión, fuego, brío, pujo, actividad, violencia. ↔ *Indiferencia.*

vehemente Exaltado, apasionado, vivo, impulsivo, impetuoso, fogoso, intenso, ardoroso, ardiente, valeroso, súbito, inflamado, ahincado, súbito, violento. ↔ *Indiferente.*

vehículo Carruaje, coche, automóvil, camión, artefacto, locomóvil, motocicleta, bicicleta, móvil, 'rodado.

vejamen Afrenta, ofensa, vejación, calumnia, perjuicio. ↔ *Ensalzamiento, honor.*

vejar Molestar, mortificar, oprimir, avasallar, gibar,

jorobar, maltratar, perseguir, ofender, encocorar.

vejatorio Mortificante, mortificador, molesto, ofensivo, duro, enojoso, deprimente, irritante, insultante, denigrante. ↔ *Favorecedor.*

vejez Vetustez, senectud, ancianidad, antigüedad, ocaso, decrepitud. ↔ *Juventud.*

vejiga Bolsa, ampolla. || Viruela.

vejigatorio Cáustico.

vela Velación. || Velatorio. || Vigilia. || Vigilancia, guardia. || Candela, cirio, bujía. || Toldo, lona, velamen.

velación Velorio. || Vela, velada, vigilia, festejo, trasnochada.

velada Velación.

velado Secreto, invisible, oculto, misterioso, celado, obscuro. ↔ *Descubierto, visible.* || Esposo, consorte, cónyuge.

velador Vigilante, guardián, celador. || Palmatoria, candelero. || Mesita, trípode.

velamen Vela, trapo, velaje.

velar Cuidar, guardar, vigilar, proteger. || Poner en guardia, prestar atención, estar al tanto. || Pasar la noche en claro.

velar Tapar, celar, ocultar, disimular, solapar, atenuar, obscurecer, disfrazar, esconder, envolver, enmascarar. ↔ *Destapar, descubrir.*

velas (recoger) Moderarse, contenerse.

velatorio Velorio, vela.

veleidad Versatilidad, volu-

bilidad, ligereza, inconstancia. ↔ *Constancia.* || Capricho, antojo.

veleidoso Versátil, voluble, ligero, inconstante, antojadizo, tornadizo, mudable, caprichoso, variable, veleta. ↔ *Constante.*

velero Bajel, buque, embarcación.

veleta Giralda. || Amenoscopio. || Banderola. || Veleidoso. ↔ *Constante.*

velilla Cerilla.

velo Céfiro, manto, impla. || Humeral. || Disimulación, excusa, pretexto. || Confusión, obscuridad.

velo (correr un) Tapar, relegar, callar, ocultar.

velo (descorrer un) Descubrir, manifestar.

velocidad Ligereza, prontitud, presteza, diligencia, festinación, actividad, rapidez, brevedad, viveza, alacridad, presura, apresuramiento, vivacidad, agilidad, prisa, soltura, expedición, instantaneidad, subitaneidad, impetuosidad, vértigo, aceleración. ↔ *Lentitud, calma.*

veloz Ágil, célere, apresurado, fugaz, expeditivo, presto, pronto, repentino, rápido, raudo, acucioso, alado, alígero, arrebatoso, diligente, impetuoso, presuroso, resuelto, súbito, sumario, momentáneo, vertiginoso, vivo, violento, como una bala, como un tiro. ↔ *Lento, calmoso, tardo.*

vello Bozo, pelillo, flojel. || Pelusilla, lanosidad, pelusa, tomento, vellosidad.

vellón Tusón, vedija, guedeja, mechón. || Zalea.

vellosidad Pelusa, lanosidad, pelusilla, tomento, vello.

velloso Velludo, peludo, aterciopelado. ↔ *Lampiño.*

velludo Velloso. || Terciopelo, felpa, pana.

vena Vaso. || Veta, filón. || Inspiración, musa, arrebato.

venablo Dardo, adarga, lanza.

venado Ciervo.

venal Vendible, venable. || Sobornable. ↔ *Íntegro.*

venal Flebítico.

venatorio Cinegético.

vencedero Pagadero, librado,

vencedor Conquistador, victorioso, triunfador, triunfante, ganador. ↔ *Perdedor, vencido, derrotado.*

vencejo Lazo, ligadura, tramojo.

vencejo Arrejaque, arrejaco, oncejo.

vencer Ganar, batir, derrotar, rendir, aniquilar, derribar, hundir, triunfar, dispersar, aplastar, tumbar, poner en fuga, hacer morder el polvo, dar capote. ↔ *Perder.* || Dominar, subrayar, reprimir, 'causear, someter, domeñar, refrenar, contener, domar, violentar. ↔ *Liberar.* || Zanjar, allanar, solventar, resolver. || Torcer, ladear, inclinar. ↔ *Enderezar.* || Terminar, cumplirse un plazo. ↔ *Demorar.*

vencetósigo Berza de perro.

vencido Subyugado, dominado, domado, refrenado, esclavo, vasallo. ↔ *Manumiso, liberto.* || Derrotado, batido, aniquilado, hundido. ↔ *Vencedor.* || Persua-

dido, convencido, conquistado. ↔ *Obtuso, terco.*

vencimiento Término, plazo.

vendaje Apósito, venda.

'vendaje Tapa, adehala.

vendaval Ventarrón, sobreviento, manga, galerna, huracán, tifón, tromba.

vendedor Detallista, negociante, comerciante.

vender Expender, revender, despachar, traficar, liquidar, saldar, realizar, ceder, traspasar, alienar, adjudicar, traspasar, enajenar. ↔ *Comprar.* || Traicionar, entregar, denunciar.

veneno Tóxico, tósigo, ponzoña, toxina, alcaloide, estupefaciente. ↔ *Antitoxina.*

venenoso Ponzoñoso, tóxico, deletéreo. ↔ *Inocuo.*

venera Pechina, vieira, concha de peregrino.

venerable Virtuoso, santo, honorable, respetable, venerando. ↔ *Despreciable.* || Estimado, considerado, respetado, honrado. ↔ *Deshonrado, desacreditado.* || Anciano, patriarcal.

veneración Respeto, reverencia, adoración, admiración, acatamiento, consideración, honra. ↔ *Desprecio, falta de respeto.*

venerar Honrar, reverenciar, respetar, acatar, postrarse, hincarse, arrodillarse, prosternarse. ↔ *Despreciar.*

venero Fuente, manantial, venera. || Origen, principio, raíz. || Criadero, mina.

venganza Vindicta, desquite, vindicación, represalia, reparación, revancha, *ven-

detta, despique, torna. ↔ *Perdón, remisión.*

vengar Desquitarse, tomar satisfacción, tomar la revancha, reprimir, reparar, lavar la ofensa. ↔ *Perdonar.*

vengarse Desagraviarse, desforzarse.

vengativo Vindicativo, vengador, rencoroso, implacable. ↔ *Indulgente, generoso.*

venia Perdón, remisión, indulgencia, gracia. ↔ *Castigo.* || Licencia, permiso, autorización, anuencia, consentimiento. ↔ *Negación, denegación.* || Saludo, inclinación.

venial Pequeño, ligero, perdonable. ↔ *Grave, mortal, imperdonable.*

venida Vuelta, retorno, regreso, arribada, llegada. ↔ *Ida, marcha.* || Ímpetu, prontitud, impulso. || Avenida, creciente.

venidero Futuro, por venir. ↔ *Pasado.*

venideros Sucesores, herederos.

venir Volver, regresar, retornar, arribar, comparecer, llegar. ↔ *Ir.* || Acomodarse, ajustarse, avenirse, conformarse. ↔ *Desajustarse.* || Suceder, acontecer, sobrevenir.

venirse a las mientes Caer en la cuneta, recordar, acordarse, venir a la memoria, hacer memoria.

venta Despacho, expedición, salida. ↔ *Compra.* || 'Tambo, parador, posada, mesón, ventorro, ventorrillo, hospedería, hostal, fonda.

venta pública Almoneda.

ventaja Superioridad, mejoría, preeminencia, delan-

V tera, excelencia. ↔ *Desventaja.* || Provecho, utilidad, beneficio. ↔ *Inconveniente.*

ventaja (llevar) Aventajar, adelantar.

ventajista Ganguero, ganguista, ventajero, logrero.

ventajoso Útil, provechoso, fructuoso, preeminente, superior, mejor, excelente. ↔ *Desventajoso.*

ventalla Válvula. || Valva.

ventana Abertura, ventilación, vano, tragaluz, lucerna, lumbrera, lucernario, galería, ventanal.

ventanillo Postigo, contraventana. || Trampilla. || Mirilla, judas.

venteado Oreado, aireado, ventilado.

ventear Airear, ventar. || Husmear, olfatear, indagar, investigar, inquirir. || Ventosear.

ventearse Henderse, rajarse.

ventero Hostelero, mesonero, posadero, figonero, huésped, 'tambero.

ventilación Aireamiento, aireación. || Aire, viento. || Abertura, ventana.

ventilar Airear, orear. || Dilucidar, aclarar, discutir, examinar, controvertir, poner sobre el tapete. ↔ *Ocultar, esconder.*

ventisca Nevasca, nevisca, cellisca, ventisquero.

ventisquero Nevero, helero, glaciar. || Ventisca.

ventolera Sobrevienta, sobreviento, vendaval, ventarrón, huracán, galerna, tromba, manga. || Presunción, jactancia, vanidad, soberbia, elación, altanería. ↔ *Modestia.* || Molinete, rehilandera.

ventorrillo Ventorro, venta, bodegón, figón, taberna, cantina, merendero.

ventoso Venteado, aireado. || Tempestuoso, mugiente, desencadenado. ↔ *Calmado, tranquilo.* || Flatulento. || Vano, presumido, altanero, jactancioso, presuntuoso, hinchado, elato. ↔ *Modesto.*

ventral Abdominal.

ventregada Cría, camada, lechigada, cachillada.

ventrudo Panzudo, barrigudo, rechoncho, gordo, obeso, grueso, barrigón, carigordo, ceporro, lleno, voluminoso, amondongado. ↔ *Delgado.*

ventura Dicha, felicidad, suerte, fortuna. ↔ *Desgracia.* || Acaso, casualidad, azar, contingencia. || Peligro, riesgo, amenaza.

ventura (por) Quizá, quizás.

venturoso Afortunado, feliz, dichoso, satisfecho, contento, alegre. ↔ *Desgraciado.*

venustez Venustidad, gracia, hermosura, belleza, encanto, elegancia. ↔ *Fealdad.*

ver Advertir, avistar, distinguir, divisar, contemplar, descubrir, guipar, mirar, observar, notar, percibir, reparar, vislumbrar, reconocer, ojear, otear, atisbar, catar, columbrar, fisgar, trasver, vigilar, no perder de vista, tener los ojos sobre, no quitar los ojos de, echar un vistazo. ↔ *No ver, estar ciego.* || Atender, visitar, avistarse. || Asistir, juzgar. || Experimentar, ensayar, probar. || Considerar, conocer,

pensar. || Intentar, tratar de.

verdasca 'Varejón.

verse Distinguirse, columbrarse.

vera Orilla, costado, lado, proximidad, cercanía.

'vereda Acera.

vera (a la) Cabe a, junto a, al lado de.

veracidad Verdad, sinceridad, franqueza, autenticidad, lealtad, cordialidad. ↔ *Engaño, mentira.*

*veranda Galería, **mirador,** terraza.

veranear Veranar, rusticar.

veraneo Vacaciones.

veraniego Estivo, estival. ↔ *Hibernal.* || Ligero, liviano, insignificante. ↔ *Importante.*

verano Estío.

veras Realidad, exactitud, verdad, autenticidad. ↔ *Engaño.* || Fervor, eficacia, ahínco, tesón, empeño. ↔ *Desánimo.*

veraz Certero, cierto, verdadero, verídico, fidedigno, cándido, ingenuo, 'legítimo, sincero. ↔ *Falaz, falso, mentiroso.*

veratro Vedegambre.

verba Verbosidad, verborrea.

verbal Oral, de palabra, de viva voz.

verbena Hierba sagrada.

verbenear Hervir, gusanear, hormiguear, bullir, pulular, plagar, abundar, multiplicarse, agitarse.

verberar Fustigar, azotar, pegar, apalear.

verbigracia Ejemplo.

verbo Palabra, lengua, lenguaje. || Voto, juramento, taco, terno.

verbosidad Verba, verborrea, labia, facundia, locuacidad, charlatanería, palique, parola, parolina, habladuría. ↔ *Mutismo.*

verboso Hablante, parlante, facundo, divagante, redundante, diserto. ↔ *Lacónico, conciso.*

verdad Evidencia, certeza, certidumbre, axioma, postulado, realidad. ↔ *Mentira, falsedad.* || Veras. ↔ *Engaño.* || Veracidad. ↔ *Mentira.* || Dogma, evangelio, ortodoxia, fe. || Perogrullada, verdad como un Templo.

verdadero Evidente, cierto, exacto, real, auténtico, puro, genuino, estricto, fidedigno, probado, indudable, indubitable, serio, verídico, efectivo, legítimo, justo, preciso. ↔ *Falso, mentiroso, dudoso, falsificado.* || Veraz, verídico. ↔ *Falaz.*

verde Verdoso, verdemar, verdinegro, verde montañés, verdegay, verdeceledón, glauco, presado, cetrino, aceitunado. || Hierba, follaje, verdor, verdegal. || Tierno, precoz, 'neto. ↔ *Maduro.* || Libre, indecente, procaz, obsceno, indecoroso, 'suche. ↔ *Honesto, rosa.*

verdear Verdeguear, campear, verdecer, reverdecer. ↔ *Agostarse, marchitarse.*

verdeceledón Celedón, verdoso.

verdecer Verdear.

verdecillo Verderón, verderol, 'verdón.

verdegal Verde, follaje, verdor.

verdegay Verde.

verdeguear Verdear.

verdemar Verde.

verderón Verdecillo, verderol, verdezuelo, verdón.

verderón Berberecho.

verdete Cardenillo, verdín, orín.

verdín o **verdina** Verdoyo, || Verdete. || 'Lama.

verdinal Fresquedal.

verdinoso Mohoso.

verdón Verderón.

verdor Verde, follaje, verdura, verdegal. || Lozanía, juventud, mocedad, vigor.

verdoyo Verdín.

verdugazo Latigazo, lampreazo, zurriagazo, trallazo, azote.

verdugo Ajusticiador, mochín, sayón. || Verdugón. || Cruel, criminal, desalmado, sanguinario. || Alcaudón. || Vástago, renuevo, brote.

verdugón Verdugo, equimosis, hematoma, cardenal, marca, remalazo, 'camote.

verdulera Bercera, zabareera. || Rabisalsera, farota, rabanera, tarasca, moscana, soleta, 'gatera.

verdura Verdor, hierba, follaje, hojas. || Hortaliza. || Obscenidad, indecencia, deshonestidad, impudicia, procacidad. ↔ *Honestidad.*

verecundia Vergüenza.

verecundo Vergonzoso.

vereda Senda, camino, trocha, sendero, atajo, ramal, hijuela, 'ceja.

veredicto Juicio, sentencia, fallo, resolución, decisión.

verga Fusta, tranca, palo, zurriago. || Vergajo, nervio de buey.

vergel Pensil, jardín, huerta, vega.

vergonzante Pedigüeño, pobre, menesteroso.

vergonzoso Apocado, tímido, corto, pacato, turbado,

encogido, corrido, ruboroso, pudendo, verecundo. ↔ *Atrevido, osado, desvergonzado, inverecundo.* || Infamante, deshonroso, vil, afrentoso, ignominioso, despreciable. ↔ *Honroso.* || Inmoral, indecente. ↔ *Honesto.* || Armadillo.

vergüenza Modestia, cortedad, encogimiento, timidez, turbación, bochorno, sonrojo, rubor, erubescencia, soflama, confusión, verecundia, corrimiento, aturdimiento. ↔ *Desvergüenza, inverecundia, atrevimiento, osadía.* || Pundonor, honor, honrilla, amor propio. || Deshonra, oprobio, humillación, deshonor. ↔ *Honra, honor.*

vergueta 'Varejón.

vericueto Batidero, reventadero.

verídico Verdadero, sincero. ↔ *Falso, mentiroso.* || Veraz, cierto. ↔ *Falaz, falso.*

verificación Examen, comprobación, prueba, confirmación, justificación, control. || Realización, ejecución, hecho.

verificar Comprobar, compulsar, demostrar, evidenciar, probar, constatar, repasar, revisar, controlar. ↔ *Negligir.* || Realizar, efectuar, ejecutar, hacer, ejecutoriar, llevar a cabo.

verija Vedija, pubis. || Ijar, ijada.

verisímil Verosímil.

verja Enverjado, enrejado, reja, rejado, cerca, cancela.

verme Lombriz, gusano.

vermiforme Agusanado.

vermífugo Vermicida.

V vermut Aperitivo.

vernáculo Nativo, patrio, indígena, doméstico.

vernal Primaveral. ↔ *Otoñal.*

vernier Nonio.

verosímil Verisímil, creedero, posible, plausible, admisible, sostenible, probable, aceptable, creíble. ↔ *Inverosímil, increíble.*

verosimilitud Verisimilitud, creencia, credibilidad, certidumbre, probabilidad, admisión, posibilidad. ↔ *Imposibilidad, improbabilidad.*

verraco Puerco, cochino, marrano, verrón, cerdo. || Carnero, morueco.

verraquear Patalear, llorar, gimotear, encanarse.

verraquera Llorera, lloriqueo, perrera, rabieta, perra.

verruga Excrecencia, cadillo, carnosidad.

verrugo Usurero, mezquino, avaro, tacaño, cicatero, roñoso. ↔ *Dadivoso, espléndido.*

versado Instruido, práctico, enterado, conocedor, entendido, competente, diestro, fuerte, perito, técnico, ducho, experto, ilustrado, documentado, idóneo. ↔ *Inexperto, incompetente, desconocedor.*

versar Tratar.

versarse Instruirse, practicarse, avezarse, hacerse, informarse, acostumbrarse, documentarse.

versátil Vacilante, variable, vario, veleidoso, voltario, voltizo, voluble, antojadizo, incierto, fantasioso, caprichoso, inconstante, inconsecuente, lunático, ligero, mudable, móvil, tor-

nadizo, novelero, 'carnero. ↔ *Constante, fiel.*

versatilidad Variabilidad, vacilación, inconsecuencia, inconstancia, capricho, volubilidad, ligereza, antojo, mudanza, frivolidad, novelería. ↔ *Constancia.*

versear Versificar.

versículo Aleya, antífona, verso.

versificación Metrificación. || Métrica, poética.

versificar Versear, metrificar, componer.

versión Interpretación, explicación, transposición, traducción.

verso Trova, poesía. || Versículo.

versos Coplas.

vértebra Espóndilo.

vertebral (columna) Rosario, espinazo.

vertedero Derramadero, escombrera. || Albañal.

verter Variar, derramar, abocar, volcar. || Difundir, traducir, divulgar.

vertical Enhiesto, erecto, tieso, pino, eréctil, pingado. ↔ *Horizontal.*

vértice Cúspide, ángulo.

vertiente Declive, pendiente, ladera.

vertiginoso Raudo, rápido, acelerado, precipitado, veloz. ↔ *Lento, tardo.*

vértigo Mareo, desmayo, desvanecimiento, turbación, aturdimiento, vahído, letargo, 'soroche.

vesania Demencia, furia, locura, delirio. ↔ *Sensatez.*

vesánico Demente, loco, maníaco, furioso. ↔ *Cuerdo, sensato.*

vesícula Vejiguilla, ampolla.

vespasiana Urinario, mingitorio.

vespertilio Murciélago.

vestal Sacerdotisa.

veste Vestido, traje.

vestíbulo Atrio, portal, zaguán, propileo, hall.

vestido Veste, vestidura, vestuario, vestimenta, indumento, indumentaria, traje, prenda, ropa, terno, sayo, pingos, andrajos, hato, jaez, pelaje, encapillado.

vestidura Vestido.

vestiduras Paramentos, ornamentos.

vestigio Huella, señal, traza, marca, rastro, pista, indicio, indicación, estela. || Memoria, resto, residuo. || Ruina. || Cicatriz, chirlo, cardenal, costurón, verdugón, ramalazo.

vestiglo Monstruo.

vestimenta Vestido, vestiduras.

vestir Trajear, revestir, sobrevestir, uniformar, guarnecer, ataviar, engalanar, arrear, adornar. || Cubrir, envolver, embozar, disfrazar, disimular. || Poner, llevar, traer.

vestirse Encapillarse, tocarse, endomingarse. || Engreírse, ensoberbecerse, jactarse, pavonearse. ↔ *Humillarse.*

vestuario Vestido. || Guardarropía, *atrezzo.

véstugo Vástago.

veta Lista, faja, estría, franja, ribete. || Vena, mineral.

veteado Vetado, rayado, listado, estriado, zebrado, tigrado, jaspeado, avetado. ↔ *Liso, uniforme.*

veterano Experimentado, experto, ducho, avezado, acostumbrado, ejercitado, aguerrido, baqueteado. ↔ *Pipiolo, novicio, inexper-*

to. ‖ Antiguo, viejo. ↔ *Joven, nuevo.*

veterinaria Albeitería.

veterinario Albéitar, mariscal.

veto Oposición, impedimento, denegación, obstáculo. ↔ *Anuencia, aprobación.*

vetustez Antigüedad, ancianidad, vejez, arcaísmo. ↔ *Juventud.*

vetusto Antiguo, viejo, añejo, rancio, anciano, decano. ruinoso, caduco, provecto, senil, inmemorial, prehistórico. ↔ *Nuevo, reciente.*

vez Mano, vuelta, torna. ‖ Proporción, coyuntura, punto, ocasión. ‖ Turno, tanda, rueda, adra, repetición, vicisitud. ‖ Vecera.

veces Substitución, delegación, representación.

vez (de una) De golpe, de una bolichada.

vez (otra) Con reiteración.

vez (a la) Al mismo tiempo, juntos.

vía Ruta, camino, senda, pasaje, dirección. ‖ Calle, paseo, avenida, bulevar. ‖ Modo, manera, medio, orden. ‖ Carril, riel. ‖ Conducto.

vía láctea Camino de Santiago.

viable Vivaz, sano. ‖ Hacedero, factible, realizable. ↔ *Irrealizable.*

vía crucis Calvario.

viada Arrancada.

viaducto Puente.

viajador Viajero.

viajante Corredor, comisionista. ‖ Viajero.

viajar Pasear, rodar, deambular, ver mundo.

viajata Caminata.

viaje Trayecto, camino, jornada, excursión, marcha,

itinerario, travesía, éxodo, salida.

viaje Esviaje, oblicuidad.

viajero Caminante, pasajero, turista, nómada, viajante.

vianda Comida, sustento, yantar, alimento.

viandante Transeúnte, peatón, caminante, andarín. ‖ Vagabundo.

viático Provisión, víveres, reserva, peculio. ‖ Eucaristía, Santo Sacramento.

víbora Áspid, 'yarará, 'toboba, 'nacaína.

vibración Agitación, temblor, cimbreo, oscilación.

vibrante Oscilante, cimbreante, tembloroso. ‖ Resonante, sonoro, retumbante.

vibrar Oscilar, agitarse, mimbrear, cimbrear, blandir.

vicaría Curato.

vicario Cura.

vicense Vigitano, ausetano.

viceversa Al contrario, al revés, por el contrario, de manera recíproca. ‖ Contrario, revés.

vicia Arveja.

viciar Dañar, corromper, perder, pervertir, manchar, malcriar, enviciar, desmoralizar, depravar, pudrir. ‖ Adulterar, falsear, mixtificar. ‖ Tergiversar, falsificar, torcer. ‖ Invalidar, anular, abrogar. ‖ Malignar, apestar, envenenar.

viciarse Extraviarse, correr sin freno, desenfrenarse.

vicio Daño, defecto, deformidad, imperfección, lacra, falta, tacha. ↔ *Virtud.* ‖ Yerro, falsedad, engaño. ↔ *Verdad.* ‖ Licencia, mala costumbre. ‖ Mi-

mo, consentimiento. ↔ *Estrenuidad, rigor.* ‖ Pandeo, desviación, torcedura. ↔ *Inalterabilidad.*

vicioso Corrompido, depravado, pervertido, perverso, perdis, desarreglado, **desenfrenado,** buena pécora, mala pécora, 'alaco, vil, deshonesto, lujurioso, inmoral, libidinoso, sensual, disoluto. ↔ *Virtuoso.* ⫙ Reacio, gandul, perezoso, ocioso, haragán. ↔ *Activo, diligente.* ‖ Vigoroso, fuerte, lozano, abundante, productivo, trabajador.

vicisitud Alternativa, sucesión.

víctima Mártir, sacrificado, inmolado, reo. ↔ *Sacrificador.*

victo Sustento, pábulo, alimento, subsistencia.

victoria Triunfo, laurel, trofeo. ⫙ Vencimiento.

victorioso Triunfador, vencedor, triunfante, ganador, laureado, campeón, ovante. ↔ *Derrotado.* ‖ Decisivo, irrefutable.

vicuña 'Carnero.

vid Parra, cepa.

vid salvaje o **silvestre** Labrusca.

vida Existencia, duración, días. ‖ Biografía, memoria, hechos. ‖ Conducta. ‖ Vitalidad, energía, savia, aliento, actividad, movimiento, agitación. ‖ Sustento, alimento, mantenimiento. ‖ Bienaventuranza. ‖ Aleluya.

vide Véase.

vidente Profeta. ‖ Adivino, mago, iluminado, inspirado, médium. ‖ Veedor. ↔ *Ciego.*

vidriar Vitrificar.

V

V **vidrio** Cristal.
vidrioso Frágil, quebradizo. ↔ *Duro*. ‖ Resbaladizo, liso. ‖ Susceptible, quisquilloso. ↔ *Indiferente*.
vieja 'Mamancona.
viejo Vejete, viejecito, vejezuelo, anciano, abuelo, antañón, machucho, chueco, decrépito, caduco, provecto, maduro, veterano, añoso, 'rusco, senil, carcamal, entrado en años, de edad. ↔ *Joven*. ‖ Antiguo, añejo, arcaico, vetusto, desusado, pasado, primitivo, fósil, lejano, veterano. ↔ *Actual, nuevo, reciente*. ‖ Arruinado, derruido, deslucido, acabado, estropeado, usado, zancarrón. ↔ *Nuevo*.
viejo verde Cotorrón, potrilla.
viento Corriente, racha, soplo, aire, vientecillo, oreo, 'chiflón. ‖ Olor, rastro, olfato. ‖ Vanidad, jactancia, presunción. ‖ Ventosidad. ‖ Rumbo, dirección.
vientre Abdomen, barriga, panza, baúl, tripa, andorga, mondongo, bandullo, intestinos, 'timba.
vierteaguas Despidiente.
viga Trabe.
vigencia Actualidad. ↔ *Caducidad, desuso*.
vigente Actual, en vigor. ↔ *Caducado*.
vigésimo Vicésimo. ‖ Veintavo. ‖ Veinteno.
vigía Atalaya, torre. ‖ Vigilante, observador, oteador, explorador, observador, velador, guardia, centinela, escucha.
vigilancia Cuidado, atención, celo, vela, custodia.
vigilante Atento, prudente,

avisado, circunspecto, precavido, cuidadoso. ↔ *Imprudente*. ‖ Guardián, sereno, argos, centinela, 'rondín. ‖ Vigía.
vigilar Velar, atender, vigiar, celar, custodiar, guardar, inspeccionar, acechar, otear, abrir el ojo, tener ojo. ↔ *Descuidar*.
vigilia Vela, desvelo, insomnio, agripnia. ↔ *Sueño, soñolencia*. ‖ Víspera. ‖ Abstinencia.
vigitano Vicense, ausetano.
vigor Vitalidad, energía, vida, fuerza, ánimo, aliento, actividad, dinamismo, eficacia, viveza, fibra, enjundia, proceridad, reciedumbre, potencia. ↔ *Debilidad, impotencia, ineficacia*.
vigorar o **vigorizar** Esforzar, robustecer, alentar, animar, avigorar, fortalecer. ↔ *Abatir, postrar*.
vigoroso Fuerte, robusto, eficaz, esforzado, animoso, enérgico, válido, de pelo en pecho, 'morocho, 'ñeque. ↔ *Débil, impotente*.
vil Abyecto, despreciable, bajo, malo, ruin, villano, infiel, indigno, infame, traidor, innoble, desleal, aleve, alevoso, bajo, bajuno, 'chuchumeco. ↔ *Bueno, noble, leal, digno*.
vileza Indignidad, alevosía, ruindad, villanía, infamia, traición, bajeza, abyección. ↔ *Bondad, nobleza, dignidad*.
vilipendiar Despreciar, rebajar, desacreditar, detractar, denigrar, menospreciar, vituperar, escarnecer, denostar, deshonrar, pringar, envilecer, infamar, difamar, insul-

tar. ↔ *Loar, elogiar, alabar*.
vilipendio Desprecio, escarnio, denigración, deshonra, infamia, detracción, insulto, injuria. ↔ *Elogio, alabanza*.
vilo (en) Suspendido, inestable. ↔ *Asentado, con los pies a tierra*. ‖ En zozobra, con indecisión, con inquietud.
vilordo Perezoso, tardo, calmoso, lento, remolón. ↔ *Diligente, expedito*.
vilorta Velorta, aro, anilla, vencejo, arandela, abrazadera.
'**vilote** Cobarde.
viltrotear Corretear, callejear.
villa Casa, chalet, hotel. ‖ Ciudad, urbe, población, capital.
villaje Villorrio.
villanaje Plebe. ↔ *Nobleza*.
villanchón Villano, tosco, rudo, grosero. ↔ *Urbano*.
villanía Plebeyez, vileza, bajeza. ↔ *Nobleza*. ‖ Ruindad, alevosía, indignidad, maldad. ↔ *Bondad, dignidad*. ‖ Indecencia, obscenidad. ↔ *Honestidad*.
villano Plebeyo, bajo. ↔ *Noble*. ‖ Aldeano, rústico, lugareño. ↔ *Urbano*. ‖ Rudo, rústico, basto, grosero, chanflón, descortés. ↔ *Cortés, educado*. ‖ Ruin, vil, indigno. ↔ *Digno*. ‖ Deshonesto, indecente, indecoroso. ↔ *Decente, honesto*.
villar Villorrio.
villoría Caserío, alquería, granja.
villorrio Villaje, villar, aldea, poblado, poblezuelo, lugarejo, aldehuela.
vimbre Mimbre.

vimbrera Mimbrera.

vinagre Aceto, ácido acético.

vinagrera Acedera, 'acedía.

vinagreras Angarillas, aceiteras, taller, convoy.

vinariego Vinícola.

vinario Vinatero.

vinatería Bodega, taberna.

vinatero Vinario, enológico.

vincular Sujetar, atar, supeditar, fundar, relacionar, conexar. ↔ *Desvincular.*

vínculo Nexo, unión, ligadura, lazo, relación.

'vincha Cinta, pañuelo.

'vinchuca Chinche. || Flechilla, rehilete.

vindicativo Vengativo, irreconciliable, rencoroso, resentido, odioso. ↔ *Indulgente.*

vindicar Vengar. || Reivindicar, defender, exculpar.

vindicta Venganza.

vinicultura Enología, enotecnia, enocultura, vitivinicultura.

viniebla Cinoglosa.

vino Vinillo, vinazo, mostagán, caldo, zumo de cepas, zumo de parras, agua de cepas, zumaque, morapio, turco, leche de los viejos.

vino (espíritu de) Alcohol.

viña Viñedo.

viñeta Orla, cenefa, filete.

viola Violeta.

violáceo Violado.

violación Infracción, quebrantamiento, atentado, conculcación. ↔ *Acatamiento.* || Violencia, estupro. || Profanación.

violado Violáceo, violeta, morado, caracho, cinzolín.

violar Infringir, quebrantar, transgredir, conculcar, vulnerar, atropellar. ↔ *Acatar, seguir.* || Forzar, go-

zar, estuprar. || Profanar. || Deslucir, ajar, estropear, 'catear.

violencia Virulencia, ímpetu, impetuosidad, furor, fuerza, pasión, brusquedad, ardor, ardimiento, vehemencia, brutalidad, furia, rudeza, salvajismo. ↔ *Dulzura, persuasión, mansedumbre.* || Violación, estupro.

violentar Transgredir, quebrantar, vulnerar, forzar, atropellar, forzar, violar, profanar. ↔ *Suplicar.* || Sobreentender, suponer, atribuir.

violentarse Dominarse, vencerse, retenerse, aguantarse, contenerse. ↔ *Desmandarse.*

violento Apasionado, atropellado, brutal, agresivo, brusco, duro, atropellado, fuerte, desgarrador, intenso, fuerte, poderoso, rudo, tajante, intenso, iracundo, irascible, vehemente, vivaz, vivo, impetuoso, insuperable, acerbo, tenaz, virulento. ↔ *Suave, lene, calmo, sosegado, pacífico, plácido.* || Forzado, torcido, falso. ↔ *Recto, justo.* || Injusto, irregular. ↔ *Correcto.*

violero Mosquito.

violeta Viola. || Violáceo.

violetero Florero, pichel.

violento Peladillo.

violinista Violín, rascatripas.

violón Contrabajo, bajo.

violoncelo Violonchelo.

vipéreo Viperino, venenoso. || Pérfido, maldiciente, insidioso.

vira Saeta. || Cerquillo.

virada Ciaboga.

virago Marimacho, sargen-

tona, maritornes, marota, machota, varona, amazona.

viraje Curva, tumbo, giro.

virar Torcer, girar, volver, desviar, cambiar, doblar. ↔ *Seguir, proseguir.*

víreo Oropéndola, virio.

virgen Doncel. || Doncella. || Virginal, virgíneo. || Cándido, angélico, casto, impoluto, inmaculado, puro, inocente, intacto, virtuoso, ingenuo. ↔ *Incasto.* || Nuevo, joven.

virgen María, María Santísima, Nuestra Señora, Madre de Dios.

virgiliano Bucólico, idílico.

virginal Virgen, cándido, puro. ↔ *Incasto.* || Pulcro, modesto, ingenuo.

virginidad Castidad, candidez, inocencia, pureza. || Doncellez, doncellería, entereza, virgo, integridad.

virgo Virginidad, doncellez.

vírgula Rayita, coma, trazo, rasquillo, virulilla.

viril Varonil, viripotente, masculino, macho, valiente, vigoroso, fuerte, valiente. ↔ *Femenino, delicado.*

virilidad Masculinidad, fortaleza. ↔ *Feminidad, debilidad.* || Mayoridad, mayor edad.

virio Oropéndola.

viripotente Vigoroso, potente, viril. ↔ *Impotente.*

virola Regatón.

virolento Varioloso.

virote Burla, pulla, puyazo, rehilete. || Currutaco, lechugino, pisaverde, figurín. || Macho, estantigua, cangallo.

virotismo Entono, presunción, elación.

virreino Virreinato.

V

V virrey Gobernador.

virtual Tácito, implícito, sobreentendido. ↔ *Expreso.* || Aparente.

virtualidad Potencia, posibilidad, mesmedad.

virtud Poder, potestad, valor, eficacia, vigor, fuerza, facultad. ↔ *Desaliento, cobardía.* || Dignidad, honestidad, verecundia, templanza, integridad, probidad, castidad, caridad, bondad, mérito. ↔ *Vicio, disolución, vileza, bajeza.*

virtuoso Honesto, honrado, probo, justo, bueno, casto, íntegro, templado, temperante. ↔ *Vicioso, disoluto.*

viruela Vejiga, ampolla, pústula, granillo. || Varioloide, payuelas.

virulencia Encono, saña, mordacidad, malignidad, acrimonia. ↔ *Benevolencia, benignidad.*

virulento Purulento, maligno, ponzoñoso. ↔ *Benigno, suave.* || Mordaz, sañudo, ardiente, punzante. ↔ *Benevolente.*

virus Pus, ponzoña, podre, veneno, infección, contagio.

viruta Torneadura, acepilladura, cepilladura, 'colocho.

visaje Guiño, jeribeque, gesto, parajismo, mueca, carantoña.

visajero Gestero.

visar Reconocer, firmar, examinar, refrendar. || Ajustar, apuntar, encarar.

víscera Entraña.

visco Liga.

viscosidad Pegajosidad, enviscamiento, glutinosidad, limazo.

viscoso Pegajoso, pegadizo, glutinoso, gelatinoso, peguntoso, mucilaginoso, adhesivo. ↔ *Duro, resbaladizo.*

visera Ala, pantalla, resguardo, rompeluces.

visibilidad Evidencia, ostensibilidad, transparencia. ↔ *Invisibilidad.*

visible Sensible, perceptible, transparente. ↔ *Invisible.* || Evidente, manifiesto, palpable, ostensible, claro, indudable, cierto, notorio, patente. ↔ *Dudoso.* || Notable, sobresaliente, conspicuo. ↔ *Escondido.*

visigótico Visigodo, gótico.

visillo Cortinilla, estor.

visión Imagen, percepción. || Quimera, extravagancia, espectro, aparición, fantasía, sueño, alucinación, ensueño. ↔ *Realidad.* || Espantajo, adefesio.

visionario Alucinado, sibilino, iluso. ↔ *Realista.*

visir Ministro.

visita Entrevista, recepción, audiencia, cita, saludo, besamanos. || Inspección, alarde, revista, examen.

visitador Visitero. || Inspector.

'**visitadora** Ayuda, lavativa.

visitar Ver, cumplimentar, saludar, recibir. || Revistar, inspeccionar, examinar, registrar.

visitero Visitador.

vislumbrar Ver, divisar, columbrar, atisbar, entrever. || Sospechar, conjeturar.

vislumbre Resplandor, reflejo. || Conjetura, indicio, sospecha, barrunto, atisbo. || Semejanza, apariencia.

viso Reflejo, agua. || Aspecto, apariencia. || Destello, reflexión, reflejo.

víspera Vigilia. || Proximidad, inmediación.

vista Visión, visualidad. ↔ *Ceguera.* || Vistazo, mirada, ojeada. || Perspicacia, lucidez. || Perspectiva, panorama, horizonte, cuadro. || Apariencia. || Ojo. || Ventana, vano, puerta, galería, abertura, hueco, balcón.

vistazo Vista, ojeada, mirada.

vistillas Atalaya, mirador, descubridero, alcor, otero.

visto Listo, acabado. || Corregido, enmendado, examinado, verificado.

visto (no) Raro, extraordinario.

visto (mal) Impropio, inconveniente.

visto (bien) Oportuno, conveniente.

vistoso Llamativo, sugestivo, rozagante, atrayente, brillante, lucido, gayo, jarifo, hermoso, deleitable. ↔ *Repulsivo.*

vital Estimulante, nutritivo, vivificante, tónico. || Activo, eficaz, trascendente, enérgico, importante, esencial, capital. ↔ *Irrelevante, sin importancia.*

vitalidad Vigor, vida, fuerza, potencia, vivacidad, 'canilla. ↔ *Desaliento, desánimo.*

vitando Execrable, odioso, abominable, detestable, maldito. ↔ *Loable, elogiable.*

vitivinicultura Viticultura, vinicultura.

vitorear Aclamar, aplaudir, glorificar, vivar.

vitre Brin, lonilla.

vítreo Transparente, translúcido, diáfano. ↔ *Opaco.* || Cristalino.

vitrificar Vidriar.

vitrina Aparador, cristalera.

vitriolo Alcaparrosa, alceche. || Sulfato azul, piedra lipis. || Sulfato de plomo, anglesita, 'copaquira.

vitualla Provisiones, víveres, menestra, victo, 'cocaví.

vituperable Censurable, reprochable, incalificable, reprobable. ↔ Encomiable.

vituperar Reprobar, condenar, censurar, recriminar, afear, criticar, motejar, difamar, insultar, acusar, infamar, vilipendiar, sambenitar. ↔ Elogiar, encomiar.

vituperio Censura, baldón, afrenta, insulto, oprobio, vilipendio, reproche, reprobación. ↔ Elogio, encomio, loa.

viudal Vidual.

vivacidad Viveza, eficacia, energía, fuerza, vigor, ánimo, dinamismo, brillantez, agudeza, desenvoltura. ↔ Indolencia, tranquilidad, inercia, pigricia.

vivandero Cantinero.

vivaque Vivac, acantonamiento, campamento.

vivaquear Acantonar, acampar.

vivar Vivera, conejal, conejar, conejera. || Vivero.

vivar Vitorear, aclamar.

vivaracho Vivo, avispado, listo, despejado, travieso, bullicioso, bullebulle, alegre, divertido. ↔ Torpe, desmañado, molondro.

vivaz Vividor, longevo. || Fuerte, enérgico, vigoroso, vívido, válido, eficaz, brillante. ↔ Mortecino. || Agudo, sagaz, ingenioso,

perspicaz. ↔ Estólido. || Perenne.

vivera Vivar, conejera.

viveral Vivero.

víveres Vituallas, provisiones, alimentos, comestibles, conducho, anona, hatería, bastimento, victo, menestra.

vivero Criadero, semillero, viveral. || Vivar.

viveza Vivacidad. || Rapidez, presteza, prontitud, alacridad, celeridad, festinación, actividad. ↔ Calma, roncería. || Sagacidad, perspicacia, penetración, agudeza, listeza. ↔ Torpeza. || Brillo, brillantez, esplendor, lustre. ↔ Opacidad. || Animación, ardimiento, hervor, ardor. ↔ Desánimo.

vívido Vivaz. ↔ Mortecino.

vivienda Habitación, morada, casa, residencia, domicilio.

vivificante Excitante, reconfortante, tónico, animador. ↔ Calmante, apaciguante.

vivificar Alentar, confortar, animar, reanimar, reavivar, revivificar. ↔ Desalentar, desanimar, calmar.

vivir Existir, pestañear. || Durar, mantenerse, pasar. || Habitar, morar, residir, anidar. || Obrar, proceder, conducirse, portarse, acomodarse. || Estar, estar presente.

vivisección Disección.

vivo Vigente, actual, presente, existente. || Intenso, enérgico, fuerte, recio, 'bagre. ↔ Débil. || Ingenioso, sutil, listo, perspicaz, avispado, vivaz, agudo. ↔ Estólido. || Astuto,

tunante, taimado, ladino. || Vivaracho. ↔ Torpe. || Impetuoso, ardiente, fogoso, pólvora, bullebulle, bullicioso, zarandillo, caluroso, nervioso. ↔ Mortecino, apagado. || Duradero, perseverante, durable. ↔ Perecedero. || Diligente, pronto, ágil, listo, expedito, rápido. ↔ Roncero, calmoso. || Franco, espontáneo. ↔ Mentiroso. || Expresivo, llamativo. ↔ Apagado. || Borde, canto, orillo, filete, cordoncillo, trencilla. || Ardínculo.

vocablo Voquible, palabra, término, voz, dicción, verbo, expresión, locución.

vocabulario Diccionario, glosario, léxico, lexicón, tesauro, repertorio.

vocabulista Diccionarista, lexicógrafo.

vocación Afición, inclinación, llamamiento, disposición, propensión, aptitud, advocación, inspiración, tendencia, don, facilidad. ↔ Aversión.

vocal Miembro, delegado.

vocal Oral.

vocalista Animador, cantante, cantador.

vocalizar Solfear. || Cantar.

vocativo Llamativo, imprecativo.

voceador Pregonero. || Vocinglero.

vocear Gritar, chillar, bramar, vociferar, tronar, ladrar, llamar, desgañitarse. || Aplaudir, aclamar. ↔ Silbar. || Manifestar, divulgar, pregonar, publicar.

vocería Vocerío.

vocerío Gritería, clamor, vocinglería, vociferación, algarabía, algazara, escán-

V dalo, trápala, baladro, alboroto.

vociferación Vocerío.

vociferar Vocear.

vocingiería Vocerío.

vocinglero Alborotador, ruidoso, aullador, gruñón, gritón, chillón, voceador, baladrero, gárrulo, clamoroso, estruendoso.

volada Vuelo.

voladera Paleta.

voladero Precipicio, despeñadero, sima, derrumbadero, derrocadero, desgalgadero. || Efímero, fugaz, evanescente. ↔ *Duradero, permanente.* || Volante, volador, volátil.

voladizo Salidizo, cornisa.

volador Volante, volátil, voladero. || Cohete. || Volandero. || Pez volante.

voladura Explosión, estallido, deflagración.

volandas (en) Por el aire. || En un santiamén, en un instante.

volandera Arandela, anillo. || Muela. || Mentira, trola, bola, embuste.

volandero Volantón. || Volador. || Volante. || Accidental, imprevisto, casual, incidental, temporero, inopinado, transitorio, adventicio, extraño, episódico. ↔ *Permanente, continuo, previsto, determinado.*

volante Voladero, volátil, volador. || Volandero, libre, errante, suelto, independiente, ambulante. ↔ *Fijo.* || Cuartilla, papel, plana, hoja de papel. || Anotación, apuntación, aviso. || Zoquetillo, rehilete, volantín.

volantín Zoquetillo, volante, rehilete.

'volantín Cometa.

volantón Volandero.

volar Volitar, revolotear, levantar el vuelo, batir de alas, remontarse, elevarse, surcar, hender, cernerse. || Escapar, huir. || Desaparecer, evaporarse, escurrirse, diluirse. || Apresurarse, correr. || Asomar, sobresalir, abalanzarse. || Divulgarse, extenderse, difundirse, propagarse. || Encolerizar, enfadar, irritar, encocorar, poner fuera de sí, soliviantar.

volateo (al) Al vuelo.

volátil Voladero, volante, volador. || Ligero, aéreo, sutil, impalpable, vaporoso, espiritoso, etéreo. ↔ *Sólido.* || Inconstante, mudable, tornadizo. ↔ *Constante, firme.*

volatilizar Volatizar, vaporizar, evaporar, gasificar. ↔ *Licuar, solidificar.*

volatilizarse Evaporarse, desaparecer.

volatín Volatinero. || Voltereta.

volatinero Titiritero, volatín, volteador, funámbulo, equilibrista, acróbata.

volatizar Volatilizar.

volcán Fumarola. || Fuego, ardor, pasión, violencia.

volcánico Plutónico. || Apasionado, ardiente, fogoso. ↔ *Frío.*

volcar Inclinar, torcer, invertir, trastornar, desplomar, desnivelar, tumbar, volver, trabucar, trastrocar, verter. ↔ *Enderezar.* || Turbar, aturdir, perturbar, marear.

voleo Volea.

volframio Tungsteno, wolfram.

volitar Volar, revolotear.

volquearse Revolcarse, volcarse.

voltario Versátil, voluble, inconstante.

volteador Volatinero.

voltear Voltejar, volver, invertir, trocar, trastrocar. || Girar, mudar, volcar, cambiar.

voltereta Volteta, tumbo, tumba, pirueta, acrobacia, volatín, cabriola, vuelta.

volteriano Escéptico, incrédulo, impío.

volteta Voltereta.

voltizo Retorcido, ensortijado, rufo, crespo. ↔ *Liso.* || Versátil, voluble, inconstante, voltario.

volubilidad Versatilidad, variabilidad, inconsecuencia, inconstancia, mudanza, novelería, frivolidad. ↔ *Constancia.*

voluble Versátil, voltario, voltizo, variable, vacilante, veleidoso, vario, antojadizo, novelero, fantasista, inconstante, caprichoso, tornadizo, lunático, ligero, inconsecuente, móvil, mudable, 'carnero. ↔ *Fiel, constante.*

volumen Tomo, libro, obra, cuerpo. || Bulto, corpulencia, cuerpo, balumba, mole, espacio, dimensión, magnitud, tamaño, solidez.

voluminoso Abultado, corpulento, grueso, gordo, gordote, orondo, desarrollado, inflado, abombado. ↔ *Pequeño, exiguo.*

voluntad Arbitrio, albedrío, resolución, intención, ánimo, deseo. || Afición, agrado, simpatía, cariño, dilección, amor, benevolencia, afección, afecto, bienquerencia. ↔ *Antipatía.* || Decreto, mandato, orden, disposición, precepto. || Ansia, gana, antojo, deseo, afán, volición. || Perseverancia, firmeza, energía, tenacidad. || Aquiescencia, consentimiento, asentimiento, permiso, condescendencia, anuencia. ↔ *Negación, denegación.*

voluntario Libre, espontáneo, querido, intencional, facultativo, discrecional, deliberado, volitivo. ↔ *Involuntario, indeliberado.* || Voluntarioso.

voluntarioso Voluntario, testarudo, empeñado, persistente, tenaz, infatigable, obstinado, caprichoso, arbitrario. ↔ *Versátil, inconstante.*

voluptuosidad Apasionamiento, morbidez, sensualismo, concupiscencia, sensualidad, lujuria, lascivia. ↔ *Honestidad, castidad.*

voluptuoso Sensual, apasionado, mórbido, lujurioso, libidinoso, carnal, lascivo. ↔ *Casto.*

voluta Hélice.

volver Tornar, regresar, retornar, recudir. ↔ *Ir.* || Corresponder, satisfacer, restituir, devolver, pagar. ↔ *Recibir, cobrar.* || Trasponer, traducir. || Reinstaurar, restablecer. || Girar, trocar, torcer. || Mudar, cambiar. || Volcar. || Vomitar, arrojar. || Apartar, disuadir. || Voltear. || Reincidir, repetir, recalcitrar, reiterar, asegundar, insistir. ↔ *Escarmentar.*

volverse Avinagrarse, acedarse, estropearse.

volverse atrás Desdecirse, acular, hacer marcha atrás.

volvo o **vólvulo** Íleo.

vomitado Desmedrado, escuchimizado, enteco, macilento, enclenque, mustio. ↔ *Robusto, toroso.*

vomitar Arrojar, devolver, 'trasvocar, volver, provocar, desembuchar, regurgitar, rendir, basquear, echar las entrañas. || Lanzar, tirar. || Proferir, soltar, decir, declarar, desembaular. ↔ *Callar.*

vomitivo Emético, vomitorio.

vómito Vomitona, náusea, espadañada, arqueada, gargantada.

voquible Vocablo.

voracidad Gula, glotonería, tragonería, avidez, ansia, canibalismo, adefagia, hambre. ↔ *Desgana.*

vorágine Remolino, torbellino, tromba, vórtice.

voraz Ávido, hambriento, comilón, hambrón, hambrío, tragón, gandido, adéfago, insaciable, glotón, gomioso. ↔ *Desganado.* || Violento, atropellado, destructor, devorador, consumidor, arrebatado, agresivo. ↔ *Lento, débil.*

vórtice Vorágine, torbellino.

votación Sufragio, elección, sorteo.

votador Votante, elector, compromisario.

votar Dedicar, ofrendar. || Jurar, denostar, perjurar, blasfemar, renegar, echar ternos, decir tacos. || Elegir, balotar.

voto Promesa, oferta, prometimiento, compromiso. || Juramento, verbo, ajo, maldición, taco, terno, reniego, blasfemia, venablo, palabrota, execración. || Parecer, voz, opinión, dictamen || Petición, ruego,

deprecación, deseo, súplica. || Exvoto. || Elección, sufragio. || Balota, papeleta.

voz Vocablo, voquible, palabra, término, dicción, expresión, locución. || Sonido, grito, canto, alarido, apito. || Voto. || Facultad, poder, permiso, nombre, derecho. || Rumor, fama, celebración, opinión. || Pretexto, excusa, motivo. || Orden, precepto, disposición, mandato.

voz (falto de) Ronco, afónico.

voz de cabeza Falsete.

voz del cielo Inspiración.

voz de la conciencia Remordimiento, pesar, arrepentimiento.

voz (a una) Con unanimidad, a la una.

vozarrón Bramo, rugido, vocejón.

voznar Graznar, crocitar.

vual Vuela, etamín.

vuelco Volteo, revuelco, tumbo, voltereta.

vuelo Revuelo, revoloteo, volada. || Distancia, alcance, desarrollo, anchura, amplitud, extensión. || Vuelillo. || Proyectura. || Arbolado.

vuelo (alzar o levantar el) Escapar, huir.

vuelo (coger o atrapar al) Cazar.

vuelta Rotación, virada, volteo, vuelco, volvimiento, revolvimiento, recodo, ángulo, inversión, giro, circunvalación. || Regreso, retorno, tornada, venida. || Molinete, volatín, voltereta. || Devolución, reintegro. || Gratificación, recompensa, torna. || Repetición, recidiva, reitera-

V

V ción, mano, vez. || Dorso, revés, trasera, espalda, envés, verso. || Bocamanga, embozo. || Cambio, mutación, mudanza. || Tarascada, rabanillo, desabrimiento, rabotada. || Techo, bóveda, cañón. || Estribillo, refrán. || Labor, arada, surco.

vuelta de carnero Trepa, pirueta, brinco. || Batacazo, caída.

vueltas (andar a) Luchar, bregar, pelear, reñir.

vueltas (a) Cerca de, poco más o menos.

vuelta y media (poner de) Avergonzar, abochornar, afear.

vueltas (dar cien) Superar, aventajar.

vuelto Verso. ↔ *Recto.*

vulcanismo Plutonismo.

vulcanita Ebonita.

vulcanizar Sulfatar.

vulgacho Vulgo.

vulgar Corriente, común, adocenado, banal, bajo, 'chamagoso, general, insignificante, manido, plebeyo, popular, ramplón, simple, sobado, trillado, grosero, ordinario, pedestre, sabido, trivial, insubstancial, inculto. ↔ *Extraordinario, raro, distinto, selecto, particular.* || Románico, romance.

vulgar Divulgar.

vulgaridad Insubstancialidad, trivialidad, banalidad, tontería, gansada, insignificancia, ramplonería, tópico, idiotez. ↔ *Genialidad.*

vulgarismo Romance, románico. ↔ *Cultismo.*

vulgarizar Familiarizar, divulgar, adocenar, generalizar. ↔ *Guardar, esconder, celar.*

vulgarizarse Andar en manos de todos.

vulgo Plebe, pueblo, populacho, vulgacho, galería, gente, público, turbamulta, profanos. ↔ *Selección, élite.*

vulnerabilidad Debilidad.

vulnerable Sensible, débil, dañable, perjudicable. ↔ *Invulnerable.*

vulnerar Dañar, perjudicar, herir, lacerar, lesionar, lacrar, lastimar, damnificar, menoscabar. ↔ *Favorecer.* || Quebrantar, violar, infringir, incumplir, contravenir, desobedecer, ofender. ↔ *Acatar.*

vulpeja Vulpécula, zorra, raposa.

vultuoso Congestionado, abotargado, abotagado, abultado, hinchado. ↔ *Descongestionado.*

vulturno Bochorno, calina.

W

*wáter Watercloset, excusado, retrete, garita, secreta, común, letrina, inodoro, 'casilla.

wolfram Volframio, tungsteno.

X

xenofilia Extranjerismo.
xerez Jerez.

xifoides Mucronata, paletilla.

xilografía Grabado en madera.

Y

'yacaré Caimán.

yacente Tendido, horizontal, plano, espalditendido, supino, prono. ↔ *Enhiesto, erguido.*

yacer Reposar, dormir, descansar. || Estar, existir, encontrarse, hallarse. || Pacer.

yacija Cama, lecho, jergón, camastro, litera, catre. || Sepultura, fosa, huesa, sepulcro, tumba.

yacimiento Mina, filón, cantera, veta.

'yagua Rodete.

'yaguré Mofeta.

'yanacón Aparcero.

'yanilla Mangle.

yanqui Norteamericano, gringo.

yantar Manjar, vianda, alimento. || Comer.

'yapa Añadidura, adehala, refacción, 'vendaje.

'yarará Víbora.

yaro Aro.

yayo Abuelo.

ye I griega.

yedra Hiedra.

yegua Potranca, potra.

yeguada Yegüería.

yelmo Casco.

yema Botón, renuevo, gema, gromo, grumo, turión, bollón, retoño, brote, capullo. || Flor, nata, flor y nata. || Mitad, centro, corazón, medio, núcleo.

yerba Hierba.

yerbajo 'Yugo.

yermo Erial, alijar, páramo, añojal, lleco, vago. || Infértil, baldío, inculto, estéril. ↔ *Feraz, fértil.* || Inexplorado, desierto, inhabitado, despoblado, solitario. ↔ *Civilizado, habitado.* || Travesía.

yerno Hijo político.

yero Herén, alcarceña, hiero, yervo.

yerro Error, omisión, confusión, errata, inadvertencia, equivocación, descuido, aberración, torpeza, sinrazón. ↔ *Verdad, acierto.*

yerto Tieso, rígido, tenaz, inflexible. ↔ *Doblegable, blando.* || Álgido, gélido, helado, arrecido, entelerido, entumecido. ↔ *Animado, en calor.*

yervo Yero.

yesal Yesar, aljezar, yesera.

yesca Hupe, pajuela. || Estímulo, acicate, incentivo, 'noli, aguijón, picón, espuela.

yescas Lumbre, enjutos, alegrador.

yesera Yesal.

yesería Aljecería.

yeso Aljez, aljor.

yesón Aljezón, cascote, gasón.

yesquero Mechero, chisquero, encendedor. || Esquero.

yezgo Cimicaria.

yo Un servidor, una servidora, menda. || Nosotros, nos.

'yol Arguenas.

yugada Yunta, huebra.

yugo Coyunda, cornal, cobra, dentejón. || Ajobo, sumisión, servidumbre, esclavitud, obediencia, disciplina, servidumbre, vasallaje. ↔ *Manumisión.* || Opresión, dominio. ↔ *Libertad.* || Velo.

'yugo Yerbajo. || Jaramago.

yuguero Yuntero.

yugular Degollar, decapitar.

yunque Tas, bigornia. || Paciente, sufridor, víctima, Job.

yunta Par, biga, pareja. || Yugada.

yuntar 'Acollarar.

yuntero Yuguero.

yunto Junto.

'yuquerí Zarzamora.

yuquilla Sagú, 'camotillo.

'yuraguano Miraguano.

yusión Precepto, mandato, prescripción, orden.

yuso Ayuso, abajo. ↔ *Suso, asuso.*

'yuta 'Babosa.

yuxtaponer Aplicar, arrimar, adosar, acercar, apoyar. ↔ *Separar.*

yuxtaposición Aposición. ↔ *Intususcepción.*

yuyuba Azufaifa.

Z

zabarcera Verdulera, frutera.

zabazoque Almotacén, zabila, áloe, azabara, zabida.

zaborda Zabordo, varadura, encalladura, encallada, varada.

zabordar Varar, encallar, embarrancar.

zabordo Zaborda.

zaborro Gordinflón, rechoncho, grueso.

zabucar Bazucar.

zabullida Zambullida.

zabullir Zambullir.

zabuqueo Bazuqueo.

zacapela Riña, pelea, rija.

'zacatal Pastizal.

'zacate Hierba, pasto, forraje.

'zacateca Sepulturero, enterrador.

'zacatoca Riña, pendencia, trifulca.

zacatín Zoco, plaza, mercado.

'zacatón Hierba.

zacear Zalear, ahuyentar, espantar, alejar. || Cecear, sesear, zapear.

zadorija Pamplina.

zafa Jofaina, palangana.

'zafado y **zafada** Descarado, atrevido.

zafar Adornar, guarnecer, embellecer, acicalar, engalanar, hermosear. ↔ *Afear, desparamentar.*

zafar Librar, libertar, soltar, quitar, desembarazar.

zafarse Escaparse, esquivar, rehuir, regatear, huir el cuerpo. || Excusarse.

zafarí Zaharí, zajarí.

zafariche Cantarera.

zafarrancho Limpieza, desembarazo, expedición. || Riza, destrozo, estrago, descalabro. || Riña, pelea, combate.

zafiedad Grosería, rusticidad, incultura. ↔ *Cultura, educación.*

zafio Rústico, zote, inculto, rudo, tosco, patán, boto, meleno, zamarro, zampatortas, zamborotudo, zamarro, 'gaucho, 'orejón. ↔ *Culto, urbano, educado.*

zafiro Zafir, zafira.

zafo Despejado, desembarazado, libre, suelto. ↔ *Embarazado, desordenado.* || Horro, sano y salvo, indemne, incólume. ↔ *Dañado, perjudicado.*

zafra Sufra.

zafra Escombro, ripio, zaborra, basura, desecho, restos, residuos.

zaga Talón, trasera, reverso, revés espalda, culata, dorso, retaguardia. || Detrás, atrás. || Zaguero.

zagal Muchacho, mozo, chaval, adolescente, mancebo, garzón, pimpollo, pollo. || Pastor.

zagalejo Zagal. || Refajo.

zaguero Postrero, trasero, rezagado, 'postremo, postrer, ulterior, último. ↔ *Primero.* || Zaga.

zahareño Repelente, esquivo, desdeñoso, huraño, agrio, intratable, irreductible, abrupto. ↔ *Amable, accesible.*

zaherimiento Burla, pulla, rehilete, remoquete, soflama, pinchazo, dardo, sátira, soflama, vejamen, mofa, mortificación, detracción.

zaheridor Sarcástico, mordaz, zoilo, dicaz, picante, incisivo, cáustico, punzante, mordicante, mortificante, vejador. ↔ *Dulce, amable, benigno.*

zaherir Molestar, vejar, morder, pinchar, cancerar, escarnecer, abuchear, censurar, satirizar, mortificar, criticar, ofender. ↔ *Complacer, satisfacer.*

zahina Melca, daza, maíz.

zahondar Ahondar, exca-

Z

var, penetrar, cavar. ||
Naufragar, sumergirse, irse a pique, hundirse.

zahorí Adivinador. || Pers-
picaz.

zahúrda Pocilga, cuchitril,
porqueriza. || Zaquizamí,
desván, buharda, buhar-
dilla, chiribitil, sobrado,
sotabanco.

zaino Hipócrita, falso, felón, desleal, traidor. ↔
Fiel, leal. || Castaño, *ma-
rrón. || Negro.

zalagarda Emboscada, cela-
da. || Lazo, trampa. || Ma-
nejo, enjuague, chanchu-
llo, asechanza, malicia. ||
Escaramuza, pelea, lucha,
reyerta, riña, pendencia,
alboroto.

zalama, zalamelé o **zalamería** Carantoña, lagotería, zalema, fiesta. ↔
Desprecio, rabotada.

zalamero Carantoñero, lagotero, obsequioso, hala-
güeño, sobón, pelota, pelotillero, 'barbero, 'guachinango. ↔ *Desdeñoso, es-
quivo.*

zalea Vellón, pelleja, tusón,
zaleo.

zalear Zacear.

zalear Zarandear, menear,
agitar.

zalema Saludo, reverencia.
|| Zalamería, carantoña.

zamacuco Necio, bobo, tonto, bruto, tardo, lerdo. ↔
Vivo, avispado. || Astuto,
artero, ladino, solapado,
fistol, pillo, zamarro, carlanca, colmilludo, zorras-
trón. || Embriaguez, borra-
chera.

zamacueca 'Cueca.

zamarra Pellico, chamarra,
zamarro, pelliza.

zamarrear Zarandear, za-
lear. || Agitar, arrinconar.

zamarrilla Polio.

zamarro Zamarra, 'chama-
rro. || Zamacuco, necio. ||
Astuto.

zambo Patizambo, zámbigo,
patojo, 'lobo. || Mono, pa-
pión. || Mestizo.

zamboa Azamboa.

zambomba 'Furruco.

zambombazo Porrazo, gol-
pe, golpazo. || Estallido,
estampido, explosión.

zambombo Zamborotudo.

zamborondón Zamborotudo.

zamborotudo Zambombo,
zamborondón, tosco, ler-
do, rudo, grosero, chapu-
cero, basto, ordinario, zoquetudo. ↔ *Refinado, cul-
tivad.* || Frangollón, fara-
mallero, zaragatero, za-
rramplín, zangandungo. ↔
Cuidadoso.

zambra Bulla, algarabía, jaleo, algarada, ruido, 'barrullo, 'samotana.

zambullir Sumergir, zabullir, zampuzar.

zambullirse Sumergirse, zozobrar, hundirse, chapu-
zar. || Esconderse, ocul-
tarse, cubrirse.

zampabodijos Zampatortas.

zampabollos Zampatortas.

zampar Comer, tragar, embaular, embuchar, devo-
rar.

zampatortas Zampabollos,
zampabodijos, zampón,
zampapalo, glotón, comi-
lón, epulón, tarasca, tra-
galdabas, tragamallas. ||
Zafio.

zampeado Emparrillado.

zampón Zampatortas.

zampoña Pipiritaina. || Ne-
cedad, tontería, bobería,
bobedad, simplería, pato-
chada. ↔ *Sensatez.*

zampuzar Zambullir.

zanahoria Azanoria.

zanca Pata, pierna. || Apo-
yo, estribo. || Contrahue-
lla.

zancada Paso, tranco, trancada.

zancadilla Trascabo, tras-
pié. || Zangamanga, ase-
chanza, trampa, ardid,
cancamusa, trápala, can-
donga, manganilla, celada,
engaño.

zancajoso Zopo, zompo,
zancajiento, zanquituerto,
pernituerto. ↔ *Derecho.*

zancarrón Hueso. || Periga-
llo, momia, fideo, lambrija, esqueleto.

zanco Chanco.

zancón Zancudo, patudo,
zanquilargo, zanquivano.

zangamanga Zancadilla,
asechanza.

zanganada Impertinencia,
inoportunidad, pitada, inconveniencia. ↔ *Oportunidad, acierto.*

zangandullo o **zangandun-
go** Zamborotudo. || Zánga-
no, gandul, holgazán.

zanganear Callejear, vagabundear, vagar, errar, merodear.

zanganería Haraganería,
vagabundaje, holgazane-
ría, gandulería, briba,
pillería.

zángano Zangón, zangandungo, zanguango, zangan-
dullo, zanguayo, holgazán,
gandul, haragán, perezo-
so, vago. ↔ *Diligente, activo.*

zangarriana Melancolía, disgusto, tristeza, desazón,
morriña. ↔ *Alegría.*

zangolotear Zarandear.

zangón Zángano, gandul.

zangotear Zarandear.

zanguana 'Roña.

zanguanga Carantoña, lagotería.

zanguango Zángano, gandul.

zanguayo Tagarote, bobalicón, bobo, necio, indolente. || Zángano.

zanja Trinchera, cuneta, excavación, foso, 'arroyada.

zanjar Allanar, obviar, orillar, dirimir, arreglar, vencer, terminar, acabar, resolver. ↔ *Suscitar, producir.*

zanquear Zancajear.

zanquilargo Zancón.

zanquituerto Zancajoso.

zanquivano Zancón.

zapa Pala.

zapa Lija, esmeril.

zapador Gastador.

'zapallo Jícaro. || Chiripa, suerte, fortuna.

zapapico Piqueta, azadón de pico, azadón de peto, espiocha, pico.

zaparrada Zarpazo.

zaparrastroso Zarrapastroso.

zaparrazo Zarpazo.

zapata Calzado. || Calce, zócalo, telera. || Freno.

zapatear Patear. || Atosigar, molestar, atormentar.

zapatero Tiracuero, remendón. || Tejedor.

zapatilla Babucha, pantufla, servilla, pantuflo.

zapato Calzado, calco, escarpín.

zapcar Zacear, sesear.

zaquizamí Buhardilla, buharda, zahúrda, chiribitil, tugurio, tabuco, sobrado, desván, sotabanco.

zarabanda Bulla, algazara, jolgorio, zambra, jaleo, algarabía, algarada.

zarabutear Zaragutear.

zaragata Alboroto, escándalo, gritería, gresca, tumulto.

'zaragate Despreciable, canalla, ruin.

zaragatona Coniza, hierba pulguera, harta de agua, pulguera, zargatona.

zaragüelles Calzones.

zaragutear Zarabutear, embrollar, chapucear, atropellar, fuñicar, chafallar, enredar.

zaragutero Zamborotudo.

'zaramullo Zascandil.

zaranda Criba, cedazo, harnero, cernedor, arel, tamizo, garbillo, porgador, cándara.

zarandajas Bagatelas, fruslerías, futilidades, inutilidades.

zarandar o **zarandear** Sacudir, agitar, menear, revolver, azacanar, ajetrear, zangolotear, zalear, zamarrear, zangolotear, abalar, blandir. ↔ *Asegurar, afirmar, mantener firme.*

'zarandearse Contonearse, pavonearse.

zarandillo Bullebulle, pólvora, perinola, centella, rayo.

zarceta Cerceta.

zarcillitos Tembladera.

zarcillo Pendiente, arracada, arete, criolla, perendengue.

zarcillo Almocafre.

zarco Azul claro.

zargatona Zaragatona.

zarigüeya Zariguella, rabopelado, 'carachupa, 'liacuache, 'runcho, 'tacuacín.

zarja Azarja.

zarpa Garra, garfa. || Cazcarria, zarrapastra.

zarpada Zarpazo.

zarpar Partir, hacerse a la mar, levar anclas, desamarrar, desancorar, soltar amarras, salir.

zarpazo Porrazo, batacazo, golpe. || Uñada, zarpada, zaparrazo, zaparrada.

zarramplín Zamborotudo.

zarrapastra Cazcarria, zarria, zarpa. || Zarrapastroso.

zarrapastroso Zarrapastra, zaparrastroso, zarrapastrón, astroso, andrajoso, desaliñado, pañoso, ajado, adán, desaseado, sucio, roto. ↔ *Elegante, galano.*

zarria Cazcarria, zarrapastra. || Pingajo, harapo, calandrajo, pingo, andrajo, arambel.

zarza Espino, zarzamora, cambrón, barza.

zarzagán Cierzo.

zarzal Barzal, balsal, matorral.

zarzamora Mora. || Zarza, 'carí, 'yuquerí.

zarzaperruna Escaramujo.

zarzo 'Barbacoa, 'barbacua.

zascandil Mequetrefe, tararaira, títere danzante, zamarro, chuzón, perillán, pícaro, tuno, 'zaramullo.

zata o **zatara** Balsa, armadía.

zato Zoquete, mendrugo, corrusco, cuscurro, churrusco, migaja.

zazoso Zazo, tartajoso, tartamudo.

zeda Ceda, zeta.

zeugma Ceugma, adjunción.

zigzag 'Quincos.

zigzaguear Serpentear, culebrear.

zipizape Riña, rija, pelea, agarrada.

zócalo Suela, soporte, basa, base pedestal, peana. || Friso. || Zoco.

zocato Zurdo, izquierdo.

zoclo Zueco, chanclo.

zoco Mercado.

zoco Zurdo, izquierdo.

Z

Z zoilo Crítico, murmurador, censor.

zolocho Mentecato, aturdido, bobo, torpe.

zollipo Sollozo, singulto.

zona Faja, círculo, lista, cintura, casquete, territorio.

'zoncera o **zoncería** Sosera, sosería.

zonote Cenote.

zonzo Soso, desabrido, insípido, zonzorrión. ↔ *Salado, ocurrente.*

zoospermo Espermatozoide, espermatozoo.

'zope, zopilobe o **zopilote** Aura.

zopenco Bobo, tonto, bruto, rudo, zamacuco, cernícalo, zote, zoquete. ↔ *Avispado, listo.*

zopetero Ribazo.

'zopilobe 'Zope.

zopilote Aura, ave de paz, 'zope, 'samurro.

zopisa Brea, resina.

zopo Zancajoso, zompo.

zoquete Taco, tarugo. || Zato, mendrugo. || Zopenco rudo, zamacuco, bamba rria, pairote.

zoquetudo Basto, ordinario, frangollón.

zorra Raposa, vulpeja, vulpécula, 'chilla. || Zorrón, zorrastrón. || Borrachera, embriaguez.

zorra Carro, carromato, camión. || Vagoneta.

zorrastrón Zorra, zorro, zorrón, astuto, ladino, zorrocloco, raposo, camastrón, taimado, cauteloso, disimulado, pícaro. ↔ *Simple, tonto.*

zorrería Cautela, astucia, disimulo, raposería, 'camastra.

'zorrillo Mofeta.

zorro o **zorrón** Zorrastrón.

zorrocloco Zorrastrón. || Arrumaco, lagotería, carantoña, fiesta.

zote Zopenco. ↔ *Avispado.*

zozobra Desasosiego, inquietud, sobresalto, angustia, congoja, aflicción, ansiedad, intranquilidad. ↔ *Tranquilidad.*

zozobrar Peligrar, pender de un hilo. || Naufragar, irse a pique, hundirse, sumergirse, anegarse, perderse. || Acongojarse, afligirse.

zueco Almadreña, abarca, zoclo, chanclo, cholo, zoco, madreña.

'zuinda Lechuza.

zulaque Azulaque, betún.

zullón Follón.

zumacaya Zumaya.

zumaque Rus. || Vino.

zumaya Zumacaya, capacho.

zumba Cencerro. || Bramadera. || Vaya, broma, burla, chanza. || Tunda, tollina, zurra, paliza.

zumbar Ronronear, retumbar, bramar, matraquear. || Rondar, acercarse, aproximarse, frisar, rayar. || Dar, propinar, soltar. || Dar chasco, dar vaya, embromar.

zumbido Zumbo, chillido, retruñido, retumbo.

zumbón Guasón, burlón, bromista.

'zumel Bota.

zumillo Dragontea. || Tapsia.

zumo Jugo, licor. || Provecho, utilidad, beneficio, ganancia, rédito, renta. ↔ *Pérdida.*

zumoso Jugoso.

zuncho Abrazadera, suncho, fleje.

zupia Poso, hez, sedimento, depósito, zurrapa, desecho.

zurcido Zurcidura, corcusido, culcusido.

zurcir Coser, remendar, recomponer, recoser, corcusir. || Unir, juntar, identificar. || Urdir, tramar, combinar, tejer.

zurdo Zocato, zoco.

zuro 'Tusa.

zurra Azotina, azotaina, capuana, felpa, julepe, sepancuantos, pega, leña, solfa, solfeo, somanta, manta, panadera, sotana, tentadura, tocata, tollina, trepa, tunda, 'friega, 'zumba, vapuleo, vapulación, vapulamiento, zurribanda, toñina. || Tundición, tundidura. || Reyerta, pendencia, riña, rija, trifulca.

zurrapa Poso, brizna, sedimento, zupia.

zurrapelo Rapapolvo, reprensión, filípica, sermón, bronca, peluca, admonición, regaño, sepancuantos. ↔ *Elogio.*

zurrar Adobar, curtir, tundir, 'tostar. || Pegar, apalear, sotanear, azotar, mosquear, tundear, aporrear, vapulear, paponear, batanear, solfear, vapular, propinar, sacudir el polvo, menear el bálago, arrimar candela, menear el hato.

zurrarse Zurruscarse, irse. || Atemorizarse, espantarse, amedrentarse, acobardarse. ↔ *Envalentonarse.*

zurriagazo Zurriagada, latigazo, vergazo. || Desgracia, infelicidad, desdicha. || Desdén, desprecio, mal trato.

zurriago Látigo, verga, palmeta, 'guaraca.

zurribanda Zurra. || Riña, pelea, escurribanda.

zurriburri Vil, despreciable, villano, truhán. || Churri-burri, patulea, caterva, hez. || Barullo, alboroto.

zurrido Golpe, estacazo, ga-rrotazo, palo, varapalo, bastonazo.

zurrón Bolsa, macuto, mo-chila, talego, saco, 'tana-te. || Raspa.

zurrona Ramera.

zurruscarse Zurrarse.

zurullo Zorullo, mojón.

zutano Fulano, mengano, citano, perengano, robi-ñano

Z

APÉNDICE

Palabras con régimen especial
de preposiciones

A

abalanzarse *a* los riesgos.
abandonarse *a, en* manos de la fortuna.
abarcar *con* la mirada, *dentro de*.
abastecer *con* vituallas, *de* cereales.
abatirse *a* cubierta, *con* dificultad, *de* ánimo, *en, por* las desgracias, *sobre* las víctimas.
abigarrar *de* colores.
abjurar *de* los errores.
abocarse *con* alguno.
abochornarse *de* calor, *por* la afrenta.
abogar *por* los hijos.
abordar *a, con* otra (una nave).
aborrecer *de* muerte.
aborrecible *a* la moral.
abrasarse *de* pasión, *en* deseos.
abrigado *de* las inclemencias.
abrigarse *bajo* cubierto, *con* ropa, *en* el portal, *de* la lluvia.
abrir *a* martillo, *de* arriba abajo, *en* canal.
abrirse *con* la gente, *de* piernas, *a* las novedades.
abroquelarse *de* las asechanzas, *con* su actitud.

abrumar *con* problemas, *a* cargos.
absolver *del* cargo.
abstenerse *de* pescado.
abultado *de* rasgos.
abundar *de, en* riqueza.
aburrirse *con, de, por* todo, *en* plena diversión.
abusar *de* la confianza.
acabar *con* la paciencia, *de* llorar, *en* paz, *por* entenderse.
acaecer (algo) *a* alguien, *en* tal ocasión.
acalorarse *con, en, por* la discusión.
acampar *al* descubierto, *en* tiendas.
acarrear *a* cuestas, *en* ruedas, *por* vía marítima.
acceder *a* las súplicas.
accidentarse *con, por* la noticia.
accionar *con* las manos.
acechar *a, desde* la esquina, *por* un agujero.
accesible *al* tránsito.
acendrarse *con* la virtud *en* el oficio.
acepto *a* nobleza y plebe.
acerca *de* lo hablado.
acercarse *a* la casa.
acertar *en* el vaticinio, *al* blanco, *con* la dirección.
acoger *en* el seno.
acogerse *a, bajo* sagrado.
acometer *con* el sable.

acometido *a* traición, *de* accidente, *por* un buey.
acomodarse *a, con* el fallo, *de* criado, *en* el oficio.
acompañado *del* visitante.
acompañar *a* casa, *de* grado, *con* pruebas.
aconsejarse *con, de* entendidos.
acontecer *a, con* todos lo mismo.
acordar *con* el enemigo.
acordarse *de* lo pasado.
acortar *de* razones.
acosado *de* las fieras.
acostumbrarse *al* trabajo.
acre *de* naturaleza.
acreditado *en, para* la tarea.
acreditarse *con, para con* alguien, *de* listo.
acreedor *a* la simpatía, *del* fisco.
actuar *en* la causa.
acudir *al, con* la solución.
acusar (a alguno) *ante* el tribunal, *de* una falta.
adaptar (una cosa) *a* otra.
adaptarse *a* las costumbres.
adecuado *a* la necesidad.
adelantar *en* los estudios.
adelantarse *a* otro, *en* algo.
además *de* lo hablado.
adiestrarse *a* combatir, *en* la lucha.
adherir o adherirse *a* la opinión general.

admirarse *de* la belleza.

admitir *en* cuenta.

adolecer *de* una pena.

adoptar *por* hijo.

adorar *a* Dios, *en* sus criaturas.

adornar *con, de* alfombras.

afable *con, para, para con* los demás, *en* el trato.

afanarse *en* la tarea, *por* ganar.

afecto *al* presidente, *de* un achaque.

aferrarse *a, con, en* su favor.

afianzar *con* sus propiedades, *de* insulto.

afianzarse *sobre* los estribos, *en* la posición.

aficionarse *a, por* las ciencias.

afilar *en* la piedra, *con* el formón.

afirmarse *en* lo dicho.

afligido *de, con, por* lo sucedido.

aflojar *en* el trabajo.

afluente *en* dichos, *de* un río.

aforrar *con, de. en* piel.

afrentar *con* insultos.

afrentarse *de* su condición.

agarrar *de, por* los hombros.

agarrarse *a, de* un hierro ardiente.

ágil *de* piernas.

agobiarse *con, de, por* el tiempo.

agraciar *con* un premio.

agradable *al, para* el paladar, *con, para, para con* los demás, *de* trato.

agradecido *a* los favores, *por* algo.

agraviarse *de* algo, *por* una burla.

agregarse *a, con* un grupo.

agrio *al* paladar, *de* sabor.

aguardar *a* otro día, *en* casa.

agudo *de* inteligencia, *en* sus ideas.

aguerrido *en* batallas.

ahitarse *de* carne.

ahogarse *de* calor, *en* un charco.

ahorcarse *de* una viga.

ahorrar *de* razones.

airarse *de, contra* alguien *de, por* lo que se oye.

ajeno *a* su personalidad, *de* preocupación.

ajustarse *al* sentido común, *con* el dueño, *en* sus hábitos.

alabar *de* discreto, (algo) *en* otro.

alabarse *de* héroe.

alarmarse *con, por* la novedad.

alcanzado *de* fortuna.

alcanzar *a* alguien *en* algo, *con* porfías, *del* director, *en* meses, *para* tanto.

alegar *de* bien probado, *en* su derecho, *como* prueba.

alegrarse *con, de, por* algo; *de, por* verle; *por* su mejoría.

alegre, *de* genio, *con* las novedades.

alejarse *de* su morada.

alentar *con* la fe.

alicaído *en* su aflicción.

aliciente *a, de, para* las grandes obras.

alimentarse *con, de* frutas.

alindar *con* el sendero.

aliñar *con* vinagre.

alistarse *en* una expedición, *por* soldado.

aliviar *de, en* la deuda.

alternar *con* los entendidos, *en* el deber, *entre* unos y otros.

alto *de* talla.

alucinarse *con* argumentos, *en* la prueba.

alzar (la vista) *a* las nubes, (algo) *del* suelo, *por* cacique.

alzarse *a* mayores, *con* el poderío, *en* armas.

allanar *hasta* el suelo.

allanarse *a lo* mínimo.

amable *a, con, para, para con* los demás, *de* carácter, *en* el trato.

amante *de* la vida.

amañarse *a* pintar, *con* cualquiera.

amar *de* corazón.

amargo *al* paladar, *de* sabor.

amarrar *a* un palo.

a más *de* lo acordado.

ambos *a* dos.

amén *de* otras cosas.

amenazar *a* alguien *al* pecho, *con* un bastón, *de* muerte.

amor *a* la vida, *a, de* Dios, *de* la gloria.

amoroso *con, para, para con* sus amistades.

amparar (a uno) *del* acoso, *en* la posesión, *con* el cuerpo.

ampararse *con, de* algo, *contra* el frío.

amueblar *con* confort, *de* rica sillería.

análogo *a* lo expuesto.

ancho *de* hombros.

andar *a* gachas, *con* pies de plomo, *de* cabeza, *en* danza, *entre* locos, *por* las ramas, *sobre* aviso, *tras* un negocio.

andarse *en* cumplidos, *con* cumplidos, *por* los aires.

anegar *en* lágrimas.

anhelar *a* más, *por* más fortuna.

animar *al* éxito.

animoso *en, para* emprender.

ansioso *del* éxito, *por* el juego.

anteponer (el deber) *a* la diversión.

anterior *a* la venida.

antes *de* tiempo.

anticiparse *a* los aconteci-
mientos.

añadir *a* lo expuesto.

apacentarse *con, de* memorias.

aparar *en, con* el manto.

aparecerse *a* alguien, *en* la
plaza, *entre* sueños.

aparejarse *a, para* la tarea.

apartar *de* sí.

apartarse *a* un rincón, *de* la
oportunidad.

apasionarse *de, por* alguien.

apearse *a, para* descansar,
del asno, *por* las orejas.

apechugar *con* las consecuencias.

apegarse *a* la vida.

apelar *a* otra solución, *del*
fallo, *para, ante* el Supremo.

apercibirse *a, para* la batalla, *contra* los invasores,
de armas.

apesadumbrarse *con, de* la
misiva, *por* niñerías.

a pesar *de* lo oído.

apetecible *al* paladar, *para*
los críos.

apiadarse *de* los desvalidos.

aplicarse *al* trabajo.

apoderarse *de* las riquezas.

aportar *al* matrimonio.

apostar *al* fuego.

apostárselas *con* alguien.

apostatar *de* las creencias.

apoyar *con* citas, *en* auto-
ridades.

apreciar *en* lo que vale, *por*
su valor.

aprender *a* calcular, *con* él,
de mí, *por* principios.

apresurarse *a* venir, *en* la
respuesta, *por* llegar.

apretar *a* correr, *con* el pecho, *entre* las piernas.

aprobado *de* médico, *por*
mayoría.

aprobar *en* una Facultad.

apropiar *a* su ingenio, *para*
sí.

apropincuarse *al* campo.

aprovechar *en* el trabajo.

aprovecharse *de* la circunstancia.

aproximarse *al* límite.

apto *para* la prueba.

apurado *de* recursos.

apurarse *en* las desgracias,
por poco.

¡aquí *de* los míos!, *para, entre* nosotros.

aquietarse *con* la justificación.

arder o arderse *de* furor,
en deseos.

argüir *de* falso, (sabiduría)
en alguien.

armar *con* espada, *de* pisto-
las, *en* corso.

armarse *de* valor.

arraigarse *en* la virtud, *en*
un sitio.

arrancar (la broza) *al, del*
suelo, *de* raíz.

arrasarse (los ojos) *de, en*
lágrimas.

arrastrar *en* su decadencia
a los demás, *por* el suelo.

arrebatar *de, de entre* las
manos.

arrebatarse *de* cólera.

arrebozarse *con, en* la arena.

arrecirse *de* frío.

arreglado *a* las normas, *en*
la conducta.

arremeter *al, con, contra,
para* el contrario.

arrepentirse *de* sus faltas.

arrestarse *a* todo.

arriar *en* banda.

arribar *a* sitio.

arriesgarse *a* todo, *a* la tarea.

arrimarse *al* muro.

arrinconarse *en* la esquina.

arrobado *de* gozo.

arrobarse *en* éxtasis.

arrojado *de* genio.

arrojar *de* su lado.

arrojarse *a* luchar, *de, por*
el balcón, *en* el agujero.

arroparse *con* el abrigo.

asar *al* fuego, *en* el horno.

asarse *de* calor.

ascender *a* coronel, *en* la
empresa, *por* los aires.

asegurar *contra* las heladas,
de robo.

asegurarse *de* ser cierto.

asentir *a* su pronóstico.

asesorarse *con, de* sabios.

asimilar (una cosa) *a* otra.

asir *del* vestido, *por* los pelos.

asirse *a* las ramas, *con* el
oponente.

asistir *a* los imposibilitados,
de alumno, *en* tal caso.

asociarse *a, con* otro.

asomarse *a, por* la ventana.

asombrarse *con, de* la noticia.

asparse *a* gritos, *por* alguna
cosa.

aspero *al, para* el paladar,
con los demás, *de* carácter, *en* el vocabulario.

aspirar *a* la dignidad.

asqueroso *a* la mirada, *de*
ver, *en* su facha.

asustarse *de, con, por* un
grito.

atar (la montura) *a* un poste, *con* correas, *de* pies y
manos, *por* el cuello.

atarearse *a* hilar, *con, en*
los quehaceres.

tarse *a* una sola solución,
en la oficina.

atascarse *en* el barro.

ataviarse *con, de* lo ajeno.

atemorizarse *de, por* los
disparos.

atender *a* la clase.

atenerse *a* lo dicho.

tentar *a* la seguridad, *contra* lo privado.

tento *a* la justificación, *con*
los superiores.

atestiguar *con* otro, *de* oídas.

atinar *a* decir, *con* la casa.

atollarse *en* el barro.

atónito *con, de, por* la desgracia.

atracarse *de* manzanas.

atraer *a* su partido, *con* dádivas.

atragantarse *con* una espina.

atrancarse *en* el vado.

atrasado *de* medios, *en* la obra.

atravesado *de* afección, *por* un cuchillo.

atravesarse *en* el camino.

atreverse *a* todo, *con* los otros.

atribuir (algo) *al* destino.

atribularse *con, en, por* los negocios.

atrincherarse *con* un muro, *en* un repecho.

atropellar *con, por* algo.

atropellarse *en* las palabras.

atufarse *con, de, por* mucho.

aunarse *con* otro.

ausentarse *de* su casa.

autorizar *con* su sello, *para* alguna misión.

avanzado *de, en* estudios.

avanzar *a, hacia, hasta,* las posiciones.

avaro *de* dinero.

avecindarse *en* la capital.

avenirse *a* algo, *con* alguno.

aventajarse *a* alguien, *en* una carrera.

avergonzarse *a, de* solicitar, *por* sus obras.

averiguarse *con* alguien.

avezarse *a* la vagancia.

aviarse *de* mantas, *para* el viaje.

avocar (algo) *a* sí.

¡ay *de* mí; *de* los vencidos!

ayudar *a* ganar, *en* una dificultad.

B

bailar *a* la guitarra, *con* alguien, *por* bajo.

bajar *a* la gruta, *del* desván, *hacia* el río, *por* la pendiente.

bajo *de* estatura, *en* su proceder.

balancear *en* la sospecha.

balar (las ovejas) *de* frío.

baldarse *con* la sequedad, *de* un pie.

bambolearse *en* el andamio.

bañar (algo) *con, de, en* agua.

barajar *con* los criados.

barbear *con* la tapia.

basta *con* eso, *de* chillidos.

bastar *a, para* el objeto.

bastardear *de* su origen, *en* sus obras.

batallar *con* el enemigo.

beber *a* (otro) los pensamientos, *a* la, *por* la salud, *de, en* un cántaro.

benéfico *a, para* el cuerpo, *con* sus enemigos.

benemérito *de* la causa.

besar *en* la mejilla.

blanco *de* cutis.

blando *al* tacto, *de* genio.

blasfemar *contra* Dios, *de* la religión.

blasonar *de* guapo.

bordar *al* tambor, *con, de* púrpura, *en* cañamazo.

borracho *de* vino, *de* alegría.

borrar *del* mapa.

bostezar *de* sueño.

boto *de* ingenio.

boyante *en* los negocios.

bramar *de* ira.

brear *a* palos.

bregar *con* alguien.

breve *de* narrar, *en* los pensamientos.

brindar *a* la fortuna de alguien, *con* obsequios, *por* alguien.

bronco *de* carácter.

brotar *de, en* un prado.

bueno *de, para* beber, *de* por sí, *en* sí.

bufar *de* rabia.

bullir *en, por* las reuniones

burilar *en* oro.

burlar *a* alguien.

burlarse *de* otro.

buscar (las cosquillas) *al* contrario, *por* dónde salir.

C

cabalgar *a* horcajadas, *en* mulo.

caballero *en* sus modales, *sobre* un asno.

caber *de* pies, *en* la palma de la mano.

caer *a, hacia* tal parte, *con* otro, *de* arriba, *en* la tram pa, *por* Pascua, *por* m: barrio, *sobre* los contra rios.

caerse *a* trozos, *de* usado.

calar *a* fondo.

calarse *de* agua, *hasta* los huesos.

calentarse *al* rescoldo, *a la* vera *del* fuego, *con* los movimientos, *en* la disputa.

caliente *de* cascos, *para* ser bebido.

calificar *de* experto.

calzarse *con* el cargo.

callar (la verdad) *a* otro, *de, por* miedo.

cambiar (alguna cosa) *con, por* otra (un billete), *en* moneda.

cambiarse *en* tristeza.

caminar *a, para* la ciudad, *de* acuerdo.

campar *por* las suyas.

cansarse *con, de* la labor.

cantar *a* libro abierto, *de* garganta, *en* el tormento.

capaz *de* cien personas, *para* el empleo.

capitular *con, ante* el enemigo (a alguno), *de* cohecho.

carecer *de* fondos.

cargado *de* deudas.

cargar *a* flete, *a, en* hombros, *con* alguien, *de* cereales, *sobre* él.

cargarse *de* paciencia.

caritativo *con, para, para con* los imposibilitados.

casar (una cosa) *con* otra, *en* segundas nupcias.

casarse *con* su novia, *por* poderes.

castigado *de, por* su imprudencia.

catequizar (a alguien) *para* una misión.

cautivar *con* halagos.

cazcalear *de* una parte a otra, *por* las calles.

cebar *con* nueces.

cebarse *en* el castigo.

ceder *al* poder, *del* cargo, *en* un empeño.

cegarse *de* rabia.

censurar (algo) *a, en* alguien.

ceñir *con, de* laureles.

ceñirse *a* las pruebas.

cerca *del* pueblo.

cercano *a* morir.

cerciorarse *de* una noticia.

cerrado *de* entendimiento.

cerrar *a* piedra y lodo, *con, contra* la puerta.

cerrarse *de* campiña, *en* el silencio.

cesar *de* cantar, *en* el cargo.

ciego *de* cólera, *con* los celos.

cierto *de* su dicho.

cifrar (su dicha) *en* la esperanza.

circunscribirse *a* referir.

clamar *a* gritos, *por* interés.

clamorear *a* difuntos (las campanas), *por* algo.

clavar *a, en* el techo.

cobrar *de* los deudores, *en* moneda.

cocer *a, con* el fuego.

codicioso *de* fortunas.

coetáneo *de* Napoleón.

coexistir *con* César.

coger *a* mano, *con* el robo, *de* buen talante, *de, por* el brazo, *entre* bastidores.

cojear *del* pie derecho.

cojo *de* accidente.

colegir *de, por* los antecedentes.

colgar *de* un gancho, *en* la percha.

coligarse *con* algunos.

colmar *de* bendiciones.

colocar *con, en, por* orden, *entre* las piernas.

combatir *con, contra* los enemigos.

combinar lo bello *con* lo útil.

comedirse *en* el discurso.

comenzar *a* berrear, *por* reñir.

comer *a* dos carrillos, *a* manteles, *de* vigilia, *por* tres.

comerciar *con* su crédito, *en* tejidos, *por* mayor.

comerse *de* celos.

compadecerse (una cosa) *con* otra, *del* infeliz.

compañero *de, en* el infortunio.

comparar (una cosa) *con* otra.

compartir (las desventuras) *con* otro (el pan), *en* dos bolsa, *entre* algunos.

compatible *con* el trabajo.

compeler (a otro) *al* pago.

compensar *con* servicios.

competir *con* los demás.

complacer *a* un familiar.

complacerse *con* la novedad, *de, en* algo.

cómplice *con* otros, *de* asesinato, *en* el hurto.

componerse *con* los deudores, *de* bueno y malo.

comprar *al* contado, *de* comer, *por* kilos.

comprensible *a* la razón, *para* cualquiera.

comprobar *con* datos, *de* cierto.

comprometerse *a* una operación, *con* alguien, *en* una tarea.

comulgar (a otro) *con* ruedas de molino.

común *a* los hombres, *de* dos.

comunicar *con* la ciudad.

comunicarse *entre* sí, *por* signos.

concentrar (la imaginación) *a, en* un objeto.

conceptuado *de* sabio.

concertar (una cita) *con* alguien, *en, por* tal precio, *entre* sí dos reyes.

conciliarse (el respeto) *de* los demás.

concluir *con* un discurso (a alguien), *de* listo, *en* consonante.

concordar (una cosa) *con* otra.

concurrir *a* la junta, *con* los demás, *en* la iglesia.

condenar (a uno) *a* reclusión, *con, en* costas.

condescender *a* las súplicas, *con* su demanda, *en* venir.

condolerse *de* los sufrimientos.

conducir (el camino) *a* una casa, *en* moto, *por* tierra.

confabularse *con* los enemigos.

confederarse *con* alguien.

conferir (el sueño) *con* la verdad, (una beca), *a* un estudiante, *entre* compañeros.

confesar (la culpa) *al* juez.

confesarse *a* Dios, *con* un amigo, *de* sus faltas.

confiar *a, en* una persona.

confinar *a* uno *en* una plaza, una provincia *con* otra.

confirmar *de* docto a uno, *en* lo dicho, *por* sabio.

confirmarse *en* su opinión.

conformar la traducción *con* el original, *a* lo ajeno.

conformarse *a, con* la voluntad de Dios, *al* tiempo.

conforme *a, con* su criterio (con alguien), *en* un parecer.

confrontar las palabras *con* los hechos.

confundirse *de* una acción (una cosa), *con* otra, *en* sus opiniones.

congeniar *con* un desconocido.

congraciarse *con* el jefe.

congratularse *con* el amigo, *de* ser el único.

conjeturar *de, por* las huellas.

conmutar (una pena) *en, con, por* otra.

conocer *a* otro, *de* oídas, *de, en* tal cuestión, *por* su fama.

consagrar o consagrarse *al* estudio.

consentir *con* sus caprichos, *en* una petición.

conservarse *con* energía, *en* salud.

considerar (una proposición) *bajo, en* todos sus aspectos, *por* todos lados.

consistir *en* una bicoca.

consolar (a alguien) *en* la muerte de un familiar, *de* la desgracia.

consolarse *con* sus amigos, *en* Dios.

conspirar *a* un término, *con* otros, *contra* alguien, *en* un ensayo.

constante *en* el trabajo.

constar *de* tres mil caballeros, *por* escrito, *en* el archivo.

constituido *en* un impedimento, (un censo) *sobre* una dehesa.

consultar *con* sabios (a uno), *para* una labor.

consumado *en* la jurisprudencia.

consumirse *a* fuego lento, *con* la enfermedad, *de* aburrimiento, *en* cavilaciones.

contagiarse *con, de, por* las malas enseñanzas.

contaminarse *con* los defectos, *de, en* la herejía.

contar (algo) *al* amigo, *con* los refuerzos, *por* falso.

contemplar *en* la Bondad Divina.

contemporizar *con* alguien.

contender *con* un enemigo, *en* hidalguía, *por* la patria, *sobre* algo.

contenerse *en* sus ansias

contentarse *con* su destino, *del* parecer.

contestar *a* la pregunta, *con* cuanto había presenciado.

contiguo *al* bosque.

continuar *en* su sitio, *con* las pesquisas, *por* el mismo camino.

contra (estar en) *de* alguno.

contraer (el discurso) *a* un solo punto, matrimonio *con* la vecina.

contrapesar un saco *con* otro.

contraponer (una cosa) *a, con* otra.

contrapuntarse *con* un amigo, *de* hechos.

contrario *a, de* algunos, *en* pensamientos.

contravenir *a* las reglas.

contribuir *a, para* tal operación, *con* ideas.

convalecer *de* una dolencia.

convencerse *con* los argumentos, *de* la verdad.

convenir *a* su salud, *con* alguien, *en* una cita.

convenirse *a, con, en* lo solicitado.

conversar *con* alguien, *en, sobre* materias de interés.

convertir (la cuestión) *a* otro objeto, (la masa) *en* pan.

convertirse *al* cristianismo, la alegría *en* llanto.

convidar (a un amigo) *a* cenar, *con* una cosa, *para* la gala.

convidarse *a, para* el festín.

convocar *a* reunión.

cooperar *a* la causa, *con* alguno.

copiar *a* mano, *de* una traducción.

coronar *con, de* flores, *por* emperador.

corregirse *de* una equivocación.

correr *a* pie, *con* los riesgos, *en* su persecución, *por* mal camino, (un velo) *sobre* lo pasado.

correrse *de* miedo, *por* una culpa.

corresponder *a* los beneficios, *con* el benefactor.

corresponderse *con* un familiar, *por* escrito.

cortar *de* raíz, *por* lo sano.

corto *de* entendimiento, *en* palabras.

coser *a* balazos, *para* otro.

coserse *a* las faldas de la madre, *con* la tierra.

cotejar (la copia) *con* el original.

crecer *en* edad.

crecido *de* cuerpo, *en* fortuna.

creer algo *de* alguien, *de* su deber, *en* sueños, *a* uno *por, sobre* su dicho.

criar *a* los pechos, *con* amabilidad, *en* las buenas costumbres.

criarse *en* buena casa, *para* la Iglesia.

cristalizar o **cristalizarse** *en* cubos.

cruel *con, para, para con* sus hijos, *de* condición.

cruzar *por* delante.

cruzarse *de* brazos, *de* improperios.

cuadrar (algo) *a* alguien, lo uno *con* lo otro.

cubrir o **cubrirse** *con, de* mantas.

cucharetear *en* algo.

¡cuenta *con* lo que hablas!

¡cuidado *con* los enemigos!

cuìdadoso *con, para con* un paralítico, *de* sus bienes, *por* el éxito de un negocio.

cuidar *de* alguien.

culpar (a uno) *de* indolente, el atrevimiento *en* una persona, (a otro) *por* sus faltas.

cumplir (el juramento) *a* uno, *a* alguien hacer una cosa, *con* alguno, *con* su deber, *por* su madre.

curar *a* un hombre, *de* sus asuntos.

curarse *con* medicinas, *de* un resfriado, *de* lo más importante, *en* salud.

curioso *de* noticias, *por* aprender.

curtirse *al, con* el, *del* frío; *en* el trabajo.

CH

chancearse *con* alguno, *de* algo.

chapuzar *en* el agua.

chico *de* alma.

chocar *a* la concurrencia, *con* los amigos, (los amigos) *entre* sí.

chochear *con, por* la vejez, *de* anciano.

D

dañar (a alguno) *en* sus intereses.

dañarse *de* la espalda.

dar (un objeto) *a* uno, *con* las narices en el suelo, (garrotazos) *con* un bastón, *con* quien lo entiende, *contra* un farol, *de* palos; *de* baja, *de* sí, *en* ello, (comprenderlo) *por* sabido, *sobre* el más débil.

darse *a* empollar, *contra* el muro, *de* bofetadas, *por* aludido.

debajo *de* techado.

deber (un favor) *a* otro, *de* hacer algo.

decaer *de* su poder, *en* energías.

decidir *de, sobre* todo, *en* un aprieto.

decidirse *a* trabajar, *en* favor de alguien, *por* un procedimiento.

decir (algo) *a* uno, (mal) *con* algo, *de* alguno, *de* carretilla, *en* verdad, *para* sí, (una cosa) *por* otra.

declarar *en* la vista, (a alguno) *por* enemigo, *sobre* la cuestión.

declararse *con* alguien, *por* un bando.

declinar *a, hacia* una parte, *de* allí, *en* vicio.

dedicar (tiempo) *al* ocio.

dedicarse *a* la abogacía.

deducir *de, por* lo oído.

defender *con* argumentos, *contra* el impostor, (al débil) *de* sus enemigos, *por* pobre.

deferir *a* *criterio* de otro.

defraudar (algo) *al, del* fisco, *en* las ambiciones.

degenerar *de* su linaje, *en* monstruo.

dejar *con* la boca abierta, *de* hablar, (algo) *en* manos de otro, *para* otro día, (a uno) *por* inútil, *por* hacer.

dejarse *de* bromas.

delante *de* testigos.

delatar (un homicidio) o **delatarse** *al* tribunal.

deleitarse *con* el paisaje, *de, en* oír.

deliberar *en* junta, *entre* socios, *sobre* tal cuestión.

delirar *en* sueños, *por* el arte.

demandar *ante* el Supremo; *de* injuria, *en* juicio.

dentro *de* una hora.

departir *con* el amigo, *de, sobre* la guerra.

depender *de* alguien.

deponer *contra* el reo, (a uno) *de* su cargo, *en* juicio.

depositar *en* el silo.

derivar o **derivarse** *de* las premisas.

derramar o **derramarse** *al, en, por* el suelo.

derribar *al* suelo, *del* pedestal, *en, por* tierra.

derrocar *al* suelo, *del* trono, *en, por* los suelos.

desabrirse *con* alguien.

desacreditar o **desacreditarse** *con, para, para con* los entendidos *en* su tarea, *entre* los amigos.

desagradable *al* paladar, *con, para, para con* las personas.

desagradecido *al* beneficio, *con, para, para con* su benefactor.

desaguar o **desaguarse** (una presa) *por* las esclusas.

desahogarse (con uno) *de* sus males, *en* palabrotas.

desalojar *del* poder.

desapoderado *en* su ambición.

desapoderar *de* la herencia.

desapropiar o desapropiarse *de* alguna cosa.

desarraigar *de* la patria.

desasirse *de* malas compañías.

desatarse *de* sus compromisos, *en* denuestos.

desavenirse *con* alguien, *de* los demás, (dos) *entre* sí.

desayunarse *con* leche, *de* alguna noticia.

desbordarse (el torrente) *en* la arena, *por* las calles.

descabezarse *con, en* un problema.

descalabazarse *con, en, por* algo.

descalabrar *a* pedradas, *con* un guijarro.

descansar *del* esfuerzo, (el amo) *en* su servidor, *sobre* las armas.

descararse *a* pedir, *con* el profesor.

descargar *en, contra, sobre* alguno.

descargarse *con* el ausente, *de* una culpa.

descartarse *del* as de oros.

descender *a* la cueva, *de* buena cuna, *en* favor de alguno, *por* grados.

descolgarse *a* la calle, *con* una novedad, *de, por* la tapia.

descollar *en* sabiduría, *entre, sobre* los demás.

descomponerse *con* alguien, *en* gritos.

desconfiar *de* uno.

desconocido *a* los beneficios, *de* sus colegas, *para* algunos.

descontar *de* un sueldo.

descontento *con* sus amistades, *de* sí mismo.

descubrirse *a, con* alguien, *por* respeto.

descuidarse *de, en* su deber.

desdecir *de* su temperamento.

desdecirse *de* su palabra.

desdeñarse *de* algo.

¡desdichado *de mí!, en* elegir, *para* mandar.

desechar *de* la imaginación.

desembarazarse *de* molestias.

desembarcar *de* la nao, *en* el muelle.

desembocar *en* el mar.

desemejante *de* los demás.

desempeñarse *de* sus deudas.

desenfrenarse *en* las pasiones.

desenredarse *del* lío.

desengañarse *de* un error.

desenterrar *del, de entre* el polvo.

deseoso *del* mal.

desertar *al* otro bando, *de* sus deberes.

desesperar *de* conseguir un cargo.

desfallecer *de* fuerzas.

desfogar (la cólera) *en* el débil.

deshacerse *de* dolor, *en* llanto.

desimpresionarse *de* una imagen.

desistir *de* su empeño.

desleal *a* su soberano, *con* su consorte.

desleír *en* agua.

deslizarse *a, en* las pasiones, *por* la pendiente.

desmentir *a* uno, (una cosa) *de* otra.

desorden *en* las filas

despedirse *de* las amistades.

despegarse *del* mundo.

despeñarse *al, en* el mar, *de* una pasión en otra, *por* el precipicio.

despertar *al* que duerme, *de* la borrachera.

despicarse *de* la afrenta.

despoblarse *de* vecinos.

despojar o despojarse *del* vestido.

desposarse *con* viuda, *por* poderes.

desposeer *de* algo.

desprenderse *de* alguna cosa.

después *de* comer, *de* oírle.

despuntar *de* listo, *en* la sátira, *por* el arte.

desquitarse *de* la ofensa.

desternillarse *de* risa.

desterrar (a uno) *a* una isla, *de* su tierra.

destinar *al* culto, (un obsequio) *para* el jefe.

destituir *de* un puesto.

desvergonzarse *con* la señora.

desviarse *de* la ruta.

desvivirse *por* alguien.

detenerse *a* beber, *con, en* las dificultades.

determinarse *a* marchar, *en* favor de alguien.

detrás *del* edificio.

deudor *a, de* la hacienda, *en, por* muchos millones.

devoto *de* la virgen.

dichoso *con* su familia, *en* su hogar.

diestro *en* la esgrima, *en* pensar.

diferencia *de* mayor a menor, *entre* lo temporal y lo pasado.

diferenciarse (uno de otro), *en* el carácter.

diferir (algo) *a, para* otro tiempo, *de* mañana a pasado, *en* opiniones, *de* Luis, *entre* sí.

difícil *de* contar.

dilatar (un asunto) *a, para* otra ocasión, *de* •día en día, *hasta* mañana.

dilatarse *en* razones.

diligente *en* su trabajo, *para* cobrar.

dimanante *de* otras causas.

diputado *a, en* Cortes.

diputar *para* un asunto.

dirigir *a, hacia* Barcelona, (a uno) *en* una empresa, *para* un fin, *por* un camino.

discernir (una cosa) *de* otra.

discordar *del* profesor, *en* opiniones, *sobre* literatura.

discrepar (un peso de otro) *en* onzas.

disculpar *al* amigo.

disculparse *con* alguno, *de* una falta.

discurrir *de* un sitio a otro, *en* varias materias, *sobre* ciencias.

disentir *de* los demás, *en* criterios.

disfrazar *con* buenas palabras.

disfrazarse *de* indio, *con, en* traje de señor.

disfrutar *de* buena salud.

disgustarse *con, de* algo, *por* causas frívolas.

disimular *con* uno.

disolver *con* aguarrás, *en* alcohol.

dispensar *de* asistir.

disponer *a* bien morir, *de* su fortuna, *en* filas, *por* secciones.

disponerse *a, para* marchar.

disputar *con* sus amistades, *de, por, sobre* algo.

distar (un sitio) *de* otro.

distinguir (lo bueno) *de* lo malo.

distinguirse *de* sus camaradas, *en* las ciencias, *entre* los demás, *por* único.

distinto *de* los demás.

distraerse *a* otro asunto, *con, por* el ruido, *de, en* la discusión.

distribuir *en* trozos, *entre* los pobres.

disuadir *de* hacer alguna cosa.

diverso *de* los otros, *en* carácter.

divertir (la atención) *de* un objeto.

divertirse *con* alguien, *en* pintar.

dividir *con, entre* algunos, (una cosa) *de* otra, *en* trozos, *por* mitad.

divorciarse *de* su esposa.

doblar *a* bastonazos, *de* un golpe, *por* un muerto.

doble *de* la medida.

dócil *al* mando, *de* carácter, *para* aprender.

docto *en* matemáticas.

doctor *en* filosofía.

dolerse *con* la madre, *de* una desgracia.

dormir *a* pierna suelta, *con* su hijo, *en* los laureles, *sobre* ello.

dotado *de* sabiduría.

dotar *con* bienes raíces, *de* lo mejor, *en* un millón.

ducho *en* negocios.

dudar *de* algo, *en* partir, *entre* el bien y el mal.

dulce *al* paladar, *de, en* el trato, *para* tratado.

durar *en* el mismo estado, *por* poco tiempo.

duro *de* pelar.

E

echar *a, en, por* el suelo, *del* trabajo, *de* sí, *de* menos, *sobre* sí la carga.

echarla *de* chulo.

educar *en* las buenas costumbres.

ejercitarse *en* el trabajo.

elevarse *al, hasta* el cielo, *del* suelo, *en* éxtasis, *por* los aires, *sobre* los demás.

embadurnar *de* cola.

embarazada *de* tres meses.

embarazado *con* las preocupaciones.

embarazarse *con* tanto encargo.

embarcarse *de* grumete, *en* una motora, *para* América, *en* un negocio.

embebecerse *en* mirar algo bonito.

embeberse *del* espíritu de san Francisco, *en* la Biblia.

embelesarse *con* una niña, *en* oír.

embestir *con, contra* la bestia.

embobarse *con, de, en* algo.

emborracharse *con, de* licor.

emboscarse *en* los matorrales.

embozarse *con* la capa, *en* la sábana, *hasta* la nariz.

embravecerse *con, contra* el pequeño.

embriagarse *con* ron, *de* alegría.

embutir *de* lana, *en* cobre.

empacharse *de* comida, *por* nada.

empalmar (una cosa) *con* otra, *en* otra.

empapar *de, en* esencias.

empaparse *en* la doctrina.

emparejar *con* la venta.

emparentar *con* hidalgos.

empedrar *con, de* losas.

empeñarse *con, por* alguien, *en* algo, *en* mil pesetas.

empezar *a* arrojar, *con* mal, *en* términos amistosos, *por* lo sencillo.

emplearse *en* algo.

empotrar *en* el muro.

emprender *con* lo primero

que se encuentra, (algo) *por* su cuenta.

empujar *a, hacia, hasta* un precipicio, *contra* la pared.

emular *con, a* alguien.

émulo *de* Cervantes, *en* inspiración.

enajenarse *de* gozo.

enamorarse *de* alguien.

encajar (la ventana) *con, en* el cerco.

encajarse *en* la juerga.

encallar (la barca) *en* la arena.

encaminarse *a* algún sitio.

encanecer *en* los deberes.

encapricharse *con, en* una flor.

encaramarse *al* árbol, *en* un un palo.

encararse *a, con* alguien.

encargarse *de* una faena.

encarnizarse *con, en* los prisioneros.

encenagarse *en* malas costumbres.

encender *a, en* el fuego.

encenderse *en* cólera.

encogerse *de* hombros.

encomendar (la tarea) *a* los criados.

encomendarse *al* diablo, *en* manos de alguien.

enconarse *con* uno, *en* criticarle.

encontrar *con* un impedimento.

encontrarse *con* un amigo, *en* la misma situación.

encuadernar *a* la rústica, *de* fino, *en* pasta.

encumbrarse *a, hasta* las nubes, *sobre* sus amistades.

encharcarse *en* malos hábitos.

endurecerse *a* las inclemencias, *con, en,* por las fatigas.

enemistar *a* uno con otro.

enfadarse *con, contra* sus familiares, *de* la respuesta, *por* nada.

enfermar *del* corazón.

enfermo *con* calenturas, *del* pie, *de* amor.

enfrascarse *en* la novela.

enfurecerse *con, contra* alguien, *de* ver atrocidades, *por* algo.

engalanarse *con* las mejores prendas.

engañarse *con, por* las apariencias, *en* la cuenta.

engastar *con* perlas, *en* plata.

engolfarse *en* asuntos graves.

engolosinarse *con* algo.

engreírse *con, de* su riqueza.

enjugar (ropa) *a* la lumbre, *al* sol.

enjuto *de* carnes.

enlazar (una cosa) *a, con* otra.

enloquecer *de* rabia.

enmendarse *con, por* los avisos, *de* sus faltas.

enojarse *con, contra* el enemigo, *de* lo que se habla.

enojoso *a* sus profesores, *en* el obrar, *por* lo tozudo.

enredarse (una cosa) *a, con,* *en* otra, *de* hechos, *entre* zarzas.

enriquecer o **enriquecerse** *con* dádivas, *de* dones.

ensangrentarse *con, contra* uno.

ensayarse *a* orar, *en* el hablar, *para* recitar en público.

enseñado *en* buenos modales.

enseñar *a* contar, *por* buen autor.

enseñorearse *de* un condado.

entapizar *con, de* ricas telas.

entender *de* algo, *en* su profesión.

entenderse *con* alguno, *por* signos.

enterarse *de* la carta, *en* el pleito.

entrambos *a* dos.

entrar *a* reinar, *con* buen pie, *en* la casa, *hasta* el coro, *por* poco.

entregar (algo) *a* alguien.

entregarse *al* trabajo, *del* puesto, *en* brazos de la suerte.

entremeterse *en* asuntos ajenos.

entresacar (lo aprovechable) *de* un manuscrito.

entretenerse *con* el trabajo, *en* dibujar.

entristecerse *con, de, por* la noticia.

envanecerse *con, de, en, por* la derrota.

envejecer *con, de, por* las penas, *en* el trabajo.

enviar (a alguien) *a* la tumba, *con* un presente, *de* embajador, *por* agua.

enviciarse *con, en* la bebida.

envolver o **envolverse** *con, en, entre* mantos.

enzarzarse *en* una pelea.

equipar (a uno) *con, de* lo necesario.

equiparar (una cosa) *a, con,* otra.

equivocar (una cosa) *con* otra.

equivocarse *con* otro, *en* algo.

erizado *de* espinos.

erudito *en* ciencias.

escabullirse *entre, de entre, por entre* la muchedumbre.

escapar *a* la calle, *con* vida, *en* un caballo.

escarmentado *de* travesuras.

escarmentar *con* el castigo, *en* cabeza ajena.

escaso *de* recursos, *en* dádivas, *para* lo más necesario.

escoger *del, en* el montón, *entre* varios artículos, *para, por* hombre.

esconderse *a* la justicia, *de* alguien, *en* el tejado, *entre* sacos.

escribir *de, sobre* literatura, *desde* Barcelona, *en* alemán, *por* el correo.

escrupulizar *en* tonterías.

escuchar *con, en* atención.

escudarse *con, de* la ignorancia, *contra* el peligro.

esculpir *a* cincel, *de* relieve, *en* granito.

escurrirse *al* suelo, *de, de entre, entre* las piernas.

esencial *al, en, para* el trabajo.

esforzarse *a, en, por* ganar.

esmaltar *con, de* flores, *en* flores.

esmerarse *en* alguna tarea.

espantarse *al, con* el ruido, *de, por* algo.

especular *con* dinero, *en* tierras.

estampar *a* máquina, *contra* el muro, *en* papel, *sobre* tela.

estar *a, bajo* el mando de otro, *con, en* ganas de trabajar, *de* vuelta, *en* el jardín, *entre* camaradas, *para* marchar, *por* alguien, (algo) *por* acontecer, *sin* sosiego, *sobre* sí.

estéril *de, en* frutos.

estimular *al* trabajo, *con* galardones.

estragarse *con* la prosperidad, *por* los malos amigos.

estrecharse *con* algo, *en* un tranvía.

estrecho *de* conciencia.

estrellarse *con* alguien, *contra, en* algún obstáculo.

estrenarse *con* una obra ejemplar.

estribar *en* el zócalo.

estropeado *de* pies.

estudiar *con* los jesuitas, *en* un buen texto, *para* médico, *por* Nebrija, *sin* profesor.

exacto *en* sus cálculos.

examinar o **examinarse** *de* Literatura.

exceder (una cuenta) *a* otra, *de* lo permitido, *en* miles de pesetas.

excederse *de* sus posibilidades.

exceptuar (a alguien) *de* la regla.

excusarse *con* alguno, *de* realizar un trabajo.

exento *de* culpas.

exhortar *a la* perseverancia.

eximir o **eximirse** *de* un deber.

exonerar *del* deber.

expeler *de* la patria, *por* la nariz.

exponerse *a* un riesgo, *ante* la gente.

extenderse *a, hasta* cien pesetas, *en* digresiones.

extraer *del* pozo.

extrañar *de* la patria.

extrañarse *de* sus amistades.

extraño *al* problema, *de* ver.

extraviarse *a* otra cuestión, *de* la senda, *en* sus criterios.

F

fácil *a* cualquiera, *con, para, para con* los menores, *de* hacer, *en* creer.

faltar *al* juramento, *de* algún sitio, (una peseta) *para* mil, (las orejas) *por* desollar.

falto *de* criterio.

fallar *con, en* tono magistral.

fastidiarse *al* pasear, *con, de* la charla.

fatigarse *de* correr, *en* pretensiones, *por* sobrepasar.

favorable *a, para* alguno.

favorecerse *de* uno.

favorecido *de* la gracia, *por* el presidente.

fecundo *de* lenguaje, *en* recursos.

fértil *de, en* frutos.

fiar (algo) *a, de* alguien, *en* sí mismo.

fiarse *a, de, en* su propia sombra.

fiel *a, con, para, para con* sus familiares, *en* sus opiniones.

fijar *en* el muro.

fijarse *en* una buena idea.

firmar *con* rúbrica, *de* propia mano, *en* un manuscrito, *por* autorización.

firme *de* piernas, *en* su propósito.

flaco *de* pecho, *en* sus soluciones.

flanqueado *de* murallas.

flaquear *en* sus habilidades, *por* los orígenes.

flexible *al* entendimiento, *de* cintura.

flojo *de* brazos, *en, para* los esfuerzos.

florecer *en* sabiduría.

fluctuar *en, entre* dudas.

forastero *en* el extranjero.

forjar (el carácter) *en* la duda.

formar (el corazón) *con* el buen criterio, (quejas) *de* un alumno, *en* fila, *por* pelotones, *de a* cuatro.

forrado *con, de, en* seda.

fortificarse *con* fatigas, *contra* los atacantes, *en* el parapeto.

franco *a, con, para, para con* los demás, *de* espíritu, *en* el hablar.

franquearse *a, con* alguien.

freír *con, en* manteca.

frisar (un diente) *con* otro, *en* la edad de retiro.

fuera *de* la ciudad.

fuerte *con* los infelices, *de* cuerpo, *en* argumentos.

fumar *con* tenacillas, *en* boquilla.

fundarse *en* verdad.

furioso *al* escucharlo, *con* la orden, *contra* Pedro, *de* rabia, *por* una molestia.

G

ganar *al* dominó, *con* los años, *de* concurso, *en* peso, *para* sólo mantenerse, *por* la suerte.

gastar *con* salero, *de* su propiedad, *en* comilonas.

generoso *con, para, para con* los necesitados, *de* modales, *en* procedimientos.

girar *a* cargo de otro, *contra* alguno, *de* un sitio a otro, *en* torno, *hacia* la derecha, *por* un costado, *sobre* Barcelona.

gloriarse *de* algo, *en* Dios.

gordo *de* brazos.

gozar o gozarse *con, en* provecho propio, *de* algo.

gozoso *con* la nueva, *de* la victoria.

grabar *al* soplete, *con* agujas, *en* plata.

graduar *a* claustro pleno, (algo) *de, por* bueno.

graduarse *de* teniente, *en* medicina.

grande *de* estatura, *en, por* sus gestas.

granjear (la voluntad) *a, de* alguno, *para* sí.

grato *a, para* la vista, *de* saber.

gravar *con* retribuciones, *en* poco.

gravoso *a* la gente.

grueso *de* nalgas.

guardar *bajo, con* cerradura, *en* la cabeza, *entre* mantas, *para* abono.

guardarse *de* alguien.

guarecerse *bajo* los arcos, *de* la lluvia, *en* una cueva.

guarnecer (una cosa) *de, con* otra.

guiado *de, por* su instinto.

guiarse *por* la razón.

gustar *de* saltar.

gusto *a* la lectura, *para* pintar, *por* las orquídeas.

gustoso *al* paladar, *en* algo.

H

haber *a* su favor, *de* matar, (a uno) *por* confeso.

habérselas *con* alguien.

hábil *en* transacciones, *para* el trabajo.

habilitar (a alguien) *con* dinero, *de* ropa, *para* un destino.

habitar *bajo* mismo techado, *con* alguien, *en* tal lugar, *entre* bestias.

habituarse *a* la calor.

hablar *con* uno, *de, en, sobre* algo, *entre* dientes, *por* sí, o *por* otro, *sin* ton ni son.

hacer *a* todo, (poco) *con* mucho trabajo, *de* caballero, (algo) *en* regla, *para* otro, *por* alguien.

hacerse *a* la mar, *con, de* buenos archivos, *de* rogar, (algo) *en* debida forma.

hallarse *a* sí mismo, *en* el lío, *con* un tropiezo.

hartar o hartarse *con* nata, *de* aguardar.

helarse *de* frío.

henchir *de* vino.

heredar *de* un pariente, *en* el título, *en, por* línea recta.

herir *de* gravedad, *en* la estimación.

hermanar o hermanarse dos *a* dos, (una cosa) *con* otra, *entre* sí.

herrar *a* fuego, *en* frío.

hervir (un lugar) *de, en* gente.

hincarse *de* rodillas.

hocicar *con, contra, en* algo.

holgarse *con, de* alguien.

hollar (el suelo) *con* las manos.

hombrearse *con* los menores.

honrarse *con* su amistad, *de* satisfacer a uno.

huésped *de* su anfitrión, *en* su mansión.

huir *a* las montañas, *de* la ciudad.

humanarse *a* regalar el abrigo a un pobre, *con* los derrotados.

humano *con* el vencido, *en* su conducta.

humedecer *con, en* agua.

humillarse *a* alguien, *ante* Dios.

hundir o hundirse *en* el fango.

hurtar *de* la tela, *en* el precio.

hurtarse *a* los ojos de otro.

I

idóneo *para* algo.

igual *a, con* otro, *en* astucia.

igualar o igualarse *a, con*

los demás, *en* conocimientos.

imbuir (a alguien) *de, en* criterios equívocos.

impaciente *con, de, por* el retraso.

impedido *de* una pierna, *para* el empleo.

impeler (a uno) *a* algo.

impelido *de* la avaricia, *por* el ejemplo.

impenetrable *a* cualquiera, *en* la mirada.

impetrar (algo) *de* los mayores.

implacable *en* su venganza.

implicarse *con* alguien, *en* un lío.

imponer (castigo) *al* acusado, *en* el banco, *sobre* tasas.

importar (poco) *a* alguien, (lana) *de* Australia, *a, en* Suiza.

importunar *con* ruegos.

imposibilidad *de* ganar.

impotente *contra* la desgracia, *para* el mal.

imprimir *con, de* letra nueva, *en* las ganas, *sobre* la madera.

impropio *a, de, en, para* sus años.

impugnado *de, por* alguno.

inaccesible *a* los extraños.

inapelable *de* su criterio.

incesante *en* su trabajo.

incansable *en* su tarea.

incapaz *de* obrar, *para* el empleo.

incidir *en* culpabilidad.

incierto *del* éxito, *en* sus ideas.

incitar (a alguien) *a* luchar, *contra* otro, *para* pelear.

inclinar (a alguien) *al* pecado.

inclinarse *a* creer, *hasta* el suelo.

incluir *en* el programa, *entre* los malos.

incompatible (una suerte) *con* otra.

incomprensible *a, para* los ignorantes.

inconsecuente *con, para, para con* las amistades, *en* algo.

inconstante *en* el amor.

incorporar (una cosa) *con, a, en* otra.

increíble *a, para* los demás.

inculcar *en* la mente.

incumbir *a* uno hacer un trabajo.

incurrir *en* un error.

indeciso *en, para* solucionar.

indemnizar (a alguien) *de* la equivocación.

independiente *de* los demás, *en* sus diagnósticos.

indignarse *con, contra* alguien, *de, por* una mala obra.

indisponer (a uno) *con, contra* otro.

inducir (a uno) *a* pecar, *en* error.

indulgente *con, para, para con* los amigos, *en* sus opiniones.

indultar (a uno) *de* la condena.

infatigable *en, para* el trabajo.

infatuarse *con* los elogios.

infecto *de* herejía.

inferior *a* otro, *en* sabiduría.

inferir (una cosa) *de, por* otra.

infestar (una comunidad) *con, de* malas doctrinas.

inficionado *de* peste.

infiel *a, con, para, para con* sus amistades, *en* sus promesas.

inflamar o inflamarse *de, en* cólera.

inflexible *a* las súplicas, *en* su sentencia.

influir *con* los superiores, *en* algo, *para* el perdón.

informar (a uno) *de, en, sobre* algo.

infundir (respeto) *a, en, uno.

ingeniarse *a* desenvolverse, *con* poco, *en* algo, *para* ir tirando.

ingerir *a* púa, *de* escudete, (una rama) *en* un frutal.

ingerirse *en* asuntos ajenos.

ingrato *a* sus bienhechores, *con, para, para con* los suyos.

inhábil *en* sus trucos, *para* la tarea.

inhabilitar (a alguien) *de* un empleo, *para* algo.

inherente *al* cargo que ocupa.

inhibirse (el juez) *de, en* el conocimiento de una causa.

iniciar o iniciarse *en* teología.

inmediato *a* su fin.

inocente *del* cargo, *en* su conducta.

inquietarse *con, de, por* las hablillas.

insaciable *de* fortunas, *en* sus deseos.

insensible *a* los ruegos.

inseparable *del* mal.

insertar (una cosa) *en* otra.

insinuarse *con* los magnates, *en* el ánimo del jefe.

insípido *al* paladar, *para* gente aburrida.

insistir *en, sobre* algún tema.

inspirar (confianza) *a, en* uno.

instalar (a alguien) *en* su piso.

instar *para* el logro, *por* una propuesta, *sobre* algo.

instruir (a alguien) *de, en, sobre* algo.

inteligente *en* física.

intentar (un veredicto) *a, contra* alguno.

interceder *con* alguien, *por* otro.

interesarse *con* el jefe, *en* una tarea, *por* todo.

internarse *en* el bosque, *en* algo.

interpolar *entre* dos miembros, (lo uno) *con* lo otro.

interponer (su poder) *con* alguno, *por* otro.

interponerse *entre* los rivales.

interpretar *del* italiano al francés, *en* catalán.

interpuesto *a, entre* dos calificativos.

intervenir *en* el programa, *para* alguien.

intolerante *con, para, para con* sus amistades, *en* punto de honra.

introducir o introducirse *a* concejal, *con* los que ordenan, *en, por* algún sitio, *entre* la tropa.

inundar *de, en* agua el suelo.

inútil *en* cualquier caso, *para* gobernador.

invernar *en* Canarias.

inverso (lo) *de* tal cosa.

invertir (las horas) *en* trabajar.

ir *a, hacia* Barcelona, *bajo* palio, *con* su madre, *contra* Pedro, *de un* sitio *a* otro, *en* coche, *entre* cautivos, *hasta* Barcelona, *para* los cuarenta, *por* tierra, *sobre* Egipto, *tras* un fugitivo, *por* lana.

J

jactarse *de* sabio.

jaspear (una pared) *de* azul.

jubilar *del* cargo.

jugar *a* las cartas, (unos) *con* otros, *de* manos.

juntar (una cosa) *a, con* otra.

jurar *de* realizar un trabajo, *en* vano, *por* Dios, *sobre* la Biblia.

jurárselas *a* uno.

justificarse *con, para con* el superior, *de* alguna culpa.

juzgar *a, por* deshonra, *de* algo, *en* una asignatura, *entre* partes, *según* criterio, *sobre* apariencias.

L

labrar *a* pico, *de* piedra una casa, *en* el espíritu.

ladear (algo) *a, hacia* tal sitio.

ladearse (alguien) *al* partido opuesto, *con* un amigo.

ladrar *a* la luna.

lamentarse *de, por* la mala suerte.

lanzar (flechas) *a, contra* el enemigo, *del* puerto.

lanzarse *al, en* el suelo, *sobre* la presa.

largo *de* brazos, *en* sus dádivas.

lastimarse *con, contra, en* un canto, *de* la novedad.

lavar (la ofensa) *con, en* sangre.

leer *de* oposición, *en* Platón, *sobre* Plutarco.

lejano *de* la costa.

lejos *de* Barcelona.

lento *en* solucionar, *para* moverse.

levantar (los brazos) *en* alto, *del* suelo, *por* los aires, *sobre* los otros.

levantarse *con* lo ajeno,

contra el poder, *de* la mesa, *en* vilo.

liberal *con* los demás, *de* lo ajeno.

libertar o libertarse *de* la acusación.

librar *a* cargo *de, o contra* un banco, (a uno) *de* peligros, (las esperanzas) *en* los amigos, (letras) *sobre* Madrid.

libre *de* culpa, *en* el hablar.

lidiar *con, contra* personas desagradecidas, *por* las creencias.

ligar (una cosa) *a, con,* otra.

ligarse *con, por* su juramento.

ligero *de* lengua, *en* asegurar.

limitado *de* capacidad, *en* física.

limpiar (el suelo) *de* suciedad.

limpiarse *con, en* la toalla, *de* cargos.

limpio *de* pies, *en* su vestido.

lindar (un país) *con* otro.

lisonjearse *con, de* esperanzas.

litigar *con, contra* un conocido, *por* pobre, *sobre* un mayorazgo.

loco *con* sus parientes, *de* placer, *en* sus obras, *por* la música.

lograr (un favor) *del* jefe.

luchar *con, contra* alguien, *por* conseguir algo.

ludir (una cosa) *con* otra.

LL

llamar *a* la puerta, *a* somatén, *con* el codo, *de* usted *a* su abuelo, *por* signos.

llamarse *a* engaño.

llegar *a* sitio, *de* América.

llenar (el foso) *con* piedras, (la bolsa) *de* azúcar.

lleno *de* ilusión.

llevar (un saco) *al* granero, *con* calma, *de* vencida, *en* brazos, *por* tema, *sobre* las espaldas.

llevarse (mal) *con* los amigos, *de* una pasión.

llorar *de* alegría, *en*, *por* la felicidad de los demás.

llover *a* cántaros, (desgracias) *en*, *sobre* una familia, *sobre* mojado.

M

maldecir *a* alguien, *de* todo.

maliciar *de* un camarada, *en* algo.

malo *con*, *para*, *para con* su hijo, *de* origen.

malquistarse *con* alguno.

mamar (un vicio) *con*, *en* la leche.

manar (sangre) *de* una herida, (un bosque) *en* agua.

manco *de* la zurda, (no ser manco) *en*, *para* algún ejercicio.

mancomunarse *con* otros.

manchar (el traje) *con*, *de*, *en* barro.

mandar (un paquete) *a* la familia, *de* embajador, *en* la oficina, *por* tabaco.

manso *de* carácter, *en* su reinado.

mantenedor *de*, *en* una justa.

mantener (trato) *con* alguien, (la jaula) *en* buen estado.

mantenerse *con*, *de* limones, *en* calma.

maquinar *contra* alguien.

maravillarse *con*, *de* una novedad.

marcar *a* fuego, *con* hierro, *por* suyo.

más *de* mil monedas.

matarse *a* estudiar, *con* un estúpido, *por* obtener algo.

matizar *con*, *de* verde y añil.

mayor *de* edad, *en* altura.

mediano *de* figura, *en* inteligencia.

mediar *con* alguien, *en* una discusión, *entre* los contendientes, *por* una amistad.

medir *a* pulgadas, (una cosa) *con* otra, *por* codos, (todo) *con*, *por* un rasero.

medirse *con* su capacidad, *en* las palabras.

meditar *en*, *sobre* una incógnita, *entre* sí.

medrar *en* política.

mejorar *de* condición, (al hijo) *en* un tercio.

menor *de* edad, *en* categoría.

menos *de* cincuenta bultos.

merecer *con*, *de*, *para*, *con* alguien, *para* conseguir.

mesurarse *en* las palabras.

meter *a* caro, (galletas) *en* la caja, *en* cintura, (una cosa) *entre* otras, *por* buen camino.

meterse *a* mandar, *con* los que ordenan, *de* cabeza en el lío, *entre* mala gente, *por* medio.

mezclar (una cosa) *con* otra.

mezclarse *con* gente de mala catadura, *en* varios asuntos.

mirar (la torre) *al* mar, *con* malos ojos, *de* soslayo, *por* alguien, *sobre* el hombro.

mirarse *al* espejo, *en* el agua.

misericordioso *con*, *para*, *para con* los pobres.

moderarse *en* las acciones.

mofarse *de* un jorobado.

mojar *en* un negocio.

moler *a* golpes, *con* insultos.

molerse *a* estudiar.

molestar (a alguien) *con* cartas.

molestar *a* los demás, *en* la conversación.

molido *a* garrotazos, *de* caminar.

montar *a* mujeriegas, *en* burro.

morar *en* despoblado, *entre* civilizados.

moreno *de* cutis.

morir *a* manos de un asesino, *de* mano airada, *de* mucha edad, *del* cólera, *en* pecado, *entre* enemigos, *para* el mundo, *por* alguien.

morirse *de* calor, *por* conseguir algo.

mortificarse *con* ayunos, *en* algo.

motejar (a alguien) *de* iluso.

motivar (el edicto) *con*, *en* buenos argumentos.

mover o **moverse** *a* compás, *con* lo que se oye, *de* un sitio a otro.

muchos *de* los ausentes.

mudar (un objeto) *a* otro sitio, *de* manera (de obrar), *en* otra.

mudarse *de* domicilio, (el favor) *en* desvío.

murmurar *de* los amigos.

N

nacer *con* suerte, (eso) *de* lo otro, *en* Barcelona, *para* poeta.

nadar *de* cara, *en* dinero, *entre* deleites.

natural *de* Cataluña.

navegar *a, para* Baleares, *con* brisa, *de* bolina, *contra* la corriente, *en* un velero, *entre* dos aguas, *hacia* el trópico.

necesario *a, para* la vida.

necesitar *de* dinero, *para* ir tirando.

negado *de* inteligencia, *para* algo.

negarse *a* obedecer.

negligente *en, para* sus transacciones.

negociante *en* tejidos, *al por* mayor.

negociar *con* moneda, *en* legumbres.

nimio *en* sus escrúpulos.

ninguno *de* los ausentes, *entre* tantos.

nivelarse *a* lo estricto, *con* los débiles.

noble *de* familia, *en* sus hechos, *por* su origen.

nombrar (a alguien) *para* una empresa.

notar *con* cuidado, (a alguien) *de* envidioso, (errores) *en* escritos ajenos.

novicio *en* el seminario.

nutrirse *con* buenos alimentos, *de, en* conocimientos.

O

obedecer *a* los jefes.

obligar (al ladrón) *a* restituir, *con* obsequios.

obrar *a* conciencia, *con* perversidad, *en* conciencia.

obsequioso *con, para, para con* sus invitados.

obstar (una cosa) *a, para* otra.

obstinarse *contra* alguien.

obtener (algo) *de* alguien.

ocultar (alguna cosa) *a, de* otro.

ocuparse *con* un problema, *en* estudiar, *de* un asunto.

ocurrir *a* las necesidades.

odioso *a* las amistades.

ofenderse *con, de* las burlas, *por* algo.

ofrecerse *a* los riesgos, *de* cicerone, *en* sacrificio, *por* criado.

oír *bajo* secreto, *con, por* sus propios oídos, *de* buena fuente, *en* concesión.

oler *a* lavanda.

olvidarse *de* lo sucedido.

oneroso *a* las amistades, *para* el solicitante.

opinar (mal) *de* un tipo, *en, sobre* un tema.

oponerse *a* la boda.

oportuno *a, para* la situación, *en* la respuesta.

oprimir *bajo* el peso, *con* el poder.

optar *a, por* una colocación, *entre* varias posibilidades.

orar *en* bien de, *por* los muertos.

ordenado *a, para* tal misión, *en* columnas, *de* misa.

ordenar u ordenarse *de* caballero, *en* grupos, *por* letras.

orgulloso *con, para con* los demás, *de, por* su riqueza, *en* su clase.

P

pactar (un acuerdo) *con* alguien, *entre* sí.

padecer *con* los descaros de otro, *del* corazón, *en* la honra, *por* Dios.

pagar *a, en* dinero, *con* cheques. *de* su cuenta bancaria, *por* autorización.

pagarse *con, de* buenos argumentos.

paliar (una cosa) *con* otra.

pálido *de* rostro, *del, por* el susto.

palpar *con, por* sus dedos.

parar *a* la entrada, *en* la esquina.

pararse *a* recobrar el aliento, *ante* un obstáculo, *con* alguien, *en* la acera.

parco *en* la bebida.

parecer *ante* la autoridad, *en* algún sitio.

parecerse *a* uno, *de* tipo, *en* el empuje.

participar *de* la lotería, *en* el éxito.

particularizarse *con* un amigo, *en* algo.

partir *a, para* la China, (algo) *con* otro, *de* Barcelona, *en* trozos, *entre* varios, *por* tres partes.

pasado *en* cuenta, *por* cedazo.

pasante *de* griego, *en* medicina.

pasar *de* Barcelona a Lérida, *de* cien pesetas la compra, *en* silencio, *entre* casas, *por* valiente, *por entre* matorrales.

pasarse *al* otro bando, *con* nada, (un asunto) *de* la memoria, (la manzana) *de* madura, *en* claro, (uno) *sin* lo que necesita.

pasear (la calle) *a* su novia.

pasearse *con* alguien, *en, por* el jardín.

pasmarse *con* el susto, *de* asombro.

pecar *con* la mirada, *contra* las reglas, *de* bueno, *en* algo, *por* carta de menos.

pedir *contra* alguien, *de* derecho, *en* verdad, *para* alguien, *por* los santos, *por* alguien.

pegar (un papel) *a, con* otro, *con* algo, *contra, en*

el muro, (bastonazos) *sobre* la espalda.

pelear *en* defensa de la verdad, *por* la libertad.

pelearse *con* otro, *por* algo.

peligrar *en* la batalla.

penar *de* dolor, *en* esta vida, *por* alguien o algo.

pender *ante* la justicia, *de* un pelo, *en* la horca.

penetrado *de* pasión.

penetrar *en* la gruta, *entre, por entre* la formación, *hasta* el alma, *por* lo más oscuro.

penetrarse *de* cuanto había dicho.

pensar *en, sobre* un recuerdo, *entre* todos, *para* sí.

perder *a, en* la ruleta, (el mundo) *de* vista.

perderse (alguien) *de* vista, *en* la senda, *por* osado.

perecer *de* dolor.

perecerse *de* risa, *por* algo.

peregrinar *a* otra parte, *por* el país.

peregrino *de* Santiago, *en* Fátima.

perfecto *ante* Dios, *en* su género.

perfumar *con* tomillo.

perjudicial *a, para* la salud.

permanecer *en* un sitio.

permutar (un objeto) *con, por* otro.

pernicioso *a* los hábitos, *en* la conversación, *para* los pequeños.

perpetuar (su obra) *en* la posteridad.

perseguido *de* maleantes, *por* evadido.

perseverar *en* el empeño.

persistir *en* un proyecto.

persuadido *de* ser razonable.

persuadir o **persuadirse** *a* realizar algo, *con, por* un motivo.

pertenecer *a* la buena sociedad.

pertinaz *de* manera de ser, *en* su propósito.

pertrecharse *con, de* lo estrictamente necesario.

pesado *de* cuerpo, *en* el trato.

pesarle *al* maleante, *de* sus pecados.

piar *por* algo.

picar *de, en* todo.

picarse *con* alguien, *de* puntual, *en* el juego, *por* una broma.

pintar *al* óleo, *de* amarillo.

pintiparado *a* alguien, *para* el asunto.

plagarse *de* pulgas.

plantar (a alguien) o **plantarse** *en* Barcelona.

pleitear *con, contra* alguien, *por* pobre.

poblar *de* pinos, *en* buen lugar.

poblarse *de* emigrantes.

pobre *de* espíritu, *en* cualidades.

poder *con* el peso, *con, para* con alguien.

poderoso *a, para* ganar, *en* riquezas.

ponderar (una cosa) *de* delicada.

poner (a alguien) *a* modisto, *bajo* custodia, (bien o mal) *con* otro, *de* vigilante, *de, por* empeño, (una cosa) *en* tal o cual sitio.

ponerse *a* discutir, (mal) *con* el jefe, (dos) *de* vuelta y media, *en* defensa, *por* fuera.

porfiar *con, contra* alguien, *en* un proyecto, *hasta* la muerte, *sobre* el mismo asunto.

portarse *con* valentía.

posar o **posarse** *en, sobre* una mesa.

poseído *del* demonio.

posponer (la venganza) *a* la justicia.

posterior *a* otro.

postrado *de* rodillas, *con, de* la enfermedad, *por* las tareas.

postrarse *a* los pies de, *de* dolor, *en* cama, *por* el suelo.

práctico *en* la esgrima.

precaverse *contra* la tormenta, *del* frío.

preceder (a alguien) *en* rango.

preciarse *de* inteligente.

precipitarse *al, en* el agujero, *de, desde, por* el torreón.

precisar (al acusado) *a* confesar las faltas.

preeminencia *en* categoría, (de alguien) *sobre* otro.

preferido *de* sus padres, *entre* los demás.

preferir (a alguien) *para* un trabajo.

preguntar (algo) *a* alguien.

prendarse *del* salero.

prender (el fuego) *a* las ramas.

prender o **prenderse** *con* agujas, *de* treinta agujas, *en* un garfio.

preocuparse *con* algo.

prepararse *a, para* el ataque, *con* armas arrojadizas, *contra* algún mal.

preponderar (una cosa) *sobre* otra.

prescindir *de* las murmuraciones.

presentar (a alguien) *para* candidato.

presentarse *al* superior, *bajo* buen aspecto, *de, por* alcalde, *en* palacio, *por* el lado malo.

preservar o **preservarse** *del* frío.

presidido *del, por* el gobernador.

presidir *en* una ceremonia, *por* rango.

prestar (dinero) *a* alguien, (la fórmula) *para* su producción, *sobre* prenda.

presto *a, para* partir, *en* reaccionar.

presumir *de* valiente.

prevalecer *entre* todos, (la razón) *a* la fuerza.

prevenirse *al, contra* el ataque, *de, con* lo necesario, *en* la ocasión, *para* una misión.

primero *de, entre* los participantes.

principal *de, entre* ellos.

príncipe *de, entre* los sabios.

principiar *con, en, por* tales frases.

pringarse *con, de* aceite, *en* una miseria.

privar *con* el rey, (a alguien) *de* lo que le corresponde.

probar *a* correr, *de* hacer algo.

proceder *a* la votación, *con, sin* pacto, *contra* los delincuentes, (una cosa) *de* otra, *de* origen, *en* infinito.

procesar (al acusado) *por* un crimen.

procurar *para* los demás, *por* alguien.

pródigo *de, en* palabras.

producir *ante* los tribunales, *en* juicio.

profesar *en* una orden religiosa.

prometer *en* casamiento, *por* esposa.

prometerse (el éxito) *de* una operación.

promover (a alguien) *a* mayor graduación.

pronto *a* disgustarse, *de* carácter, *en* las contestaciones, *para* obrar.

propagar *en, por* la provincia, *entre* sus familiares.

propalar *por, entre* el pueblo.

propasarse *a, en* algo.

propender *al* perdón.

propicio *a* la circunstancia.

propio *al, del, para* el caso, *de* Juan.

proponer (la tregua) *al* enemigo, (a alguien) *en* segundo lugar, *para* un cargo, (a uno) *por* testigo.

proporcionar o **proporcionarse** *a* las fuerzas, *con, para* algo.

prorrumpir *en* sollozos.

proseguir *con, en* el trabajo.

prosternarse *a, para* mendigar, *ante* Dios, *en* el suelo.

prostituir (la inteligencia) *al* oro.

proteger (a alguien) *en* sus designios.

protestar *contra* la ofensa, *de* su culpabilidad.

provechoso *a, para* la comunidad.

proveer *a* la gente, (el mercado) *con, de* vituallas, *en* justicia, (el empleo) *en* el más digno, *entre* trozos.

provenir *de* su mala educación.

provocar *a* cólera, (a alguien) *con* ofensas.

próximo *a* su muerte, *en* grado.

pudrirse *de, por* algo.

pugnar *con, contra* alguien, *en* defensa de otro, *para, por* huir.

pujante *en* la pelea.

pujar *con, contra* las contrariedades, *en, sobre* el costo, *por* algo.

purgarse *con* hierbas, *de* la culpa.

purificarse *de* pecado.

Q

quebrado *de* color, *de* cuello.

quebrantarse *con, por* el trabajo, *de* dolor.

quebrar (la pierna) *a* alguien, *con* un compañero, *en* cien mil pesetas, *por* lo más flojo.

quebrarse (el ánimo) *con, por* los infortunios.

quedar *a* deber, *con* otro en un acuerdo, *de* apoyo, *de* pies, *sin* dinero, *en* la plaza, *para* explicarlo, *por* miedoso.

quedarse *a* verlo, *con* lo de los otros, *de* mano en el juego, *en* casa, *para* vestir santos, *por* dueño absoluto, *sin* dinero.

quejarse *a* uno de otro.

quemarse *con, de, por* alguna ofensa.

querellarse *al* cacique, *ante* el juez, *contra, de* su amigo.

quien *de* todos, *entre* los presentes.

quitar (algo) *a* lo escrito, *de* la lista.

quitarse *de* líos.

R

rabiar *contra* alguien, *de* sed, *por* lucirse.

radicar *en* tal sitio.

raer *del* casco.

rayar *con* los últimos, *en* lo espléndido.

razonar *con* alguien, *sobre* un tema.

rebajar (diez pesetas) *de* una factura.

rebasar *de* los bordes.

rebatir (un argumento) *con* otro, (una cantidad) *de* otra.

rebosar *de* agua, *en* llanto.

recabar *con, de* alguien.

recaer *en* el error, (la elección) *en* el más digno.

recatarse *de* las personas.

recelar o **recelarse** *de* la suerte.

recetar *con* acierto, *contra* alguien, *sobre* la bolsa ajena.

recibir *a* cuenta, (un regalo) *de* alguien, (a uno) *de* ayudante, *en* cuenta, *por* correo.

recibirse *de* doctor.

recio *de* espaldas.

reclamar (algo) *a, de* alguien, *ante* la justicia, *contra* un familiar, *en* juicio, *para* sí, *por* bien.

reclinarse *en, sobre* la almohada.

recobrarse *del* susto.

recoger *a* espuerta.

recogerse *a* casa, *en* sí mismo.

recompensar (un favor) *con* otro.

reconcentrarse (la rabia) *en* el alma.

reconciliar o **reconciliarse** *con* alguien.

reconocer (a alguien) *por* camarada, (personalidad) *en* una escultura.

reconvenir (a alguien) *con, de, por, sobre* algo.

recostarse *en, sobre* el diván.

recrearse *con* la pintura, *en* escribir.

reducir (algo) *a* la mitad, *en* dos tercios.

reducirse *a* lo estricto, *en* las compras.

redundar *en* provecho (de alguien).

reemplazar (a alguien) *con* otro, *en* la guardia.

referirse *a* un asunto.

reflejar *en, sobre* la mesa.

reflexionar *en, sobre* tal materia.

reformarse *en* el obrar.

refugiarse *a, bajo, en* sagrado.

regalarse *con* buenas comidas, *en* dulces recuerdos.

regar *con, de* llanto.

regir *de* vientre.

reglarse *a* lo estricto, *por* lo que se ve de otro.

regodearse *con, en* algo.

reinar *en* Francia, (el miedo) *entre* el pueblo, *sobre* los hombres.

reincidir *en* la falta.

reintegrar (a un empleado) *en* su puesto.

reintegrarse *de* lo suyo.

reírse *de* Antonio, *con* Luis.

relajar *al* brazo seglar.

relajarse *del* lado derecho, *en* el obrar.

rematar *a* la fiera, *con* un estribillo, *en* la horca.

remirado *en* su modo de proceder.

remitirse *al* original.

remontarse *a, hasta* las nubes, *en* alas de la poesía, *por* los aires, *sobre* los demás.

remover *de* su sitio.

renacer *a* la vida, *con, por* la gracia, *en* Cristo.

rendirse *a* la evidencia, *con* el peso, *de* calor.

renegar *de* su raza.

renunciar *a* una idea, (algo) *en* otro.

reo *contra* la gente, *de* muerte.

reparar (daños) *con* favores, *en* pequeñeces.

repararse *del* perjuicio.

repartir (algo) *a, entre* cuatro, *en* partes iguales.

representar *al* gobierno, *sobre* un asunto.

representarse (algo) *a, en* la imaginación.

reputar (a alguien) *por* mal pagador.

requerir *de* amores.

requerirse (algo) *en, para* una operación.

resbalar *con, en, sobre* el piso.

resbalarse *de, de entre, entre* los dedos, *por* la cuesta.

resentirse *con, contra* alguien, *de, por* algún motivo, *de, en* el hombro.

resfriarse *con* alguien, *en* el trato.

resguardarse *con* la pared, *de* los disparos.

residir *en* el hotel, *entre* gente cultivada.

resignarse *a* la tarea, *con* su suerte, *en* los infortunios.

resolverse *a* pasear, (lo líquido) *en* gaseoso, *por* un bando.

resonar (el pueblo) *en* cánticos de alabanza.

respaldarse *con, contra* el muro, *en* el sillón.

resplandecer *en* sabiduría.

responder *a* la cuestión, *con* su honor, *de* la entrega, *por* alguien.

restar (una cantidad) *de* otra.

restituido *en* sus estados, *por* completo.

restituirse *a* su domicilio.

resuelto *en, para* reaccionar.

resultar (una cosa) *de* otra.

retar *a* desafío, *de* vil.

retirarse *a* la meditación, *de* la vida pública.

retractarse *de* una opinión.

retraerse *a* algún sitio, *de* algo.

retroceder *a, hacia* algún sitio, *de* una parte a otra.

reventar *de* rabia, *por* decirlo.

revestir o **revestirse** *con, de* poderes.

revolcarse *en* el barro, *por* el suelo.

revolver (algo) *en* la cabeza, *entre* sí.

revolverse *al, contra, sobre* el invasor.

rezar *a* los Santos, *por* los muertos.

rico *con, por* su legítima, *de* dones, *en* tierras.

ridículo *en* su porte, *por* su traza.

rígido *con, para, para con* sus amigos, *de* genio, *en* sus opiniones.

rodar *de* cabeza, *por* el suelo.

rodear (un terreno) *con, de* vallas.

rogar *por* sus difuntos.

romper *con* alguien, *en* sollozos, *por* medio.

rozarse (una cosa) *con* otra, *en* los hechos.

S

saber *a* ron, *de* memoria, *para* sí.

sabio *en* su profesión.

saborearse *con* el caramelo.

sacar (una cosa) *a* plaza, *a* la plaza, *a* hombros, *con* mal, *de* algún sitio, *de entre* renegados, *en* limpio, *por* moraleja.

saciar *de* vituallas.

saciarse *con* bastante, *de* dulces.

sacrificarse *por* alguien.

sacudir (algo) *de* sí.

sacudirse *de* un pelmazo.

salir *a, en* el rostro, *con* bien, *contra* alguno, *de* la oficina, *de* apuros, *por* tutor.

salirse *con* la suya, *de* tono.

salpicar *con, de* grasa.

saltar (algo) *a* los ojos, *con* una simpleza, *de* alegría, *en* tierra, *por* la valla.

salvar *de* una muerte segura.

salvarse *a* nado, *en* la lancha, *por* piernas.

sanar *de* la herida, *por* milagro.

sano *de* pulmones.

satisfacer *con* las setenas, *por* los pecados.

satisfacer o **satisfacerse** *de* la duda.

satisfecho *del* resultado.

secar *al* aire, *con* un trapo.

secarse *de* calor.

seco *de* espíritu.

sediento *de* diversiones.

segregar (una cosa) *de* otra.

seguir *con* su narración, *de* cerca, *en* el empeño, *para* Barcelona.

seguirse (una cosa) *a, de* otra.

seguro *de* sí mismo, *en* su carácter.

sembrar (el camino) *con, de* flores, *en* la tierra, *entre* guijarros.

semejante *a* su madre, *en* la totalidad.

semejar o **semejarse** (una cosa) *a* otra en algo.

sensible *al* dolor.

sentarse *a* la mesa, *de* cabecera de mesa, *en* el sillón, *sobre* un baúl.

sentenciar *a* destierro, *en* un juicio, *por* hurto, *según* ley.

sentir *con* otro, *de* muerte.

sentirse *de* las heridas.

señalado *con* un cuchillo, *de* la mano de Dios.

señalar *con* la mano.

señalarse *en* la lucha, *por* valiente.

separar (una cosa) *de* otra.

ser (algo) *a* gusto de todos, *de* dictamen, *de* alguien, *para* ti, *con* alguno, *en* batalla.

servir *con* armas, *de* criado, *en* la mansión, *para* el caso, *por* la comida, *sin* paga.

servirse *de* alguien, *en, para* un trabajo, *por* la escalera falsa.

severo *con, para, para con* los alumnos, *de* rostro, *en* sus dictámenes.

sincerarse *ante* el confesor, *con* un amigo, *de* la falta.

sin embargo *de* eso.

singularizarse *con* alguien, *en* algo, *entre* las amistades, *por* su vestido.

sisar *de* la tela, *en* el pedido.

sitiado *de* los atacantes.

sitiar *por* hambre (a uno).

sito *en* Barcelona.

situado *a, hacia* la montaña, *sobre* el cerro.

situarse *en* la Meseta, *entre* dos fuegos.

soberbio *con, para, para con* sus discípulos, *de* carácter, *en* expresión.

sobrepujar (a uno) *en* estudios.

sobresalir *en* valentía, *entre* los demás, *por* su talento.

sobresaltarse *con, de, por* la novedad.

sobreseer *en* el proceso.

sobrio *de* hechos, *en* beber.

socorrer *con* dinero, *de* vituallas.

sojuzgado *de* los gobernantes, *por* el pueblo.

solazarse *con* fiestas, *en* banquetes, *entre* camaradas.

solicitar *con* el gobernador, *del* monarca, *para, por* otros.

solícito *con* alguien, *en, para* pretender.

soltar *a* correr.

someterse *a* alguien.

sonar (algo) *a* hueco, *en, hacia* tal sitio.

soñar *con* demonios, *en* un viaje.

sordo *a* los gritos, *de* los oídos.

sorprender *con* un regalo, *en* el lecho.

sorprendido *con, de* la bulla.

sospechar (engaño) *de* un amigo, *en* alguien.

sospechoso *a* alguien, *de* asesinato, *en* sus creencias, *por* su conducta.

sostener *con* promesas (algo) *en* el Concilio.

subdividir *en* secciones.

subir *a, en* algún sitio, *del* sótano, *sobre* los hombros.

subordinado *al* superior.

subrogar (una cosa) *con, por* otra, *en* el puesto de otra.

subsistir *con, del* seguro.

suceder *a* Juan, *con* Antonio lo que con Isidro, (a uno) *en* el cargo.

suelto *de* lengua, *en* el hablar.

sufrido *en* las contrariedades.

sufrir *de* uno lo que no se sufre *a, de* otro, *con* resignación, *por* amor de Dios.

sujetar *con* fuerza, *por* las manos.

sujetarse *a* alguien, o *a* algo.

sumirse *en* un lodazal.

sumiso *al* fallo del tribunal.

supeditado *de, por* los enemigos.

superior *al* mejor, *en* fuerzas, *por* su talento.

suplicar *al* juez, *de* la sentencia, *en* revista, *para*, *ante* el Supremo, *por* alguien.

suplir *en* tareas, *por* alguien.

surgir (el fantasma) *en* el castillo.

surtir *de* vituallas.

suspender *de* una horca, *de* empleo y sueldo, *en* el techo, *por* los pelos.

suspirar *de* amor, *por* el ascenso.

sustentarse *con* frutas, *de* ilusiones.

sustituir *a, por* alguien, (una cosa) *con* otra, (el mando) *en* alguno.

sustraerse *a, de* la disciplina.

T

tachar (a alguien) *de* liviano, *por* sus malas obras.

tachonar *de, con* diamantes.

tardar *en* llegar.

tardo *a* oír, *de* reflejos, *en* coger el significado.

tejer *con, de* lino.

temblar *con* la idea, *de* miedo, *por* su suerte.

temer *de* alguien, *por* sus soldados.

temeroso *de* hablarse.

temible *a* los enemigos, *por* su ímpetu.

temido *de, entre* todos.

temor *al* combate, *de* Dios.

templarse *en* la conversación.

tener *a* menos o *en* menos, *a* mano, *con, en* cuidado, *de, por* siervo, (algo) *en, entre* manos, *para* sí, (a alguien) *sin* sosiego, *sobre* sí.

tenerse *de, en* pie, *por* valiente.

teñir *con, de, en* azul.

terciar *en* una lucha, *entre* los contendientes.

terminar *en* junta.

tierno *de* carácter.

tirar *a, hacia* por tal sitio, *de* la chaqueta.

tiritar *de* miedo.

titubear *en* una idea.

tocado *al* imán, *de* celos.

tocar (la lotería) *a* alguien, *a* rebato, *en* una orquesta.

tomar *a* mala parte, *bajo* su custodia, *con, en, entre* los brazos, *de* un autor, (algo) *de* una manera o de otra, *en* mal sitio, *hacia* la izquierda, *para* sí, *por* broma, *sobre* sí.

tomarse *con, por* la humedad, *de* rojo.

topar *con, contra, en* un muro.

torcido *con* otro, *de* cuerpo, *en* sus decisiones, *por* el centro.

tornar *a* las fechorías, *de* Mallorca, *por* donde se ha venido.

trabajar *a* destajo, *de* administrador, *en* tal oficio, *para* sustentarse, *por* placer.

trabar (una cuerda) *con, en* otra.

trabarse *de* la lengua.

trabucarse *en* la discusión.

traducir *al, en* catalán, *del* italiano.

traer (un objeto) *a* un sitio, *ante* el rey, *de* Alemania, *en, entre* manos, *hacia* aquí, *por* divisa, *sobre* sí, *consigo*.

traficar *con* tejidos, *en* joyería.

transferir (un documento) *a, en* otra persona, *de* un banco a otro.

transfigurarse *en* otra cosa.

transformar o transformarse (un objeto) *en* otro.

transitar *por* algún sitio.

transpirar *por* las axilas.

transportar (algo) *a* hombros, *de* un lugar a otro, *en* brazos.

transportarse *de* contento.

trasbordar *de* un barco a otro.

trasladar (un mueble) *a* alguien, *al*, *en* catalán, *de* Barcelona *a* Gerona, *del* latín.

traspasado *de* angustia.

traspasar (un libro) *a*, *en* alguien.

trasplantar *de* un lugar *a*, *en* otro.

tratar *a* la baqueta, *con* un diplomático, *de* vil, *de*, *sobre* un asunto, *en* embutidos.

travesear *con* alguien, *por* el desván.

triste *de* cara, *de*, *con*, *por* la noticia.

triunfar *de* los invasores, *de* bastos (en los juegos) *en* la contienda.

trocar (una cosa) *con*, *en*, *por* otra, *de* papeles.

tropezar *con*, *contra*, *en* una piedra.

tuerto *del* ojo (derecho o izquierdo).

turbar *en* el desempeño.

U

ufanarse *con*, *de* sus proezas.

último *de*, *entre* los presentes, *en* el curso.

ultrajar *con* insultos, *de* palabra, *en* la dignidad.

uncir (el caballo) *al* arado, macho *con* mula.

ungir *con* óleos, *por* sacerdote.

único *en* su género, *entre* todos, *para* la tarea.

uniformar (una cosa) *a*, *con* otra.

unir (un madero) *a*, *con* otro.

unirse *a*, *con* los amigos, *en* grupo, *entre* sí.

uno a uno *con* otro, *de* tantos, *entre* muchos, *para* cada posición, *por* otro, *sobre* los otros, *tras* otro.

untar *con*, *de* grasa.

usar *de* mañas.

útil *a* la comunidad, *para* tal empleo.

utilizarse *con*, *de*, *en* algo.

V

vacar *al* trabajo.

vaciar *en* arcilla.

vaciarse *de* agua, *por* el desagüe.

vacilar *en* la elección, *entre* la vagancia y el deber.

vacío *de* sentimientos.

vagar *por* la casa.

valerse *de* alguien, *de* algo.

vanagloriarse *de*, *por* su linaje.

varar *en* la orilla.

variar *de* rumbo, *en* el diagnóstico.

vecino *a*, *de* la Catedral.

velar *a* los enfermos, *en* defensa, *por* el bien público, *sobre* algo.

velloso o velludo *de* pecho, *en* las piernas.

vencer *a*, *con*, *por* estrategia, *en* el combate.

vencerse *a* colaborar, *de* súplicas.

vencido (el aparejo) *a*, *ha-*

cia la izquierda, *de*, *por* los atacantes.

vender *a*, *en* tal cantidad, (gato) *por* liebre.

venderse *a* alguien, *en* tal cantidad, *por* amigo.

vengarse *de* una burla, *en* el burlador.

venir *al* hotel, *a* tierra, *con* un mayordomo, *de* Barcelona, *en* ello, *hacia* acá, *por* mal camino, *sobre* alguien mil maldiciones.

venirse *a* razones, *con* bromas.

ver *de* realizar un trabajo, *con* sus propios ojos, *por* el agujero.

versado *en* la historia universal.

verse *con* un amigo, *en* un lío.

verter *a* tierra, *al*, *en* catalán, *de* la botella, *en* el cubo.

vestir *a* la moda, *de* paño.

vestirse *con* lo ajeno, *de* frac.

viciarse *con*, *del* trato.

vigilar *en* defensa propia, *por* el bien común, *sobre* sus esclavos.

vincular (la gloria) *en* la virtud, *a* una plantación.

vindicar o vindicarse *de* la ofensa.

violentarse *a*, *en* algo.

virar *a*, *hacia* la derecha, *en* círculo.

visible *a*, *entre*, *para* algunos.

vivir *a* placer, *con* su familia, *de* favor, *en* paz, *para* trabajar, *por* obra de magia, *sobre* la tierra.

volar *al* cielo, *de* rama en rama, *por* muy bajo.

volver *a* su país, *del* pueblo, *en* sí, *hacia* tal sitio, *por* tal carretera, *por* la verdad, *sobre* sí.

votar (una novena) *a* san Francisco de Asís, *con* la minoría, *en* las elecciones, *por* alguien.

voto *a* tal.

Z

zafarse *de* alguien, *de* la responsabilidad.

zamparse *en* la sala.

zambullir o zambullirse *en* el agua.

zampuzar o zampuzarse *en* el agua.

zozobrar *en* la tormenta.